DUMONT

England im Jahr 1520: Das Königreich ist nur einen Pulsschlag von der Katastrophe entfernt. Sollte der König ohne männlichen Erben sterben, würde das Land durch einen Bürgerkrieg verwüstet. Henry VIII. möchte seine Ehe annullieren lassen und Anne Boleyn heiraten. Der Papst und ganz Europa sind dagegen.
Die Scheidungsabsichten des Königs schaffen ein Machtvakuum, in das Thomas Cromwell tritt: Die Werkzeuge dieses politischen Genies sind Bestechung, Einschüchterung und Charme. Aus der Asche persönlichen Unglücks steigt er auf und bahnt sich seinen Weg durch die Fallstricke des Hofes, an dem »der Mensch des Menschen Wolf« ist.
Hilary Mantel hat mit ›Wölfe‹ etwas sehr Rares geschaffen: einen wahrhaft großen Roman, der seinem historischen Gewand zum Trotz höchst zeitgemäß ist. Auf einzigartige Weise erforscht er die Choreografie der Macht.

Hilary Mantel wurde 1952 in Glossop, England, geboren. Nach dem Jura-Studium in London war sie als Sozialarbeiterin tätig. Sie lebte fünf Jahre lang in Botswana und vier Jahre in Saudi-Arabien. Für den Roman ›Wölfe‹ wurde sie 2009 mit dem Booker-Preis, dem wichtigsten britischen Literaturpreis, ausgezeichnet. Mit ›Falken‹, dem zweiten Band der Tudor-Trilogie, gewann Hilary Mantel 2012 den Booker bereits zum zweiten Mal. Die deutsche Übersetzung erscheint im Frühjahr 2013 im DuMont Buchverlag, wo auch ihr Roman ›Brüder‹ (2012) erschien.

Hilary Mantel

Wölfe

Roman

Aus dem Englischen
von Christiane Trabant

DUMONT

Von Hilary Mantel sind im DuMont Buchverlag außerdem erschienen:
Brüder
Falken

Achte Auflage 2013
DuMont Buchverlag, Köln

Die englische Originalausgabe erschien 2009 unter dem Titel
›Wolf Hall‹ bei Fourth Estate, London

Umschlag: Zero, München
Umschlagabbildung: FinePic®, München
Satz: Angelika Kudella, Köln
Gesetzt aus der Adobe Garamond und der Poetica Chancery
Druck und Verarbeitung: CPI – Clausen & Bosse, Leck
Gedruckt auf säurefreiem und chlorfrei gebleichtem Papier
Printed in Germany
ISBN 978-3-8321-6193-4

www.dumont-buchverlag.de

Meiner unvergleichlichen Freundin
Mary Robertson sei dies zugeeignet

Inhalt

TEIL SECHS

»Es gibt drei Arten von Schauplätzen: den ersten nennt man den tragischen, den zweiten den komischen, den dritten den satirischen. Ihre Ausschmückung ist jeweils unterschiedlich und anders in der Zusammenstellung. Tragische Schauplätze werden mit Säulen, Giebeln, Statuen und sonstigen königlichen Gegenständen versehen; der komische Schauplatz zeigt Privathäuser mit Balkonen und Fensterfronten, die gewöhnlichen Häusern nachgebildet sind. Der satirische Schauplatz wird nach Art eines gemalten Landschaftsbildes mit Bäumen, Grotten, Bergen und anderen rustikalen Gegenständen ausgestattet.«

Vitruvius, *De Architectura*, über das Theater,
ca. 27 vor Christi

Das seien die Namen der Spieler:

Glückseligkeit
Freiheit
Maß
Herrschergröße
Tollheit
Falsches Antlitz
Verschlagenheit

Heimliches Zusammenspiel
Höfische Falschheit
Torheit
Missgeschick
Armut
Verzweiflung
Unheil

Hoffnung
Wiedergutmachung
Umsicht
Standhaftigkeit

Magnificence: ein Zwischenspiel,
JOHN SKELTON, ca. 1520

TEIL EINS

I

Über das enge Meer

Putney, 1500

»Und jetzt steh auf.«

Niedergestreckt, benommen, stumm; er ist gefallen, der Länge nach hingeschlagen auf die Kopfsteine des Hofes. Sein Kopf wendet sich zur Seite; seine Augen richten sich auf das Tor, als könnte jemand kommen, um ihm zu helfen. Ein einziger gut platzierter Schlag könnte ihn jetzt töten.

Blut aus der Wunde an seinem Kopf rinnt ihm über das Gesicht – Ergebnis der ersten Anstrengung seines Vaters. Dazu kommt, dass sein linkes Auge blind ist; aber wenn er zur Seite blinzelt, erkennt er mit dem rechten Auge, dass sich die Naht am Stiefel seines Vaters auflöst. Der Zwirn hat sich vom Leder gelöst, und ein harter Knoten darin hat seine Augenbraue erwischt, die dadurch aufgeplatzt ist.

»Und jetzt steh auf!« Walter brüllt ihn von oben herab an und überlegt sich, wohin er als Nächstes treten kann. Er hebt den Kopf einen oder zwei Zoll und kriecht vorwärts, auf dem Bauch, wobei er versucht, seine Hände vor Walter zu verbergen, der mit Vorliebe auf sie tritt. »Was bist du, ein Aal?«, fragt sein Erzeuger. Er geht einen Schritt zurück, nimmt Anlauf und verpasst ihm noch einen Tritt.

Der presst den letzten Atemzug aus ihm heraus; er glaubt, dass es sein letzter sein könnte. Seine Stirn sinkt auf den Boden zurück; er liegt da und wartet darauf, dass Walter auf ihn springt. Aus einem Nebengebäude heraus bellt der Hund – Bella. Ich werde meinen Hund vermissen, denkt er. Der Hof stinkt nach Bier und Blut. Unten am Flussufer schreit jemand. Nichts tut ihm weh, oder vielleicht tut ihm alles weh, denn es gibt keinen einzelnen Schmerz, den er genau benennen kann.

Aber die Kälte schlägt zu, bloß an einer einzigen Stelle: bloß an seinem Jochbein, das auf den Kopfsteinen ruht.

»Jetzt guck mal, guck mal«, brüllt Walter. Er hüpft auf einem Fuß herum, als würde er tanzen. »Guck mal, was passiert ist. Mein Stiefel ist aufgeplatzt, als ich dir gegen den Kopf getreten habe.«

Zoll um Zoll. Zoll um Zoll vorwärts. Soll er dich doch Aal oder Wurm oder Schlange nennen. Kopf nach unten, provozier ihn nicht. Seine Nase ist mit Blut verstopft, und er muss durch den Mund atmen. Die kurze Ablenkung seines Vaters, der über den Verlust seines guten Stiefels wütet, verschafft ihm eine Atempause, in der er sich erbrechen kann. »So ist es richtig«, ruft Walter. »Spuck nur überall hin.« Spuck überall hin, auf meine guten Kopfsteine. »Komm schon, Junge, steh auf. Lass sehen, wie du aufstehst. Beim Blut des kriechenden Jesus, komm auf die Füße.«

Kriechender Jesus?, denkt er. Was meint er damit? Sein Kopf neigt sich zur Seite, sein Haar liegt in seinem eigenen Erbrochenen, der Hund bellt, Walter brüllt, und Glockenläuten schallt über das Wasser. Er spürt eine leichte Bewegung, als sei der schmutzige Boden zur Themse geworden. Es schwankt unter ihm; er atmet aus, ein schweres letztes Keuchen. Jetzt hast du es endlich geschafft, sagt eine Stimme zu Walter. Aber er schließt die Ohren, oder Gott schließt sie für ihn. Eine tiefe schwarze Strömung zieht ihn flussabwärts.

Das Nächste, was er weiß: Es ist beinahe Mittag und er lehnt in der Tür des *Pegasus the Flying Horse*. Seine Schwester Kat kommt mit einem Brett voller warmer Pasteten in der Hand aus der Küche. Als sie ihn sieht, lässt sie es beinahe fallen. Bestürzt öffnet sie den Mund. »Wie siehst du denn aus?«

»Kat, schrei nicht so, das tut weh.«

Sie schreit nach ihrem Mann: »Morgan Williams!« Sie dreht sich um die eigene Achse, ihr Blick wandert wild umher, das Gesicht gerötet von der Hitze des Ofens. »Nehmt mir das Tablett ab, in Gottes Namen, wo seid ihr alle?«

Er zittert von Kopf bis Fuß, genau wie Bella, als sie damals vom Boot gefallen ist.

Ein Mädchen kommt gerannt. »Der Herr ist in die Stadt gegangen.«

»Das weiß ich, Dummkopf.« Beim Anblick ihres Bruders hatte sie es vergessen. Sie drückt dem Mädchen das Tablett mit den Pasteten in die Hand. »Wenn du sie irgendwo hinstellst, wo die Katze rankommt, kriegst du Ohrfeigen, bis du Sterne siehst.« Als sie die Hände frei hat, faltet sie sie kurz zu einem heftigen Gebet. »Hast du dich wieder geprügelt, oder war es dein Vater?«

Ja, sagt er und nickt dabei so heftig, dass Blutstropfen aus seiner Nase schießen. Ja, er zeigt auf sich selbst, als wolle er sagen: Walter war hier. Kat ruft nach einer Schüssel, nach Wasser, nach Wasser in einer Schüssel, nach einem Lappen, nach dem Teufel, der sofort kommen und seinen Diener Walter holen soll. »Setz dich hin, bevor du hinfällst.« Er versucht zu erklären, dass er gerade aufgestanden ist. Weg vom Hof. Es kann eine Stunde her sein, es kann auch einen Tag her sein, und soviel er weiß, könnte heute auch morgen sein; aber wenn er einen Tag dort gelegen hätte, wäre Walter sicher gekommen und hätte ihn umgebracht, weil er im Weg gewesen wäre. Oder es hätte sich etwas Schorf auf seinen Wunden gebildet und inzwischen hätte er überall Schmerzen und wäre fast zu steif, um sich zu bewegen; aus eingehender Bekanntschaft mit Walters Fäusten und Stiefeln weiß er, dass der zweite Tag schlimmer sein kann als der erste. »Setz dich. Sprich nicht«, sagt Kat.

Als die Schüssel kommt, beugt sie sich über ihn und macht sich an die Arbeit, betupft sein geschlossenes Auge, bearbeitet in kleinen Kreisen seinen Haaransatz. Sie atmet stoßweise und ihre freie Hand liegt auf seiner Schulter. Leise flucht sie vor sich hin, ab und zu schluchzt sie auf, reibt seinen Nacken und flüstert dabei: »Schon gut, ganz ruhig, schon gut«, als wäre er es, der weint, obwohl er es nicht tut. Er hat das Gefühl zu schweben und sie brächte ihn auf die Erde zurück; er würde gerne seine Arme um sie legen und sein Gesicht in ihre Schürze und sich dort ausruhen, während er auf ihren Herzschlag lauschte. Aber er will sie nicht schmutzig machen, sie überall mit Blut beschmieren.

Als Morgan Williams zurückkommt, trägt er seinen guten Stadtrock. Er sieht walisisch und kämpferisch aus; es ist offensichtlich, dass er schon weiß, was passiert ist. Er stellt sich neben Kat, sieht auf ihn hinab, einen Augenblick sprachlos, und sagt dann: »Sieh her!« Er macht eine Faust und stößt sie dreimal in die Luft. »Das!«, sagt er. »Das würde er bekommen. Walter. Das würde er bekommen. Von mir.«

»Tritt einen Schritt zurück«, rät ihm Kat. »Oder willst du Teile von Thomas auf deine Londonjacke kriegen?«

Das will er nicht. Er weicht zurück. »Mir ist das egal, aber sieh dich mal an, Junge. In einem ehrlichen Kampf könntest du dieses Tier zum Krüppel machen.«

»Es ist aber kein ehrlicher Kampf«, sagt Kat. »Er schleicht sich nämlich von hinten an, stimmt's, Thomas? Und hat etwas in der Hand.«

»Sieht in diesem Fall nach einer Glasflasche aus«, sagt Morgan Williams. »War es eine Flasche?«

Er schüttelt den Kopf. Seine Nase blutet wieder.

»Tu das nicht, Bruder«, sagt Kat. Ihre ganze Hand ist voller Blut; sie wischt es an ihrer Schürze ab. Was für eine Schweinerei, er hätte ebenso gut seinen Kopf hineinlegen können.

»Ich vermute, du hast es nicht gesehen?«, sagt Morgan. »Was genau er in der Hand hatte?«

»Das ist der Witz dabei, sich von hinten anzuschleichen«, sagt Kat. »An dir ist wirklich ein Friedensrichter verloren gegangen. Hör zu, Morgan, soll ich dir was über meinen Vater erzählen? Er greift sich, was immer gerade herumliegt. Manchmal ist es eine Flasche, das stimmt. Ich habe gesehen, wie er meine Mutter damit geschlagen hat. Sogar unsere kleine Bet, ich habe gesehen, wie er ihr eine Flasche über den Kopf gezogen hat. Aber ich habe es auch mal *nicht* gesehen, wenn er es tat, und das war schlimmer, weil ich nämlich diejenige war, die umgehauen werden sollte.«

»Ich frage mich, wo ich da eingeheiratet habe«, sagt Morgan Williams.

Aber das ist nur Gerede von Morgan; manche Männer schniefen ständig, manche Frauen haben Kopfweh, und Morgan muss sich immer diese Fragen stellen. Der Junge hört nicht auf ihn; er denkt, wenn mein Vater das mit meiner Mutter gemacht hat, die schon so lange tot ist, hat er sie vielleicht umgebracht? Nein, dafür hätte man ihn sicher zur Verantwortung gezogen; Putney ist gesetzlos, aber mit Mord kommt man nicht durch. Kat ist, was er anstelle einer Mutter hat: Sie weint für ihn und reibt seinen Nacken.

Er schließt die Augen, um sein linkes Auge dem rechten anzugleichen; er versucht beide zu öffnen. »Kat«, sagt er, »darunter habe ich doch ein Auge? Ich kann nämlich nichts sehen.« Ja, ja, ja, sagt sie, während Morgan Williams mit seiner Untersuchung der Fakten fortfährt und sich für einen harten, einigermaßen schweren, scharfen Gegenstand entscheidet, aber wahrscheinlich keine *zerbrochene* Flasche, denn in diesem Fall hätte Thomas ihre gezackte Kante gesehen, bevor Walter seine Braue aufgeschlitzt hat, um ihm das Auge auszustechen. Er hört, wie Morgan seine Theorie entwickelt, und würde gerne über den Stiefel sprechen, über den Knoten, den Knoten im Zwirn, aber die Anstrengung, den Mund zu bewegen, scheint in keinem Verhältnis zum Ertrag zu stehen. Im Großen und Ganzen stimmt er Morgans Schlussfolgerung zu; er versucht, mit den Achseln zu zucken, aber es schmerzt zu sehr, und er fühlt sich so zermalmt und zerrissen, dass er sich fragt, ob sein Hals gebrochen ist.

»Überhaupt«, sagt Kat, »was hast du getan, Tom, um ihn so in Fahrt zu bringen? Normalerweise schlägt er erst abends zu, jedenfalls, wenn es keinen Grund gibt.«

»Ja«, sagt Morgan Williams, »gab es einen Grund?«

»Gestern. Ich habe mich geprügelt.«

»Du hast dich gestern geprügelt? Mit wem, in Gottes Namen?«

»Ich weiß es nicht.« Der Name ist ihm zusammen mit dem Grund entfallen, aber sein Kopf fühlt sich an, als hätte er beim Verschwinden einen zersplitterten Knochen aus seinem Schädel entfernt. Er berührt seine Kopfhaut – vorsichtig. Flasche? Möglich.

»Ach«, sagt Kat, »sie prügeln sich immer. Jungen. Unten am Fluss.«

»Ich möchte nur sicher sein, dass ich das richtig verstehe«, sagt Morgan. »Gestern kommt er nach Hause, seine Kleider sind zerrissen und seine Fingerknöchel aufgeschürft, und sein alter Herr sagt, was ist das, hast du dich geprügelt? Er wartet einen Tag, dann zieht er ihm eine Flasche über den Kopf. Danach stößt er ihn im Hof zu Boden, versetzt ihm überall Fußtritte, schlägt ihn mit einem Holzbrett, das griffbereit daliegt …«

»Hat er das getan?«

»Es hat sich in der ganzen Gemeinde herumgesprochen! Sie waren alle schon am Kai versammelt, um es mir zu erzählen, sie haben es mir zugerufen, bevor das Boot festgemacht hat. Morgan Williams, hör mal, der Vater deiner Frau hat Thomas geschlagen, und Thomas ist sterbend zum Haus seiner Schwester gekrochen, sie haben den Priester gerufen … Hast du den Priester gerufen?«

»Ach, ihr Williamsens!«, sagt Kat. »Ihr glaubt, ihr seid wichtige Leute hier. Die Leute treten an, um euch alles zu erzählen. Aber warum machen sie das? Weil ihr einfach alles glaubt.«

»Aber es stimmt!«, ruft Morgan. »So gut wie! Nicht? Wenn du den Priester weglässt. Und dass er noch nicht tot ist.«

»Du wirst mit Sicherheit noch Friedensrichter«, sagt Kat, »so scharfsinnig, wie du den Unterschied zwischen einer Leiche und meinem Bruder feststellst.«

»Wenn ich Friedensrichter bin, lasse ich deinen Vater in den Stock legen. Eine Geldstrafe? Das reicht nicht. Welchen Sinn hat das schon, wenn derjenige dann einfach loszieht und sich die Münzen im selben Wert von einem Unschuldigen erschwindelt oder sie ihm raubt, wenn er zufällig seinen Weg kreuzt. «

Er stöhnt: versucht, dabei nicht zu stören.

»Schon gut, schon gut«, flüstert Kat.

»Ich würde sagen, die Richter haben die Nase voll«, sagt Morgan. »Wenn er sein Ale nicht verwässert, lässt er illegal Tiere auf dem Anger laufen, wenn er den Anger nicht plündert, greift er einen Gesetzeshüter an, wenn er nicht betrunken ist, ist er stockbetrunken, und wenn er nicht vor seiner Zeit stirbt, gibt es keine Gerechtigkeit auf dieser Welt.«

»Fertig?«, sagt Kat. Sie wendet sich ihm wieder zu. »Tom, du bleibst jetzt besser bei uns. Morgan Williams, was sagst du? Er taugt für die schwere Arbeit, wenn es ihm wieder besser geht. Er kann die Zahlen für dich machen, er kann addieren und … wie heißt das andere? Schon gut, lach mich nicht aus, was meinst du, wie viel Zeit ich dazu hatte, rechnen zu lernen, mit so einem Vater? Dass ich meinen Namen schreiben kann, verdanke ich unserem Tom hier. Er hat es mir beigebracht.«

»Das wird ihm nicht«, sagt er. »Gefallen.« Nur das bringt er zustande: kurze, einfache Aussagen.

»Gefallen? Er sollte sich schämen«, sagt Morgan.

Kat sagt: »Das Schämen hat Gott ausgelassen, als er meinen Vater gemacht hat.«

Er sagt: »Weil. Nur eine Meile entfernt. Er kann leicht.«

»Auf dich losgehen? Soll er nur!« Morgan führt noch einmal seine Faust vor: seinen kleinen nervösen walisischen Faustschlag.

Nachdem Kat ihn versorgt hatte und Morgan Williams mit seiner Prahlerei und der Rekonstruktion des Angriffs fertig war, legte er sich eine Stunde oder zwei hin, um sich zu erholen. In der Zeit kam Walter mit ein paar Bekannten vorbei, und ein gewisses Maß an Geschrei und Tritten gegen Türen ertönte, obwohl es nur gedämpft zu ihm heraufdrang und er glaubte, es vielleicht nur geträumt zu haben. Nun fragt er sich, was soll ich tun, ich kann nicht in Putney bleiben. Zum Teil, weil seine Erinnerung an die Prügelei von vorgestern zurückkehrt, und er meint, dass ein Messer im Spiel gewesen sein könnte; und wer immer es auch abbekommen hat, er war es nicht; heißt das, dass er selbst es benutzte? All das ist ihm unklar. Klar ist jedoch seine Meinung zu Walter: Ich habe genug davon. Wenn er mich noch einmal angreift, töte ich ihn, und wenn ich ihn töte, hängen sie mich auf, und wenn sie mich hängen, dann will ich einen besseren Grund dafür haben.

Von unten ihre Stimmen, mal lauter, mal leiser. Er kann nicht jedes Wort verstehen. Morgan sagt: Er hat alle Brücken hinter sich abgebrochen. Kat bereut ihr Angebot, die Arbeit als Schankhilfe, Mädchen für alles und Rausschmeißer, denn, wie Morgan sagt: »Walter wird immer hier vorbeikommen, oder? Und dann: ›Wo ist Tom, schick ihn nach Hause, wer hat denn den verdammten Priester bezahlt, der ihm Lesen und Schreiben beigebracht hat, ich war's, und du erntest jetzt den verdammten Lohn, du lauchfressende Schlampe.‹«

Er kommt nach unten. Morgan sagt fröhlich: »Du siehst gut aus, in Anbetracht der Umstände.«

Die Wahrheit über Morgan Williams ist – und er mag ihn deshalb um keinen Deut weniger –, die Wahrheit ist: Diese Absicht, seinen Schwiegervater eines Tages zusammenzuschlagen, gibt es bloß in seinem Kopf. In Wirklichkeit hat er genauso viel Angst vor Walter wie eine ganze Menge anderer Leute in Putney – und, um genau zu sein, in Mortlake und Wimbledon.

Er sagt: »Ich mach mich dann mal auf den Weg.«

Kat sagt: »Du musst heute Nacht hierbleiben. Du weißt, dass der zweite Tag am schlimmsten ist.«

»Wen wird er schlagen, wenn ich weg bin?«

»Nicht unser Problem«, sagt Kat. »Bet ist verheiratet und raus aus der ganzen Sache, Gott sei Dank.«

Morgan Williams sagt: »Wenn Walter mein Vater wäre, würde ich abhauen, sage ich dir.« Er wartet. »Zufällig haben wir etwas Bargeld da.«

Eine Pause.

»Ich zahle es zurück.«

Morgan sagt lachend, erleichtert: »Und wie willst du das anstellen, Tom?«

Er weiß es nicht. Das Atmen fällt ihm schwer, aber das hat nichts zu sagen, es ist nur das geronnene Blut in seiner Nase. Sie scheint nicht gebrochen zu sein; prüfend betastet er sie, und Kat sagt: Vorsicht, das hier ist eine saubere Schürze. Ein gequältes Lächeln zeigt sich auf ihrem Gesicht, sie will nicht, dass er geht, aber sie wird Morgan Williams nicht widersprechen, oder etwa doch? Die Williamsens sind wichtige Leute in Putney, in Wimbledon. Morgan vergöttert sie; er erinnert sie stets daran, dass sie Mädchen hat, die sich ums Backen und Brauen kümmern, warum setzt sie sich nicht oben hin, näht wie eine Dame und betet für seinen Erfolg, wenn er nach London geht, um in seinem Stadtrock Geschäfte zu machen? Zweimal am Tag könnte sie in einem guten Kleid durchs *Pegasus* rauschen und die Dinge richten, die nicht in Ordnung sind: Das ist Morgans Vorstellung. Und obwohl sie, soweit er das sehen kann, genauso hart arbeitet, wie sie es seit ihrer Kindheit immer getan hat, findet sie anscheinend doch Gefallen daran, wenn Morgan sie ermahnt, sich hinzusetzen und eine Dame zu sein.

»Ich zahle es zurück«, sagt er. »Vielleicht werde ich Soldat. Ich könnte euch einen Teil meines Lohnes schicken, und eventuell bekomme ich Kriegsbeute.«

Morgan sagt: »Aber es gibt keinen Krieg.«

»Irgendwo wird es einen geben«, sagt Kat.

»Oder ich könnte Schiffsjunge werden. Aber Bella, wisst ihr – meint ihr, ich sollte zurückgehen und sie holen? Sie hat gejault. Er hatte sie weggesperrt.«

»Damit sie ihm nicht in die Zehen beißt?«, sagt Morgan. Er macht sich lustig über Bella.

»Ich würde sie gerne mitnehmen.«

»Ich habe schon von Schiffskatzen gehört. Aber nicht von Schiffshunden.«

»Sie ist sehr klein.«

»Sie geht nicht als Katze durch«, lacht Morgan. »Außerdem bist du sowieso zu groß für einen Schiffsjungen. Sie müssen in die Takelage klettern wie kleine Affen – hast du je einen Affen gesehen, Tom? Soldat ist eher was für dich. Sei ehrlich: wie der Vater, so der Sohn – du hast nicht hinten gestanden, als Gott die Fäuste verteilt hat.«

»Also«, sagt Kat. »Mal sehen, ob wir das richtig verstehen. Eines Tages zieht mein Bruder Tom los und prügelt sich. Als Strafe schleicht sich sein Vater von hinten an ihn an und schlägt ihn womit auch immer, das aber jedenfalls schwer und vermutlich scharf ist, und dann, als er hinfällt, sticht er ihm fast das Auge aus, gibt sich große Mühe, ihm in die Rippen zu treten, prügelt ihn mit einem Brett, das gerade zur Hand ist, zerschlägt ihm das Gesicht, sodass ich ihn kaum erkennen würde, wäre ich nicht seine leibliche Schwester: Und mein Ehemann sagt, die Lösung ist, Soldat zu werden, Thomas, zieh los und finde jemanden, den du nicht kennst, stich ihm *sein* Auge aus, tritt *ihm* in die Rippen, töte ihn sogar und lass dich dafür bezahlen.«

»Ist doch besser«, sagt Morgan, »als sich am Fluss zu prügeln, wovon niemand etwas hat. Sieh ihn dir an – wenn es nach mir ginge, würde ich einen Krieg ausrufen, nur um ihn anzustellen.«

Morgan zieht seinen Geldbeutel heraus. Er legt Münzen hin: klimper, klimper, klimper – verführerisch langsam.

Er berührt sein Jochbein. Es ist geprellt, intakt: aber so kalt.

»Hör zu«, sagt Kat, »wir sind hier aufgewachsen, bestimmt gibt es Leute, die Tom helfen würden ...«

Morgan wirft ihr einen Blick zu. Der sagt sehr deutlich: Glaubst du wirklich, dass es viele Leute gibt, die es sich mit Walter Cromwell verderben wollen? Die wollen, dass er ihnen die Tür eintritt? Und sie sagt, als hätte er seinen Gedanken laut ausgesprochen: »Nein. Vielleicht nicht. Vielleicht, Tom, wäre es wirklich am besten, meinst du nicht auch?«

Er steht auf. Sie sagt: »Morgan, sieh ihn dir an. Er sollte nicht heute Abend aufbrechen.«

»Sollte ich doch. In einer Stunde hat er einen sitzen, und dann kommt er wieder. Er würde sogar das Haus in Brand stecken, wenn er glaubt, ich bin drin.«

»Hast du alles, was du für die Reise brauchst?«

Er möchte sich zu Kat umdrehen und sagen: nein.

Aber sie hat ihr Gesicht abgewendet, und sie weint. Sie weint nicht um ihn, denn niemand, glaubt er, wird je um ihn weinen, dazu hat Gott ihn nicht geschaffen. Sie weint um ihre Vorstellung davon, wie das Leben sein sollte: Sonntags nach der Kirche, alle Schwestern, Schwägerinnen, Ehefrauen küssen und umarmen sich, geben den eigenen und den Kindern der anderen Klapse und streicheln zugleich liebevoll ihre kleinen runden Köpfe, die Frauen vergleichen ihre Babys und reichen sie herum, und die Männer finden sich zusammen und reden über die Geschäfte, Wolle, Garn, Stoffbahnen, Schiffsladungen, die verdammten Flamen, Fischereirechte, Bierbrauen, Jahresumsatz, ein guter Tipp zur rechten Zeit, eine Hand wäscht die andere, eine kleine Vergünstigung, ein kleiner Vorschuss, mein Anwalt sagt … So sollte es sein, wenn man mit Morgan Williams verheiratet ist, die Williamsens sind schließlich eine wichtige Familie in Putney … Aber es ist nie so gekommen. Walter hat alles verdorben.

Vorsichtig, steif richtet er sich auf. Inzwischen tut ihm jeder Teil seines Körpers weh. Nicht so schlimm, wie es morgen wehtun wird; am dritten Tag werden die Prellungen sichtbar und man muss die Fragen der Leute beantworten, die wissen wollen, woher man sie hat. Aber bis dahin wird er weit weg sein und vermutlich wird niemand Auskunft verlangen, weil ihn niemand kennt oder sich Gedanken um ihn macht. Die Leute werden denken, dass es normal bei ihm ist, die Spuren einer Prügelei im Gesicht zu tragen.

Er nimmt das Geld. Er sagt: *»Hwyl, Morgan Williams. Diolch am yr arian.«* Danke für das Geld. *»Gofalwch am Katheryn. Gofalwch am eich busnes. Wela i chi eto rhywbryd. Pob lwc.«* Kümmere dich um meine Schwester. Kümmere dich um dein Geschäft. Irgendwann sehen wir uns wieder.

Morgan Williams starrt ihn an.

Er grinst beinahe, würde es tun, wenn sein Gesicht nicht davon aufreißen würde. All die Tage, die er damit verbracht hat, in den verschiedenen Haushalten der Williamsens herumzulungern: Haben sie etwa geglaubt, er sei nur wegen des Essens gekommen?

»Pob lwc«, sagt Morgan langsam. Viel Glück.

Er sagt: »Ist es gut, wenn ich den Fluss entlanglaufe?«

»Wo willst du denn hin?«

»Zum Meer.«

Einen Augenblick sieht Morgan Williams traurig aus, weil es so weit gekommen ist. Er sagt: »Wirst du es schaffen, Tom? Ich sage dir, wenn Bella kommt und nach dir sucht, schicke ich sie nicht hungrig nach Hause. Kat wird ihr eine Pastete geben.«

Er muss sich das Geld gut einteilen. Er könnte den Weg flussabwärts zurücklegen; aber er hat Angst, dass er gesehen wird und Walter ihn dann mit Hilfe seiner Freunde und Kontakte erwischt; Männer, die alles tun würden, wenn sie dafür etwas zu trinken bekommen. Zuerst denkt er daran, sich auf eines der Schmugglerschiffe zu stehlen, die in Barking oder Tilbury ablegen. Aber dann denkt er, in Frankreich, da haben sie Kriege. Ein paar Leute, mit denen er spricht – er kommt leicht mit Fremden ins Gespräch –, sind derselben Meinung. Also Dover. Er macht sich auf den Weg.

Wenn man dabei hilft, einen Wagen zu beladen, wird man mitgenommen, meistens jedenfalls. Es gibt ihm zu denken, wie ungeschickt sich die Leute beim Beladen von Wagen anstellen. Es gibt tatsächlich Männer, die versuchen, mit einer breiten Holztruhe geradewegs durch eine enge Toreinfahrt zu kommen. Eine einfache Drehung des Gegenstands kann eine Menge Probleme lösen. Und dann Pferde: Er hat immer mit Pferden zu tun gehabt, auch mit scheuen Pferden, denn wenn Walter am Morgen nicht die Folgen des starken Gebräus ausschlief, das ihm selbst und seinen Freunden vorbehalten war, wandte er sich seinem zweiten Gewerbe zu, dem des Hufschmieds; und ob es nun sein fauler Atem war oder seine laute Stimme oder generell seine Vorgehensweise, selbst Pferde, die gut zu beschlagen waren, begannen den

Kopf hochzuwerfen und vor der Hitze zurückzuweichen. Wenn Walter ihre Hufe festhielt, zitterten sie; seine Aufgabe war es, ihren Kopf zu halten und mit ihnen zu sprechen, die samtige Stelle zwischen ihren Ohren zu streicheln, ihnen zu erzählen, dass ihre Mütter sie lieben und immer noch über sie sprechen und dass Walter bald vorbei sein wird.

Etwa einen Tag lang isst er nichts; es tut zu weh. Aber als er in Dover ankommt, hat sich die tiefe Schnittwunde auf seinem Kopf geschlossen, und er vertraut darauf, dass sich die empfindlichen Teile in seinem Inneren selbst geheilt haben: Nieren, Lunge und Herz.

Die Art, wie die Leute ihn ansehen, verrät ihm, dass er immer noch Prellungen im Gesicht hat. Morgan Williams hatte noch eine Inventur gemacht, bevor er aufbrach: die Zähne (wie durch ein Wunder) noch vorhanden, und zwei Augen, die wie durch ein Wunder sehen konnten. Zwei Arme, zwei Beine: Was willst du mehr?

Er läuft im Hafen umher und fragt die Leute: Wisst ihr, wo gerade Krieg herrscht?

Jeder Mann, den er fragt, starrt ihn an, tritt zurück und sagt: »Das frage ich dich!«

Darüber freuen sie sich so, sie lachen so herzlich über ihren Witz, dass er mit seinen Fragen fortfährt, nur um den Leuten eine Freude zu machen.

Erstaunt stellt er fest, dass er Dover reicher verlassen wird, als er dort angekommen ist. Er hat einen Mann beim Drei-Karten-Trick beobachtet, und als er ihn beherrschte, ist er selbst in das Geschäft eingestiegen. Weil er jung ist, bleiben die Leute stehen und versuchen ihr Glück. Vergeblich.

Er verrechnet, was er hat und was er ausgegeben hat. Abzüglich einer kleinen Summe für ein kurzes Zusammentreffen mit einem Freudenmädchen. Etwas, das man in Putney, Wimbledon oder Mortlake nicht tun könnte. Nicht ohne dass die Familie Williams davon erfahren und auf Walisisch darüber reden würde.

Er sieht drei ältere Niederländer mit ihren Bündeln kämpfen und geht hinüber, um zu helfen. Die Pakete sind weich und unförmig, Muster von Wollstoffen. Ein Hafenbeamter macht ihnen Schwierigkeiten wegen ihrer Dokumente und schreit sie an. Er lümmelt hinter dem Mann herum, tut so, als sei er ein holländischer Tölpel, und zeigt den Kaufleuten durch Hochhalten seiner Finger, was er für eine angemessene Bestechungssumme hält. »Bitte«, sagte einer von ihnen in fehlerhaftem Englisch zu dem Mann, »könnten Sie mir diese englischen Münzen abnehmen? Ich benötige sie nicht mehr.« Plötzlich strahlt der Hafenbeamte über das ganze Gesicht. Auch die Niederländer strahlen über das ganze Gesicht; sie hätten viel mehr gezahlt. Als sie an Bord gehen, sagen sie: »Der Junge gehört zu uns.«

Während sie aufs Ablegen warten, fragen sie ihn, wie alt er sei. Er sagt: achtzehn, aber sie lachen und sagen: Kind, das bist du nie. Er bietet ihnen fünfzehn Jahre an, sie beraten sich und beschließen, dass fünfzehn in Ordnung geht; sie glauben, dass er jünger ist, wollen ihn aber nicht beschämen. Sie fragen, was mit seinem Gesicht passiert ist. Er könnte verschiedene Dinge erzählen, aber er entscheidet sich für die Wahrheit. Er möchte nicht, dass sie denken, er sei ein gescheiterter Dieb. Sie besprechen die Sache, und derjenige, der übersetzen kann, wendet sich an ihn: »Wir meinen, dass die Engländer grausam zu ihren Kindern sind. Und kaltherzig. Das Kind muss aufstehen, wenn sein Vater in den Raum kommt. Immer soll das Kind ganz korrekt sagen: ›mein Vater, Sir‹ und ›Madam, meine Mutter‹.«

Er ist erstaunt. Gibt es Menschen auf der Welt, die ihre Kinder nicht grausam behandeln? Zum ersten Mal hebt sich die Last auf seiner Brust ein wenig; er denkt, es könnte andere Orte geben, bessere. Er spricht; er erzählt ihnen von Bella, sie schauen mitleidig und sagen nichts Dummes wie: Du kannst doch einen anderen Hund haben. Er erzählt ihnen vom Pegasus und vom Brauhaus seines Vaters und dass Walter mindestens zweimal pro Jahr eine Geldstrafe für schlechtes Bier bekommt. Er erzählt ihnen, dass er auch Geldstrafen für den Diebstahl von Holz bekommt, weil er die Bäume anderer Leute fällt, und von den zu vielen Schafen, die er auf dem Anger grasen lässt. Das interessiert sie; sie zeigen ihm die Wollmuster und diskutieren ihr Gewicht und die Webart, wenden sich von Zeit zu Zeit an ihn, um ihn ins Gespräch einzubeziehen und ihm etwas beizubringen. Im Allgemeinen halten sie nicht allzu viel von den fertigen englischen Stoffen, obwohl diese Muster ihre Einstellung ändern könnten ... Er verliert den Faden, als sie versuchen zu erklären, warum sie nach Calais reisen, und über verschiedene Leute sprechen, die sie dort kennen.

Er erzählt ihnen von der Schmiede seines Vaters, und derjenige, der Englisch spricht, fragt interessiert: Kannst du ein Hufeisen herstellen? Er zeigt ihnen pantomimisch, wie das ist: heißes Metall und ein übellauniger Vater auf engem Raum. Sie lachen; sie mögen es, wenn er eine Geschichte erzählt. Er sei ein guter Redner, sagt einer von ihnen. Bevor sie anlegen, wird der Schweigsamste von ihnen aufstehen und eine seltsam formelle Rede halten; der eine wird dazu nicken, und der andere wird sie übersetzen. »Wir sind drei Brüder. Das ist unsere Straße. Wenn du je in unsere Stadt kommst, gibt es dort ein Bett und ein Feuer und Essen für dich.«

Lebt wohl, wird er zu ihnen sagen. Lebt wohl und viel Glück im Leben. *Hwyl,* Tuchhändler. *Gofalwch eich busnes.* Er wird nicht rasten, bis er auf einen Krieg stößt.

Das Wetter ist kalt, aber die See ist ruhig. Kat hat ihm ein geweihtes Amulett gegeben. Er hat es sich mit einer Schnur um den Hals gehängt. Kalt liegt es auf der Haut an seiner Kehle. Er entknotet die Schnur. Er berührt das Amulett mit den Lippen, das soll ihm Glück bringen. Er lässt es fallen; es gleitet ins Wasser. Er wird sich an den ersten Anblick der offenen See erinnern: eine graue, zerknitterte Weite wie das Überbleibsel eines Traums.

II

Vaterschaft

1527

Nun also: Stephen Gardiner. Kommt heraus, als er hineingeht. Es ist nass und für eine Nacht im April ungewöhnlich warm, aber Gardiner trägt Pelze, die wie glänzende, dichte schwarze Federn wirken; jetzt steht er da und plustert sie auf, rafft die Kleider um seine große, aufrechte Gestalt wie schwarze Engelsflügel.

»Spät dran«, sagt Master Stephen unfreundlich.

Er ist ungerührt. »Ich oder Ihre werte Person?«

»Sie.« Er wartet.

»Betrunkene auf dem Fluss. Das Fest zu Ehren einer ihrer Schutzheiligen, sagen die Bootsführer.«

»Haben Sie zu ihr gebetet?«

»Ich bete zu jedem, Stephen, bis ich wieder festen Boden unter den Füßen habe.«

»Es überrascht mich, dass Sie nicht selbst zum Ruder gegriffen haben. Als Junge haben Sie doch bestimmt auf dem Fluss gearbeitet.«

Stephen spielt immer auf dasselbe an. Dein Halunke von Vater. Deine niedrige Geburt. Stephen ist angeblich so etwas wie ein halbköniglicher Bastard: gegen Bezahlung diskret aufgezogen, als eigenes Kind von diskreten Leuten in einer kleinen Stadt; Wollhändler, die Master Stephen verabscheut und vergessen möchte; und da er selbst jeden im Wollhandel kennt, weiß er mehr über Stephens Vergangenheit, als diesem lieb ist. Das arme Waisenkind!

Master Stephen ärgert sich über alles, was seine persönlichen Umstände betrifft. Er ärgert sich darüber, dass er ein nicht anerkannter Vetter des Königs ist. Er ärgert sich darüber, dass er Geistlicher werden musste, obwohl die Kirche es gut mit ihm gemeint hat. Er ärgert sich über die Tatsache, dass jemand anders nächtliche Gespräche mit dem Kardinal führt, dessen Privatsekretär er selbst ist. Er ärgert sich über die Tatsache, dass er zu jenen hochgewachsenen Männern gehört, deren Größe nicht viel aussagt, weil nichts dahintersteckt, und er ärgert sich über das Wissen, dass, wenn sie in einer dunklen Nacht aufeinanderträfen, Master Thos. Cromwell derjenige wäre, der davonkäme, sich die Hände säubern und dabei lächeln würde.

»Gott segne Sie«, sagt Gardiner und tritt in die für April ungewöhnlich warme Nacht hinaus.

Cromwell sagt: »Danke.«

Der Kardinal ist mit Schreiben beschäftigt und sagt, ohne aufzusehen: »Thomas. Regnet es noch? Ich habe Sie früher erwartet.«

Bootsführer. Fluss. Heilige. Seit dem frühen Morgen war er unterwegs, und den überwiegenden Teil der letzten zwei Wochen hat er in Angelegenheiten des Kardinals im Sattel verbracht; und nun ist er in Etappen – keinen leichten Etappen – von Yorkshire heruntergekommen. Er war bei seinen Schreibern in *Gray's Inn* und hat sich Wäsche zum Wechseln geliehen. Er war im Osten der Stadt, um zu hören, welche Schiffe eingelaufen sind, und den Aufenthaltsort einer inoffiziellen Warensendung zu ermitteln, die er erwartet. Aber er hat noch nicht gegessen, und zu Hause war er auch noch nicht.

Der Kardinal erhebt sich. Er öffnet eine Tür, spricht mit den Dienern, die dahinter warten. »Kirschen! Was, keine Kirschen? April, sagt ihr? Erst April? Dann werden wir wohl große Mühe damit haben, meinen Gast zu beschwichtigen.« Er seufzt. »Bringt, was ihr habt. Aber seid euch klar, dass es auf keinen Fall genügen wird. Warum werde ich nur so schlecht bedient?«

Auf einmal ist der ganze Raum in Bewegung: Speisen, Wein, ein Feuer wird entzündet. Ein Mann nimmt ihm besorgt murmelnd die nassen Überkleider ab. Alle Hausdiener des Kardinals sind so: zuvorkommend, kaum vernehmbar, devot; beständig werden sie zurechtgewiesen. Und alle Besucher des Kardinals werden auf dieselbe Weise behandelt. Hätte ihn jemand zehn Jahre lang jede Nacht gestört, um dann schmollend und mürrisch dazusitzen, wäre er trotzdem noch sein geschätzter Gast.

Die Diener machen sich unsichtbar, verschwinden in Richtung Tür. »Wünschen Sie sonst noch etwas?«, sagt der Kardinal.

»Dass die Sonne aufgeht?«

»Um diese Zeit? Sie überschätzen meine Fähigkeiten.«

»Die Dämmerung würde reichen.«

Der Kardinal nickt den Dienern zu. »Um diese Bitte kümmere ich mich selbst«, sagt er ernst; sie entgegnen ein ernsthaftes Murmeln und verschwinden.

Der Kardinal faltet die Hände. Er stößt einen tiefen, zufriedenen Seufzer aus wie ein Leopard, der sich an einem warmen Plätzchen niederlässt. Er betrachtet seinen Mann für die Geschäfte; sein Mann für die Geschäfte betrachtet ihn. Mit fünfundfünfzig sieht er immer noch so gut aus wie in der Blüte seiner Jahre. Heute Abend trägt er nicht das alltägliche Scharlachrot, sondern dunkles Violett und feine weiße Spitze: wie ein einfacher Bischof. Seine Körpergröße beeindruckt; sein Bauch – der von Rechts wegen eigentlich einem unbeweglicheren Mann gehören müsste – ist bloß ein weiterer fürstlicher Aspekt seines Wesens, und auf ihn legt er oft vertrauensvoll eine große, weiße, beringte Hand. Ein großer Kopf – sicherlich von Gott dazu geschaffen, die päpstliche Tiara zu tragen – thront eindrucksvoll auf breiten Schultern: Schultern, auf denen (wenn auch nicht in diesem Augenblick) die große Kette des Lordkanzlers von England ruht. Der Kopf neigt sich; mit jener honigsüßen Stimme, die von hier bis Wien Bekanntheit genießt, sagt der Kardinal: »Nun dann, erzählen Sie mir, wie Yorkshire war.«

»Schmutzig.« Er setzt sich. »Wetter. Leute. Manieren. Moral.«

»Nun, ich vermute, Sie haben den richtigen Ort gewählt, um sich zu beklagen. Obwohl ich bereits mit Gott wegen des Wetters in Verhandlung stehe.«

»Ach, und das Essen. Fünf Meilen im Landesinneren und kein frischer Fisch.«

»Und kaum Hoffnung auf eine Zitrone, vermute ich. Was essen sie dort?«

»Londoner, wenn sie welche bekommen können. Sie haben noch nie solche Ungläubigen gesehen. Derart herrschaftlich, aber niedrige Gesinnung. Leben in Höhlen, und trotzdem gehen sie in der Gegend als Adlige durch.« Er sollte hingehen und sich selbst ein Bild machen, der Kardinal; er ist Erzbischof von York, hat sein Bistum aber nie besucht. »Und was die Angelegenheiten Ihro Gnaden betrifft ...«

»Ich höre«, sagt der Kardinal. »Ich gehe sogar noch weiter. Ich bin gefesselt.«

Während er zuhört, legt sich das Gesicht des Kardinals in seine freundlichen, stets aufmerksamen Falten. Von Zeit zu Zeit notiert er sich eine Zahl, die genannt wird. Er trinkt einen Schluck von seinem hervorragenden Wein, und schließlich sagt er: »Thomas ... was haben Sie getan, Sie abscheulicher Diener? Eine Äbtissin erwartet ein Kind? Zwei, drei Äbtissinnen? Oder, warten Sie ... Haben Sie Whitby in Brand gesteckt, aus einer Laune heraus?«

In Bezug auf Cromwell hat der Kardinal zwei Witze, die sich gelegentlich zu einem verbinden. Der erste ist, dass er hereinspaziert und Kirschen im April und Kopfsalat im Dezember verlangt. Der zweite ist, dass er durch das Land zieht, Schandtaten verübt und das Konto des Kardinals damit belastet. Der Kardinal hat weitere Witze, die er von Zeit zu Zeit anbringt: je nach Bedarf.

Es ist etwa zehn Uhr. Die Flammen der Kerzen verneigen sich höflich vor dem Kardinal und richten sich wieder auf. Der Regen – seit September regnet es bereits – schlägt gegen das Fensterglas. »In Yorkshire«, sagt er, »wird Ihr Projekt missbilligt.«

Das Projekt des Kardinals: Nachdem er die Erlaubnis des Papstes erhalten hat, möchte er etwa dreißig kleine, schlecht geführte Klöster mit größeren zusammenschließen und das Einkommen dieser Klöster –

verfallen, aber oft sehr alt – in Einkünfte für die beiden Colleges umwandeln, mit deren Gründung er befasst ist: das Cardinal College in Oxford und eines in seiner Heimatstadt Ipswich. Dort erinnert man sich noch gut an ihn als gelehrten Sohn eines wohlhabenden und frommen Metzgermeisters, der der Zunft angehörte und darüber hinaus ein großes und gut geführtes Gasthaus besaß, das die vornehmsten Reisenden frequentieren. Die Schwierigkeit ist … Nein, tatsächlich gibt es diverse Schwierigkeiten. Der Kardinal, *Bachelor of Arts* mit fünfzehn, *Bachelor of Theology* mit Mitte zwanzig, kennt sich im Rechtswesen aus, mag aber die Verzögerungen nicht, die es mit sich bringt; er kann nicht akzeptieren, dass unbewegliches Vermögen nicht genauso schnell und leicht in Geld umgewandelt werden kann, wie er eine Oblate in den Leib Christi verwandelt. Als er dem Kardinal einmal versuchsweise etwas erklärte, ein nebensächliches Detail in Bezug auf das Bodenrecht – nun, lassen wir das, es war ein nebensächliches Detail –, brach der Kardinal in Schweiß aus und sagte: Thomas, was kann ich Ihnen geben, damit Sie diese Sache nie wieder erwähnen? Finden Sie einen Weg, tun Sie es einfach, sagte er immer, wenn Hindernisse auftauchten; und wenn er von irgendwelchen unbedeutenden Personen hörte, die seine großartigen Pläne durchkreuzten, sagte er: Thomas, geben Sie ihnen etwas Geld und machen Sie, dass sie weggehen.

Er hat die Muße, darüber nachzudenken, da der Kardinal auf seinen Schreibtisch starrt, auf den Brief, den er halb geschrieben hat. Er sieht auf. »Tom …« Und dann: »Ach nein, nicht so wichtig. Sagen Sie mir, warum Sie so finster dreinschauen.«

»Die Leute dort oben sagen, dass sie mich töten wollen.«

»Wirklich?«, sagt der Kardinal. Sein Gesichtsausdruck sagt: Ich bin erstaunt und enttäuscht. »Und werden sie das tun? Oder was glauben Sie?«

Hinter dem Kardinal hängt ein Gobelin, auf der ganzen Länge der Wand. König Salomon streckt die Hände in die Dunkelheit aus und begrüßt die Königin von Saba.

»Ich glaube, wenn man einen Mann töten will, muss man es einfach tun. Man sollte ihm keinen Brief schreiben. Keinen Lärm darum machen und ihm drohen, sodass er sich in Acht nimmt.«

»Sollten Sie sich je nicht in Acht nehmen, lassen Sie es mich wissen. Das würde ich wirklich gerne sehen. Wissen Sie, wer ... Aber ich vermute stark, dass solche Leute ihre Briefe nicht unterschreiben. Ich werde mein Projekt nicht aufgeben. Ich habe die Institutionen persönlich und sorgfältig ausgewählt, und Seine Heiligkeit hat ihre Schließung mit seinem Siegel bewilligt. Diejenigen, die dagegen sind, missverstehen meine Absicht. Niemand hat vor, alte Mönche auf die Straße zu setzen.«

Das ist wahr. Es kann Versetzungen geben, Renten, Entschädigungen. Es kann verhandelt werden, mit gutem Willen beiderseits. Beugt euch dem Unvermeidlichen, drängt er. Respekt vor dem Lordkardinal. Bedenkt seine umsichtige und väterliche Sorge; glaubt mir, dass sein scharfer Blick auf das größte Wohl der Kirche gerichtet ist. Das sind die Wendungen, mit denen man verhandelt. Armut, Keuschheit und Gehorsam werden angesprochen, wenn man einem senilen Prior sagt, was er tun soll. »Sie missverstehen es nicht«, sagt er. »Sie wollen nur die Einkünfte haben.«

»Sie werden eine bewaffnete Wache mitnehmen müssen, wenn Sie das nächste Mal in den Norden gehen.«

Der Kardinal, der über die endgültige Bestimmung eines Christen nachdenkt, hat sein Grabmal bereits von einem Bildhauer aus Florenz entwerfen lassen. Seine Leiche wird unter den ausgebreiteten Flügeln eines Engels in einem Sarkophag aus Porphyr liegen. Der geäderte Stein wird sein Denkmal sein, wenn der Einbalsamierer das Blut aus seinen Adern lässt; wenn seine Glieder so hart sind wie Marmor, werden seine Tugenden mit einer goldenen Inschrift hervorgehoben. Aber die Colleges sollen sein atmendes Denkmal werden, sie sollen, lange nachdem er gegangen ist, arbeiten und leben: Arme Jungen, arme Gelehrte werden den Witz des Kardinals, seinen Sinn für Ehrfurcht und Schönheit, seinen Instinkt für Anstand und Freude, seine Finesse in die Welt tragen. Kein Wunder, dass er den Kopf schüttelt. Normalerweise muss man einem Rechtsanwalt keine bewaffnete Wache mitgeben. Der Kardinal hasst jegliche Demonstration von Stärke. Das wäre nicht subtil genug. Manchmal kommt einer seiner Leute zu ihm – sagen wir mal Stephen Gardiner –, um ein Nest von Häretikern in der *City of London* zu entlarven. Ernsthaft sagt er dann: die armen ahnungslosen Seelen. Sie beten für sie, Stephen, und ich bete für sie, und dann sehen wir ja, ob wir sie nicht mit vereinter Kraft zur Vernunft bringen können. Und sagen Sie ihnen, sie sollen sich bessern, sonst bekommt Thomas More sie in die Finger und schließt sie in seinem Keller ein. Und dann hören wir bloß noch ihre Schreie.

»Nun, Thomas.« Er sieht auf. »Sprechen Sie eigentlich Spanisch?«

»Ein wenig. Aus dem Bereich des Militärs, wissen Sie. Holprig.«

»Ich dachte, Sie haben in den spanischen Armeen gedient.«

»Bei den Franzosen.«

»Ach so. Und gab es keine Verbrüderung?«

»Nicht über einen gewissen Punkt hinaus. Ich kann Leute auf Kastilisch beleidigen.«

»Das werde ich mir merken«, sagt der Kardinal. »Ihre Zeit kommt vielleicht noch. Im Augenblick ..., ich habe mir überlegt, dass es gut wäre, mehr Freunde im Haushalt der Königin zu haben.«

Spione, meint er. Um zu erfahren, wie sie die Nachricht aufnehmen wird. Um zu erfahren, was Königin Katherine in ihren privaten Gemächern sagen wird, wenn sie nicht mehr an der Leine liegt und sich von der Schlinge des diplomatischen Lateins befreit hat, in dem ihr mitgeteilt werden wird, dass der König – nachdem sie fast zwanzig Jahre miteinander verbracht haben – eine andere Dame heiraten möchte. Irgendeine Dame. Irgendeine einflussreiche Prinzessin, von der er glaubt, dass sie ihm einen Sohn schenken kann.

Das Kinn des Kardinals ruht in seiner Hand; mit Zeigefinger und Daumen reibt er sich die Augen. »Der König hat mich heute Morgen aufgesucht«, sagt er, »außergewöhnlich früh.«

»Was wollte er?«

»Mitleid. Und das zu so früher Stunde. Ich habe eine Frühmesse mit ihm gehört, und er hat die ganze Zeit über geredet. Ich liebe den König. Gott weiß, wie sehr ich ihn liebe. Aber manchmal wird meine Fähigkeit zur Anteilnahme etwas überstrapaziert.« Er hebt sein Glas, schaut über den Rand. »Sie müssen sich das ausmalen, Tom. Sie müssen sich das vorstellen. Sie sind ein Mann von etwa fünfunddreißig Jahren. Sie haben eine gute Gesundheit und einen gesunden Appetit, Sie haben jeden Tag Stuhlgang, Ihre Gelenke sind geschmeidig, Ihre Knochen stützen Sie, und darüber hinaus sind Sie König von England. Aber.« Er schüttelt den Kopf. »Aber! Wenn er nur etwas Einfaches wollte. Den Stein der Weisen. Einen Zaubertrank für ewige Jugend. Eine dieser Truhen voller Goldstücke, die in Märchen vorkommen.«

»Und wenn man ein paar herausnimmt, füllt sie sich von selbst wieder auf?«

»Genau. Nun, ich mache mir Hoffnungen auf die Goldtruhe und den Zaubertrank und alles andere. Aber wo soll ich anfangen, nach einem Sohn zu suchen, der sein Land nach ihm regiert?«

Hinter dem Kardinal bewegt sich König Salomon ein wenig im Luftzug, er verbeugt sich, sein Gesicht liegt im Dunkeln. Die Königin von Saba – lächelnd, leichtfüßig – erinnert ihn an die junge Witwe, bei der er gewohnt hat, als er in Antwerpen war. Sie teilten das Bett, hätte er sie also heiraten sollen? Um die Ehre zu bewahren, ja. Aber wenn er Anselma geheiratet hätte, hätte er Liz nicht heiraten können; und er hätte andere Kinder als die, die er jetzt hat.

»Wenn Sie keinen Sohn für ihn finden können«, sagt er, »müssen Sie eine Stelle aus der Heiligen Schrift für ihn finden. Um ihn zu beruhigen.«

Der Kardinal scheint danach zu suchen, auf seinem Schreibtisch. »Nun, das Fünfte Buch Mose. Es empfiehlt eindeutig, dass ein Mann die Frau seines verstorbenen Bruders heiraten soll. Wie er es getan hat.« Der Kardinal seufzt. »Aber er mag das Fünfte Buch Mose nicht.«

Überflüssig zu fragen: warum nicht? Überflüssig zu erwähnen: Wenn das Fünfte Buch Mose dir befiehlt, die Witwe deines Bruders zu heiraten, und das Dritte Buch Mose sagt, tu es nicht oder du hast keine Nachkommen, sollte man versuchen, mit dem Widerspruch zu leben, und akzeptieren, dass die Frage, welches Buch Priorität hat, vor zwanzig Jahren in Rom gegen eine saftige Gebühr von führenden Prälaten ausdiskutiert wurde, sodass die Dispens erteilt und mit dem päpstlichen Siegel überbracht werden konnte.

»Ich verstehe nicht, warum er sich das Dritte Buch Mose so zu Herzen nimmt. Er hat eine Tochter, die am Leben ist.«

»Ich denke, dass man in der Schrift grundsätzlich davon ausgehen kann, dass ›Kinder‹ ›Söhne‹ bedeutet.«

Der Kardinal bezieht sich bei seiner Auslegung des Textes auf das Hebräische; seine Stimme ist sanft, beruhigend. Er liebt es zu unterrichten, wo ein Wille ist, unterrichtet zu werden. Sie kennen sich jetzt seit einigen Jahren, und obwohl die Hierarchie klar ist, ist die Formalität zwischen ihnen geschwunden. »Ich habe einen Sohn«, sagt er. »Sie wissen das natürlich. Gott vergebe mir. Eine Schwäche des Fleisches.«

Der Sohn des Kardinals – Thomas Winter, wie er genannt wird – scheint zur Gelehrsamkeit und einem ruhigen Leben zu neigen, wobei sein Vater vielleicht andere Vorstellungen hat. Der Kardinal hat auch eine Tochter, ein junges Mädchen, das nie jemand zu Gesicht bekommen hat. Ziemlich unverblümt hat er sie Dorothea genannt, das Geschenk Gottes; sie ist bereits in ein Kloster gegeben worden, wo sie vermutlich für ihre Eltern betet.

»Und Sie haben einen Sohn«, sagt der Kardinal. »Oder sollte ich sagen: Sie haben einen Sohn, dem Sie Ihren Namen geben. Ich vermute mal, es gibt noch ein paar mehr, die am Ufer der Themse herumlaufen, von denen Sie nichts wissen?«

»Ich hoffe nicht. Ich war noch nicht einmal fünfzehn, als ich weggelaufen bin.«

Es amüsiert Wolsey, dass er sein genaues Alter nicht kennt. Der Kardinal blickt durch die Schichten der Gesellschaft hindurch auf eine Stufe weit unter seiner eigenen – als der mit Rindfleisch aufgezogene Sohn eines Metzgers –, auf einen Ort, wo sein Diener geboren wird: Der Tag ist unbekannt, die Herkunft obskur. Der Vater war zweifellos betrunken bei der Geburt; die Mutter war mit anderen Dingen beschäftigt, was nur verständlich ist. Kat hat ein Datum bestimmt; er ist ihr dankbar dafür.

»Nun ja, fünfzehn ...«, sagt der Kardinal. »Aber mit fünfzehn konnten Sie's, nehme ich an? Ich weiß, dass ich es konnte. Jetzt habe ich einen Sohn, jeder Bootsführer auf dem Fluss hat einen Sohn, jeder Bettler auf der Straße hat einen Sohn, Ihre Möchtegern-Mörder in Yorkshire haben zweifellos Söhne, die darauf eingeschworen werden, Sie in der nächsten Generation zu verfolgen, und Sie selbst haben, wie wir übereingekommen sind, einen ganzen Stamm von fluvialen Raufbolden gezeugt – nur der König hat als Einziger keinen Sohn. Wer hat Schuld daran?«

»Gott?«

»Näher als Gott?«

»Die Königin?«

»Mit größerer Verantwortung für alles als die Königin?«

Er kann ein breites Lächeln nicht unterdrücken. »Sie selbst, Ihro Gnaden.«

»Ich selbst, Meine Gnaden. Was soll ich dagegen unternehmen? Ich sage Ihnen, was ich tun könnte. Ich könnte Master Stephen nach Rom schicken, um bei der Kurie vorzufühlen. Aber andererseits brauche ich ihn hier ...«

Wolsey bemerkt seinen Gesichtsausdruck und lacht. Rivalisierende Untergebene! Er weiß sehr genau, dass beide mit ihrer Abstammung hadern und darum wetteifern, sein Lieblingssohn zu sein. »Was immer Sie von Master Stephen halten, er ist sehr bewandert im kanonischen Recht und ein sehr überzeugender Mensch, es sei denn, er versucht, Sie zu überzeugen. Ich sage Ihnen …« Er bricht ab; er beugt sich vor und legt seinen großen Löwenkopf in die Hände, den Kopf, der wirklich die päpstliche Tiara getragen hätte, wenn bei der letzten Wahl die richtige Summe Geld an die richtigen Leute geflossen wäre. »Ich habe darum gebettelt«, sagt der Kardinal. »Thomas, ich bin auf die Knie gefallen und in dieser demütigen Lage habe ich versucht, ihn davon abzubringen. Majestät, habe ich gesagt, hören Sie auf mich. Nichts wird daraus erwachsen, wenn Sie Ihre Frau loswerden wollen, als eine Menge Ärger und Kosten.«

»Und er hat gesagt …?«

»Er hat einen Finger in die Höhe gehalten. Warnend. ›Nennen Sie‹, hat er gesagt, ›jene liebe Dame niemals meine Frau, bevor Sie beweisen können, warum sie das ist und wie das sein kann. Bis dahin nennen Sie sie meine Schwester, meine liebe Schwester. Denn sie war zweifellos die Frau meines Bruders, bevor sie eine Form von Ehe mit mir durchlaufen hat.‹«

Es ist unmöglich, Wolsey ein illoyales Wort gegen den König zu entlocken. »Was es ist«, sagt er, »es ist …« er zögert bei dem Wort, »es ist meiner Meinung nach … absurd. Obwohl meine Meinung diesen Raum natürlich nicht verlassen darf. Sicher, seinerzeit gab es Personen, die wegen der Dispens die Stirn runzelten. Und Jahr um Jahr gab es welche, die dem König etwas ins Ohr flüsterten; er hat nicht auf sie gehört, obwohl ich jetzt annehmen muss, dass er sie sehr wohl gehört hat. Aber der König war ein überaus treu liebender Ehemann, wissen Sie. Jegliche Zweifel wurden im Keim erstickt.« Sanft, aber bestimmt legt er eine Hand auf seinen Schreibtisch. »Sie wurden erstickt und immer wieder erstickt.«

Aber es besteht kein Zweifel daran, was Henry jetzt will. Eine Annullierung. Eine Erklärung, dass es seine Ehe nie gegeben hat. »Achtzehn Jahre lang«, sagt der Kardinal, »war er in einem Irrtum befangen. Er hat seinem Beichtvater gesagt, dass er nicht weniger als achtzehn Jahre der Sünde abbüßen muss.«

Er wartet – auf eine befriedigende kleine Reaktion. Sein Diener erwidert lediglich seinen Blick: Er nimmt es als gegeben hin, dass das Beichtgeheimnis nach Belieben des Kardinals gebrochen wird.

»Wenn Sie Master Stephen nach Rom schicken«, sagt er, »verleiht das der Laune des Königs, wenn ich es so ...«

Der Kardinal nickt: Sie dürfen es so ausdrücken.

»... internationale Aufmerksamkeit?«

»Master Stephen könnte es unauffällig erledigen. Als wolle er einen persönlichen päpstlichen Segen erbitten.«

»Sie verstehen Rom nicht.«

Wolsey kann dem nicht widersprechen. Er hat nie die Kälte im Nacken gespürt, die einen Mann dazu bringt, über die Schulter zu schauen, wenn er aus dem goldenen Licht des Tiber in die Undurchdringlichkeit eines Schattens tritt. An jeder gefallenen Säule, an jeder unschuldigen Ruine können die Diebe der Rechtschaffenheit lauern, die Hure eines Bischofs, der Neffe-eines-Neffen, ein Verführer mit Geld in der Tasche und pelzigem Atem; manchmal hat er das Gefühl, er hatte Glück, dieser Stadt mit heiler Seele entkommen zu sein.

»Einfach ausgedrückt«, sagt er, »die Spione des Papstes werden erraten, was Stephen vorhat, während er noch damit beschäftigt ist, seine Messgewänder einzupacken, und die Kardinäle und Sekretäre werden Zeit genug haben, um ihren Preis festzusetzen. Wenn Sie ihn schicken müssen, geben Sie ihm genug Bargeld mit. Diese Kardinäle nehmen keine Versprechungen an; was sie wirklich mögen, ist ein Sack voll Gold, um ihre Bankiers zu beschwichtigen, denn die meisten haben keinen Kredit mehr.« Er zuckt die Achseln. »Ich weiß das.«

»Ich sollte Sie hinschicken«, sagt der Kardinal vergnügt. »Sie könnten Papst Clemens ein Darlehen anbieten.«

Warum nicht? Er kennt die Geldmärkte; vermutlich könnte er es arrangieren. An Clemens' Stelle würde er sich dieses Jahr stark verschulden und Truppen anheuern, um seine Territorien zu schützen. Aber wahrscheinlich ist es zu spät; für die sommerliche Kampfsaison muss man bis Lichtmess rekrutieren. Er sagt: »Wollen Sie die Klage des Königs nicht innerhalb Ihrer eigenen Gerichtsbarkeit anstrengen? Lassen Sie ihn ein paar Schritte tun, dann wird er sehen, ob er wirklich will, was er zu wollen glaubt.«

»Das habe ich vor. Ich beabsichtige, hier in London ein kleines Gericht einzuberufen. Wir werden uns schockiert an ihn wenden: König Harry, es scheint, dass Sie all diese Jahre auf ungesetzliche Weise mit einer Frau zusammengelebt haben, die nicht Ihre Ehefrau ist. Er hasst es, wenn seine Erhabenheit dadurch angekratzt wird, dass er im Unrecht zu sein scheint: und in genau dieses müssen wir ihn setzen, und zwar entschieden. Vermutlich wird er uns anschreien und in einem Anfall von Empörung zur Königin zurückeilen. Wenn nicht, muss ich die Dispens widerrufen lassen, hier oder in Rom, und wenn es mir gelingt, ihn von Katherine zu trennen, werde ich ihn schnell mit einer französischen Prinzessin verheiraten.«

Überflüssig zu fragen, ob dem Kardinal eine bestimmte Prinzessin vorschwebt. Es gibt nicht nur eine, sondern zwei oder drei. Er lebt nicht in einer einzigen Wirklichkeit, vielmehr in einem flexiblen Schattengeflecht von diplomatischen Möglichkeiten. Während er sein Bestes tut, um zu erreichen, dass der König mit Königin Katherine und ihrer spanisch-kaiserlichen Familie verheiratet bleibt, indem er Henry anfleht, seine Zweifel zu vergessen, plant er gleichzeitig eine alternative Welt, in der die Zweifel des Königs beachtet werden müssen und die Ehe mit Katherine nichtig ist. Sobald die Ehe für ungültig erklärt wird – und die letzten achtzehn Jahre der Sünde und des Leidens gelöscht sind –, wird er das Gleichgewicht Europas wiederherstellen, England mit Frankreich verbünden und damit einen Machtblock formen, der dem jungen Kaiser Karl, dem Neffen Katherines, Widerstand leisten kann. Und alle Resultate sind dabei wahrscheinlich, alle Resultate können bewältigt, sogar zum Wunschresultat geschönt werden: Gebete und Druck, Druck und Gebete; alles, was geschieht, wird durch Gottes Willen geschehen, ein Wille, der durch hilfreiche Korrekturen des Kardinals umgestaltet und erneuert wird. Früher sagte er: »Der König wird dieses und jenes tun.« Dann begann er zu sagen: »Wir werden dieses und jenes tun.« Jetzt sagt er: »Das ist, was ich tun werde.«

»Aber was passiert mit der Königin?«, fragt er. »Wenn er sie loswird, wohin wird sie gehen?«

»Klöster können recht angenehm sein.«

»Vielleicht geht sie zurück nach Spanien.«

»Nein, das glaube ich nicht. Spanien ist jetzt ein anderes Land. Es ist – wie lange? – siebenundzwanzig Jahre her, dass sie nach England kam.« Der Kardinal seufzt. »Ich erinnere mich an sie, an ihre Ankunft. Wie Sie wissen, wurden ihre Schiffe durch das Wetter aufgehalten, und einen Tag nach dem anderen wurde sie im Kanal durchgeschaukelt. Der alte König ritt durch das Land nach Süden, entschlossen, sie zu treffen. Sie hielt sich in Dogmersfield auf, im Palast des Bischofs von Bath, und die Reise nach London ging nur langsam voran; es war November, und ja, es regnete. Bei seiner Ankunft bestand ihr Hofstaat auf den spanischen Gepflogenheiten: Die Prinzessin muss verschleiert bleiben, bis ihr Mann sie an ihrem Hochzeitstag sieht. Aber Sie kennen den alten König!«

Natürlich kannte er ihn nicht; er wurde ungefähr zu der Zeit geboren, als sich der alte König, Abtrünniger und Flüchtling sein Leben lang, den Weg zu einem Thron erkämpfte, auf den er nur einen vagen Anspruch hatte. Wolsey spricht, als hätte er alles selbst miterlebt, als wäre er Augenzeuge gewesen, und in gewisser Weise ist es auch so, denn die jüngste Vergangenheit fügt sich bloß zu den Mustern, die seine überlegene Intelligenz anerkennt und die seinem Auge wohltun. Er lächelt. »Der alte König … als er älter wurde, konnte jede Kleinigkeit sein Misstrauen erregen. Demonstrativ zügelte er sein Pferd, um sich mit seiner Eskorte zu beraten, dann sprang er aus dem Sattel – er war immer noch ein schlanker Mann – und sagte den Spaniern ins Gesicht, er wolle sie sehen oder … Mein Land und meine Gesetze, sagte er; bei uns dulden wir keine Schleier. Warum darf ich sie nicht sehen, bin ich betrogen worden, ist sie missgebildet, erwarten Sie von mir, dass ich meinen Sohn Arthur mit einem Monster verheirate?«

Thomas denkt, der alte König habe sich übertrieben walisisch aufgeführt.

»In der Zwischenzeit hatten ihre Frauen das kleine Ding ins Bett gelegt; jedenfalls sagten sie das, weil sie glaubten, im Bett wäre sie vor ihm sicher. Keineswegs. König Henry VII. schritt durch die Räume und es sah so aus, als würde er gleich das Bettzeug zurückzuziehen. Eilig bemühten sich die Frauen um Anstand und zogen ihr etwas an. Er platzte in die Kammer. Bei ihrem Anblick war er mit seinem Latein am Ende. Er stotterte und zog sich zurück wie ein sprachloser kleiner Junge.« Der Kardinal lacht in sich hinein. »Und dann, als sie das erste Mal bei Hofe tanzte – unser armer Prinz Arthur saß lächelnd auf dem Podium, aber das kleine Mädchen konnte kaum still auf dem Stuhl sitzen –, keiner kannte die spanischen Tänze, also begab sie sich mit einer ihrer Damen aufs Parkett. Ich werde diese Kopfbewegung niemals vergessen, diesen Moment, in dem ihr schönes rotes Haar über die Schulter schwang … Kein Mann, der das gesehen hat und der sich nicht vorstellte – obwohl der Tanz in Wirklichkeit sehr gemessen war … Ach ja. Sie war sechzehn.«

Der Kardinal blickt ins Leere, und Thomas sagt: »Gott vergebe Ihnen?«

»Gott vergebe uns allen. Der alte König hat seine Lust ständig zur Beichte getragen. Prinz Arthur starb, bald darauf starb die Königin, und als der alte König Witwer geworden war, überlegte er, Katherine vielleicht selbst zu heiraten. Aber dann …« Er hebt seine herrschaftlichen Schultern. »Sie konnten sich nicht über die Mitgift einigen, wissen Sie. Der alte Fuchs, Ferdinand, ihr Vater. Er entwand sich jeder fälligen Zahlung. Aber unsere gegenwärtige Majestät war ein Junge von zehn Jahren, als er auf der Hochzeit seines Bruders tanzte, und ich glaube fest daran, dass er augenblicklich sein Herz an die Braut verloren hat.«

Sie sitzen da und denken eine Weile nach. Es ist traurig, beide wissen, dass es traurig ist. Der alte König isolierte sie und hielt sie unter geradezu ärmlichen Bedingungen im Königreich fest, er war nicht bereit, auf den Teil der Mitgift zu verzichten, der noch ausstand, und ebenso wenig war er bereit, ihren Witwenanteil auszuzahlen und sie gehen zu lassen. Bemerkenswert ist hierbei allerdings auch, welche weitreichenden diplomatischen Kontakte die junge Frau während dieser Jahre knüpfte und mit welchem Geschick sie die Interessen gegeneinander ausspielte. Als Henry sie heiratete, war er achtzehn, unbedarft. Kaum war sein Vater tot, beanspruchte er Katherine für sich. Sie war älter als er, die leidvollen Jahre hatten sie ernüchtert, und ihre Schönheit war auch nicht mehr dieselbe. Aber die reale Frau war nicht so lebendig wie seine Vision von ihr; er begehrte das, was sein älterer Bruder besessen hatte. Wieder spürte er ihre leicht zitternde Hand, die sie ihm auf den Arm gelegt hatte, als er ein zehnjähriger Junge war. Es war, als würde sie sich ihm anvertrauen, als hätte sie erkannt – so erzählte er es seinem engsten Kreis –, dass sie nie dazu bestimmt gewesen sei, Arthurs Frau zu sein, außer dem Namen nach; ihr Körper war für ihn reserviert, den zweiten Sohn, auf den sie ihre schönen blaugrauen Augen richtete, ihr gefügiges Lächeln. Sie hat mich immer geliebt, sagte der König. Fast sieben Jahre der Diplomatie, wenn man es denn so nennen kann, haben sie von mir ferngehalten. Aber jetzt brauche ich niemanden zu fürchten. Rom hat Dispens erteilt. Die Papiere sind in Ordnung. Die Allianz besteht bereits. Ich habe eine Jungfrau geheiratet, denn mein armer Bruder hat sie nicht angerührt; ich habe eine Allianz geheiratet, ihre spanischen Verwandten; aber vor allem habe ich aus Liebe geheiratet.

Und jetzt? Vorbei. Oder so gut wie vorbei: ein halbes Leben, das darauf wartet, gelöscht, von der Liste gestrichen zu werden.

Es gibt noch eine Geschichte über Katherine, eine ganz andere Geschichte. Henry ging nach Frankreich, um einen kleinen Krieg zu führen; er ließ Katherine als Regentin zurück. Sofort fielen die Schotten in England ein; sie wurden geradezu vernichtet und in Flodden schlugen sie ihrem König den Kopf ab. Niemand anderes als Katherine, dieser Engel in Rosa und Weiß, schlug vor, den Kopf in einem Sack mit der nächsten Passage nach Frankreich zu schicken, um ihren Mann in seinem Feldlager aufzumuntern. Man brachte sie davon ab; sagte ihr, es sei unenglisch. Sie schickte stattdessen einen Brief. Und mit ihm den Waffenrock, in dem der schottische König gestorben war. Er war steif, schwarz und verkrustet vom Blut.

Das Feuer geht aus, ein Holzscheit zerfällt langsam zu Asche; in seine Träume vertieft, erhebt sich der Kardinal vom Stuhl und gibt dem Scheit persönlich einen Fußtritt. Er steht da und sieht nach unten, dreht gedankenverloren die Ringe an seinen Fingern. Er schüttelt sich und sagt: »Es war ein langer Tag. Gehen Sie nach Hause. Träumen Sie nicht von den Männern aus Yorkshire.«

Thomas Cromwell ist jetzt etwas über vierzig Jahre alt. Er ist von kräftiger Statur, nicht groß. Sein Gesicht verfügt über verschiedene Ausdrücke, und einer davon ist lesbar: ein Ausdruck unterdrückter Belustigung. Sein Haar ist dunkel, voll und gewellt, und seine kleinen Augen, deren Sehvermögen ausgezeichnet ist, leuchten im Gespräch auf: Das wird uns recht bald der spanische Botschafter erzählen. Es heißt, dass er das gesamte Neue Testament auf Latein auswendig kennt, weshalb er auch ein so fähiger Bediensteter des Kardinals ist – kommen die Äbte ins Schwimmen, hat er gleich einen Text zur Hand. Er spricht leise und schnell, sein Auftreten ist selbstsicher; er ist sowohl im Gerichtssaal zu Hause als auch am Hafen, im Bischofspalast oder im Wirtshaus. Er kann einen Vertrag aufsetzen, einen Falken abrichten, eine Karte zeichnen, eine Prügelei beenden, ein Haus einrichten und Geschworene kaufen. Er liefert Ihnen ein Argument der alten Dichter und Philosophen, wenn Sie eins brauchen, von Platon zu Plautus und wieder zurück. Er kennt die neue Poesie, sogar auf Italienisch. Er arbeitet ununterbrochen, ist der Erste, der aufsteht, und der Letzte, der ins Bett geht. Er macht Geld und gibt es aus. Er nimmt jegliche Wette an.

Er steht auf, um zu gehen, und sagt: »Wenn Sie ein gutes Wort bei Gott einlegten und die Sonne käme heraus, dann könnte der König ausreiten; und wenn er nicht so bedrückt und verärgert wäre, würde sich seine Stimmung bessern, er würde vielleicht nicht mehr an das dritte Buch Mose denken, und Ihr Leben wäre einfacher.«

»Sie kennen ihn nicht so gut wie ich. Er mag die Theologie, fast so sehr wie das Ausreiten.«

Er ist an der Tür. Wolsey sagt: »Übrigens, das Gerede bei Hofe … Seine Gnaden, der Herzog von Norfolk, beschuldigt mich, einen bösen Geist heraufbeschworen und angewiesen zu haben, ihm überallhin zu folgen. Wenn Sie jemand darauf anspricht … streiten Sie es einfach ab.«

Er steht in der Tür und schmunzelt. Auch der Kardinal lächelt, als wolle er sagen: Den guten Wein habe ich bis zum Schluss aufgehoben. Weiß ich etwa nicht, was Sie glücklich macht? Dann beugt der Kardinal seinen Kopf über die Papiere. Ein Mann im Dienste Englands, der kaum Schlaf braucht; vier Stunden reichen ihm, und er wird bereits wach sein, wenn die Glocken von Westminster einen weiteren nassen, trüben, lichtlosen Apriltag einläuten. »Gute Nacht«, sagt er. »Gott segne Sie, Tom.«

Draußen warten seine Leute mit Fackeln, um ihn nach Hause zu begleiten. Er hat ein Haus in Stepney, aber jetzt geht er in sein Stadthaus. Eine Hand auf seinem Arm: Rafe Sadler, ein schmaler junger Mann mit hellen Augen. »Wie war Yorkshire?«

Rafes Lächeln flimmert, der Wind zerrt an der Flamme der Fackel und lässt sie zu einem mageren Glühen verkümmern.

»Ich darf nicht davon sprechen; der Kardinal befürchtet, es bereitet uns schlechte Träume.«

Rafe runzelt die Stirn. In seinen neunundzwanzig Jahren hatte er noch nie einen schlechten Traum; er hat sicher unter dem cromwellschen Dach geschlafen, seit er sieben war, erst in der Fenchurch Street und jetzt bei den Austin Friars; er ist behütet aufgewachsen, und seine nächtlichen

Sorgen beschränken sich auf das Naheliegende: Diebe, streunende Hunde, plötzliche Löcher in der Straße.

»Der Herzog von Norfolk ...«, sagt er, dann: »Nein, ist nicht wichtig. Wer hat nach mir gefragt, als ich weg war?«

Die regennassen Straßen sind leer, Nebel kriecht vom Fluss herauf. Die Sterne sind durch den Dunst und die Wolken nicht zu sehen. Über der Stadt liegt der süße Fäulnisgeruch der gestrigen Sünden, an die man sich nicht mehr erinnert. Norfolk kniet mit klappernden Zähnen neben seinem Bett; die Feder des Kardinals kratzt fortwährend wie eine Ratte unter der Matratze. Während ihm Rafe an seiner Seite einen Überblick über die Neuigkeiten zu Hause gibt, formuliert er sein Dementi für wen auch immer: »Seine Gnaden, der Kardinal, weist jede Behauptung entschieden zurück, er habe einen bösen Geist geschickt, um dem Herzog von Norfolk aufzuwarten. Er verwahrt sich mit aller Unmissverständlichkeit gegen eine solche Unterstellung. Kein kopfloses Kalb, kein gefallener Engel in Gestalt eines zähnefletschenden Hundes, kein kriechendes, benutztes Leichentuch, kein Lazarus oder zum Leben erweckter Kadaver ist von seiner Gnaden geschickt worden, um seine Gnaden zu verfolgen: noch ist ein solches Verfahren anhängig.«

Jemand schreit, unten bei den Kais. Die Bootsführer singen. Ein leises, entferntes Plätschern ist zu hören; vielleicht ertränken sie jemanden. »Mylord Kardinal gibt diese Erklärung unbeschadet seines Rechtes ab, den Herzog von Norfolk vermittels jeglichen Phantasmas zu belästigen und zu quälen, auf das in seiner Weisheit seine Wahl fällt: zu jeglichem zukünftigen Zeitpunkt und ohne vorherige Ankündigung: abhängig nur von den Ansichten des Lordkardinals in der Angelegenheit.«

Bei dem Wetter beginnen alte Narben zu schmerzen. Aber er betritt sein Haus, als wäre es Mittag: lächelnd und den zitternden Herzog vor Augen. Es ist ein Uhr. In seiner Vorstellung kniet Norfolk immer noch. Ein Kobold mit schwarzem Gesicht piekt ihm mit einem Dreizack in die schwieligen Fersen.

III

Austin Friars

1527

Lizzie ist noch wach. Als sie hört, dass die Dienstboten ihn einlassen, kommt sie heraus. Sie hat seinen kleinen Hund unter dem Arm, der zappelt und quiekt.

»Hattest du vergessen, wo du wohnst?«

Er seufzt.

»Wie war Yorkshire?«

Er zuckt mit der Schulter.

»Der Kardinal?«

Er nickt.

»Hast du gegessen?«

»Ja.«

»Müde?«

»Eigentlich nicht.«

»Etwas zu trinken?«

»Ja.«

»Rheinwein?«

»Warum nicht?«

Die Täfelung ist bemalt worden. Er tritt in das dezente grüngoldene Leuchten.

»Gregory ...«

»Ein Brief?«

»Etwas in der Art.«

Sie gibt ihm den Brief und den Hund, dann holt sie den Wein. Sie setzt sich und nimmt sich auch einen Becher.

»Er grüßt uns. Als wären wir nur eine Person. Schlechtes Latein.«

»Ach ja«, sagt sie.

»Hör zu. Er hofft, dass es dir gut geht. Hofft, dass es mir gut geht. Hofft, dass es seinen lieben Schwestern, Anne und der kleinen Grace, gut geht. Ihm selbst geht es gut. Jetzt muss er aus Zeitmangel zum Schluss kommen. Euer gehorsamer Sohn, Gregory Cromwell.«

»Gehorsam?«, sagt sie. »Nicht mehr?«

»Das bringen sie ihnen bei.«

Bella, der Hund, knabbert an seinen Fingerspitzen, ihre runden unschuldigen Augen leuchten wie zwei fremdartige Monde. Liz sieht gut aus, vielleicht etwas erschöpft von ihrem langen Tag; Kerzen ragen hoch und gerade hinter ihr auf. Sie trägt die Perlenkette mit Granatsteinen, die er ihr zu Neujahr geschenkt hat.

»Du bist ein hübscherer Anblick als der Kardinal«, sagt er.

»Das ist das kleinste Kompliment, das eine Frau je bekommen hat.«

»Und dabei habe ich den ganzen Weg von Yorkshire hierher daran gefeilt.« Er schüttelt den Kopf. »Na ja!« Er hebt Bella hoch in die Luft, vor Vergnügen strampelt sie mit den Beinen. »Wie läuft das Geschäft?«

Liz macht Seidenarbeiten. Bänder für die Siegel auf Dokumenten, feine Netzhauben für die Damen bei Hofe. Sie hat zwei Lehrmädchen im Haus und die Mode im Blick; aber wie immer klagt sie über die Zwischenhändler und den Preis für Garn. »Wir sollten mal nach Genua gehen«, sagt er. »Da bringe ich dir bei, wie man die Lieferanten übers Ohr haut.«

»Gerne. Aber leider wirst du niemals vom Kardinal loskommen.«

»Heute Abend wollte er mich überreden, Kontakte zu Leuten im Haushalt der Königin zu knüpfen. Zu denen, die Spanisch sprechen.«

»Ach?«

»Ich habe gesagt, mein Spanisch sei nicht so gut.«

»Nicht gut?« Sie lacht. »Du Wiesel.«

»Er muss nicht alle meine Fähigkeiten kennen.«

»Ich war auf der Cheapside«, sagt sie. Sie nennt den Namen einer alten Freundin, der Frau eines Goldschmiedemeisters. »Es gibt Neuigkeiten. Ein großer Smaragd wurde bestellt und eine Fassung in Auftrag gegeben, für einen Ring, einen Damenring.« Sie zeigt ihm die Größe des Smaragds: so groß wie ihr Daumennagel. »Der Stein wurde in Antwerpen geschliffen, und nach ein paar Wochen Wartezeit kam er auch an.« Sie schnipst mit den Fingern. »Zerbrochen!«

»Und wer kommt für den Schaden auf?«

»Der Schleifer sagt, er wurde betrogen, Schuld hatte ein versteckter Makel an der Basis. Der Importeur sagt, wenn er so versteckt war, wie hätte ich das wissen können? Der Schleifer sagt, dann muss der Lieferant Schadenersatz leisten ...«

»Sie werden jahrelang vor Gericht streiten. Können sie einen anderen Stein beschaffen?«

»Sie versuchen es. Wir glauben, dass es der König sein muss. Niemand sonst in London würde sich für einen Stein dieser Größe interessieren. Also, für wen ist er? Er ist nicht für die Königin.«

Die winzige Bella liegt ausgestreckt auf seinem Arm, sie blinzelt und wedelt leicht mit dem Schwanz. Er denkt, ich bin sehr gespannt darauf, ob und wann ein Smaragdring auftaucht. Der Kardinal wird es mir erzählen. Der Kardinal sagt: Das ist ja alles schön und gut, diese Taktik, den König hinzuhalten und sich von ihm beschenken zu lassen, aber noch diesen Sommer wird er sie ins Bett bekommen, ganz bestimmt, und im Herbst ist er ihrer dann überdrüssig und rangiert sie aus; wenn er es nicht tut, mache ich es. Sollte Wolsey eine fruchtbare französische Prinzessin importieren, möchte er nicht, dass ein paar unschöne Szenen mit abgelegten Konkubinen ihr die ersten Wochen in England verderben. Der König, meint Wolsey, müsste schonungsloser mit seinen Frauen umgehen.

Liz wartet einen Moment, bis ihr klar ist, dass sie nichts von ihm hören wird. »Was Gregory betrifft«, sagt sie. »Kommenden Sommer. Hier oder woanders?«

Gregory wird bald dreizehn und ist in Cambridge mit seinem Tutor. Er hat seine Neffen, die Söhne seiner Schwester Bet, mit ihm zur

Schule geschickt; er tut es gerne für die Familie. Der Sommer ist zur Erholung da, was sollen sie da in der Stadt? Bislang zeigt Gregory wenig Interesse an seinen Büchern, obwohl er Geschichten mag, Geschichten von Drachen, Geschichten von grünen Leuten, die in Wäldern leben; auch wenn er Protestschreie ausstößt, kann man ihn durch einen Absatz Latein schleppen, aber nur, wenn man ihn davon überzeugt, dass auf der nächsten Seite eine Seeschlange oder ein Geist auftaucht. Er mag es, durch den Wald und über die Felder zu streifen, und er jagt gerne. Er muss noch ein ganzes Stück wachsen, und wir wollen hoffen, dass er groß wird. Des Königs Großvater mütterlicherseits war über einen Meter neunzig groß, wie alle alten Männer bezeugen können. (Sein Vater jedoch hatte eher die Größe von Morgan Williams.) Der König misst einen Meter siebenundachtzig, und der Kardinal kann ihm in die Augen sehen. Henry hat gern Männer wie seinen Schwager Charles Brandon um sich, der von ähnlich eindrucksvoller Größe ist und ähnlich dick aufgepolsterte Schultern hat. In den Seitengassen ist Größe nicht so verbreitet und offenbar auch nicht in Yorkshire.

Er lächelt. Er sagt immer über Gregory: Wenigstens ist er nicht wie ich, als ich in dem Alter war, und wenn er gefragt wird: Wie waren Sie denn?, antwortet er: Ach, ich habe ständig mit dem Messer auf Leute eingestochen. Gregory würde das nie tun, deshalb macht es ihm nichts aus – oder es macht ihm weniger aus, als andere denken –, wenn sein Sohn Deklinationen und Konjugationen nicht richtig in den Griff bekommt. Wenn man ihm erzählt, was Gregory zu tun versäumt hat, sagt er: »Er ist mit Wachsen beschäftigt.« Er kann sein Schlafbedürfnis nachvollziehen; er selbst hat nie viel Schlaf bekommen, solange Walter in der Gegend herumtrampelte, und nachdem er weggelaufen war, war er immer auf einem Schiff oder auf der Straße, und irgendwann fand er sich in einer Armee wieder. Was die Leute in Bezug auf die Armee nicht verstehen, ist die enorme Leere, die durch fortwährende Untätigkeit entsteht: Man muss plündern, um an Nahrung zu kommen, man lagert irgendwo, wo der Wasserpegel steigt, weil der verrückte *capitaine* es so will, mitten in der Nacht soll man unvermutet in eine nicht zu haltende Stellung wechseln, sodass man niemals richtig schläft, die Ausrüstung ist mangelhaft, die Kanoniere verursachen aus Versehen immer wieder kleine Explosionen, die Armbrustschützen sind entweder betrunken oder sie beten, die Pfeile sind angefordert, aber noch nicht da, und der Verstand wird von der schwelenden Angst in Atem gehalten, dass es schlecht ausgehen wird, weil *il principe* – oder welche kleine Ihro Achtbarkeit auch immer heute das Kommando hat – die grundlegende Tätigkeit des Denkens nicht sonderlich gut beherrscht. Er brauchte nicht viele Winter, um von der kämpfenden Truppe zum Nachschub zu wechseln. In Italien konnte man immer im Sommer kämpfen, wenn man Lust hatte. Wenn man mal rauswollte.

»Schläfst du?«, sagt Liz.

»Nein. Aber ich träume.«

»Die kastilische Seife ist angekommen. Und dein Buch aus Deutschland. Es war als etwas anderes deklariert. Ich hätte den Jungen mit dem Paket beinahe weggeschickt.«

In Yorkshire, das nach ungewaschenen Männern roch, die Schafsfelle trugen und vor Wut schwitzten, hatte er von der kastilischen Seife geträumt.

Später sagt sie: »Also, wer ist die Dame?«

Seine Hand liegt auf ihrer vertrauten, aber schönen linken Brust; verwirrt zieht er sie weg. »Was?« Glaubt sie, er hat sich in Yorkshire mit einer Frau eingelassen? Er dreht sich auf den Rücken und überlegt, wie er sie davon überzeugen kann, dass es nicht stimmt; wenn nötig, muss er sie mit dorthin nehmen, dann wird sie schon sehen.

»Die Smaragddame?«, sagt sie. »Ich frage nur, weil die Leute darüber reden, dass der König etwas sehr Seltsames tun will, und ich kann es gar nicht glauben. Aber so heißt es überall in der Stadt.«

Wirklich? Die Gerüchte haben sich tüchtig verbreitet in den zwei Wochen, die er im Norden bei den wilden Kerlen verbracht hat.

»Wenn er das versucht«, sagt sie, »hat er die Hälfte der Menschen auf der Welt gegen sich.«

Er und Wolsey hatten gedacht, dass der Kaiser und Spanien dagegen sein würden. *Nur* der Kaiser. Er lächelt im Dunkeln, die Hände hinter dem Kopf verschränkt. Er fragt nicht: Welche Menschen?, sondern wartet darauf, dass Liz es ihm sagt. »Alle Frauen«, sagt sie. »Alle Frauen überall in England. Alle Frauen, die eine Tochter haben, aber keinen Sohn. Alle Frauen, die ein Kind verloren haben. Alle Frauen, die jede Hoffnung darauf verloren haben, ein Kind zu bekommen. Alle Frauen, die vierzig sind.«

Sie legt ihren Kopf auf seine Schulter. Zu müde zum Reden liegen sie Seite an Seite in Laken aus feinem Leinen und unter einer Steppdecke aus gelbem, türkischem Satin. Ihre Körper verströmen den zarten geliehenen Duft von Sonne und Kräutern. Auf Kastilisch, erinnert er sich, kann er Leute beleidigen.

»Schläfst du jetzt?«

»Nein. Ich denke.«

»Thomas«, sagt sie und klingt schockiert dabei, »es ist drei Uhr.«

Und dann ist es sechs. Er träumt, dass alle Frauen Englands in seinem Bett versammelt sind, dass sie ihn anrempeln und rausschubsen. Also steht er auf, um sein deutsches Buch zu lesen, bevor Liz irgendetwas dagegen unternehmen kann.

Sie tut nicht wirklich etwas dagegen; bloß, wenn sie dazu gebracht wird, sagt sie: »Mein Gebetbuch reicht mir als Lektüre.« Und sie liest tatsächlich in ihrem Gebetbuch, nimmt es mitten am Tag geistesabwesend zur Hand – ohne dabei jedoch ganz zu unterbrechen, was sie gerade tut – und streut Anweisungen für den Haushalt in ihre gemurmelte Litanei ein; es ist ein Stundenbuch, ein Hochzeitsgeschenk von ihrem ersten Mann, und der hat ihren neuen Familiennamen hineingeschrieben: Elizabeth Williams. Manchmal, wenn er eifersüchtig ist, würde er gerne andere Dinge hineinschreiben, etwas völlig Gegensätzliches. Er kannte Liz' ersten Mann, aber das heißt nicht, dass er ihn mochte. Er hat gesagt: Liz, Tyndales Buch, sein Neues Testament, liegt in der verschlossenen Truhe da, lies es, hier ist der Schlüssel; sie sagt: Lies es mir vor, wenn du so begeistert davon bist, und er sagt: Es ist auf Englisch, lies es selbst, genau darum geht es. Lies es, du wirst überrascht sein, was nicht darin steht.

Er hatte geglaubt, diese Andeutung würde sie in Versuchung führen: anscheinend nicht. Er kann sich nicht vorstellen, seinem Haushalt etwas vorzulesen; anders als Thomas More ist er kein verhinderter Priester, kein frustrierter Prediger. Nie trifft er More – einen Stern an einem anderen Firmament, der ihn mit einem verbissenen Nicken zur Kenntnis nimmt –, ohne ihn fragen zu wollen: Was ist los mit dir? Oder was ist los mit mir? Warum bestätigt dich alles, was du weißt und was du gelernt hast, in dem, was du vorher glaubtest? Wohingegen in meinem Fall alles, womit ich aufgewachsen bin und was ich zu glauben meinte, immer weiter abbröckelt, ein Splitter erst, dann ein Stück und noch ein weiteres Stück. Mit jedem Monat, der vergeht, werden den Gewissheiten dieser Welt die Ecken abgeschlagen – und auch denen der nächsten Welt. Zeig mir, wo es in der Bibel »Fegefeuer« heißt. Zeig mir, wo es heißt: Reliquien, Mönche, Nonnen. Zeig mir, wo es heißt: »Papst«.

Er wendet sich wieder seinem deutschen Buch zu. Der König hat mit Thomas Mores Hilfe ein Buch gegen Luther geschrieben, für das der Papst ihm den Titel »Verteidiger des Glaubens« verliehen hat. Nun ist es nicht so, als würde er selbst Bruder Martin lieben; er und der Kardinal sind sich einig, dass es besser wäre, Luther wäre nie geboren worden, oder noch besser, er wäre etwas feinsinniger geboren worden. Und doch informiert er sich darüber, was geschrieben wird, was durch die Kanalhäfen und die kleinen Meeresarme von East Anglia geschmuggelt wird, durch die Priele, wo bei Mondlicht ein kleines Boot mit fragwürdiger Fracht auf den Strand gezogen und wieder hinaus ins Meer geschoben werden kann. Er informiert auch den Kardinal, sodass dieser, wenn More und seine klerikalen Freunde hereinstürmen und Höllenfeuer wegen der neuesten Ketzerei speien, abwinken und sagen kann:

»Meine Herren, ich bin bereits auf dem Laufenden.« Wolsey ist bereit, Bücher zu verbrennen, aber keine Menschen. Er hat es erst letzten Oktober in St Paul's Cross getan: ein Holocaust der englischen Sprache, so viel Papier wurde verbrannt, so viel schwarze Druckertinte.

Das Neue Testament, das er in der Truhe aufbewahrt, ist ein Raubdruck aus Antwerpen, der leichter aufzutreiben ist als die eigentliche deutsche Ausgabe. Er kennt William Tyndale: Bevor London zu heiß für ihn wurde, wohnte er sechs Monate lang bei dem Großkaufmann Humphrey Monmouth in der *City of London*. Tyndale ist ein Mann von Prinzipien, ein harter Mann, und Thomas More nennt ihn »Das Biest«; er sieht aus, als hätte er in seinem Leben noch nie gelacht, aber was gibt es auch zu lachen, wenn man aus seiner Heimat vertrieben wird? Sein Neues Testament hat Oktavformat, das Papier ist scheußlich und billig: auf der Titelseite, wo Kolophon und Adresse des Druckers stehen sollten, die Worte »Gedruckt in Utopia«. Er hofft, Thomas More hat ein Exemplar davon gesehen. Am liebsten würde er es ihm zeigen, nur um sein Gesicht zu sehen.

Er klappt das neue Buch zu. Zeit, den Tag in Angriff zu nehmen. Er weiß, dass er keine Zeit hat, den Text selbst ins Lateinische zu übersetzen, damit er diskret verbreitet werden kann; er sollte jemanden darum bitten, es zu tun, aus Liebe oder für Geld. Erstaunlich, diese Liebe zurzeit zwischen jenen, die Deutsch lesen können.

Um sieben hat er gefrühstückt, ist rasiert und schön eingehüllt in frische, nicht geliehene Wäsche und feine dunkle Wolle. Manchmal vermisst er Liz' Vater um diese Zeit, den guten alten Mann, der immer früh genug aufstand, um ihm die Hand auf den Kopf zu legen und zu sagen: Hab einen schönen Tag, Thomas, um meinetwillen.

Er mochte den alten Wykys, der das erste Mal in einer rechtlichen Angelegenheit zu ihm kam. Damals war er – was, sechsundzwanzig, siebenundzwanzig? –, noch nicht lange zurück aus dem Ausland, und es passierte immer wieder, dass er einen Satz in der einen Sprache begann und ihn in einer anderen zu Ende brachte. Wykys war gewieft und hatte ein hübsches Vermögen im Wollhandel gemacht. Ursprünglich stammte er aus Putney, aber deshalb hatte er ihn nicht aufgesucht; er war ihm empfohlen worden und er war billig. Bei ihrer ersten Besprechung breitete Wykys die Papiere aus und sagte: »Sie sind Walters Junge, habe ich recht? Was ist denn passiert? Denn bei Gott, in Ihrer Jugend gab es niemanden, der ungehobelter war als Sie.«

Er hätte es erklärt, wenn er gewusst hätte, welche Art von Erklärung Wykys verstehen würde. Ich habe aufgehört, mich zu prügeln, weil ich mir jeden Tag Fresken angeschaut habe, als ich in Florenz lebte? Er sagte: »Ich habe einen leichteren Weg zu leben gefunden.«

Mit der Zeit war Wykys müde geworden und hatte das Geschäft schleifen lassen. Er schickte immer noch *Broadcloth*, feines schwarzes Tuch, auf den norddeutschen Markt, obwohl Wolle dieser Tage so lang im Vlies und gutes *Broadcloth* schwer zu weben war. Eigentlich hätte er auf *Kersey* oder ähnliche, leichtere Stoffe umsteigen und sie über Antwerpen nach Italien exportieren müssen. Er hörte zu – er war ein guter Zuhörer –, als der alte Mann herumnörgelte, und sagte: »Die Zeiten ändern sich. Ich nehme Sie dieses Jahr mit zu den Tuchmessen.«

Wykys wusste, dass er sich in Antwerpen und Bergen op Zoom zeigen sollte, aber er scheute die Überfahrt. »Wenn ich dabei bin, passiert ihm nichts«, hatte er Mistress Wykys erklärt. »Ich kenne eine gute Familie, bei der wir wohnen können.«

»Ganz recht, Thomas Cromwell«, sagte sie. »Und merken Sie sich: keine merkwürdigen holländischen Getränke. Keine Frauen. Keine verbannten Prediger in Kellern. Ich weiß, was Sie treiben.«

»Ich weiß nicht, ob ich mich von Kellern fernhalten kann.«

»Dann ein Kompromiss. Sie können ihn zu einer Predigt mitnehmen, solange Sie ihn nicht ins Bordell schleppen.«

Er hat den Verdacht, dass Mercy Wykys aus einer Familie stammt, in der John Wycliffes Schriften lebendig gehalten werden, in der die Heilige Schrift schon immer auf Englisch bekannt war; beschriebene Papierschnipsel, die gehortet werden, im Kopf verankerte verbotene Verse.

Diese Dinge werden über die Generationen weitergegeben wie Augen und Nasen, wie Sanftmütigkeit oder die Fähigkeit zur Leidenschaft, wie Muskelkraft oder das Bedürfnis, Risiken einzugehen. Wenn man heutzutage unbedingt Risiken eingehen muss, dann lieber der verbotene Prediger als die Hure; halte dich fern von Monsieur Knochenbrecher, der in Florenz als Neapolitanisches Fieber bekannt ist und in Neapel zweifellos als Florentinische Fäulnis. Die Vernunft erzwingt Abstinenz – in allen Teilen Europas, diese Inseln eingeschlossen. Unser Leben wird auf diese Weise eingeschränkt, wie es das Leben unserer Vorfahren nicht war.

Auf dem Schiff lauschte er den üblichen Klagen der Mitreisenden: diese Bastarde von Lotsen, keine markierten Fahrrinnen, englische Monopole. Den Kaufleuten der Hanse wäre es lieber gewesen, wenn ihre eigenen Leute die Schiffe nach Gravesend gebracht hätten: Die Deutschen sind Halsabschneider, aber sie wissen, wie man ein Schiff flussabwärts steuert. Dem alten Wykys war übel, als sie in See stachen. Er selbst blieb an Deck und machte sich nützlich; Sie müssen mal Schiffsjunge gewesen sein, Master, sagte jemand von der Besatzung. In Antwerpen angekommen, machten sie sich auf den Weg zum Zeichen des Heiligen Geistes. Der Diener, der die Tür öffnete, rief: »Es ist Thomas, er ist zu uns zurückgekehrt«, als wäre er von den Toten auferstanden. Die drei alten Männer, die drei Brüder vom Schiff, kamen daraufhin heraus und kümmerten sich gleich eifrig: «Thomas, unser armes Findelkind, unser Ausreißer, unser kleiner verprügelter Freund. Willkommen, komm herein und wärm dich auf!«

Nirgendwo sonst, nur noch hier ist er ein Ausreißer, ein kleiner geprügelter Junge.

Ihre Frauen, ihre Töchter, ihre Hunde bedeckten ihn mit Küssen. Er ließ den alten Wykys am Kamin zurück – erstaunlich, wie einfach die Verständigung alter Männer sein kann, wenn es darum geht, einander Salben für kleine Wehwehchen zu empfehlen, geringfügige Beschwerden zu bemitleiden und die Launen und Ansprüche ihrer Frauen zu erörtern. Der jüngste Bruder übersetzte wie üblich: mit unbeweglicher Miene, selbst als die Begriffe anatomisch wurden.

Er war mit den drei Söhnen der Brüder ausgegangen, um zu trinken. »*Wat will je?*«, zogen sie ihn auf. »Das Geschäft des alten Mannes? Seine Frau, wenn er stirbt?«

»Nein«, sagte er und überraschte sich damit selbst. »Ich glaube, ich will seine Tochter.«

»Jung?«

»Witwe. Jung genug.«

Als er nach London zurückkehrte, wusste er, dass er das Geschäft umkrempeln konnte. Doch er musste auch an den alltäglichen Ablauf denken. »Ich habe Ihren Warenbestand gesehen«, sagte er zu Wykys. »Ich habe Ihre Bücher gesehen. Jetzt zeigen Sie mir Ihre Angestellten.«

Das war der Schlüssel, ohne Frage, der Schlüssel zum Profit. Die Menschen sind immer der Schlüssel, und wenn man ihnen ins Gesicht sieht, erkennt man ziemlich schnell, ob sie ehrlich und ihrer Aufgabe gewachsen sind. Er warf den zwielichtigen Bürovorsteher raus – sagte: Sie gehen, oder wir gehen vor Gericht – und ersetzte ihn durch einen stotternden Gehilfen, einen Jüngling, den man ihm als dumm verkauft hatte. Schüchtern, das war alles; jeden Abend kontrollierte er seine Arbeit, zeigte milde und wortlos alle Fehler und Versäumnisse auf, und nach vier Wochen war der Junge sowohl kompetent als auch ehrgeizig und folgte ihm überallhin wie ein Hündchen. Es nahm vier Wochen in Anspruch und ein paar Tage unten an den Docks, wo er herausfand, wer Bestechungsgelder nahm: Am Ende des Jahres machte Wykys wieder Profit.

Wykys stapfte davon, nachdem er ihm die Zahlen gezeigt hatte. »Lizzie?«, brüllte er. »Lizzie? Komm nach unten.«

Sie kam.

»Du willst einen neuen Mann. Ist der geeignet?«

Sie stand da und betrachtete ihn von oben bis unten. »Nun, Vater. Wegen seines Aussehens hast du ihn nicht ausgesucht.« Zu ihm sagte sie mit hochgezogenen Augenbrauen: »*Wollen* Sie denn eine Frau?«

»Soll ich euch allein lassen, damit ihr die Sache bereden könnt?«, sagte der alte Wykys. Er schien verblüfft zu sein: Wahrscheinlich hatte er erwartet, dass sie sich auf der Stelle hinsetzen und einen Vertrag aufsetzen würden.

Und doch war es beinahe so. Lizzie wollte Kinder; er wollte eine Frau mit Kontakten in der City und etwas Geld im Hintergrund. Nach wenigen Wochen waren sie verheiratet. Gregory kam nach einem Jahr. Er war eine Stunde alt, ein starkes Kind, das brüllte, als er es aus der Wiege nahm: Er küsste den flaumigen Schädel des Säuglings und sagte: Ich werde so zärtlich zu dir sein, wie mein Vater es zu mir nicht war. Welchen Sinn hat es, Kinder zu bekommen, wenn nicht jede Generation es besser macht als zuvor?

An diesem Morgen fragt er sich – nachdem er früh aufgewacht ist, hat er darüber nachgedacht, was Liz letzte Nacht gesagt hat –, warum macht sich meine Frau eigentlich Gedanken über Frauen, die keine Söhne haben? Vielleicht machen Frauen das so: Sie nehmen sich Zeit und versetzen sich in die Lage der anderen.

Davon kann man lernen, denkt er.

Es ist acht Uhr. Lizzie ist nach unten gekommen. Ihr Haar steckt unter einer Haube aus Leinen, ihre Ärmel sind hochgekrempelt. »Oh, Liz«, sagt er und lacht. »Du siehst aus wie eine Bäckersfrau.«

»Wo bleiben deine Manieren?«, sagt sie. »Schankhilfe.«

Rafe kommt herein: »Gleich wieder zurück zum Lordkardinal?« Wohin sonst, sagt er. Er sammelt die Papiere zusammen, die er heute braucht. Tätschelt seine Frau, küsst seinen Hund. Bricht auf. Es nieselt noch ein wenig, hellt aber schon auf, und bevor sie York Place erreichen, zeigt sich, dass der Kardinal Wort gehalten hat. Ein Hauch von Sonnenlicht liegt über dem Fluss, blass wie das Fruchtfleisch einer Zitrone.

TEIL ZWEI

I

Heimsuchung

1529

Sie nehmen das Haus des Kardinals auseinander. Raum für Raum tilgen sie die Spuren des Besitzers von York Place. Die Männer des Königs bündeln Pergamente und Schriftrollen, Messbücher und Memoranda und die Bände seiner privaten Buchhaltung; sie nehmen sogar die Tinte und die Federkiele mit. Sie reißen die Tafeln mit dem Wappen des Kardinals von den Wänden.

Sie kamen an einem Sonntag, zwei rachsüchtige Granden: der Herzog von Norfolk, ein gewiefter Habicht, der Herzog von Suffolk, nicht weniger beflissen. Sie erklärten dem Kardinal, er sei als Lordkanzler entlassen, und verlangten das Großsiegel von England. Er berührte den Arm des Kardinals. Eine rasche Besprechung. Der Kardinal wandte sich wieder an sie, liebenswürdig: Es scheint, dass eine schriftliche Aufforderung durch den König notwendig ist; haben Sie eine? Oh: nachlässig von Ihnen. Es erfordert eine Menge Stehvermögen, so ruhig zu bleiben; aber natürlich hat der Kardinal eine Menge Stehvermögen.

»Sie wollen, dass wir nach Windsor zurückreiten?« Charles Brandon kann es nicht glauben. »Wegen eines Fetzen Papiers? Obwohl die Situation eindeutig ist?«

Das ist typisch Suffolk: zu glauben, der Buchstabe des Gesetzes sei eine Art Luxus, den man sich leistet. Er flüstert dem Kardinal erneut etwas zu, und der Kardinal sagt: »Nein, ich denke, wir sagen es ihnen lieber, Thomas … verlängern die Angelegenheit nicht über ihre natürliche Lebensdauer hinaus … Mylords, mein Anwalt hier sagt, ich kann Ihnen das Siegel nicht geben, ob mit oder ohne schriftliche Aufforderung. Er sagt, dass ich es genau genommen nur dem *Master of the Rolls* aushändigen darf. Daher bringen Sie ihn am besten gleich mit.«

Er sagt, leichthin: »Seien Sie froh, dass wir es Ihnen gesagt haben, Mylords. Andernfalls wären es drei Ritte gewesen, richtig?«

Norfolk grinst. Er liebt solche Auseinandersetzungen. »Sehr verbunden, Master«, sagt er.

Als die Herzöge gehen, dreht sich Wolsey um und umarmt ihn mit fröhlichem Gesicht. Obwohl es ihr letzter Sieg ist und sie das wissen, ist es wichtig, Einfallsreichtum zu zeigen; vierundzwanzig Stunden sind es wert, gewonnnen zu werden, da der König wankelmütig ist. Außerdem hat es ihnen Spaß gemacht. »Der *Master of the Rolls*«, sagt Wolsey. »Wussten Sie das oder haben Sie es erfunden?«

Am Montagmorgen sind die Herzöge wieder da. Sie haben Anweisung, die Bewohner noch an diesem Tag hinauszuwerfen, weil der König seine Baumeister und Einrichter schicken will, um den Palast fertigzustellen, damit er Lady Anne übergeben werden kann, die ein eigenes Haus in London benötigt.

Er ist bereit, standzuhalten und die Sache durchzufechten: Ist mir etwas entgangen? Dieser Palast gehört der Erzdiözese von York. Wann wurde Lady Anne zum Erzbischof ernannt?

Aber die Männer strömen über die Stufen der Anlegestelle herein und schwemmen sie beiseite. Die beiden Herzöge haben sich verzogen, und da ist niemand, mit dem er streiten kann. Was für ein schrecklicher Anblick, sagt jemand: Master Cromwell am Kampf gehindert. Und jetzt ist der Kardinal bereit zu gehen, aber wohin? Über dem üblichen Scharlachrot trägt er einen Reiseumhang, der jemand anders gehört; Stück für Stück konfiszieren sie seine Garderobe, und deshalb muss er nehmen, was er kriegen kann. Es ist Herbst, und obwohl er ein gewichtiger Mann ist, spürt er die Kälte.

Sie werfen Truhen um und kippen den Inhalt aus. Briefe von Päpsten, Briefe von den Gelehrten Europas liegen auf dem Boden verstreut:

aus Utrecht, aus Paris, aus San Diego de Compostela; aus Erfurt, aus Straßburg, aus Rom. Sie packen seine Evangelien ein und nehmen sie für die Bibliotheken des Königs mit. Die Texte sind schwer zu tragen, und außerdem sind sie merkwürdig, so als ob sie atmeten; die Seiten sind aus Antikpergament von totgeborenen Kälbern hergestellt und der Illuminator hat die Adern in Schattierungen von Ultramarin und Blattgrün wiederbelebt.

Sie nehmen die Tapisserien herunter und lassen die blanken Wände zurück. Sie werden zusammengerollt, die Monarchen aus Wolle, Salomon und Saba; auf diese Weise einander näher gebracht, verschränken sich ihre Blicke, und ihre winzigen Lungen atmen die Fasern von Bäuchen und Schenkeln ein. Herunter kommen die Jagdbilder des Kardinals, die Bilder weltlichen Vergnügens: ausgelassene Bauern, die in Teichen planschen, in die Enge getriebene Hirsche, Spaniel an seidenen Leinen und englische Doggen mit Stachelhalsbändern; die Jäger mit ihren Nietengürteln und Messern, die Damen zu Pferd mit adretten Kappen, der von Binsen umstandene Teich, die sanften Schafe auf der Weide und die blau schimmernden Baumwipfel, die sich in eine dunstige Ferne erstrecken bis hin zu einer Szenerie aus Kreidefelsen und einem weiß dahingleitenden Himmel.

Der Kardinal blickt auf die Aasgeier, während sie zu Werke gehen. »Haben wir Erfrischungen für unsere Besucher?«

In den beiden großen Räumen, die an die Galerie grenzen, haben sie Tische aufgestellt. Jeder ist zwanzig Fuß lang, und sie bringen noch mehr herein. In der Schatzkammer haben sie das Goldgerät des Kardinals, seine Juwelen und Edelsteine ausgelegt, lesen seine Bestandslisten und rufen das Gewicht des Goldes aus. Im Sitzungssaal stapeln sie sein Silber und das, was teilweise vergoldet ist. Weil alles verzeichnet ist, bis hin zum eingedellten Topf in der Küche, haben sie Körbe unter die Tische gestellt, in die sie jeden Gegenstand werfen können, an dem der König vermutlich keinen Gefallen finden wird. Sir William Gascoigne, der Schatzmeister des Kardinals, läuft geschäftig zwischen den Räumen hin und her, redet und lenkt die Aufmerksamkeit der Bevollmächtigten auf jede Ecke, jeden Schrank und jede Truhe, von denen er meint, sie hätten sie übersehen.

Ihm trottet George Cavendish hinterher, der Hausmarschall des Kardinals; sein Gesicht ist blank vor Entsetzen. Sie bringen die Ornate des Kardinals heraus, seine Prozessionsmäntel. Sie scheinen von alleine zu stehen, so voller Stickereien, übersät mit Perlen und Edelsteinen sind sie. Die Plünderer hauen jedes einzelne Gewand um, als würden sie Thomas Becket umhauen. Sie verzeichnen es auf der Liste, und nachdem sie es auf die Knie gezwungen und ihm das Rückgrat gebrochen haben, werfen sie es in ihre Kisten. Cavendish zuckt zusammen: »Um Gottes willen, meine Herren, legen Sie diese Truhen mit einer doppelten Lage Kambrik aus. Sie zerstören die Handarbeit, für die die Nonnen ein Leben lang gebraucht haben!« Er dreht sich um: »Master Cromwell, glauben Sie, wir können diese Leute loswerden, bevor es dunkel wird?«

»Nur, wenn wir ihnen helfen. Wenn es getan werden muss, können wir wenigstens dafür sorgen, dass sie es ordentlich tun.«

Es ist ein unanständiges Spektakel: Der Mann, der England regiert hat, wird entwürdigt. Sie haben Ballen von feinem Rohhalbleinen angeschleppt, Samt und grob gerippte Seide, Sarsenett und Taft, meterweise Scharlachrot: die scharlachrote Seide, in der er der Sommerhitze Londons entgegentritt, den purpurroten Brokat, der sein Blut warmhält, wenn Schnee auf Westminster fällt und in Wirbeln über die Themse fegt. In der Öffentlichkeit trägt der Kardinal Rot, ausschließlich Rot, aber von verschiedener Dichte, verschiedener Webart, verschiedener Intensität von Farbstoff und Färbung, jedes jedoch das Beste seiner Art, die besten Rots, die für Geld zu haben sind. Es hat Tage gegeben, da kam er in voller Pracht heraus und sagte: »Gut, Master Cromwell, schätzen Sie meinen Preis pro Yard!«

Und er sagte darauf: »Lassen Sie sehen«, umkreiste den Kardinal langsam, sagte: »Darf ich?« und nahm ein Stück des Ärmels zwischen seine fachkundigen Finger; dann trat er zurück und begutachtete ihn, um seinen Körperumfang abzuschätzen – Jahr um Jahr dehnt sich der Kardinal aus – und nannte eine Zahl. Der Kardinal pflegte begeistert in die Hände zu klatschen. »Sollen die Neider uns nur anschauen! Weiter, weiter, weiter.« Dann formierte sich sein Gefolge, die Träger der Silberkreuze, die Ordnungshüter mit den vergoldeten Äxten: Denn ohne Gefolge tat der Kardinal keinen Schritt in die Öffentlichkeit.

So hat er Tag um Tag auf seine Bitte hin und um ihn zu amüsieren den Wert seines Herrn taxiert. Jetzt hat der König eine Armee von Schreibern geschickt, um dasselbe zu tun. Er aber würde ihnen gerne mit Gewalt die Federn entreißen und über ihre Inventarlisten schreiben: *Thomas Wolsey ist ein Mann, der keinen Preis hat.*

»Nun, Thomas«, sagt der Kardinal und tätschelt ihn. »Alles, was ich habe, habe ich vom König. Der König hat es mir gegeben, und wenn er York Place gerne vollständig möbliert übernehmen möchte, gut; ich bin sicher, wir besitzen andere Häuser, wir haben andere Dächer, unter denen wir Schutz finden. Hier ist nicht Putney, wissen Sie.« Der Kardinal hält sich an ihm fest. »Daher verbiete ich Ihnen, jemanden zu schlagen.« Er tut so, als müsse er sich zurückhalten, und presst lächelnd die Arme an die Seite. Die Finger des Kardinals zittern.

Der Schatzmeister Gascoigne kommt herein und sagt: »Ich höre, Seine Gnaden soll direkt in den Tower kommen.«

»Ach wirklich?«, sagt er. »Wo haben Sie das gehört?«

»Sir William Gascoigne«, sagt der Kardinal und zieht den Namen in die Länge, »was habe ich Ihrer Meinung nach getan, das den König dazu bringen würde, mich in den Tower zu schicken?«

»Das ist typisch für Sie«, sagt er zu Gascoigne, »jede Geschichte zu verbreiten, die man Ihnen erzählt. Ist das der einzige Trost, den Sie anzubieten haben – mit bösen Gerüchten hier aufzuwarten? Niemand geht in den Tower. Wir gehen« – und der Haushalt hält den Atem an, als er improvisiert – »nach Esher. Und Ihre Aufgabe«, er kann nicht anders und gibt Gascoigne einen kleinen Schubs in die Brust, »ist es, all diese Fremden im Auge zu behalten und dafür zu sorgen, dass alles, was von hier fortgeschafft wird, auch dort ankommt, wo es hin soll, und dass nichts auf dem Weg verschwindet, denn wenn das passiert, werden Sie an die Tore des Towers hämmern und darum betteln, eingelassen zu werden, um mir zu entkommen.«

Verschiedene Laute: Aus dem hinteren Teil des Raumes kommen unterdrückte Beifallsrufe. Es ist schwer, nicht zu glauben, dass das alles hier ein Stück ist, mit dem Kardinal in der Hauptrolle: *Der Kardinal und seine Diener.* Und dass es eine Tragödie ist.

Cavendish zupft ihn am Ärmel, er ist besorgt, schwitzt. »Aber Master Cromwell, das Haus in Esher steht leer, wir haben keinen Topf, wir haben kein Messer und keinen Bratspieß, wo soll Mylord Kardinal schlafen, ich bezweifle, dass auch nur ein Bett gelüftet ist, wir haben weder Wäsche noch Feuerholz noch … und wie sollen wir überhaupt hinkommen?«

»Sir William«, sagt der Kardinal zu Gascoigne, »nehmen Sie keinen Anstoß an Master Cromwell, der gelegentlich über Gebühr direkt ist, aber nehmen Sie sich zu Herzen, was er gesagt hat. Da alles, was ich habe, vom König stammt, muss alles in bester Ordnung zurückgegeben werden.« Er wendet sich ab, seine Mundwinkel zucken. Abgesehen von gestern, als er die Herzöge aufgezogen hat, hat er schon einen Monat lang nicht mehr gelächelt. »Tom«, sagt er, »ich habe Jahre damit verbracht, Ihnen beizubringen, nicht so zu reden.«

Cavendish sagt zu ihm: »Die Barke des Lordkardinals wurde noch nicht beschlagnahmt. Seine Pferde auch nicht.«

»Nein?« Er legt Cavendish eine Hand auf die Schulter: »Wir fahren flussaufwärts, so viele, wie auf das Schiff passen. Die Pferde können in – sagen wir in Putney – auf uns warten und dann … borgen wir uns den Rest. Kommen Sie, George Cavendish, irgendetwas wird Ihnen schon einfallen, wir haben in den letzten Jahren schwierigere Dinge bewältigt, als den Haushalt nach Esher zu bringen.«

Ist das wahr? Er hat Cavendish nie besonders beachtet, einen sensiblen Mann, der oft über Tischservietten spricht. Aber er sucht eine Möglichkeit, ihm ein wenig militärisches Rückgrat zu vermitteln, und das Beste ist, so zu tun, als wären sie Waffenbrüder aus einem alten Feldzug.

»Ja, ja«, sagt Cavendish, »wir lassen die Barke kommen.«

Gut, sagt er, und der Kardinal sagt: Putney? und versucht zu lachen. Er fährt fort: Nun, Thomas, Sie haben es Gascoigne gegeben; der Mann hat etwas an sich, das ich noch nie gemocht habe, und er sagt: Warum haben Sie ihn dann behalten?, und der Kardinal sagt: Ach, das macht man eben, und der Kardinal sagt noch einmal: Putney, was?

Er sagt: »Was immer uns am Ende der Reise erwartet, wir sollten nicht vergessen, wie Seine Gnaden vor neun Jahren auf ein paar elenden feuchten Feldern in der Picardie eine goldene Stadt für das Treffen zweier Könige geschaffen hat. Seither ist Seine Gnaden nur umso größer geworden – an Weisheit und im Ansehen des Königs.«

Er spricht so laut, dass alle ihn hören können; und er denkt, bei jener Gelegenheit ging es um den Frieden, nominell, aber jetzt wissen wir nicht, worum es geht; es ist der erste Tag eines langen oder kurzen Feldzugs, wir sollten uns lieber verschanzen und darauf hoffen, dass unsere Nachschubwege erhalten bleiben. »Ich denke, es sollte uns gelingen, die Kaminbestecke und Suppenkessel und alles Sonstige aufzutreiben, was George Cavendish für unabdingbar hält. Vor allem, wenn ich daran denke, dass Mylord Kardinal die großen Armeen des Königs versorgt hat, die in Frankreich gekämpft haben.«

»Ja«, sagt der Kardinal, »und wir alle wissen, was Sie von unseren Feldzügen hielten, Thomas.«

Cavendish sagt: »Was?«, und der Kardinal sagt: »George, entsinnen Sie sich nicht, was mein Mann Cromwell im Unterhaus gesagt hat – war es vor fünf Jahren? –, als wir eine Subvention für den neuen Krieg wollten?«

»Aber er sprach gegen Ihre Gnaden!«

Gascoigne – der beharrlich der Unterhaltung folgt – sagt: »Sie haben sich in diesem Fall nicht gerade hervorgetan, Master, als Sie gegen den König und den Lordkardinal gesprochen haben, denn ich erinnere mich sehr wohl an Ihre Rede, und ich versichere Ihnen, dass andere das auch tun; Sie haben sich damit keinen Gefallen getan, Cromwell.«

Er zuckt die Achseln. »Das war gar nicht meine Absicht. Wir sind nicht alle wie Sie, Gascoigne. Ich wollte, dass das Unterhaus eine Lehre aus dem letzten Mal zieht. Dass es sich an die Vergangenheit erinnert.«

»Sie haben gesagt, wir würden verlieren.«

»Ich habe gesagt, wir würden bankrott gehen. Aber ich sage Ihnen, all unsere Kriege wären viel schlimmer ausgegangen ohne den Lordkardinal, der die Versorgung übernommen hat.«

»Im Jahre 1523 ...«, sagt Gascoigne.

»Müssen wir das alles noch einmal durchfechten?«, sagt der Kardinal.

»... stand der Herzog von Suffolk nur fünfzig Meilen vor Paris.«

»Ja«, sagt er, »und wissen Sie, was fünfzig Meilen für einen halb verhungerten Infanteristen im Winter bedeuten, wenn er auf feuchtem Boden schläft und durchgefroren aufwacht? Wissen Sie, was fünfzig Meilen für einen Tross bedeuten, wenn die Karren bis zu den Achsen im Schlamm stecken? Und was den Ruhm von 1513 angeht – Gott behüte uns.«

»Tournai! Thérouanne!«, schreit Gascoigne. »Sind Sie blind für das, was dort geschah? Zwei französische Städte genommen! Der König so heldenhaft auf dem Feld!«

Ständen wir jetzt auf dem Feld, denkt er, würde ich dir vor die Füße spucken. »Wenn Sie den König so mögen, gehen Sie doch und arbeiten Sie für ihn. Oder tun Sie es bereits?«

Der Kardinal räuspert sich leise. »Das tun wir alle«, sagt Cavendish, und der Kardinal sagt: »Thomas, wir sind das Werk seiner Hände.«

Als sie zur Barke des Kardinals hinausgehen, wehen seine Flaggen: die Tudor-Rose, die kornischen Krähenvögel. Cavendish sagt mit großen Augen: »Sehen Sie mal, all die kleinen Boote dort.« Einen Augenblick lang glaubt der Kardinal, die Londoner sind gekommen, um ihm alles Gute zu wünschen, aber als er auf die Barke geht, ertönen Buhrufe von den Booten; Zuschauer drängen sich am Ufer, und obwohl die Männer des Kardinals sie zurückhalten, ist ihre Absicht offenkundig. Als die Riemen flussaufwärts zu rudern beginnen und nicht flussabwärts in Richtung Tower, stöhnen die Leute enttäuscht auf und rufen ihm Drohungen zu.

In dem Moment bricht der Kardinal zusammen, er fällt in seinen Sitz und beginnt zu reden, und er redet, redet, redet den ganzen Weg bis Putney. »Hassen sie mich so sehr? Was habe ich anderes getan, als ihr Gewerbe zu fördern und ihnen mein Wohlwollen zu zeigen? Habe ich Hass gesät? Nein. Ich habe doch niemanden verfolgt. Ich habe doch jedes Jahr nach Abhilfe gesucht, wenn der Weizen knapp war. Als die Lehrlinge ihren Aufstand machten, habe ich vor dem König auf den Knien gelegen und ihn mit Tränen in den Augen angefleht, die Täter zu verschonen, während die Schlingen, an denen sie hängen sollten, schon um ihren Hals lagen.«

»Die Massen«, sagt Cavendish, »haben immer den Wunsch nach Veränderung. Sie ertragen keinen großen Mann in Amt und Würden, sondern müssen ihn stürzen – weil sie immer etwas Neues wollen.«

»Fünfzehn Jahre Kanzler. Zwanzig in seinem Dienst. Davor in dem seines Vaters. Habe mich nie geschont ... bin immer früh aufgestanden, habe lange gewacht ...«

»Da sehen Sie«, sagt Cavendish, »was es heißt, einem Fürsten zu dienen! Wir sollten uns vor ihren Stimmungsschwankungen hüten.«

»Fürsten sind nicht zur Beständigkeit verpflichtet«, sagt er. Er denkt: Ich könnte mich vergessen, rüberlangen und dich von Bord stoßen.

Der Kardinal hat sich nicht vergessen, ganz im Gegenteil; er blickt zurück, zwanzig Jahre zurück zur Thronbesteigung des jungen Königs. »Er soll sich an die Arbeit machen, haben manche gesagt. Aber ich sagte: Nein, er ist ein junger Mann. Er soll jagen, Turniere austragen, seine Habichte und Falken fliegen lassen ...«

»Instrumente spielen«, sagt Cavendish. »Immer an irgendetwas herumzupfen. Und singen.«

»Bei Ihnen klingt er wie Nero.«

»Nero?« Cavendish fährt auf. »Das habe ich nie gesagt.«

»Der sanfteste, klügste Fürst der Christenheit«, sagt der Kardinal. »Ich will kein Wort gegen ihn hören, von niemandem.«

»Das werden Sie auch nicht«, sagt er.

»Was habe ich nicht alles für ihn getan! Den Kanal habe ich so leichthin überquert, wie andere über ein Rinnsal Pisse auf der Straße treten.« Der Kardinal schüttelt den Kopf. »Wachend und schlafend, zu Pferd oder beim Rosenkranzbeten ... zwanzig Jahre ...«

»Liegt es an den Engländern?«, fragt Cavendish ernsthaft. Er denkt immer noch an den Aufruhr, als sie ablegten; selbst jetzt laufen noch Leute am Ufer entlang, machen anstößige Gesten und pfeifen. »Erklären Sie es uns, Master Cromwell, Sie waren im Ausland. Sind die Engländer eine besonders undankbare Nation? Es will mir scheinen, dass sie die Veränderung um ihrer selbst willen lieben.«

»Ich glaube nicht, dass es die Engländer sind. Ich denke, so sind die Menschen eben. Sie hoffen immer, dass vielleicht etwas Besseres kommt.«

»Aber was haben sie von der Veränderung zu erwarten?«, beharrt Cavendish. »Ein mit Fleisch übersättigter Hund wird von einem Hund abgelöst, der hungriger ist und bis auf den Knochen zubeißt. Abgang des Mannes, der vor lauter Ehren fett geworden ist, und ein hungriger, schlanker Mann tritt auf.«

Er schließt die Augen. Der Fluss fließt unruhig unter ihnen – undeutlichen Gestalten in einer Allegorie des Schicksals. Die Untergegangene Herrschergröße sitzt im Zentrum. Cavendish zu seiner Rechten als Tugendhafter Ratgeber gibt murmelnd überflüssige und säumige Ratschläge, zu denen der traurige Würdenträger den Kopf senkt; er selbst sitzt wie ein Verführer zur Linken, und die große Hand des Kardinals mit ihren Granat- und Turmalinringen hält seine eigene schmerzhaft fest. George würde mit Sicherheit im Fluss landen, nur dass seine Worte trotz der Plattitüden einen düsteren Sinn haben. Und warum? Stephen Gardiner, denkt er. Es mag nicht angehen, den Kardinal einen fett gewordenen Hund zu nennen, aber Stephen ist eindeutig hungrig und schlank und wurde vom König zu seinem persönlichen Sekretär befördert. Es ist nicht ungewöhnlich, dass das Personal des Kardinals auf diese Weise aufsteigt, nach erfolgreichem Durchlaufen der Wolsey-Akademie für Intrigen und schlaues Taktieren; aber trotzdem setzt das Stephen an eine Stelle, wo er – wenn er seinen Pflichten ordentlich nachkommt – dem König näher ist als irgendjemand sonst, abgesehen vielleicht von dem Kammerherrn, der ihm bei seinem Nachtstuhl zu Diensten ist und ihm ein Mulltuch reicht. Ich hätte nichts dagegen einzuwenden, denkt er, wenn Stephen diesen Posten bekäme.

Der Kardinal schließt die Augen. Tränen treten unter seinen Lidern hervor. »Denn es ist eine Wahrheit«, sagt Cavendish, »dass das Schicksal unbeständig, wankelmütig und veränderbar ist ...«

Eine Geste des Erwürgens genügt, blitzschnell, solange der Kardinal die Augen geschlossen hat. Cavendish legt eine Hand an den Hals, er hat verstanden. Und dann sehen sie sich an, verlegen. Einer von ihnen hat zu viel gesagt, einer von ihnen hat zu viel gefühlt. Es ist nicht leicht zu erkennen, wo die Waage ausbalanciert ist. Seine Augen suchen das Ufer der Themse ab. Immer noch weint der Kardinal und umklammert seine Hand.

Als sie weiter flussaufwärts fahren, gibt das Ufer keinen Anlass zur Beunruhigung mehr. Nicht dass die Engländer in Putney weniger wankelmütig sind. Sie haben es nur noch nicht gehört.

Die Pferde warten. Als Mann der Kirche hat der Kardinal immer ein großes starkes Maultier geritten, obwohl sein Stall jeden Edelmann vor Neid erblassen lässt – schließlich ging er zwanzig Jahre lang mit Königen auf die Jagd. Hier steht das Tier nun mit zuckenden langen Ohren und seinem scharlachroten Geschirr, neben ihm Master Sexton, der Narr des Kardinals.

»Was in Gottes Namen tut er hier?«, fragt er Cavendish.

Sexton tritt vor und sagt dem Kardinal etwas ins Ohr; der Kardinal lacht. »Sehr gut, Patch. Nun hilf mir aufsteigen, sei so gut.«

Aber Patch – Master Sexton – ist der Aufgabe nicht gewachsen. Der Kardinal scheint geschwächt; er scheint das Gewicht des Fleisches zu spüren, das er auf den Knochen hat. Er, Cromwell, gleitet aus dem Sattel und nickt drei Dienern zu, die besonders stämmig sind. »Master Patch, halten Sie Christophers Kopf.« Als Patch vorgibt, nicht zu wissen, dass Christopher das Maultier ist, und den Mann neben sich in den Schwitzkasten nimmt, sagt er: Oh, um Christi willen, Sexton, gehen Sie aus dem Weg, oder ich stopfe Sie in einen Sack und ertränke Sie.

Der Mann, dem beinahe der Kopf abgerissen wurde, steht auf, reibt seinen Hals, sagt: Danke, Master Cromwell, und humpelt nach vorn, um das Zaumzeug zu halten. Er, Cromwell, und zwei andere hieven den Kardinal in den Sattel. Der Kardinal sieht beschämt aus. »Vielen Dank, Tom.« Er lacht unsicher. »Lass dir das gesagt sein, Patch.«

Sie sind bereit loszureiten. Cavendish sieht auf. »Bei allen Heiligen!« Ein einzelner Reiter prescht im Galopp den Hügel hinunter. »Eine Festnahme!«

»Durch einen einzelnen Mann?«

»Ein Vorreiter«, sagt Cavendish, und er sagt: Putney ist rau, aber man muss keine Kundschafter aussenden. Dann ruft jemand: »Es ist Harry Norris.« Harry springt vom Pferd. Weshalb er auch gekommen ist, es hat ihn in helle Aufregung versetzt. Harry Norris ist einer der engsten Freunde des Königs; er ist, um genau zu sein, der *Groom of the Stool*, der Diener des Königlichen Stuhls, der Mann, der das Mulltuch reicht.

Wolsey ist sofort klar, dass der König nicht Norris schicken würde, um ihn zu verhaften. »Nun, Sir Henry, kommen Sie erst einmal zu Atem. Was kann so dringend sein?«

Norris sagt: Bitte um Verzeihung, Mylord, Mylord Kardinal; er reißt sich die Kappe mit den Federn vom Kopf, wischt sich mit dem Arm über das Gesicht, lächelt auf das Charmanteste. Liebenswürdig wendet er sich an den Kardinal: Der König hat ihm befohlen, Seiner Gnaden nachzureiten, ihn einzuholen und ihm Worte des Trostes zu sagen und ihm diesen Ring zu geben, den er gut kennt – ein Ring, der in der ausgestreckten Handfläche auf dem Handschuh liegt.

Der Kardinal klettert von seinem Maultier und fällt auf die Knie. Er nimmt den Ring und drückt ihn an seine Lippen. Er betet. Betet, dankt Norris, bittet um Segen für seinen Herrscher. »Ich habe nichts, das ich ihm schicken kann. Nichts Wertvolles, um es dem König zu schicken.« Er sieht sich um, als könnte sein Auge auf etwas fallen, das er schicken kann; einen Baum? Norris versucht, ihm auf die Füße zu helfen, was darin endet, dass er neben ihm kniet, dass dieser gepflegte und charmante Mann im Matsch von Putney kniet. Offenbar überbringt er dem Kardinal hiermit die Botschaft, dass der König nur verärgert zu sein scheint, aber nicht wirklich verärgert ist; dass er weiß, dass der Kardinal Feinde hat; dass er selbst, Henricus Rex, nicht zu diesen Feinden gehört; dass die Machtdemonstration nur dazu dient, diese Feinde zufriedenzustellen; dass er in der Lage ist, den Kardinal mit dem Doppelten von dem zu entschädigen, was ihm genommen wurde.

Der Kardinal beginnt zu weinen. Es fängt an zu regnen, und der Wind bläst ihnen den Regen ins Gesicht. Hastig und mit gesenkter Stimme redet der Kardinal auf Norris ein, dann nimmt er eine Kette von seinem Hals und versucht, sie Norris um den Hals zu legen, aber sie verfängt sich in den Verschlüssen seines Reitumhangs, woraufhin mehrere Leute herbeieilen, um zu helfen, aber es misslingt ihnen, und Norris steht auf und beginnt sich mit der einen Hand abzubürsten, während er mit der anderen die Kette umklammert. »Tragen Sie sie«, bittet ihn der Kardinal, »und wenn Sie sie ansehen, denken Sie an mich und empfehlen Sie mich dem König.«

Cavendish ist plötzlich dicht neben ihm. »Sein Reliquiar!« George ist bestürzt, erstaunt. »Sich einfach davon zu trennen! Es ist ein Stück des wahren Kreuzes Christi!«

»Wir besorgen ihm ein neues. Ich kenne einen Mann in Pisa, der zehn Stück für fünf Florins macht, und ein rundes Dutzend gegen Vorkasse. Und man bekommt ein Zertifikat mit dem Daumenabdruck des Heiligen Petrus, das die Echtheit bestätigt.«

»Schämen Sie sich!«, sagt Cavendish, zügelt sein Pferd und lässt es zurückfallen.

Inzwischen entfernt sich auch Norris, hat er doch seine Botschaft überbracht, und sie versuchen, den Kardinal wieder auf sein Maultier zu bekommen. Dieses Mal treten vier starke Männer vor, als wäre es Routine. Das Stück hat sich mittlerweile in eine Art volkstümliche Posse verwandelt; das ist auch der Grund dafür, denkt er, dass Patch hier ist. Er reitet hinüber, blickt aus dem Sattel herunter und sagt: »Norris, können wir das alles schriftlich haben?«

Norris lächelt, sagt: »Kaum, Master Cromwell; es ist eine vertrauliche Botschaft für den Lordkardinal. Die Worte meines Herrn waren nur für ihn bestimmt.«

»Und diese Entschädigung, die Sie erwähnt haben?«

Norris lacht – wie er es immer tut, um Feindseligkeit zu entschärfen – und flüstert: »Ich denke, es könnte figurativ gemeint sein.«

»Das halte ich auch für möglich.« Den Wert des Kardinals verdoppeln? Nicht bei den Einkünften des Königs. »Geben Sie uns zurück, was uns genommen wurde. Wir verlangen gar nicht das Doppelte.«

Norris' Hand wandert zu der Kette, die jetzt um seinen Hals hängt. »Aber es kommt ohnehin alles vom König. Sie können es nicht Diebstahl nennen.«

»Ich habe es nicht Diebstahl genannt.«

Norris nickt nachdenklich. »Nein, das haben Sie nicht.«

»Die Ornate hätten sie nicht nehmen sollen. Sie gehören meinem Herrn in seiner Funktion als Mann der Kirche. Was wollen sie als Nächstes? Seine Pfründen?«

»Esher – dorthin gehen Sie doch, richtig? – ist natürlich eines der Häuser, die Mylord Kardinal als Bischof von Winchester hält.«

»Und?«

»Er behält zum gegenwärtigen Zeitpunkt diesen Stand und Titel, aber ... sollen wir sagen ... der König muss das einer Prüfung unterziehen? Sie wissen ja, dass Mylord Kardinal im Rahmen der Praemunire-Gesetze angeklagt wird, eine fremde Jurisdiktion in diesem Land geltend gemacht zu haben.«

»Versuchen Sie mich nicht im Recht zu unterweisen.«

Norris neigt den Kopf.

Er denkt, im letzten Frühjahr, als sich die Lage zu verschlechtern begann, hätte ich den Lordkardinal davon überzeugen sollen, mich seine Einkünfte verwalten zu lassen; ich hätte etwas Geld ins Ausland schaffen können, an das sie nicht rankommen; aber er wollte natürlich nicht zugeben, dass etwas nicht stimmte. Warum habe ich ihm seine heitere Ruhe gelassen?

Norris' Hand liegt am Zaumzeug seines Pferdes. »Ich für meinen Teil habe Ihren Herrn immer bewundert«, sagt er, »und ich hoffe, dass er sich in seiner Not daran erinnert.«

»Ich dachte, er sei nicht in Not? Ihnen zufolge.«

Es wäre so einfach, nach unten zu greifen und ein paar ehrliche Antworten aus Norris herauszuschütteln, wenn er nur dürfte. Aber es ist nicht einfach; die Welt und der Kardinal haben sich verschworen, um ihm genau das beizubringen. Jesus, denkt er, in meinem Alter sollte ich das wissen. Man kommt nicht weiter, wenn man originell ist. Man kommt nicht weiter, wenn man intelligent ist. Man kommt nicht weiter, wenn man stark ist. Man kommt weiter, wenn man ein raffinierter Gauner ist; aus irgendeinem Grund denkt er: Genau das ist Norris, er spürt, wie sich eine irrationale Abneigung in ihm ausbreitet, und er versucht, sie loszuwerden, weil er lieber rationale Abneigungen hat. Allerdings sind es auch drastische Umstände: der Kardinal im Schlamm, das demütigende Gerangel, um ihn wieder in den Sattel zu bekommen, das Reden, Reden auf dem Schiff, schlimmer noch, das Reden auf den Knien, als würde Wolsey sich langsam auflösen – ein scharlachroter

Faden, der abgewickelt wird und zurück in ein scharlachrotes Labyrinth führt, mit einem sterbenden Untier in seinem Zentrum.

»Master Cromwell?«, sagt Norris.

Er kann seine Gedanken schlecht aussprechen, deshalb sieht er zu Norris hinunter, verleiht seinem Gesicht einen sanfteren Ausdruck und sagt: »Danke wenigstens für diesen Trost.«

»Bringen Sie den Lordkardinal ins Trockene. Ich werde dem König erzählen, wie ich ihn vorgefunden habe.«

»Erzählen Sie ihm, wie Sie zusammen im Schlamm gekniet haben. Vielleicht amüsiert ihn das.«

»Ja.« Norris sieht traurig aus. »Man weiß nie, was ihn amüsiert.«

In dem Augenblick beginnt Patch zu kreischen. Der Kardinal – immer noch auf der Suche nach einem Geschenk – hat ihn anscheinend dem König übergeben. Patch, hat er oft gesagt, ist eintausend Pfund wert. Er soll mit Norris gehen; wozu die Sache aufschieben? Vier weitere Männer des Kardinals sind nötig, um ihn zu diesem Zweck zu bändigen. Er wehrt sich. Er beißt. Er schlägt um sich. Bis er auf einen Lastesel geworfen wird, dem die Gepäckstücke abgenommen wurden; bis er zu weinen beginnt: Er hat Schluckauf, sein Körper schüttelt sich, seine albernen Füße baumeln herunter, sein Mantel ist zerrissen und die Feder an seinem Hut ist bis auf einen Stumpf abgebrochen.

»Aber Patch«, sagt der Kardinal, »mein Guter. Du wirst mich oft sehen, sobald der König und ich uns wieder vertragen. Mein lieber Patch, ich werde dir einen Brief schreiben, dir ganz allein. Ich schreibe ihn heute Abend«, verspricht er, »und setze mein großes Siegel darauf. Der König wird dich lieben; er ist die freundlichste Seele der Christenheit.«

Patch heult in einem langgezogenen hohen Ton, als würde er von den Türken gepackt und gepfählt.

Na bitte, sagt er zu Cavendish, er ist in mehrfacher Hinsicht ein Narr. Er hätte keine Aufmerksamkeit auf sich lenken sollen, so ist es doch.

Esher: Der Kardinal steigt im Schatten des von achteckigen Türmen gekrönten Bergfrieds ab, dem früheren Sitz Bischof Wayneffletes. Das Tor ist in eine Verteidigungsmauer eingelassen, auf der ein Wehrgang verläuft; auf den ersten Blick sieht alles recht abwehrbereit aus, aber das Gebäude ist aus Backstein, wurde mit Ornamenten und hübschen Intarsien versehen. »Es könnte nicht befestigt werden«, sagt er. Cavendish schweigt. »George, Sie müssten jetzt sagen: ›Aber das wird gar nicht notwendig sein.‹«

Der Kardinal hat diesen Sitz nicht mehr genutzt, seit er Hampton Court gebaut hat. Sie haben ihre Ankunft angekündigt, aber ist irgendetwas vorbereitet worden? Machen Sie es Mylord bequem, sagt er und geht direkt hinunter in den Küchentrakt. In Hampton Court haben die Küchen fließendes Wasser; hier fließt nichts abgesehen von den triefenden Nasen der Köche. Cavendish hat recht. In Wahrheit ist es noch schlimmer, als er gedacht hat. Die Speisekammern sind nur dürftig gefüllt, und die spärlichen Vorräte scheinen schlecht aufbewahrt und geplündert worden zu sein. Im Mehl sind Rüsselkäfer. Wo der Teig ausgerollt werden sollte, ist Mäusekot. Bis zum Martinstag ist es nicht mehr lange hin, und sie haben keinen Gedanken daran verschwendet, das Rindfleisch zu pökeln. Die *batterie de cuisine* spottet jeder Beschreibung, und der Suppentopf ist verschimmelt. Einige kleine Jungen sitzen am Herd, und gegen Bargeld können sie zum Scheuern und Schrubben bewegt werden; Kinder sind offen für Neues, und die Idee des Saubermachens scheint neu für sie zu sein.

Mylord, sagt er, benötigt *jetzt* etwas zu essen und zu trinken; und das benötigt er … wie lange, wissen wir nicht. Diese Küche muss für den kommenden Winter in Ordnung gebracht werden. Er findet jemanden, der schreiben kann, und diktiert ihm seine Befehle. Seine Augen sind auf die Küchenhilfe geheftet. Mit der linken Hand zählt er die Punkte auf: Ihr macht dies, dann dies, und drittens das. Mit der rechten Hand schlägt er Eier an einer Schüssel auf, mit einem festen fachmännischen Schlag, und zwischen seinen Fingern löst sich das Eiweiß klebrig und langsam tropfend vom Eigelb. »Wie alt ist dieses Ei? Wechselt den Lieferanten. Ich brauche eine Muskatnuss. Muskatnuss? Safran?« Sie sehen ihn an, als spräche er Griechisch. Patchs hoher Schrei schmerzt immer noch in seinen Ohren. Staubige Engel sehen auf ihn herab, als er in die Halle zurückstürmt.

Es wird spät, ehe sie den Kardinal in irgendeine Art von Bett legen können, das den Namen verdient. Wo ist sein Haushalter? Wo ist sein Buchhalter? Inzwischen hat er das Gefühl, dass es wirklich wahr ist: Er und Cavendish sind Überlebende eines Feldzugs. Sie bleiben auf – nicht dass es Betten gäbe, wenn sie welche gewollt hätten – und überlegen, was sie brauchen, um dem Kardinal ein einigermaßen anständiges Leben zu ermöglichen; sie brauchen Teller, wenn Mylord nicht von zerbeultem Zinn essen soll, sie brauchen Laken, Tischwäsche, Feuerholz. »Ich werde ein paar Leute herholen«, sagt er, »um die Küche in Ordnung zu bringen. Italiener. Am Anfang wird es heftig zugehen, aber nach drei Wochen wird alles laufen.«

Drei Wochen? Die Kinder aus der Küche sollen das Kupfer putzen. »Können wir Zitronen bekommen?«, fragt er im selben Augenblick, als Cavendish sagt: »Und wer wird jetzt Kanzler?«

Ich wüsste gern, denkt er, ob es da unten Ratten gibt. Cavendish sagt: »Erinnern Sie sich an Seine Gnaden von Canterbury?«

Sich an ihn erinnern – fünfzehn Jahre nachdem der Kardinal den Erzbischof von Canterbury aus dem Amt des Lordkanzlers gedrängt hat? »Nein, Warham ist zu alt.« Und zu starrsinnig, nicht entgegenkommend genug, was die Wünsche des Königs betrifft. »Und auch nicht der Herzog von Suffolk« – denn in seinen Augen ist Charles Brandon nicht schlauer als Christopher, der Maulesel, obwohl er mehr vom Kämpfen und von der Mode und ganz allgemein vom Prahlen versteht – »nicht Suffolk, weil der Herzog von Norfolk ihn nicht haben will.«

»Und umgekehrt.« Cavendish nickt. »Bischof Tunstall?«

»Nein. Thomas More.«

»Ein Laie und Nichtadliger? Und dann steht er auch noch der Auflösung der Ehe des Königs so ablehnend gegenüber.«

Er nickt, ja, ja, More wird es werden. Der König ist bekannt dafür, dass er sein Gewissen in die Hand von Leuten legt, die hohe Maßstäbe setzen. Vielleicht hofft er, vor sich selbst bewahrt zu werden.

»Wenn der König es ihm anbietet – ich kann mir vorstellen, dass er es der Geste wegen vielleicht tut –, wird Thomas More es doch sicherlich nicht annehmen?«

»Doch, wird er.«

»Wetten wir?«, sagt Cavendish.

Sie einigen sich über die Bedingungen und besiegeln die Wette mit einem Handschlag. Es lenkt sie von den vordringlichen Problemen ab, als da sind die Ratten und die Kälte und auch die Frage, wie sie einen Haushalt von mehreren hundert Personen, die noch in Westminster sind, in den viel kleineren Räumlichkeiten von Esher unterbringen sollen. Seine wichtigsten Häuser eingerechnet, zählt die Belegschaft des Kardinals etwa sechshundert Seelen, von Priestern über Juristen bis hin zu Putzpersonal und Wäscherinnen. Sie erwarten dreihundert, die ihnen unmittelbar hierher folgen. »Wie die Dinge liegen, werden wir den Haushalt auflösen müssen«, sagt Cavendish. »Aber wir haben kein Bargeld für die Löhne.«

»Ich soll verdammt sein, wenn sie ohne Bezahlung gehen müssen«, sagt er, und Cavendish entgegnet: »Ich denke, das sind Sie ohnehin. So wie Sie über die Reliquie gesprochen haben.«

Er fängt Georges Blick auf. Sie beginnen zu lachen. Wenigstens haben sie etwas Anständiges zu trinken; die Keller sind voll, was ein Glück ist, sagt Cavendish, denn wie sollen wir sonst über die nächsten Wochen kommen? »Was, glauben Sie, hat Norris *gemeint*?«, sagt George. »Wie kann der König zweierlei Meinung sein? Wie kann Mylord Kardinal entlassen werden, wenn er ihn nicht entlassen will? Wie kann der König den Feinden des Kardinals nachgeben? Ist nicht der König Herr über alle Feinde?«

»Das sollte man meinen.«

»Oder steckt *sie* dahinter? So muss es sein. Er hat Angst vor ihr, wissen Sie. Sie ist eine Hexe.«

Er sagt: Seien Sie nicht albern. George sagt: Sie ist *so* eine Hexe. Der Herzog von Norfolk sagt das, und er ist ihr Onkel, er muss es wissen.

Es ist zwei Uhr, und dann ist es drei; der Gedanke, dass man nicht zu Bett gehen muss, weil man kein Bett hat, kann befreiend sein. Er braucht nicht darüber nachzudenken, wann er nach Hause geht; es gibt kein Zuhause, in das er zurückkehren kann, er hat keine Familie mehr. Er ist hier und trinkt mit Cavendish, hockt mit ihm in einer Ecke des großen Saals von Esher, wo sie frieren und müde sind und Angst vor der Zukunft haben, und das ist besser, als an seine Familie und daran zu denken, was er verloren hat. »Morgen«, sagt er, »lasse ich meine Leute aus London kommen, und wir versuchen, Ordnung in Mylords verbliebene Vermögenswerte zu bringen, was nicht einfach wird, weil sie all seine Papiere mitgenommen haben. Seine Schuldner werden nicht geneigt sein zu zahlen, wenn sie wissen, was passiert ist. Aber der französische König hat ihm eine Pension gewährt, und wenn ich mich richtig erinnere, ist er immer im Verzug … Vielleicht möchte er gerne einen Sack Gold schicken, bis Mylord wieder in der Gunst steht. Und Sie – Sie können plündern gehen.«

Cavendish hat hohle Wangen und hohle Augen, als er ihn beim ersten Morgenlicht auf ein frisches Pferd setzt. »Fordern Sie ein paar Gefälligkeiten ein. Es gibt kaum einen Herrn im Königreich, der dem Lordkardinal nicht etwas schuldet.«

Es ist Ende Oktober, die Sonne eine knapp über den Horizont geworfene Münze. »Halten Sie ihn bei guter Laune«, sagt Cavendish. »Halten Sie ihn am Reden. Halten Sie ihn am Reden über das, was Harry Norris gesagt hat …«

»Fort mit Ihnen. Sollten Sie die Kohlen finden, auf denen der Heilige Laurentius geröstet wurde: Wir können sie hier gut gebrauchen.«

»Oh, bitte nicht«, fleht Cavendish. Seit gestern ist er weit gekommen und kann Witze über heilige Märtyrer machen; aber er hat zu viel getrunken letzte Nacht, und es schmerzt, wenn er lacht. Aber nicht zu lachen schmerzt auch. George lässt den Kopf hängen, das Pferd bewegt sich unter ihm, seine Augen sind voller Verwunderung. »Wie ist es dazu gekommen?«, fragt er. »Dass Mylord Kardinal im Dreck kniet? Wie konnte das geschehen? Wie in aller Welt?«

Er sagt: »Safran. Rosinen. Äpfel. Und Katzen, besorgen Sie Katzen, große, die am Verhungern sind. Ich weiß nicht, George, woher kommen Katzen? Ach, warten Sie! Glauben Sie, wir können irgendwie an Rebhühner kommen?«

Wenn wir an Rebhühner kommen, können wir die Brüste in Scheiben schneiden und bei Tisch schmoren. Wir werden so viel wie möglich auf diese Weise zubereiten; und wenn wir es verhindern können, wird Mylord nicht vergiftet.

11

Eine okkulte Geschichte Britanniens

1521–1529

Einst, in unvordenklichen Zeiten gab es einen König von Griechenland, der dreiunddreißig Töchter hatte. Jede einzelne dieser Töchter lehnte sich auf und brachte ihren Ehemann um. Er war fassungslos darüber, wie er solche Rebellinnen hatte zeugen können, wollte sein eigenes Fleisch und Blut jedoch nicht töten, und so verbannte der fürstliche Vater sie und setzte sie in einem ruderlosen Schiff aus.

Das Schiff hatte Vorräte für sechs Monate an Bord. Am Ende dieses Zeitraums hatten der Wind und die Gezeiten sie an den Rand der bekannten Welt getragen. Sie landeten an einer in Nebel gehüllten Insel. Weil sie keinen Namen hatte, gab ihr die älteste der Mörderinnen ihren eigenen: Albina.

Als sie ans Ufer kamen, waren sie hungrig und gierten nach männlichem Fleisch. Aber Männer waren nirgendwo zu finden. Die Insel war nur von Dämonen bewohnt.

Die dreiunddreißig Prinzessinnen paarten sich mit den Dämonen und brachten eine Rasse von Riesen zur Welt, die sich ihrerseits mit ihren Müttern paarten und weitere Wesen ihrer Art zeugten. Diese Riesen verteilten sich über die gesamte Landmasse Britanniens. Es gab keine Priester, keine Kirchen und keine Gesetze. Es gab auch keine Möglichkeit, die Zeit zu bestimmen.

Nach acht Jahrhunderten der Herrschaft wurden sie durch Brutus von Troja gestürzt.

Brutus, Urenkel des Äneas, wurde in Italien geboren; seine Mutter starb bei seiner Geburt, und seinen Vater tötete er versehentlich mit einem Pfeil. Er floh den Ort seiner Geburt und wurde zum Anführer einer Gruppe von Männern, die Sklaven in Troja gewesen waren. Gemeinsam gingen sie mit dem Schiff auf eine Reise nach Norden, und die Launen des Windes und der Strömung trieben sie genauso an Albinas Küste wie zuvor die Schwestern. Als sie an Land gingen, waren sie zu einem Kampf mit den Riesen gezwungen, die von Gogmagog angeführt wurden. Sie schlugen die Riesen und warfen ihre Anführer ins Meer.

Von welcher Seite man es auch betrachtet: Alles beginnt mit einem Gemetzel. Brutus von Troja und seine Abkömmlinge herrschten so lange, bis die Römer kamen. Bevor London *Lud's Town* genannt wurde, hieß es Neues Troja. Und wir waren Trojaner.

Manche Leute sagen, dass die Tudors diese Geschichte noch übertreffen, so blutig und dämonisch sie auch ist: dass sie über die Linie Konstantins, Sohn der St. Helena und Brite, von Brutus abstammen. Arthur, Großkönig von Britannien, war Konstantins Enkel. Vermutlich heiratete er drei Frauen, die alle Guinevere hießen, und sein Grabmal liegt in Glastonbury, aber man muss begreifen, dass er nicht wirklich tot ist und nur darauf wartet zurückzukehren.

Sein gesegneter Abkömmling, Prinz Arthur von England, wurde im Jahr 1486 geboren, als ältester Sohn Henrys, des ersten Tudor-Königs. Dieser Arthur heiratete Katherine, die Prinzessin von Aragon, starb mit fünfzehn und wurde in der Kathedrale von Worcester begraben. Wäre er heute am Leben, wäre er König von England. Sein jüngerer Bruder Henry wäre wahrscheinlich Erzbischof von Canterbury und würde nicht (zumindest hoffen wir das inständig) einer Frau nachlaufen, von der der Kardinal nichts Gutes hört: einer Frau, der er einige Jahre, bevor die Herzöge hereinmarschieren, um ihn zu berauben, seine Aufmerksamkeit widmen muss; deren Geschichte er, bevor der Ruin ihn einholt, verstehen muss.

Hinter jeder Geschichte: eine andere Geschichte.

Die Dame erschien zu Weihnachten 1521 bei Hofe und tanzte in einem gelben Kleid. Sie war – was? – etwa zwanzig Jahre alt. Tochter des

Diplomaten Thomas Boleyn, wurde sie von Kind an am burgundischen Hof in Mecheln und Brüssel erzogen und später in Paris, wo sie im Gefolge Königin Claudes zwischen den hübschen Schlössern an der Loire hin und her pendelte. Jetzt spricht sie ihre Muttersprache mit einem leichten, unbestimmbaren Akzent und streut französische Wörter in ihre Sätze ein, wenn sie vorgibt, sich der englischen nicht entsinnen zu können. Zur Fastnacht tanzt sie auf einem Maskenball bei Hofe. Die Damen sind als Tugenden kostümiert, und sie spielt die Rolle der Standhaftigkeit. Sie tanzt anmutig, aber energisch, hat einen amüsierten Ausdruck und ein hartes, unpersönliches Lächeln im Gesicht, das sagt: »Rühr mich nicht an«. Bald gibt es eine ganze Reihe unbedeutender Herren, die ihr nachlaufen; und einen nicht ganz so unbedeutenden Herrn. Es geht ein Gerücht um, dass sie Harry Percy, den Erben des Earls von Northumberland, heiraten wird.

Der Kardinal lässt ihren Vater antreten. »Sir Thomas Boleyn«, sagt er, »sprechen Sie mit Ihrer Tochter oder ich werde es tun. Wir haben sie aus Frankreich zurückgeholt, um sie nach Irland zu verheiraten, mit dem Erben der Butlers. Warum zögert sie?«

»Die Butlers …«, beginnt Sir Thomas, und der Kardinal sagt: »Ach ja? Die Butlers was? Wenn es da ein Problem gibt, regle ich das mit den Butlers. Was ich gerne wissen möchte: Haben Sie sie dazu angestiftet? Sich in dunklen Ecken mit diesem dummen Jungen zu verschwören? Denn, Sir Thomas, ich möchte eines klarstellen: Ich dulde das nicht. Der König duldet das nicht. Es muss aufhören.«

»Ich war in den letzten Monaten kaum in England. Ihro Gnaden kann nicht glauben, dass ich etwas mit der Geschichte zu tun habe.«

»Nein? Sie würden sich wundern, was ich bereit bin zu glauben. Ist das die beste Entschuldigung, die Sie vorbringen können? Dass Sie Ihre eigenen Kinder nicht im Griff haben?«

Sir Thomas hat eine ironische Miene und streckt die Hände aus. Er ist kurz davor zu sagen: die jungen Leute heutzutage … Aber der Kardinal hält ihn davon ab. Der Kardinal hat den Verdacht – und hat diesen Verdacht bereits geäußert –, dass die Aussicht auf Kilkenny Castle die junge Frau ebenso wenig reizt wie das gesellschaftliche Leben, das sie dort erwartet, wenn sie – bei besonderen Gelegenheiten – über die schlechten Straßen nach Dublin reitet.

»Wer ist das?«, sagt Boleyn. »In der Ecke dort?«

Der Kardinal wedelt mit der Hand. »Nur einer meiner Rechtsberater.«

»Schicken Sie ihn raus.«

Der Kardinal seufzt.

»Macht er sich Notizen von diesem Gespräch?«

»Machen Sie das, Thomas?«, ruft der Kardinal. »Wenn ja, hören Sie sofort damit auf.«

Die halbe Welt heißt Thomas. Boleyn wird sich hinterher nie sicher sein können, ob er es war.

»Sehen Sie, Mylord«, sagt er und seine Stimme spielt von vorn nach hinten auf der Diplomatentonleiter und wieder zurück: Er ist offen, ein Mann von Welt, und sein Lächeln sagt: Wolsey, Wolsey, Sie sind doch auch ein Mann von Welt. »Die beiden sind jung.« Er macht eine Geste, die Offenheit signalisieren soll. »Sie ist dem Jungen ins Auge gefallen. Das ist nur natürlich. Ich habe ihr den Kopf zurechtgerückt. Sie weiß, dass es nicht weitergehen kann. Sie kennt ihre Stellung.«

»Gut«, sagt der Kardinal, »denn sie ist unter einem Percy. Ich meine«, fügt er hinzu, »darunter im dynastischen Sinn. Ich spreche nicht davon, was vielleicht in einer warmen Nacht in einem Heuhaufen geschieht.«

»Er akzeptiert es nicht, der junge Mann. Er soll Mary Talbot heiraten, aber …« Boleyn bricht in ein kleines unbekümmertes Lachen aus, »er hat keine Lust, Mary Talbot zu heiraten. Er glaubt, er darf sich seine Frau selbst aussuchen.«

»Seine Frau selbst aussuchen …!« Der Kardinal bricht ab. »Dergleichen habe ich noch nie gehört. Er ist doch kein Ackerknecht. Er ist der Mann, der irgendwann einmal den Norden für uns halten muss, und wenn ihm seine Stellung in dieser Welt nicht klar ist, muss er sie begreifen oder er büßt sie ein. Die Heirat mit Shrewsburys Tochter ist bereits vereinbart und es ist eine angemessene Heirat, eine Heirat, die ich eingefädelt habe und die der König gutheißt. Und der Earl von Shrewsbury, das kann ich Ihnen versichern, ist keineswegs davon angetan, wenn der Junge, der seiner Tochter versprochen ist, auf diese verrückte Weise herumalbert.«

»Die Schwierigkeit ist …« Boleyn erlaubt sich eine dezente diplomatische Pause. »Ich vermute, dass Harry Percy und meine Tochter in der Angelegenheit eventuell etwas weiter gegangen sind.«

»Was? Sie wollen sagen, dass wir *tatsächlich* von einem Heuhaufen und einer warmen Nacht sprechen?«

Aus dem Schatten heraus sieht er zu; er denkt, dass er noch nie einen so kalten, aalglatten Mann wie Boleyn gesehen hat.

»Ich habe sie so verstanden, dass sie sich vor Zeugen einander versprochen haben. Wie soll man das wieder ungeschehen machen?«

Der Kardinal schlägt mit der Faust auf den Tisch. »Ich sage Ihnen, wie. Ich werde seinen Vater aus dem Grenzgebiet herunterkommen lassen, und wenn der Sohn sich ihm widersetzt, wird er aus der Erbfolge geschmissen und landet als verlorener Sohn auf der Schnauze. Der Earl hat andere Söhne und bessere. Und wenn Sie nicht wollen, dass die Butler-Heirat abgesagt wird, dass Ihre Tochter nie mehr zu verheiraten ist, dass sie in Sussex vertrocknet und Sie für den Rest ihres Lebens Unterkunft und Verpflegung kostet, dann vergessen Sie alles Gerede über Versprechen und Zeugen – wer sind diese Zeugen überhaupt? Ich kenne diese Art von Zeugen, die sich nie zeigen, wenn ich nach ihnen schicke. Also, ich will nie wieder davon hören. Versprechen. Zeugen. Verträge. Gott im Himmel!«

Boleyn lächelt immer noch. Er ist ein beherrschter, schlanker Mann; die Anstrengung jedes fein abgestimmten Muskels in seinem Körper ist notwendig, um das Lächeln auf seinem Gesicht zu halten.

»Ich frage Sie nicht«, sagt Wolsey unnachgiebig, »ob Sie in dieser Angelegenheit den Rat Ihrer Verwandten aus der Familie Howard eingeholt haben. Es würde mir widerstreben zu denken, dass Sie diesen Plan mit Billigung der Howards ausgeheckt haben. Ich würde es sehr bedauern zu hören, dass der Herzog von Norfolk Kenntnis davon hatte: ja, wirklich sehr bedauern. Deshalb lassen Sie es mich auch nicht hören, wie? Gehen Sie und bitten Sie Ihre Verwandten um einen *guten* Rat. Verheiraten Sie das Mädchen nach Irland, bevor die Butlers das Gerücht hören, sie sei verdorbene Ware. Nicht dass ich es erwähnen würde. Aber bei Hofe wird geredet.«

Sir Thomas hat zwei wutrote Flecken auf den Wangen. Er sagt: »Fertig, Mylord Kardinal?«

»Ja. Gehen Sie.«

Boleyn dreht sich um, dunkle Seide schwingt ihm hinterher. Sind das Tränen der Wut in seinen Augen? Das Licht ist trübe, aber er, Cromwell, hat sehr scharfe Augen. »Ach, einen Moment, Sir Thomas ...«, sagt der Kardinal. Seine Stimme fliegt durch den Raum, formt sich zu einer Schlinge und zieht sein Opfer zurück. »Bitte, Sir Thomas, erinnern Sie sich an Ihre Abstammung. Zur Familie Percy gehören die Vornehmsten dieses Landes. Während die Boleyns ungeachtet Ihres bemerkenswerten Glücks, eine Howard geheiratet zu haben, im Handel tätig waren, oder irre ich mich? Eine Person Ihres Namens war Bürgermeister von London, ist es nicht so? Oder habe ich etwas verwechselt? Entstammt Ihre Linie irgendwelchen Boleyns von höherem Rang?«

Aus Sir Thomas' Gesicht ist die Farbe gewichen; die scharlachroten Flecken sind von seinen Wangen verschwunden, und er wird fast ohnmächtig vor Wut. Als er den Raum verlässt, flüstert er: »Metzgerjunge.« Und als er an dem Rechtsberater vorbeikommt – dessen kräftige Hand untätig auf dem Schreibtisch liegt –, höhnt er: »Metzgerhund.«

Die Tür knallt. Der Kardinal sagt: »Komm raus, Hund.« Lachend sitzt er mit den Ellenbogen auf dem Schreibtisch und dem Kopf in der Hand da. »Was lernen wir daraus?«, sagt er. »Man kann den eigenen Stammbaum nicht verbessern – und Gott weiß, Tom, dass Sie in einen unehrenhafteren Stand geboren wurden als ich –, also ist der Trick, sie immer bei ihren eigenen Maßstäben zu packen. Sie haben die Regeln gemacht; sie können sich nicht beklagen, wenn ich ihr strengster Vollstrecker bin. Percys über Boleyns. Wer glaubt er, dass er ist?«

»Ist es eine gute Strategie, Leute wütend zu machen?«

»Oh nein. Aber es amüsiert mich. Mein Leben ist hart, und ich merke, dass ich Unterhaltung brauche.« Der Kardinal wirft ihm einen freundlichen Blick zu; er hat den Verdacht, dass er heute Abend zur weiteren Unterhaltung herhalten muss, jetzt wo Boleyn in Stücke gerissen und auf den Boden geworfen wurde wie Orangenschale. »Zu wem muss man aufsehen? Den Percys, den Staffords, den Howards, den Talbots: ja. Man braucht einen langen Stock, um sie wachzurütteln, wenn es sein muss. Was Boleyn betrifft – nun, der König mag ihn, und er ist ein fähiger Mann. Das ist der Grund, warum ich all seine Briefe öffne, schon seit Jahren.«

»Hat Ihre Lordschaft gehört – nein, vergeben Sie mir, es taugt nicht für Ihre Ohren.«

»Was?«, sagt der Kardinal.

»Es ist nur ein Gerücht. Ich möchte Ihre Gnaden nicht in die Irre führen.«

»Sie können nicht gleichzeitig sprechen und nicht sprechen. Jetzt müssen Sie es mir sagen.«

»Es geht nur darum, was die Frauen sich erzählen. Die Frauen, die Seidenarbeiten machen. Und die Ehefrauen der Tuchhändler.« Er wartet, lächelt. »Was für Sie gewiss nicht von Interesse sein kann.«

Lachend schiebt der Kardinal seinen Stuhl zurück, und sein Schatten erhebt sich mit ihm, springt geradezu im Feuerschein. Sein Arm schnellt vor, seine Reichweite ist groß, seine Hand ist wie die Hand Gottes.

Aber als Gott seine Hand schließt, steht sein Geschöpf auf der anderen Seite des Raumes an der Wand.

Der Kardinal gibt auf. Sein Schatten schwankt, schwankt und kommt zum Stillstand. Er ist still. Sein Atmen wird an der Wand sichtbar. Sein

Kopf neigt sich. In einem Kranz aus Licht scheint er zu zögern, das Nichts in seiner Hand zu betrachten. Er spreizt seine Finger, seine riesige, vom Feuer beleuchtete Hand. Er legt sie flach auf den Schreibtisch. Sie verschwindet, verschmilzt mit dem Damast. Er setzt sich wieder. Sein Kopf ist gesenkt, sein Gesicht im Halbdunkel.

Er, Thomas, auch Tomos, Tommaso und Thomaes Cromwell, ruft seine früheren Ichs in seinen gegenwärtigen Körper zurück und schiebt sich langsam an den Platz, wo er vorher stand. Sein Schatten gleitet über die Wand, ein Besucher, der nicht weiß, ob er willkommen ist. Welcher Thomas hat den Schlag kommen sehen? Es gibt Augenblicke, in denen dich eine Erinnerung durchläuft. Du zuckst, du duckst dich, du rennst; denn sonst packt die Vergangenheit deine Faust und benutzt sie, ohne dass der Wille eingreift. Angenommen, du hast ein Messer in der Hand? Auf diese Weise geschehen Morde.

Er sagt etwas, der Kardinal sagt etwas. Sie brechen ab. Zwei Sätze gehen ins Leere. Der Kardinal setzt sich wieder auf seinen Stuhl. Zögernd verharrt er vor ihm; er setzt sich. Der Kardinal sagt: »Ich würde wirklich gern den Klatsch aus London hören. Aber ich hatte nicht vor, ihn aus Ihnen herauszuprügeln.«

Der Kardinal neigt den Kopf, betrachtet stirnrunzelnd ein Dokument auf seinem Schreibtisch, er wartet ein bisschen, damit der schwierige Augenblick vorübergeht, und als er wieder spricht, ist sein Tonfall gemessen und leicht, der Tonfall eines Mannes, der nach dem Essen Anekdoten erzählt. »Als ich ein Kind war, hatte mein Vater einen Freund – einen Kunden, um genau zu sein – mit einer kräftig roten Gesichtsfarbe.« Zur Illustration berührt er seinen Ärmel. »So wie das hier … scharlachrot. Revell war sein Name, Miles Revell.« Seine Hand wandert umher, um wieder mit der Handfläche nach unten auf dem dunklen Damast zur Ruhe zu kommen. »Aus irgendeinem Grund glaubte ich damals … obwohl ich sagen würde, dass er ein ehrlicher Bürger war und ein Glas Rheinwein schätzte … ich glaubte damals, er würde Blut trinken. Ich weiß nicht … eine Geschichte, die ich vermutlich von meinem Kindermädchen gehört hatte oder von irgendeinem anderen törichten Kind … und als die Lehrlinge meines Vaters davon erfuhren – nur weil ich dumm genug war, zu jammern und zu weinen –, riefen sie mir immer zu: ›Da kommt Revell und will seinen Becher Blut, lauf, Thomas Wolsey …‹ Daraufhin flüchtete ich, als wäre der Teufel hinter mir her. Ich brachte den Marktplatz zwischen uns. Es ist ein Wunder, dass ich nicht unter einen Wagen kam. Ich rannte fort und sah nicht zurück. Noch heute«, sagt er – er nimmt ein Wachssiegel vom Tisch, dreht es um, dreht es um, legt es hin – »noch heute, wenn ich einen blonden Mann mit rotem Gesicht sehe – sagen wir, den Herzog von Suffolk –, möchte ich am liebsten in Tränen ausbrechen.« Er hört auf zu sprechen. Sein Blick kommt zur Ruhe. »Nun, Thomas … kann ein Geistlicher nicht aufstehen, ohne dass Sie denken, er ist auf Ihr Blut aus?« Er nimmt das Siegel wieder in die Hand; er dreht es zwischen den Fingern; er wendet die Augen ab; er beginnt mit Worten zu spielen. »Kann ein Bischof Sie beunruhigen? Ein Küster Sie kränken? Ein Diakon Sie derangieren?«

Er sagt: »Wie heißt das Wort? Ich kenne es nicht auf Englisch … *estoc* …«

Vielleicht gibt es kein englisches Wort dafür: für das Messer mit der kurzen Klinge, das man jemandem aus großer Nähe unter die Rippen rammt. Der Kardinal sagt: »Und das war …?«

Das war ungefähr vor zwanzig Jahren. Er hat die Lektion gelernt, gründlich gelernt. Nacht, Eis, das stille Herz Europas; ein Wald, Seen, silbern unter einem mit Wintersternen gemusterten Himmel; ein Zimmer, Feuerschein, eine Gestalt, die über die Wand gleitet. Er hat seinen Mörder nicht gesehen, aber die Bewegung seines Schattens.

»Wie dem auch sei …«, sagt der Kardinal. »Es ist vierzig Jahre her, dass ich Master Revell begegnet bin. Er ist schon lange tot, vermute ich. Und Ihr Mann?« Er zögert. »Auch schon lange tot?«

Es ist die denkbar subtilste Art und Weise, einen Mann zu fragen, ob er jemanden getötet hat.

»Und in der Hölle, vermute ich. Wenn es Ihrer Lordschaft beliebt.«

Das bringt Wolsey zum Lächeln; nicht die Erwähnung der Hölle, aber die Verbeugung vor der Dimension seiner Zuständigkeit. »Das heißt, wenn man den jungen Cromwell angriff, kam man direkt in die Feuergrube?«

»Wenn Sie ihn gesehen hätten, Mylord. Er war noch für das Fegefeuer zu schmutzig. Das Blut des Lamms kann viel bewirken, so sagt man, aber ich bezweifle, dass es diesen Kerl hätte sauberwaschen können.«

»Ich bin ganz und gar für eine fleckenlose Welt«, sagt Wolsey. Er sieht traurig aus. »Haben Sie eine ordentliche Beichte abgelegt?«

»Mylord Kardinal, ich war Soldat.«

»Soldaten haben Hoffnung auf den Himmel.«

Er sieht auf und in Wolseys Gesicht. Unmöglich zu erkennen, was er glaubt. Er sagt: »Das haben wir alle.« Soldaten, Bettler, Seeleute, Könige.

»Sie waren also ein Raufbold in Ihrer Jugend«, sagt der Kardinal. *»Ça ne fait rien.«* Er grübelt. »Dieser schmutzige Kerl, der Sie angegriffen hat … war es etwa ein Geistlicher?«

Er lächelt. »Ich habe ihn nicht gefragt.«

»Die Streiche, die die Erinnerung uns spielt …«, sagt der Kardinal. »Thomas, ich werde versuchen, mich nicht zu bewegen, ohne Sie vorzuwarnen. Auf diese Weise werden wir sehr gut miteinander auskommen.«

Aber der Kardinal betrachtet ihn; er ist ihm immer noch ein Rätsel. Ihre Verbindung besteht noch nicht lange, und der Charakter, der dem Kardinal für ihn vorschwebt, ist zu diesem Zeitpunkt im Entstehen begriffen; vielleicht ist es sogar dieser Abend, der die Entwicklung in Gang setzt? In den folgenden Jahren wird der Kardinal sagen: »Ich denke oft über das mönchische Ideal nach – besonders, wenn die Jungen entsprechend erzogen werden. Mein Diener Cromwell zum Beispiel – seine Jugend war einsam und fast gänzlich dem Fasten, Beten und dem Studium der Kirchenväter gewidmet. Und deshalb ist er heutzutage so wild.«

Und wenn die Leute sagen: Ist er das? – und sich nach Kräften bemühen, sich an einen äußerst unauffälligen Mann zu erinnern; wenn sie sagen: Wirklich? Ihr Mann Cromwell?, schüttelt der Kardinal den Kopf und sagt: Aber ich versuche natürlich, die Dinge in Ordnung zu bringen. Wenn er die Fensterscheiben zerbricht, rufen wir einfach die Glaser und zahlen. Was die Reihe gekränkter junger Frauen betrifft … Arme Kreaturen, ich entschädige sie finanziell …

Aber heute Abend kommt er auf das Thema zurück; er verschränkt die Hände auf dem Schreibtisch, als wolle er den verstrichenen Abend zusammenhalten. »Kommen Sie, Thomas, Sie wollten mir von einem Gerücht erzählen.«

»Die Frauen schließen aus den Bestellungen bei den Seidenhändlern, dass der König eine neue …« Er bricht ab und sagt: »Mylord, wie nennt man eine Hure, wenn sie die Tochter eines Ritters ist?«

»Ah«, sagt der Kardinal und widmet sich dem Problem. »›Mylady‹ sagt man ihr ins Gesicht. Hinter ihrem Rücken – nun, wie heißt sie? Welcher Ritter?«

Mit einem Nicken zeigt er auf die Stelle, wo vor zehn Minuten Boleyn stand.

Der Kardinal sieht erschrocken aus. »Warum haben Sie nichts gesagt?«

»Wie hätte ich das Thema anschneiden sollen?«

Der Kardinal nickt, er erkennt die Schwierigkeit an.

»Aber es ist nicht die Dame Boleyn, die neu bei Hofe ist. Nicht Harry Percys Dame. Es ist ihre Schwester.«

»Verstehe.« Der Kardinal lehnt sich zurück. »Natürlich.«

Mary Boleyn ist eine freundliche kleine Blondine, die angeblich am gesamten französischen Hof herumgereicht wurde, bevor sie an den englischen Hof heimkehrte, wo sie in alle Richtungen guten Willen verströmt und ihre kleine Schwester ihr beständig stirnrunzelnd hinterhertrabt.

»Natürlich habe ich bemerkt, wohin der Blick Seiner Majestät ging«, sagt der Kardinal. Er nickt sich selbst zu. »Und jetzt stehen sie sich nahe? Weiß es die Königin? Oder können Sie das nicht sagen?«

Er nickt. Der Kardinal seufzt. »Katherine ist eine Heilige. Wäre ich jedoch eine Heilige und Königin, würde ich vielleicht denken, Mary Boleyn könne mir nicht schaden. Geschenke, wie? Welcher Art? Nicht üppig, sagen Sie? Dann tut sie mir leid; sie sollte ihren Vorteil nutzen, solange er besteht. Unser König hat nicht übermäßig viele Abenteuer, obwohl gesagt wird … man sagt, als Seine Majestät jung war und noch nicht König, sei es Boleyns Frau gewesen, die ihn von seiner Jungfräulichkeit befreite.«

»Elizabeth Boleyn?« Er ist nicht oft überrascht. »Die *Mutter* der betreffenden Dame?«

»Dieselbe. Vielleicht mangelt es dem König in dieser Hinsicht an Fantasie. Nicht dass ich es je geglaubt hätte … Wenn wir auf der anderen Seite wären, wissen Sie«, er zeigt in Richtung Dover, »würden wir nicht einmal versuchen, die Frauen zu zählen. Mein Freund König François – die Leute behaupten, dass er sich eines Tages an die Dame herangemacht hat, mit der er die Nacht zuvor verbracht hatte; dass er ihr einen galanten Handkuss gab, nach ihrem Namen fragte und wünschte, sie würden sich näher kennenlernen.« Er nickt, zufrieden, dass seine Geschichte ankommt. »Aber Mary wird keine Schwierigkeiten machen. Sie liegt leicht im Arm. Der König hätte es schlechter treffen können.«

»Ihre Familie wird allerdings etwas rausschlagen wollen. Was haben sie beim ersten Mal bekommen?«

»Die Chance, sich nützlich zu machen.« Wolsey bricht ab und macht sich eine Notiz. Er kann sich den Inhalt vorstellen: Was Boleyn haben kann, wenn er nett darum bittet. Der Kardinal sieht auf. »Hätte ich also bei meiner Unterredung mit Sir Thomas – wie soll ich mich ausdrücken? – eine größere *douceur* an den Tag legen sollen?«

»Ich glaube nicht, dass Mylord liebenswürdiger hätte sein können. Bedenken Sie sein Gesicht, als er uns verließ. Ein Abbild erfüllter Genugtuung.«

»Thomas, von jetzt an, aller Klatsch aus London«, er streicht über den Damast, »tragen Sie ihn direkt zu mir. Sorgen Sie sich nicht um die

Quelle. Das soll meine Sorge sein. Und ich verspreche, Sie nie anzugreifen. Aufrichtig.«

»Es ist vergessen.«

»Das bezweifle ich. Nicht, wenn Sie diese Erfahrung all die Jahre mit sich herumgetragen haben.« Der Kardinal setzt sich zurück; er überlegt. »Wenigstens ist sie verheiratet.« Mary Boleyn, meint er. »Das heißt, wenn sie wirft, kann er es anerkennen oder nicht, wie es ihm beliebt. Er hat einen Jungen von John Blounts Tochter, und er wird nicht zu viele haben wollen.«

Ein allzu großes königliches Kinderzimmer kann dem Monarchen hinderlich sein. Die Geschichte und das Beispiel anderer Nationen zeigen, dass die Mütter um den Status ihrer Bälger kämpfen und alles versuchen, damit sie irgendwie in die Erbfolge aufgenommen werden. Der Sohn, den Henry anerkennt, ist als Henry Fitzroy bekannt; er ist ein hübsches blondes Kind, ganz der König. Sein Vater hat ihn zum Herzog von Somerset und Herzog von Richmond ernannt; er ist kaum zehn Jahre alt und schon der wichtigste Adlige in England.

Königin Katherine, deren Söhne alle gestorben sind, nimmt es mit Geduld. Soll heißen: Sie leidet.

Als er den Kardinal verlässt, hat ihn eine elende Wut gepackt. Wenn er an sein früheres Leben denkt – an diesen Jungen, der halbtot auf den Kopfsteinen in Putney liegt –, empfindet er keine Zärtlichkeit für ihn, nur eine leichte Ungeduld: Warum steht er nicht auf? Für sein späteres Ich – das immer noch dazu neigte, sich zu prügeln oder zumindest an Ort und Stelle zu sein, wenn alles auf eine Prügelei hindeutete – empfindet er so etwas wie Verachtung, durchsetzt mit einer unterschwelligen Angst. So war die Welt damals: ein Messer im Dunkeln, eine Bewegung am Rande des Blickfelds, eine Reihe von Warnungen, die letztlich zu Fleisch geworden sind. Er hat dem Kardinal einen Schreck eingejagt, und das ist nicht seine Aufgabe. Seine Aufgabe, wie er sie zu diesem Zeitpunkt sieht, ist es, dem Kardinal Informationen zu liefern und seine Reizbarkeit zu mildern und ihn zu verstehen und Gegenstand seiner Witze zu sein. Was schiefgegangen ist, war einfach der zeitlichen Abfolge geschuldet. Wenn der Kardinal sich nicht so schnell bewegt hätte; wenn er selbst nicht so nervös gewesen wäre, weil er nicht wusste, wie er dem Kardinal signalisieren sollte, Boleyn weniger despotisch zu behandeln. Das Problem mit England ist, denkt er, dass es so wenige Gesten gibt. Wir sollten eine Geste entwickeln für: »Stopp, unser Fürst vögelt die Tochter dieses Mannes«. Es überrascht ihn, dass die Italiener keine für diesen Fall haben. Aber vielleicht haben sie eine, und er hat es einfach nicht mitgekriegt.

Im Jahre 1529, gerade ist der Kardinal so schmachvoll behandelt worden, wird er an jenen Abend zurückdenken.

Er ist in Esher; es ist jene lichtlose, feuerlose Nacht, als der große Mann in sein (vermutlich feuchtes) Bett gegangen ist, und da ist nur George Cavendish, der ihm seine Lebensgeister bewahren kann. Und was ist dann passiert, fragt er George, mit Harry Percy und Anne Boleyn?

Er hat die Geschichte in der kühlen und geringschätzigen Version des Kardinals gehört. Aber George sagt: »Ich werde Ihnen erzählen, wie es war. Jetzt. Stehen Sie auf, Master Cromwell.« Er tut es. »Ein wenig nach links. Nun, wer wollen Sie gerne sein? Mylord Kardinal oder der junge Erbe?«

»Ach, verstehe, es ist ein Stück? Sie sind der Kardinal. Ich fühle mich der Rolle nicht ganz gewachsen.«

Cavendish bringt ihn in die richtige Position, dreht ihn unmerklich vom Fenster weg, wo die Nacht und kahle Bäume ihre Zuschauer sind. Sein Blick geht ins Leere, als sähe er die Vergangenheit: schemenhafte Körper, die sich in diesem düsteren Raum bewegen. »Können Sie bekümmert aussehen?«, fragt George. »Als ob Sie Widerworte auf der Zunge haben, sie aber nicht auszusprechen wagen? Nein, nein, nicht so. Sie sind jung, schlaksig, Sie lassen den Kopf hängen, Sie erröten.« Cavendish seufzt. »Ich glaube, Sie sind noch nie in Ihrem Leben errötet, Master Cromwell. Sehen Sie her.« Cavendish legt die Hände sanft auf seine Oberarme. »Lassen Sie uns die Rollen tauschen. Setzen Sie sich hierher. Sie sind jetzt der Kardinal.«

Sofort verwandelt sich Cavendish. George zuckt, er fummelt, er weint fast; er wird zum zitternden Harry Percy, einem verliebten jungen Mann. »Warum soll ich mich ihr nicht vermählen?«, ruft er. »Obwohl sie nichts als eine einfache Jungfer …«

»Einfach?«, sagt er. »Jungfer?«

George funkelt ihn an. »Das hat der Kardinal nie gesagt!«

»Nicht zu der Zeit, das ist richtig.«

»Jetzt bin ich wieder Harry Percy. ›Obwohl sie nichts als eine einfache Jungfer, ihr Vater ein einfacher Ritter ist, und doch ist sie von guter Herkunft …‹«

»Sie ist eine Art Kusine des Königs, richtig?«

»Eine Art Kusine?« Cavendish bricht das Rollenspiel wieder ab, empört. »Mylord Kardinal würde ihrer beider Abkunft nach allen Regeln der Heroldskunst vor ihm ausbreiten.«

»Was soll ich denn tun?«

»Tun Sie einfach so als ob! Also: Ihre Vorfahren sind nicht ohne Verdienst, führt der junge Percy ins Feld. Aber je stärker der Junge streitet, desto wütender wird Mylord Kardinal. Der Junge sagt, wir haben gelobt, die Ehe eingehen zu wollen, was so gut wie eine richtige Ehe ist …«

»Sagt er das? Ich meine, hat er das gesagt?«

»Ja, jedenfalls sinngemäß. So gut wie eine richtige Ehe.«

»Und was hat Mylord Kardinal dann getan?«

»Er sagte: Guter Gott, Junge, was reden Sie da? Wenn Sie einen solchen Irrweg eingeschlagen haben, muss der König davon erfahren. Ich schicke nach Ihrem Vater, und gemeinsam wird es uns gelingen, diese Torheit zu annullieren.«

»Und Harry Percy sagte?«

»Nicht viel. Er ließ den Kopf hängen.«

»Ich frage mich, ob das Mädchen überhaupt Achtung vor ihm hatte.«

»Hatte sie nicht. Sie mochte seinen Titel.«

»Verstehe.«

»Sodann kam sein Vater aus dem Norden – wollen Sie der Earl sein oder der Junge?«

»Der Junge. Jetzt weiß ich, wie es geht.«

Er springt auf die Füße und spielt den Reumütigen. Offenbar nahmen sie sich Zeit für ein langes Gespräch in einer langen Galerie, der Earl und der Kardinal, und dann tranken sie ein Glas Wein miteinander. Etwas Starkes, anders kann es nicht gewesen sein. Der Earl stapfte die ganze Galerie hinunter, dann setzte er sich, sagt Cavendish, auf eine Bank, auf der sich die Kammerdiener immer ausruhten, wenn sie nichts zu tun hatten. Er rief seinen Erben, der sich vor ihn hinstellen musste, und dann nahm er ihn vor allen Bediensteten auseinander.

»›Sir‹«, sagt Cavendish, »›Ihr seid immer ein hochmütiger, unverschämter, herablassender und sehr verschwenderischer Taugenichts gewesen.‹ Das war ein guter Anfang, nicht?«

»Mir gefällt«, sagt er, »wie Sie sich an die genaue Wortwahl erinnern. Haben Sie es damals aufgeschrieben? Oder nehmen Sie sich Freiheiten?«

Cavendish schaut verschmitzt drein. »Niemand übertrifft Ihr Vermögen, sich Dinge zu merken«, sagt er. »Mylord Kardinal bittet um die Buchführung in der einen oder anderen Sache, und Sie haben alle Zahlen sofort parat.«

»Vielleicht erfinde ich sie.«

»Ach, das glaube ich nicht.« Cavendish ist schockiert. »Damit kämen Sie nicht lange durch.«

»Es ist eine Methode, sich etwas zu merken. Ich habe sie in Italien gelernt.«

»Es gibt Leute, in diesem Haushalt und anderswo, die viel darum geben würden zu erfahren, was Sie so alles in Italien gelernt haben.«

Er nickt. Natürlich würden sie das. »Aber jetzt, wo waren wir? Harry Percy, der mit Lady Anne Boleyn so gut wie verheiratet ist, sagen Sie, steht vor seinem Vater, und der Vater sagt …?«

»Dass er der Tod seines edlen Hauses wäre, wenn er den Titel erbt – er wäre der allerletzte Earl von Northumberland. ›Gelobt sei Gott‹, sagte er, ›dass ich noch mehr Jungen habe …‹ Und stapfte davon. Der Junge blieb weinend zurück. Er hatte sein Herz an Lady Anne verloren. Aber der Kardinal verheiratete ihn mit Mary Talbot, und jetzt sind sie so unglücklich wie die Morgendämmerung am Aschermittwoch. Und Lady Anne sagte – wir haben seinerzeit alle herzlich darüber gelacht –, sie sagte, wenn sie Mylord Kardinal irgendeine Unannehmlichkeit bereiten könnte, würde sie es tun. Können Sie sich vorstellen, wie wir gelacht haben? So ein blasses junges Ding und, vergeben Sie mir, die Tochter eines Ritters, stößt Drohungen gegen Mylord Kardinal aus! Fühlte sich vor den Kopf gestoßen, weil sie keinen Earl haben konnte! Wir konnten ja nicht wissen, dass sie immer höher aufsteigen würde.«

Er lächelt.

»Wissen Sie«, sagt Cavendish, »was wir falsch gemacht haben? Ich sage es Ihnen. Die ganze Zeit wurden wir in die Irre geführt, der Kardinal, der junge Harry Percy, sein Vater, Sie, ich – denn als der König sagte, Mistress Anne solle nicht nach Northumberland verheiratet werden, ich glaube, der König hatte bereits ein Auge auf sie geworfen, schon vor so langer Zeit.«

»Als er mit Mary zusammen war, dachte er an ihre Schwester Anne?«

»Ja, ja!«

»Ich frage mich«, sagt er, »wie es sein kann, dass zwar alle Leute glauben, die Wünsche des Königs zu kennen, der König sich aber ständig eingeschränkt fühlt.« Jeder seiner Pläne wird durchkreuzt: Er wird maßlos geärgert, behindert. Lady Anne, die er ausgesucht hat, um ihn zu unterhalten, während er sich der ersten Gattin entledigt und die neue Gattin im Anmarsch ist, weigert sich, ihm auch nur im Geringsten entgegenzukommen. Wie kann sie sich weigern? Keiner weiß es.

Cavendish wirkt deprimiert, weil sie das Stück nicht fortgesetzt haben. »Sie müssen müde sein«, sagt er.

»Nein, ich denke nur nach. Wie konnte es passieren, dass Mylord Kardinal …« Nicht in die Trickkiste gegriffen hat, will er sagen. Aber es gehört sich nicht, so von einem Kardinal zu sprechen. Er sieht auf. »Machen Sie weiter. Was ist dann passiert?«

Im Mai 1527 fühlt sich der Kardinal bedrängt, ist schlechter Laune und beruft in York Place ein Untersuchungsgericht ein, das die Gültigkeit der königlichen Ehe überprüfen soll. Es ist ein geheimes Gericht; es ist nicht notwendig, dass die Königin erscheint oder auch nur vertreten wird; sie soll nicht einmal davon wissen, auch wenn ganz Europa im Bilde ist. Es ist Henry, dem befohlen wird, zu erscheinen und die Dispens vorzulegen, die es ihm erlaubt hat, die Witwe seines Bruders zu heiraten. Er kommt dem nach und ist davon überzeugt, dass das Gericht das Dokument in irgendeiner Hinsicht für fehlerhaft befinden wird. Wolsey ist bereit zu sagen, dass die Ehe angezweifelt werden kann. Aber er weiß nicht, sagt er zu Henry, was das Gericht, das er in seiner Eigenschaft als päpstlicher Legat einberufen hat, über diesen einleitenden Schritt hinaus für den König tun kann, da Katherine gewiss in Rom Berufung einlegen wird.

Sechsmal (soweit die Welt weiß) lebten Katherine und der König in der Hoffnung auf einen Erben. »Ich erinnere mich an das Winterkind«, sagt Wolsey. »Ich vermute, dass Sie damals noch nicht nach England zurückgekehrt waren, Thomas. Die Königin befielen unerwartet Schmerzen, und der Prinz wurde zu früh geboren, genau um die Jahreswende. Er war noch keine Stunde alt, da hielt ich ihn in meinen Armen; draußen vor den Fenstern fiel der Eisregen, der Raum war erfüllt vom Schein des Feuers, um drei Uhr brach die Dunkelheit herein, und in jener Nacht wurden die Spuren von Vögeln und Tieren mit Schnee überdeckt, jedes Zeichen der alten Welt wurde ausgelöscht und all unser Schmerz aufgehoben. Wir nannten ihn den Neujahrsprinzen. Wir sagten, er würde der Reichste, der Schönste, der Treueste sein. Ganz London war hell erleuchtet und feierte ... Er atmete zweiundfünfzig Tage, und ich zählte jeden einzelnen. Ich glaube, wenn er überlebt hätte, wäre unser König vielleicht – ich sage nicht ein besserer König, denn das ist kaum möglich –, aber ein zufriedenerer Christ geworden.«

Das nächste Kind war ein Junge, der innerhalb von einer Stunde starb. Im Jahre 1516 wurde eine Tochter geboren, Prinzessin Mary, klein, aber kräftig. Im folgenden Jahr hatte die Königin eine Fehlgeburt, ein Junge. Eine weitere kleine Prinzessin lebte nur ein paar Tage; sie wäre Elizabeth genannt worden, nach der Mutter des Königs.

Manchmal, sagt der Kardinal, spricht der König von seiner Mutter, Elizabeth Plantagenet, und hat dabei Tränen in den Augen. Sie war von großer Schönheit und Gelassenheit, wissen Sie, so sanftmütig trotz des vielfachen Unglücks, das Gott ihr geschickt hat. Sie und der alte König waren mit vielen Kindern gesegnet, und einige von ihnen starben. Aber, sagt der König, mein Bruder Arthur wurde meinen Eltern im ersten Ehejahr geboren, und nach nicht allzu langer Zeit folgte ein weiterer stattlicher Sohn, das war ich. Weshalb stehe ich nach zwanzig Jahren mit einer einzigen schwächlichen Tochter da, die jeder daherkommende Wind auslöschen kann?

Inzwischen werden die beiden, dieses lang verheiratete Ehepaar, von dem verwirrenden Bewusstsein der Sünde zermürbt. Vielleicht, sagen manche Leute, wäre es nur freundlich, sie aus diesem Zustand zu entlassen? »Ich bezweifle, dass Katherine so denken wird«, sagt der Kardinal. »Wenn die Königin eine Sünde auf dem Gewissen hat, wird sie sich in der Beichte davon lossprechen lassen. Und wenn es dazu die nächsten zwanzig Jahre braucht.«

Was habe ich getan?, verlangt Henry vom Kardinal zu wissen. Was habe ich getan, was hat sie getan, was haben wir gemeinsam getan? Es gibt keine Antwort, die der Kardinal darauf geben kann, auch wenn sein Herz für seinen allergütigsten Fürsten blutet; es gibt keine Antwort, die er geben kann, und er bemerkt etwas an der Frage, das nicht ganz ehrlich ist; er denkt – obwohl er es nicht ausspricht, außer wenn er mit seinem Mann für die Geschäfte allein in einem kleinen Raum ist –, dass kein vernünftiger Mann einen Gott anbeten kann, der schlicht so rachsüchtig ist, und er glaubt, dass der König ein vernünftiger Mann ist. »Betrachten Sie die Beispiele vor uns«, sagt er. »Dekan Colet, dieser große Gelehrte. Er war eines von zweiundzwanzig Kindern und das einzige, das die frühe Kindheit überlebt hat. Manche würden meinen, um derart zermürbende Prüfungen auf sich herabzurufen, müssen Sir Henry Colet und seine Frau Ungeheuer der Verderbtheit gewesen sein, verrufen in der gesamten Christenheit. Aber tatsächlich war Sir Henry Bürgermeister von London ...«

»Zweimal.«

»... und hat ein sehr großes Vermögen erworben – insofern, würde ich sagen, wurde er vom Allmächtigen in keiner Weise hintangesetzt, sondern hat vielmehr alle Beweise der göttlichen Gunst erhalten.«

Es ist nicht die Hand Gottes, die unsere Kinder tötet. Es sind Krankheit und Hunger und Krieg, Rattenbisse und schlechte Luft und die Ausdünstungen von Seuchengräbern; es sind schlechte Ernten wie die Ernte in diesem Jahr und im letzten; es sind sorglose Kindermädchen. Er sagt zu Wolsey: »Wie alt ist die Königin jetzt?«

»Sie ist zweiundvierzig, glaube ich.«

»Und der König sagt, sie kann keine Kinder mehr bekommen? Meine Mutter war zweiundfünfzig, als ich geboren wurde.«

Der Kardinal starrt ihn an. »Sind Sie sicher?«, sagt er: Und dann lacht er, ein fröhliches, unbeschwertes Lachen, das einen glauben lässt, es sei gut, ein Kirchenfürst zu sein.

»Ungefähr. Aber auf jeden Fall über fünfzig.« Solche Dinge blieben in der Familie Cromwell oft ein wenig unklar.

»Und sie hat die Tortur überstanden? Sie hat? Ich gratuliere Ihnen beiden. Aber Sie sagen es nicht weiter, ja?«

Das lebende Resultat der königlichen Geburtswehen ist die winzige Mary – nicht wirklich eine volle Prinzessin, vielleicht eine Zwei-Drittel-Prinzessin. Er hat sie gesehen, als er mit dem Kardinal bei Hofe war, sie war ungefähr so groß wie seine Tochter Anne, die zwei oder drei Jahre jünger ist.

Anne Cromwell ist ein zähes kleines Mädchen. Sie könnte eine Prinzessin zum Frühstück verspeisen. Wie der Gott des Heiligen Paulus schätzt sie die Menschen nicht wirklich, und ihre Augen, die klein und durchdringend sind wie die ihres Vaters, blicken kalt auf alle, die sie verärgern; der Familienwitz ist die Frage, wie London aussehen wird, wenn unsere Anne Bürgermeisterin wird. Mary Tudor ist eine blasse, kluge Puppe mit fuchsfarbenem Haar und von größerer Ernsthaftigkeit als der durchschnittliche Bischof. Sie war kaum zehn Jahre alt, als ihr Vater sie nach Ludlow schickte, damit sie als Prinzessin von Wales Hof hielt. Es war der Ort, wohin Katherine als junge Ehefrau gebracht wurde; der Ort, wo ihr Mann, Arthur, starb; der Ort, wo sie während der Epidemie jenes Jahres selbst beinahe gestorben wäre und wo sie verlassen, geschwächt und vergessen daniederlag, bis die Frau des alten Königs persönlich das Geld aufbrachte, um sie in einer Sänfte nach London zurückbringen zu lassen, was viele qualvolle Tage dauerte. Katherine hatte ihn versteckt – wie sie so vieles versteckt –, den Schmerz über die Trennung von ihrer Tochter. Sie selbst ist die Tochter einer regierenden Königin. Warum sollte Mary nicht über England herrschen? Sie hatte es als Zeichen angesehen, dass der König zufrieden war.

Aber jetzt weiß sie es besser.

Sobald das geheime Verfahren eröffnet wird, bricht sich Katherines angestauter Kummer Bahn. Ihrer Meinung nach hat der Kardinal Schuld an der ganzen Angelegenheit. »Ich habe es doch gesagt«, sagte Wolsey. »Ich habe gesagt, dass es so kommt. Die Handschrift des Königs darin sehen? Den Willen des Königs? Nein, das kann sie nicht. Denn der König ist in ihren Augen unfehlbar.«

Seit Wolseys Aufstieg im Dienst des Königs behauptet die Königin, er habe daran gearbeitet, sie von ihrem rechtmäßigen Platz als Henrys

Vertraute und Beraterin zu verdrängen. Er hat jedes ihm zur Verfügung stehende Mittel benutzt, sagt sie, um mich von der Seite des Königs zu vertreiben, damit ich nichts von seinen Projekten weiß und damit er, der Kardinal, alles dirigieren kann. Er hat meine Zusammenkünfte mit dem Botschafter von Spanien verhindert. Er hat Spione in meinen Haushalt geschmuggelt – meine Frauen spionieren alle für ihn.

Der Kardinal sagt müde: Ich habe mich nicht auf die Seite der Franzosen geschlagen und auch nicht auf die des Kaisers: Ich habe mich auf die Seite des Friedens geschlagen. Ich habe sie nicht davon abgehalten, den spanischen Botschafter zu sehen, nur die vernünftige Bitte vorgebracht, dass sie ihn nicht allein treffen sollte, damit ich feststellen kann, welche Unterstellungen und Lügen er ihr auftischt. Die Damen ihres Haushalts sind vornehme englische Frauen, die das Recht haben, ihrer Königin zu dienen; duldet sie nach fast dreißig Jahren in England nur Spanierinnen? Was ihre Vertreibung von der Seite des Königs betrifft, wie hätte ich das bewerkstelligen sollen? Jahrelang war seine Rede: »Das muss die Königin sehen« oder »Katherine wird sich freuen, davon zu hören, wir müssen sofort zu ihr gehen.« Nie hat eine Frau die Bedürfnisse ihres Mannes besser gekannt.

Sie kennt sie; aber zum ersten Mal will sie sich ihnen nicht fügen.

Ist eine Frau zu weiblichem Gehorsam verpflichtet, wenn das bedeutet, dass sie ihren Status als Ehefrau verliert? Er, Cromwell, bewundert Katherine: Er sieht sie gern in den königlichen Palästen; sie ist so breit, wie sie groß ist, eingenäht in Gewänder, die so vor Edelsteinen strotzen, dass es scheint, als wären sie weniger für die Schönheit gemacht als zu dem Zweck, Schwerthieben standzuhalten. Ihr rotbraunes Haar ist verblichen und von grauen Strähnen durchzogen, zurückgesteckt unter ihrer Giebelhaube erinnert es an die bescheidenen Flügel eines Stadtspatzen. Unter ihren Gewändern trägt sie die Ordenstracht einer Franziskaner-Nonne. Versuchen Sie immer herauszufinden, sagt Wolsey, was die Leute unter ihren Kleidern tragen. Zu einer früheren

Zeit seines Leben hätte ihn das überrascht; damals dachte er, dass die Leute unter der Kleidung ihre Haut trügen.

Es gibt viele Präzedenzfälle, sagt der Kardinal, die dem König bei seinem gegenwärtigen Anliegen helfen können. König Ludwig XII. wurde erlaubt, die Ehe mit seiner ersten Frau zu beenden. Aber auch in der Umgebung des Königs finden sich welche: Seine eigene Schwester Margaret, die in erster Ehe mit dem König von Schottland verheiratet war, ließ sich von ihrem zweiten Mann scheiden und heiratete ein drittes Mal. Und der gute Freund des Königs, Charles Brandon, der jetzt mit Henrys jüngster Schwester Mary verheiratet ist, ließ eine frühere Verbindung unter Umständen aufheben, die einer genauen Betrachtung kaum standhielten.

Dagegen steht allerdings die Tatsache, dass es nicht Sache der Kirche ist, bestehende Ehen zu zerstören oder Kinder zu Bastarden zu machen. Wenn die Dispens formal oder in irgendeiner anderen Hinsicht fehlerhaft war, warum kann der Schaden nicht durch eine neue behoben werden? So könnte Papst Clemens denken, sagt Wolsey.

Als er das sagt, brüllt der König. Er kann das ignorieren, das Brüllen; man gewöhnt sich, und er beobachtet, wie sich der Kardinal benimmt, als der Sturm über ihm losbricht; mit einem verhaltenen Lächeln, voller Bedauern wartet er höflich auf die Ruhe, die folgen muss. Aber Wolsey wird langsam nervös, er wartet darauf, dass Boleyns Tochter – nicht die, die leicht im Arm liegt, sondern das jüngere Mädchen, das flachbrüstige – aufhört, sich zu zieren, und den König zufriedenstellt. Wenn sie das täte, würde der König das Leben leichter nehmen und weniger über sein Gewissen reden; wie könnte er das auch, mitten in einer Liebesaffäre? Aber einige Leute vermuten, dass sie mit dem König schachert; einige sagen, dass sie die neue Frau werden will; was lachhaft ist, sagt Wolsey, aber andererseits ist der König verliebt, und vielleicht widerspricht er ihr deshalb nicht, nicht in ihrer Gegenwart. Er hat den Kardinal auf den Smaragdring aufmerksam gemacht, den Lady Anne inzwischen trägt, und hat ihm Herkunft und Preis genannt. Der Kardinal war schockiert.

Nach dem Debakel mit Harry Percy hatte der Kardinal Anne nach Hever in das Haus ihrer Familie schicken lassen, aber irgendwie hat sie sich wieder bei Hofe eingeschlichen und sich unter die Damen der Königin gemischt, und jetzt weiß er nie, wo sie gerade ist und ob Henry sich seiner Kontrolle entzieht, weil er ihr durchs Land nachjagt. Er erwägt, ihren Vater, Sir Thomas, herzurufen und ihm noch einmal die Leviten zu lesen, aber – selbst wenn er das alte Gerücht über Henry und Lady Boleyn unerwähnt lässt – wie soll man einem Mann erklären, dass seine erste Tochter eine Hure war und seine zweite deshalb auch eine werden sollte: indem man andeutet, dass es eine Art Familienbetrieb ist, den sie da betreiben?

»Boleyn ist nicht reich«, sagt er. »Ich würde ihn kommen lassen. Rechnen Sie es ihm vor. Die Habenseite. Die Sollseite.«

»Ah ja«, sagt der Kardinal, »Sie sind natürlich der Meister der praktischen Lösungen, ich hingegen muss es als Mann der Kirche vermeiden, offen zu empfehlen, dass sich mein Monarch vorsätzlich auf den Pfad des Ehebruchs begibt.« Er schiebt die Schreibfedern auf seinem Schreibtisch hin und her und ordnet einige Papiere. »Thomas, wenn Sie jemals ... Wie soll ich mich ausdrücken?«

Diesmal kann er sich nicht vorstellen, was der Kardinal sagen will.

»Sollten Sie dem König jemals nahestehen, sollten Sie eine Stellung innehaben, vielleicht, nachdem ich gegangen bin ...« Es ist nicht leicht, von der Nicht-Existenz zu sprechen, selbst wenn man sein Grabmal bereits in Auftrag gegeben hat. Wolsey kann sich keine Welt ohne Wolsey vorstellen. »Nun ja. Sie wissen, ich würde es befürworten, wenn Sie dem König dienen, und ich würde Sie niemals davon abhalten, aber die Schwierigkeit ist ...«

Putney, meint er. Eine unerbittliche Tatsache. Und weil er kein Mann der Kirche ist, hat er keine geistlichen Titel, um sie abzumildern, wie sie die unerbittliche Tatsache von Ipswich abgemildert haben.

»Ich frage mich«, sagt Wolsey, »ob Sie Geduld mit unserem Herrscher hätten. Wenn es Mitternacht ist, und er noch wach ist, mit Brandon trinkt und lacht oder singt, und die Schriftstücke des Tages sind noch nicht unterzeichnet, und wenn Sie ihn drängen, sagt er: Jetzt muss ich ins Bett, wir gehen morgen auf die Jagd ... Wenn Ihre Chance zu dienen kommt, werden Sie ihn nehmen müssen, wie er ist: ein Fürst, der sich gern vergnügt. Und er wird Sie nehmen müssen, wie Sie sind, in etwa so wie diese quadratischen Kampfhunde, die der gemeine Mann am Strick durch die Gegend zieht. Nicht dass Sie ohne einen wechselhaften Charme sind, Tom.«

Der Gedanke, dass er oder jemand anders irgendwann Wolseys Macht über den König haben könnte, ist ungefähr so realistisch wie der, dass Anne Cromwell Bürgermeisterin von London wird. Aber er weist ihn nicht völlig zurück. Man hat von Jeanne d'Arc gehört; es muss ja nicht in Flammen enden.

Er geht nach Hause und erzählt Liz von den Kampfhunden. Sie findet den Vergleich erstaunlich treffend. Er erzählt ihr nichts von dem wechselhaften Charme, falls nur der Kardinal ihn erkennen kann.

Das Untersuchungsgericht ist kurz davor, sich aufzulösen und die Angelegenheit zwecks weiterer Beratung ruhen zu lassen, als die Nachricht aus Rom eintrifft, dass die spanischen und deutschen Truppen des Kaisers, die monatelang nicht bezahlt wurden, durch die Heilige Stadt gezogen sind und sich ihren Sold selbst genommen haben. Sie haben Schatzkammern geplündert und Kunstwerke gesteinigt. Um die Kirche zu verhöhnen, haben sie gestohlene Messgewänder angezogen und die Ehefrauen und Jungfrauen von Rom vergewaltigt. Sie haben Statuen und Nonnen zu Boden gestoßen und ihre Köpfe auf das Pflaster geschlagen. Ein gemeiner Soldat hat die Spitze der Heiligen Lanze gestohlen, mit der Christus in die Seite gestochen wurde, und auf dem Schaft seiner eigenen blutrünstigen Waffe befestigt. Seine Kameraden haben antike Gräber aufgebrochen und die Asche ausgekippt, damit sie vom Wind davongetragen wird. Der Tiber ist voller frischer Leichen, die Erstochenen und Erwürgten schwappen ans Ufer. Die schmerzlichste Nachricht ist, dass der Papst gefangen genommen wurde. Weil der junge Kaiser Karl diese Truppen nominell befehligt und vermutlich seine Autorität geltend machen wird, um die Situation zu seinem Vorteil zu verkehren, gerät die Ehesache König Henrys ins Hintertreffen. Karl ist der Neffe von Königin Katherine, und solange Papst Clemens in der Gewalt des Kaisers ist, wird er die Gesuche seines Legaten in England kaum wohlwollend prüfen.

Thomas More sagt, dass die kaiserlichen Truppen zu ihrem Vergnügen lebendige Säuglinge auf Spießen rösten. Das ist typisch More!, sagt Thomas Cromwell. Aber Soldaten tun so etwas nicht. Sie haben alle Hände voll damit zu tun, alles fortzuschaffen, was sie zu Bargeld machen können.

Unter seinen Kleidern trägt Thomas More, wie allgemein bekannt ist, ein Wams aus Rosshaar. Er schlägt sich mit einer kleinen Geißel, wie sie auch einige geistliche Orden benutzen. Ihn, Thomas Cromwell, beschäftigt der Gedanke, dass jemand diese Instrumente zur täglichen Folter herstellt. Jemand kämmt das Rosshaar zu groben Büscheln, verknotet sie und schneidet die stumpfen Enden ab, wohl wissend, dass sie den Zweck haben, unter der Haut abzureißen und nässende Wunden hervorzurufen. Sind es Mönche, die sie herstellen, die mit gerechtem Zorn knoten und schneiden, die bei dem Gedanken an den Schmerz, den sie unbekannten Personen zufügen werden, in sich hineinlachen? Werden einfache Dorfbewohner dafür bezahlt – wie, pro Dutzend? –, dass sie Geißeln mit gewachsten Knoten machen? Sind Landarbeiter damit beschäftigt, um die flaue Zeit im Winter damit zu überbrücken? Wenn ihnen das Geld für ihre ehrliche Arbeit in die Hand gelegt wird, denken die Hersteller dann an die Hände, die das Produkt halten werden?

Wir müssen den Schmerz nicht herbeiführen, denkt er. Er wartet auf uns: eher früher als später. Fragt die Jungfrauen von Rom.

Außerdem denkt er, dass man bessere Arbeit für die Leute finden sollte.

Treten wir einen Schritt zurück, sagt der Kardinal an diesem Punkt, und betrachten die Situation. Er ist ernsthaft beunruhigt; es war ihm immer klar, dass es eines der Geheimnisse der Stabilität in Europa ist, ein unabhängiges Pontifikat zu haben, das sich weder in den Klauen Frankreichs noch in denen des Kaisers befindet. Aber sein reger Geist eilt bereits voran, um Henry einen Vorteil zu sichern.

Angenommen, sagt er – denn in dieser Notlage wird Papst Clemens auf mich bauen, um die Christenheit zusammenzuhalten –, angenommen, ich würde den Kanal überqueren, Zwischenstation in Calais machen, dort unsere Leute beruhigen und alle misslichen Gerüchte unterdrücken, dann weiter nach Frankreich reisen und persönliche Gespräche mit ihrem König führen, mich danach nach Avignon begeben, wo man weiß, wie ein päpstlicher Hof zu beherbergen ist, und wo die Fleischer und die Bäcker, die Kerzenmacher und die Vermieter und sogar die Huren über so viele Jahre die Hoffnung nicht aufgegeben haben. Ich würde die Kardinäle auffordern, mich dort zu treffen, und einen Rat einberufen, damit die Geschäfte der Kirchenregierung weitergeführt werden können, während seine Heiligkeit die Gastfreundschaft des Kaisers erleidet. Wenn nun zu den Fragen, die diesem Rat unterbreitet würden, auch die private Angelegenheit des Königs gehörte, wäre es dann gerechtfertigt, einen so christlichen Monarchen warten zu lassen, bis sich die militärische Lage in Italien geklärt hat? Würden wir keine Entscheidungen treffen dürfen? Es sollte den Verstand von Menschen oder Engeln nicht übersteigen, eine Botschaft an Papst Clemens zu schicken, auch wenn er in Gefangenschaft ist, und dieselben Menschen oder Engel würden mit einer Botschaft zurückkehren – die unsere Entscheidung sicherlich billigt, denn wir werden alle Fakten berücksichtigt haben. Und wenn, natürlich, zu gegebener Zeit – und wie wir alle diesen Tag herbeisehnen! – Papst Clemens wieder seine uneingeschränkte Freiheit genießt, wird er so dankbar für die Aufrechterhaltung der Ordnung in seiner Abwesenheit sein, dass das unbedeutende Anliegen einer Unterschrift oder eines Siegels bloß noch Formalität ist. *Et voilà* – der König von England ist wieder Junggeselle.

Bevor das passieren kann, muss der König mit Katherine sprechen; er kann nicht immer irgendwo anders auf der Jagd sein, während sie auf ihn wartet, geduldig, unerbittlich; der Platz zum Abendessen in ihren Privatgemächern ist immer für ihn gedeckt. Es ist Juni 1527; mit getrimmtem Bart und gelocktem Haar, groß und aus gewissen Blickwinkeln immer noch schlank, in weiße Seide gekleidet, begibt sich der König in die Gemächer seiner Frau. Eine Wolke aus Rosenessenz umgibt ihn: als gehörten alle Rosen ihm, als gehörten alle Sommernächte ihm.

Seine Stimme ist leise, sanft, überzeugend und voller Bedauern. Wenn er frei wäre, sagt er, wenn es keine Hindernisse gäbe, sei sie es, die er vor allen Frauen als Ehefrau wählen würde. Der Mangel an Söhnen würde nichts zur Sache tun; Gottes Wille würde geschehen. Nichts würde er lieber tun, als sie noch einmal zu heiraten, dieses Mal rechtmäßig. Aber so ist es nun mal: Es darf nicht sein. Sie war die Frau seines Bruders. Ihre Verbindung war gegen das göttliche Gesetz.

Man kann hören, was Katherine sagt. Dieses körperliche Wrack, zusammengehalten von Bändern und Miedern, hat eine Stimme, die bis Calais zu hören ist: Sie schallt von hier nach Paris, von hier nach Madrid, nach Rom. Sie pocht auf ihren Status; sie pocht auf ihre Rechte; die Fenster klirren, von hier bis Konstantinopel.

Was für eine Frau, bemerkt Thomas Cromwell auf Spanisch: an niemand Besonderes gerichtet.

Mitte Juli trifft der Kardinal seine Vorbereitungen für die Reise über das enge Meer. Das warme Wetter hat das Schweißfieber nach London gebracht, und die Stadt leert sich. Einige liegen bereits danieder, und viele andere bilden sich ein, es zu haben, klagen über Kopf- und Gliederschmerzen. Die Gespräche in den Läden drehen sich um Pillen und Aufgüsse, und auf der Straße machen Mönche lukrative Geschäfte mit geweihten Anhängern. Diese Seuche kam im Jahr 1485 mit den Armeen zu uns, die uns den ersten Henry Tudor brachten. Nun füllt sie alle paar Jahre die Friedhöfe. Sie tötet an einem Tag. Heiter beim Frühstück, sagt man: mittags schon tot.

Deshalb ist der Kardinal erleichtert, dass er die Stadt verlassen wird, obwohl er sich nicht mit dem Gefolge einschiffen kann, das für einen Kirchenfürsten angemessen wäre. Er muss König François davon überzeugen, Papst Clemens in Italien durch militärisches Vorgehen zu befreien; er muss François der Freundschaft und Hilfe des Königs von England versichern, ohne jedoch Truppen oder finanzielle Mittel zur Verfügung zu stellen. Wenn Gott ihm Rückenwind gewährt, wird er nicht nur mit einer Annullierung nach Hause kommen, sondern mit einem Vertrag über die gegenseitige Hilfe zwischen England und Frankreich, einen, der das lange Kinn des jungen Kaisers erzittern lässt und eine Träne aus seinem schmalen Habsburger Auge presst.

Also warum ist er nicht fröhlicher, als er durch sein Privatgemach in York Place schreitet? »Was erreiche ich denn, Cromwell, wenn ich alles bekomme, worum ich bitte? Die Königin, die mich nicht leiden kann, wird ausrangiert, und wenn der König auf seiner Torheit besteht, treten die Boleyns auf den Plan, die mich auch nicht leiden können; das Mädchen hat eine Abneigung gegen mich, ihren Vater habe ich jahrelang lächerlich gemacht, und ihr Onkel, Norfolk, sähe mich gern tot in einem Graben. Glauben Sie, die Seuche wird vorbei sein, wenn ich wiederkomme? Man sagt, Gott sendet alle diese Heimsuchungen, aber ich bilde mir nicht ein, Seine Absichten zu kennen. Sie sollten auch die Stadt verlassen, während ich fort bin.«

Er seufzt; stellt der Kardinal seine einzige Arbeit dar? Nein; er ist nur der Klient, der seine beständigste Aufmerksamkeit erfordert. Aber das Geschäft wächst ständig. Wenn er für den Kardinal arbeitet, in London oder anderswo, begleicht er seine eigenen Unkosten und die der Angestellten, die er in Wolseys Geschäften losschickt. Der Kardinal sagt: Erstatten Sie sich Ihre Auslagen selbst, und baut darauf, dass er darüber hinaus einen fairen Prozentsatz nimmt; er ist nicht haarspalterisch, denn was gut für Thomas Cromwell ist, ist gut für Thomas Wolsey – und umgekehrt. Seine Anwaltskanzlei floriert, und er ist in der Lage, Geld gegen Zinsen zu verleihen und gegen eine Maklergebühr größere Anleihen auf dem internationalen Markt zu vermitteln. Der Markt ist unbeständig – die Nachrichten aus Italien bleiben nicht einmal zwei Tage aktuell –, aber wie manche Männer ein Auge für Pferdefleisch oder für Mastrinder haben, hat er ein Auge für das Risiko. Eine Reihe von Adligen ist ihm zu Dank verpflichtet, nicht nur für die Vermittlung von Darlehen, sondern auch dafür, dass ihr Grundbesitz mehr Profit abwirft. Dabei geht es nicht darum, Pächtern Abgaben abzupressen, sondern in erster Linie darum, dem Landbesitzer einen genauen Überblick über Bodenwerte, Ernteerträge, Wasserversorgung, Vermögen in Form von Gebäuden zu geben und dann das Potenzial all dieser Faktoren abzuschätzen; danach schlaue Leute als Verwalter einzusetzen und mit ihnen ein System der Buchführung einzurichten, das sinnvoll ist und geprüft werden kann. Bei den Kaufleuten in der City ist sein Rat zu Handelspartnern im Ausland gefragt. Nebenbei betätigt er sich als Schlichter, überwiegend bei kaufmännischen Streitigkeiten, denn man vertraut seiner Fähigkeit, die Faktenlage eines Falles einzuschätzen und eine schnelle unparteiische Entscheidung zu fällen – hier, in Calais und in Antwerpen. Wenn die beiden streitenden Parteien wenigstens darin übereinkommen, die Kosten und Verzögerungen durch eine Anhörung vor Gericht vermeiden zu wollen, dann ist Cromwell ihr Mann, gegen ein Honorar; und oft genug hat er das Vergnügen, beide Seiten glücklich entlassen zu können.

Es sind gute Tage für ihn: jeder Tag ein Kampf, den er gewinnen kann. »Sie dienen immer noch Ihrem Hebräergott, wie ich sehe«, bemerkt Sir Thomas More. »Den Wucher meine ich, Ihren Götzen.« Aber während More, ein Gelehrter, der in ganz Europa geachtet ist, mit der Aussicht auf das lateinische Morgengebet in Chelsea aufwacht, erwacht er mit einem Schöpfer, der die schnelle Sprache der Märkte spricht; wenn More sich zu einer Runde Selbstgeißelung anschickt, spurten er und Rafe in die Lombard Street, um die Wechselkurse des Tages zu erfahren. Nicht dass er wirklich spurtet; eine alte Verletzung macht sich manchmal bemerkbar, und wenn er müde ist, dreht sich der eine Fuß nach innen, als wolle er zu sich selbst zurücklaufen. Die Leute meinen, es sei die Hinterlassenschaft eines Sommers mit Cesare Borgia. Ihm gefallen die Geschichten, die man über ihn erzählt. Aber wo ist Cesare jetzt? Er ist tot.

»Thomas Cromwell?«, sagen die Leute. »Das ist ein schlauer Mann. Weißt du, dass er das gesamte Neue Testament auswendig kennt?« Er ist genau der richtige Mann, wenn ein Streit über Gott ausbricht; er ist genau der richtige Mann, um deinen Mietern zwölf gute Gründe zu nennen, warum ihre Mieten gerecht sind. Er ist der richtige Mann, um einen Rechtsstreit zu entwirren, in dem du dich seit drei Generationen verfangen hast, oder um deine schniefende kleine Tochter zu der Ehe zu überreden, von der sie schwört, sie niemals einzugehen. Bei Tieren, Frauen und scheuen Prozessgegnern ist sein Benehmen sanft und ungezwungen, aber deine Gläubiger bringt er zum Weinen. Er kann sich mit dir über die Cäsaren unterhalten oder dir venezianische Glaswaren zu einem sehr vernünftigen Preis besorgen. Niemand redet mehr als er, wenn ihm nach Reden zumute ist. Und niemand bewahrt einen kühleren Kopf, wenn die Kurse fallen und heulende Männer dabei sind, auf der Straße Kreditbriefe zu zerreißen. »Liz«, sagt er eines Nachts, »ich glaube, in ein, zwei Jahren sind wir reich.«

Sie ist dabei, Hemden für Gregory mit einem schwarzen Muster zu besticken; es ist dasselbe, das die Königin benutzt, denn sie fertigt die Hemden für den König selbst.

»An Katherines Stelle würde ich die Nadel drinlassen«, sagt er.

Sie grinst. »Das ist mir klar.«

Lizzie war still und ernst geworden, als er ihr erzählte, was der König Katherine bei ihrem Treffen mitgeteilt hatte. Henry meinte, dass sie sich trennen sollten, bis ein Urteil über ihre Ehe ergehe; vielleicht wolle sie sich vom Hof zurückziehen? Katherine hatte nein gesagt; sie sagte, das sei nicht möglich; sie sagte, sie würde sich von Kirchenrechtlern beraten lassen und dass er sich selbst mit besseren Anwälten und besseren Priestern umgeben solle; und dann, nachdem das Geschrei vorüber war, hatten die Leute, die ihre Ohren an die Wände hielten, Katherine weinen gehört. »Er mag es nicht, wenn sie weint.«

»Die Männer sagen«, Liz greift nach ihrer Schere, »›Ich kann es nicht ertragen, wenn Frauen weinen‹ – genauso wie die Leute sagen: ›Ich kann dieses feuchte Wetter nicht ertragen.‹ Als hätte es überhaupt nichts mit den Männern zu tun, das Weinen. Als wäre es einfach etwas, das passiert.«

»Ich habe dich nie zum Weinen gebracht, oder?«

»Nur vor Lachen«, sagt sie.

Die Unterhaltung mündet in eine gelassene Stille; sie stickt an ihren eigenen Gedanken, er überlegt, was er mit seinem Geld tun soll. Er bringt zwei junge Studenten, die nicht zur Familie gehören, durch ihr Studium in Cambridge; die Gabe segnet den Gebenden. Ich könnte diese Stipendien erhöhen, denkt er, und – »Ich glaube, ich sollte ein Testament machen«, sagt er.

Sie greift nach seiner Hand. »Stirb nicht, Tom.«

»Guter Gott, nein, das habe ich nicht vor.«

Er denkt, ich bin vielleicht noch nicht reich, aber ich habe Glück. Sieh mal, wie ich Walters Stiefeln entkommen bin, Cesares Sommer und vielen schlimmen Nächten in Seitengassen. Männer wollen ihre Weisheit an ihre Söhne weitergeben, so denkt man; er würde viel darum geben, seinen Sohn davor zu bewahren, nur ein Viertel dessen zu erfahren, was er weiß. Woher kommt Gregorys liebenswürdiges Wesen? Es müssen die Gebete seiner Mutter sein. Richard Williams, Kats Junge, ist schlau, lebhaft und vorlaut. Christopher, der Junge seiner Schwester Bet, ist klug und dazu willig. Und dann hat er Rafe Sadler, dem er vertraut wie einem Sohn; es ist keine Dynastie, denkt er, aber es ist ein

Anfang. Und stille Momente wie dieser sind selten, weil sein Haus jeden Tag voller Leute ist, Leute, die zum Kardinal wollen. Es kommen Künstler wegen möglicher Aufträge. Es kommen ernsthafte holländische Gelehrte mit Büchern unter dem Arm und Kaufleute aus Lübeck, die langatmig und ernst germanische Witze zum Besten geben; es kommen reisende Musikanten, die merkwürdige Instrumente stimmen, und lärmende Konklaven von Vertretern italienischer Banken, es kommen Alchimisten, die Rezepte anbieten, und Astrologen mit positiven Schicksalen, und einsame polnische Fellhändler, die vorbeikommen, um festzustellen, ob jemand ihre Sprache spricht; es kommen Drucker, Graveure, Übersetzer und Chiffrierer; und Dichter, Gartenbauer, Kabbalisten und Geometer. Wo sind sie heute Abend?

»Still«, sagt Liz. »Hör mal, das Haus.«

Zuerst ist da kein Laut. Dann knarren die Balken, atmen. In den Schornsteinen rühren sich nistende Vögel. Wind weht vom Fluss herauf, schüttelt die Baumwipfel ein wenig durch. Sie stellen sich den Atem schlafender Kinder in anderen Räumen vor und hören ihn. »Komm zu Bett«, sagt er.

Der König kann das nicht zu seiner Frau sagen. Und auch nicht zu der Frau, von der es heißt, dass er sie liebt, jedenfalls nicht mit Aussicht auf Erfolg.

Nun sind die vielen Taschen des Kardinals für Frankreich gepackt; sein Gefolge steht an Glanz nur wenig jenem nach, mit dem er vor sieben Jahren zum Feld des Güldenen Tuches übergesetzt hat. Seine Reise geht gemächlich voran, bevor er sich einschifft: Dartford, Rochester, Faversham, drei oder vier Tage Canterbury, Gebete an Beckets Grabmal.

Nun, Thomas, sagt er, wenn Sie wissen, dass der König Anne gehabt hat, lassen Sie mir noch am selben Tag einen Brief zukommen. Ich traue der Nachricht nur, wenn ich sie von Ihnen erhalte. Woran Sie erkennen sollen, dass es passiert ist? Ich würde meinen, Sie erkennen es an seinem Gesicht. Und wenn Sie nicht die Ehre haben, es zu sehen?

Guter Einwand. Ich wünschte, ich hätte Sie dem König vorgestellt; ich hätte die Gelegenheit nutzen sollen, als ich sie hatte.

»Wenn der König nicht zügig das Interesse an Anne verliert«, sagt er zum Kardinal, »weiß ich nicht, wie Sie vorgehen sollen. Wir wissen, dass Fürsten nach Belieben zugreifen, und normalerweise kann man ihre Handlungen trotzdem mit ein wenig Glanz versehen. Aber was können Sie zugunsten von Boleyns Tochter vorbringen? Was bringt sie ihm? Keinen Vertrag. Kein Land. Kein Geld. Wie sollen Sie das je als rühmliche Verbindung darstellen?«

Wolsey sitzt mit aufgestützten Ellenbogen an seinem Schreibtisch, seine Finger betupfen die geschlossenen Lider. Er atmet tief ein und beginnt zu sprechen. Er beginnt über England zu sprechen.

Man kann Albion nur verstehen, sagt er, wenn man in eine Zeit zurückgeht, in der an Albion noch nicht zu denken war. Zurück zu den Tagen noch vor Caesars Legionen, als die Knochen riesiger Tiere und Menschen auf dem Boden lagen, auf dem eines Tages London erbaut werden würde. Man muss zurückgehen zum Neuen Troja, zum Neuen Jerusalem, zu den Sünden und Verbrechen der Könige, die unter den zerfetzten Bannern Arthurs ritten und Frauen heirateten, die aus dem Meer kamen oder aus Eiern schlüpften, Frauen mit Schuppen und Flossen und Federn; daneben, sagt er, sieht die Verbindung mit Anne weniger ungewöhnlich aus. Es sind alte Geschichten, sagt er, aber wir sollten uns daran erinnern, dass einige Menschen sie wirklich glauben.

Er spricht über den Tod einiger Könige: davon, wie der zweite Richard in Pontefract Castle verschwand und dort ermordet wurde oder verhungerte; wie der vierte Henry, der Usurpator, an der Lepra starb, die seinen Körper so vernarben und schrumpfen ließ, dass er nur noch so groß wie ein Zwerg oder ein Kind war. Er spricht von den Siegen des fünften Henry in Frankreich und von dem Preis – die Rede ist nicht von Geld –, der für Azincourt bezahlt werden musste. Er spricht von der französischen Prinzessin, die dieser große Prinz heiratete; sie war eine reizende Dame, aber ihr Vater war geisteskrank und glaubte, er wäre aus Glas. Dieser Ehe

– zwischen dem fünften Henry und der Glasprinzessin – entsprang ein weiterer Henry, der ein England regierte, das so dunkel war wie der Winter, kalt, unfruchtbar, unselig. Edward Plantagenet, Sohn des Herzogs von York, kam als erstes Anzeichen des Frühlings: geboren im Sternzeichen des Widders, des Zeichens, in dem die ganze Welt geschaffen wurde.

Als Edward achtzehn Jahre alt war, eroberte er das Königreich und tat es wegen eines Zeichens, das er erhalten hatte. Seine Truppen waren ratlos und kampfmüde, es war die dunkelste Zeit in einem von Gottes dunkelsten Jahren, und er hatte gerade die Nachricht erhalten, die ihn hätte brechen müssen: Sein Vater und sein jüngster Bruder waren von Truppen des Hauses Lancaster gefangen, gedemütigt und abgeschlachtet worden. Es war Lichtmess; mit seinen Generälen kauerte er in seinem Zelt und betete für die getöteten Seelen. Der Blasiustag kam: 3. Februar, schwarz und eisig. Um zehn Uhr morgens gingen drei Sonnen am Himmel auf: Drei undeutliche Silberscheiben schimmerten durch den frostigen Dunst. Ihr Lichtkranz verbreitete sich über die tristen Felder, über die durchnässten Wälder des walisischen Grenzlands, über seine demoralisierten und unbesoldeten Truppen. Seine Männer knieten sich zum Gebet auf den gefrorenen Boden. Seine Ritter machten einen Kniefall vor dem Himmel. Sein Leben bekam Flügel und flog davon. In diesem strahlenden Licht sah er seine Zukunft. Als niemand anders sehen konnte, konnte er sehen: Und genau das bedeutet es, ein König zu sein. In der Schlacht von Mortimer's Cross nahm er einen gewissen Owen Tudor gefangen. Er köpfte ihn auf dem Marktplatz von Hereford und steckte seinen Kopf zum Verfaulen auf das Marktkreuz. Eine unbekannte Frau kam mit einer Schüssel Wasser und wusch den abgetrennten Kopf; sie kämmte das blutige Haar.

Wenn er nach diesem Tag – dem Blasiustag, an dem drei Sonnen aufgingen – sein Schwert berührte, berührte er es, um zu siegen. Drei Monate später war er in London, und er war König. Aber in die Zukunft blickte er nie wieder, nicht so deutlich wie in jenem Jahr. Blind stolperte er durch seine Zeit als König wie durch einen Nebel. Er war ganz und gar das Geschöpf von Astrologen, heiligen Männern und Fantasten. Er heiratete nicht, wie er sollte, um diplomatischer Vorteile willen, sondern verfing sich in einem Netz aus halb gegebenen, halb gebrochenen Versprechungen, die er einer unbekannten Anzahl von Frauen machte. Eine von ihnen war eine Talbot, das Mädchen hieß Eleanor, und was war so besonders an ihr? Es hieß, sie stamme in der weiblichen Linie von einer Frau ab, die ein Schwan war. Und warum schenkte er seine Zuneigung schließlich der Witwe eines lancastrischen Ritters? Weil ihre kühle blonde Schönheit seinen Puls schneller schlagen ließ, wie manche Leute glaubten? Nicht ganz; vielmehr war es ihre Behauptung, sie stamme von Melusine ab, der Schlangenfrau, die auf alten Pergamenten zu sehen ist, wie sie ihren Leib um den Baum des Wissens schlingt und über die Vereinigung von Mond und Sonne wacht. Melusine führte ein vorgetäuschtes Leben als normale Prinzessin, als Sterbliche, aber eines Tages sah ihr Mann sie nackt und erblickte ihren Schlangenleib. Als sie seinem Griff entglitt, sagte sie voraus, dass ihre Kinder eine ewig währende Dynastie begründen würden: Macht ohne Grenzen, garantiert vom Teufel. Sie glitt davon, sagt der Kardinal, und niemand sah sie jemals wieder.

Einige Kerzen sind ausgegangen, aber Wolsey verlangt nicht nach mehr Licht. »Sie sehen also«, sagt er, »dass die Berater König Edwards planten, ihn mit einer französischen Prinzessin zu verheiraten. Wie es … wie es meine Absicht war. Und nun schauen Sie, was stattdessen geschehen ist. Schauen Sie, wie er gewählt hat.«

»Wie viel Zeit ist verstrichen? Seit Melusine?«

Es ist spät; es herrscht Ruhe im großen Palast von York Place, die Stadt schläft; der Fluss kriecht durch seine Kanäle, verschlammt seine Ufer. Bei solchen Erscheinungen, sagt der Kardinal, gibt es kein Zeitmaß; diese Geister entgleiten unseren Händen und winden sich durch die Zeitalter: schlangenförmig, wandelbar, listig.

»Aber die Frau, die König Edward heiratete – brachte sie nicht einen Anspruch auf den Thron von Kastilien mit in die Ehe? Sehr alt, sehr undurchsichtig?«

Der Kardinal nickt. »Das war die Bedeutung der drei Sonnen. Der Thron von England, der Thron von Frankreich, der Thron von Kastilien. Als unser gegenwärtiger König Katherine heiratete, verlieh das seinen alten Ansprüchen nur noch mehr Nachdruck. Nicht dass es jemand wagen würde, sich bei Königin Isabella und König Ferdinand so auszudrücken, vermute ich. Aber es ist nicht verkehrt, sich daran zu erinnern und auch von Zeit zu Zeit zu erwähnen, dass unser König Herrscher von drei Königreichen ist. Von Rechts wegen.«

»Ihrem Bericht zufolge, Mylord, köpfte der Plantagenet-Großvater unseres Königs seinen Tudor-Urgroßvater.«

»Etwas, das man wissen, aber nicht erwähnen sollte.«

»Und die Boleyns? Ich dachte, es wären Kaufleute; hätte ich wissen sollen, dass sie Giftzähne oder Flügel haben?«

»Sie machen sich über mich lustig, Master Cromwell.«

»Keinesfalls. Aber ich brauche alle Informationen, um diese Situation im Auge behalten zu können, wenn Sie fort sind.«

Der Kardinal spricht daraufhin über das Töten. Er spricht über die Sünde: über das, was gesühnt werden muss. Er spricht über den sechsten König Henry, der im Tower ermordet wurde; über König Richard, der im Zeichen des Skorpions geboren wurde, dem Zeichen geheimer Machenschaften, der Leiden und des Lasters. In Bosworth, wo der Skorpion starb, wurden schlechte Entscheidungen getroffen; der Herzog von Norfolk kämpfte auf der Verliererseite, und seinen Erben wurde ihr Herzogtum genommen. Sie mussten hart arbeiten, lange und hart, um es wiederzubekommen. Sie wundern sich vielleicht, sagt er, warum der heutige Norfolk manchmal zittert, wenn der König böse ist? Der Grund ist, dass er glaubt, die Laune eines wütenden Mannes wird ihm alles nehmen, was er besitzt.

Der Kardinal bemerkt, dass sein Mann sich das einprägt; und er spricht von den vielen klappernden Knochen unter dem Pflaster des Towers, von den Knochen, die in Treppen eingemauert sind und den Schlamm der Themse anreichern. Er spricht über König Edwards zwei verschwundene Söhne, von denen der jüngere zu so störrischen Wiederauferstehungen neigte, dass sie Henry Tudor fast aus seinem Königreich vertrieben hätten. Er spricht von den Münzen, die der Thronanwärter mit einer Botschaft für den Tudor-König prägte: »Deine Tage sind gezählt. Man hat dich in einer Waage gewogen: und für zu leicht befunden.«

Er spricht von der Furcht vor einem Wiederaufbranden des Bürgerkriegs, die damals herrschte. Es wurde vertraglich festgelegt, dass Katherine nach England heiraten würde; sie war »Princess of Wales« genannt worden, seit sie drei Jahre alt war; aber bevor ihre Familie ihr erlaubte, sich in La Coruña einzuschiffen, forderte sie einen Preis in Blut und Knochen. Sie verlangten von Henry, seine Aufmerksamkeit auf den wichtigsten Thronanwärter der Plantagenets zu richten, den Neffen König Edwards und des bösen Königs Richard, den Henry im Tower festgehalten hatte, seit er zehn Jahre alt war. Auf sanften Druck hin kapitulierte Henry; die Weiße Rose, vierundzwanzig Jahre alt, wurde hinaus in Gottes Licht und Luft gebracht, damit man ihr den Kopf abschlagen konnte. Aber es gibt immer noch eine weitere Weiße Rose; die Plantagenets pflanzen sich fort, wenn auch nicht unbeaufsichtigt. Es wird immer die Notwendigkeit geben weiterzutöten; man muss das, sagt der Kardinal, aushalten können, obwohl ich nicht weiß, ob ich das je konnte; ich bin immer krank, wenn eine Hinrichtung ansteht. Ich bete für sie, für die Toten. Ich bete sogar manchmal für den bösen König Richard, obwohl Thomas More sagt, dass er in der Hölle schmort.

Wolsey sieht auf seine Hände und dreht die Ringe an seinen Fingern. »Ich frage mich«, murmelt er. »Frage mich, welcher es ist.« Die Neider des Kardinals behaupten, er habe einen Ring, der seinen Besitzer befähigt zu fliegen und der es ihm ermöglicht, den Tod seiner Feinde zu bewirken. Der Ring entdeckt Gift, lässt wilde Tiere zahm werden, gewinnt die Gunst von Fürsten und schützt vorm Ertrinken.

»Ich vermute, andere Leute wissen es, Mylord. Denn sie haben Zauberer beauftragt, ihn zu kopieren.«

»Wenn ich es wüsste, würde ich ihn selbst kopieren lassen. Ich würde Ihnen einen geben.«

»Ich habe mal eine Schlange in die Hand genommen. In Italien.«

»Warum haben Sie das getan?«

»Es war eine Wette.«

»War sie giftig?«

»Das wussten wir nicht. Darum ging es ja bei der Wette.«

»Hat sie Sie gebissen?«

»Natürlich.«

»Was heißt natürlich?«

»Sonst wäre es doch keine gute Geschichte, oder? Wenn ich sie unverletzt wieder abgelegt hätte. Und sie wäre einfach davongeglitten?«

Ohne es zu wollen, lacht der Kardinal. »Was mache ich nur ohne Sie«, sagt er, »bei diesen doppelzüngigen Franzosen?«

Im Haus in Austin Friars liegt Liz im Bett, aber sie bewegt sich im Schlaf. Sie wacht halb auf, sagt seinen Namen und schmiegt sich in seine Arme. Er küsst ihr Haar und sagt: »Der Großvater unseres Königs hat eine Schlange geheiratet.«

Liz murmelt: »Schlafe ich oder bin ich wach?« Ein Herzschlag, und sie gleitet weg von ihm, dreht sich um und streckt einen Arm aus; er fragt sich, was sie träumen wird. Er liegt wach, denkt nach. Alles, was Edward getan hat, seine Schlachten, seine Eroberungen, geschah mit dem Geld der Medici im Rücken; ihre Kreditbriefe waren wichtiger als Zeichen und Wunder. Wenn König Edward, wie viele Leute behaupten, gar nicht der Sohn seines Vaters war, nicht der Sohn des Herzogs von York; wenn König Edwards Mutter, wie manche Leute fest glauben, ihn mit einem ehrlichen englischen Soldaten gezeugt hat, einem Bogenschützen namens Blaybourne, und wenn Edward dann eine Schlangenfrau geheiratet hat, wären seine Nachkommen … Anfechtbar ist das Wort, das ihm in den Kopf schießt. Wenn all die alten Geschichten wahr wären, und einige Leute glauben das, was wir nicht vergessen wollen, dann ist unser König zu einem Teil Bogenschützenbastard, zu einem zweiten Teil heimliche Schlange, zu einem weiteren Teil Waliser, und alles in allem hat er Schulden bei den italienischen Banken … Auch er gleitet dahin, treibt in den Schlaf. Seine Buchhaltung versagt; die Welt der Geister übernimmt, wo vorher Seiten mit Zahlen waren. Versuchen Sie immer zu erfahren, sagt der Kardinal, was die Leute unter ihrer Kleidung tragen, denn es ist nicht nur ihre Haut. Dreh den König auf links, und du findest seine schuppigen Vorfahren: sein warmes, festes Schlangenfleisch.

In Italien hatte er gewettet und eine Schlange in die Hand genommen, die er halten musste, bis die anderen bis zehn gezählt hatten. Sie zählten ziemlich langsam in den langsameren Sprachen wie Deutsch: eins, zwei, drei … Bei vier machte die erschrockene Schlange eine blitzschnelle Kopfbewegung und biss ihn. Zwischen vier und fünf griff er fester zu. Jetzt riefen einige: »Jesus, lass sie fallen!« Einige beteten und einige fluchten, einige zählten einfach nur weiter. Die Schlange sah nicht gut aus; als schließlich jeder die zehn erreicht hatte, nicht vorher, legte er den zusammengerollten Körper sanft auf den Boden und ließ die Schlange in ihre Zukunft gleiten.

Er hatte keine Schmerzen, aber man konnte die Bisswunde deutlich erkennen. Instinktiv leckte er sie ab, biss sich beinahe in das eigene Handgelenk. Er bemerkte – überrascht – das intime, weiße englische Fleisch an der Innenseite seines Unterarms; er sah die schmalen blaugrünen Venen, in die die Schlange das Gift verströmt hatte.

Er sammelte seinen Gewinn ein. Er wartete auf den Tod, aber er starb nicht. Wenn überhaupt, wurde er stärker, lernte, sich schnell zu verstecken, schnell zuzuschlagen. Kein mailändischer Quartiermeister war lauter als er, kein angeheuerter Berner *capitaine*, der nicht vor dem unerbittlichen Ruf zurückwich, der ihm vorausging: erst das Blut, dann das Verhandeln. Heute Nacht ist es heiß, es ist Juli; er schläft; er träumt. Irgendwo in Italien hat eine Schlange Kinder. Die Kinder heißen Thomas; sie tragen Bilder der Themse in ihrem Kopf, Bilder von schlammigen flachen Ufern jenseits der Gezeiten, jenseits des schwappenden Wassers.

Als er am nächsten Morgen aufwacht, schläft Liz noch. Die Laken sind feucht. Sie ist warm und ihr Gesicht ist gerötet, glatt wie das eines jungen Mädchens. Er küsst ihren Haarsansatz. Sie schmeckt salzig. Sie murmelt: »Sag mir, wann du nach Hause kommst.«

»Liz, ich gehe nicht fort«, sagt er. »Ich gehe nicht mit Wolsey.« Er steht auf. Sein Barbier kommt, um ihn zu rasieren. Er sieht seine eigenen Augen im glänzenden Spiegel. Sie sehen lebendig aus, Schlangenaugen. Was für ein merkwürdiger Traum, sagt er zu sich.

Als er nach unten geht, glaubt er, Liz zu sehen, die ihm folgt. Er glaubt ihre weiße Haube aufleuchten zu sehen. Er dreht sich um und sagt: »Liz, geh zurück ins Bett ...« Aber sie ist nicht da. Er hat sich geirrt. Er sammelt seine Papiere zusammen und geht nach Gray's Inn.

Verhandlungspause. Es geht um keine juristische Sache; die Diskussion dreht sich um Texte und den Aufenthaltsort von Tyndale (irgendwo in Deutschland), und das vordringlichste Problem ist ein Anwaltskollege (wer wollte da behaupten, er sollte nicht dort sein, Gray's Inn nicht aufsuchen?) namens Thomas Bilney, der auch Priester ist und Fellow von Trinity Hall. »Der kleine Bilney« wird er genannt, weil er klein ist und gewisse wurmgleiche Eigenschaften hat; er sitzt auf einer Bank, windet sich und spricht zu Aussätzigen über seine Mission.

»Die Schriften sind für mich wie Honig«, sagt der kleine Bilney, rutscht auf seinem mageren Hintern hin und her und strampelt mit den Schrumpelbeinen. »Ich bin trunken vom Wort Gottes.«

»Um Christi willen, Mann«, sagt er. »Sie müssen nicht glauben, aus Ihrem Loch kriechen zu können, nur weil der Kardinal weg ist. Denn jetzt hat der Bischof von London freie Hand, ganz zu schweigen von unserem Freund in Chelsea.«

»Messen, Fasten, Vigilien, Begnadigungen vom Fegefeuer ... alles unbrauchbar«, sagt Bilney. »Das wurde mir offenbart. Bleibt eigentlich nur übrig, nach Rom zu gehen und es mit Seiner Heiligkeit zu diskutieren. Ich bin sicher, er wird sich meiner Denkweise anschließen.«

»Sie glauben, Ihr Standpunkt ist originell, richtig?«, sagt er düster. »Nun, vielleicht ist er das, Vater Bilney. Schließlich glauben Sie, der Papst würde Ihren Rat in dieser Angelegenheit zu schätzen wissen.«

Beim Hinausgehen sagt er: Da ist einer, der ins Feuer springt, wenn man ihn dazu einlädt. Masters, seien Sie auf der Hut.

Er nimmt Rafe zu diesen Treffen nicht mit. Er würde kein Mitglied seines Haushalts in gefährliche Gesellschaft bringen. Der Cromwellsche Haushalt ist so orthodox wie jeder andere in London und genauso fromm. Untadelig, sagt er, das müssen wir sein.

Der Rest des Tages ist nicht bemerkenswert. Er wäre früh zu Hause gewesen, hätte er nicht ein Treffen in der deutschen Enklave, dem *Steelyard*, mit einem Mann aus Rostock vereinbart, der einen Freund aus Stettin mitgebracht hat, der bereit ist, ihm etwas Polnisch beizubringen.

Es ist schlimmer als Walisisch, sagt er am Ende des Abends. Ich werde viel üben müssen. Kommen Sie in mein Haus, sagt er. Geben Sie uns vorher Bescheid und wir legen Heringe ein; ansonsten müssen Sie mit dem vorlieb nehmen, was da ist.

Etwas stimmt nicht, wenn du in der Dämmerung nach Hause kommst und trotzdem Fackeln brennen. Die Luft ist süß, und du fühlst dich so wohl beim Hineingehen, du fühlst dich jung, unverwundet. Dann siehst du die bestürzten Gesichter; sie wenden sich bei deinem Anblick ab.

Mercy kommt und bleibt vor ihm stehen, aber ihr Name verheißt keine Gnade. »Sag es«, bittet er sie.

Sie sieht weg, als sie sagt: Es tut mir so leid.

Er glaubt, es ist Gregory; er glaubt, sein Sohn ist tot. Dann ahnt er es, denn wo ist Liz? Er bittet sie: »Sag es.«

»Wir haben nach dir gesucht. Wir haben gesagt: Rafe, geh und sieh nach, ob er in Gray's Inn ist, hol ihn, aber die Pförtner behaupteten, sie hätten dich den ganzen Tag nicht gesehen. Rafe sagte: Glaubt mir, ich werde ihn finden, ich suche die ganze Stadt ab. Aber keine Spur von dir.«

Er erinnert sich: die feuchten Laken, ihre feuchte Stirn. Liz, denkt er, hast du nicht gekämpft? Wenn ich deinen Tod hätte kommen sehen, hätte ich ihn gepackt und ihm seinen Totenkopf eingeschlagen; ich hätte ihn an der Wand gekreuzigt.

Die kleinen Mädchen sind noch wach, obwohl jemand sie in ihre Nachthemden gesteckt hat, als wäre es ein ganz normaler Abend. Ihre Beine und Füße sind nackt und ihre Nachtmützen, runde Spitzenhauben, die ihre Mutter gemacht hat, sind von einer resoluten Hand unter ihrem Kinn gebunden worden. Annes Gesicht ist versteinert. Sie hält Grace' Hand fest in ihrer eigenen. Grace sieht zu ihm auf, unsicher. Sie sieht ihn fast nie; warum ist er hier? Aber sie vertraut ihm und lässt sich, ohne zu protestieren, von ihm hochheben und in die Arme nehmen. Sie sinkt an seiner Schulter sofort in den Schlaf, ihre Arme sind um seinen Hals geschlungen, ihr Scheitel liegt unter seinem Kinn. »Anne«, sagt er, »wir müssen Grace jetzt zu Bett bringen, weil sie so klein ist. Ich weiß, dass du noch gar nicht müde bist, aber du musst dich zu ihr legen, weil sie vielleicht aufwacht und friert.«

»Ich friere vielleicht«, sagt Anne.

Mercy geht ihm voran zum Zimmer der Kinder. Er legt Grace hin, ohne dass sie aufwacht. Anne weint, aber sie weint stumm. Ich bleibe bei ihnen, sagt Mercy, aber er sagt: Ich bleibe. Er wartet, bis Annes Tränen aufhören zu fließen und ihre Hand in seiner schlaff wird.

Solche Dinge passieren; aber nicht uns.

»Jetzt lass mich Liz sehen«, sagt er.

Der Raum – der heute Morgen nur ihr Schlafzimmer war – ist erfüllt vom Duft der Kräuter, die gegen die Ansteckungsgefahr verbrannt werden. Sie haben Kerzen neben ihrem Kopf und den Füßen angezündet. Sie haben ihr Kinn mit Leinen hochgebunden, sodass sie schon nicht mehr wie sie selbst aussieht. Sie sieht aus wie die Toten; sie sieht furchtlos aus und als würde sie dich durchschauen; sie sieht ausdrucksloser und toter aus als die Menschen mit herausquellenden Eingeweiden, die er auf Schlachtfeldern gesehen hat.

Er geht nach unten, um zu hören, wie es passiert ist; um sich um seine Leute zu kümmern. Um zehn an diesem Morgen, sagt Mercy, hat sie sich hingesetzt: Jesus, ich bin so müde. Mitten bei der Arbeit. Das sieht mir gar nicht ähnlich, sagte sie. Ich sagte: Nein, das sieht dir nicht ähnlich, Liz. Ich legte meine Hand an ihre Stirn und sagte: Liz, mein Liebling … Ich meinte zu ihr: Leg dich hin, ins Bett mit dir, du musst das ausschwitzen. Sie sagte: Nein, gib mir ein paar Minuten, mir ist schwindlig, vielleicht muss ich etwas essen, aber als wir uns an den Tisch setzten, schob sie ihr Essen zur Seite …

Es wäre ihm lieber, wenn sie ihren Bericht abkürzen würde, aber er versteht ihr Bedürfnis, alles genau zu erzählen, jeden einzelnen Augenblick, alles laut auszusprechen. Es ist wie ein Paket aus Worten, das sie schnürt, um es ihm zu geben: Das gehört jetzt dir.

Am Mittag legte Elizabeth sich hin. Sie zitterte, obwohl ihre Haut brannte. Sie sagte: Ist Rafe im Haus? Sag ihm, er soll losgehen und Thomas suchen. Und Rafe ging los, jede Menge Leute machten sich auf den Weg, und sie haben dich nicht gefunden.

Um halb eins sagte sie: Sag Thomas, er soll sich um die Kinder kümmern. Und was dann? Sie klagte über Kopfschmerzen. Nichts für mich, keine Botschaft? Nein; sie sagte, sie sei durstig. Mehr nicht. Aber Liz hat nie viel gesagt.

Um ein Uhr rief sie nach einem Priester. Um zwei legte sie die Beichte ab. Sie sagte, sie habe einmal eine Schlange in die Hand genommen, in Italien. Der Priester sagte, es sei das Fieber, das aus ihr spreche. Er erteilte ihr die Absolution. Und es konnte ihm nicht schnell genug gehen, sagt Mercy, er konnte nicht schnell genug aus dem Haus kommen, so viel Angst hatte er, dass er sich anstecken und sterben würde.

Um drei Uhr nachmittags verschlechterte sich ihr Zustand. Um vier Uhr legte sie die Last dieses Lebens ab.

Ich vermute, sagt er, dass sie bei ihrem ersten Mann begraben werden will.

Warum denkst du das?

Weil ich später gekommen bin. Es hat keinen Sinn, sich über Trauerkleider, Fürbitter, Kerzen Gedanken zu machen. Liz muss schnell begraben werden, wie alle anderen, die die Krankheit erfasst hat. Er wird nicht nach Gregory schicken oder die Familie zusammenrufen können. Laut Vorschrift muss der Haushalt als Zeichen der Seuche ein Strohbündel an die Tür hängen und dann vierzig Tage den Zugang beschränken und so wenig wie möglich ausgehen.

Mercy kommt herein und sagt: Ein Fieber, es könnte jedes Fieber sein, wir brauchen das Schweißfieber nicht zuzugeben ... Wenn wir alle zu Hause blieben, käme London zum Stillstand.

»Nein«, sagt er. »Wir müssen es tun. Mylord Kardinal hat diese Regeln festgelegt, und es wäre nicht richtig, wenn ich sie übergehen würde.«

Mercy sagt: Wo warst du überhaupt? Er sieht sie an; er sagt: Kennst du den kleinen Bilney? Ich war bei ihm; ich habe ihn gewarnt und gesagt, er würde ins Feuer springen.

Und später? Später habe ich Polnisch gelernt.

Natürlich. Das hätte ich mir denken können, sagt sie.

Sie erwartet nicht, einen Sinn darin erkennen zu können. Er erwartet nicht, irgendwann einen besseren Sinn darin zu erkennen als jetzt. Er kann das ganze Neue Testament auswendig, aber finde mal einen Text: Finde einen Text für das hier.

Später, wenn er an den Morgen zurückdenkt, wird er noch einmal das Leuchten ihrer weißen Haube einfangen wollen: obwohl niemand da war, als er sich umdrehte. Er würde sich gerne vorstellen, wie sie in der Tür steht, hinter sich das geschäftige Treiben und die Wärme des Haushalts, und dann sagt sie: »Sag mir, wann du nach Hause kommst.«

Aber es gelingt ihm nur, sich vorzustellen, wie sie allein in der Tür steht; und hinter ihr ist Ödnis und bläuliches Licht.

Er denkt an ihre Hochzeitsnacht; ihr Kleid aus Taft, das bis zum Boden reichte, die kleine wachsame Geste, mit der sie ihre Ellenbogen umklammerte. Am nächsten Tag sagte sie: »Das wäre also in Ordnung.«

Und lächelte. Das ist alles, was sie ihm gelassen hat. Liz, die nie viel gesagt hat.

Einen Monat bleibt er zu Hause: Er liest. Er liest sein Neues Testament, aber er weiß, was darin steht. Er liest Petrarca, den er liebt. Er liest, wie Petrarca den Ärzten getrotzt hat: Als sie ihn aufgegeben und dem Fieber überlassen hatten, lebte er noch, und als sie am Morgen zurückkehrten, saß er da und schrieb. Danach traute der Dichter keinem Arzt mehr; aber Liz hat ihn zu schnell verlassen, um überhaupt ärztlichen Rat einholen zu können, guten oder schlechten, oder den des Apothekers mit seinem Sennesmus, seiner Galgantwurzel, seinem Wermut und den mit Gebeten bedruckten Karten.

Er besitzt Niccolò Machiavellis Buch *De Principatibus*; es ist eine lateinische Ausgabe, die schlampig gedruckt wurde in Neapel und die anscheinend durch viele Hände gegangen ist. Er denkt an Niccolò auf dem Schlachtfeld; an Niccolò in der Folterkammer. Er hat das Gefühl, selbst in der Folterkammer zu sein, aber er weiß, dass er eines Tages den Ausgang finden wird, weil er es ist, der den Schlüssel hat. Jemand sagt zu ihm: Was steht in diesem kleinen Buch?, und er sagt: ein paar Aphorismen, ein paar Binsenweisheiten, nichts, was wir nicht vorher wussten.

Wann immer er von seinem Buch aufsieht, ist Rafe Sadler da. Rafe ist zierlich und klein, und er spielt ein Spiel mit Richard und den anderen, nämlich so zu tun, als sähe er ihn nicht, und zu sagen: »Wo ist eigentlich Rafe?« Über diesen Witz freuen sie sich so, als wären sie ein Haufen Dreijähriger. Rafes Augen sind blau, sein Haar ist mittelbraun, und es ist unmöglich, ihn für einen Cromwell zu halten. Aber trotzdem macht er dem Mann, der ihn aufgezogen hat, Ehre: Er ist zäh, spöttisch, von schneller Auffassungsgabe.

Er und Rafe lesen ein Buch über Schach. Das Buch wurde gedruckt, bevor er geboren wurde, aber es hat Bilder. Sie betrachten sie nachdenklich und verbessern ihr Spiel. Stundenlang, wie es scheint, macht keiner von ihnen einen Zug. »Ich war ja so dumm«, sagt Rafe, wobei sein Zeigefinger auf dem Kopf eines Bauern ruht. »Ich hätte Sie finden müssen. Als man mir sagte, Sie wären nicht in Gray's Inn, hätte ich wissen müssen, dass es nicht stimmt.«

»Wie hättest du das wissen können? Ich bin nicht zwangsläufig dort, wo ich eigentlich nicht sein sollte. Bewegst du diesen Bauern oder tätschelst du ihn nur?«

»J'adoube.« Rafe zieht schnell die Hand weg.

Lange Zeit sitzen sie da und betrachten ihre Figuren, die Konfiguration, die sie auf der Stelle treten lässt. Sie sehen es kommen: Patt. »Wir sind zu gut füreinander.«

»Vielleicht sollten wir gegen andere Leute spielen.«

»Später. Wenn wir jeden Herausforderer vernichten können.«

Rafe sagt: »Ah, warten Sie!« Er greift nach seinem Springer und zieht. Dann blickt er auf das Ergebnis, entgeistert.

»Rafe, du bist *foutu.*«

»Nicht unbedingt.« Rafe reibt sich die Stirn. »Sie könnten noch etwas Dummes tun.«

»Genau. Gib die Hoffnung nicht auf.«

Gemurmel. Sonnenschein draußen. Er hat das Gefühl, fast schlafen zu können, aber wenn er schläft, kommt Liz Wykys zurück, fröhlich und tatkräftig, und wenn er aufwacht, muss er ihre Abwesenheit noch einmal von vorn lernen.

Aus einem entfernten Zimmer hört man ein Kind weinen. Schritte über seinem Kopf. Das Weinen hört auf. Er hebt seinen König in die Höhe und schaut auf die Unterseite, als wolle er sich ansehen, wie er gemacht wurde. Er murmelt: »*J'adoube.*« Er stellt ihn dorthin zurück, wo er war.

Anne Cromwell sitzt bei ihm, während es regnet, und schreibt ihr Anfängerlatein ins Schreibheft. Bis Johannis kennt sie alle gängigen Verben. Sie ist schneller als ihr Bruder, und er sagt ihr das. »Lass sehen«, sagt er und streckt die Hand nach ihrem Heft aus. Er stellt fest, dass sie wieder und wieder ihren Namen geschrieben hat: »Anne Cromwell, Anne Cromwell …«

Aus Frankreich kommen Nachrichten von den Triumphen des Kardinals, von Umzügen, öffentlichen Messen und lateinischen Ansprachen ex tempore. Anscheinend hat er sogleich nach seiner Ankunft an jedem Hochaltar in der Picardie gestanden und den Gläubigen den Erlass ihrer Sünden gewährt. Das sind ein paar tausend Franzosen, die ganz von vorn anfangen dürfen.

Der König ist überwiegend in Beaulieu, einem Haus in Essex, das er vor kurzem von Sir Thomas Boleyn gekauft hat, der von ihm zum Viscount Rochford gemacht wurde. Den ganzen Tag jagt er, lässt sich von dem feuchten Wetter nicht abschrecken. Am Abend hat er Gäste. Der Herzog von Suffolk und der Herzog von Norfolk kommen zu privaten Abendessen, an denen auch der neue Viscount teilnimmt. Der Herzog von Suffolk ist sein alter Freund, und würde der König sagen: Strick mir ein Paar Flügel, damit ich fliegen kann, würde er antworten: Welche Farbe? Der Herzog von Norfolk ist natürlich das Oberhaupt der Familie Howard und Boleyns Schwager: ein sehniger kleiner Schnupperer, der immer seinen eigenen Vorteil erschnuppert.

Er schreibt dem Kardinal nicht, um ihm mitzuteilen, dass alle in England glauben, der König beabsichtige, Anne Boleyn zu heiraten. Er hat nicht die Nachricht, die der Kardinal will, also schreibt er überhaupt nicht. Er weist seine Angestellten an, den Kardinal über seine rechtlichen Angelegenheiten, seine Finanzen auf dem Laufenden zu halten. Schreibt ihm, dass es uns allen hier gut geht, sagt er. Übermittelt ihm meine Grüße und versichert ihn meiner Ergebenheit. Schreibt ihm, wie gerne wir ihn in Person sehen würden.

Niemand sonst in ihrem Haushalt wird krank. Dieses Jahr ist London einigermaßen davongekommen – oder zumindest sagen das alle. Dankesgebete werden in den Kirchen der Stadt gesprochen; oder sollte man sie vielleicht Gebete der Beschwichtigung nennen? In den kleinen Versammlungen, die nachts stattfinden, werden Gottes Absichten hinterfragt. London weiß, dass es sündigt. Wie die Bibel uns mitteilt: »Schwerlich bleibt ein Kaufmann frei von Schuld.« Und anderswo wird festgestellt: »Wer aber eilt, reich zu werden, wird nicht unschuldig bleiben.« Ein sicheres Anzeichen der Verstörung, diese Angewohnheit zu zitieren. »Denn welchen der Herr liebt, den straft er.«

Anfang September kommt die Seuche an ein Ende, und die Familie kann sich versammeln, um für Liz zu beten. Nun können die Zeremonien nachgeholt werden, die ihr versagt blieben, als sie so schnell von ihnen gegangen ist. Schwarze Mäntel werden zwölf armen Männern aus der Gemeinde gegeben, den Trauergästen, die ihrem Sarg gefolgt wären; und jeder Mann der Familie hat gelobt, sieben Jahre lang Messen für ihre Seele zu feiern. Am festgesetzten Tag klart das Wetter kurz auf, Kälte liegt in der Luft. »Die Ernte ist vergangen, der Sommer ist dahin, und uns ist keine Hilfe gekommen.«

Die kleine Grace wacht in der Nacht auf und sagt, dass sie ihre Mutter in ihrem Leichentuch sieht. Sie weint nicht wie ein Kind, laut und schluchzend, sondern wie eine erwachsene Frau. Sie weint Tränen des Schreckens.

»Alle Wasser laufen ins Meer, doch wird das Meer nicht voller.«

Morgan Williams schrumpft Jahr um Jahr. Heute sieht er besonders klein und grau und bekümmert aus, als er nach seinem Arm greift und sagt: »Warum werden uns die Besten genommen? Ach, warum?« Dann: »Ich weiß, du warst glücklich mit ihr, Thomas.«

Sie sind zurück in Austin Friars, ein Schwarm von Frauen und Kindern und kräftigen Männern, die zum Trauern ihre gewöhnliche Kleidung selten ablegen müssen, denn Schwarz ist die Farbe von Anwälten und Kaufleuten, von Buchhaltern und Maklern. Da ist seine Schwester, Bet Wellyfed; ihre beiden Jungen, ihre kleine Tochter Alice. Da ist Kat; seine Schwestern stecken die Köpfe zusammen, um zu entscheiden, wer bei ihm einziehen soll, um Mercy mit den Mädchen zu helfen: »Bis du wieder heiratest, Tom.«

Seine Nichten, zwei brave kleine Mädchen, halten noch ihre Rosenkränze umklammert. Sie starren in die Runde, unsicher, was sie als Nächstes tun müssen. Unbeachtet, da die Gespräche oberhalb ihrer Köpfe stattfinden, lehnen sie sich an die Wand und werfen sich einen Blick zu. Langsam rutschen sie an der Wand nach unten, mit geradem Rücken, bis sie die Größe von Zweijährigen haben und auf ihren Hacken balancieren. »Alice! Johane!«, schnappt jemand; mit ernsten Gesichtern richten sie sich langsam zu ihrer normalen Größe auf. Grace kommt zu ihnen; wortlos locken sie sie in die Falle, nehmen ihr die Haube ab, lösen ihr blondes Haar und beginnen ihr Zöpfe zu flechten. Während die Schwager darüber sprechen, was der Kardinal in Frankreich macht, wandert sein Blick zu ihr. Grace' Augen weiten sich, als ihre Kusinen ihr Haar fest nach hinten ziehen. Ihr Mund öffnet sich zu einem stummen Schrei wie ein Fischmund. Als ihr ein einziger Quiekser entfährt, ist es Liz' Schwester, die ältere Johane, die den Raum durchquert und Grace hochhebt. Als er Johane betrachtet, denkt er, was er schon oft gedacht hat, wie ähnlich sich die Schwestern sind – waren.

Seine Tochter Anne wendet den Frauen den Rücken zu und hakt sich bei ihrem Onkel unter. »Wir sprechen über die Niederlande«, sagt Morgan zu ihr.

»Eines ist ganz sicher, Onkel, sie werden nicht erfreut sein in Antwerpen, wenn Wolsey einen Vertrag mit den Franzosen unterzeichnet.«

»Das haben wir deinem Vater auch schon gesagt. Aber nein, er hält zu seinem Kardinal. Komm schon, Thomas! Du magst die Franzosen auch nicht mehr als wir.«

Er weiß, was sie nicht wissen, wie sehr der Kardinal König François' Freundschaft benötigt; denn wie soll der König ohne die Fürsprache einer der großen Mächte in Europa seine Scheidung bekommen?

»Vertrag des Ewigen Friedens? Lasst uns mal überlegen, wann der letzte ewige Frieden war? Ich gebe ihm drei Monate.« Es ist sein Schwager Wellyfed, der spricht und dabei lacht; und John Williamson, Johanes Mann, fragt, ob sie darauf wetten wollen: drei Monate oder sechs? Dann erinnert er sich daran, dass das hier ein ernsthafter Anlass ist. »Entschuldigung, Tom«, sagt er und hustet krampfhaft.

Johanes Stimme durchstößt den Lärm: »Wenn der alte Spieler weiter so hustet, wird der Winter ihm den Garaus machen, und dann heirate ich dich, Tom.«

»Wirklich?«

»Aber sicher. Wenn ich das richtige Stück Papier aus Rom bekomme.«

Die Gäste lächeln und versuchen es zu verbergen. Sie werfen sich wissende Blicke zu. Gregory sagt: Warum ist das witzig? Man kann die Schwester seiner Frau nicht heiraten, oder? Er verzieht sich mit seinen Cousins in eine Ecke, um über private Themen zu sprechen – Bets Jungen Christopher und Will, Kats Jungen Richard und Walter – warum haben sie das Kind nur Walter genannt? Brauchten sie eine Erinnerung an ihren Vater, damit er nach seinem Tod herumschleichen und sie ermahnen kann, nicht allzu glücklich zu werden? Die Familie trifft sich nie, trotzdem dankt er Gott, dass Walter nicht mehr bei ihnen ist. Er sagt sich, dass er Walter gegenüber freundlicher empfinden sollte, seine Freundlichkeit reicht aber nur so weit, dass er Messen für seine Seele zahlt.

In dem Jahr bevor er endgültig nach England zurückkam, hatte er den Kanal immer wieder in beiden Richtungen überquert und konnte sich nicht entscheiden; er hatte so viele Freunde in Antwerpen, dazu gute Geschäftskontakte, und während die Stadt wuchs, was sie von Jahr zu Jahr tat, schien sie immer mehr der Ort zu werden, wo man sich aufhalten sollte. Wenn er Heimweh hatte, hatte er Heimweh nach Italien:

nach dem Licht, der Sprache, nach Tommaso, der er dort gewesen war. Venedig hatte ihn von jeder Sehnsucht nach den Ufern der Themse geheilt. In Florenz und Mailand war sein Geist beweglicher geworden als der der Menschen, die zu Hause geblieben waren. Aber etwas zerrte an ihm – Neugier, wer gestorben und wer geboren worden war, ein Verlangen, seine Schwestern wiederzusehen und darüber zu lachen – irgendwie kann man immer lachen –, wie sie aufgewachsen waren. Er hatte an Morgan Williams geschrieben und gesagt: Ich denke an London. Aber sag es nicht meinem Vater. Sag ihm nicht, dass ich nach Hause komme.

In den ersten Monaten versuchten sie, ihm gut zuzureden. Pass auf, Walter hat sich beruhigt, du würdest ihn nicht wiedererkennen. Er hat das Trinken eingeschränkt. Na ja, er wusste, dass es ihn umbringen würde. Inzwischen schafft er es, nicht mehr vor Gericht gestellt zu werden. Er hat sogar seinen Dienst als Gemeindevorsteher geleistet.

Was?, sagte er. Und er hat sich nicht mit dem Messwein betrunken? Er ist nicht mit dem Geld für die Kerzen durchgebrannt?

Nichts, was sie sagten, konnte ihn nach Putney bringen. Er wartete über ein Jahr, bis er verheiratet und Vater war. Erst dann fühlte er sich sicher genug.

Mehr als zwölf Jahre war er nicht in England gewesen. Es hatte ihn verblüfft, wie sehr sich die Menschen verändert hatten. Er hatte sie verlassen, als sie jung waren, und nun, im mittleren Alter, waren sie weicher oder härter. Die Geschmeidigen waren jetzt schlank und vertrocknet. Die Fülligen waren fülliger. Feine Gesichtszüge waren weicher und undeutlicher geworden. Strahlende Augen waren stumpfer. Es gab Leute, die er gar nicht erkannte, nicht auf den ersten Blick.

Aber Walter hätte er überall erkannt. Als sein Vater auf ihn zukam, dachte er: Das bin ich selbst in zwanzig, dreißig Jahren, wenn ich verschont werde. Sie hatten gesagt, das Trinken hätte ihn fast umgebracht, aber er sah nicht halbtot aus. Er sah aus, wie er immer ausgesehen hatte: als könne er dich niederschlagen und jederzeit beschließen, es auch zu tun. Sein kleiner starker Körper war breiter und grobschlächtiger geworden. Sein Haar, voll und gewellt, war fast gar nicht ergraut. Sein Blick spießte einen auf; kleine Augen, hell, goldbraun. Du brauchst gute Augen in einer Schmiede, hatte er immer gesagt. Man braucht gute Augen, wo immer man ist, oder man wird übers Ohr gehauen, weil man blind ist.

»Wo bist du gewesen?«, sagte Walter. Wo er früher wütend geklungen hätte, klang er jetzt nur gereizt. So, als wäre sein Sohn mit einem Auftrag in Mortlake gewesen und hätte dabei getrödelt.

»Ach … hier und da«, sagte er.

»Du siehst wie ein Ausländer aus.«

»Ich bin Ausländer.«

»Und was hast du gemacht?«

Er erwog, »dies und das« zu sagen. Er sagte es.

»Und welche Art von dies und das machst du jetzt?«

»Ich studiere das Gesetz.«

»Das Gesetz!«, sagte Walter. »Wenn es das sogenannte Gesetz nicht gäbe, wären wir Lords. Gutsherren. Und Herren einer Menge anderer Häuser hier in der Gegend.«

Das ist ein interessantes Argument, denkt er. Wenn man Lord würde, indem man prügelt und brüllt, indem man größer, besser, mutiger und schamloser ist als sein Gegenüber, müsste Walter Lord sein. Aber es ist noch schlimmer; Walter denkt, es ist sein gutes Recht. Er hat das alles in seiner Kindheit gehört: Die Cromwells waren einmal eine reiche Familie, wir hatten Grundbesitz. »Wann, wo?«, fragte er darauf. Walter sagte: »Irgendwo im Norden, weit oben!« und schrie ihn wegen seiner Spitzfindigkeit an. Sein Vater schätzte es nicht, wenn man ihm nicht glaubte, selbst wenn er offenkundig log. »Und wie sind wir dann so weit nach unten gekommen?«, fragte er, und Walter sagte dann, Schuld hätten Anwälte und Betrüger und Anwälte, die alle Betrüger sind und die den rechtmäßigen Besitzern ihr Land stehlen. Verstehe das, wer kann, sagte Walter, denn ich kann es nicht – und ich bin nicht dumm, Junge. Wie können sie es wagen, mich vor Gericht zu zerren und mir eine Geldstrafe aufzubrummen, weil ich Tiere auf dem sogenannten Gemeindeland grasen lasse? Wenn alle hätten, was ihnen zusteht, wäre das mein Land.

Wie sollte das angehen, wenn das Land der Familie im Norden lag? Hatte aber keinen Zweck, das zu sagen – es war der schnellste Weg, um von Walters Fäusten eine Lektion erteilt zu bekommen. »Aber war denn kein Geld da?«, beharrte er. »Was ist damit geschehen?«

Nur einmal, als er nüchtern war, hatte Walter etwas gesagt, das wie die Wahrheit klang und für seine Verhältnisse geradezu eloquent war: Ich schätze mal, sagte er, ich schätze mal, wir haben's durchgebracht. Ich schätze mal, wenn's weg ist, ist es weg. Ich schätze mal, wenn der Reichtum einmal weg ist, kommt er nie wieder vorbei.

Er hatte jahrelang darüber nachgedacht. An jenem Tag, als er nach Putney zurückkehrte, hatte er gefragt: »Wenn die Cromwells wirklich reich waren und wenn ich versuche herauszufinden, ob noch etwas von dem Vermögen übrig ist, würde dich das zufriedenstellen?«

Es sollte beschwichtigend wirken, aber Walter war schwer zu beschwichtigen. »Ach ja, und dann soll ich es vermutlich verteilen? An dich und den verdammten Morgan, deinen dicksten Freund. Das ist mein Geld, von Rechts wegen.«

»Es wäre das Geld der Familie.« Was machen wir nur, dachte er, wir zanken sofort, streiten uns innerhalb von fünf Minuten über diesen nicht existenten Reichtum? »Du hast jetzt einen Enkel.« Er fügte hinzu, aber nicht laut: »Und du kommst mir nicht in seine Nähe.«

»Ach, das habe ich schon«, sagte Walter. »Enkel. Wer ist sie, irgend so ein holländisches Mädchen?«

Er erzählte ihm von Liz Wykys. Gab damit zu, dass er lange genug in England gewesen war, um zu heiraten und ein Kind zu bekommen. »Hast dir 'ne reiche Witwe geangelt«, kicherte Walter. »Das war wohl wichtiger, als mich zu besuchen. Klar. Schätze mal, du hast gedacht, ich bin tot. Anwalt, was? Du warst immer ein Schwätzer. Ein Klaps auf den Mund hat da auch nichts geholfen.«

»Du hast dich weiß Gott bemüht.«

»Schätze mal, du erzählst niemandem, dass du mal in der Schmiede gearbeitet hat. Oder dass du deinem Onkel John geholfen und in den Rübenabfällen geschlafen hast.«

»Guter Gott, Vater«, hatte er gesagt, »in Lambeth Palace haben sie doch keine Rüben gegessen. Kardinal Morton und Rüben essen! Was glaubst du denn?«

Als er ein kleiner Junge und sein Onkel John Koch für den großen Mann war, lief er immer wieder nach Lambeth zum Palast, weil dort die Chance größer war, etwas zu essen zu bekommen. Dann trödelte er am Eingang beim Fluss herum – Morton hatte sein großes Eingangstor damals noch nicht gebaut – und sah zu, wie die Leute kamen und gingen, erkundigte sich danach, wer sie waren, und erkannte sie das nächste Mal an der Farbe ihrer Kleidung und an den Tieren und Gegenständen wieder, die auf ihre Schilde gemalt waren. »Steh hier nicht rum«, brüllten die Leute ihn an, »mach dich nützlich.«

Andere Kinder machten sich in der Küche nützlich, holten Dinge herbei, trugen Lasten, rupften mit ihren kleinen Fingern Singvögel, entstielten Erdbeeren. Zum Abendessen formierten sich die Bediensteten in den Fluren des Küchentrakts zu einer Reihe und brachten die Tischtücher hinein und das Salzgefäß, das für die Mitte des Tisches bestimmt war. Sein Onkel John maß das Brot ab, und wenn es nicht genau richtig war, wurde es für den Rest des Haushalts in einen Korb geworfen. Das Brot, das die Prüfung bestand, zählte er, wenn es hineingetragen wurde; er stand neben seinem Onkel, tat so, als wäre er sein Stellvertreter, und lernte auf diese Weise zu zählen. Alles wurde in die große Halle getragen: verschiedene Fleisch- und Käsesorten, gezuckerte Früchte und gewürzte Waffeln, das alles kam auf den Tisch des Erzbischofs – damals war er noch nicht Kardinal. Wenn die Reste zurückkamen, wurden sie aufgeteilt. Die besten Reste für das Küchenpersonal. Dann die Rationen für das Armenhaus, das Krankenhaus und die Bettler am Tor. Was für sie nicht geeignet war, wurde nach unten gereicht – zu den Kindern und den Schweinen.

Jeden Morgen und jeden Abend verdienten sich die Jungen ihren Lebensunterhalt, indem sie die Hintertreppen mit Bier und Brot hinaufliefen, das sie für die Pagen des Kardinals in die Schränke stellten. Die Pagen kamen aus guter Familie. Sie bedienten bei Tisch und wurden auf diese Weise mit den großen Männern vertraut. Sie hörten ihre Gespräche und lernten daraus. Wenn sie nicht bei Tisch bedienten, lernten sie aus dicken Büchern. Sie hatten Musiklehrer und andere Lehrer, die durch das Haus gingen, kleine Sträuße und Bisamäpfel in der Hand hielten und Griechisch sprachen. Auf einen dieser jungen Herren wurde er besonders hingewiesen: Master Thomas More, von dem der Erzbischof persönlich sagt, dass er ein großer Mann werden wird, so profund ist sein Wissen bereits und so angenehm sein Witz.

Eines Tages brachte er einen Laib Weizenbrot, legte ihn in den Schrank und stand noch ein wenig herum, und Master Thomas sagte: »Worauf wartest du?« Aber er warf nichts nach ihm. »Was ist in diesem großen Buch?«, fragte er, und Master Thomas erwiderte lächelnd: »Worte, Worte, nichts als Worte.«

Master More ist dieses Jahr vierzehn geworden, sagt jemand, und soll nach Oxford gehen. Er weiß nicht, wo Oxford ist und ob Master Thomas dorthin gehen will oder geschickt wird. Einen Jungen kann man schicken, und Master Thomas ist noch kein Mann.

Vierzehn ist zweimal sieben. Bin ich sieben?, fragt er. Sag nicht einfach ja. Sag mir, ob ich es bin. Sein Vater sagt: Um Himmels willen, Kat, erfinde einen Geburtstag für ihn. Sag irgendwas, aber bring ihn zum Schweigen.

Wenn sein Vater sagt: Ich habe deinen Anblick satt, verlässt er Putney und macht sich nach Lambeth auf. Wenn Onkel John sagt: Wir haben sehr viele Jungen diese Woche, und Müßiggang ist aller Laster Anfang, macht er sich auf den Rückweg nach Putney. Manchmal bekommt er ein Geschenk, das er nach Hause mitnehmen soll. Manchmal ist es ein Taubenpaar mit zusammengebundenen Füßen und klaffenden, blutigen Schnäbeln. Er läuft am Flussufer entlang und wirbelt sie über seinem Kopf herum, und es sieht aus, als ob sie fliegen, bis jemand brüllt: Hör auf damit! Er kann nichts tun, ohne dass jemand brüllt. Ist das ein Wunder, sagt John, wenn du dich in jeden Unfug stürzt, ständig Widerworte gibst und immer dort zu finden bist, wo du nicht sein dürftest?

In einem kleinen, kalten Raum beim Küchentrakt macht eine Frau namens Isabella Marzipanfiguren, mit denen der Erzbischof und seine Freunde nach dem Abendessen Stücke aufführen können. Einige der Figuren sind Helden, zum Beispiel Prinz Alexander, Prinz Caesar. Einige sind Heilige; heute mache ich St. Thomas, sagt sie. Eines Tages macht sie Tiere aus Marzipan und schenkt ihm einen Löwen. Du kannst ihn essen, sagt sie; er würde ihn lieber behalten, aber Isabella sagt, er würde bald zerbrechen. Sie sagt: »Hast du keine Mutter?«

Mit Hilfe der gekritzelten Bestellungen von Weizenmehl oder Trockenbohnen, von Gerste und von Enteneiern, die aus den Vorratskammern der Haushalter kommen, lernt er lesen. Für Walter hat Lesen den Zweck, Leute zu übervorteilen, die es nicht können; aus demselben Grund muss man schreiben lernen. Deshalb schickt sein Vater ihn zu dem Priester. Aber auch hier ist er immer im Unrecht, denn Priester haben so merkwürdige Regeln; er soll gezielt zum Unterricht kommen, nicht auf dem Weg von irgendeiner anderen Beschäftigung; er soll keine Kröte in einem Beutel mitbringen oder Messer, die geschliffen werden müssen; und er soll auch nicht mit Schnitten oder Prellungen kommen, weil er wieder einmal in eine dieser Türen (Türen namens Walter) gelaufen ist. Der Priester brüllt und vergisst, ihm etwas zu essen zu geben, also macht er sich wieder nach Lambeth auf.

Wenn er in Putney auftaucht, sagt sein Vater: Wo in aller Welt bist du gewesen, es sei denn, er hat im Haus zu tun, nämlich auf einer Stiefmutter. Einige der Stiefmütter überdauern nur so kurze Zeit, dass sein Vater mit ihnen fertig ist und sie rausgeschmissen hat, bevor er wieder nach Hause kommt, aber Kat und Bet erzählen ihm von ihnen, wobei sie vor Lachen kreischen. Einmal, als er heimkommt, schmutzig und nass, sagt die Stiefmutter des Tages: »Zu wem gehört dieser Junge?« und versucht, ihn in den Hof zu scheuchen.

Eines Tages, als er fast zu Hause ist, findet er die erste Bella. Sie liegt auf der Straße, und er sieht, dass niemand sie will. Sie ist nicht länger als eine kleine Ratte und so erschrocken und durchgefroren, dass sie nicht einmal weint. Er trägt sie in einer Hand nach Hause, in der anderen hat er einen kleinen Käse, der in Salbeiblätter eingewickelt ist.

Der Hund stirbt. Seine Schwester Bet sagt: Besorg dir doch einen neuen. Er sucht auf der Straße, findet aber keinen. Es gibt Hunde, aber sie haben Besitzer.

Es kann lange dauern, von Lambeth nach Putney zu laufen, und manchmal isst er das Geschenk auf, wenn es nicht roh ist. Aber wenn er nur einen Kohlkopf bekommt, tritt er ihn und rollt ihn und drischt auf ihn ein, bis er völlig zerstört ist.

In Lambeth folgt er den Haushaltern, und wenn sie eine Nummer sagen, merkt er sie sich; deshalb sagen die Leute, wenn du keine Zeit zum Aufschreiben hast, sag es einfach Johns Neffen. Er behält die Säcke mit den bestellten Waren im Auge, und daraufhin rät er seinem Onkel das Gewicht zu kontrollieren.

Abends in Lambeth, wenn es noch hell ist und alle Töpfe geschrubbt worden sind, gehen die Jungen nach draußen und spielen Fußball auf den Kopfsteinen. Ihre Rufe schallen durch die Luft. Sie fluchen und rempeln sich an, und bis jemand brüllt, dass sie aufhören sollen, kämpfen sie mit den Fäusten und beißen sich manchmal. Hinter dem offenen Fenster über ihren Köpfen singen die jungen Herren ein mehrstimmiges Lied mit den hohen klaren Stimmen, die ihnen beigebracht werden.

Manchmal erscheint das Gesicht von Master Thomas More. Er winkt ihm zu, aber Master Thomas sieht auf die Kinder hinab, ohne ein Zeichen des Erkennens zu geben. Er lächelt distanziert; seine weiße Gelehrtenhand schließt den Fensterladen. Der Mond geht auf. Die Pagen gehen in ihre Rollbetten. Die Küchenkinder hüllen sich in Säcke und schlafen am Herd.

Er erinnert sich an einen Abend im Sommer, als die Fußballer still dastanden und nach oben blickten. Es dämmerte. Eine Note aus einer einzelnen Blockflöte zitterte in der Luft, dünn und durchdringend. Eine Amsel nahm die Note auf und sang in einem Busch beim Tor zum Wasser. Ein Bootsführer pfiff vom Fluss zurück.

1527: Als der Kardinal aus Frankreich zurückkehrt, beginnt er sofort damit, Bankette zu bestellen. Französische Gesandte werden erwartet, sie sollen das Siegel auf sein Konkordat setzen. Nichts, sagt er, nichts ist zu gut für diese Herren.

Der Hof verlässt Beaulieu am 27. August. Bald darauf trifft Henry den Kardinal, die erste persönliche Begegnung seit Anfang Juni. »Ihnen wird zu Ohren kommen, dass der König mir einen kühlen Empfang bereitet hat«, sagt Wolsey, »aber ich kann Ihnen versichern, dass es nicht so war. Sie – Lady Anne – war anwesend … so viel ist wahr.«

Oberflächlich betrachtet, war ein großer Teil seiner Mission vergeblich. Die Kardinäle wollten ihn nicht in Avignon treffen: entschuldigen sich damit, dass sie in der Hitze nicht in den Süden reisen wollten. »Aber jetzt«, sagt er, »habe ich einen besseren Plan. Ich werde den Papst bitten, mir einen Ko-Legaten zu schicken, und dann werde ich den Fall des Königs in England verhandeln.«

Während Sie in Frankreich waren, sagt er, ist meine Frau Elizabeth gestorben.

Der Kardinal sieht auf. Seine Hände fliegen an sein Herz. Seine rechte Hand sucht das Kruzifix, das er trägt. Er fragt, wie es geschehen ist. Er hört zu. Sein Daumen fährt über den gepeinigten Leib Gottes: wieder und wieder, als wäre es ein beliebiges Stück Metall. Er senkt den Kopf. Er murmelt: »Wen Gott liebt …« Sie sitzend schweigend da. Um die Stille zu brechen, beginnt er, dem Kardinal unnötige Fragen zu stellen.

Eigentlich braucht er keinen Bericht über die Vorgehensweise im vergangenen Sommer. Der Kardinal hat Hilfe bei der Finanzierung einer französischen Armee versprochen, die in Italien einmarschieren und versuchen soll, den Kaiser zu vertreiben. Der Papst, der nicht nur den Vatikan verloren hat, sondern auch den Kirchenstaat, und mit ansehen musste, wie Florenz seine Medici-Verwandten rausgeworfen hat, wird König Henry für die Unterstützung dankbar und verpflichtet sein. Was jedoch eine langfristige Annäherung an die Franzosen betrifft, so teilt er, Cromwell, die Skepsis seiner Freunde in der City. Wenn man auf den Straßen in Paris oder Rouen erlebt hat, wie eine Mutter ihr Kind an der Hand zieht und sagt: »Hör mit dem Geschrei auf oder ich hole einen Engländer«, neigt man zu der Ansicht, dass jedes Abkommen zwischen den beiden Ländern reine Formsache und vergänglich ist. Den Engländern wird nie vergeben werden, dass sie ihr Talent für die Zerstörung immer dann gezeigt haben, wenn sie ihre Insel verließen. Englische Armeen verwüsteten das Land, durch das sie marschierten. Quasi systematisch hielten sie zwar penibel den ritterlichen Verhaltenskodex ein, brachen aber jedes einzelne Gesetz des Krieges. Die Schlachten waren nichts; was sie zwischen den Schlachten taten, hinterließ Spuren. Bei ihrem Marsch raubten und vergewaltigten sie im Umkreis von vierzig Meilen. Sie verbrannten die Ernten auf den Feldern und die Häuser mit den Menschen darin. Sie ließen sich in Form von Münzen und Naturalien bestechen, und wenn sie ihr Lager in einem Gebiet aufschlugen, ließen sie die Menschen dort für jeden Tag bezahlen, an dem sie unbehelligt blieben. Sie töteten Priester und hängten sie nackt auf den Marktplätzen auf. Als wären sie Ungläubige, plünderten sie Kirchen, steckten Abendmahlskelche in ihr Marschgepäck, benutzten wertvolle Bücher als Brennstoff für ihre Feuerstellen; sie verstreuten Reliquien und räumten Altäre leer. Sie suchten die Familien der Toten auf und verlangten Lösegeld von den Lebenden; wenn die Lebenden nicht zahlen konnten, setzten sie die Leichen vor ihren Augen in Brand, beseitigten sie ohne Zeremonie, ohne Gebet, wie man es mit den Kadavern kranker Rinder tun würde.

Angesichts dieser Tatsache können die Könige einander vielleicht vergeben, nicht aber die Menschen. Er sagt jedoch nichts davon zu

Wolsey, auf den genügend schlechte Nachrichten warten. Während seiner Abwesenheit hat der König einen eigenen Gesandten zu geheimen Verhandlungen nach Rom geschickt. Der Kardinal hat es herausgefunden; und natürlich hat es zu nichts geführt. »Aber wenn der König nicht gänzlich offen zu mir ist, hilft das unserer Sache natürlich nicht im Geringsten.«

Ein solch doppeltes Spiel hat er nie zuvor erlebt. Tatsächlich weiß der König, dass sein Fall rechtlich eine schwache Grundlage hat. Er weiß es, aber er will es nicht wissen. Er hat sich Mühe gegeben, seinen Verstand davon zu überzeugen, dass er nie verheiratet war und deshalb frei ist und jetzt heiraten kann. Oder sagen wir: Sein Wille ist überzeugt, nicht aber sein Gewissen. Er kennt das kanonische Recht, und wo er Lücken hatte, hat er sich kundig gemacht. Als jüngerer Bruder wurde Henry für die Kirche und ihre höchsten Ämter erzogen und ausgebildet. »Wenn sein Bruder Arthur überlebt hätte«, sagt Wolsey, »wäre Seine Majestät Kardinal und nicht ich. Nun, das ist mal ein Gedanke! Wissen Sie, Thomas, ich hatte nicht einen freien Tag, seit … seit ich an Bord gegangen bin, glaube ich. Seit dem Tag, als ich seekrank war, was in Dover begonnen hat.«

Einmal hatten sie das enge Meer zusammen überquert. Der Kardinal hatte unten gelegen und Gott um Hilfe angerufen, er aber war an die Reise gewöhnt gewesen und hatte seine Zeit an Deck verbracht, wo er Zeichnungen von den Segeln und der Takelage und von imaginären Schiffen mit imaginärer Takelage machte und den Kapitän davon zu überzeugen versuchte – »ohne Ihnen zu nahe treten zu wollen«, sagte er –, dass es eine Möglichkeit gebe, schneller zu segeln. Der Kapitän dachte darüber nach und sagte: »Wenn Sie ein eigenes Handelsschiff ausrüsten, können Sie es so machen. Natürlich wird jedes christliche Schiff denken, dass Sie Piraten sind, also erwarten Sie keine Hilfe, wenn Sie in Schwierigkeiten kommen. Seeleute«, erklärte er, »mögen keine Neuerungen.«

»Die mag niemand«, hatte er gesagt. »Soweit ich das beurteilen kann.«

Neue Dinge kann es in England nicht geben. Es kann alte Dinge geben, die neu angeboten werden, oder neue Dinge, die vorgeben, alt zu sein. Um Vertrauen zu erlangen, müssen neue Männer sich einen alten Stammbaum verschaffen – so wie Walter – oder in den Dienst alter Familien treten. Versuch nicht, alleine durchzukommen, oder man wird denken, du bist ein Pirat.

In diesem Sommer, als der Kardinal wieder auf trockenem Boden ist, erinnert er sich an jene Reise. Er wartet darauf, dass der Feind längsseits kommt und dass sie beginnen, Mann gegen Mann zu kämpfen.

Aber erst einmal geht er in den Küchentrakt hinunter, um zu sehen, wie die Köche mit den Meisterwerken vorankommen, die die französischen Gesandten beeindrucken sollen. Auf ihre Nachbildung von St Paul's aus Fondant haben sie den Turm gesetzt, aber sie haben Schwierigkeiten mit der Kugel und dem Kreuz auf der Spitze. Er sagt: »Macht Marzipanlöwen – der Kardinal möchte sie haben.«

Sie rollen mit den Augen und sagen: Hört es denn nie auf?

Seit seiner Rückkehr aus Frankreich ist ihr Herr ganz gegen seine Gewohnheit schlechter Laune. Nicht nur die offenen Misserfolge lassen ihn grollen, sondern auch die Schmutzkampagne hinter den Kulissen. Satiren und Hetzblätter gegen ihn wurden in Umlauf gebracht, und so schnell er sie auch aufkaufte, immer wieder tauchte ein neuer Stoß auf den Straßen auf. Jeder Dieb in Frankreich schien es auf seinen Tross abgesehen zu haben; obwohl er rund um die Uhr eine Wache für sein Gold abgestellt hatte, geschah es in Compiègne, dass ein kleiner Junge die Hintertreppe hinauf- und hinablief und Teile des Geschirrs an den großen Räuber übergab, der ihn angelernt hatte.

»Was ist passiert? Haben Sie ihn erwischt?«

»Der große Räuber wurde an den Pranger gestellt. Der Junge lief weg. Dann schlich sich eines Nachts ein Übeltäter in meine Kammer und brachte am Fenster einen geschnitzten Gegenstand an …« Und am nächsten Morgen kam durch Nebel und Regen ein früher Sonnenstrahl gekrochen und schien auf einen Galgen, von dem ein Kardinalshut herabhing.

Wieder einmal ist der Sommer verregnet gewesen. Er könnte schwören, dass es niemals hell war. Die Ernte wird verdorben sein. Der König und der Kardinal tauschen Pillenrezepte aus. Der König legt die Staatsgeschäfte nieder, wenn er zufällig niesen muss, und verschreibt sich einen leichten Tag mit Musizieren oder Schlendern durch seine Gärten – sofern der Regen nachlässt. Am Nachmittag ziehen er und Anne sich manchmal allein zurück. Dem Klatsch zufolge erlaubt sie ihm, sie auszuziehen. Abends hält guter Wein die Kälte fern, und Anne liest die Bibel; sie weist ihn darauf hin, was die Schrift mit Nachdruck empfiehlt. Nach dem Abendessen wird er nachdenklich und sagt, dass er vermute, der König von Frankreich lache ihn aus; er vermute, auch der Kaiser lache ihn aus. Nach Einbruch der Dunkelheit ist der König liebeskrank. Er ist melancholisch, manchmal unerreichbar. Er trinkt viel und schläft tief, schläft allein; er wacht auf, und weil er ein starker und immer noch junger Mann ist, ist er optimistisch, denkt klar und ist bereit für den neuen Tag. Bei Tageslicht sieht sein Anliegen vielversprechend aus.

Der Kardinal hört nicht auf zu arbeiten, wenn er krank ist. Er macht einfach an seinem Schreibtisch weiter, niest und klagt, hat Schmerzen.

Im Nachhinein ist leicht zu erkennen, wann der Niedergang des Kardinals begann, aber zu jener Zeit war es nicht einfach. Im Rückblick erinnert er sich an die Ratlosigkeit jener Tage. Wie auf See verschwand der Horizont schwindelerregend schnell, und die Küstenlinie verlor sich im Dunst.

Der Oktober kommt; seine Schwestern und Mercy und Johane nehmen die Kleider seiner toten Frau und schneiden sie sorgfältig neu zu. Nichts wird verschwendet. Jedes gute Stück Stoff wird zu etwas anderem.

Zu Weihnachten singt der Hof:

So wie das Immergrün
Die Farbe nicht verliert,
So war ich stets und bin
Treu allzeit meinem Lieb;

Grün wächst das Immergrün, der Efeu tut's ihm nach,
Wenn auch die Winterstürme bereiten Ungemach.

So wie das Immergrün
Grünt und der Efeu auch,
Wenn keine Blumen blühn
Und kahl sind Baum und Strauch.
Grün wächst das Immergrün.

Frühling 1528: Thomas More schlendert heran, freundlich, schäbig. »Genau der richtige Mann«, sagt er. »Thomas, Thomas Cromwell. Genau der Mann, den ich sehen will.«

Er ist freundlich, immer freundlich, sein Hemdkragen ist schmuddelig. »Fahren Sie dieses Jahr nach Frankfurt, Master Cromwell? Nein? Ich dachte, der Kardinal würde Sie vielleicht zur Messe schicken, damit Sie sich unter die ketzerischen Buchhändler mischen. Er gibt eine Menge Geld aus, um ihre Schriften aufzukaufen, aber die Flut des Unrats lässt niemals nach.«

In seinen Pamphleten gegen Luther nennt More den Deutschen Scheiße. Er sagt, dass sein Mund der Anus der Welt sei. Man würde nicht glauben, dass solche Worte von Thomas More stammen, aber so ist es. Keiner hat die lateinische Sprache vulgärer gemacht.

»Das ist eigentlich nicht meine Sache«, sagt Cromwell. »Die Bücher von Ketzern. Mit ausländischen Ketzern befasst man sich im Ausland. Die Kirche ist universal.«

»Aber oh, sobald diese Bibelleute nach Antwerpen gelangen, wissen Sie … Was für eine Stadt das ist! Kein Bischof, keine Universität, kein rechter Platz der Lehre, keine ordentlichen Behörden, um der Flut von sogenannten Übersetzungen Einhalt zu gebieten, Übersetzungen der Schrift, die meiner Meinung nach böswillig und absichtlich irreführend sind ... Aber Sie wissen das natürlich, Sie haben einige Jahre dort verbracht. Und jetzt ist Tyndale in Hamburg gesehen worden, sagt man. Sie würden ihn erkennen, nicht wahr, wenn Sie ihn sehen sollten?«

»Das würde auch der Bischof von London. Sie selbst vielleicht.«

»Genau. Genau.« More überlegt. Er kaut auf seiner Lippe herum. »Und Sie sagen mir, es ist nicht die Aufgabe eines Anwalts, falschen Übersetzungen nachzujagen. Aber ich hoffe, Mittel und Wege zu erlangen, um gegen die Brüder gerichtlich vorzugehen, wegen Aufwiegelung, verstehen Sie?« *Die Brüder,* sagt er; sein kleiner Witz; er trieft vor Verachtung. »Wenn ein Verbrechen gegen den Staat vorliegt, kommen unsere Verträge ins Spiel, und ich kann sie ausliefern lassen. Damit sie sich vor einer strengeren Gerichtsbarkeit verantworten müssen.«

»Haben Sie aufwiegelnde Aspekte in Tyndales Schriften entdeckt?«

»Ah, Master Cromwell!« More reibt sich die Hände. »Sie bereiten mir Freude, in der Tat. Jetzt fühle ich mich, wie sich eine Muskatnuss fühlen muss, wenn sie gerieben wird. Ein geringerer Mann – ein geringerer Anwalt – würde sagen: ›Ich habe Tyndales Werk gelesen, und ich finde daran nichts auszusetzen.‹ Aber Cromwell kann man kein Bein stellen – er wirft den Ball zurück, er fragt vielmehr mich: Haben *Sie* Tyndale gelesen? Und ich gebe es zu. Ich habe den Mann studiert. Ich habe seine sogenannten Übersetzungen auseinandergepflückt, Buchstabe für Buchstabe. Ich lese ihn, natürlich lese ich ihn. Mit Erlaubnis. Von meinem Bischof.«

»Im Ecclesiasticus heißt es: ›Wer Pech anfasst, besudelt sich.‹ Es sei denn, sein Name ist Thomas More.«

»Na bitte, ich wusste ja, dass Sie die Bibel lesen! Außerordentlich treffend. Aber wenn ein Priester eine Beichte hört, und es geht um eine wollüstige Sache, macht das den Priester selbst zu einem wollüstigen Menschen?« Zur Ablenkung nimmt More seinen Hut ab und faltet ihn gedankenverloren in den Händen zusammen; er knickt ihn in der Mitte; seine hellen, müden Augen blicken sich um, als könnte er von allen Seiten widerlegt werden. »Und ich glaube, auch der Kardinal von York hat seinen jungen Theologen im Cardinal College erlaubt, die Pamphlete der Sektierer zu lesen. Vielleicht schließt er Sie in seine Dispense ein? Ist es so?«

Es wäre merkwürdig, würde er seinen Anwalt einschließen; aber es ist ohnehin eine merkwürdige Aufgabe für einen Anwalt. »Wir haben uns im Kreis bewegt«, sagt er.

More strahlt ihn an. »Nun ja, es ist schließlich Frühling. Wir werden bald um den Maibaum tanzen. Gutes Wetter für eine Seereise. Sie könnten die Gelegenheit nutzen, um ein paar Geschäfte im Wollhandel zu machen, oder ziehen Sie inzwischen nur noch Menschen das Fell über die Ohren? Und wenn der Kardinal Sie bitten würde, nach Frankfurt zu gehen, dann würden Sie doch gehen, vermute ich? Denn wenn er ein kleines Kloster niederreißen will, wenn er glaubt, es sei finanziell gut ausgestattet, wenn er glaubt, die Mönche sind alt, Gott segne sie, und ein bisschen wirr im Kopf; wenn er denkt, die Scheunen sind voll und die Teiche gefüllt mit Fischen, die Rinder fett und der Abt alt und mager … machen Sie sich auf den Weg, Thomas Cromwell. Nach Norden, Süden, Osten oder Westen. Sie und Ihre kleinen Lehrlinge.«

Wenn ein anderer Mann so reden würde, hätte er die Absicht, Streit anzufangen. Wenn More es tut, leitet er eine Einladung zum Abendessen ein. »Kommen Sie nach Chelsea«, sagt er. »Die Unterhaltung ist ausgezeichnet, und wir würden uns freuen, wenn Sie dazu beitragen. Unser Essen ist einfach, aber gut.«

Tyndale sagt, ein Junge, der das Geschirr in der Küche abwäscht, ist dem Auge Gottes genauso gefällig wie ein Prediger auf der Kanzel oder der Apostel am Ufer von Galiläa. Vielleicht, denkt er, sollte ich Tyndales Meinung lieber nicht erwähnen.

More tätschelt seinen Arm. »Haben Sie keine Pläne, sich wieder zu verheiraten, Thomas? Nein? Ist vielleicht weise. Mein Vater sagt immer, eine Frau auszusuchen ist so, als stecke man die Hand in einen Sack voller sich windender Kreaturen, wobei auf sechs Schlangen ein Aal kommt. Wie hoch steht die Chance, den Aal herauszuziehen?«

»Ihr Vater hat – wie oft – dreimal geheiratet?«

»Viermal.« Er lächelt. Das Lächeln ist echt. Es legt seine Augenwinkel in Falten. »Ihr Fürbitter, Thomas«, sagt er, als er davonschlendert.

Als Mores erste Frau starb, war ihre Nachfolgerin im Haus, bevor der Leichnam kalt war. More wäre Priester geworden, aber das Fleisch rief ihn mit seinen lästigen Bedürfnissen. Er wollte kein schlechter Priester sein, deshalb wurde er Ehemann. Er hatte sich in ein sechzehnjähriges Mädchen verliebt, aber ihre Schwester war mit siebzehn noch unverheiratet; er nahm die ältere, damit ihr Stolz nicht verletzt wurde. Er liebte sie nicht; sie konnte nicht lesen oder schreiben; er hoffte, das ließe sich beheben, aber anscheinend klappte es nicht. Er versuchte, sie dazu zu bringen, Predigten auswendig zu lernen, aber sie nörgelte bloß und beharrte störrisch auf ihrer Ignoranz; er brachte sie zu ihrem Vater nach Hause, der vorschlug, sie zu schlagen, das erschreckte sie so sehr, dass sie schwor, sich nicht mehr zu beklagen. »Und sie hat es auch nie getan«, sagt More dazu. »Aber sie hat auch keine Predigten auswendig gelernt.« Offenbar stellten ihn die Verhandlungen zufrieden: Auf allen Seiten wurde die Ehre gewahrt. Die störrische Frau schenkte ihm Kinder, und als sie mit vierundzwanzig starb, heiratete er eine Witwe fortgeschrittenen Alters und Starrsinns aus der City: noch eine, die nicht lesen konnte. Das ist es: Wenn du schon Nachsicht mit dir übst und dir eine Frau gönnst, ist es besser für dein Seelenheil, wenn du sie absolut nicht leiden kannst.

Kardinal Campeggio, den der Papst auf Wolseys Bitte hin nach England schickt, war ein verheirateter Mann, bevor er Priester wurde. Deshalb eignet er sich ganz besonders dafür, Wolsey – der natürlich keine Erfahrung mit Eheproblemen hat – auf der nächsten Etappe des Weges zu helfen, der letztlich dahin führen wird, die Erfüllung des Herzenswunschs des Königs zu vereiteln. Obwohl sich die kaiserliche Armee aus Rom zurückgezogen hat, haben die Verhandlungen im Frühling keine klaren Ergebnisse gebracht. Stephen Gardiner war mit einem Brief in Rom, in dem der Kardinal Lady Anne rühmt und versucht, allen eventuellen Vorstellungen des Papstes entgegenzuwirken, dass der König bei seiner Brautwahl starrsinnig und launenhaft sei. Der Kardinal hatte lange über dem Brief mit der Aufzählung ihrer Tugenden gebrütet, hatte ihn eigenhändig geschrieben.

»Weibliche Bescheidenheit … Keuschheit … kann ich Keuschheit sagen?«

»Kann nicht schaden.«

Der Kardinal sah auf. »Wissen Sie was?« Er zögerte und sah wieder auf den Brief. »In der Lage, Kinder zu bekommen? Nun, ihre Familie ist fruchtbar. Eine liebevolle und treue Tochter der Kirche … Vielleicht etwas übertrieben … man hört, sie hat die Heilige Schrift auf Französisch in ihrer Kammer und lässt ihre Frauen darin lesen, aber das weiß ich nicht mit Gewissheit …«

»König François erlaubt die Bibel auf Französisch. Sie hat sich dort mit der Heiligen Schrift vertraut gemacht, vermute ich.«

»Ach, aber Frauen, wissen Sie. Dass Frauen die Bibel lesen, ist ein weiterer umstrittener Punkt. Weiß sie eigentlich, was Bruder Martin für den angemessenen Platz der Frau hält? Wir sollten nicht trauern, sagt er, wenn eine Frau oder Tochter im Kindbett stirbt – sie tut nur, wofür Gott sie geschaffen hat. Sehr streng, der Bruder Martin, sehr unbeugsam. Aber vielleicht ist sie gar keine Bibel-Frau. Vielleicht ist es nur üble Nachrede. Vielleicht hat sie einfach keine Geduld mit Geistlichen mehr. Ich wünschte, sie würde mir nicht die Schuld für ihre Schwierigkeiten geben. Ich wünschte, sie wäre nicht so nachtragend.«

Lady Anne lässt dem Kardinal freundliche Botschaften überbringen, aber er glaubt, dass sie unaufrichtig sind. »Wenn ich«, hatte Wolsey gesagt, »die Möglichkeit einer Annullierung für den König sähe, würde ich persönlich in den Vatikan gehen, mir die Venen öffnen lassen und erlauben, dass die Dokumente mit meinem Blut geschrieben werden.

Glauben Sie, wenn Anne das wüsste, würde es sie zufriedenstellen? Nein? Das habe ich mir gedacht. Aber wenn Sie einen Boleyn sehen, machen Sie ihm trotzdem das Angebot. Übrigens, ich vermute, Sie kennen eine Person namens Humphrey Monmouth? Es ist der Mann, der Tyndale sechs Monate lang in seinem Haus hatte, bevor er weggelaufen ist, wohin auch immer. Es heißt, Monmouth schickt ihm immer noch Geld, aber das kann ja gar nicht stimmen, denn woher sollte er wissen, wohin er es schicken muss? Monmouth … ich erwähne nur seinen Namen. Weil … warum denn eigentlich?« Der Kardinal hatte die Augen geschlossen. »Weil ich ihn nur erwähne.«

Der Bischof von London hat seine Gefängnisse bereits gefüllt. Er sperrt Lutheraner und Sektierer in Newgate und Fleet zusammen mit gewöhnlichen Verbrechern ein. Dort bleiben sie, bis sie widerrufen und öffentlich Buße tun. Wenn sie rückfällig werden, werden sie verbrannt; es gibt keine zweite Chance.

Als Monmouths Haus durchsucht wird, finden sie nirgendwo eine verdächtige Schrift. Fast so, als wäre er gewarnt worden. Es gibt weder Bücher noch Briefe, die ihn mit Tyndale und seinen Freunden in Verbindung bringen. Trotzdem wird er in den Tower gebracht. Seine Familie hat große Angst. Monmouth ist ein sanfter und fürsorglicher Mann, ein Meister des Textilhandels, sehr beliebt in seiner Gilde und in der Stadt. Er liebt die Armen und kauft sogar Tuch ein, wenn die Geschäfte nicht gut gehen, damit die Weber ihre Arbeit nicht verlieren. Ohne Zweifel verfolgt seine Inhaftierung den Zweck, ihn zu brechen; sein Geschäft ist bereits ins Trudeln geraten, als er wieder entlassen wird. Sie müssen ihn wegen Mangels an Beweisen gehen lassen, denn aus einem Haufen Asche im Herd kann man nichts machen.

Monmouth selbst wäre ein Haufen Asche, wenn es nach Thomas More gegangen wäre. »Sie sind uns noch nicht besuchen gekommen, Master Cromwell?«, sagt er. »Brechen Sie immer noch trockenes Brot in dunklen Kellern? Ach kommen Sie, meine Zunge ist schärfer, als Sie es verdienen. Wir sollten Freunde sein, wissen Sie.«

Es klingt wie eine Drohung. More entfernt sich, schüttelt den Kopf: »Wir sollten Freunde sein.«

Asche, trockenes Brot. England war immer, sagt der Kardinal, ein unglückliches Land, Heimat eines ausgestoßenen und verlassenen Volkes, das langsam auf seine Erlösung hinarbeitet und das von Gott besonderes Leiden auferlegt bekommt. Falls wirklich Gottes Fluch oder ein böser Bann über England liegt, schien es eine Zeitlang so, als ob der Bann gebrochen wäre – durch den goldenen König und seinen goldenen Kardinal. Aber jene goldenen Jahre sind vorbei, und in diesem Winter wird das Meer zufrieren; die Leute, die es beobachten, werden sich ihr ganzes Leben lang daran erinnern.

Johane ist in das Haus in Austin Friars eingezogen, zusammen mit ihrem Mann John Williamson und ihrer Tochter, der kleinen Johane – Jo nennen die Kinder sie; sie ist offensichtlich zu klein für einen ganzen Namen. John Williamson wird im Geschäft Cromwells benötigt. »Thomas«, sagt Johane, »was genau ist denn momentan dein Geschäft?«

So verwickelt sie ihn in ein Gespräch. »Unser Geschäft«, sagt er, »ist es, die Leute reich zu machen. Es gibt viele Möglichkeiten, das zu tun, und John wird mir dabei helfen.«

»Aber John wird nichts mit dem Lordkardinal zu tun haben, oder?«

Es wird getratscht, dass Leute – einflussreiche Leute – sich beim König beschwert haben und dass sich der König wiederum bei Wolsey beschwert hat, weil er klösterliche Einrichtungen geschlossen hat. Sie denken nicht an den guten Zweck, für den der Kardinal die Vermögenswerte eingesetzt hat; sie denken nicht an seine Colleges, die Lehre, die er fördert, die Bibliotheken, die er gründet. Sie sind nur daran interessiert, die Beute in die eigenen Finger zu kriegen. Und weil sie von dem Geschäft ausgeschlossen wurden, geben sie vor zu glauben, dass die Mönche nackt und lamentierend auf der Straße ausgesetzt wurden. Das ist nicht der Fall. Sie sind versetzt worden, in größere, besser geführte Häuser. Einige der jüngeren Mönche haben sie entlassen, Jungen, die nicht zum Klosterleben berufen sind. Wenn er sie befragt, stellt er gewöhnlich fest, dass sie nichts wissen; und das führt die Behauptung der Abteien ad absurdum, das Licht der Gelehrsamkeit zu sein. Sie können durch ein lateinisches Gebet stolpern, aber wenn man sagt: »Mach weiter, sag mir, was es bedeutet«, sagen sie: »Bedeutet, Master?«, als ob Worte und ihre Bedeutungen so locker miteinander verbunden seien, dass der Faden sofort reißt, wenn man daran zieht.

»Was die Leute sagen, muss dich nicht kümmern«, sagt er zu Johane. »Dafür übernehme ich die Verantwortung, ich allein.«

Der Kardinal hat die Beschwerden mit äußerstem Hochmut entgegengenommen. Grimmig hat er in seiner Akte die Namen der Nörgler vermerkt. Dann hat er die Liste genommen und sie mit einem knappen Lächeln seinem Mann für die Geschäfte übergeben. Alles, was ihm am Herzen liegt, sind seine neuen Gebäude, seine flatternden Banner, sein Wappen, mit dem das Mauerwerk geschmückt ist, seine Gelehrten in Oxford; er plündert Cambridge, um die schlauesten jungen Doktoren ans Cardinal College zu bekommen. Es gab Ärger vor Ostern, als der Dekan herausfand, dass sechs der neuen Männer im Besitz einiger verbotener Bücher waren. Sperren Sie sie ein, unbedingt, sagte Wolsey, sperren Sie sie ein und reden Sie ein ernstes Wort mit ihnen. Wenn es nicht zu heiß ist oder zu feucht, komme ich vielleicht und rede selbst ein ernstes Wort mit ihnen.

Es hat keinen Zweck zu versuchen, Johane das alles zu erklären. Sie will nur wissen, dass ihr Mann nicht von den Verleumdungen betroffen ist, die wie Pfeile schwirren. »Du weißt, was du tust, vermute ich.« Sie blickt nach oben. »Jedenfalls siehst du immer aus, als wüsstest du es, Tom.«

Ihre Stimme, ihre Schritte, ihre hochgezogene Augenbraue, ihr spitzes Lächeln, alles erinnert ihn an Liz. Manchmal dreht er sich um, weil er glaubt, Liz sei in den Raum gekommen.

Die neuen Gegebenheiten verwirren Grace. Sie weiß, dass der erste Mann ihrer Mutter Tom Williams hieß; der Haushalt schließt ihn in seine Gebete ein. Ist Onkel Williamson sein Sohn?, fragt sie.

Johane versucht es zu erklären. »Spar dir die Mühe«, sagt Anne. Sie tippt sich an den Kopf. Ihre gescheiten kleinen Finger prallen von den Saatperlen auf ihrer Haube ab. »Schwer von Begriff«, sagte sie.

Später sagt er zu ihr: »Grace ist nicht schwer von Begriff, nur klein.«

»Ich erinnere mich nicht, dass ich je so dumm war.«

»Sind sie alle schwer von Begriff, außer uns? Ist es so?«

Annes Gesicht sagt mehr oder weniger, dass es so ist. »Warum heiraten Leute?«

»Damit es Kinder geben kann.«

»Pferde heiraten nicht. Aber es gibt Fohlen.«

»Die meisten Leute meinen«, sagt er, »dass es ihr Glück vergrößert.«

»Ach so, das«, sagt Anne. »Darf ich mir meinen Mann selbst aussuchen?«

»Natürlich«, sagt er; er meint: bis zu einem gewissen Grad.

»Dann nehme ich Rafe.«

Eine Minute, zwei Minuten lang hat er das Gefühl, sein Leben könnte in Ordnung kommen. Dann denkt er, wie könnte ich Rafe bitten zu warten? Er muss sein eigenes Haus einrichten. Selbst in fünf Jahren wäre Anne eine sehr junge Braut.

»Ich weiß«, sagt sie. »Und die Zeit vergeht so langsam.«

Es ist wahr; man scheint immer auf etwas zu warten. »Du hast die Sache offenbar durchdacht«, sagt er und denkt: Du musst es ihr nicht erklären, behalt es für dich, sie kann es sich selbst erklären; du musst dieses Kind, dieses Mädchen, nicht durch ein Gespräch mit den kleinen Schlenkern und Einwänden lavieren, die bei Frauen normalerweise notwendig sind. Sie ist nicht wie eine Blume oder eine Nachtigall: sie ist wie … wie ein risikofreudiger Überseehändler, denkt er. Ein Blick in die Augen des Gegenübers, um seine Absichten zu ergründen, und ein Handel, der mit einem Handschlag besiegelt wird.

Sie zieht sich die Haube vom Kopf; sie zupft an den Saatperlen und zieht an einer Strähne ihres dunklen Haares, zieht sie so in die Länge, dass die Locken verschwinden. Sie hebt den Rest ihrer Haare an, fasst sie zu einem Zopf zusammen und legt sie sich um den Hals. »Es würde zweimal rumpassen«, sagt sie, »wenn mein Hals dünner wäre.« Sie klingt gereizt. »Grace glaubt, ich kann Rafe nicht heiraten, weil wir verwandt sind. Sie glaubt, alle, die in einem Haus leben, sind Vettern und Kusinen.«

»Du bist nicht Rafes Kusine.«

»Bist du sicher?«

»Ganz sicher. Anne ... setz deine Haube wieder auf. Was wird deine Tante sagen?«

Sie verzieht ihr Gesicht. Imitiert ihre Tante Johane. »Oh, Thomas«, murmelt sie, »du bist immer so sicher!«

Er hebt die Hand, um sein Lächeln zu verbergen. Für einen Augenblick erscheint Johane weniger beunruhigend. »Setz deine Haube auf«, sagt er milde.

Sie stülpt sie sich wieder auf den Kopf. Sie ist so klein, denkt er, aber trotzdem würde ein Helm besser zu ihr passen. »Wie ist Rafe hierhergekommen?«, sagt sie.

Er kam aus Essex hierher, weil sein Vater zu jener Zeit dort war. Sein Vater Henry war Haushalter bei Sir Edward Belknap, einem Cousin der Familie Grey und daher mit dem Marquis von Dorset verwandt. Der Marquis wiederum förderte Wolsey, als der Kardinal in Oxford studierte. Doch, ja, es sind wirklich Vettern im Spiel; natürlich auch die Tatsache, dass zwischen ihm und dem Kardinal bereits indirekte Verbindungen bestanden, als er erst seit ein oder zwei Jahren wieder in England war, obwohl er den großen Mann noch nie mit eigenen Augen gesehen hatte; aber bereits zu diesem Zeitpunkt war es nützlich einen Mann wie ihn, Cromwell, zu beschäftigen. Er arbeitete bei verschiedenen wirren Rechtsstreitigkeiten für die Familie Dorset. Darüber hinaus schickte die alte Marquise ihn auf die Suche nach Bettvorhängen und Teppichen. Senden Sie das. Kommen Sie her. In ihren Augen stand die ganze Welt zu ihren Diensten. Wenn sie einen Hummer oder einen Stör wollte, bestellte sie ihn, und wenn sie guten Geschmack wollte, bestellte sie ihn ebenso. Die Marquise fuhr mit der Hand über florentinische Seidenstoffe und quiekte vor Freude. »Sie haben das gekauft, Master Cromwell«, sagte sie dann. »Und es ist sehr schön. Ihre nächste Aufgabe ist, einen Weg zu finden, wie wir es bezahlen.«

Irgendwo in diesem Irrgarten aus Pflichten und Schuldigkeiten traf er Henry Sadler und willigte ein, dessen Sohn in seinen Haushalt aufzunehmen. »Lehren Sie ihn alles, was Sie wissen«, schlug Henry ein bisschen ängstlich vor. Sie vereinbarten, dass er Rafe auf seinem Rückweg von Geschäften abholen würde, aber er hatte einen schlechten Tag gewählt: Schlamm und heftiger Regen, Wolken, die von der Küste herangejagt wurden. Es war kurz nach zwei, als er völlig durchnässt vor der Tür stand, aber es wurde bereits dunkler. Henry Sadler sagte: Können Sie nicht hierbleiben, Sie werden es nicht bis London schaffen, bevor die Tore geschlossen werden. Ich muss versuchen, heute Abend zu Hause zu sein, sagte er. Ich habe bei Gericht zu tun, und dann muss ich Lady Dorsets Schuldeneintreiber in Schach halten, und Sie wissen, was das heißt … Mistress Sadler sah ängstlich nach draußen und auf ihr Kind: von dem sie sich jetzt trennen musste, das sie mit sieben Jahren dem Wetter und den Straßen anvertrauen sollte.

Das ist nicht hart, das ist normal. Aber Rafe war so klein, dass er, Cromwell, es beinahe hart fand. Man hatte ihm seine kindlichen Locken abgeschnitten, sein rotes Haar stand am Scheitel nach oben. Seine Mutter und sein Vater knieten sich hin und umarmten ihn. Dann hüllten, wickelten, knoteten sie ihn in mehrere Schichten üppige und überflüssige Kleidung, sodass sein zierlicher Körper anschwoll und einem kleinen Fass glich. Er sah auf das Kind hinab, nach draußen auf den Regen und dachte: Manchmal sollte ich es warm und trocken haben wie andere Menschen; wie schaffen sie das, während es mir nie gelingt? Mistress Sadler kniete sich hin und nahm das Gesicht ihres Sohnes in die Hände. »Denk an alles, was wir dir gesagt haben«, flüsterte sie. »Sprich deine Gebete. Master Cromwell, ich bitte Sie: Achten Sie darauf, dass er seine Gebete spricht.«

Als sie aufblickte, sah er, dass ihre Augen in Tränen schwammen, und er sah, dass das Kind es nicht ertragen konnte, in seiner gewaltigen Hülle zitterte und gleich schreien würde. Er warf sich seinen Umhang um. Dabei taufte ein kleiner Schauer Regentropfen die Szene. »Nun, Rafe, was denkst du? Wenn du Manns genug bist …« Er streckte die behandschuhte Hand aus. Die Hand des Kindes glitt hinein. »Wollen wir sehen, wie weit wir kommen?«

Und zwar so schnell, dass du nicht zurückschaust, dachte er. Wind und Regen trieben die Eltern von der offenen Tür zurück. Er warf Rafe in den Sattel. Der Regen kam fast waagrecht auf sie zu. Am Stadtrand von London ließ der Wind nach. Damals lebte er in der Fenchurch Street. An der Tür streckte ein Diener die Arme aus, um ihm Rafe abzunehmen, aber er sagte: »Wir ertrunkenen Männer halten zusammen.«

Das Kind war zu einer leblosen Last in seinen Armen geworden, zusammengesunkenes Fleisch in sieben durchnässten Lagen ineinander verschlungener Wolle. Er stellte Rafe vor das Feuer; Dampf stieg von ihm auf. Die Wärme ließ ihn die kleinen gefrorenen Finger ausstrecken und zögernd damit beginnen, die Hüllen abzulegen, sich zu entwirren. Wo sind wir hier?, sagte er mit deutlicher, höflicher Stimme.

»London«, sagte er. »Fenchurch Street. Zu Hause.«

Er nahm ein Leinentuch und tupfte dem Jungen vorsichtig die gerade überstandene Reise vom Gesicht. Er rieb ihm den Kopf. Rafes Haare standen stachelig nach oben. Liz kam herein. »Himmel hilf: Junge oder Igel?« Rafe wandte ihr sein Gesicht zu. Er lächelte. Er schlief im Stehen ein.

Als in diesem Sommer, 1528, das Schweißfieber zurückkehrt, sagen die Leute genau wie im letzten Jahr, dass man es nicht bekommt, wenn man nicht daran denkt. Aber wie kann man nicht daran denken? Er schickt die Mädchen aus London fort, erst in das Haus in Stepney, dann noch weiter weg. Dieses Mal steckt sich der Hof an. Henry versucht, der Seuche davonzureiten, von einer Jagdhütte zur nächsten. Anne wird nach Hever geschickt. Dort bricht das Fieber in der Familie Boleyn aus, der Vater der Lady erkrankt als Erster. Er überlebt; der Mann ihrer Schwester Mary stirbt. Anne wird krank, aber innerhalb von vierundzwanzig Stunden ist sie wieder auf den Beinen, heißt es. Und doch, es kann das Aussehen einer Frau ruinieren. Man weiß nicht, wofür man beten soll, sagt er zum Kardinal.

Der Kardinal sagt: »Ich bete für Königin Katherine ... und auch für die liebe Lady Anne. Ich bete für König François' Armeen in Italien: Sie mögen Erfolg haben, aber doch nicht so viel, dass sie vergessen, wie sehr sie ihren Freund und Verbündeten König Henry brauchen. Ich bete für die Majestät des Königs und alle seine Ratgeber und für die Tiere auf den Feldern und für den Heiligen Vater und die Kurie: Mögen ihre Entscheidungen von Gott gelenkt werden. Ich bete für Martin Luther und für alle, die mit seiner Ketzerei infiziert sind, und für alle, die ihn bekämpfen, ganz besonders für den Kanzler des Herzogtums Lancaster, unseren lieben Freund Thomas More. Gegen alle Vernunft und den Augenschein bete ich für eine gute Ernte und dafür, dass der Regen aufhört. Ich bete für alle. Ich bete für alles. Das bedeutet es, Kardinal zu sein. Nur wenn ich zum Herrn sage: ›Jetzt zu Thomas Cromwell ...‹, sagt Gott zu mir: ›Wolsey, was habe ich dir gesagt? Weißt du nicht, wann man aufgeben muss?‹«

Als die Seuche Hampton Court erreicht, schottet sich der Kardinal von der Welt ab. Nur vier Diener dürfen in seine Nähe kommen. Als er wieder zum Vorschein kommt, sieht er tatsächlich so aus, als habe er gebetet.

Am Ende des Sommers kehren die Mädchen nach London zurück; sie sind gewachsen und Grace' Haar ist durch die Sonne aufgehellt. Sie fremdelt, und er fragt sich, ob sie ihn jetzt nur noch mit der Nacht in Verbindung bringen kann, als er sie ins Bett trug, nachdem sie erfahren hatte, dass ihre Mutter tot war. Anne sagt: Im nächsten Sommer möchte ich lieber bei dir bleiben, was auch immer passiert. Die Krankheit hat die Stadt verlassen, aber ansonsten haben die Gebete des Kardinals nur vereinzelte Erfolge erzielt. Die Ernte ist schlecht; die Franzosen erleiden schwere Verluste in Italien, und ihr Befehlshaber ist an der Pest gestorben.

Der Herbst kommt. Gregory kehrt zu seinem Tutor zurück, und er bemerkt den Widerwillen des Jungen, obwohl er kein besonders klares Bild von Gregory hat. »Was ist«, fragt er ihn, »was ist los?« Der Junge will es nicht sagen. Bei anderen Menschen ist er fröhlich und lebhaft, bei seinem Vater jedoch höflich und auf der Hut, als wolle er eine formelle Distanz wahren. Er fragt Johane: »Hat Gregory Angst vor mir?«

So schnell wie eine Nadel in den Stoff fährt, sticht sie zu. »Wieso sollte er Angst vor dir haben? Er ist doch kein Mönch.« Dann lenkt sie ein. »Thomas, warum sollte er? Du bist ein gütiger Vater, genau genommen fast zu gütig, glaube ich.«

»Wenn er nicht zu seinem Tutor zurückkehren will, könnte ich ihn nach Antwerpen schicken, zu meinem Freund Stephen Vaughan.«

»Aus Gregory wird nie ein Geschäftsmann werden.«

»Nein.« Unvorstellbar, dass er aus einem Vertreter der Fuggers oder einem kichernden Angestellten der de Medici einen günstigen Zinssatz herausschlagen könnte. »Was soll ich sonst mit ihm machen?«

»Ich sag dir, was du tun solltest: Wenn er so weit ist, verheirate ihn gut. Gregory ist ein Gentleman. Das kann jeder sehen.«

Anne brennt darauf, Griechisch zu lernen. Er denkt darüber nach, wer sie am besten unterrichten könnte, erkundigt sich. Er möchte jemanden, der sympathisch ist, mit dem er sich beim Abendessen unterhalten kann, einen jungen Lehrer, der im Haus lebt. Er bedauert die Wahl des Tutors für seinen Sohn und seine Neffen, aber noch möchte er sie nicht aus Cambridge fortnehmen. Der Mann ist streitsüchtig, und außerdem gab es einen traurigen Vorfall, als einer der Jungen sein Zimmer in Brand setzte, weil er mit einer Kerze im Bett gelesen hatte.

»Das wird doch nicht Gregory gewesen sein?«, hatte er hoffnungsvoll gesagt; der Lehrer schien zu meinen, dass er die Sache als Witz abtat. Und immerzu schickt er ihm Rechnungen, von denen er glaubt, sie schon bezahlt zu haben. Ich brauche einen Buchhalter für den Haushalt, denkt er.

Er sitzt an seinem Schreibtisch, auf dem sich Zeichnungen und Pläne für das College in Ipswich und das Cardinal College stapeln, dazu Kostenvoranschläge von Handwerkern und Rechnungen für Wolseys Gartenbau-Projekte. Er betrachtet eine Narbe in seiner Handfläche; es ist eine alte Brandwunde, die aussieht wie ein gedrehtes Seil. Er denkt an Putney. Er denkt an Walter. Er denkt an das nervöse Ausweichen eines unruhigen Pferdes, an den Geruch der Brauerei. Er denkt an die Küche in Lambeth und an den flachsblonden Jungen, der immer die Aale brachte. Er erinnert sich daran, wie er den Aaljungen am Haar gepackt, seinen Kopf in einen Wasserkübel gesteckt und ihn untergetaucht hat. Er denkt, habe ich das wirklich getan? Warum nur? Der Kardinal hat vermutlich recht, ich bin nicht mehr zu retten. Die Narbe juckt manchmal; sie ist so hart wie ein Knochen. Er denkt, ich brauche einen Buchhalter. Ich brauche einen Griechischlehrer. Ich brauche Johane, aber wer sagt denn, dass ich haben kann, was ich brauche?

Er öffnet einen Brief. Ein Priester namens Thomas Byrd hat ihm geschrieben. Er benötigt Geld, und der Kardinal scheint ihm etwas zu schulden. Er macht sich eine Notiz, die Sache prüfen zu lassen und zu zahlen, dann überfliegt er den Brief noch einmal. Zwei Männer werden erwähnt, zwei Gelehrte, Clerke und Sumner. Er kennt die Namen. Es sind zwei der sechs Männer aus Oxford, die lutherische Bücher hatten. Sperren Sie sie ein und reden Sie ein ernstes Wort mit ihnen, hatte der Kardinal gesagt. Er hält den Brief in der Hand und wendet den Blick davon ab. Er weiß, dass etwas Schlimmes kommt; der Schatten gleitet schon über die Wand.

Er liest. Clerke und Sumner sind tot. Man sollte es dem Kardinal mitteilen, steht da. Da er keinen anderen sicheren Platz hatte, hielt der

Dekan es für richtig, sie in den Kellern des Colleges einzuschließen, den tiefen, kalten Kellern, die zur Aufbewahrung von Fisch dienen. Selbst an diesem stillen Ort, verborgen, eiskalt, hat die Sommerseuche sie gefunden. Sie starben im Dunkeln und ohne Priester.

Den ganzen Sommer haben wir gebetet, aber nicht genug gebetet. Hat der Kardinal seine Ketzer einfach vergessen? Ich muss zu ihm gehen und es ihm sagen, denkt er.

Es ist die erste Woche im September. Sein unterdrückter Kummer wandelt sich zu Wut. Aber was soll er mit Wut anfangen? Sie muss ebenfalls unterdrückt werden.

Als der Kardinal schließlich beim Jahreswechsel sagt: Thomas, was soll ich Ihnen zum neuen Jahr schenken?, entgegnet er: »Schenken Sie mir den kleinen Bilney.« Und ohne auf die Antwort des Kardinals zu warten, sagt er: »Mylord, er war ein Jahr im Tower. Der Tower würde jeden in Schrecken versetzen, aber Bilney ist ein scheuer Mann und schwach, und ich fürchte, er wird hart angefasst, und Mylord, denken Sie daran, wie Sumner und Clarke starben. Mylord, verwenden Sie Ihre Macht, schreiben Sie Briefe, bitten Sie den König, wenn es sein muss. Aber lassen Sie ihn frei.«

Der Kardinal lehnt sich zurück. Er legt die Fingerspitzen aneinander. »Thomas«, sagt er. »Mein lieber Thomas Cromwell. Sehr gut. Aber Vater Bilney muss nach Cambridge zurückkehren. Er muss sein Vorhaben aufgeben, nach Rom zu gehen und den Papst von der richtigen Denkweise zu überzeugen. Es gibt sehr tiefe Gewölbe unter dem Vatikan, und so weit reicht mein Arm nicht.«

Es liegt ihm auf der Zunge zu sagen: »Er hat nicht einmal bis in die Keller Ihres eigenen Colleges gereicht.« Aber er lässt es. Der Kardinal gestattet ihm die kleine Schwäche, mit der Häresie zu liebäugeln. Er, Cromwell, freut sich immer darauf, die neuesten schädlichen Bücher auseinandernehmen zu können, und er freut sich über jeden Klatsch aus dem Steelyard, wo die deutschen Kaufleute wohnen. Es gefällt ihm, den einen oder anderen Text durchzugehen, und er schätzt eine Diskussion nach dem Abendessen. Aber für den Kardinal muss jeder strittige Punkt mit einem feinen Geflecht aus Worten – so fein wie ein gespaltenes Haar – verhüllt und noch weiter verhüllt werden. Jede gefährliche Meinung muss mit heiteren Ausflüchten so aufgeplustert werden, dass sie so dick und harmlos wird wie die Kissen, in die man sich lehnt. Als er die Geschichte von den unterirdischen Todesfällen hörte, kamen Mylord die Tränen. »Wie konnte mir das entgehen?«, sagte er. »Diese wunderbaren jungen Männer!«

Er weint schnell in den letzten Monaten, obwohl das nicht heißt, dass seine Tränen nicht echt sind; und tatsächlich wischt er sich auch jetzt eine Träne weg, denn er kennt die Geschichte: Der kleine Bilney in Gray's Inn, der Mann, der polnisch sprach, die erfolglosen Boten, die Kinder, die nicht wussten, wie ihnen geschah, Elizabeth Cromwells in der endgültigen Strenge des Todes erstarrtes Gesicht. Er beugt sich über den Schreibtisch und sagt: »Bitte, Thomas, verzweifeln Sie nicht. Sie haben immer noch Ihre Kinder. Und wenn die Zeit gekommen ist, wollen Sie vielleicht wieder heiraten.«

Ich bin ein Kind, denkt er, das nicht zu trösten ist. Der Kardinal legt eine Hand auf seine Hand. Die seltsamen Steine flackern im Licht, das ihre Tiefe sichtbar macht: ein Granat wie ein Tropfen Blut, ein Türkis mit silbernem Schimmer, ein Diamant, der gelbgrau zwinkert wie das Auge einer Katze.

Er wird dem Kardinal nie von Mary Boleyn erzählen, auch wenn er den Impuls verspürt. Wolsey würde vielleicht darüber lachen, er könnte aber auch schockiert sein. Er muss dem Kardinal die Geschichte unterjubeln, aber ohne den Kontext.

Herbst 1528: Er ist in Angelegenheiten des Kardinals bei Hofe. Mary kommt auf ihn zugerannt; sie rafft die Röcke, sodass ein feines Paar grüner Seidenstrümpfe zu sehen ist. Rennt ihre Schwester Anne ihr nach? Er wartet, um zu sehen, was passiert.

Abrupt bleibt sie stehen. »Ah, Sie sind es!«

Er hätte nicht gedacht, dass Mary ihn kennt. Sie legt eine Hand gegen die Holztäfelung, holt Atem und legt die andere Hand auf seine Schulter, als wäre er lediglich Teil der Wand. Mary ist immer noch ausnehmend hübsch: blondes Haar, weiche Gesichtszüge. »Mein Onkel, heute Morgen«, sagt sie. »Mein Onkel Norfolk. Er hat wüst gegen Sie gewettert. Ich sagte zu meiner Schwester, wer ist dieser schreckliche Mann, und sie sagte …«

»Das ist der, der wie eine Wand aussieht?«

Mary nimmt ihre Hand weg. Sie lacht, errötet, und ihre Brust hebt sich, als sie versucht, wieder zu Atem zu kommen.

»Worüber hat Mylord Norfolk sich beklagt?«

»Ach …«, sie wedelt mit der Hand, um sich Luft zuzufächeln, »er hat gesagt, Kardinäle, Legaten, mit denen war es nie lustig in England. Er sagt, der Kardinal von York plündert die adligen Häuser, er sagt, dass er selbst regieren will und es am liebsten hätte, wenn die Lords wie Schuljungen angeschlichen kämen, um ausgepeitscht zu werden. Nicht dass Sie Notiz nehmen sollten von dem, was ich sage …«

Sie wirkt zerbrechlich, ist immer noch außer Atem: Aber seine Augen sagen ihr, dass sie reden soll. Sie gibt ein kleines Lachen von sich und sagt: »Mein Bruder George hat auch geschimpft. Er hat gesagt, dass der Kardinal von York in einem Armenhaus geboren wurde und dass er einen Mann beschäftigt, der aus der Gosse stammt. Mein Herr Vater hat gesagt, hör zu, lieber Junge, du vergibst dir nichts, wenn du genau bist: nicht direkt die Gosse, aber eine Brauerei, glaube ich, denn ein Gentleman ist er sicher nicht.« Mary tritt einen Schritt zurück. »Sie sehen aus wie ein Gentleman. Ich mag diesen grauen Samt, wo haben Sie den gefunden?«

»Italien.«

Er ist befördert worden, er ist keine Wand mehr. Marys Hand kommt wieder angeschlichen, gedankenverloren streichelt sie ihn. »Können Sie mir auch welchen besorgen? Obwohl, vielleicht ist er ein bisschen zu gedeckt für eine Frau?«

Nicht für eine Witwe, denkt er. Der Gedanke muss sich auf seinem Gesicht abzeichnen, denn Mary sagt: »Ja, so ist es. William Carey ist tot.«

Er beugt den Kopf, sehr taktvoll; Mary beunruhigt ihn. »Der Hof vermisst ihn schmerzlich. Nicht anders als Sie.«

Ein Seufzen. »Er war nett. Unter den Umständen.«

»Es muss sehr schwer für Sie gewesen sein.«

»Als sich der König Anne zuwandte, glaubte er, sie würde … er wusste ja, wie die Dinge in Frankreich gehandhabt werden … er glaubte, sie würde … eine gewisse Position bei Hofe akzeptieren. Und in seinem Herzen, wie er sich ausgedrückt hat. Er sagte, er würde all seine anderen Mätressen aufgeben. Die Briefe, die er geschrieben hat, eigenhändig …«

»Wirklich?«

Der Kardinal sagt immer, dass der König nicht dazu zu bewegen ist, selbst einen Brief zu schreiben. Nicht einmal an einen anderen König. Nicht einmal an den Papst. Nicht einmal, wenn es von entscheidender Bedeutung wäre.

»Ja, seit letztem Sommer. Er schreibt, und manchmal, wo er mit Henricus Rex unterschreiben würde …« Sie nimmt seine Hand, dreht sie um und zeichnet mit dem Zeigefinger eine Form in seine Handfläche. »Wo er seinen Namen hinsetzen sollte, zeichnet er stattdessen ein Herz – und er schreibt ihre beiden Initialen hinein. Oh, Sie dürfen nicht lachen …« Sie kann das Lächeln in ihrem Gesicht nicht unterdrücken. »Er sagt, er leidet.«

Er möchte sagen: Mary, diese Briefe, können Sie die für mich stehlen?

»Meine Schwester sagt, hier ist nicht Frankreich, und ich bin nicht so naiv wie du, Mary. Sie weiß, dass ich Henrys Geliebte war, und sieht, wie einsam ich jetzt bin. Sie hat daraus gelernt.«

Fast hält er den Atem an: Aber sie ist jetzt unbesonnen, sie will ihre Meinung äußern.

»Ich sage Ihnen, die beiden werden Himmel und Hölle in Bewegung setzen, um zu heiraten. Sie haben es sich geschworen. Anne sagt, sie will ihn haben, und es ist ihr gleichgültig, ob Katherine und alle anderen Spanier im Meer ertrinken. Was Henry will, das bekommt er auch, und was Anne will, das bekommt sie auch, und ich weiß das, weil ich die beiden kenne, wer kennt sie besser?« Ihre Augen schwimmen in Tränen. »Und das ist der Grund«, sagt sie, »weshalb ich William Carey vermisse, denn jetzt ist sie alles, und ich soll nach dem Abendessen rausgekehrt werden wie die alten Binsen. Jetzt bin ich niemandes Ehefrau, sie können zu mir sagen, was sie wollen. Mein Vater sagt, ich sei ein hungriges Maul, das gestopft werden muss, und mein Onkel Norfolk sagt, ich sei eine Hure.«

Als ob er dich nicht zu einer gemacht hätte. »Fehlt es Ihnen an Geld?«

»Oh ja!«, sagt sie. »Ja, ja, ja, niemand hat auch nur daran gedacht! Niemand hat mich das auch nur gefragt. Ich habe Kinder. Das wissen Sie. Ich brauche ...« Sie presst ihre Finger auf den Mund, damit er nicht zittert. »Wenn Sie meinen Sohn sehen könnten ... nun, warum glauben Sie, habe ich ihn wohl Henry genannt? Der König hätte ihn als Sohn anerkannt, so wie er Richmond anerkannt hat, aber meine Schwester hat es verboten. Er tut, was sie sagt. Sie will ihm selbst einen Prinzen schenken, deshalb will sie meinen Sohn nicht im königlichen Kinderzimmer haben.«

Der Kardinal hat Bericht erhalten: Mary Boleyns Kind ist ein gesunder Junge mit rotgoldenen Haaren und lebhaftem Appetit. Sie hat eine Tochter, die älter ist, das ist in diesem Zusammenhang aber nicht so interessant – eine Tochter. Er sagt: »Wie alt ist Ihr Sohn jetzt, Lady Carey?«

»Er wird im März drei. Meine Catherine ist fünf.« Wieder legt sie die Hand auf den Mund, dieses Mal bestürzt. »Ich hatte das vergessen ... Ihre Frau ist gestorben. Wie konnte ich das nur vergessen?« Wie konntest du das wissen, fragt er sich, aber sie redet gleich weiter. »Anne weiß alles über die Leute, die für den Kardinal arbeiten. Sie stellt Fragen und schreibt die Antworten in ein Buch.« Sie sieht zu ihm auf. »Und Sie haben Kinder?«

»Ja … wissen Sie, dass mich das auch nie jemand fragt?« Er lehnt sich an die Vertäfelung, und sie kommt ein kleines Stück näher, ihre Gesichter entspannen sich, vielleicht, weil die übliche Verzweiflung, die beide kennen und tapfer ertragen, der Verschworenheit von Verlassenen weicht. »Ich habe einen großen Jungen«, sagt er, »er ist in Cambridge mit einem Tutor. Ich habe ein kleines Mädchen, sie heißt Grace; sie ist hübsch und sie hat blondes Haar, obwohl ich nicht weiß … Meine Frau war keine Schönheit, und mich sehen Sie vor sich. Und ich habe Anne, Anne möchte Griechisch lernen.«

»Du liebe Güte«, sagt sie. »Für eine Frau, wissen Sie …«

»Ja, aber sie sagt: ›Warum sollte Thomas Mores Tochter mich an Bildung übertreffen?‹ Sie kennt so gute Wörter. Und sie benutzt sie alle.«

»Sie mögen sie am liebsten.«

»Ihre Großmutter lebt bei uns und die Schwester meiner Frau, aber es ist nicht … für Anne ist es nicht die beste Lösung. Ich könnte sie in einen anderen Haushalt geben, aber dann … nun, ihr Griechisch … und ich sehe sie sowieso kaum.« Er hat das Gefühl, dass er seit etlicher Zeit nicht mehr so lange gesprochen hat, außer bei Wolsey. Er sagt: »Ihr Vater sollte ordentlich für Sie sorgen. Ich werde den Kardinal bitten, mit ihm zu reden.« Das wird dem Kardinal gefallen, denkt er.

»Aber ich brauche einen neuen Mann. Damit sie mich nicht mehr beschimpfen. Kann der Kardinal Ehemänner beschaffen?«

»Der Kardinal kann alles. Welche Art von Ehemann hätten Sie denn gern?«

Sie überlegt. »Einen, der sich um meine Kinder kümmert. Einen, der meiner Familie die Stirn bieten kann. Einen, der nicht stirbt.« Sie legt die Fingerspitzen aneinander.

»Sie sollten auch um einen Mann bitten, der jung ist und gut aussieht. Wer nichts verlangt, der kriegt auch nichts.«

»Wirklich? Ich bin anders erzogen worden.«

Dann hattest du eine andere Erziehung als deine Schwester, denkt er. »Beim Maskenball in York Place, erinnern Sie sich … waren Sie die Schönheit oder die Freundlichkeit?«

»Oh …«, sie lächelt, »wie lange ist das her? Sieben Jahre? Ich erinnere mich nicht. Ich habe mich so oft verkleidet.«

»Natürlich sind Sie immer noch beides.«

»Das ist alles, was mich interessierte. Mich zu verkleiden. Aber ich erinnere mich an Anne. Sie war die Standhaftigkeit.«

Er sagt: »Genau diese Tugend wird wohl auf die Probe gestellt werden.«

Kardinal Campeggio ist mit der Anweisung aus Rom gekommen zu blockieren. Blockieren und hinauszögern. Tun Sie irgendwas, aber vermeiden Sie ein Urteil.

»Anne schreibt ständig Briefe oder schreibt etwas in ihr kleines Buch. Sie läuft hin und her, hin und her. Wenn sie meinen Vater sieht, hält sie ihm eine Handfläche entgegen: Wag es nicht zu sprechen … und wenn sie mich sieht, kneift sie mich. So …« Mit den Fingern ihrer linken Hand kneift Mary in die Luft. »Genau so.« Mit den Fingern ihrer rechten Hand streicht sie über ihren Hals, bis sie zu der kleinen pulsierenden Einbuchtung über dem Schlüsselbein kommt. »Hier«, sagt sie. »Manchmal bekomme ich einen blauen Fleck. Sie will mich verunstalten.«

»Ich spreche mit dem Kardinal«, sagt er.

»Ja, bitte.« Sie wartet.

Er muss gehen. Er hat zu tun.

»Ich möchte keine Boleyn mehr sein«, sagt sie. »Auch keine Howard. Wenn der König meinen Jungen anerkennen würde, wäre es etwas anderes, aber so will ich keine Maskenbälle mehr, keine Feste, und ich will mich auch nicht mehr als Tugend verkleiden. Sie haben keine Tugenden. Es ist alles nur Maskerade. Wenn sie mich nicht kennen wollen, will ich sie auch nicht kennen. Lieber wäre ich eine Bettlerin.«

»Wirklich … so weit braucht es nicht zu kommen, Lady Carey.«

»Wissen Sie, was ich möchte? Ich möchte einen Mann, der sie beunruhigt. Ich möchte einen Mann heiraten, der ihnen Angst einjagt.«

Plötzlich blitzt ein Licht in ihren blauen Augen auf. Sie hat eine Idee. Sie legt einen zarten Finger auf den grauen Samt, den sie so bewundert, und sagt leise: »Wer nichts verlangt, der kriegt auch nichts.«

Thomas Howard zum Onkel? Thomas Boleyn zum Vater? Den König zum Bruder, wenn die Zeit kommt?

»Sie würden Sie umbringen«, sagt er.

Er sollte das nicht weiter ausführen: es einfach als Tatsache im Raum stehen lassen.

Sie lacht, beißt sich auf Lippe. »Natürlich. Natürlich würden sie das. Was habe ich mir dabei gedacht? Wie auch immer, ich bin dankbar für das, was Sie bereits getan haben. Für eine kurze Zeit des Friedens heute Morgen – denn solange sie über Sie schimpfen, schimpfen sie nicht über mich. Eines Tages«, sagt sie, »wird Anne mit Ihnen sprechen wollen. Sie wird nach Ihnen schicken und Sie werden geschmeichelt sein. Sie wird eine kleine Aufgabe für Sie haben oder Ihren Rat wollen. Nun, bevor es so weit ist, gebe ich Ihnen einen Rat: Drehen Sie sich um und laufen Sie in die andere Richtung.«

Sie küsst die Spitze ihres Zeigefingers und legt ihn an seine Lippen.

Der Kardinal braucht ihn an diesem Abend nicht, sodass er heimgehen kann nach Austin Friars. Sein Instinkt rät ihm, zu allen Boleyns auf Distanz zu gehen. Es gibt wahrscheinlich Männer, die fasziniert wären von einer Frau, die die Mätresse zweier Könige war, aber er gehört nicht dazu. Er denkt an die Schwester und fragt sich, warum Anne sich für ihn interessieren sollte; möglicherweise hat sie Informationen von »Ihrer evangelischen Bruderschaft«, wie Thomas More das nennt, aber trotzdem ist es seltsam: Die Boleyns scheinen keine Familie zu sein, die viel über ihre Seelen nachdenkt. Onkel Norfolk hat Priester, die das für ihn erledigen. Er hasst Gedankengänge und liest nie ein Buch. Bruder George interessiert sich für Frauen, für die Jagd, Kleider, Schmuck und

Tennis. Sir Thomas Boleyn, der charmante Diplomat, interessiert sich nur für sich selbst.

Er würde gerne jemandem erzählen, was vorgefallen ist. Es gibt niemanden, dem er es erzählen kann, also erzählt er es Rafe. »Ich glaube, Sie haben sich das eingebildet«, sagt Rafe streng. Bei der Geschichte mit den Initialen in dem Herzen reißt er seine hellen Augen auf, aber er lächelt nicht. Er wundert sich lediglich über den Heiratsantrag. »Sie muss etwas anderes gemeint haben.«

Er zuckt mit den Achseln; schwer zu sagen. »Der Herzog von Norfolk würde über uns herfallen wie ein Rudel Wölfe«, sagt Rafe. »Er würde kommen und unser Haus in Brand stecken.« Er schüttelt den Kopf.

»Aber das Kneifen. Gibt es Abhilfe?«

»Eine Rüstung. Ganz klar«, sagt Rafe.

»Das könnte Fragen aufwerfen.«

»Mary guckt inzwischen keiner mehr an.« Er fügt anklagend hinzu: »Außer Ihnen.«

Als der päpstliche Legat in London eintrifft, wird der quasi-königliche Haushalt der Anne Boleyn aufgelöst. Der König möchte den Fall nicht komplizieren; Kardinal Campeggio ist gekommen, um sich mit den Zweifeln an seiner Ehe mit Katherine zu befassen, und Henry beharrt darauf, dass diese gar nichts mit den Gefühlen zu tun haben, die er eventuell für Lady Anne empfindet. Sie wird nach Hever verfrachtet, und ihre Schwester geht mit ihr. Ein Gerücht erreicht London, dass Mary schwanger sei. Rafe sagt: »Mit Verlaub, Master, sind Sie sicher, dass Sie sich nur an die Wand gelehnt haben?« Die Familie des toten Ehemannes sagt, dass es nicht sein Kind sein könne, und der König streitet es auch ab. Es ist traurig zu sehen, wie bereitwillig die Leute davon ausgehen, dass der König lügt. Wie nimmt Anne es auf? Sie wird Zeit haben, ihren Groll zu überwinden, solange ihr ländliches Exil andauert. »Mary wird blau und schwarz gekniffen werden«, sagt Rafe.

In der ganzen Stadt erzählen die Leute ihm den Klatsch, ohne überhaupt zu wissen, dass das Gerede ihn stark interessiert. Es macht ihn traurig, es wirft Zweifel auf, Fragen über die Boleyns. Alles, was zwischen ihm und Mary vorgefallen ist, sieht und hört er jetzt in einem anderen Licht. Es überläuft ihn kalt bei dem Gedanken, was passiert wäre, wenn er geschmeichelt gewesen wäre, empfänglich, wenn er ja gesagt hätte. Dann wäre er vielleicht bald Vater eines Kindes geworden, das überhaupt nicht wie ein Cromwell aussähe, sondern wie ein Tudor. Bewundernswert, wie schlau das war. Mary mag wie eine Puppe aussehen, aber sie ist nicht dumm. Als sie die Galerie entlangrannte und ihre grünen Strümpfe zeigte, hatte sie die Beute fest im Blick. Für die Boleyns sind andere Leute dazu da, benutzt und weggeworfen zu werden. Die Gefühle anderer bedeuten nichts, auch nicht ihr guter Ruf, der Name ihrer Familie.

Er lächelt bei dem Gedanken, dass die Cromwells einen Namen haben. Oder einen guten Ruf, den sie verteidigen müssen.

Was immer geschehen ist, es folgt nichts daraus. Vielleicht hat Mary sich geirrt, oder es war nur boshaftes Gerede; Gott weiß, dass die Familie Bosheit herausfordert. Vielleicht gab es ein Kind, und sie hat es verloren. Die Geschichte verläuft im Sande, hat keinen Schluss. Es gibt kein Kind. Es ist wie eins dieser eigenartigen Märchen des Kardinals, wo die Natur verkehrt wird und Frauen Schlangen sind und nach Belieben erscheinen und verschwinden.

Königin Katherine hatte ein Kind, das verschwand. Im ersten Jahr ihrer Ehe mit Henry hatte sie eine Fehlgeburt, die Ärzte hatten sogar gesagt, dass sie Zwillinge erwarte, und der Kardinal selbst erinnert sich daran, dass er sie bei Hofe mit gelockerten Miedern und einem heimlichen Lächeln im Gesicht gesehen hat. Für die Niederkunft begab sie sich in ihre Gemächer; nach einiger Zeit kam sie fest verschnürt wieder heraus: mit flachem Bauch und ohne Baby.

Es muss eine Tudor-Spezialität sein.

Ein wenig später hört er, dass Anne die Vormundschaft für den Sohn ihrer Schwester übernommen hat, für Henry Carey. Er fragt sich, ob sie die Absicht hat, ihn zu vergiften. Oder aufzufressen.

Neujahr 1529: Stephen Gardiner ist in Rom und bringt bei Papst Clemens gewisse Drohungen im Namen des Königs vor; der Inhalt der Drohungen ist dem Kardinal nicht mitgeteilt worden. Clemens ist selbst in guten Zeiten leicht in Panik zu versetzen, und angesichts der Tatsache, dass Master Stephen ihm Schwefel ins Ohr bläst, verwundert es nicht, dass er krank wird. Es heißt, er wird sterben, und die Bevollmächtigten des Kardinals sind überall in Europa unterwegs, sondieren Terrains, zählen Köpfe und klimpern fröhlich mit ihren Geldbeuteln. Das Problem des Königs könnte schnell gelöst werden, wenn Wolsey Papst wäre. Der Kardinal nörgelt ein wenig angesichts der potenziellen Ehre, denn er liebt sein Land, die Maikränze, den zarten Gesang der Vögel. In seinen Albträumen sieht er untersetzte Italiener, die ausspucken, überall bedrohliche Schlingen, eine leichenübersäte Ebene. »Ich will unbedingt, dass Sie mit mir gehen, Thomas. Sie können an meiner Seite bleiben und schnell reagieren, wenn einer dieser Kardinäle versucht, mich zu erstechen.«

Er stellt sich seinen Herrn mit unzähligen Messern im Körper vor, so wie im Heiligen Sebastian unzählige Pfeile stecken. »Warum muss der Papst in Rom sein? Wo steht das geschrieben?«

Ein Lächeln breitet sich langsam auf dem Gesicht des Kardinals aus. »Den Heiligen Stuhl nach Hause holen? Warum nicht?« Er liebt verwegene Pläne. »Ich könnte ihn nicht nach London holen, nehme ich an? Wäre ich doch nur Erzbischof von Canterbury, dann könnte ich meinen päpstlichen Hof im Lambeth Palace einrichten … aber der alte Warham hält durch und hält durch, immer durchkreuzt er meine Pläne …«

»Sie könnten in Ihre eigene Diözese ziehen, Mylord.«

»York ist so weit weg. Könnte ich das Pontifikat vielleicht in Winchester einrichten, was meinen Sie? In unserer alten englischen Hauptstadt? Und näher beim König?«

Was für ein ungewöhnliches Regime. Der König beim Abendessen mit dem Papst, der auch sein Lordkanzler ist … Wird der König ihm seine Serviette reichen und ihm zuerst vorlegen müssen?

Als die Nachricht von Clemens' Genesung kommt, sagt der Kardinal nicht: was für eine verpasste Gelegenheit. Er sagt: Thomas, was sollen wir als Nächstes tun? Wir müssen das Legatengericht einberufen, es kann nicht länger aufgeschoben werden. Er sagt: »Gehen Sie und finden Sie einen Mann namens Anthony Poynes für mich.«

Er steht auf, verschränkt die Arme und wartet auf weitere Einzelheiten.

»Versuchen Sie es auf der Isle of Wight. Und schaffen Sie Sir William Thomas herbei; ich glaube, Sie finden ihn in Carmarthen – er ist schon älter, sagen Sie Ihren Männern also, dass sie behutsam vorgehen sollen.«

»Ich beschäftige keine behutsamen Männer.« Er nickt. »Aber ich verstehe. Sie sollen die Zeugen nicht umbringen.«

Die Verhandlung der großen Angelegenheit des Königs naht. Der König beabsichtigt zu beweisen, dass Königin Katherine keine Jungfrau war, als sie zu ihm kam, da sie die Ehe mit seinem Bruder Arthur vollzogen hatte. Zu diesem Zweck versammelt er die Herren, die dem königlichen Paar nach seiner Hochzeit in Baynard's Castle aufwarteten, und später in Windsor, wohin der Hof im November jenes Jahres zog, und danach in Ludlow, wohin die beiden geschickt wurden, um Prinz und Prinzessin von Wales zu spielen. »Arthur«, sagt Wolsey, »wäre ungefähr so alt wie Sie, Thomas, wenn er noch leben würde.« Die Diener, die Zeugen, sind mindestens eine Generation älter. Und so viele Jahre sind vergangen – achtundzwanzig, um genau zu sein. Wie gut kann ihr Erinnerungsvermögen sein?

Es hätte nie dazu kommen sollen – zu dieser öffentlichen und ungebührlichen Zurschaustellung. Kardinal Campeggio hat Katherine angefleht, sich dem Willen des Königs zu beugen, zu akzeptieren, dass ihre Ehe ungültig ist, und sich in ein Kloster zurückzuziehen. Aber sicher, sagt sie liebenswürdig, natürlich wird sie Nonne – wenn der König Mönch wird.

Unterdessen gibt sie Gründe an, warum das Legatengericht den Fall nicht verhandeln sollte. Zum einen ist er immer noch *sub judice* in Rom.

Zum anderen ist sie eine Fremde, sagt sie, in einem fremden Land; sie übergeht die Jahrzehnte, in denen sie mit jeder Wendung, jedem Kniff der englischen Politik vertraut wurde. Die Richter, behauptet sie, sind gegen sie voreingenommen; sicher, dieser Verdacht ist nicht unbegründet. Campeggio legt die Hand aufs Herz und schwört, dass er ein ehrliches Urteil fällen wird, selbst wenn er um sein Leben fürchten müsste. Katherine findet, er ist zu vertraut mit seinem Ko-Legaten; niemand, der lange Zeit mit Wolsey verbracht hat, weiß noch, was Ehrlichkeit ist, glaubt sie.

Wer berät Katherine? John Fisher, Bischof von Rochester. »Wissen Sie, was ich an dem Mann nicht ertragen kann?«, sagt der Kardinal. »Er ist nur Haut und Knochen. Ich verabscheue diese ausgemergelten Prälaten. Sie lassen alle anderen Geistlichen schlecht dastehen. Man sieht so … materiell aus.«

Er trägt seinen materiellen Pomp, sein feinstes Scharlachrot, als der König und die Königin nach Blackfriars vor die beiden Kardinäle geladen werden. Alle waren davon ausgegangen, dass Katherine einen Bevollmächtigten schicken würde, aber sie erscheint selbst. Alle Bischöfe haben sich auf der Bank versammelt. Der König folgt seinem Aufruf und spricht mit voller, dröhnender Stimme, die aus seiner großen, mit Juwelen geschmückten Brust kommt. Er, Cromwell, hätte zu einer kleinen Geste geraten, zu einer leisen Stimme, einem winzigen Beugen des Kopfes vor der Autorität des Gerichts. Seiner Meinung nach ist die Demut meist geheuchelt; aber die Heuchelei kann gewinnbringend sein.

Der Saal ist brechend voll. Er und Rafe schauen aus großer Entfernung zu. Später, nachdem die Königin ihre Aussage gemacht hat – ein paar Männer haben geweint –, treten sie hinaus in den Sonnenschein. Rafe sagt: »Wären wir näher dran gewesen, hätten wir erkennen können, ob der König in der Lage war, ihr in die Augen zu sehen.«

»Ja. Das ist wirklich alles, was man wissen muss.«

»Es tut mir leid, das sagen zu müssen, aber ich glaube Katherine.«

»Pst! Glaube niemandem.«

Jemand steht ihnen im Licht. Es ist Stephen Gardiner, schwarz und missmutig; die Reise nach Rom hat seine Erscheinung keineswegs verbessert.

»Master Stephen!«, sagt er. »Wie war Ihre Heimreise? Nicht angenehm, wie, mit leeren Händen zurückzukehren? Ich hatte Mitleid mit Ihnen. Ich nehme an, Sie haben Ihr Bestes getan, so wie die Dinge liegen.«

Gardiners mürrischer Gesichtsausdruck verstärkt sich. »Wenn dieses Gericht dem König nicht geben kann, was er will, wird Ihr Herr am Ende sein. Und dann bin ich es, der Mitleid mit Ihnen hat.«

»Nur dass Sie keines haben werden.«

»Nur dass ich keines haben werde«, räumt Gardiner ein und geht weiter.

Die Königin kehrt nicht zurück, als sich das Verfahren den peinlichen Aspekten zuwendet. Ihr Anwalt spricht für sie; sie hat ihrem Beichtvater berichtet, dass sie unberührt aus den Nächten mit Arthur hervorging, und sie hat ihm erlaubt, das Beichtgeheimnis zu brechen und diese Behauptung öffentlich zu wiederholen. Sie hat vor dem höchsten Gericht gesprochen, das es gibt, Gottes Gericht; würde sie lügen und so die Verdammnis ihrer Seele herbeiführen?

Überdies gibt es noch etwas, das alle im Kopf haben. Nachdem Arthur gestorben war, wurde sie potenziellen Heiratskandidaten – dem alten König, steht zu vermuten, oder dem jungen Prinzen Henry – als Frischfleisch angeboten. Sie hätten einen Arzt schicken können, um sie zu untersuchen. Sie hätte sich gefürchtet und geweint, aber sie hätte sich gefügt. Vielleicht wünscht sie jetzt, dass es so gewesen wäre; dass sie einen fremden Mann mit kalten Händen geschickt hätten. Aber sie haben nie von ihr verlangt zu beweisen, was sie behauptete; vielleicht waren die Menschen damals nicht so schamlos. Die Dispense für ihre Ehe mit Henry waren dazu bestimmt, beide Fälle abzudecken: Sie war/war keine Jungfrau. Die spanischen Dokumente unterscheiden sich von den englischen Dokumenten, und genau dort sollten wir jetzt sein, in den

Klauseln und Nebensätzen, dort sollten wir Papier und Tinte untersuchen, statt vor Gericht über einen Hautfetzen und Blutspritzer auf einem Leinenlaken zu streiten.

Wenn er ihr Rechtsberater gewesen wäre, hätte die Königin im Gerichtssaal bleiben müssen, sosehr sie auch protestiert hätte. Würden die Zeugen ihr wirklich ins Gesicht sagen, was sie hinter ihrem Rücken reden? Sie hätte sich geschämt, ihnen gegenüberzutreten, diesen gekrümmten und ergrauten, aber durch die Bank mit einem großartigen Erinnerungsvermögen ausgestatteten Zeugen; er hätte die Königin dazu gebracht, sie herzlich zu begrüßen und zu erklären, sie habe sie gar nicht wiedererkannt, weil so viel Zeit verstrichen sei; dann hätte sie gefragt, ob sie Enkelkinder haben und ob die Sommerhitze ihre Wehwehchen lindere? Und dann hätten sie sich mehr geschämt als Katherine: Wäre es ihnen möglich gewesen, nicht zu zögern, nicht ins Stocken zu kommen, wenn die Königin sie mit ihren ehrlichen Augen fest angesehen hätte?

Ohne Katherines Anwesenheit wird der Prozess zu einem schlüpfrigen Spektakel. Der Earl von Shrewsbury ist im Gericht, ein Mann, der bei Bosworth mit dem alten König gekämpft hat. Er kann sich an seine eigene lang zurückliegende Hochzeitsnacht erinnern, als er wie Prinz Arthur ein Junge von fünfzehn war; hatte noch nie eine Frau gehabt, sagt er, erfüllte aber meine Pflicht. In Arthurs Hochzeitsnacht hatten er und der Earl von Oxford den Prinzen in Katherines Gemach gebracht. Ja, sagt der Marquis von Dorset, und ich war auch da; Katherine lag unter der Decke, der Prinz legte sich neben sie. »Keiner will schwören, dass er zu ihnen hineingekrochen ist«, flüstert Rafe. »Es wundert mich, dass sie niemanden gefunden haben.«

Das Gericht muss sich mit der Bezeugung dessen begnügen, was am nächsten Morgen gesagt wurde. Als der Prinz aus dem Brautgemach kam, sagte er, er sei durstig, und bat Sir Anthony Willoughby um einen Becher Ale. »Letzte Nacht war ich mitten in Spanien«, sagte er. Der primitive Scherz eines kleinen Jungen, der jetzt wieder ans Licht gezerrt wird; der Junge ist seit dreißig Jahren tot. Wie einsam es sein muss, jung zu sterben und ohne Gesellschaft ins Dunkle hinabzusteigen! Maurice St John ist nicht bei ihm in seiner Gruft in der Kathedrale von Worcester: und auch nicht Mr Cromer oder William Woodall oder einer der anderen Männer, die ihn sagen hörten: »Meine Herren, welch herrlicher Zeitvertreib, eine Frau zu haben!«

Nachdem sie das alles angehört haben und an die frische Luft kommen, verspürt er eine merkwürdige Kälte. Er legt eine Hand an sein Gesicht, berührt seinen Wangenknochen. Rafe sagt: »Was wäre das für ein armer Wicht von einem Bräutigam, wenn er am Morgen herauskäme und sagte: ›Guten Tag, meine Herren. Nichts passiert!‹ Er hat angegeben, oder? Das war alles. Sie haben vergessen, wie es ist, fünfzehn zu sein.«

Noch während das Gericht tagt, verliert König François in Italien eine Schlacht. Papst Clemens ist bereit, einen neuen Vertrag mit dem Kaiser zu unterzeichnen, mit Königin Katherines Neffen. Das weiß er, Cromwell, noch nicht, als er sagt: »Das war nicht gut heute. Wenn wir wollen, dass ganz Europa uns auslacht, haben wir ihnen jetzt allen Grund gegeben.«

Er wirft einen Blick auf Rafe, dessen Problem offensichtlich ist, dass er sich in niemanden hineinversetzen kann, nicht einmal in einen übereifrigen Fünfzehnjährigen, der Katherine penetrieren möchte. Rafe hat natürlich den Kardinal nicht über die frühere Anziehungskraft der Königin sprechen hören. »Nun, ich setze die Urteilsverkündung aus. Und das wird das Gericht ebenfalls tun. Sie können nichts anderes machen.« Er sagt: »Rafe, du bist so viel näher dran. Ich kann mich nicht erinnern, wie es war, fünfzehn zu sein.«

»Wirklich? Waren Sie nicht fünfzehn oder so, als Sie nach Frankreich kamen?«

»Ja, das war ich wohl.« Wolsey: Arthur wäre ungefähr so alt wie Sie, Thomas, wenn er noch leben würde. Er erinnert sich an eine Frau in Dover: Er presst sie an eine Wand; ihre kleinen zerbrechlichen Knochen, ihr junges, trostloses, fahles Gesicht. Ein leichtes Gefühl von Panik, Verlust erfasst ihn; was, wenn der Witz des Kardinals kein Witz ist, und die Erde ist übersät mit seinen Kindern, und er hat niemals recht an ihnen gehandelt? Das ist das einzig Ehrbare, was man tun kann: sich um seine Kinder zu kümmern. »Rafe«, sagt er, »weißt du, dass ich noch kein Testament gemacht habe? Ich wollte es machen, aber ich habe es nicht getan. Ich sollte nach Hause gehen und es aufsetzen.«

»Warum?« Rafe sieht erstaunt aus. »Warum jetzt? Der Kardinal wird Sie brauchen.«

»Komm nach Hause.« Er nimmt Rafes Arm. An der anderen Seite berührt ihn eine Hand: fleischlose Finger. Ein Geist geht da: Arthur, bleich und wissbegierig. König Henry, denkt er, du hast ihn zum Leben erweckt; jetzt musst du ihn auch wieder verschwinden lassen.

Juli 1529: Thomas Cromwell aus London, Gentleman. Gesund an Körper und Geist. An seinen Sohn Gregory gehen sechshundertsechsundsechzig Pfund, dreizehn Shilling und vier Pence. Und Federbetten, Polster und die Steppdecke aus gelbem türkischem Satin, das Bett aus flämischer Werkstatt, der geschnitzte Kleiderschrank und die übrigen Schränke, das Silber und das vergoldete Silber und zwölf Silberlöffel. Und Pachtverträge von Bauernhöfen, die von den Testamentsvollstreckern für ihn verwaltet werden sollen, bis er volljährig ist, sowie weitere zweihundert Pfund in Gold für ihn zum selben Zeitpunkt. Geld an die Testamentsvollstrecker für die Erziehung und die Mitgift seiner Tochter Anne und seiner kleinen Tochter Grace. Eine Mitgift für seine Nichte Alice Wellyfed; Roben, Jacken und Wämser an seine Neffen; an Mercy alle Art von Hausrat und etwas Silber und alles, was die Testamentsvollstrecker für richtig halten. Vermächtnisse an die Schwester seiner verstorbenen Frau, Johane, und ihren Mann John Williamson, und eine Mitgift an ihre Tochter, ebenfalls Johane. Geld an seine Dienstboten. Vierzig Pfund, die unter vierzig armen Jungfern bei ihrer Heirat aufgeteilt werden sollen. Zwanzig Pfund für die Reparatur der Straßen.

Zehn Pfund zur Ernährung armer Gefangener in den Gefängnissen von London.

Sein Leichnam soll in der Gemeinde begraben werden, in der er stirbt: oder nach Anweisung seiner Testamentsvollstrecker.

Der restliche Nachlass soll verwendet werden, um Messen für seine Eltern zu lesen.

An Gott seine Seele. An Rafe Sadler seine Bücher.

Als die Sommerseuche zurückkehrt, sagt er zu Mercy und Johane: Sollen wir die Kinder fortschicken?

Wohin denn?, sagt Johane: nicht um ihm zu widersprechen, sondern weil sie es wissen will.

Mercy sagt: Kann man ihr davonlaufen? Sie trösten sich mit dem Glauben, dass die Infektion letztes Jahr so viele getötet hat und es deshalb dieses Jahr nicht so schlimm werden kann – was nicht zwangsläufig stimmen muss, denkt er; außerdem scheinen sie dieser Seuche eine menschliche oder wenigstens tierische Intelligenz zuzuschreiben: Der Wolf fällt über die Schafherde her, aber nicht in den Nächten, in denen die Männer mit Hunden auf ihn warten. Wenn sie nicht sogar denken, dass die Seuche mehr als tierisch oder menschlich ist: dass es Gott ist, der dahintersteckt – Gott, der wieder mal sein altes Spiel treibt. Als er aus Italien die schlechten Nachrichten über Clemens' neuen Vertrag mit dem Kaiser hört, beugt Wolsey den Kopf und sagt: »Mein Herr ist launisch.« Er meint nicht den König.

Am letzten Tag im Juli vertagt Kardinal Campeggio die Verhandlung des Legatengerichts. Die römischen Ferien beginnen, sagt er. Es wird berichtet, dass der Herzog von Suffolk, der große Freund des Königs, vor Wolsey auf den Tisch gehauen und ihm offen gedroht hat. Alle wissen, dass das Gericht nie mehr tagen wird. Alle wissen, dass der Kardinal versagt hat.

An diesem Abend bei Wolsey glaubt er zum ersten Mal, dass der Kardinal zu Fall kommen wird. Wenn er fällt, denkt er, gehe ich mit ihm unter; ich habe einen finsteren Ruf. Gerade so, als wäre der Witz des Kardinals zu Fleisch geworden: als wate er durch Ströme von Blut und ließe eine Spur aus Glasscherben und Feuer, aus Witwen und Waisen hinter sich zurück. Cromwell, sagen die Leute: Das ist ein schlechter Mensch. Der Kardinal spricht nicht darüber, was in Italien geschieht, und auch nicht darüber, was im Legatengericht passiert ist. Er sagt: »Ich höre, das Schweißfieber ist zurückgekehrt. Was soll ich machen? Werde ich sterben? Ich hatte viermal damit zu kämpfen. Im Jahr … welches Jahr? … ich glaube, es war 1518 … jetzt werden Sie lachen, aber es ist die Wahrheit – als das Fieber mit mir fertig war, sah ich aus wie Bischof Fisher. Vom Fleisch gefallen. Gott hat mich gepackt und durchgeschüttelt.«

»Mylord war vom Fleisch gefallen?«, sagt er und bemüht sich um ein Lächeln. »Ich wünschte, Sie hätten ein Porträt anfertigen lassen.«

Bischof Fisher hat vor Gericht gesagt – kurz bevor die römischen Ferien begannen –, dass keine Macht, weder menschlich noch göttlich, die Ehe des Königs und der Königin auflösen könne. Eines würde er Fisher wirklich gerne beibringen, nämlich keine so grandiosen Übertreibungen von sich zu geben. Er hat eine Vorstellung davon, was das Gesetz bewirken kann, und sie unterscheidet sich von dem, was Bischof Fisher denkt.

Bis jetzt, jeden Tag bis heute, jeden Abend bis heute Abend hat Wolsey einfach gelacht, wenn man ihm sagte, etwas sei unmöglich. Heute Abend sagt er – wenn man ihn dazu bringt, auf den Punkt zu kommen –, mein Freund König François ist geschlagen und ich bin auch geschlagen. Mit Seuche oder ohne, ich glaube, ich sterbe.

»Ich muss nach Hause gehen«, sagt er. »Werden Sie mich segnen?«

Er kniet vor ihm. Wolsey hebt seine Hand, und dann, als hätte er vergessen, was er gerade tut, schwebt sie in der Luft. Er sagt: »Thomas, ich bin noch nicht bereit, Gott gegenüberzutreten.«

Er sieht auf, lächelt. »Vielleicht ist Gott noch nicht bereit, Ihnen gegenüberzutreten.«

»Ich hoffe, dass Sie bei mir sind, wenn ich sterbe.«

»Aber das liegt in weiter Ferne.«

Der Kardinal schüttelt den Kopf. »Wenn Sie gesehen hätten, wie Suffolk mich heute angegriffen hat. Er, Norfolk, Thomas Boleyn, Thomas Lord Darcy, sie haben nur darauf gewartet, haben auf das Scheitern dieses Gerichts und damit auf meines gewartet, und jetzt höre ich, dass sie eine Anklageschrift ersinnen, sie setzen eine Liste mit Anschuldigungen auf, wie ich den Adel erniedrigt habe und so weiter – sie schreiben ein Buch mit dem Titel – wie werden sie es nennen? – ›Zwanzig Jahre der Beleidigungen‹? Sie kochen eine Suppe, in die sie noch die geringste meiner vermeintlichen Kränkungen schütten, von der jede einzelne jedoch eine Wahrheit ist, die ich ihnen gesagt habe …« Er nimmt einen tiefen rasselnden Atemzug und sieht an die Decke, in die die Tudor-Rose eingeschnitzt ist.

»Es wird keine solche Suppe in Ihrer Küche geben, Mylord«, sagt er. Er steht auf. Er sieht den Kardinal an, und alles, was er sehen kann, ist noch mehr Arbeit.

»Liz Wykys«, sagt Mercy, »hätte nicht gewollt, dass du ihre Mädchen aufs Land schickst. Besonders weil Anne weint, wenn du nicht da bist.«

»Anne?« Er ist verblüfft. »Anne weint?«

»Was hast du denn geglaubt?«, fragt Mercy ein wenig schroff. »Glaubst du, deine Kinder lieben dich nicht?«

Er überlässt ihr die Entscheidung. Die Mädchen bleiben zu Hause. Es ist die falsche Entscheidung. Mercy hängt die Zeichen des Schweißfiebers vor die Tür. Sie sagt: Wie konnte das passieren? Wir scheuern, wir schrubben die Böden, ich glaube nicht, dass man in ganz London ein saubereres Haus findet. Wir sprechen unsere Gebete. Ich habe noch nie ein Kind beten sehen wie Anne. Sie betet, als würde sie in die Schlacht ziehen.

Anne wird zuerst krank. Mercy und Johane schreien sie an und schütteln sie, damit sie wach bleibt, denn es heißt, wenn man schläft, stirbt man. Aber der Sog der Krankheit ist stärker als sie, und Anne fällt erschöpft auf das Polster, ringt nach Atem, und fällt weiter: in schwarze Stille, nur ihre Hand bewegt sich, die Finger öffnen und schließen sich zur Faust. Er umschließt ihre Hand und versucht, sie zur Ruhe zu bringen, aber sie ist wie die eines Soldaten, der auf einen Kampf brennt.

Später wacht sie von alleine auf, fragt nach ihrer Mutter. Sie fragt nach dem Schreibheft, in das sie ihren Namen geschrieben hat. In der Morgendämmerung geht das Fieber zurück. Johane bricht erleichtert in Tränen aus, und Mercy schickt sie weg, damit sie schläft. Anne setzt sich mit Mühe auf, sie sieht ihn deutlich, sie lächelt, sie sagt seinen Namen. Sie bringen eine Schüssel mit Wasser, auf dem Rosenblätter schwimmen, und waschen ihr das Gesicht; sie streckt vorsichtig den Finger aus und drückt die Blätter unter Wasser, sodass jedes zu einem kleinen Schiff wird, das Wasser transportiert, zu einem Kelch, einem duftenden Gral.

Aber als die Sonne aufgeht, steigt ihr Fieber wieder. Er erlaubt nicht, dass sie wieder damit beginnen, sie zu kneifen und zu stoßen, zu schütteln; er gibt sie in Gottes Hand und bittet Gott, gut zu ihm zu sein. Er spricht mit ihr, aber sie scheint ihn nicht zu hören. Er hat keine Angst, sich anzustecken. Wenn der Kardinal diese Seuche viermal überleben kann, besteht für mich gewiss keine Gefahr, und wenn ich sterbe, habe ich mein Testament gemacht. Er sitzt bei ihr, sieht, wie sich ihre Brust hebt und senkt, sieht, wie sie kämpft und verliert. Er ist nicht da, als sie stirbt – Grace ist bereits erkrankt, und er kümmert sich um sie, als sie zu Bett gebracht wird. Deshalb ist er nicht im Raum, gerade dann, und als sie ihn hineinführen, hat sich ihr strenges kleines Gesicht entspannt und der Ausdruck ist weich geworden. Sie sieht passiv aus, friedlich; ihre Hand ist schon schwer, viel zu schwer für ihn.

Er tritt aus dem Zimmer; er sagt: »Sie hat schon Griechisch gelernt.« Natürlich, sagt Mercy: Sie war ein wunderbares Kind, deine wahre Tochter. Sie lehnt sich an seine Schulter und weint. Sie sagt: »Sie war klug und brav, und auf ihre Art war sie schön.«

Sein Gedanke war: Sie hat Griechisch gelernt – vielleicht kann sie es jetzt.

Grace stirbt in seinen Armen; sie stirbt leicht, genauso natürlich wie sie geboren wurde. Er legt sie vorsichtig auf das feuchte Laken zurück: ein Kind von unglaublicher Vollkommenheit, ihre Finger liegen ausgebreitet da wie dünne weiße Blätter. Ich habe sie nie gekannt, denkt er; ich habe nie gewusst, dass ich sie hatte. Es war ihm immer unmöglich erschienen, dass eine seiner Handlungen ihr das Leben geschenkt hat, eine gedankenlose Sache, die er und Liz gemacht haben, in einer Nacht, die sich von anderen nicht unterschied. Sie wollten einen Jungen Henry nennen, ein Mädchen Katherine, und Liz hatte gesagt, das wird auch deine Kat ehren. Aber als er sie gesehen hatte, fest eingewickelt, schön, vollendet und vollkommen, hatte er einen ganz anderen Namen genannt, und Liz hatte zugestimmt. Grace: Gnade. Wir können uns Gnade nicht verdienen. Wir verdienen sie nicht.

Er fragt den Priester, ob seine ältere Tochter mit ihrem Schreibheft begraben werden kann, dem Heft, in das sie ihren Namen geschrieben hat: Anne Cromwell. Der Priester sagt, so etwas habe er noch nie gehört. Er ist zu müde und zu böse, um sich deswegen mit ihm anzulegen.

Seine Töchter sind jetzt im Purgatorium, im Land des langsam brennenden Feuers und des zerfurchten Eises. Wo ist in den Evangelien die Rede vom »Fegefeuer«?

Tyndale schreibt: Nun bleiben Glaube, Hoffnung und Liebe, alle drei; aber das Größte darunter ist die Liebe.

Thomas More hält das Wort »Liebe« für einen schlimmen Übersetzungsfehler. Er besteht auf »Nächstenliebe«. Er würde dich für einen Übersetzungsfehler in Ketten legen lassen. Er würde dich für ein anderes Verständnis des Griechischen töten.

Er fragt sich noch einmal, ob die Toten Übersetzer brauchen; vielleicht wissen sie durch eine einfache Wendung im Moment des Nicht-Werdens alles, was sie wissen müssen.

Tyndale sagt: »Die Liebe vergeht nie.«

Der Oktober kommt. Wolsey leitet wie üblich die Zusammenkünfte des Kronrats. Aber am Anfang der Herbstsitzungsperiode werden gerichtliche Verfügungen gegen den Kardinal beantragt. Er wird angeklagt, weil er Erfolg hatte. Er wird angeklagt, weil er Macht ausgeübt hat. Ausdrücklich wird er angeklagt, weil er im Reich des Königs eine fremde Jurisdiktion geltend gemacht hat – soll heißen, er hat seine Funktion als päpstlicher Legat wahrgenommen. Was sie damit sagen wollen, ist das: Er ist *alter rex*. Er ist und war immer ein mächtigerer Herrscher als der König. Wenn es denn ein Verbrechen ist, so ist er dessen schuldig.

Jetzt betreten sie großspurig York Place, der Herzog von Suffolk, der Herzog von Norfolk: die beiden großen Peers mit Sitz im Oberhaus. Suffolk sieht mit seinem struppigen blonden Bart aus wie ein Schwein in den Trüffeln; ein Mann mit kräftig roter Gesichtsfarbe, fällt ihm ein, verursacht dem Lordkardinal immer Übelkeit. Norfolk wirkt ängstlich, und als er die Besitztümer des Kardinals prüfend in die Hand nimmt, ist klar, dass er erwartet, Wachsfiguren vorzufinden, vielleicht welche, die ihn selbst darstellen, vielleicht welche, in die lange Nadeln gesteckt wurden. Der Kardinal hat seine Kunststücke durch einen Pakt mit dem Teufel bewerkstelligt; das ist seine unverrückbare Überzeugung.

Er, Cromwell, schickt sie fort. Sie kommen zurück. Sie kommen mit weiteren und umfassenderen Vollmachten und besseren Unterschriften zurück, und sie bringen den *Master of the Rolls* mit. Sie nehmen dem Lordkardinal das Großsiegel ab.

Norfolk wirft ihm einen Seitenblick zu und schenkt ihm ein flüchtiges Frettchenlächeln. Er weiß nicht, warum.

»Kommen Sie zu mir«, sagt der Herzog.

»Warum, Mylord?«

Norfolk presst verärgert die Lippen zusammen. Er erklärt nie etwas.

»Wann?«

»Keine Eile«, sagt Norfolk. »Kommen Sie, wenn sich Ihre Manieren gebessert haben.«

Es ist der 19. Oktober 1529.

III

Auf Gedeih und Verderb

Allerheiligen 1529

Halloween: Die Welt nässt und blutet an ihren Rändern. Es ist die Zeit, in der die Listenführer des Purgatoriums, seine Schreiber und Aufseher die Lebenden belauschen, wenn sie für die Toten beten.

In dieser Jahreszeit hielten er und Liz mit ihrer Gemeinde die Vigilien. Sie beteten für Henry Wykys, ihren Vater, für Liz' verstorbenen Mann, Thomas Williams, für Walter Cromwell und für entfernte Cousins und Cousinen, für nahezu vergessene Namen, lang verstorbene Halbschwestern und verlorene Stiefkinder.

Letzte Nacht hat er die Vigil alleine gehalten. Er lag wach, wünschte sich Liz zurück; er wartete darauf, dass sie kommen und sich neben ihn legen würde. Es ist wahr, er ist in Esher mit dem Kardinal, nicht zu Hause in Austin Friars. Aber, dachte er, sie wird wissen, wie sie mich finden kann. Sie wird nach dem Kardinal suchen, Weihrauch und Kerzenschein werden sie durch den Raum zwischen den Welten leiten. Wo der Kardinal ist, da bin auch ich.

Irgendwann war er wohl eingeschlafen. Als Tageslicht hereinfiel, fühlte sich der Raum so leer an, dass selbst er nicht mehr da zu sein schien.

Allerheiligen: Der Schmerz kommt in Wellen. Jetzt droht er ihn umzuwerfen. Er glaubt nicht, dass die Toten zurückkommen, aber das hindert ihn nicht, die Berührung ihrer Fingerspitzen, ihrer Flügelspitzen an seiner Schulter zu spüren. Seit letzter Nacht haben sie keine einzelne Gestalt und keine Gesichter mehr, jetzt sind sie eine feste, geballte Masse, ihr Fleisch ist darin zusammengedrängt und stößt gegeneinander, sie haben eine dichte Beschaffenheit wie Wesen aus dem Meer und kränkliche Gesichter, die wie unter Wasser schimmern.

Er steht an einem Fenster und hält Liz' Gebetbuch in der Hand. Seine Tochter Grace sah es sich gerne an, und heute kann er die Berührung ihrer kleinen Finger unter seinen eigenen spüren. Es sind die Stundengebete der Jungfrau Maria, die Seiten illuminiert mit einer Taube, einer Vase mit Lilien. Das Offizium der Vigil, und Maria kniet auf einem Boden mit Schachbrettmuster. Der Engel grüßt sie, seine Worte sind auf ein Pergament geschrieben, das er in Händen hält; es wirkt, als sprächen seine Handflächen. Seine Flügel sind farbig: himmelblau.

Er blättert die Seite um. Das Offizium der Laudes. Hier ein Bild von Mariä Heimsuchung. Maria mit ihrem hübschen kleinen Bauch wird von ihrer schwangeren Verwandten, der heiligen Elisabeth, begrüßt. Ihre Stirnen sind hoch, die Augenbrauen gezupft, und sie sehen so verwundert aus, wie sie es in der Tat sein sollten; eine von ihnen ist Jungfrau, die andere schon älter. Frühlingsblumen wachsen zu ihren Füßen, und beide tragen eine leichte Krone aus goldenem Draht, der so fein ist wie blondes Haar.

Er blättert eine Seite um. Grace, lautlos und klein, blättert die Seite mit ihm um. Das Offizium der Prim. Das Bild zeigt die Geburt Christi: Ein winziger weißer Jesus liegt in den Falten des Umhangs seiner Mutter. Das Offizium der Sext: Die Heiligen Drei Könige bieten juwelengeschmückte Becher dar; hinter ihnen liegt eine Stadt auf einem Hügel, eine Stadt in Italien mit ihrem Glockenturm, ihrer Aussicht auf ansteigendes Gelände und einer undeutlichen Baumreihe. Das Offizium der Non: Josef trägt einen Korb voller Tauben zum Tempel. Das Offizium der Vesper: Ein von Herodes gesendeter Dolch sticht säuberlich ein Loch in einen erschrockenen Säugling. Eine Frau reißt die Hände im Protest oder im Gebet hoch: ihre beredten, hilflosen Handflächen. Der Körper des Säuglings vergießt drei Tropfen Blut, jeder geformt wie eine Träne. Jede dieser blutigen Tränen ist von einem klaren Zinnoberrot.

Er sieht auf. Wie eine Nachwirkung bleibt das Bild der Tränen in seinen Augen, bis es verschwimmt. Er blinzelt. Jemand kommt auf ihn zu. Es ist George Cavendish. Er reibt sich nervös die Hände, sein Gesicht ist voller Besorgnis.

Mach, dass er mich nicht anspricht. Mach, dass George weitergeht.

»Master Cromwell«, sagt er. »Sie weinen ja. Weshalb? Gibt es schlechte Nachrichten unseren Herrn betreffend?«

Er versucht, Liz' Buch zuzuschlagen, aber Cavendish streckt die Hand danach aus. »Ach, Sie beten.« Er wirkt erstaunt.

Cavendish kann nicht sehen, wie die Finger seiner Tochter über die Seiten gleiten oder wie die Hände seiner Frau das Buch halten. George betrachtet nur die Bilder; sie stehen auf dem Kopf. Er atmet tief ein und sagt: »Thomas …?«

»Ich weine um mich selbst«, sagt er. »Ich werde alles verlieren, alles, wofür ich gearbeitet habe, mein Leben lang, weil ich mit dem Kardinal untergehen werde – nein, George, unterbrechen Sie mich nicht –, weil ich getan habe, worum er mich gebeten hat, und weil ich sein Freund war und seine rechte Hand. Wenn ich bei meiner Arbeit in der City geblieben wäre, anstatt durchs Land zu jagen und mir Feinde zu machen, wäre ich ein reicher Mann – und Sie, George, Sie würde ich in mein neues Landhaus einladen und um Ihren Rat zu Möbeln und Blumenbeeten bitten. Aber sehen Sie mich an! Ich bin am Ende.«

George versucht zu sprechen: Er murmelt ein paar Trostworte vor sich hin.

»Es sei denn«, sagt er. »Es sei denn, George. Was glauben Sie? Ich habe den jungen Rafe nach Westminster geschickt.«

»Was soll er dort?«

Aber er weint wieder. Die Geister versammeln sich, er friert, seine Lage ist aussichtslos. In Italien hat er eine Methode erlernt, sich Dinge zu merken, deshalb kann er sich an alles erinnern: an jede Etappe, die ihn an diesen Punkt gebracht hat. »Ich denke«, sagt er, »ich sollte ihm folgen.«

»Bitte«, sagt Cavendish, »nicht vor dem Abendessen.«

»Nein?«

»Weil wir darüber nachdenken müssen, wie wir die Diener unseres Herrn bezahlen sollen.«

Ein Moment vergeht. Er drückt das Gebetbuch an sich; er hält es in den Armen. Cavendish hat ihm gegeben, was er braucht: ein Buchhaltungsproblem. »George«, sagt er, »Sie wissen, dass die Kapläne unseres Herrn ihm in Scharen hierher gefolgt sind, und alle verdienen durch seine Großzügigkeit – was? – einhundert, zweihundert Pfund im Jahr? Daher denke ich ... wir bringen die Kapläne und Priester dazu, die Dienerschaft auszuzahlen, weil ich glaube, weil ich festgestellt habe, dass seine Diener Mylord mehr lieben als seine Priester. Nun gut, lassen Sie uns essen, und nach dem Essen bringe ich die Priester dazu, sich zu schämen, sie müssen bluten. Wir müssen dem Haushalt mindestens für ein Quartal den Lohn geben und einen Vorschuss dazu. Zur Vorsorge für den Tag von Mylords Wiedereinsetzung.«

»Nun«, sagt George, »wenn irgendjemand das schafft, dann Sie.«

Er stellt fest, dass er lächelt. Es mag ein grimmiges Lächeln sein, aber er hätte nie gedacht, dass er heute lächeln würde. Er sagt: »Wenn das erledigt ist, werde ich Sie verlassen. Ich komme zurück, sobald ich mir einen Platz im Parlament gesichert habe.«

»Aber es tritt in zwei Tagen zusammen ... Wie wollen Sie das noch schaffen?«

»Ich weiß es nicht, aber jemand muss sich für Mylord einsetzen. Sonst bringen sie ihn um.«

Er sieht Cavendish den Schmerz an und den Schock; er möchte die Worte zurücknehmen; aber sie sind wahr. Er sagt: »Ich kann es nur versuchen. Auf Gedeih und Verderb, bis ich Sie wiedersehe.«

George verbeugt sich fast. »Auf Gedeih und Verderb«, murmelt er. »Das sagt man immer so.«

Cavendish läuft durch den Haushalt und erzählt: Thomas Cromwell hat ein Gebetbuch gelesen. Thomas Cromwell hat geweint. Erst jetzt erkennt George, wie schlimm die Dinge stehen.

In Thessalien lebte ein Dichter mit Namen Simonides. Er erhielt den Auftrag, zu einem Festmahl zu erscheinen, das ein Mann namens Skopas gab, und ein Gedicht zu Ehren des Gastgebers vorzutragen. Dichter haben bisweilen merkwürdige Einfälle, und so fügte Simonides in sein Gedicht auch Strophen zu Ehren von Kastor und Pollux ein, dem himmlischen Zwillingspaar. Skopas war beleidigt und sagte, er würde nur die Hälfte des Honorars zahlen: Den Rest solle er sich bei den Zwillingen holen.

Wenig später kam ein Diener in den Saal. Er flüsterte Simonides zu, dass draußen zwei junge Männer warteten, die nach ihm gefragt hatten.

Er stand auf und verließ den Festsaal. Er schaute sich nach den beiden jungen Männern um, konnte aber niemanden entdecken.

Als er sich umdrehte, um wieder hineinzugehen, hörte er einen furchtbaren Lärm; Steine wurden zerschmettert und brachen zusammen. Er hörte die Schreie der Sterbenden, als das Dach des Saales einstürzte. Von allen Gästen war er der Einzige, der überlebte.

Die Leichen waren völlig zermalmt und entstellt, sodass die Angehörigen der Toten sie nicht identifizieren konnten. Aber Simonides war ein bemerkenswerter Mann. Was er auch sah, prägte er sich ein. Er führte jeden der Verwandten durch den zerstörten Saal, wies auf die Überreste und sagte: Das ist der, den du suchst. Er benutzte die Sitzordnung, die er sich eingeprägt hatte, um den Toten ihre Namen zu geben.

Es ist Cicero, der uns diese Geschichte erzählt. Er erzählt uns, wie Simonides an diesem Tag die Gedächtniskunst erfand. Er erinnerte sich an die Namen, die Gesichter, einige missmutig und aufgedunsen, andere fröhlich, wieder andere gelangweilt. Er erinnerte sich genau daran, wo jeder in dem Augenblick gesessen hatte, als das Dach einstürzte.

TEIL DREI

I

Drei-Karten-Trick

Winter 1529 – Frühling 1530

Johane: »Du sagst: ›Rafe, geh und beschaff mir einen Sitz im neuen Parlament.‹ Und los geht er – wie ein Mädchen, dem man befohlen hat, die Wäsche hereinzubringen.«

»Es war ein bisschen schwerer als das«, sagt Rafe.

Johane sagt: »Woher willst du das wissen?«

Sitze im Unterhaus werden überwiegend von den Lords vergeben, von Lords, Bischöfen, dem König selbst. Eine knappe Handvoll Wähler tut unter Druck von oben normalerweise, was man ihnen befiehlt.

Rafe hat ihm Taunton verschafft. Es ist Wolseys Revier; sie hätten ihn nicht zugelassen, hätte der König nicht ja gesagt, hätte Thomas Howard nicht ja gesagt. Er hatte Rafe nach London geschickt, um das unsichere Terrain der herzoglichen Absichten zu erkunden: um herauszufinden, was hinter dem Frettchenlächeln steckt. *»Sehr verbunden, Master.«*

Jetzt weiß er es. »Der Herzog von Norfolk glaubt«, sagt Rafe, »dass Mylord Kardinal einen Schatz vergraben hat, und er denkt, dass Sie wissen, wo er ist.«

Sie sprechen allein. Rafe: »Er wird Sie fragen, ob Sie für ihn arbeiten wollen.«

»Ja. Vielleicht nicht so direkt.«

Er betrachtet Rafes Gesicht, während er die Situation abwägt. Norfolk ist bereits der erste Edelmann des Reiches – es sei denn, man zählt den Bastard des Königs mit. »Ich habe ihn Ihres Respekts versichert«, sagt Rafe, »Ihrer … Ihrer Verehrung, Ihres Wunsches, zu seiner … äh …«

»Verfügung zu stehen?«

»Mehr oder weniger.«

»Und was hat er gesagt?«

»Er sagte: Hmm.«

Er lacht. »In diesem Tonfall?«

»In diesem Tonfall.«

»Und mit diesem grimmigen Nicken?«

»Ja.«

Also gut. Ich trockne meine Tränen, die Tränen von Allerheiligen. Ich sitze mit dem Kardinal am Feuer in Esher, in einem Raum mit einem rußenden Kamin. Ich sage, Mylord, glauben Sie, ich würde Sie im Stich lassen? Ich mache den Mann ausfindig, der für Kamine und Rauchabzüge zuständig ist. Ich erteile ihm Anweisungen. Ich reite nach London, nach Blackfriars. Der Tag ist neblig, es ist der Hubertustag. Norfolk wartet, um mir zu sagen, dass er mir ein guter Herr sein wird.

Der Herzog wird bald sechzig, macht aber keine Konzessionen an sein Alter. Er hat ein hartes Gesicht und scharfe Augen, ist so mager wie ein abgenagter Knochen und so kalt wie der Kopf einer Axt; es scheint, als wären seine Gelenke mit biegsamen Kettengliedern verbunden, und in der Tat klappert er ein wenig, wenn er sich bewegt, denn in seinen Kleidern verbergen sich Reliquien: In winzigen mit Juwelen besetzten Behältnissen trägt er Hautfetzen und Haarschnipsel mit sich herum; Knochensplitter von Märtyrern sind in Medaillons verborgen. »Fürbass!«, sagt er beschwörend und »Bei allen Heiligen!«, manchmal nimmt er einen der Anhänger oder Talismane heraus, die irgendwo an ihm baumeln, küsst sie mit Inbrunst und ruft einen Heiligen oder Märtyrer an, der verhindern soll, dass ihn sein gegenwärtiger Zorn überwältigt. »Sankt Judas, gib mir Geduld!«, ruft er; vermutlich verwechselt er ihn mit Hiob, von dem er eine Geschichte gehört hat, als er ein kleiner Junge war und zu Füßen eines Priesters saß. Es ist schwer, sich den Herzog als kleinen Jungen vorzustellen oder überhaupt jünger oder anders als die Person, die er jetzt ist. Er ist der Meinung, die Bibel sei ein Buch, das Laien nicht benötigen, versteht aber, dass Priester eine gewisse Verwendung dafür finden. Das Lesen von Büchern hält er ohnehin für eine Affektiertheit und wünschte, es gebe nicht so viel davon bei Hofe. Seine Nichte, Anne Boleyn, liest dauernd, und das ist vielleicht auch der Grund, warum sie mit achtundzwanzig noch unverheiratet ist. Er sieht nicht ein, dass ein Gentleman sich damit befassen sollte, Briefe zu schreiben; dafür gibt es Schreiber.

Jetzt fixiert er ihn mit roten und feurigen Augen. »Cromwell, ich freue mich, dass Sie Abgeordneter im Parlament sind.«

Er neigt den Kopf. »Mylord.«

»Ich habe mich beim König für Sie eingesetzt, und er freut sich ebenfalls. Sie werden im Unterhaus seine Anweisungen ausführen. Und meine.«

»Werden es dieselben sein, Mylord?«

Der Herzog macht ein finsteres Gesicht. Er läuft auf und ab; er klappert ein wenig; endlich bricht es aus ihm heraus: »Verdammt, Cromwell, warum sind Sie so eine … *Person*? Es ist schließlich nicht so, als könnten Sie sich das erlauben.«

Er wartet, lächelt. Er weiß, was der Herzog meint. Er ist eine Person, hat eine Präsenz. Er weiß zwar, wie man sich verstohlen in einen Raum schiebt, sodass man nicht gesehen wird, aber vielleicht sind diese Tage vorbei.

»Lächeln Sie nur«, sagt der Herzog. »Wolseys Haushalt ist eine Schlangengrube. Nicht dass …«, er zuckt zusammen, berührt einen Anhänger, »Gott möge verhüten, dass ich …«

… einen Fürsten der Kirche mit einer Schlange vergleiche. Der Herzog will das Geld des Kardinals, und er will den Platz des Kardinals an der Seite des Königs: Aber andererseits will er nicht in der Hölle schmoren. Er läuft durch den Raum, er schlägt die Hände zusammen, er reibt sie, er dreht sich um. »Der König hat vor, sich mit Ihnen auseinanderzusetzen, Master. Oh ja. Er wird Ihnen eine Unterredung gewähren, weil er die Angelegenheiten des Kardinals zu verstehen wünscht, aber wie Sie feststellen werden, hat er auch ein gutes Gedächtnis, das weit zurückreicht, und er erinnert sich sehr wohl daran, Master, dass Sie schon einmal Abgeordneter im Parlament waren und dass Sie gegen seinen Krieg waren.«

»Ich hoffe, er verfolgt nicht mehr die Absicht, in Frankreich einzumarschieren.«

»Gott verfluche Sie! Welcher Engländer will das nicht! Frankreich gehört uns. Wir müssen uns unser Eigentum zurückholen.« Ein Muskel in seiner Wange zuckt; er läuft aufgeregt hin und her; er dreht sich um, er reibt seine Wange: Das Zucken hört auf, und er sagt in vollkommen sachlichem Tonfall: »Wohlgemerkt, Sie haben recht.«

Er wartet. »Wir können nicht gewinnen«, sagt der Herzog, »aber wir müssen so kämpfen, als ob wir es könnten. Ungeachtet der Kosten. Ungeachtet der Verluste – an Geld, Männern, Pferden, Schiffen. Das ist es, was mit Wolsey nicht stimmt, wissen Sie. Immer am Verhandlungstisch, immer die Verträge. Wie kann der Sohn eines Metzgers verstehen, worauf es ankommt ...«

»La gloire?«

»Sind Sie der Sohn eines Metzgers?«

»Eines Hufschmieds.«

»Ach, wirklich? Können Sie ein Pferd beschlagen?«

Er zuckt die Achseln. »Wenn es sein müsste, Mylord. Aber ich kann mir nicht vorstellen ...«

»Nein? Was können Sie sich denn vorstellen? Ein Schlachtfeld, ein Lager, die Nacht vor einer Schlacht – können Sie sich das vorstellen?«

»Ich war selbst einmal Soldat.«

»Waren Sie das? In keiner englischen Armee, möchte ich wetten. Da sehen Sie's.« Der Herzog grinst, durchaus ohne Feindseligkeit. »Ich wusste doch, dass Sie etwas an sich haben. Ich wusste, dass ich Sie nicht mag, konnte aber den Finger nicht drauflegen. Wo waren Sie?«

»Am Garigliano.«

»Mit wem?«

»Den Franzosen.«

Der Herzog stößt einen Pfiff aus. »Falsche Seite, mein Junge.«

»Ist mir aufgefallen.«

»Mit den Franzosen«, kichert er. »Mit den Franzosen. Und wie sind Sie aus dem Schlamassel rausgekommen?«

»Ich bin in den Norden gegangen. In den ...« Er will Geldhandel sagen, aber der Herzog würde es nicht verstehen. »Tuchhandel«, sagt er. »Hauptsächlich Seide. Sie wissen, wie der Markt dort ist, mit all den Soldaten.«

»Bei allen Heiligen, ja! Johnny Söldner, der schnallt sich sein Geld auf den Rücken. Diese Schweizer! Wie eine Truppe von Schauspielern. Spitzen, Streifen, ausgefallene Mützen. Geben ein gutes Ziel ab, das ist alles. Langbogenschütze?«

»Hin und wieder.« Er lächelt. »Eigentlich ein bisschen zu klein dafür.«

»Ich auch. Aber Henry, wie der den Bogen spannt! Sehr schön. Er hat die Größe dafür. Hat den Arm. Trotzdem. Auf diese Weise werden wir nicht mehr viele Schlachten gewinnen.«

»Wie wäre es dann, keine mehr zu schlagen? Verhandeln Sie, Mylord. Das ist billiger.«

»Ich sag Ihnen was, Cromwell, ganz schön dreist von Ihnen, hier zu erscheinen.«

»Mylord – Sie haben nach mir geschickt.«

»Wirklich?« Norfolk sieht erschrocken aus. »So weit ist es schon gekommen?«

Die Berater des Königs bereiten nicht weniger als vierundvierzig Anklagepunkte gegen den Kardinal vor. Sie reichen von der Verletzung der Praemunire-Gesetze – sprich der Anerkennung einer fremden Jurisdiktion innerhalb des Königreiches – bis zu der Tatsache, dass er für seinen Haushalt zum selben Preis Rindfleisch gekauft hat wie der König; von finanziellen Übertretungen bis zu seinem Versagen, die Verbreitung lutherischer Häresien zu verhindern.

Die Praemunire-Gesetzgebung reicht in ein anderes Jahrhundert zurück. Kein heutiger Zeitgenosse versteht genau, was sie bedeutet. Mittlerweile scheint sie die Bedeutung anzunehmen, die der König festlegt. Die Angelegenheit wird überall in Europa diskutiert. In der Zwischenzeit sitzt Mylord Kardinal herum, manchmal murmelt er vor sich hin, manchmal redet er laut und sagt: »Thomas, meine Colleges! Was auch mit mir geschieht, meine Colleges müssen gerettet werden! Gehen Sie zum König. Welche Rache auch immer er für mich ersonnen hat wegen welcher eingebildeter Vergehen auch immer, er kann doch gewiss nicht die Absicht haben, das Licht der Gelehrsamkeit zu löschen!«

Im Exil in Esher läuft der Kardinal voller Sorge hin und her. Der große Geist, der einst die Politik Europas gelenkt hat, denkt jetzt unablässig über die eigenen Verluste nach. Er verfällt in stumme Untätigkeit und bläst Trübsal, während das Licht schwindet; um Gottes willen, Thomas, bittet ihn Cavendish, sagen Sie ihm nicht, dass Sie kommen, wenn Sie es nicht tun.

Mache ich auch nicht, sagt er, und ich komme auf jeden Fall, aber manchmal werde ich aufgehalten. Das Parlament tagt spät, und bevor ich Westminster verlasse, muss ich die Briefe und Petitionen für Mylord Kardinal einsammeln und mit all den Leuten sprechen, die ihm zwar eine Nachricht zukommen lassen wollen, aber lieber nicht schriftlich.

Ich verstehe, sagt Cavendish; aber Thomas, klagt er, Sie können sich nicht vorstellen, wie es hier in Esher ist. Wie spät ist es?, sagt Mylord Kardinal. Um wie viel Uhr kommt Cromwell? Und eine Stunde später wieder: Cavendish, wie spät ist es? Er schickt uns mit Fackeln hinaus, damit wir nach dem Wetter schauen; als ob Sie, Cromwell, jemand wären, der sich von Hagel oder Eis aufhalten ließe. Als Nächstes fragt er dann: Was ist, wenn ihm auf dem Weg ein Unglück zugestoßen ist? Auf der Straße von London tummeln sich Räuber; in der Dämmerung wimmelt es in Feld und Flur nur so von Übeltätern. Und dann fährt er fort: Diese Welt ist voller Trugbilder und Fallen, und in viele von ihnen bin ich getappt, unglücklicher Sünder, der ich bin.

Wenn er, Cromwell, schließlich seinen Reitumhang abwirft und sich in einen Sessel am Feuer fallen lässt – *beim Kreuze Jesu*, dieser rußende Kamin –, fällt der Kardinal über ihn her, bevor er überhaupt Atem holen kann. Was hat Mylord von Suffolk gesagt? Wie sah Mylord von Norfolk aus? Der König, haben Sie ihn getroffen, hat er mit Ihnen gesprochen? Und Lady Anne, ist sie bei guter Gesundheit, sieht sie gut aus? Haben Sie mittlerweile einen Dreh gefunden, sie zufriedenzustellen? Wir müssen sie nämlich zufriedenstellen, wissen Sie.

Er sagt: »Es gibt einen ganz einfachen Weg, um diese Dame zufriedenzustellen, und der ist, sie zur Königin zu krönen.« Er verstummt zum Thema Anne und hat nichts weiter zu sagen. Mary Boleyn hat gesagt, dass ihre Schwester auf ihn aufmerksam geworden sei, aber erst vor kurzem hat Anne das auch zu erkennen gegeben. Auf dem Weg zu jemandem von größerem Interesse streiften ihn ihre Augen. Schwarze Augen, ein wenig hervortretend, glänzend wie die Kugeln eines Abakus; sie funkeln und sind immer in Bewegung, wenn sie Berechnungen zu ihrem eigenen Vorteil anstellt. Aber Onkel Norfolk muss zu ihr gesagt haben: »Da geht der Mann, der die Geheimnisse des Kardinals kennt«, denn wenn er jetzt in ihr Blickfeld gerät, reckt sie ihren langen Hals; die glänzenden schwarzen Kugeln machen klick-klick, während sie ihn von oben bis unten mustert und darüber nachdenkt, welchen Nutzen man aus ihm ziehen kann. Sie scheint bei guter Gesundheit zu sein, als das Jahr dem Ende entgegengeht, zum Beispiel hustet sie weder wie ein krankes Pferd noch lahmt sie. Er nimmt an, dass sie gut aussieht, aber das ist Geschmackssache.

Eines Abends kurz vor Weihnachten kommt er spät nach Esher, und der Kardinal sitzt ganz allein da und lauscht einem Jungen, der die Laute spielt. Er sagt: »Mark, vielen Dank, geh jetzt.« Der Junge verbeugt sich vor dem Kardinal, ihm gewährt er ein knappes Kopfnicken, gerade noch angemessen für einen Abgeordneten des Parlaments. Als er den Raum verlässt, sagt der Kardinal: »Mark ist sehr talentiert und ein angenehmer Junge – in York Place war er einer meiner Chorknaben. Ich glaube, ich sollte ihn nicht hierbehalten, sondern zum König schicken. Oder vielleicht zu Lady Anne, denn er ist ein so hübscher Junge. Würde sie ihn mögen?«

Der Junge hat an der Tür gelungert und das Lob begierig aufgesogen. Ein strenger Cromwell-Blick – das Äquivalent eines Fußtritts – schickt ihn hinaus. Er wünschte, die Leute würden ihn nicht fragen, was Lady Anne mag oder nicht mag.

Der Kardinal sagt: »Schickt Lordkanzler More mir eine Botschaft?«

Er legt ein Bündel Papiere auf den Tisch. »Sie sehen krank aus, Mylord.«

»Ja, ich bin krank. Thomas, was sollen wir machen?«

»Wir sollten die Leute bestechen«, sagt er. »Wir sollten großzügig sein, freigebig mit den Gütern umgehen, die Ihro Gnaden noch haben – denn Sie haben noch Pfründe, die Sie veräußern können, Sie haben noch Land. Hören Sie, Mylord – selbst wenn der König Ihnen alles nimmt, was Sie haben, werden die Leute fragen, kann der König denn wirklich verschenken, was dem Kardinal gehört? Niemand, dem er etwas übereignet, hat einen sicheren Rechtsanspruch darauf, wenn Sie es nicht bestätigen. Das heißt, Mylord, Sie haben immer noch Karten in der Hand.«

»Und schließlich, wenn er mich wirklich wegen Verrats ...« Seine Stimme stockt. »Wenn ...«

»Wenn er die Absicht hätte, Sie wegen Verrats anzuklagen, wären Sie inzwischen im Tower.«

»Richtig – und was würde ich ihm nutzen mit dem Kopf am einen Ort und dem Körper an einem anderen? Es ist nämlich so: Der König will dem Papst mit meiner Herabsetzung eine Lektion erteilen. Er will ganz deutlich machen: Ich als König von England bin Herr in meinem eigenen Haus. Aber ist er das? Oder ist es Lady Anne oder Thomas

Boleyn? Eine Frage, die wir besser nicht stellen sollten, nicht außerhalb dieses Raumes.«

Ziel der Schlacht ist nun, den König alleine zu sprechen, hinter seine Absichten zu kommen, wenn er sie denn selbst kennt, und ein Geschäft auszuhandeln. Der Kardinal braucht dringend Bargeld, das erste Gefecht. Tag für Tag wartet er auf eine Audienz. Der König streckt die Hand aus, nimmt ihm die Briefe ab, die er hinhält, wirft einen Blick auf das Siegel des Kardinals. Er sieht ihn nicht an, sagt geistesabwesend »Danke«, mehr nicht. An einem Tag sieht er ihn tatsächlich an und sagt: »Master Cromwell, ja … ich kann nicht über den Kardinal sprechen.« Und als er den Mund öffnet, um etwas zu sagen, sagt der König: »Verstehen Sie nicht? Ich kann nicht über ihn sprechen.« Sein Ton ist liebenswürdig, verwundert. »Ein andermal«, sagt er. »Ich schicke nach Ihnen. Ich verspreche es.«

Als der Kardinal ihn fragt: »Wie sah der König heute aus?«, sagt er: Er sieht aus, als könne er nicht schlafen.

Der Kardinal lacht. »Wenn er nicht schlafen kann, dann weil er nicht auf die Jagd gehen kann. Der vereiste Boden ist zu hart für die Pfoten der Jagdhunde, sie können nicht nach draußen. Es ist der Mangel an frischer Luft, Thomas. Es ist nicht sein Gewissen.«

Später wird er sich an die Nacht Ende Dezember erinnern, als er den Kardinal vorfand, wie er der Musik lauschte. Er wird sich die Episode durch den Kopf gehen lassen, mehrfach, immer wieder.

Denn als er den Kardinal verlässt und wieder an den Weg denkt, an die Nacht, hört er hinter einer halb geöffneten Tür die Stimme eines Jungen: es ist Mark, der Lautenspieler. »… wegen meines Talents, sagt er, will er mich zu Lady Anne schicken. Zum Glück, denn welchen Sinn hat es, hier zu sein, wenn der König den alten Knaben jederzeit köpfen lassen kann? Ich finde, das sollte er auch tun, der Kardinal ist dermaßen hochmütig. Heute hatte er das erste Mal ein Lob für mich übrig.«

Pause. Jemand spricht gedämpft; er kann nicht erkennen, wer es ist. Dann der Junge: »Aber sicher, der Anwalt wird mit ihm untergehen.

Ich sage Anwalt, aber wer ist er eigentlich? Keiner weiß das. Es heißt, er hat mit seinen eigenen Händen Männer getötet und nie die Beichte darüber abgelegt. Aber diese harten Männer, die weinen immer, wenn sie den Henker sehen.«

Er hat keinen Zweifel, dass es seine Hinrichtung ist, der Mark freudig entgegensieht. Hinter der Wand redet der Junge weiter: »Wenn ich erst bei Lady Anne bin, falle ich ihr sicher auf und sie macht mir Geschenke.« Ein Kichern. »Und betrachtet mich mit Wohlwollen. Meinst du nicht? Wer weiß, wem sie sich zuwendet, solange sie sich dem König immer noch verweigert?«

Pause. Dann Mark: »Sie ist keine Jungfrau. Die nicht.«

Ein faszinierendes Gespräch: Dienstbotengeschwätz. Wieder eine gedämpfte Antwort, und dann Mark: »Glaubst du etwa, man könne am französischen Hof sein und als Jungfrau zurückkommen? Anders als ihre Schwester? Und Mary hat jeden rangelassen.«

Aber das ist nichts. Er ist enttäuscht. Ich habe auf Einzelheiten gehofft; das sind nur Gerüchte. Und trotzdem zögert er, bleibt noch stehen.

»Außerdem hat Tom Wyatt sie gehabt, in Kent wissen das alle. Ich war mit dem Kardinal in Penshurst, du weißt schon, das Schloss ist in der Nähe von Hever, wo die Familie der Lady wohnt, und das Haus der Wyatts ist nur einen kurzen Ritt entfernt.«

Zeugen? Daten?

Aber dann kommt von der unsichtbaren Person ein »Pst!« Wieder ein leises Kichern.

Damit kann man nichts anfangen. Man kann es sich nur merken. Sie unterhalten sich auf Flämisch: der Sprache des Landes, in dem Mark geboren wurde.

Weihnachten kommt, und der König feiert es mit Königin Katherine in Greenwich. Anne ist in York Place; der König kann flussaufwärts fahren, um sie zu sehen. Es ist anstrengend mit ihr, sagen die Frauen; die Besuche des Königs sind kurz, selten und diskret.

In Esher legt sich der Kardinal ins Bett. Früher hätte er das nie getan, aber jetzt sieht er so krank aus, dass es wirklich geboten scheint. Er sagt: »Solange der König und Lady Anne Küsse zu Neujahr austauschen, wird nichts passieren. Bis Dreikönig sind wir vor Übergriffen sicher.« Er dreht den Kopf, legt ihn auf die Kissen. Sagt voller Heftigkeit: »Jesus Christus, Cromwell. Gehen Sie nach Hause.«

Das Haus in Austin Friars ist mit Kränzen und Bändern geschmückt: Stechpalme und Efeu, Lorbeer und Eibe. In der Küche geht es rege zu, um die Lebenden zu beköstigen, aber die üblichen Lieder und Weihnachtsspiele werden dieses Jahr ausgelassen. Kein Jahr hat bisher so viel Zerstörung gebracht. Seine Schwester Kat und ihr Mann Morgan Williams wurden so schnell aus dem Leben gerissen, wie ihm seine Töchter genommen wurden; den einen Tag liefen sie noch herum und redeten, am nächsten waren sie bereits kalt wie Stein und wurden in ihre Gräber an der Themse geworfen, vergraben jenseits der Reichweite der Flut, jenseits des Anblicks und des Geruchs des Flusses; jetzt hören sie den Klang von Putneys gesprungener Kirchenglocke nicht mehr, sind unempfänglich für den Geruch von nasser Tinte, von Hopfen, gemälzter Gerste und den immer noch tierischen Gestank von Wollballen; kein Herbstaroma von Kiefernharz und Apfelkerzen mehr, keine Küchlein mehr für Allerseelen. Am Ende des Jahres kommen zwei Waisenkinder in sein Haus, Richard und der kleine Walter. Morgan Williams – er war ein großer Schwätzer, aber klug auf seine Weise, und er hat hart für seine Familie gearbeitet. Und Kat – nun, in letzter Zeit verstand sie ihren Bruder ungefähr so gut wie den Lauf der Sterne: »Du bist unberechenbar für mich, Thomas«, sagte sie immer, was natürlich ganz und gar seine Schuld war, denn wer außer ihm hatte sie gelehrt, an den Fingern abzuzählen und die Krämerrechnungen zu entziffern?

Wenn er sich selbst einen guten Rat zu Weihnachten geben müsste, würde er sagen: Verlass den Kardinal jetzt oder du sitzt bald wieder auf der Straße und dir bleibt nur noch der Drei-Karten-Trick. Aber er gibt bloß Personen Ratschläge, die geneigt sind, sie auch zu befolgen.

Sie haben einen großen vergoldeten Stern in Austin Friars, den sie am Sylvesterabend in der großen Halle aufhängen. Eine Woche lang leuchtet er, um ihre Gäste zum Dreikönigsfest willkommen zu heißen. Ab Sommer überlegten er und Liz sich Kostüme für diesen Tag, horteten fleißig Fetzen und Streifen jedes exotischen neuen Stoffes, den sie sahen; von Oktober an machte sich Liz dann heimlich ans Nähen und verschönerte die Kostüme des letzten Jahres, indem sie leuchtende neue Streifen aufnähte, eine Schulter mit verschiedenen Flicken verzierte oder einen Saum neu besetzte. Jedes Jahr machte sie fantastische neue Kronen. Seine Aufgabe war es, sich die Geschenke auszudenken, die die Könige in ihren Kästen brachten. Einmal hatte ein König seine Schatulle vor Schreck fallen lassen, als das Geschenk zu singen begann.

Dieses Jahr bringt es niemand übers Herz, den Stern aufzuhängen, aber er besucht ihn in seiner lichtlosen Abstellkammer. Er zieht die Segeltuchhüllen ab, die seine Strahlen schützen, und sieht nach, ob sie auch nicht angeschlagen oder ausgeblichen sind. Es wird bessere Jahre geben, in denen sie ihn wieder aufhängen, aber er kann sich das nicht vorstellen. Vorsichtig streift er die Hüllen wieder über, freut sich darüber, wie raffiniert sie gefertigt sind und wie genau sie passen. Die Gewänder der drei Könige liegen in einer Truhe, wie auch die Schaffelle für die Kinder, die Schafe darstellen. Die Hirtenstäbe der Schafhirten lehnen in einer Ecke; an einem Haken hängen Engelsflügel. Er berührt sie. Seine Finger werden staubig. Er stellt seine Kerze weg, damit nichts passiert, dann nimmt er die Flügel vom Haken und schüttelt sie sanft aus. Sie machen ein leises zischendes Geräusch, und ein schwacher Duft nach Ambra durchzieht die Luft. Er hängt sie zurück an den Haken, streicht mit der Handfläche darüber, um sie zu beruhigen und ihren Schauder zu stillen. Er nimmt die Kerze in die Hand. Er geht hinaus und schließt die Tür. Er löscht die Flamme mit den Fingern, schließt ab und gibt Johane den Schlüssel.

Er sagt zu ihr: »Ich wünschte, wir hätten ein Baby hier. Es scheint so lange her zu sein, dass ein Baby im Haus war.«

»Sieh nicht mich an«, sagt Johane.

Das tut er natürlich. Er sagt: »Erfüllt John Williamson seine Pflicht dieser Tage nicht?«

Sie sagt: »Seine Pflicht ist nicht gerade mein Vergnügen.«

Beim Weggehen denkt er, das ist ein Gespräch, das ich nicht hätte führen sollen.

Am Neujahrstag sitzt er an seinem Schreibtisch, als die Nacht hereinbricht,; er schreibt Briefe für den Kardinal, und ab und zu geht er durch den Raum zu seinem Rechenbrett und schiebt die Zählsteine hin und her. Anscheinend will der König dem Kardinal als Gegenleistung für ein Schuldbekenntnis in der Praemunire-Klage das Leben und ein gewisses Maß an Freiheit gewähren; aber was man ihm an Geld auch lassen wird, um seinen Status zu wahren, es wird ein Bruchteil seines früheren Einkommens sein. York Place wurde ihm bereits genommen, Hampton Court ist lange verloren, und in Bezug auf das reiche Bistum Winchester überlegt der König, wie er es am besten besteuern und plündern kann.

Gregory kommt herein. »Ich habe dir Kerzen mitgebracht. Meine Tante Johane hat gesagt, geh zu deinem Vater.«

Gregory setzt sich. Er wartet. Er zappelt. Er seufzt. Er steht auf. Er geht zum Schreibtisch seines Vaters und bleibt davor stehen. Dann, als hätte jemand gesagt: »Mach dich nützlich«, streckt er schüchtern die Hand aus und beginnt, die Papiere zu ordnen.

Er sieht zu seinem Sohn hoch, den Kopf weiterhin über den Schreibtisch gebeugt. Vielleicht zum ersten Mal, seit Gregory ein Baby war, bemerkt er seine Hände, und er ist erstaunt, was aus ihnen geworden ist: es sind keine kindlichen Patschhändchen mehr, sondern die großen, weißen, sorgenfreien Hände, wie sie der Sohn eines Gentleman hat. Was macht Gregory da? Er legt die Dokumente auf einen Stapel. Nach welchem Prinzip ordnet er sie? Er kann sie nicht lesen, sie stehen auf dem Kopf. Jedenfalls nicht nach dem Inhalt. Ordnet er sie nach dem Datum? Um Gottes willen, was *macht* er da?

Er muss diesen Satz mit vielen entscheidenden Klauseln beenden. Er sieht wieder auf und durchschaut Gregorys Muster. Ein System der heiligen Einfalt: große Papiere nach unten, kleine nach oben.

»Vater …«, sagt Gregory. Er seufzt. Er geht zum Rechenbrett hinüber. Mit dem Zeigefinger bewegt er die Zählsteine hin und her. Dann schiebt er sie zusammen, nimmt sie in die Hand und baut daraus einen ordentlichen Haufen.

Endlich sieht er auf. »Das war eine Berechnung. Ich habe sie nicht einfach da hingeworfen.«

»Ach, tut mir leid«, sagt Gregory höflich. Er setzt sich neben das Feuer und versucht, so leise zu atmen, dass er nicht stört.

Selbst der mildeste Blick kann herrisch werden; der Blick seines Sohnes lässt ihn fragen: »Was gibt es?«

»Glaubst du, du kannst mit dem Schreiben aufhören?«

»Eine Minute«, sagt er und hält eine um Geduld bittende Hand in die Höhe; er unterschreibt den Brief mit seiner üblichen Formel: »Ihr aufrechter Freund, Thomas Cromwell«. Sollte Gregory ihm sagen wollen, dass eine weitere Person im Haus tödlich erkrankt ist oder dass er, Gregory, dem Mädchen für die Wäsche einen Heiratsantrag gemacht hat oder dass die London Bridge eingestürzt ist, wird er das wie ein Mann tragen müssen, aber zuerst muss er dieses Schreiben mit Sand bestreuen und versiegeln. Er sieht auf. »Ja?«

Gregory wendet das Gesicht ab. Weint er? Es wäre nicht weiter verwunderlich, da er selbst auch geweint hat, und das in der Öffentlichkeit. Er durchquert den Raum. Er setzt sich seinem Sohn gegenüber an den Kamin. Er nimmt seine Samtkappe ab und fährt sich mit den Händen durchs Haar.

Lange Zeit spricht keiner. Er sieht hinab auf seine Hände mit den dicken Fingern, den Narben und Brandwunden, die in den Handflächen versteckt sind. Er denkt, Gentleman? So nennst du dich, aber wen glaubst du damit in die Irre führen zu können? Nur die Leute, die dich nie getroffen haben, oder die Leute, die du mit Höflichkeit auf Distanz hältst: Mandanten und die Mitglieder des Unterhauses, Kollegen in Gray's Inn, die Hausdiener der Höflinge, die Höflinge selbst ... Seine Gedanken wandern zu dem nächsten Brief, den er schreiben muss. Dann sagt Gregory mit so leiser Stimme, als wäre er in die Vergangenheit getaucht: »Erinnerst du dich an das Weihnachten, als ein Riese in dem Schauspiel vorkam?«

»Hier in der Gemeinde? Ich erinnere mich.«

»Er sagte: ›Ich bin ein Riese, mein Name ist Marlinspike.‹ Sie haben gesagt, er war so groß wie der Maibaum von Cornhill. Was ist der Maibaum von Cornhill?«

»Sie haben ihn entfernt. In dem Jahr, als es die Krawalle gab. Deshalb spricht man vom ›schlimmen Maifeiertag‹. Damals warst du noch ein Baby.«

»Wo ist der Maibaum jetzt?«

»Die Stadt hat ihn in Verwahrung.«

»Werden wir nächstes Jahr unseren Stern wieder aufhängen?«

»Wenn sich unser Schicksal wendet.«

»Sind wir jetzt arm, weil der Kardinal am Ende ist?«

»Nein.«

Die kleinen Flammen züngeln und flackern, und Gregory sieht in das Feuer. »Erinnerst du dich an das Jahr, als mein Gesicht schwarz angemalt war und ich in ein schwarzes Kalbsfell gehüllt war? Als ich ein Teufel im Weihnachtsspiel war?«

»Ja.« Seine Gesichtszüge entspannen sich. »Ich erinnere mich.«

Anne wollte schwarz angemalt werden, aber ihre Mutter hatte gesagt, das schicke sich nicht für ein kleines Mädchen. Er wünschte, er hätte gesagt, dass Anne an der Reihe sei und einen Engel im Gemeindespiel darstellen solle – selbst wenn sie mit ihren dunklen Haaren eine von den gestrickten gelben Perücken hätte tragen müssen, die ständig zur Seite oder über die Augen der Kinder rutschten.

In dem Jahr, als Grace einen Engel spielte, trug sie Flügel aus Pfauenfedern. Er selbst war auf die Idee gekommen. Die anderen Mädchen sahen aus wie schäbige Gänsekreaturen, und ihre Flügel fielen ab, wenn sie sich an den Ecken des Stalles verfingen. Grace aber glitzerte, Silberfäden waren in ihr Haar geflochten, über ihren Schultern breitete sich eine zitternde Pracht aus, und wenn sie atmete, knisterte und duftete die Luft. Lizzie sagte: Thomas, deine Ideen sind wirklich unerschöpflich. Sie hat die besten Flügel, die die Stadt je gesehen hat.

Gregory steht auf; er kommt, um ihm einen Gutenachtkuss zu geben. Einen Augenblick lehnt sich sein Sohn an ihn wie ein Kind, oder als wären die Vergangenheit, die Bilder im Feuer, Ausgeburt eines Rausches.

Sobald der Junge zu Bett gegangen ist, zieht er seine Papiere aus dem ordentlichen Stapel, den Gregory gemacht hat. Er faltet sie neu. Er sortiert sie so, dass sein Vermerk sichtbar ist und sie fertig zum Ablegen sind. Er denkt an den *Evil May Day*. Gregory hat nicht gefragt: Warum gab es Krawalle? Die Ausschreitungen richteten sich gegen Ausländer. Er selbst war noch nicht lange wieder zu Hause.

Als das Jahr 1530 anbricht, gibt er kein Erscheinungsfest, denn eine Menge Leute würden sich angesichts der Schande des Kardinals gezwungen sehen, seine Einladung abzulehnen. Stattdessen nimmt er die jungen Männer mit nach Gray's Inn zu den Dreikönigsfeiern. Er bereut es beinahe sofort, denn dieses Jahr sind sie lauter und obszöner als je zuvor.

Die Jurastudenten führen ein Stück über den Kardinal auf, in dem er aus dem Palast in York Place zu seiner Barke auf der Themse flüchtet. Einige Studenten schütteln gefärbte Laken, die den Fluss darstellen sollen; dann kommen andere mit Ledereimern angelaufen und schütten Wasser darüber. Als der Kardinal auf sein Schiff klettert, ertönen Jagdrufe und ein debiler Trottel rennt mit zwei Otterhunden an der Leine in die Halle. Andere kommen mit Netzen und Angelruten, um den Kardinal wieder ans Ufer zu verfrachten.

Die nächste Szene zeigt den Kardinal in Putney, wie er auf der Flucht zu seinem Unterschlupf in Esher durch den Matsch stapft. Die Studenten grölen, als der Kardinal anfängt zu weinen und seine Hände zum Gebet in die Höhe hebt. Wer von den Zeugen, überlegt er, konnte den Mund nicht halten und hat den Stoff für diese Posse geliefert? Wenn er es wüsste oder erriete, umso schlimmer für den Verantwortlichen.

Der Kardinal liegt auf dem Rücken, ein purpurroter Berg; er fuchtelt mit den Händen; er bietet jedem sein Bistum Winchester an, der es schafft, ihn wieder auf sein Maultier zu bekommen. Unter einem mit Eselsfellen behängten Rahmen spielen ein paar Studenten das Maultier: Es dreht sich um, gibt Scherze auf Lateinisch von sich und furzt dem Kardinal ins Gesicht. Sie bringen eine Menge Wortspiele über Bischofsstäbe und Bischofsständer, die als witzig durchgingen, wenn die Darsteller Straßenkehrer wären, aber Jurastudenten, denkt er, sollten es besser können. Verärgert erhebt er sich von seinem Platz, und sein Haushalt hat keine andere Wahl, als ebenfalls aufzustehen und mit ihm hinauszugehen.

Er bleibt stehen, um mit einigen Richtern zu reden: Wer hat erlaubt, dass das hier stattfindet? Der Kardinal von York ist ein kranker Mann, er könnte sterben, wie stehen Sie und Ihre Studenten dann vor Ihrem Gott da? Welche Art von jungen Männern züchten Sie hier heran? Sie wagen es, einen großen Mann anzugreifen, den das Unglück getroffen hat, und noch vor wenigen Wochen hätten Sie um seine Gunst gebettelt.

Die Richter sind einsichtig und entschuldigen sich, aber ihre Stimmen verlieren sich in dem schallenden Gelächter, das aus dem Saal dringt. Die jungen Männer seines Haushalts zögern, werfen Blicke zurück in den Saal. Der Kardinal bietet nun jedem seinen Harem von vierzig Jungfrauen an, der ihm beim Aufsitzen hilft; er sitzt auf dem Boden und lamentiert, als ein schlaffes, schlangenartiges, aus roter Wolle gestricktes Glied aus seinen Gewändern plumpst.

Draußen brennen schwache Lichter in der eisigen Luft. »Nach Hause«, sagt er. Er hört Gregory flüstern: »Wir dürfen bloß lachen, wenn er es erlaubt.«

»Na ja«, hört er Rafe sagen, »er hat schließlich auch das Sagen.«

Er fällt einen Schritt zurück, um mit ihnen zu sprechen. »Es war sowieso ein böser Borgia, Papst Alexander, der sich vierzig Frauen hielt. Und keine von ihnen war Jungfrau, das kann ich euch sagen.«

Rafe berührt seine Schulter. Links von ihm geht Richard, dicht neben ihm. »Ihr müsst mich nicht stützen«, sagt er sanft. »Ich bin nicht der Kardinal.« Er bleibt stehen. Er lacht. Er sagt: »Ich vermute, es war …«

»Ja, es war ganz unterhaltsam«, sagt Richard. »Seine Gnaden muss fünf Fuß um die Taille gemessen haben.«

Es ist eine laute, lebhafte Nacht: Knochenrasseln klappern, überall leuchten Fackeln. Eine Truppe von Reitern auf Steckenpferden trappelt singend an ihnen vorüber, außerdem ein paar Männer, die Geweihe am Kopf und Glocken an den Fersen tragen. Als sie sich ihrem Zuhause nähern, rollt ein als Orange verkleideter Junge vorbei, begleitet von seinem Freund, einer Zitrone. »Gregory Cromwell!«, rufen sie aus, und vor ihm selbst als Erwachsenem heben sie anstelle von Hüten höflich ein Stück Schale vom Kopf. »Gott gebe Ihnen ein gutes neues Jahr.«

»Euch auch«, ruft er. Und zu der Zitrone: »Sag deinem Vater, er soll wegen des Mietvertrags an der Cheapside zu mir kommen.«

Sie kommen zu Hause an. »Geht zu Bett«, sagt er. »Es ist spät.« Und er fügt lieber noch hinzu: »Gott behüte euch bis zum Morgen.«

Sie lassen ihn allein. Er sitzt an seinem Arbeitstisch. Er erinnert sich an Grace am Ende ihres Abends als Engel: Sie stand im Feuerschein, ihr Gesicht war weiß vor Müdigkeit, ihre Augen glitzerten, und im Schein des Feuers leuchteten die Augen ihrer Pfauenflügel, jedes einzelne, wie ein Topas: golden, rauchig. Liz sagte: »Geh vom Feuer weg, Schatz, damit deine Flügel kein Feuer fangen.« Sein kleines Mädchen trat zurück in den Schatten; die Federn hatten die Farbe von Asche und Zinder, als sie auf die Treppe zuging, und er sagte: »Grace, gehst du mit deinen Flügeln ins Bett?«

»Nur, bis ich gebetet habe«, sagte sie und warf einen Blick über die Schulter. Er ging ihr nach, hatte Angst um sie, hatte Angst vor Feuer und einer anderen Gefahr, aber er wusste nicht, welcher. Sie stieg die Treppe hinauf, ihre Flügel raschelten, ihre Federn erloschen.

Jesus, denkt er, wenigstens muss ich sie nie an jemanden abgeben. Sie ist tot, und ich werde sie keinem unbedeutenden, spitzmündigen Gentleman überlassen müssen, der nur ihre Mitgift will. Grace hätte einen Titel gewollt. Weil sie schön war, hätte sie gemeint, ich müsse ihr einen kaufen: Lady Grace. Ich wünschte, meine Tochter Anne wäre hier, denkt er, ich wünschte, Anne wäre hier und Rafe Sadler versprochen. Wenn Anne älter wäre. Wenn Rafe jünger wäre. Wenn Anne noch am Leben wäre.

Er beugt den Kopf wieder über die Briefe des Kardinals. Wolsey schreibt an die Herrscher Europas, bittet sie, ihn zu unterstützen, ihn zu verteidigen, seine Sache auszufechten. Er, Thomas Cromwell, wünschte, der Kardinal würde das nicht tun oder seine Briefe wenigstens raffinierter verschlüsseln, wenn er sie denn schreiben muss. Ist es Verrat, wenn Wolsey sie drängt, die Absichten des Königs zu durchkreuzen? Henry würde es dafür halten. Der Kardinal bittet sie nicht, um seinetwillen Krieg gegen Henry zu führen: Er bittet sie lediglich, einem König ihr Wohlwollen zu entziehen, der es sehr schätzt, wenn man ihn gern hat.

Er lehnt sich auf seinem Stuhl zurück, legt die Hände auf den Mund, als wolle er seine Meinung vor sich selbst verbergen. Er denkt, ich bin froh, dass ich Mylord Kardinal liebe, denn wenn ich das nicht täte und sein Feind wäre – sagen wir mal, ich bin Suffolk, sagen wir mal, ich bin Norfolk, sagen wir mal, ich bin der König –, würde ich ihn nächste Woche vor Gericht stellen.

Die Tür öffnet sich. »Richard? Du kannst nicht schlafen? Ach, das wusste ich. Das Stück war zu aufregend für dich.«

Jetzt ist es einfach zu lächeln, aber Richard lächelt nicht; sein Gesicht ist im Schatten. Er sagt: »Master, ich muss Ihnen eine Frage stellen. Unser Vater ist tot, und Sie sind jetzt unser Vater.«

Richard Williams und der nach Walter benannte Walter Williams: Das sind seine Söhne. »Setz dich«, sagt er.

»Sollen wir vielleicht unseren Namen ablegen und Ihren annehmen?«

»Du überraschst mich. So, wie die Dinge stehen, werden sich diejenigen, die Cromwell heißen, in Williams umbenennen wollen.«

»Wenn ich Ihren Namen hätte, würde ich ihn nie verleugnen.«

»Würde dein Vater das gutheißen? Du weißt ja, er glaubte, dass er von walisischen Prinzen abstammte.«

»Das stimmt. Wenn er etwas getrunken hatte, sagte er immer: Wer gibt mir einen Shilling für mein Fürstentum?«

»Aber trotzdem hast du den Namen Tudor in deinem Stammbaum. Jedenfalls wird das gesagt.«

»Bitte nicht«, fleht Richard. »Das lässt mich Blut und Wasser schwitzen.«

»So schlimm ist es auch wieder nicht.« Er lacht. »Hör zu. Der alte König hatte einen Onkel, Jasper Tudor. Jasper hatte zwei illegitime Töchter, Joan und Helen. Helen war Gardiners Mutter. Joan heiratete William ap Evan – sie war deine Großmutter.«

»Ist das alles? Warum hat es bei meinem Vater immer so bedeutsam geklungen? Aber wenn ich der Vetter des Königs bin«, Richard macht eine Pause, »und Stephen Gardiners Vetter … was nützt mir das? Wir sind nicht bei Hofe und werden es wahrscheinlich nie sein, jetzt, wo der Kardinal … also …« Er sieht weg. »Sir … als Sie auf Ihren Reisen waren, haben Sie da je geglaubt, Sie würden sterben?«

Richard sieht ihn an: Wie hat sich das angefühlt?

»Es war ein irritierendes Gefühl«, sagt er. »Ein Gefühl der Sinnlosigkeit. So weit zu kommen. Das Meer zu überqueren. Und dann zu sterben, weil …« Er zuckt die Achseln. »Gott weiß warum.«

Richard sagt: »Jeden Tag zünde ich für meinen Vater eine Kerze an.«

»Hilft dir das?«

»Nein. Ich tue es nur so.«

»Weiß er, dass du es tust?«

»Ich habe keine Ahnung, was er weiß. Ich weiß, dass die Lebenden sich Trost spenden müssen.«

»Das tröstet mich, Richard Cromwell.«

Richard steht auf, küsst seine Wange. »Gute Nacht. *Cysga'n dawel.*«

Schlaf gut; es ist die vertraute Wendung für alle, die zum Haus gehören. Das, was Väter, Brüder sagen. Es ist von Bedeutung, welchen Namen wir wählen, was für einen Namen wir uns machen. Die Leute, die tot auf dem Schlachtfeld liegen, verlieren ihre Namen, die gewöhnlichen Leichen ohne Abstammung, nach denen kein Herold sucht, für die keine Seelenmessen gestiftet, keine immerwährenden Gebete gesprochen werden. Morgans Linie wird nicht abreißen, dessen ist er sicher, obwohl er in einem Jahr starb, in dem der Tod sehr umtriebig war, in dem London die schwarze Kleidung nicht ablegte. Er berührt seinen Hals an der Stelle, wo der Anhänger sein sollte, der geweihte Anhänger, den Kat ihm gegeben hat; seine Finger sind erstaunt, ihn dort nicht zu finden. Zum ersten Mal versteht er, warum er ihn abgenommen hat und ins Meer gleiten ließ. Damit keine lebende Hand ihn wegnehmen würde. Die Wellen haben ihn genommen, und die Wellen haben ihn auch jetzt noch.

Der Kamin in Esher zieht immer noch schlecht. Er geht zum Herzog von Norfolk – der stets bereit ist, ihn zu empfangen – und fragt ihn, was mit dem Haushalt des Kardinals geschehen soll.

In dieser Angelegenheit sind beide Herzöge hilfreich. »Nichts ist misslicher«, sagt Norfolk, »als ein herrenloser Mann. Nichts ist gefährlicher. Was man auch über den Kardinal von York denkt, er wurde immer gut bedient. Schicken Sie sie zu mir. Sie sollen meine Männer sein.«

Er richtet seinen forschenden Blick auf Cromwell. Der sich abwendet. Der weiß, dass man um ihn wirbt. Der einen Ausdruck auf dem Gesicht hat wie eine Erbin: raffiniert, geziert, kalt.

Er ist dabei, dem Herzog ein Darlehen zu vermitteln. Seine ausländischen Kontakte sind alles andere als begeistert. Der Kardinal ist gefallen, sagt er, der Herzog ist aufgestiegen wie die Morgensonne und sitzet zur Rechten Henrys. Tommaso, sagen sie, jetzt mal im Ernst, welche Garantie haben Sie zu bieten? Irgendeinen alten Herzog, der morgen tot sein kann – es heißt, er ist cholerisch? Sie bieten ein Herzogtum auf Ihrer barbarischen Insel als Sicherheit an, auf der ständig Bürgerkrieg ausbrechen kann? Wo ein neuer Krieg vor der Tür steht, wenn Ihr eigensinniger König die Tante des Kaisers abschiebt und seine Hure als Königin einsetzt?

Trotzdem: Er wird es hinkriegen. Irgendwo.

Charles Brandon sagt: »Ach, Sie sind wieder hier, Master Cromwell, Sie mit Ihrer Namensliste? Gibt es jemanden, den Sie mir besonders empfehlen?«

»Ja, aber ich befürchte, er ist ein unbedeutender Mann, es wäre besser, ich würde das mit dem Verwalter Ihrer Küche besprechen …«

»Nein, sagen Sie es mir«, sagt der Herzog. Er kann es nicht ertragen, im Ungewissen zu bleiben.

»Es ist nur der Mann für die Feuerstellen und Kamine, gewiss keine Angelegenheit für Ihro Gnaden …«

»Ich nehme ihn, ich nehme ihn«, sagt Charles Brandon. »Ich liebe ein gutes Feuer.«

Thomas More, der Lordkanzler, hat als Erster seine Unterschrift unter alle Anklagepunkte gegen Wolsey gesetzt. Man sagt, dass auf sein Geheiß eine merkwürdige Behauptung hinzugefügt wurde. Der Kardinal wird beschuldigt, dem König ins Ohr geflüstert und ins Gesicht geatmet zu haben, und da der Kardinal die Franzosenkrankheit habe, sei es seine Absicht gewesen, unseren Monarchen zu infizieren.

Als er das hört, denkt er: Stell dir vor, du sitzt im Kopf des Lordkanzlers. Stell dir vor, du schreibst eine solche Anklage nieder, bringst sie zum Drucker und lässt sie bei Hofe und im Königreich verbreiten, verkündest sie dort, wo die Leute alles glauben; verkündest sie den Schafhirten auf den Hügeln, Tyndales Jungem hinter dem Pflug, dem Bettler auf den Straßen und dem geduldigen Tier in seinem Stall oder Gehege, verkündest sie dem schneidenden Winterwind und der schwachen Morgensonne und den Schneeglöckchen in den Gärten von London.

Es ist ein trüber Morgen mit dichten tief hängenden Wolken; das spärliche Licht, das durch die Scheiben dringt, hat die Farbe matten Zinns. Wie farbenfroh der König dagegen aussieht – wie der König in einem frisch gedruckten Kartenspiel: wie klein sein ausdrucksloses blaues Auge.

Eine Gruppe Herren umsteht Henry Tudor; sie ignorieren sein Herankommen. Nur Harry Norris lächelt und wünscht ihm höflich einen guten Morgen. Auf ein Zeichen des Königs ziehen sich die Herren zurück; in ihren bunten Reitröcken – es ist ein Jagdmorgen – flattern sie herum, wirbeln, scharen sich zusammen; sie flüstern, einer mit dem anderen, und unterhalten sich mit nickenden Köpfen und Achselzucken.

Der König wirft einen Blick aus dem Fenster. »Nun«, sagt er, »wie geht es ...?« Es scheint ihm zu widerstreben, den Namen des Kardinals zu nennen.

»Es kann ihm nicht gut gehen, solange er nicht die Gunst Ihrer Majestät genießt.«

»Vierundvierzig Anklagepunkte«, sagt der König. »Vierundvierzig, Master.«

»Mit Erlaubnis Ihrer Majestät, es gibt eine Antwort auf jeden einzelnen, und wenn man uns Gehör schenkt, werden wir diese Antworten geben.«

»Könnten Sie sie hier und jetzt geben?«

»Wenn Majestät sich setzen würden.«

»Ich habe schon gehört, dass Sie ein schlagfertiger Mann sind.«

»Wäre ich unvorbereitet hierhergekommen?«

Er hat gesprochen, ohne lange nachzudenken. Der König lächelt. Dieses feine Kräuseln der roten Lippen. Er hat einen hübschen Mund, fast wie der einer Frau; er ist zu klein für sein Gesicht. »An einem anderen Tag würde ich Sie auf die Probe stellen«, sagt er. »Aber Mylord

Suffolk wartet auf mich. Werden sich die Wolken lichten, was denken Sie? Ich wünschte, ich wäre vor der Messe aufgebrochen.«

»Ich denke, es wird aufklaren«, sagt er. »Es ist ein guter Tag, um etwas zu jagen.«

»Master Cromwell?« Der König dreht sich um, er sieht ihn an, erstaunt. »Sie vertreten doch nicht dieselbe Meinung wie Thomas More?«

Er wartet. Er kann sich nicht vorstellen, was der König sagen will.

»*La chasse*. Er hält sie für barbarisch.«

»Oh, ich verstehe. Nein, Majestät, ich befürworte jeden Sport, der billiger ist als die Schlacht. Es ist eher so ...« Wie kann er es ausdrücken? »In einigen Ländern jagen sie den Bären und den Wolf und den wilden Eber. Einst gab es diese Tiere in England, als wir unsere großen Wälder hatten.«

»Mein Vetter Frankreich hat Wildschweine zum Jagen. Von Zeit zu Zeit sagt er, er schickt mir welche. Aber ich habe das Gefühl ...«

Du hast das Gefühl, er verhöhnt dich.

»Normalerweise sagen wir«, Henry sieht ihn direkt an, »normalerweise sagen wir, wir Herren, dass die Jagd uns auf den Krieg vorbereitet. Was uns zu einem heiklen Punkt bringt, Master Cromwell.«

»So ist es«, sagt er fröhlich.

»Sie sagten vor etwa sechs Jahren im Parlament, dass ich mir keinen Krieg leisten könnte.«

Es ist sieben Jahre her: 1523. Und wie lange dauert diese Audienz schon? Sieben Minuten? Sieben Minuten, und er ist sich bereits sicher. Ein Rückzieher ist sinnlos, Henry würde dich in die Enge treiben. Wenn du vorrückst, gerät er vielleicht ins Wanken. »Kein Herrscher in der Weltgeschichte konnte sich je einen Krieg leisten. Kriege sind nicht erschwinglich. Kein Fürst sagt: ›Das ist mein Budget, also kann ich mir diesen oder jenen Krieg erlauben.‹ Man fängt einen an, und er verbraucht alles Geld, das man hat, und dann ist man ruiniert und bankrott.«

»Als ich im Jahr 1513 in Frankreich einmarschierte, eroberte ich die Stadt Thérouanne, welche Sie in Ihrer Rede als ...«

»Als Hundeloch, Majestät.«

»Als Hundeloch bezeichnet haben«, wiederholt der König. »Wie konnten Sie das sagen?«

Er zuckt mit den Achseln. »Ich war da.«

Ein Wutanfall. »Und ich auch, an der Spitze meiner Armee. Hören Sie zu, Master – Sie sagten, ich solle nicht kämpfen, weil die Steuern das Land ruinieren würden. Wozu ist das Land denn da, wenn nicht dazu, den Fürsten bei seinen Vorhaben zu unterstützen?«

»Ich glaube, ich sagte – wenn Ihre Majestät erlaubt –, dass wir nicht das Gold hätten, um den Feldzug ein ganzes Jahr lang zu finanzieren. Dass der Krieg das gesamte ungemünzte Gold und Silber des Landes verschlucken würde. Ich habe gelesen, dass es eine Zeit gab, in der die Menschen aus Mangel an Münzen Ledermarken austauschten. Ich sagte, wir würden zu jenen Tagen zurückkehren.«

»Sie sagten, ich solle meine Truppen nicht anführen. Sie sagten, das Land könne das Lösegeld nicht aufbringen, wenn ich gefangen würde. Also, was wollen Sie? Wollen Sie einen König, der nicht kämpft? Wollen Sie, dass ich im Haus hocke wie ein krankes Mädchen?«

»Das wäre ideal – in fiskalischer Hinsicht.«

Der König atmet tief ein. Er hat geschrien. Jetzt – und es ist gerade noch mal gut gegangen – beschließt er zu lachen. »Sie plädieren für die Vorsicht. Vorsicht ist eine Tugend. Aber es gibt andere Tugenden, die Fürsten gebühren.«

»Stärke.«

»Ja. Rechnen Sie das durch.«

»Das hat nichts mit Mut in einer Schlacht zu tun.«

»Halten Sie mir einen Vortrag?«

»Es hat etwas mit Zielstrebigkeit zu tun. Mit Ausdauer. Damit, die Kraft zu haben, mit den gegebenen Einschränkungen zu leben.«

Henry durchquert den Raum. Stampf, stampf, stampf in seinen Reitstiefeln; er ist auf *la chasse* eingestellt. Er dreht sich um, ganz langsam, um seine Majestät besser zur Geltung zu bringen: breit und kantig und strahlend. »Dem wollen wir auf den Grund gehen. Was schränkt mich ein?«

»Die Entfernung«, sagt er. »Die Häfen. Das Terrain, die Leute. Die Regenfälle im Winter und der Schlamm. Als die Vorfahren Ihrer Majestät in Frankreich kämpften, hielt England dort ganze Provinzen. Von da aus konnten wir die Armee mit Nachschub versorgen. Jetzt haben wir nur Calais, wie können wir da eine Armee im Landesinneren unterstützen?«

Der König starrt in den silbrigen Morgen hinaus. Er beißt sich auf die Lippe. Baut sich Wut in ihm auf, brodelt sie, kommt sie sprudelnd zum Siedepunkt? Er dreht sich um, ein heiteres Lächeln im Gesicht. »Ich weiß«, sagt er. »Wenn wir das nächste Mal nach Frankreich ziehen, brauchen wir eine Küste.«

Natürlich. Wir müssen die Normandie erobern. Oder die Bretagne. Das ist alles.

»Gute Argumentation«, sagt der König. »Ich nehme Ihnen das nicht übel. Nur vermute ich, dass Sie keine Erfahrung mit Politik oder mit der Leitung eines Feldzugs haben.«

Er schüttelt den Kopf. »Nein, keine.«

»Sie sagten – damals, meine ich, in dieser Rede vor dem Parlament –, es gebe eine Million Pfund in Gold im Königreich.«

»Ich habe eine runde Summe genannt.«

»Aber wie sind Sie zu dieser runden Summe gekommen?«

»Ich habe eine Lehre in den florentinischen Banken gemacht. Und in Venedig.«

Der König starrt ihn an. »Howard sagte, Sie wären ein einfacher Soldat.«

»Das auch.«

»Sonst noch was?«

»Was hätten Ihre Majestät denn gern?«

Der König sieht ihm direkt ins Gesicht: Das ist ungewöhnlich. Er hält seinem Blick stand, wie es seine Gewohnheit ist. »Master Cromwell, Sie haben einen schlechten Ruf.«

Er neigt den Kopf.

»Sie verteidigen sich nicht?«

»Ihre Majestät ist in der Lage, sich selbst eine Meinung zu bilden.«

»Das kann ich. Das werde ich.«

An der Tür ziehen die Wachen ihre Lanzen zurück; die Herren treten zur Seite und verbeugen sich; Suffolk stürmt herein. Charles Brandon: Er sieht aus, als ob es ihm zu heiß in seinen Kleidern ist. »Fertig?«, sagt er zum König. »Oh, Cromwell.« Er grinst. »Wie geht es Ihrem fetten Priester?«

Der König errötet, es missfällt ihm. Brandon bemerkt es nicht. »Wissen Sie«, kichert er, »man erzählt sich, der Kardinal ritt einmal mit seinem Diener aus und zügelte sein Pferd oberhalb eines Tals, in dem er eine sehr hübsche Kirche und die dazugehörigen Ländereien entdeckt hatte. Er sagte zu seinem Diener: Robin, wem gehört das? Ich wünschte, das wäre meine Pfründe! Robin sagte: Das ist sie, Mylord, das ist sie.«

Seine Geschichte findet wenig Anklang, aber Brandon lacht selbst über sie.

Er sagt: »Mylord, diese Geschichte geht in ganz Italien um. Über den einen oder anderen Kardinal.«

Brandon ist sichtlich enttäuscht. »Was, dieselbe Geschichte?«

»*Mutatis mutandis.* Der Diener heißt nicht Robin.«

Der König fängt seinen Blick auf. Er lächelt.

Als er geht, schiebt er sich an den Herren vorbei, und wen trifft er? Den Sekretär des Königs. »Guten Morgen, guten Morgen!«, sagt er. Er wiederholt nicht oft etwas, aber der Augenblick scheint danach zu verlangen.

Gardiner reibt sich die großen, blaugefrorenen Hände. »Kalt, nicht?«, sagt er. »Und wie war es, Cromwell? Unangenehm, stelle ich mir vor?«

»Ganz im Gegenteil«, sagt er. »Übrigens, er reitet mit Suffolk zur Jagd, Sie werden warten müssen.« Er geht weiter, dreht sich dann aber um. Er spürt einen Schmerz wie eine dumpfe Prellung in seiner Brust. »Gardiner, können wir das nicht lassen?«

»Nein«, sagt Gardiner. Seine hängenden Augenlider zucken. »Nein, ich sehe nicht, wie wir das könnten.«

»In Ordnung«, sagt er. Er geht weiter. Er denkt: Warte ab. Du musst vielleicht ein oder zwei Jahre warten, aber wart's einfach ab.

Esher, zwei Tage später: Er ist kaum durch die Toreinfahrt, als Cavendish schon über den Hof geschossen kommt. »Master Cromwell! Gestern hat der König …«

»Ruhig, George«, rät er ihm.

»… gestern hat er uns vier Karrenladungen mit Sachen für den Haushalt geschickt – Sie müssen sich das ansehen! Gobelins, Geschirr, Bettvorhänge – geschah das auf Ihre Bitte hin?«

Wer weiß? Er hat nicht direkt um etwas gebeten. Denn dann hätte er genauere Angaben gemacht. Nicht *diesen* Vorhang, sondern *jenen*, der wird Mylord gefallen; er mag lieber Göttinnen als jungfräuliche Märtyrerinnen, also weg mit der heiligen Agnes und her mit der Venus im Hain. Mylord mag venezianisches Glas; stellen Sie diese ramponierten Silberkelche weg.

Mit verächtlichen Blicken inspiziert er die neuen Sachen. »Nur das Beste für die Jungs aus Putney«, sagt Wolsey. »Es ist möglich«, fügt er fast entschuldigend hinzu, »dass die Dinge, die der König mir zugedacht hat, gar nicht geschickt wurden. Dass niedere Personen sie mit minderwertigen Dingen ausgetauscht haben.«

»Das ist durchaus möglich«, sagt er.

»Aber trotzdem. Wir werden es bequemer haben.«

»Die Schwierigkeit ist«, sagt Cavendish, »dass wir umziehen müssen. Das ganze Haus muss geschrubbt und gelüftet werden.«

»Das stimmt«, sagt der Kardinal. »Der Gestank der Aborte würde sogar die heilige Agnes umhauen, Gott segne sie.«

»Werden Sie den Kronrat darum bitten?«

Er seufzt. »George, was bringt das? Hören Sie. Ich spreche nicht mit Thomas Howard, ich spreche nicht mit Brandon, ich spreche mit *ihm*.«

Der Kardinal lächelt. Ein breites väterliches Lächeln.

Als sie eine finanzielle Regelung für den Kardinal aushandeln, überrascht ihn Henrys Verständnis für das Detail. Wolsey hat immer gesagt, dass der König einen guten Kopf hat, der genauso schnell arbeitet wie der seines Vaters, aber umfassender denkt. Der alte König wurde mit dem Alter engstirniger; er hielt England fest im Griff; es gab keinen Adligen, den er nicht durch Schulden oder Verbindlichkeiten in der Hand hatte, und er sagte ganz offen, wenn er schon nicht geliebt werden könne, wolle er gefürchtet werden. Henry hat ein anderes Naturell, doch von welcher Art? Wolsey lacht und sagt: Ich sollte Ihnen ein Handbuch schreiben. Aber als er mit Erlaubnis des Königs in ein kleines Pförtnerhaus in Richmond umgezogen ist und in den Gärten dort spazieren geht, ist der Verstand des Kardinals etwas getrübt, er spricht von Prophezeiungen, er spricht über den Untergang der englischen Priester, der, wie er meint, vorhergesagt wurde und der sich jetzt ereignen wird.

Selbst wenn man nicht an Omen glaubt – und er persönlich tut das nicht –, ist das Problem offensichtlich. Denn wenn der Kardinal eines Verbrechens schuldig ist, weil er seine Gerichtsbarkeit als Legat ausgeübt hat, sind dann nicht all jene Geistlichen, die dem zugestimmt haben, ebenfalls schuldig? Angefangen bei den Bischöfen? Er ist bestimmt nicht der Einzige, der über diese Frage nachdenkt; aber die Feinde des Kardinals kommen überwiegend nicht über seine Person hinaus, über diese riesige scharlachrote Präsenz am Horizont; sie fürchten, dass sie wieder in Erscheinung treten wird – bereit, Rache zu nehmen. »Schlechte Zeiten für überhebliche Prälaten«, sagt Brandon, als sie sich das nächste Mal treffen. Er klingt fröhlich, wie ein Mann, der pfeift, um den Mut nicht zu verlieren. »Wir brauchen keine Kardinäle im Königreich.«

»Und als er«, tobt der Kardinal, »als er, Brandon, kurzerhand die Schwester des Königs geheiratet hat – geheiratet hat, als sie gerade erst Witwe war, wohlwissend, dass der König sie für einen anderen Monarchen bestimmt hatte –, da wäre ihm der Kopf vom Körper geschlagen worden, wenn nicht ich, ein einfacher Kardinal, den König um Gnade für ihn gebeten hätte.«

Ich, ein einfacher Kardinal.

»Und welche Entschuldigung hat Brandon vorgebracht?«, sagt der Kardinal. »›Oh, Majestät, Ihre Schwester Mary hat geweint. Und wie sie geweint und mich gebeten hat, sie zu heiraten! Ich habe noch nie eine Frau so weinen sehen!‹ Also trocknete er ihre Tränen und verschaffte sich selbst ein Herzogtum! Und jetzt redet er, als trüge er diesen Titel seit dem Garten Eden. Hören Sie, Thomas, wenn hochgebildete Männer zu mir kommen, Männer mit gutem Charakter – wie Bischof Tunstall kommt, wie Thomas More kommt –, und dafür plädieren, dass die Kirche reformiert werden muss, natürlich, dann höre ich zu. Aber Brandon! Von überheblichen Prälaten zu sprechen! Was war er denn? Der Pferdeknecht des Königs! Und ich kannte Pferde mit mehr Verstand!«

»Mylord«, bittet Cavendish, »mäßigen Sie sich doch etwas. Sie wissen, dass Charles Brandon aus einer alten Familie stammt, dass er ein Gentleman von Geburt ist.«

»Ein Gentleman, er? Ein eitler Angeber. Das ist Brandon.« Der Kardinal setzt sich, er ist erschöpft. »Mein Kopf tut weh«, sagt er. »Cromwell, gehen Sie zum Hof und bringen Sie mir bessere Nachrichten.«

Tag für Tag nimmt er Wolseys Anweisungen in Richmond entgegen und reitet dorthin, wo sich der König gerade aufhält. Er stellt sich den König als Gebiet vor, in das er vorrücken muss, ohne eine Küste für den Nachschub zu haben.

Er versteht, was Henry von seinem Kardinal gelernt hat: die fluktuierende Diplomatie, die Wissenschaft der Zweideutigkeit. Er durchschaut, wie der König diese Wissenschaft auf den langsamen, spurenlosen, bedenklichen Ruin seines Ministers anwendet. Jede Freundlichkeit paart Henry mit einer Grausamkeit, einer weiteren Anklage oder einer neuerlichen Beschlagnahme. Bis der Kardinal stöhnt: »Ich möchte hier weg.«

»Winchester«, schlägt er den beiden Herzögen vor. »Mylord Kardinal ist willens, in seinen Palast dort zu gehen.«

»Was, so nah beim König?«, sagt Brandon. »Wir halten uns nicht selbst zum Narren, Master Cromwell.«

Weil er, der Mann des Kardinals, so oft bei Henry ist, hat sich über ganz Europa das Gerücht verbreitet, dass Wolsey rehabilitiert werden soll. Der König hat ein gutes Geschäft im Auge, sagen die Leute, er will den Reichtum der Kirche als Gegenleistung für Wolseys Rückkehr. Gerüchte dringen aus der Ratskammer, aus dem Kronrat: Der König mag das neue Arrangement nicht. Norfolk erweist sich als Ignorant; Suffolk wird beschuldigt, auf störende Weise zu lachen.

Er sagt: »Mylord wird nicht nach Norden gehen. Er ist nicht bereit dazu.«

»Aber ich will ihn im Norden haben«, sagt Howard. »Sagen Sie ihm, dass er gehen soll. Sagen Sie ihm, Norfolk will, dass er sich auf den Weg macht und von hier verschwindet. Oder – und sagen Sie ihm das – ich komme zu ihm und reiße ihn mit den Zähnen.«

»Mylord.« Er verbeugt sich. »Darf ich das Wort ›beißen‹ einsetzen?«

Norfolk tritt näher an ihn heran. Viel zu nah. Seine Augen sind blutunterlaufen. Jede Sehne zuckt. Er sagt: »Sie setzen gar nichts ein, Sie missratener ...« Der Herzog stößt einen Zeigefinger in seine Schulter. »Sie ... Person«, sagt er; und weiter: »Sie Niemand aus der Hölle, Sie Hurenbrut, Sie Ausgeburt des Bösen, Sie Anwalt.«

Da steht er und piekst ihn wie ein Bäcker, der die Grübchen in eine Ladung runder Brotlaibe macht. Cromwells Fleisch ist fest, dicht und undurchdringlich. Der herzogliche Finger prallt einfach von ihm ab.

Bevor sie Esher verließen, hatte eine der Katzen, die zur Schädlingsbekämpfung herbeigeschafft wurden, in den Privatgemächern des Kardinals einen Wurf Junge geboren. Welche Anmaßung, bei einem Tier! Aber halt – neues Leben in den Räumen des Kardinals? Könnte das ein *Omen* sein? Eines Tages, fürchtet er, wird es ein anderes Omen geben: Ein toter Vogel wird aus diesem rußenden Kamin fallen, und dann – Oh, Weh über uns! – wird endlos davon geredet werden.

Aber für den Augenblick freut sich der Kardinal, legt die Kätzchen auf ein Kissen in der herausgezogenen Schublade einer Truhe und sieht zu, wie sie wachsen. Eins von ihnen ist schwarz und hungrig, hat wolliges Fell und gelbe Augen. Als es entwöhnt ist, nimmt er es mit nach Hause. Er holt das Kätzchen unter seinem Mantel hervor, wo es zusammengerollt an seiner Schulter geschlafen hat. »Gregory, sieh mal.« Er hält es seinem Sohn hin. »Ich bin ein Riese, mein Name ist Marlinspike.«

Gregory sieht ihn an, argwöhnisch, verwirrt. Sein Blick ist unruhig, seine Hand weicht zurück. »Die Hunde werden ihn töten«, sagt er.

Also zieht Marlinspike nach unten in die Küche, um stark zu werden und seine tierische Natur auszuleben. Ein Sommer steht bevor, obwohl er sich dessen Freuden nicht vorstellen kann; manchmal, wenn er im Garten spazieren geht, sieht er ihn, einen halbwüchsigen Kater, der wachsam in einem Apfelbaum lümmelt oder auf einer Mauer in der Sonne schnarcht.

Frühling 1530: Der Kaufmann Antonio Bonvisi lädt ihn zum Abendessen in sein schönes großes Haus am Bishopsgate ein. »Es wird nicht spät werden«, sagt er zu Richard, denn er rechnet damit, dass es sich um die übliche steife Zusammenkunft handelt, bei der alle schlecht gelaunt und hungrig sind: Selbst ein reicher Italiener mit einer raffinierten Küche kennt keine hundert Arten, geräucherten Aal oder gepökelten Schellfisch zuzubereiten. In der Fastenzeit vermissen die Kaufleute ihr Hammelfleisch und ihren Malvasier, das nächtliche Geächze im Federbett mit der Ehefrau oder Geliebten; von jetzt an bis Aschermittwoch halten sie ihre Messer zum Halsabschneiden und Übervorteilen gezückt.

Aber das Ereignis ist glanzvoller, als er gedacht hatte; der Lordkanzler ist da, inmitten einer Gesellschaft von Anwälten und Aldermännern. Humphrey Monmouth, den More einst eingesperrt hat, sitzt in einiger Entfernung des großen Mannes; More scheint sich wohlzufühlen und geißelt die Anwesenden mit einer Geschichte über den großen Gelehrten Erasmus, seinen lieben Freund. Als er jedoch aufsieht und ihn, Cromwell, erblickt, verstummt er mitten im Satz; er schlägt die

Augen nieder und ein undurchsichtiger, versteinerter Ausdruck macht sich auf seinem Gesicht breit.

»Wollten Sie über mich reden?«, fragt er. »Das können Sie auch in meiner Anwesenheit tun, Lordkanzler. Ich habe ein dickes Fell.« Er kippt ein Glas Wein hinunter und lacht. »Wissen Sie, was Brandon sagt? Er kann sich keinen Reim auf mein Leben machen. Auf meine Reisen. Vor ein paar Tagen hat er mich als jüdischen Hausierer bezeichnet.«

»Und hat er Ihnen das ins Gesicht gesagt?«, fragt sein Gastgeber höflich.

»Nein. Der König hat es mir erzählt. Aber was soll's, Mylord Kardinal bezeichnet Brandon als Pferdeknecht.«

Humphrey Monmouth sagt: »Sie haben inzwischen Zutritt zum Hof, Thomas. Und was denken Sie jetzt, wo Sie Höfling sind?«

Alle am Tisch lächeln. Denn natürlich ist diese Idee völlig absurd, die Situation lediglich vorübergehend. Mores Leute sind auch nicht feiner, Leute aus der City, aber More ist *sui generis* ein Gelehrter und ein kluger Kopf. Und More sagt: »Vielleicht sollten wir das nicht vertiefen. Das sind heikle Fragen. Auch das Schweigen hat seine Zeit.«

Ein Ältester der Gilde der Stoffhändler beugt sich über den Tisch und warnt mit leiser Stimme: »Als er Platz nahm, sagte Thomas More, dass er nicht über den Kardinal sprechen wird und auch nicht über die Lady.«

Er, Cromwell, lässt seinen Blick über die Anwesenden schweifen. »Der König überrascht mich jedenfalls. Was er sich gefallen lässt.«

»Von Ihnen?«, sagt More.

»Ich meine Brandon. Sie wollen auf die Jagd: Brandon spaziert herein und ruft: Fertig?«

»Zu Beginn der Herrschaft war es ein ständiger Kampf für Ihren Herrn, den Kardinal«, sagt Bonvisi, »die Gefährten des König daran zu hindern, allzu vertraulich mit ihm umzugehen.«

»Er wollte als Einziger vertraulich mit ihm umgehen«, behauptet More.

»Aber der König kann natürlich aufsteigen lassen, wen er will.«

»Bis zu einem gewissen Punkt, Thomas«, sagt Bonvisi; verhaltenes Gelächter kommt auf.

»Und der König schätzt seine Freundschaften. Das ist doch eine gute Sache, oder nicht?«

»Ein nachsichtiges Wort, und das von Ihnen, Master Cromwell.«

»Keineswegs«, sagt Monmouth. »Master Cromwell ist bekannt dafür, dass er alles für seine Freunde tut.«

»Ich denke …« More hält inne; er sieht nach unten, auf den Tisch. »Ehrlich gesagt, bin ich mir nicht sicher, ob man einen Fürsten als Freund betrachten kann.«

»Aber Sie kennen Henry seit seiner Kindheit«, sagt Bonvisi.

»Ja, aber eine Freundschaft sollte nicht so anstrengend sein … sie sollte Kraft spenden. Nicht wie …« More wendet sich zum ersten Mal an ihn, als fordere er ihn zu einem Kommentar auf. »Ich habe manchmal das Gefühl, dass es ist wie bei … wie bei Jakob, der mit dem Engel ringt.«

»Und wer weiß«, sagt er, »worum es dabei ging?«

»Ja, die Schrift schweigt darüber. Wie bei Kain und Abel. Wer weiß?«

Er vernimmt eine leichte Unruhe in der Tischrunde, unter den Frömmeren, den weniger Leichtfertigen oder vielleicht nur denen, die auf den nächsten Gang warten. Was wird es geben? Fisch!

»Wenn Sie mit Henry sprechen«, sagt More, »bitte ich Sie, sein gutes Herz anzusprechen. Nicht den starken Willen.«

Er würde das aufgreifen, aber der alte Tuchhändler winkt nach mehr Wein und fragt ihn: »Wie geht es Ihrem Freund Stephen Vaughan? Was gibt es Neues in Antwerpen?« Von jetzt an dreht sich das Gespräch um den Handel; es dreht sich um den Versand, um Zinssätze, aber das ist lediglich das Summen im Hintergrund für aufrührerische Spekulationen. Wenn man einen Raum betritt und sagt: Das ist das Thema, über das wir nicht sprechen werden, dann ist klar, dass über nichts anderes gesprochen wird. Wäre der Lordkanzler nicht anwesend, ginge es nur um Einfuhrzölle und Zollgutlager; wir würden nicht an den dräuenden scharlachroten Kardinal denken, und unser vom Fasten ausgehungerter Geist würde sich nicht mit dem Bild beschäftigen, wie die Finger des Königs über einen widerstrebenden, heftig atmenden jungfräulichen Busen wandern. Er lehnt sich zurück und heftet den Blick auf Thomas More. Nach einer Weile entsteht eine natürliche Gesprächspause, ein kurzes Schweigen, und nachdem er eine Viertelstunde lang geschwiegen hat, stößt der Lordkanzler in sie hinein, mit leiser und ärgerlicher Stimme, die Augen auf die Essensreste gerichtet. »Der Kardinal von York«, sagt er, »hat eine unstillbare Gier danach, über andere Menschen zu herrschen.«

»Lordkanzler«, sagt Bonvisi, »Sie starren Ihren Hering an, als würden Sie ihn hassen.«

Sagt der liebenswürdige Gast: »Mit dem Hering ist alles in Ordnung.«

Er beugt sich vor, bereit für diesen Kampf; er hat nicht die Absicht, Mores Bemerkung einfach zu übergehen. »Der Kardinal ist ein Mann der Öffentlichkeit. Genau wie Sie. Soll er etwa vor einer öffentlichen Rolle zurückschrecken?«

»Ja.« More sieht auf. »Ja, ich denke schon, das sollte er. Seinen Appetit vielleicht etwas weniger deutlich zeigen.«

»Es ist etwas spät«, sagt Monmouth, »dem Kardinal eine Lektion in Bescheidenheit zu erteilen.«

»Seine wahren Freunde haben das vor langer Zeit getan und er hat nicht auf sie gehört.«

»Und Sie zählen sich zu seinen Freunden?« Er lehnt sich zurück und verschränkt die Arme. »Das werde ich ihm erzählen, Lordkanzler, und beim Blut des Herrn, er wird es als Trost empfinden, wenn er in seinem Exil sitzt und sich fragt, warum Sie ihn beim König verleumdet haben.«

»Meine Herren ...« Bonvisi erhebt sich nervös vom Stuhl.

»Nein«, sagt er, »setzen Sie sich. Lassen Sie uns das klarstellen. Thomas More hier sagt von sich: Ich wäre ein einfacher Mönch geworden, aber mein Vater wollte, dass ich Jurist werde. Ich würde mein Leben der Kirche widmen, wenn ich die Wahl hätte. Mir ist, wie Sie wissen, der Reichtum gleichgültig. Es zieht mich zu den geistigen Dingen. Weltliche Ehrungen bedeuten mir nichts.« Er lässt seinen Blick über die Tischrunde gleiten. »Und wie ist er dann Lordkanzler geworden? War das Zufall?«

Die Tür öffnet sich; Bonvisi springt auf die Füße, Erleichterung zeigt sich auf seinem Gesicht. »Willkommen, willkommen«, sagt er. »Meine Herren: der Botschafter des Kaisers.«

Es ist Eustache Chapuys, der zusammen mit dem Dessert eintrifft; der neue Botschafter, so nennt man ihn, obwohl er seinen Posten schon im Herbst angetreten hat. Er bleibt auf der Schwelle stehen, sodass sie ihn wahrnehmen und bewundern können: ein kleiner, gekrümmter Mann in einem geschlitzten und bauschigen Wams; blauer Satin, unterlegt mit schwarzem; darunter seine kurzen schwarzen spindeldürren Beine. »Ich bedaure die Verspätung«, sagt er. Er lächelt affektiert. *»Les dépêches, toujours les dépêches.«*

»So ist das Leben eines Botschafters.« Er sieht auf und lächelt. »Thomas Cromwell.«

»Ah, *c'est le juif errant!*«

Sofort entschuldigt sich der Botschafter, wobei er in die Runde lächelt, als sei er verwirrt über den Anklang, den sein Witz findet.

Nehmen Sie Platz, nehmen Sie Platz, sagt Bonvisi, und die Diener wirbeln herum, säubern geschwind die Tafel, die Gesellschaft gruppiert sich informeller, ausgenommen der Lordkanzler, der dort sitzen bleibt, wo er sitzt. Eingemachte Herbstfrüchte werden aufgetragen, dazu Gewürzwein, und Chapuys bekommt den Ehrenplatz neben More.

»Lassen Sie uns Französisch sprechen, meine Herren«, sagt Bonvisi.

Französisch ist zufällig die Muttersprache des Botschafters des Heiligen Römischen Reiches und Spaniens; und wie jeder andere Diplomat wird er sich niemals die Mühe machen, Englisch zu lernen, denn was nützt ihm das auf seinem nächsten Posten? Sehr freundlich, sehr freundlich, sagt er, als er sich auf dem geschnitzten Stuhl zurücklehnt, den der Gastgeber für ihn geräumt hat; seine Füße reichen nicht ganz bis zum Boden. Jetzt wacht More auf; er und der Botschafter stecken die Köpfe zusammen. Er beobachtet sie, sie erwidern verärgert seinen Blick, aber sollen sie doch.

In einer winzigen Pause unterbricht er ihr Gespräch. »Monsieur Chapuys? Wissen Sie, vor kurzem habe ich mit dem König über die bedauerlichen Vorfälle gesprochen, als die Truppen Ihres Herrn die Heilige Stadt plünderten. Vielleicht können Sie uns ins Bild setzen? Wir verstehen das nämlich immer noch nicht.«

Chapuys schüttelt den Kopf. »Außerordentlich bedauerliche Vorfälle.«

»Thomas More glaubt, es waren die heimlichen Mohammedaner in Ihrer Armee, die wild geworden sind – ach, und natürlich meine Leute, die wandernden Juden. Aber davor sagte er, dass es die Deutschen waren, die Lutheraner; sie haben die armen Jungfrauen vergewaltigt und die Heiligtümer geschändet. Auf jeden Fall müsse der Kaiser sich aber selbst die Schuld geben, wie der Lordkanzler meint. Wie ist es, wem sollten wir die Schuld zuweisen? Sind Sie in der Lage, uns zu helfen?«

»Mein lieber Kanzler, Sir!« Der Botschafter ist entsetzt. Seine Augen heften sich auf Thomas More. »Haben Sie so von meinem kaiserlichen Herrn gesprochen?« Er wirft kurz einen Blick über die Schulter und verfällt ins Lateinische.

Die Gesellschaft, sprachlich gewandt, sitzt und lächelt ihn an. Er gibt freundlich einen Rat: »Wenn Sie halbwegs verschwiegen sprechen möchten, versuchen Sie es mit dem Griechischen. *Allez,* Monsieur Chapuys, nur zu! Der Lordkanzler wird Sie verstehen.«

Bald darauf löst sich die Gesellschaft auf; der Lordkanzler erhebt sich zum Gehen, aber vorher gibt er noch eine Erklärung für alle ab – auf Englisch. »Master Cromwells Position«, sagt er, »ist unhaltbar, so erscheint es mir. Er ist kein Freund der Kirche, wie wir alle wissen, aber er ist der Freund eines einzelnen Priesters. Und dieser Priester ist der korrupteste der Christenheit.«

Mit einem knappen Nicken verabschiedet er sich. Selbst Chapuys wird nicht weiter bedacht. Der Botschafter sieht ihm zweifelnd nach, beißt sich auf die Lippe, als wolle er sagen: Aus dieser Ecke habe ich mehr Hilfe und Freundschaft erwartet. Ihm fällt auf, dass Chapuys sich bei allem wie ein Schauspieler verhält. Wenn er denkt, schlägt er die Augen nieder und legt zwei Finger an die Stirn. Wenn er betrübt ist, seufzt er. Wenn er verwundert ist, wackelt er mit dem Kinn und lächelt ein wenig. Wie ein Mann, der versehentlich in ein Stück geraten ist und feststellt, dass es sich um eine Komödie handelt, der sich entschließt, zu bleiben und es zu Ende zu bringen.

Das Essen ist vorüber; die Gesellschaft verschwindet langsam in der frühen Dunkelheit. »Vielleicht früher, als Sie gewünscht hätten?«, sagt er zu Bonvisi.

»Thomas More ist ein alter Freund von mir. Sie hätten nicht kommen und ihn ärgern sollen.«

»Ach, habe ich Ihre Feier verdorben? Sie haben Monmouth eingeladen; nicht, um ihn zu ärgern?«

»Nein, Humphrey Monmouth ist auch mein Freund.«

»Und ich?«

»Natürlich.«

Sie sind ganz selbstverständlich ins Italienische verfallen. »Ich bin neugierig«, sagt er. »Erzählen Sie mir etwas über Thomas Wyatt.« Wyatt war recht plötzlich nach Italien gegangen und hatte sich einer diplomatischen Mission angeschlossen: Das war vor drei Jahren. Er hatte eine furchtbare Zeit dort, aber das kann an einem anderen Abend erörtert werden; jetzt geht es um die Frage, warum er den englischen Hof in solcher Hast verlassen hat.

»Ah. Wyatt und Lady Anne«, sagt Bonvisi. »Eine alte Geschichte, hätte ich gedacht?«

Nun, vielleicht, sagt er, erzählt ihm dann aber von dem Jungen Mark, dem Musiker, der sicher ist, dass Wyatt sie gehabt hat; wenn die Geschichte unter Europas Dienstboten und einfachen Leuten die Runde macht, wie wahrscheinlich ist es dann, dass der König sie nicht gehört hat?

»Ich vermute, es gehört zur Kunst des Herrschens, dass man weiß, wann man die Ohren verschließen muss. Und Wyatt sieht gut aus«, sagt Bonvisi, »auf diese spezielle englische Art. Er ist groß, er ist blond, meine Landsleute bewundern ihn; wie bringt ihr solche Menschen hervor? Und er ist auch noch so selbstsicher. Und ein Dichter!«

Er lacht über seinen Freund, weil er wie alle Italiener nicht »Wyatt« sagen kann; es kommt als *»Guiett«* oder so ähnlich heraus. In den Tagen der Ritterschaft gab es einmal einen Mann namens Hawkwood, einen Ritter aus Essex, der damals in Italien vergewaltigte, Brände legte und mordete; die Italiener nannten ihn *Acuto*, die Nadel.

»Ja, aber Anne ...« Er kennt sie nur flüchtig, aber er spürt, dass etwas so Unbeständiges wie die Schönheit sie nicht reizen kann. »In den letzten Jahren hat sie mehr als alles andere einen Ehemann gebraucht: einen Namen, einen festen Platz, eine Position, von der aus sie mit dem König verhandeln kann. Jetzt ist Wyatt verheiratet. Was hat er ihr zu bieten?«

»Verse?«, sagt der Kaufmann. » Er hat England nicht aus diplomatischen Gründen verlassen. Der Grund war, dass sie ihn quälte. Er wagte nicht mehr, sich im selben Raum aufzuhalten wie sie. Im selben Schloss. Im selben Land.« Er schüttelt den Kopf. »Sind die Engländer nicht merkwürdig?«

»Mein Gott, das sind sie.«

»Aber Sie sollten sich in Acht nehmen, Tommaso. Die Familie der Dame versucht die Grenzen des Möglichen zu verschieben. Jetzt sagen sie: Warum auf den Papst warten? Können wir nicht einfach ohne ihn einen Ehevertrag schließen?«

»Das scheint der Weg nach vorn zu sein.«

»Probieren Sie eine dieser gezuckerten Mandeln.«

Er lächelt. Bonvisi sagt: »Tommaso, darf ich Ihnen einen Rat geben? Der Kardinal ist am Ende.«

»Seien Sie sich dessen nicht so sicher.«

»Ja, und wenn Sie ihn nicht lieben würden, wüssten Sie, dass es stimmt.«

»Der Kardinal ist immer gut zu mir gewesen.«

»Aber er muss nach Norden gehen.«

»Die Welt wird ihm nachkommen. Fragen Sie die Botschafter. Fragen Sie Chapuys. Fragen Sie alle, wem sie Bericht erstatten. Sie sind in Esher, in Richmond. *Toujours les dépêches.* Dabei geht es um uns.«

»Aber das ist genau das, was man dem Kardinal vorwirft! Dass er ein Land innerhalb des Landes regiert!«

Er seufzt. »Ich weiß.«

»Und was wollen Sie dagegen unternehmen?«

»Ihn bitten, bescheidener zu sein?«

Bonvisi lacht. »Ach, Thomas. Bitte, Sie wissen, dass Sie keinen Herrn mehr haben, wenn er nach Norden geht. Das ist der springende Punkt. Sie werden vom König empfangen, aber das ist nur vorübergehend, solange er herauszufinden versucht, wie er dem Kardinal eine Abfindung geben kann, die ihn ruhigstellt. Aber was dann?«

Er zögert. »Der König mag mich.«

»Der König ist ein treuloser Liebhaber.«

»Nicht bei Anne.«

»Und in diesem Punkt muss ich Sie warnen. Oh nein, nicht wegen Guiett ... nicht wegen irgendwelcher Klatschgeschichten, leicht dahergesagter Dinge ... sondern weil alles bald enden muss ... sie wird nachgeben, sie ist nur eine Frau ... Bedenken Sie, wie töricht es gewesen wäre, seine Geschicke von denen der Schwester der Dame abhängig zu machen, von der Frau, die vor ihr kam.«

»Ja, nicht auszudenken.«

Er sieht sich im Raum um. Da hat der Lordkanzler gesessen. Zu seiner Linken die hungrigen Kaufleute. Zu seiner Rechten der neue Botschafter. Da: Humphrey Monmouth, der Ketzer. Da: Antonio Bonvisi. Hier: Thomas Cromwell. Und auch für Geister gibt es gedeckte Plätze: für den Herzog von Suffolk, nüchtern und groß, für Norfolk, der seine geweihten Anhänger klimpern lässt und ruft: »Bei allen Heiligen!« Ein Platz ist für den König gedeckt, und einer für die tapfere kleine Königin, die in dieser Zeit der Buße so ausgehungert ist, dass ihr Magen in der festen Rüstung ihrer Gewänder grummelt. Es ist ein Platz für Lady Anne gedeckt, die mit ihren rastlosen schwarzen Augen in die Runde blickt, die nichts isst, der nichts entgeht, die an den Perlen um ihrem kleinen Hals zieht. Es gibt einen Platz für William Tyndale und einen für den Papst; Clemens blickt auf die kandierten Quitten, die nicht fein genug geschnitten sind, und kräuselt seine Medici-Oberlippe. Und dort sitzt Bruder Martin Luther, schmierig und fett: Er sieht sie alle zornig an und spuckt Fischgräten aus.

Ein Diener kommt herein. »Zwei junge Männer sind draußen, Master, und haben nach Ihnen gefragt.«

Er sieht auf. »Ja?«

»Master Richard Cromwell und Master Rafe, mit Dienern aus Ihrem Haushalt. Sie warten darauf, Sie nach Hause zu begleiten.«

Ihm wird klar, dass der ganze Abend dazu gedient hat, ihn zu warnen: ihn abzuschrecken. Er wird sich an sie erinnern, an diese verhängnisvolle *Anordnung*: wenn sie sich als verhängnisvoll erweist. Das leise Knirschen und Raunen von Stein, der sich langsam selbst zerstört; das ferne Geräusch von einstürzenden Wänden, von zerbröckelndem Putz, von Trümmern, die auf fragile menschliche Schädel fallen? Es ist das Dach der Christenheit, das diese Geräusche macht. Es stürzt auf die Menschen.

Bonvisi sagt: »Sie haben eine Privatarmee, Tommaso. Ich nehme an, Sie brauchen Rückendeckung.«

»Sie wissen, dass es so ist.« Seine Augen schweifen durch den Raum: ein letzter Blick. »Gute Nacht. Es war ein gutes Essen. Ich mochte die Aale. Schicken Sie Ihren Koch mal bei meinem vorbei? Ich habe eine neue Soße, die die Fastenzeit etwas aufheitert. Man braucht Muskatblüten und Ingwer, etwas gehackte getrocknete Minze …«

Sein Freund sagt: »Ich bitte Sie. Ich flehe Sie an, vorsichtig zu sein.«

»… ein wenig, aber nur sehr wenig Knoblauch …«

»Bei wem Sie das nächste Mal auch speisen, ich bitte Sie, sich nicht …«

»… und Semmelbrösel, aber nur eine Handvoll …«

»… zu den Boleyns zu setzen.«

II

Überaus geliebter Cromwell

Frühling – Dezember 1530

Er trifft früh in York Place ein. Die gefangenen Möwen im Gehege rufen nach ihren freien Geschwistern auf dem Fluss, die kreischend über den Palastmauern kreisen und immer wieder hinabstoßen. Die Kärrner schieben eingetroffene Waren vom Fluss herauf, und die Höfe riechen nach frisch gebackenem Brot. Ein paar Kinder bringen Bündel mit frischen Binsen und grüßen ihn mit seinem Namen. Für ihre Höflichkeit gibt er jedem von ihnen eine Münze, und sie bleiben stehen, um mit ihm zu sprechen. »Ach so, Sie gehen zu der bösen Dame. Sie hat den König verhext, wissen Sie das? Haben Sie einen Anhänger oder eine Reliquie, Master, die Sie schützt?«

»Ich hatte mal einen Anhänger. Aber ich habe ihn verloren.«

»Sie sollten unseren Kardinal fragen«, sagt eines der Kinder. »Er wird Ihnen einen neuen geben.«

Die Binsen riechen frisch und grün; der Morgen ist schön. Die Räume in York Place sind ihm vertraut; als er sie auf dem Weg zu den inneren Gemächern durchquert, sieht er ein halb vertrautes Gesicht und sagt: »Mark?«

Der Junge löst sich von der Wand, an der er lehnt.

»Du bist früh auf. Wie geht es dir?«

Ein mürrisches Schulterzucken.

»Es muss merkwürdig sein, wieder in York Place zu sein, nachdem sich die Welt so verändert hat.«

»Nein.«

»Du vermisst Mylord Kardinal nicht?«

»Nein.«

»Bist du glücklich hier?«

»Ja.«

»Das wird Mylord gerne hören.« Zu sich selbst sagt er im Weitergehen: Du denkst vielleicht nie an uns, Mark, aber wir denken an dich. Ich zumindest, ich denke daran, wie du mich einen Verbrecher genannt und meinen Tod vorausgesagt hast. Es stimmt, was der Kardinal immer sagt – es gibt keine sicheren Orte, es gibt keine verschlossenen Räume, man kann ebenso gut auf der Cheapside stehen und seine Sünden herausschreien, als sie irgendwo in England einem Priester zu beichten. Aber als ich mit dem Kardinal über das Töten gesprochen habe, als ich einen Schatten an der Wand sah, konnte man niemanden hören; wenn Mark mich also für einen Mörder hält, dann nur, weil er denkt, ich sehe wie einer aus.

Acht Vorzimmer: Im letzten, wo der Kardinal sein sollte, findet er Anne Boleyn. Und sieh an, da sind Salomon und Saba, wieder entrollt, wieder an der Wand. Durch einen Luftzug wirbelt Saba in seine Richtung, rosig, rund, und er erkennt sie: Anselma, die Dame aus Wolle, ich dachte, ich würde dich nie wiedersehen.

Er hat nach Antwerpen geschrieben, hat diskret um Nachricht gebeten. Anselma sei verheiratet, hat Stephen Vaughan geantwortet, mit einem jüngeren Mann, einem Bankier. Wenn er ertrinkt oder etwas in der Art, hat er gesagt, lassen Sie es mich wissen. Vaughan schreibt zurück: Thomas, kommen Sie, gibt es in England nicht jede Menge Witwen? Und frische junge Mädchen?

Neben Saba sieht Anne schlecht aus: fahl und säuerlich. Sie steht am Fenster, ihre Finger zerren und reißen an einem Zweig Rosmarin. Als sie ihn sieht, lässt sie den Zweig fallen, und ihre Hände tauchen wieder in die fließenden Ärmel ein.

Im Dezember gab der König ein Bankett, um die Erhebung ihres Vaters zum Earl von Wiltshire zu feiern. Die Königin war abwesend, und Anne saß dort, wo Katherine sitzen sollte. Es gab Frost auf dem Boden,

Frost in der Atmosphäre. Sie haben Berichte darüber gehört, in Wolseys Haushalt. Die Herzogin von Norfolk (die immer wegen irgendetwas wütend ist) war wütend, dass ihre Nichte im Rang über ihr stehen sollte. Die Herzogin von Suffolk, Henrys Schwester, weigerte sich zu essen. Keine dieser großen Damen sprach mit Boleyns Tochter. Und dennoch: Anne hatte ihren Platz als erste Dame des Königreichs eingenommen.

Jetzt aber ist das Ende der Fastenzeit gekommen, und Henry ist zu seiner Frau zurückgekehrt; er hat nicht die Stirn, bei seiner Konkubine zu sein, während wir auf die Passionswoche zugehen. Ihr Vater ist zwecks diplomatischer Geschäfte im Ausland, genau wie ihr Bruder George, jetzt Lord Rochford, genau wie Thomas Wyatt, der Dichter, den sie quält. Sie ist allein und langweilt sich in York Place; es ist so weit gekommen, dass sie nach Thomas Cromwell schicken muss, um festzustellen, ob er zu ihrer Unterhaltung beitragen kann.

Aufgeregte kleine Hunde rund um ihre Röcke – drei an der Zahl – rennen los, kläffen, schießen auf ihn zu. »Lassen Sie sie nicht raus«, sagt Anne, und mit geübten und sanften Handgriffen schaufelt er sie vom Boden – die Art von Hunden, Bellas, mit zottigen Ohren und winzigen Wackelschwänzen, wie sie die Frauen von Kaufleuten auf der anderen Seite des Kanals halten. Als er sie zurückgibt, haben sie bereits an seinen Fingern und an seiner Jacke geknabbert, sein Gesicht abgeleckt und ihn mit weit aufgerissenen Augen angeschmachtet: als wäre er jemand, dessen Bekanntschaft sie sehnsuchtsvoll erwartet haben.

Zwei von ihnen setzt er behutsam auf den Boden; den kleinsten übergibt er Anne. *»Vous êtes gentil«,* sagt sie, »und wie sehr meine Babys Sie mögen! Ich könnte diese Affen nicht lieben, wissen Sie, die Katherine hält. *Les singes enchaînés.* An ihren kleinen Händen, an ihren kleinen Hälsen gefesselt. Meine Babys lieben mich um meiner selbst willen.«

Sie ist so klein. Ihre Knochen sind so zart, ihre Taille so schmal; wenn zwei Jurastudenten einen Kardinal ausmachen, so machen zwei Annes eine Katherine aus. Einige Frauen sitzen auf niedrigen Hockern, nähen oder geben vielmehr vor zu nähen. Eine von ihnen ist Mary Boleyn. Sie hält den Kopf gesenkt, was sicher vernünftig ist. Eine von ihnen ist Mary Shelton, eine forsche rosa-weiße Boleyn-Kusine; sie betrachtet ihn und sagt sich ganz offensichtlich: Du meine Güte, hat Lady Carey wirklich gedacht, das ist das Beste, was sie kriegen kann? Hinten im Schatten sitzt ein weiteres Mädchen, das sein Gesicht abgewendet hat und sich zu verstecken sucht. Er weiß nicht, wer sie ist, aber er versteht, warum sie starr auf den Boden sieht. Anne scheint das zu bewirken; jetzt, da er die Hunde abgesetzt hat, tut er dasselbe.

»Alors«, sagt Anne leise, »plötzlich dreht sich alles um Sie. Der König hört nicht auf, Master Cromwell zu zitieren.« Sie spricht seinen Namen aus, als käme sie mit dem Englischen nicht zurecht: *Cremuel.* »Maître Cremuel hat so recht, er liegt in jedem Punkt richtig … Und nicht zu vergessen, er bringt uns zum Lachen.«

»Tatsächlich lacht der König manchmal. Aber Sie, Madame? In Ihrer Situation? In der Lage, in der Sie sich befinden?«

Ein schwarzer Blick über die Schulter. »Ich vermute, selten. Lachen. Wenn ich es bedenke. Aber ich habe es nicht bedacht.«

»Das ist also aus Ihrem Leben geworden.«

Staubige kleine Teile, getrocknete Blätter und Stängel, sind auf ihre Röcke gefallen. Sie starrt in den Morgen hinaus.

»Lassen Sie es mich so ausdrücken«, sagt er. »Welchen Fortschritt hat Ihre Sache gemacht, seit Mylord Kardinal degradiert wurde?«

»Keinen.«

»Keiner kennt die Mechanismen christlicher Länder so genau wie Mylord Kardinal. Keiner ist mit Königen so vertraut. Bedenken Sie, was er Ihnen schulden würde, Lady Anne, wenn Sie es wären, die diese Missverständnisse beseitigt und ihm das Wohlwollen des Königs zurückgewinnt.«

Sie antwortet nicht.

»Bedenken Sie«, sagt er. »Er ist der einzige Mann in England, der Ihnen verschaffen kann, was Sie brauchen.«

»Gut. Tragen Sie seine Sache vor. Sie haben fünf Minuten.«

»Im Übrigen ist mir klar, dass Sie wirklich viel zu tun haben.«

Anne sieht ihn voller Abneigung an und antwortet auf Französisch. »Was wissen Sie denn, womit ich meine Stunden verbringe?«

»Mylady, führen wir dieses Gespräch auf Englisch oder auf Französisch? Sie haben die Wahl. Aber wir sollten uns für das eine oder das andere entscheiden, ja?«

Er nimmt eine Bewegung im Augenwinkel wahr; das halb versteckte Mädchen hat das Gesicht gehoben. Sie ist unscheinbar und blass; sie wirkt schockiert.

»Ist es Ihnen gleich?«, sagt Anne.

»Ja.«

»Sehr gut. Auf Französisch.«

Er sagt es ihr noch einmal: Der Kardinal ist der Einzige, der ihr ein günstiges Urteil des Papstes verschaffen kann. Er ist der Einzige, der dem König ein gutes Gewissen verschaffen kann, ein sauberes.

Sie hört zu. Das muss er ihr lassen. Er hat sich immer gefragt, wie gut Frauen unter den sie umhüllenden Schleiern und Hauben hören können, aber Anne vermittelt den Eindruck, dass sie ihm zuhört. Zumindest lässt sie ihn ausreden; sie unterbricht nicht, bis sie schließlich sagt: Nun, wenn der König es will und der Kardinal es will, er, der früher der wichtigste Untertan des Königreichs war, dann muss ich sagen, Master Cremuel, dass all das eine wundersam lange Zeit braucht, um zu geschehen!

In ihrer Ecke fügt ihre Schwester kaum hörbar hinzu: »Sie wird schließlich nicht jünger.«

Keinen einzigen Stich haben die Frauen genäht, seit er den Raum betreten hat.

»Darf man fortfahren?«, fragt er in dem Versuch, sie zu überzeugen. »Ist noch ein Moment übrig?«

»Oh ja«, sagt Anne. »Aber nur ein Moment: In der Fastenzeit rationiere ich meine Geduld.«

Er sagt ihr, sie solle die Verleumder ignorieren, die behaupten, der Kardinal würde ihre Sache blockieren. Er sagt ihr, wie sehr es den Kardinal bekümmere, dass der König sich seinen Herzenswunsch nicht erfüllen kann, der immer auch der Wunsch des Kardinals gewesen sei. Er sagt ihr, dass alle Untertanen des Königs ihre Hoffnung auf einen Thronerben auf sie setzen, und wie sicher er sei, dass sie richtig daran tun. Er erinnert sie an die vielen freundlichen Briefe, die sie dem Kardinal in früheren Zeiten geschrieben hat: Er hat sie alle aufbewahrt.

»Sehr schön«, sagt sie, als er aufhört. »Sehr schön, Master Cremuel, aber versuchen Sie es noch einmal. Eine Sache. Eine einfache Sache, um die wir den Kardinal gebeten haben, und die hat er nicht getan. *Eine einfache Sache.*«

»Sie wissen, dass es nicht einfach war.«

»Vielleicht bin ich eine einfache Person«, sagt Anne. »Denken Sie, das bin ich?«

»Vielleicht. Ich kenne Sie kaum.«

Die Antwort erzürnt sie. Er sieht, wie ihre Schwester feixt. Sie können gehen, sagt Anne: Und Mary springt auf und folgt ihm hinaus.

Abermals sind Marys Wangen gerötet, die Lippen geöffnet. Sie hat ihre Näharbeit mitgebracht, was er merkwürdig findet; aber vielleicht trennt Anne die Stiche auf, wenn sie sie zurücklässt. »Wieder einmal außer Atem, Lady Carey?«

»Wir haben gedacht, sie regt sich auf und schlägt Sie. Werden Sie wiederkommen? Mary Shelton und ich können es gar nicht erwarten.«

»Sie hält das aus«, sagt er, und Mary sagt, stimmt, sie mag ein Gefecht mit jemandem auf demselben Niveau. »Woran arbeiten Sie da?«, fragt er, und sie zeigt es ihm. Es ist Annes neues Wappen. »Auf allem, vermute ich«, sagt er, und ein breites Lächeln überzieht ihr Gesicht: »Oh ja, auf ihren Unterröcken, ihren Hauben und Schleiern; sie hat Kleidungsstücke, die niemand vor ihr getragen hat, nur damit ihr Wappen aufgenäht werden kann, ganz zu schweigen von den Wandbehängen, den Tischservietten …«

»Und wie geht es Ihnen?«

Sie sieht nach unten, ihr Blick wendet sich ab. »Angespannt. Etwas zermürbt, könnte man sagen. Weihnachten war …«

»Sie haben sich gestritten. So hört man.«

»Erst hat er mit Katherine gestritten. Dann kam er hierher, um bemitleidet zu werden. Anne sagte: ›Was? Ich habe dir doch gesagt, du sollst nicht mit Katherine streiten, du weißt, dass du immer verlierst.‹ Wenn er kein König wäre«, sagt sie genüsslich, »könnte man ihn bedauern. Wegen des Hundelebens, das beide ihm bereiten.«

»Es hat Gerüchte gegeben, dass Anne …«

»Ja, aber sie ist es nicht. Ich wäre die Erste, die es wüsste. Wenn sie nur einen Zoll zulegen würde, wäre ich es, die ihre Kleider weiter machen würde. Außerdem kann sie es gar nicht sein, weil da nichts war. Sie haben es nicht getan.«

»Sie würde es Ihnen erzählen?«

»Natürlich – aus reiner Bosheit!« Immer noch sieht Mary ihm nicht in die Augen. Aber sie scheint das Gefühl zu haben, dass sie ihm Informationen schuldet. »Wenn sie allein sind, darf er ihr Mieder öffnen.«

»Wenigstens schickt er nicht nach Ihnen, damit Sie es tun.«

»Er zieht ihr das Hemd nach unten und küsst ihre Brüste.«

»Guter Mann, wenn er sie finden kann.«

Mary lacht; ein übermütiges, nicht gerade schwesterliches Lachen. Sie müssen es drinnen gehört haben, denn beinahe sofort öffnet sich die Tür, und das kleine, zuvor verborgene Mädchen schiebt sich heraus. Ihr Gesicht ist ernst, ihre Zurückhaltung vollkommen; ihre Haut ist so zart, dass sie fast durchsichtig ist. »Lady Carey«, sagt sie. »Lady Anne verlangt nach Ihnen.«

Sie spricht die Namen aus, als würde sie zwei Küchenschaben miteinander bekannt machen.

»Oh, bei allen Heiligen!«, schnappt Mary und macht auf dem Absatz kehrt; dabei nimmt sie ihre Schleppe mit einer Leichtigkeit mit, die nur auf lange Übung zurückzuführen ist.

Zu seiner Verwunderung fängt das kleine blasse Mädchen seinen Blick auf; hinter dem Rücken Mary Boleyns verdreht sie ihre Augen himmelwärts.

Beim Fortgehen – durch acht Vorzimmer zurück zum Rest seines Tages – weiß er, dass Anne sich dorthin gestellt hat, wo er sie sehen kann, wo das Morgenlicht auf der Rundung ihres Halses liegt. Er sieht den dünnen Bogen ihrer Augenbraue, ihr Lächeln, er sieht, wie ihr Kopf sich auf ihrem langen schlanken Hals wendet. Er sieht ihre Schnelligkeit, ihre Intelligenz und Härte. Er hat nicht daran geglaubt, dass sie dem Kardinal helfen würde, aber was kann es schaden, darum zu bitten? Er denkt, es ist der erste Vorschlag, den ich ihr gemacht habe, und vermutlich nicht der letzte.

Es gab einen Moment, in dem Anne ihm all ihre Aufmerksamkeit geschenkt hat: ihren stechenden schwarzen Blick. Auch der König weiß zu schauen, aus blauen Augen, deren Milde trügerisch ist. Sehen die beiden einander so an? Oder auf eine andere Weise? Eine Sekunde lang begreift er es, dann wieder nicht. Er steht an einem Fenster. Ein Schwarm Stare lässt sich zwischen den festen schwarzen Knospen eines kahlen Baumes nieder. Dann breiten sie ihre Flügel aus, und es scheint, als brächen die schwarzen Knospen auf; sie flattern und singen, bringen alles in Bewegung, Luft, Flügel, schwarze Musiknoten. Er merkt, dass er sie mit Freude beobachtet: dass etwas fast Erloschenes bereit ist, den Frühling willkommen zu heißen; eine kleine Verbeugung vor der Zukunft; auf eine bescheidene, verzweifelte Weise freut er sich auf Ostern, auf das Ende der Fastenzeit, das Ende der Buße. Es gibt eine Welt jenseits dieser schwarzen Welt. Es gibt eine Welt des Möglichen. Eine Welt, in der Anne Königin sein kann, ist eine Welt, in der Cromwell Cromwell sein kann. Er sieht diese Welt, dann wieder nicht. Der Moment ist flüchtig.

Aber eine Einsicht kann nicht zurückgenommen werden. Man kann nicht zu dem Moment zurückkehren, in dem man vorher war.

In der Fastenzeit gibt es Metzger, die einem rotes Fleisch verkaufen; man muss nur wissen, wohin man gehen muss. In Austin Friars geht er nach unten, um mit dem Küchenpersonal zu reden, und sagt zu seinem Chefkoch: »Der Kardinal ist krank, er ist vom Fasten entbunden.«

Sein Koch nimmt die Mütze ab. »Vom Papst?«

»Von mir.« Sein Blick gleitet über die Reihe von aufgehängten Messern und Hackbeilen zum Knochenspalten. Er nimmt eines davon in die Hand und betrachtet die Schneide, stellt fest, dass sie geschliffen werden muss, und sagt: »Findet ihr, dass ich wie ein Mörder aussehe? Eure ehrliche Meinung.«

Stille. Nach einer Weile wagt sich Thurston vor: »In diesem Augenblick, Master, würde ich sagen müssen ...«

»Nein, aber angenommen, ich wäre auf dem Weg nach Gray's Inn ... Könnt ihr euch das vorstellen? Mit einer Mappe voller Papiere und einem Tintenfass.«

»Ich denke mal, das würde ein Schreiber für Sie tragen.«

»Also könnt ihr es euch nicht vorstellen?«

Thurston nimmt seine Mütze wieder ab und stülpt sie von innen nach außen. Er betrachtet sie, als säße sein Gehirn darin oder zumindest ein Hinweis darauf, was er jetzt sagen könnte. »Ich denke, Sie sehen wie ein Anwalt aus. Nicht wie ein Mörder, nein. Aber, vergeben Sie mir, Master, Sie sehen auf jeden Fall wie ein Mann aus, der weiß, wie man einen Kadaver zerlegt.«

Er lässt Rindsrouladen für den Kardinal in seiner Küche machen, mit Salbei und Majoran gefüllt, ordentlich zusammengebunden und nebeneinander auf Tabletts gelegt, sodass die Köche in Richmond sie nur noch schmoren müssen. Zeig mir, wo in der Bibel steht, dass ein Mann im März keine Rindsrouladen essen darf.

Er denkt an Lady Anne, an ihre ungestillte Kampfeslust, an die traurigen Damen in ihrer Gesellschaft. Er schickt diesen Damen ein paar flache Körbe voller Törtchen mit eingekochten Orangen und Honig. Anne schickt er eine Schale Mandelcreme. Sie ist mit Rosenwasser aromatisiert und konservierten Rosenblättern und kandierten Veilchen dekoriert. Mittlerweile ist es unter seiner Würde, durchs Land zu reiten und selbst Speisen zu überbringen, aber nicht weit unter seiner Würde. So lange ist es nicht her, dass er in der Küche der Frescobaldi in Florenz gearbeitet hat; oder vielleicht doch, aber seine Erinnerung daran ist deutlich, genau. Er war dabei, Kalbsfußgelee zu klären, und schwatzte in seinem Kauderwelsch aus Französisch, Toskanisch und Putney, als jemand rief: »Tommaso, du wirst oben gebraucht.« Seine Bewegungen verrieten keine Eile, als er einem Küchenkind zunickte, das ihm eine Schüssel Wasser brachte. Er wusch sich die Hände, trocknete sie an einem Leinentuch ab. Er zog sich die Schürze aus und hing sie an einen Haken. Soweit er weiß, hängt sie dort immer noch.

Er sah einen Jungen – jünger als er selbst –, der auf Händen und Knien die Treppe scheuerte. Er sang beim Arbeiten:

Scaramella va alla guerra
Colla lancia et la rotella
La zombero boro borombetta,
La boro borombo …

»Sei so gut, Giacomo«, sagte er. Der Junge rückte zur Seite und drückte sich in die Rundung der Wand, um ihn vorbeizulassen. Ein plötzlicher Wechsel des Lichts wischte ihm selbst die Neugier aus dem Gesicht, leerte es, entließ seine Vergangenheit in die Vergangenheit, wusch die Zukunft rein. *Scaramella zieht in den Krieg …* Doch ich war im Krieg, dachte er.

Er war nach oben gegangen. Den Trommelwirbel des Soldatenlieds im Ohr. Er war nach oben gegangen und niemals wieder nach unten zurückgekehrt. In einer Ecke des Kontors der Frescobaldi wartete ein Tisch auf ihn. *Scaramella fa la gala,* summte er. Er hatte sich auf seinen Platz gesetzt. Eine Feder gespitzt. Seine Gedanken brodelten und wirbelten, Flüche auf Toskanisch, Putney, Kastilisch. Aber als er seine Gedanken zu Papier brachte, kamen sie auf Lateinisch heraus und konnten nicht verständlicher sein.

Noch bevor er in Austin Friars aus der Küche nach oben kommt, wissen die Frauen, dass er Anne besucht hat.

»Also«, will Johane wissen. »Groß oder klein?«

»Weder noch.«

»Ich habe gehört, sie sei sehr groß. Blass, oder?«

»Ja, blass.«

»Es heißt, sie ist anmutig. Tanzt gut.«

»Wir haben nicht getanzt.«

Mercy sagt: »Aber was glaubst du? Ist sie dem Evangelium zugewandt?«

Ein Achselzucken. »Wir haben nicht gebetet.«

Alice, seine kleine Nichte: »Was hatte sie an?«

Ah, das kann ich dir erzählen; er setzt ihren Preis fest, nennt den Ursprung ihrer Ausstattung, von der Haube bis zum Kleidersaum, vom Fuß bis zur Fingerspitze. Für ihren Kopfputz bevorzugt Anne den französischen Stil, die runde Haube schmeichelt den feinen Zügen ihres Gesichts. Er erklärt es, und obwohl sein Ton sachlich, kaufmännisch ist, wissen die Frauen es aus irgendeinem Grund nicht zu schätzen.

»Sie *mögen* sie nicht, habe ich recht?«, sagt Alice, und er sagt, es stehe ihm nicht zu, sich eine Meinung zu bilden, und dir auch nicht, Alice, sagt er und umarmt sie und bringt sie zum Lachen. Das Kind Jo sagt, unser Master hat gute Laune. Dieser Besatz aus Eichhörnchenfell?, sagt Mercy, und er antwortet, kalabrisch. Alice sagt, oh, kalabrisch und rümpft die Nase; Johane merkt an, ich muss schon sagen, Thomas, anscheinend bist du ihr sehr nahe gekommen.

»Hat sie gute Zähne?«, sagt Mercy.

»Um Himmels willen, Frau: Das sage ich dir, wenn sie mich beißt.«

Als der Kardinal hörte, dass der Herzog von Norfolk nach Richmond kommen und ihn mit den Zähnen reißen wolle, hatte er gesagt: »Fürwahr, Thomas, Zeit zu gehen.«

Aber um nach Norden zu gehen, braucht der Kardinal Geld. Er, Cromwell, trägt das Problem dem Kronrat vor, der sich nicht einig ist und den Streit in seiner Gegenwart austrägt. »Das geht nicht«, sagt Charles Brandon, »man kann einen Erzbischof nicht zu seiner Inthronisierung schleichen lassen wie einen Dienstboten, der die Löffel geklaut hat.«

»Er hat mehr getan, als nur die Löffel zu klauen«, sagt Norfolk. »Er hat das Abendessen verspeist, das ganz England ernährt hätte. Er hat das Tischtuch mitgehen lassen und den Weinkeller leergetrunken.«

Der König ist manchmal schwer zu fassen. Eines Tages, als er glaubt, eine Verabredung mit Henry zu haben, bekommt er stattdessen den Ersten Sekretär serviert. »Setzen Sie sich«, sagt Gardiner. »Setzen Sie sich und hören Sie zu. Üben Sie sich in Geduld, während ich Ihnen einige Punkte verdeutliche.«

Er sieht zu, wie er hin und her rennt, Stephen, der Mittagsdämon. Gardiner ist ein gelenkiger Mann, dessen weiche Umrisse Boshaftigkeit verströmen; er hat große behaarte Hände und Fingerknöchel, die knacken, wenn er die rechte Faust in die linke Handfläche legt.

Als er geht, nimmt er die Bosheit mit, die ihm vermittelt wurde, und die Botschaft. Im Türrahmen bleibt er noch mal stehen und sagt freundlich: »Ihr Vetter lässt Sie grüßen.«

Gardiner starrt ihn an. Seine Augenbrauen sträuben sich wie die Nackenhaare eines Hundes. Er glaubt, dass Cromwell sich anmaßt …

»Nicht der König«, sagt er besänftigend. »Nicht seine Majestät. Ich meine Ihren Vetter Richard Williams.«

Entgeistert sagt Gardiner: »Diese alte Geschichte!«

»Ach, kommen Sie«, sagt er. »Es ist keine Schande, ein königlicher Bastard zu sein. Jedenfalls denken wir in meiner Familie so.«

»In Ihrer Familie? Welchen Begriff von Anstand hat Ihre Familie schon? Ich habe kein Interesse an dieser jungen Person, erkenne keinerlei Verwandtschaft an und werde nichts für ihn tun.«

»Das brauchen Sie auch nicht. Er nennt sich jetzt Richard Cromwell.« Als er geht – dieses Mal wirklich geht –, fügt er hinzu: »Das muss Ihnen keine schlaflosen Nächte bereiten, Stephen. Ich habe die Angelegenheit geklärt. Sie sind vielleicht mit Richard verwandt, aber nicht mit mir.«

Er lächelt. Innerlich ist er außer sich vor Zorn, er wird von Zorn durchströmt, als wäre sein Blut dünn und angereichert mit Gift wie das farblose Blut einer Schlange. Sobald er in Austin Friars ankommt, umarmt er Rafe Sadler und zerzaust sein Haar, sodass es stachlig nach oben steht. »Der Himmel helfe mir: Junge oder Igel? Rafe, Richard, ich bin reuevoll.«

»Das kommt von der Jahreszeit«, sagt Rafe.

»Ich möchte«, sagt er, »völlig ruhig werden. Ich möchte mich in den Hühnerstall legen können, ohne dass die Hühner ihr Gefieder sträuben. Ich möchte weniger wie Onkel Norfolk sein und mehr wie Marlinspike.«

Er führt ein langes, beruhigendes Gespräch auf Walisisch mit Richard, der ihn auslacht, weil seinem Gedächtnis alte Wörter entfallen sind und weil er ständig englische Brocken mit einer listigen Grenzlandbetonung einfließen lässt. Er schenkt seinen kleinen Nichten die Armbänder mit Korallen und Perlen, die er vor Wochen für sie gekauft, ihnen dann aber aus Vergesslichkeit nicht gegeben hat. Er geht in die Küche hinunter und macht Vorschläge, aber nur fröhliche.

Er ruft die Angestellten seines Haushalts zusammen. »Wir müssen planen«, sagt er, »wie wir dem Kardinal den Weg nach Norden erleichtern. Er möchte langsam reisen, damit die Leute ihn bewundern können. Er muss zur Passionswoche in Peterborough eintreffen, und von dort aus reist er in Etappen nach Southwell, wo er den weiteren Fortgang nach York planen wird. Der erzbischöfliche Palast in Southwell verfügt über gute Räumlichkeiten, aber trotzdem müssen wir eventuell Bauleute hinzuziehen …«

George Cavendish hat ihm berichtet, dass der Kardinal angefangen hat, seine Zeit mit Gebeten zu füllen. Es gibt ein paar Mönche in Richmond, deren Gesellschaft er sucht; sie haben ihm den Wert des Dorns im Fleische und des Salzes in der Wunde, die Vorzüge von Wasser und Brot und die düsteren Freuden der Selbstgeißelung nahegebracht. »Oh, damit ist die Sache erledigt«, sagt er verärgert. »Wir müssen dafür sorgen, dass er sich aufmacht. In Yorkshire würde es ihm besser gehen.«

Er sagt zu Norfolk: »Nun, Mylord, wie hätten Sie es gerne? Möchten Sie nun, dass er geht, oder nicht? Ja? Dann kommen Sie mit mir zum König.«

Norfolk grunzt. Botschaften werden geschickt. Einen oder zwei Tage später finden sie sich beide in einem Vorzimmer wieder. Sie warten. Norfolk läuft auf und ab. »Oh, beim heiligen Judas!«, sagt der Herzog. »Sollen wir frische Luft schnappen? Oder braucht ihr Anwälte das nicht?«

Sie spazieren durch die Gärten, oder vielmehr er spaziert, der Herzog trampelt. »Wann kommen die Blumen raus?«, sagt der Herzog. »Als ich klein war, hatten wir keine Blumen. Es war Buckingham, wissen Sie, der diesen Quatsch mit angelegten Blumengärten eingeführt hat. Oh Mann, war das übertrieben!«

Dem Herzog von Buckingham, einem passionierten Gärtner, wurde wegen Hochverrats der Kopf abgeschlagen. Das war 1521: vor weniger als zehn Jahren. Es ist zu traurig, das jetzt zu erwähnen, in der Anwesenheit des Frühlings: Gesang aus jedem Busch, auf jedem Zweig.

Eine Aufforderung wird gebracht. Auf dem Weg zu ihrer Audienz scheut der Herzog und sträubt sich; er rollt mit den Augen und bläht die Nüstern, sein Atem wird kurz. Als der Herzog ihm eine Hand auf die Schulter legt, ist er gezwungen, seinen Schritt zu verlangsamen, und sie schlurfen – er widersteht dem Impuls, voranzurennen – wie zwei müde Kriegsveteranen dahin. *Scaramella va alla guerra …* Norfolks Hand zittert.

Erst als sie vor dem König stehen, versteht er voll und ganz, wie heftig es den alten Herzog aufwühlt, in einem Raum mit Henry Tudor zu sein. Die vergoldete Überschwänglichkeit lässt ihn in seinen Kleidern schrumpfen. Henry begrüßt sie herzlich. Er sagt, es sei ein wunderbarer Tag und mehr oder weniger eine wunderbare Welt. Er trudelt mit ausgebreiteten Armen durch den Raum und rezitiert Verse, die er selbst verfasst hat. Er spricht über alles, nur nicht über den Kardinal. Vor lauter Enttäuschung läuft der Herzog dunkelrot an und beginnt vor sich hin zu murmeln. Sie werden entlassen und gehen rückwärts aus dem Raum. Henry ruft: »Ach, Cromwell …«

Er und der Herzog wechseln einen Blick. »Bei allen Heiligen …«, murmelt der Herzog.

Mit der Hand hinter seinem Rücken macht er ein Zeichen: Gehen Sie, Mylord Norfolk, ich treffe Sie später.

Henry steht mit verschränkten Armen da, die Augen auf den Boden geheftet. Er sagt nichts, bis er, Cromwell, nähergetreten ist. »Tausend Pfund?«, flüstert Henry.

Es liegt ihm auf der Zunge zu sagen: Das ist ein guter Anfang, denn meines Wissens und Glaubens sind es zehntausend, die Sie dem Kardinal von York seit inzwischen einem Jahrzehnt schulden.

Er sagt es natürlich nicht. In solchen Momenten erwartet Henry, dass man auf die Knie fällt – Herzog, Graf, einfacher Mann, leicht oder schwer, alt oder jung. Er tut es, wobei altes Narbengewebe spannt; nur wenige von uns tragen keine Verletzung, wenn wir über vierzig sind.

Der König gibt ein Zeichen: Sie dürfen aufstehen. In neugierigem Tonfall fügt er hinzu: »Der Herzog von Norfolk erweist Ihnen viele Zeichen der Freundschaft und des Wohlwollens.«

Die Hand auf der Schulter, meint er: das winzige und unerwartete Zittern der herzoglichen Handfläche an plebejischen Muskeln und

Knochen. »Der Herzog ist darauf bedacht, alle Rangunterschiede zu wahren.« Henry scheint erleichtert.

Ein unwillkommener Gedanke kommt ihm in den Sinn: Was passiert, wenn du, Henry Tudor, krank würdest und mir vor die Füße fielest? Wäre es mir erlaubt, dir aufzuhelfen, oder müsste ich erst nach einem Grafen schicken? Oder einem Bischof?

Henry geht. Er dreht sich um und sagt kleinlaut: »Jeden Tag vermisse ich den Kardinal von York.« Eine Pause tritt ein. Er flüstert: Nehmen Sie das Geld mit unserem Segen. Sagen Sie es nicht dem Herzog. Sagen Sie es niemandem. Bitten Sie Ihren Herrn, für mich zu beten. Sagen Sie ihm, es ist alles, was ich tun kann.

Der Dank, den er ausspricht, immer noch auf den Knien, ist wortreich und überschwänglich. Henry sieht ihn düster an: Guter Gott, Master Cromwell, Sie können wirklich reden, nicht wahr?

Er geht hinaus und bemüht sich um einen gefassten Gesichtsausdruck, bekämpft den Impuls, über das ganze Gesicht zu lächeln. *Scaramella fa la gala* … »Jeden Tag vermisse ich den Kardinal von York.«

Norfolk sagt: Was, was, was hat er gesagt? Ach nichts, sagt er. Nur ein paar Worte, die ich dem Kardinal überbringen soll.

Die Reiseroute wird festgelegt. Der Besitz des Kardinals wird auf Küstenkähne verladen, um nach Hull und von dort aus über Land transportiert zu werden. Er hat die Kahnführer persönlich auf einen vernünftigen Preis heruntergehandelt.

Er sagt zu Richard: Weißt du, tausend Pfund sind nicht viel für den Umzug eines Kardinals. Richard fragt: »Wie viel von Ihrem eigenen Geld steckt in diesem Unternehmen?«

Es gibt Schulden, die man niemals aufrechnen sollte, sagt er. »Ich persönlich weiß, was man mir schuldet, aber bei Gott, ich weiß auch, was ich schuldig bin.«

Zu Cavendish sagt er: »Wie viele Dienstboten nimmt er mit?«

»Nur einhundertsechzig.«

»Nur.« Er nickt. »Richtig.«

Hendon. Royston. Huntingdon. Peterborough. Er hat Männer, die mit genauen Anweisungen vorausreiten.

Am letzten Abend gibt Wolsey ihm ein Päckchen. Ein kleiner und harter Gegenstand ist darin, ein Siegel oder ein Ring. »Öffnen Sie es, wenn ich fort bin.«

Ein ständiges Kommen und Gehen herrscht im Privatgemach des Kardinals, Leute tragen Truhen und Papierbündel hinaus. Cavendish läuft mit einer Silbermonstranz durch den Raum.

»Werden Sie in den Norden kommen?«, sagt der Kardinal.

»Ich werde kommen, um Sie abzuholen, sobald der König Sie zurückruft.« Er glaubt und glaubt wieder nicht, dass das geschehen wird.

Der Kardinal steht auf. Gezwungenheit liegt in der Luft. Er, Cromwell, kniet nieder, um gesegnet zu werden. Der Kardinal streckt eine Hand aus, damit er sie küsst. Sein Ring mit dem Türkis ist nicht mehr da. Der Umstand entgeht ihm nicht. Einen Augenblick lang ruht die Hand des Kardinals auf seiner Schulter, die Finger sind gespreizt, der Daumen liegt in der Höhlung seines Schlüsselbeins.

Zeit, dass er geht. So viel ist zwischen ihnen gesagt worden, dass es unnötig ist, etwas Belangloses hinzuzufügen. Es ist nicht an ihm, ihre bisherigen Gespräche zu kommentieren oder ihnen gar eine Moral anzufügen. Es ist nicht der Anlass für eine Umarmung. Wenn der Kardinal nicht mehr Worte anzubieten hat, hat er es schon gar nicht. Bevor er die Tür des Zimmers erreicht, hat sich der Kardinal schon wieder zum Kamin gedreht. Er zieht sich einen Stuhl ans Feuer und hebt eine Hand, um sein Gesicht abzuschirmen; aber die Hand ist nicht zwischen ihm und dem Feuer, sie ist zwischen ihm und der Tür, die sich schließt.

Er geht in den Hof. Er wird langsamer; in einer qualmigen Nische, wo die Fackel erloschen ist, lehnt er sich an die Wand. Er weint. Er sagt sich: Wenn nur George Cavendish nicht vorbeikommt und mich sieht und es aufschreibt und zu einem Stück verarbeitet.

Er flucht leise in vielen Sprachen: Er verflucht das Leben, sich selbst, weil er den Erfordernissen des Lebens nachgegeben hat. Diener kommen vorbei und sagen: »Master Cromwells Pferd steht für ihn bereit! Master Cromwells Begleitung ist am Tor!« Er wartet, bis er sich im Griff hat; dann geht er fort und verteilt dabei Münzen.

Als er nach Hause kommt, fragen ihn die Diener: Sollen wir das Wappen des Kardinals übermalen? Nein, bei Gott, sagt er. Im Gegenteil, frischt es auf. Er tritt einen Schritt zurück, um das Wappen zu betrachten. »Die Krähenvögel könnten lebhafter aussehen. Und wir brauchen auch ein besseres Scharlachrot für den Hut.«

Er schläft kaum. Er träumt von Liz. Er überlegt, ob sie ihn erkennen würde, den Mann, der er sich geschworen hat bald zu sein: unnachgiebig, sanft, Wahrer des königlichen Landfriedens.

In der Morgendämmerung nickt er ein; er wacht mit dem Gedanken auf, dass in diesem Augenblick der Kardinal auf sein Pferd steigt; warum bin ich nicht bei ihm? Es ist der fünfte April. Johane trifft ihn auf der Treppe, keusch küsst sie seine Wange.

»Warum prüft Gott uns?«, flüstert sie.

Er murmelt: »Ich habe nicht das Gefühl, dass wir bestehen werden.«

Er sagt, vielleicht sollte ich selbst nach Southwell gehen. Ich übernehme das, sagt Rafe. Er gibt ihm eine Liste. Lass den ganzen erzbischöflichen Palast reinigen. Mylord wird sein eigenes Bett mitbringen. Heuere Küchenpersonal aus dem King's Arms an. Kontrolliere die Stallungen. Besorge Musikanten. Das letzte Mal habe ich auf der Durchreise ein paar Schweineställe an den Palastmauern bemerkt. Finde heraus, wem sie gehören, zahl den Mann aus und lass sie abreißen. Trink nicht im Crown; das Ale ist schlimmer als das meines Vaters.

Richard sagt: »Sir … es ist Zeit, den Kardinal loszulassen.«

»Es ist ein taktischer Rückzug, keine Niederlage.«

Sie glauben, er ist weg, aber er ist nur in ein Hinterzimmer gegangen. Er lungert bei den Akten herum. Er hört Richard sagen: »Er lässt sich von seinem Herzen leiten.«

»Es ist ein erfahrenes Herz.«

»Aber kann ein General einen Rückzug organisieren, wenn er nicht weiß, wo der Feind steht? Der König verhält sich so zweideutig in dieser Sache.«

»Der Rückzug könnte direkt in seine Arme führen.«

»Jesus Christus. Glaubst du etwa, unser Herr ist auch zweideutig?«

»Mindestens dreideutig«, sagt Rafe. »Pass auf, er kann keinen Gewinn daraus ziehen, wenn er den alten Mann im Stich lässt – das bringt ihm nur den Ruf ein, ein Abtrünniger zu sein. Aber vielleicht ist durch die Treue etwas zu gewinnen. Für uns alle.«

»Dann mach dich mal auf den Weg, Schweineknecht. Wer außer ihm würde an die Schweineställe denken? Thomas More zum Beispiel würde das nie einfallen.«

»Nur, wenn er den Schweinehirten ermahnt: Ostern nahet, mein guter Mann …«

»… seid Ihr gerüstet, die Heilige Kommunion zu empfangen?« Rafe lacht. »Wie ist es, Richard, seid Ihr gerüstet?«

Richard sagt: »Ich kann jeden Tag in der Woche ein Stück Brot bekommen.«

Während der Karwoche kommen Berichte aus Peterborough: Es sind mehr Menschen herbeigeströmt, um Wolsey zu sehen, als seit Menschengedenken in dieser Stadt gewesen sind. Er folgt dem Kardinal nach Norden auf der Karte von Inseln, die er im Kopf hat. Stamford, Grantham, Newark; der reisende Hof trifft am 28. April in Southwell ein. Er, Cromwell, schreibt dem Kardinal, um ihn zu beruhigen, um ihn zu warnen. Er fürchtet, dass die Boleyns oder Norfolk oder beide einen Weg gefunden haben, einen Spion in das Gefolge des Kardinals zu schleusen.

Als Botschafter Chapuys aus einer Audienz mit dem König geeilt kam, hatte er seinen Ärmel berührt und ihn zur Seite gezogen. »Monsieur Cremuel, ich habe daran gedacht, Sie zu Hause zu besuchen. Wir sind Nachbarn, wissen Sie.«

»Es würde mich sehr freuen, Sie dort zu begrüßen.«

»Aber die Leute sagen mir, dass Sie inzwischen oft beim König sind, was angenehm ist, nicht wahr? Was Ihren früheren Herrn betrifft, so höre ich jede Woche von ihm. Er ist in letzter Zeit sehr besorgt um die Gesundheit der Königin. Er fragt, ob sie guten Mutes ist, und bittet sie zu bedenken, dass sie bald an den Busen des Königs zurückkehren wird. Und in sein Bett.« Chapuys lächelt. Es macht ihm Spaß. »Die Konkubine wird dem Kardinal nicht helfen. Wir wissen, dass Sie es vergeblich bei ihr versucht haben. Deshalb wendet er sich jetzt wieder an die Königin.«

Er ist gezwungen zu fragen: »Und was sagt die Königin?«

»Sie sagt: Ich hoffe, dass Gott in seiner Gnade eine Möglichkeit findet, dem Kardinal zu vergeben, denn ich werde es nie können.« Chapuys wartet. Er selbst sagt nichts. Der Botschafter fährt fort: »Ich vermute, Sie sind sich bewusst, welch ruinöses Durcheinander zurückbleiben wird, wenn diese Scheidung bewilligt wird, oder sollen wir sagen: Seiner Heiligkeit auf irgendeine Weise abgepresst wird? Der Kaiser könnte zur Verteidigung seiner Tante Krieg gegen England führen. Ihre Kaufmannsfreunde würden ihre Existenzgrundlage verlieren und viele auch das Leben. Ihr Tudor-König könnte untergehen und der alte Adel könnte sich behaupten.«

»Warum erzählen Sie mir das?«

»Ich erzähle es allen Engländern.«

»Gehen Sie von Haustür zu Haustür?«

Offenbar soll er dem Kardinal eine Botschaft übermitteln: dass er keinen Kredit mehr beim Kaiser hat. Kann das etwas anderes bewirken, als ihn dazu zu treiben, an den französischen König zu appellieren? So oder so, in beiden Richtungen lauert der Hochverrat.

Er stellt sich den Kardinal bei den Kanonikern in Southwell vor; er sitzt auf seinem Stuhl im Kapitelsaal und präsidiert unter dem hohen Gewölbe wie ein unbefangener Prinz auf einer Waldlichtung, umkränzt von in Stein gemeißelten Blättern und Blumen. Sie sind so plastisch, dass es scheint, als bewegten sich die Säulen und die Rippen und als wäre der Stein zu blühendem Leben erwacht. Die Kapitelle sind mit Beeren geschmückt, die Fialen gewundene Stängel, Rosen überwuchern die Pfeiler, Blüten und Samen gedeihen auf einem Stiel; aus dem Blattwerk lugen Gesichter hervor, die Gesichter von Hunden, von Hasen, von Ziegen. Auch menschliche Gesichter, so lebensecht, dass sie vielleicht ihren Ausdruck ändern können; vielleicht starren sie verblüfft auf die beleibte scharlachrote Gestalt seines Förderers hinab; und in der Nacht, wenn die Kanoniker schlafen, pfeifen und singen die Männer aus Stein vielleicht.

In Italien hat er ein Gedächtnissystem erlernt und mit Bildern ausgestattet. Einige stammen aus Wald und Feld, aus Hecken und Hainen: scheue Tiere im Versteck, helle Augen im Dickicht. Einige sind Füchse und Hirsche, einige Greife und Drachen. Einige sind Männer und Frauen; Nonnen, Krieger, Kirchengelehrte. Er legt ihnen überraschende Gegenstände in die Hände, der heiligen Ursula eine Armbrust, dem heiligen Hieronymus eine Sense, während Platon eine Suppenkelle trägt und Achilles ein Dutzend Zwetschgen in einer Holzschale. Es ist sinnlos, sich mit Hilfe banaler Gegenstände oder vertrauter Gesichter erinnern zu wollen. Man braucht überraschende Zusammenstellungen, Bilder, die mehr oder weniger merkwürdig, absurd oder sogar unanständig sind. Wenn man die Bilder erstellt hat, verteilt man sie über die Welt an die Orte seiner Wahl, jedes einzelne mit einem Bündel von Worten, von Zahlen, das sie auf Nachfrage preisgeben. In Greenwich könnte eine kahlgeschorene Katze hinter einem Schrank sitzen und hervorspähen; im Palast von Westminster könnte eine Schlange von einem Balken herunterhängen und höhnisch deinen Namen zischen.

Einige dieser Bilder sind flach, und man kann auf ihnen herumlaufen. Einige sind mit Haut bedeckt und gehen durch ein Zimmer, aber vielleicht sind es Männer, deren Köpfe verkehrt herum aufgesetzt sind oder die Schwänze mit Büscheln haben wie die Leoparden auf Wappen. Einige blicken missmutig drein wie Norfolk oder glotzen den Betrachter verwundert an wie Mylord Suffolk. Einige sprechen, einige quaken. Er verwahrt sie streng geordnet in der Galerie vor seinem geistigen Auge.

Aus diesem Grund – weil er daran gewöhnt ist, diese Bilder zu erschaffen – ist sein Kopf vielleicht auch mit den Gestalten aus tausend Stücken, zehntausend Possen bevölkert. Vielleicht tendiert er aus dieser Gewohnheit heraus dazu, seine tote Frau zu erblicken, wie sie im Schacht eines Treppenhauses lauert und das weiße Gesicht nach oben wendet oder in Austin Friars oder dem Haus in Stepney um eine Ecke huscht. Nun beginnt dieses Bild mit dem ihrer Schwester Johane zu verschmelzen, und alles, was zu Liz gehörte, beginnt, zu Johane zu gehören: das halbe Lächeln, der fragende Blick, die Art ihrer Nacktheit. Bis er sagt: Genug, und sie aus seinem Kopf vertreibt.

Rafe reitet nach Norden und bringt Wolsey Botschaften, die zu geheim sind, um sie in Briefen zu übermitteln. Er würde selbst gehen, aber er kann nicht fort – auch wenn das Parlament vertagt ist –, weil er Angst davor hat, was über Wolsey gesagt werden könnte, wenn er nicht zu seiner Verteidigung da ist; zudem könnten der König oder auch Lady Anne kurzfristig nach ihm verlangen. »Und obgleich ich nicht in Person bei Ihnen bin«, schreibt er, »seien Sie versichert, dass ich im Herzen, im Geist, im Gebet und Dienst bei Ihro Gnaden bin und mein ganzes Leben lang sein werde …«

Der Kardinal antwortet: Er ist »meine gute, getreue und sichere Zuflucht in diesem meinem Unglück«. Er ist »mein überaus geliebter Cromwell«.

Der Kardinal schreibt und bittet um Wachteln. Er schreibt und bittet um Blumensamen. »Samen?«, sagt Johane. »Will er Wurzeln schlagen?«

Die Dämmerung trifft den König melancholisch an. Es ist ein weiterer Tag des Rückschritts in seinem Vorhaben, noch einmal Ehemann zu werden; er leugnet natürlich, dass er mit der Königin verheiratet ist. »Cromwell«, sagt er, »ich muss einen Weg finden, in den Besitz dieser …« Er blickt zur Seite, möchte nicht sagen, was er meint. »Ich verstehe, dass es rechtliche Schwierigkeiten gibt. Ich gebe nicht vor, sie zu verstehen. Und bevor Sie anfangen – ich möchte sie nicht erklärt bekommen.«

Der Kardinal hat seinem College in Oxford wie auch der Schule in Ipswich Land überschrieben, das ein ständiges Einkommen hervorbringt. Henry will ihr Silber und ihr Gold, die Bibliotheken, die jährlichen Einkünfte und das Land, das diese Einkünfte erzeugt; und er sieht nicht ein, dass er nicht bekommen soll, was er will. Der Reichtum von neunundzwanzig Klöstern ist in diese Stiftungen geflossen – mit Genehmigung des Papstes, aber eben unter der Bedingung, dass die Einnahmen aus der Auflösung der Klöster für die Colleges verwendet werden. Wissen Sie denn nicht, sagt Henry, dass mir der Papst und seine Genehmigungen inzwischen relativ gleichgültig sind?

Es ist früher Sommer. Die Abende sind lang, das Gras und die Luft duften. Man würde meinen, dass ein Mann wie Henry sich in einer Nacht wie dieser in jedes Bett legen könnte, das ihm behagt. Der Hof ist voller bereitwilliger Frauen. Aber nach diesem Gespräch wird er mit Lady Anne im Garten spazieren gehen, ihre Hand wird auf seinem Arm liegen, sie werden sich angeregt unterhalten; und dann wird er in sein leeres Bett gehen und sie, nimmt man an, in ihres.

Als der König ihn fragt, was er vom Kardinal hört, sagt er, dass dieser das Licht im Antlitz seiner Majestät vermisse, dass die Vorbereitungen für seine Inthronisierung in York im Gang sind. »Und warum geht er dann nicht nach York? Mir scheint, er schiebt es immer wieder auf.« Henry funkelt ihn an. »Das muss ich Ihnen lassen. Sie halten zu Ihrem Mann.«

»Ich habe niemals etwas anderes als Freundlichkeit vom Kardinal erfahren. Warum sollte ich anders handeln?«

»Und Sie haben keinen anderen Herrn«, sagt der König. »Mylord Suffolk fragt mich, wo kommt der Mann her? Ich sage ihm, es gibt Cromwells in Leicestershire, Northamptonshire – Grundbesitzer, zumindest waren sie es einmal. Ich vermute, Sie entstammen einem unglücklichen Zweig dieser Familie?«

»Nein.«

»Vielleicht kennen Sie Ihre eigenen Vorfahren nicht. Ich werde die Herolde bitten, der Sache auf den Grund zu gehen.«

»Seine Majestät ist freundlich. Aber sie werden kaum Erfolg haben.«

Der König ist verärgert, weil er sich weigert, das vorteilhafte Angebot anzunehmen: ein Stammbaum, wie dürftig auch immer. »Mylord Kardinal hat mir erzählt, Sie seien Waise. Er hat mir erzählt, Sie seien in einem Kloster aufgezogen worden.«

»Ach. Das war eine seiner kleinen Geschichten.«

»Er hat mir kleine Geschichten erzählt?« Verschiedene Empfindungen wechseln sich auf dem Gesicht des Königs ab: Verärgerung, Belustigung, der Wunsch, vergangene Zeiten zurückzurufen. »Nun ja, vermutlich. Er hat mir erzählt, dass Sie jene verabscheuen, die ein religiöses Leben führen. Deshalb haben Sie die Aufgaben, die er Ihnen gegeben hat, so gewissenhaft erfüllt.«

»Das war nicht der Grund.« Er sieht auf. »Darf ich sprechen?«

»Oh, um Himmels willen«, ruft Henry. »Ich wünschte, jemand würde das tun.«

Er ist erschrocken. Dann versteht er. Henry wünscht ein Gespräch über ein beliebiges Thema. Eines, das nicht mit Liebe oder Jagd oder Krieg zu tun hat. Jetzt, da Wolsey fort ist, ergibt sich eine solche Gelegenheit nicht mehr oft, es sei denn, man möchte mit einem Geistlichen irgendeiner Couleur sprechen. Aber wenn man nach einem Priester schickt, wohin wendet sich das Gespräch alsbald? Zur Liebe, zu Anne, zu dem, was man will und nicht haben kann.

»Wenn Sie mich nach den Mönchen fragen, spreche ich aus Erfahrung, ohne Vorurteile, und obwohl ich keinen Zweifel habe, dass einige Stiftungen gut geführt werden, habe ich überwiegend Verschwendung und Verderbnis gesehen. Darf ich etwas vorschlagen? Wenn Majestät eine Parade der sieben Todsünden sehen möchte, sollten Sie keinen Maskenball bei Hof veranstalten, sondern unangekündigt ein Kloster besuchen. Ich habe Mönche wie große Herren leben sehen – von den Spenden armer Leute, die lieber einen Segen kaufen als Brot, und das ist kein christlicher Lebenswandel. Ich halte die Klöster auch nicht für Stätten der Gelehrsamkeit, wie andere es tun. War Grocyn Mönch oder Colet oder Linacre oder irgendein anderer unserer großen Gelehrten? Sie kamen von der Universität. Die Mönche nehmen Kinder auf und benutzen sie als Diener, sie lehren sie nicht einmal Küchenlatein. Ich missgönne ihnen durchaus nicht gewisse leibliche Annehmlichkeiten. Es kann nicht immer Fastenzeit sein. Was ich nicht ertragen kann, sind Heuchelei, Betrug, Untätigkeit – ihre verschlissenen Reliquien, ihren abgedroschenen Gottesdienst und den fehlenden Erfindungsgeist. Wann hat ein Kloster das letzte Mal etwas Gutes hervorgebracht? Sie erfinden nicht, sie wiederholen nur, und was sie wiederholen, entstellen sie. Hunderte von Jahren hatten die Mönche die Feder in der Hand, und was sie geschrieben haben, halten wir für unsere Geschichte, aber ich glaube nicht, dass sie es wirklich ist. Ich glaube, sie haben die Geschichte unterdrückt, die sie nicht mögen, und eine geschrieben, die Rom in einem günstigen Licht erscheinen lässt.«

Henry scheint direkt durch ihn hindurch auf die Wand hinter ihm zu sehen. Er wartet. Henry sagt: »Soll heißen, es sind Hundelöcher?«

Er lächelt.

Henry sagt: »Unsere Geschichte … Wie Sie wissen, sammle ich Zeugnisse. Manuskripte. Meinungen. Stelle Vergleiche an, wie die Dinge in anderen Ländern geordnet sind. Vielleicht möchten Sie sich mit unseren Gelehrten beraten. Geben Sie ihren Bemühungen eine Richtung. Sprechen Sie mit Dr Cranmer – er wird Ihnen sagen, was benötigt wird. Ich könnte das Geld gut gebrauchen, das jährlich nach Rom fließt. König François ist bei weitem reicher, als ich es bin. Ich habe nicht einmal ein Zehntel seiner Untertanen. Er besteuert sie, wie es ihm gefällt. Ich dagegen muss das Parlament zusammenrufen. Wenn ich es nicht tue, gibt es Aufstände.« Er fügt bitter hinzu: »Und wenn ich es tue, gibt es auch Aufstände.«

»Nehmen Sie sich kein Beispiel an König François«, sagt er. »Er mag den Krieg zu sehr und den Handel zu wenig.«

Henry lächelt schwach. »Sie sind anderer Meinung, aber für mich ist genau das die Aufgabe eines Königs.«

»Man kann mehr Steuern erheben, wenn der Handel läuft. Und wenn Steuern abgelehnt werden, gibt es vielleicht andere Wege.«

Henry nickt. »Nun gut. Beginnen Sie mit den Colleges. Setzen Sie sich mit meinen Anwälten zusammen.«

Harry Norris kommt, um ihn aus den Privatgemächern des Königs zu führen. Ausnahmsweise lächelt er nicht, sondern sagt recht ernst: »Ich würde nicht sein Steuereintreiber werden.«

Er dagegen denkt: Muss ich die wichtigsten Momente meines Lebens unter Harry Norris' prüfendem Blick erleben?

»Er hat die besten Männer seines Vaters getötet. Empson, Dudley. Hat der Kardinal nicht eines ihrer Häuser bekommen?«

Eine Spinne krabbelt unter einem Stuhl hervor und liefert ihm die Fakten. »Empsons Haus in der Fleet Street. Übereignet am neunten Oktober, im ersten Jahr dieser Herrschaft.«

»Dieser ruhmreichen Herrschaft«, sagt Norris: als würde er etwas richtigstellen.

Gregory ist fünfzehn zu Beginn des Sommers. Er sitzt hervorragend im Sattel, und er erhält gute Noten für seine Schwertkunst. Sein Griechisch … nun, sein Griechisch ist auf dem Stand, auf dem es immer war.

Aber er hat ein Problem. »Die Leute in Cambridge lachen über meine Windhunde.«

»Warum?« Die schwarzen Hunde sehen sich sehr ähnlich. Sie haben gebogene muskulöse Hälse und anmutige Beine; sie blicken sanft und demütig nach unten, bis sie Beute sichten.

»Sie sagen, warum hast du Hunde, die man nachts nicht sehen kann? Nur Verbrecher haben solche Hunde. Sie sagen, dass ich nachts unerlaubt in den Wäldern jage. Sie sagen, ich jage Dachse wie ein gemeiner Rüpel.«

»Was willst du?«, fragt er. »Weiße oder welche, die gefleckt sind?«

»Beides wäre in Ordnung.«

»Ich nehme deine schwarzen Hunde.« Nicht dass er Zeit hätte, mit ihnen rauszugehen, aber Richard oder Rafe können das tun.

»Und was ist, wenn die Leute lachen?«

»Also wirklich, Gregory«, sagt Johane. »Das ist dein Vater. Ich versichere dir, dass keiner wagen wird zu lachen.«

Wenn es draußen zu nass zum Jagen ist, brütet Gregory über der *Goldenen Legende*; er mag das Leben der Heiligen. »Einige dieser Dinge sind wahr«, sagt er, »einige nicht.« Er liest *Le Morte d'Arthur*, und da es die neue Ausgabe ist, scharen sie sich um ihn und blicken über seine Schulter auf die Titelseite. »Allhier beginnt das erste Buch von dem sehr edlen und würdigen Fürsten König Arthur, einstmals König von Großbritannien …« Im Vordergrund des Bildes umarmen sich zwei Paare. Auf einem hoch trabenden Pferd sitzt ein Mann mit einem verrückten Hut, der aus gewundenen Schläuchen gemacht ist, die wie dicke Schlangen aussehen. Alice fragt ihn: Haben Sie einen solchen Hut getragen, als Sie jung waren, Sir? Und er sagt: Ich hatte für jeden Wochentag eine andere Farbe, aber meine Hüte waren größer.

Hinter dem Mann sitzt eine Frau im Sattel. »Meinst du, das soll Lady Anne darstellen?«, fragt Gregory. »Alle sagen, dass der König nicht ohne sie sein kann, und deshalb lässt er sie hinter sich hocken wie eine Bauersfrau.« Die Frau hat große Augen und wirkt, als wäre ihr übel von dem Geschaukel; sie könnte für Anne durchgehen. Es ist auch eine kleine Burg zu sehen, nicht viel größer als ein Mann, mit einer Planke als

Zugbrücke. Die Vögel, die oben kreisen, sehen wie fliegende Dolche aus. Gregory sagt: Unser König stammt von diesem Arthur ab. Arthur war niemals wirklich tot, sondern wartete im Wald den richtigen Moment ab oder vielleicht auch in einem See. Er ist mehrere Jahrhunderte alt. Merlin ist ein Zauberer. Er kommt später. Das seht ihr dann. Es sind zweiundzwanzig Kapitel. Wenn es weiter so regnet, lese ich sie alle. Einige dieser Dinge sind wahr, und einige davon sind Lügen. Aber es sind alles gute Geschichten.«

Als der König ihn das nächste Mal an den Hof ruft, möchte er, dass er Wolsey eine Botschaft übermittelt. Ein bretonischer Kaufmann, dessen Schiff vor acht Jahren von den Engländern beschlagnahmt wurde, beschwert sich darüber, dass er die versprochene Entschädigung nicht erhalten habe. Niemand kann die Papiere finden. Der Kardinal hat damals den Fall bearbeitet – ob er sich wohl daran erinnert? »Ich bin ganz sicher«, erwidert er. »Es wird das Schiff mit den pulverisierten Perlen als Ballast und dem Frachtraum voller Einhorn-Hörner sein.«

Gott bewahre!, sagt Charles Brandon; aber der König lacht und sagt: »Das wird es sein.«

»Wenn die Beträge fraglich sind oder sogar der ganze Fall, darf ich mich darum kümmern?«

Der König zögert. »Ich bin mir nicht sicher, ob Sie einen *locus standi* in der Angelegenheit haben.«

In diesem Augenblick geschieht es, dass Brandon ihm gänzlich unerwartet eine Referenz gibt. »Harry, lass ihn. Wenn der Mann damit fertig ist, wird der Bretone an *dich* zahlen.«

Herzöge kreisen in ihren eigenen Sphären. Wenn sie zusammenkommen, dann nicht, weil sie die Gesellschaft des anderen suchen; sie mögen es, von ihren eigenen Höflingen umgeben zu sein, von Männern, die ihren Glanz reflektieren und die ihnen dienen. Wenn sie sich vergnügen wollen, kann man sie genauso gut in der Gesellschaft eines Hundepflegers finden wie in der eines anderen Herzogs; so kommt es, dass er eine gesellige Stunde mit Brandon verbringt, als sie nach den Jagdhunden des Königs sehen. Es ist noch nicht die Saison, um Hirsche zu jagen, sodass die Bracken in ihren Zwingern gut gefüttert werden; ihr melodisches Bellen klingt durch die Abendluft, und die Fährtenhunde stellen sich lautlos auf die Hinterbeine, wie sie erzogen wurden, und warten mit triefendem Speichel auf ihr Abendessen. Die Kinder, die für die Zwinger zuständig sind, tragen Körbe mit Brot und Knochen, Eimer mit Innereien und Schüsseln mit Schweineblutsuppe herbei. Charles Brandon zieht genüsslich die Luft ein: wie eine Witwe in einem Rosengarten. Ein Rüdemann ruft eine der Lieblingshündinnen herbei, weiß mit kastanienbraunen Flecken, Barbada, vier Jahre alt. Er stellt sich mit gespreizten Beinen über sie und zieht ihren Kopf zurück, um ihre Augen zu zeigen, die von einem feinen Film überzogen sind. Er findet es furchtbar, sie töten zu müssen, aber bezweifelt, dass sie in dieser Saison von großem Nutzen sein wird. Er, Cromwell, umfängt sanft die Schnauze der Hündin. »Sie können die Membran mit einer gebogenen Nadel abziehen. Ich habe gesehen, wie man das macht. Sie brauchen eine ruhige Hand und müssen schnell sein. Sie wird das nicht mögen, aber sie wird es auch nicht mögen, blind zu sein.« Er fährt mit der Hand über ihre Rippen, fühlt das verschreckte Pochen ihres kleinen Tierherzens. »Die Nadel muss sehr fein sein. Und sie muss genau diese Länge haben.« Er zeigt es ihnen mit Zeigefinger und Daumen. »Lassen Sie mich mit dem Schmied sprechen.«

Suffolk sieht ihn von der Seite an. »Sie scheinen ein nützlicher Mann zu sein.«

Sie gehen. Der Herzog sagt: »Hören Sie. Das Problem ist meine Frau.« Er wartet. »Ich habe immer gewollt, dass Henry bekommt, was er will, ich war immer loyal. Selbst als er davon sprach, mich zu köpfen, weil ich seine Schwester geheiratet hatte. Aber jetzt, was soll ich tun? Katherine ist die Königin. Ist es nicht so? Meine Frau war immer mit ihr befreundet. Jetzt fängt sie an zu reden, ich weiß nicht, sie sagt Sachen wie: Ich würde mein Leben für die Königin geben, so etwas in der Art. Und dass Norfolks Nichte Vorrang vor meiner Frau haben soll, die einmal Königin von Frankreich war – damit können wir nicht leben. Verstehen Sie?«

Er nickt. Ich verstehe. »Außerdem«, sagt der Herzog, »höre ich, dass Wyatt demnächst aus Calais zurückkommt.« Ja, und? »Ich frage mich, ob ich es ihm sagen sollte. Henry, meine ich. Der arme Teufel.«

»Mylord, das würde ich lassen«, sagt er. Der Herzog verfällt in etwas, das man bei einem anderen Mann stummes Nachdenken nennen würde.

Sommer: Der König jagt. Wenn er, Cromwell, ihn braucht, muss er ihm hinterherjagen, und wenn man nach ihm schickt, eilt er. In diesem Sommer reist Henry mit seinem Hofstaat zu seinen Freunden in Wiltshire, in Sussex und in Kent, wohnt in seinen eigenen Häusern oder in denen, die er dem Kardinal weggenommen hat. Auch jetzt noch reitet die Königin in stämmiger kleiner Person manchmal mit einem Bogen aus, wenn der König in einem seiner großen Parks jagt oder in den Parks irgendwelcher Lords, wo die Hirsche auf die Bogenschützen zugetrieben werden. Lady Anne reitet auch – zu anderen Gelegenheiten – und genießt die Verfolgung. Aber zu bestimmten Zeiten lässt man die Damen auch zu Hause und reitet mit den Fährtenhunden und den Bracken in den Wald; wenn man vor Tagesanbruch aufsteht und das Licht trüb ist wie eine Perle, wenn man sich mit den Rüdemännern berät und dann den ausgewählten Hirsch aus der Deckung drückt. Man weiß nicht, wo die Jagd enden wird oder wann.

Harry Norris sagt lachend zu ihm: Bald sind Sie an der Reihe, Master Cromwell, sollte er Sie weiterhin so bevorzugen wie jetzt. Ein guter Rat: Gleich zu Beginn des Tages, wenn Sie ausreiten, suchen Sie sich einen Graben aus. Stellen Sie sich diesen Graben bildlich vor. Wenn er drei gute Pferde ausgelaugt hat, wenn das Horn zu einer weiteren Jagd bläst, werden Sie von diesem Graben träumen, Sie werden sich vorstellen, darin zu liegen: Sie werden nach nichts anderem verlangen als nach verwelkten Blättern und kühlem Grabenwasser.

Er sieht Norris an: diese charmante Selbstironie. Er denkt: Du warst in Putney dabei, als mein Kardinal im Dreck auf die Knie fiel, du trägst die Bilder im Kopf; hast du sie dem Hof zur Verfügung gestellt, der Welt, den Studenten von Gray's Inn? Wenn nicht du, wer dann?

Im Wald kannst du dich verlaufen, so ganz ohne Gefährten. Du kannst an einen Fluss kommen, der nicht auf einer Karte verzeichnet ist. Du kannst deine Beute aus dem Blick verlieren und vergessen, warum du hier bist. Du kannst einen Zwerg treffen oder den lebendigen Christus oder einen deiner alten Feinde; oder einen neuen Feind, einen, den du nicht kennst, bis du sein Gesicht zwischen den raschelnden Blättern auftauchen und seinen Dolch aufblitzen siehst. Du kannst eine schlafende Frau an einem schattigen Ort zwischen den Blättern finden. Einen Augenblick lang, wenn du noch nicht richtig hingeschaut hast, wirst du denken, sie ist eine Frau, die du kennst.

In Austin Friars gibt es wenig Möglichkeiten, allein oder mit einer zweiten Person allein zu sein. Jeder Buchstabe des Alphabets beobachtet dich. Im Kontor der junge Thomas Avery, den du ausbildest, damit er deine privaten Finanzen in den Griff bekommt. In der Mitte des Alphabets kommt Marlinspike, der mit seinen aufmerksamen goldenen Augen durch den Garten streift. Gegen Ende kommt Thomas Wriothesley, den man »Risley« ausspricht. Ein intelligenter junger Mann um die fünfundzwanzig mit guten Beziehungen zu den Wappenherolden, denn er ist der Sohn des *York Herald*, der Neffe des *Garter King-at-Arms*. In Wolseys Haushalt hat er unter deiner Leitung gearbeitet, dann wurde Gardiner königlicher Sekretär und nahm ihn mit. Jetzt ist er manchmal bei Hofe, manchmal in Austin Friars. Er ist Stephens Spion, sagen die Kinder – Richard und Rafe.

Master Wriothesley ist groß und hat rotblonde Haare, neigt aber nicht dazu, wie andere dieses Typs – sagen wir mal der König – rosa anzulaufen, wenn sie zufrieden sind, und Flecken zu bekommen, wenn sie sich ärgern; er ist immer blass und kühl, sieht immer gut aus, ist immer beherrscht. In Trinity Hall hat er sich als Schauspieler in den Stücken der Studenten hervorgetan, und er ist auf gewisse Weise affektiert, ist sich seiner eigenen Person und ihrer Wirkung bewusst; sie äffen ihn hinter seinem Rücken nach, Richard und Rafe, und sagen: »Mein Name ist Wri-oth-es-ley, aber da ich Ihnen die Mühe ersparen möchte, können Sie mich Risley nennen.« Sie meinen, er kompliziert seinen Namen nur deshalb auf diese Weise, damit er herkommen, Dinge unterschreiben und unsere Tinte aufbrauchen kann. Sie meinen, Gardiner ist viel zu ungeduldig, um lange Namen auszusprechen, Gardiner nennt ihn einfach nur »Sie«. Sie finden diesen Witz wunderbar und eine Zeitlang rufen sie jedes Mal, wenn Mr W auftaucht: »Da kommt ›Sie‹!«

Habt Erbarmen, sagt er, mit Master Wriothesley. Männern, die in Cambridge studiert haben, sollten wir Respekt erweisen.

Er würde sie gerne fragen – Richard, Rafe, Master Wriothesley-nennt-mich-Risley: Sehe ich wie ein Mörder aus? Es gibt einen Jungen, der das behauptet.

Dieses Jahr hat es keine Sommerseuche gegeben. Die Londoner sagen auf den Knien Dank dafür. Die ganze Johannisnacht über brennen die Freudenfeuer. In der Morgendämmerung werden weiße Lilien von den Feldern gebracht. Die Töchter der Stadt flechten sie mit zittrigen Fingern zu Kränzen, die sie an die Stadttore und Türen hängen.

Er denkt an das junge Mädchen, das wie eine weiße Blume aussah, das Mädchen bei Lady Anne, das sich durch die Tür schob. Es wäre einfach gewesen, ihren Namen in Erfahrung zu bringen, nur dass er viel zu sehr damit beschäftigt war, Mary Boleyn Geheimnisse zu entlocken. Das nächste Mal, wenn er sie sieht … aber welchen Sinn hat es, daran überhaupt zu denken? Sie wird aus einem adligen Haus kommen. Eigentlich wollte er Gregory schreiben: Ich habe ein sehr süßes Mädchen gesehen, ich werde herausfinden, wer sie ist, und wenn ich unsere Familie geschickt durch die nächsten paar Jahre manövriere, kannst du sie vielleicht heiraten.

Das hat er nicht geschrieben. In seiner gegenwärtigen prekären Situation wäre es auch etwa so sinnvoll wie die Briefe, die Gregory ihm früher geschrieben hat: *Lieber Vater, ich hoffe, dass es dir gut geht. Ich hoffe, dass es deinem Hund gut geht. Und jetzt habe ich keine Zeit mehr und komme zum Schluss.*

Lordkanzler More sagt: »Kommen Sie zu mir und wir sprechen über Wolseys Colleges. Ich bin sicher, dass der König etwas für die armen Scholaren tun wird. Kommen Sie bitte. Kommen Sie und sehen Sie sich meine Rosen an, bevor sie vor Hitze eingehen. Kommen Sie und ich zeige Ihnen meinen neuen Teppich.«

Es ist ein bedeckter, grauer Tag; als er in Chelsea ankommt, liegt die Barke des königlichen Sekretärs dort vertäut und die Tudor-Fahne hängt schlaff in der schwülen Luft herunter. Hinter dem Pförtnerhaus zeigt das neu erbaute Haus aus rotem Backstein dem Fluss seine glänzende Fassade. Er geht zwischen den Maulbeerbäumen darauf zu. Im Vorbau unter den Geißblattgewächsen steht Stephen Gardiner. Das Gelände in Chelsea ist mit kleinen Haustieren bevölkert, und als er näherkommt und sein Gastgeber ihn begrüßt, sieht er, dass der Kanzler von England einen Hasen mit Schlappohren und schneeweißem Fell hält; der Hase hängt friedlich in seinen Händen, als trüge More Handschuhe aus Hermelin.

»Ist Ihr Schwiegersohn Roper heute auch da?«, fragt Gardiner. »Wie schade. Ich hatte gehofft zu sehen, wie er wieder einmal seine Religion wechselt. Ich hätte es gerne miterlebt.«

»Ein Spaziergang durch den Garten?«, schlägt More vor.

»Ich dachte, wir erleben vielleicht, wie er sich als der Lutherfreund, der er früher war, zu Tisch setzt, dann aber wieder zur Kirche zurückkehrt, wenn die Johannisbeeren und Stachelbeeren serviert werden.«

»Will Roper ist inzwischen fest verankert«, sagt More, »im Glauben Englands und Roms.«

Er sagt: »Es ist kein wirklich gutes Jahr für Beerenobst.«

More sieht ihn aus dem Augenwinkel an; er lächelt. Er plaudert munter mit ihnen, als er sie ins Haus führt. Hinter ihnen her trottet Henry Pattinson, einer von Mores Dienern, den er manchmal seinen Narren nennt und dem er einige Freiheiten gewährt. Der Mann ist ein Schläger; normalerweise nimmt man einen Narren auf, um ihn zu beschützen, aber in Pattinsons Fall ist es der Rest der Welt, der Schutz benötigt. Ist er wirklich dumm? More hat etwas Verschlagenes, er bringt Leute gerne in Verlegenheit; es würde zu ihm passen, einen Narren zu halten, der keiner ist. Pattinson soll von einem Kirchturm gefallen und mit dem Kopf aufgeschlagen sein. An der Taille trägt er ein geknotetes Seil, von dem er manchmal sagt, es sei sein Rosenkranz; manchmal sagt er, es sei seine Geißel. Manchmal sagt er, es sei das Seil, das ihn vor seinem Sturz hätte bewahren sollen.

Beim Betreten des Hauses trifft man auf die Familie an der Wand. Man sieht sie in Lebensgröße gemalt, bevor man sie persönlich kennenlernt; und More, der genau weiß, welch doppelte Wirkung das erzielt, bleibt stehen, damit man sie wahrnehmen und betrachten kann. Sein Liebling, Meg, sitzt zu Füßen ihres Vaters mit einem Buch auf den Knien. Locker um den Lordkanzler herum versammeln sich sein Sohn John, sein Mündel Anne Cresacre, die mit John verheiratet ist, Margaret Giggs, ebenfalls sein Mündel, sein alter Vater, Sir John More, seine Töchter Cicely und Elizabeth, Pattinson mit Kulleraugen und am Rand des Bildes seine Frau Alice, die ein Kreuz trägt und den Kopf senkt. Meister Holbein hat sie mit Kennerblick gruppiert und für immer festgehalten: Solange keine Motte daran zehrt, keine Flamme oder Schimmel oder Fäulnis.

Im wirklichen Leben hat ihr Gastgeber etwas Ausgefranstes an sich, eine Anmutung davon, dass sich Gewebe auflöst; da er nicht im Dienst ist, trägt er ein einfaches Gewand aus Wolle. Damit sie den neuen Teppich inspizieren können, liegt er auf zwei Tischen ausgebreitet. Der Untergrund ist nicht purpurrot, er hat lediglich eine rötliche Tönung: kein Färberrot, denkt er, sondern ein mit Molke gemischter roter Farbstoff. »Mylord Kardinal mochte türkische Teppiche«, murmelt er. »Der Doge hat ihm einmal sechzig Stück geschickt.« Der Teppich besteht aus weicher Wolle von Bergschafen, von denen aber keines schwarz war; wo das Muster am dunkelsten ist, fühlt sich die Oberfläche bereits brüchig an, das kommt vom ungleichmäßigen Färben, und mit der Zeit und dem Gebrauch könnte das Material zerbröseln. Er schlägt eine Ecke hoch und fährt mit den Fingerspitzen über die Knoten, zählt sie routiniert Zoll um Zoll. »Das ist der Ghiordesknoten«, sagt er, »aber das Muster stammt aus Pergamon – sehen Sie den achtzackigen Stern hier innerhalb der Achtecke?« Er streicht die Ecke wieder glatt, entfernt sich ein paar Schritte, kommt zurück, sagt »da« – beugt sich vor, legt eine Hand sanft auf den Makel, die Unterbrechung des Musters, die leicht verzerrte Raute, die verzogene Stelle. Im schlimmsten Fall besteht der Teppich aus zwei zusammengestückelten Teppichen. Im besten wurde er vom Pattinson des Dorfes gemacht oder im letzten Jahr von venezianischen Sklaven in einer obskuren Werkstatt zusammengeschustert. Um sich zu vergewissern, müsste er ihn komplett wenden. Sein Gastgeber sagt: »Kein guter Kauf?«

Er ist schön, sagt er, weil er More nicht die Freude verderben will. Aber nächstes Mal, denkt er, nimm lieber mich mit. Seine Hand streicht über die dicke, weiche Oberfläche. Der Fehler im Muster hat keine große Bedeutung. Ein türkischer Teppich steht nicht unter Eid. Es gibt Leute auf dieser Welt, die alles akkurat und präzise haben wollen, und es gibt welche, die leichte Abweichungen an den Rändern erlauben. Bei ihm trifft beides zu. Er würde zum Beispiel keine leichtsinnige Unklarheit bei einem Mietvertrag erlauben, aber sein Instinkt sagt ihm, dass ein Vertrag manchmal nicht zu eng gefasst werden sollte. Mietverträge, Verfügungen, Gesetze werden geschrieben, um gelesen zu werden, und jede Person liest sie im Licht des Eigeninteresses. More sagt: »Was meinen Sie, meine Herren? Soll man darauf herumlaufen oder ihn an die Wand hängen?«

»Darauf herumlaufen.«

»Thomas, Sie sind verwöhnt!« Und sie lachen. Man könnte denken, sie wären Freunde.

Sie gehen zur Voliere hinaus; dort bleiben sie stehen und vertiefen sich in ihre Unterhaltung, während die Finken herumflattern und singen. Ein kleines Enkelkind kommt angetapst; eine Frau mit einer Schürze bewacht ihn oder sie. Das Kind zeigt auf die Finken, gibt freudige Laute von sich, flattert mit den Armen. Es sieht Stephen Gardiner; der kleine Mund verzieht sich. Das Kindermädchen greift ein, bevor es zu Tränen kommt; wie ist es, fragt er Stephen, eine solch unmittelbare Macht über die Jugend zu haben? Stephen sieht ihn böse an.

More nimmt ihn am Arm. »Nun, zu den Colleges«, sagt er. »Ich habe mit dem König gesprochen, und unser guter Master Gardiner hat sein Bestes getan – das hat er wirklich. Der König könnte Cardinal College in seinem Namen neu gründen, aber für Ipswich gibt es keine Hoffnung, schließlich ist es nur … tut mir leid, das sagen zu müssen, Thomas, aber es ist nur der Geburtsort eines Mannes, der in Ungnade gefallen ist, und kann deshalb keinen besonderen Anspruch erheben.«

»Es ist sehr schade um die Scholaren.«

»Das ist es natürlich. Sollen wir hineingehen und essen?«

In Mores großer Halle wird das Gespräch ausschließlich auf Lateinisch geführt, obwohl die Gastgeberin, Mores Frau Alice, kein einziges Wort versteht. Als Tischgebet wird im Hause More eine Stelle aus der Schrift vorgelesen. »Heute Abend ist Meg an der Reihe«, sagt More.

Er möchte mit seinem Liebling angeben. Sie nimmt das Buch und küsst es; sie liest auf Griechisch, wobei der Narr sie immer wieder unterbricht. Gardiner sitzt mit geschlossenen Augen da, sieht aber nicht gottesfürchtig aus, sondern genervt. Er beobachtet Margaret. Sie ist vielleicht fünfundzwanzig. Sie hat einen geschmeidigen, wendigen Kopf – er gleicht dem Kopf des kleinen Fuchses, von dem More behauptet, er habe ihn gezähmt; dennoch hält er ihn sicherheitshalber in einem Käfig.

Die Diener kommen herein. Immer wieder schauen sie zu Alice, während sie servieren; hier, Madam, und hier? Die Familie auf dem Bild braucht natürlich keine Diener, sie existiert für sich allein, schwebt an der Wand. »Esst, esst«, sagt More. »Alle außer Alice, sie sprengt sonst ihr Korsett.«

Sie dreht ihm den Kopf zu, als sie ihren Namen hört. »Dieser Ausdruck gequälter Überraschung ist ihr nicht angeboren«, sagt More. »Er wird dadurch verursacht, dass sie ihr Haar straff zurückkämmt und ihre Kopfhaut riskiert, indem sie große Elfenbeinadeln hineinsteckt. Sie glaubt, ihre Stirn sei zu niedrig. Das stimmt natürlich. Alice, Alice«, sagt er, »sag mir, warum habe ich dich geheiratet.«

»Um den Haushalt zu führen, Vater«, sagt Meg mit leiser Stimme.

»Ja, ja«, sagt More. »Ein Blick auf Alice befreit mich vom Makel der Begierde.«

Er wird sich einer Kuriosität bewusst, als ob sich die Zeit plötzlich überschlagen oder in einer Schlinge verfangen hätte; er hat sie an der Wand betrachtet, wie Hans sie festgehalten hat, und hier spielen sie nun sich selbst, setzen ihre diversen Gesichtsausdrücke der Zurückhaltung oder Belustigung auf, des Wohlwollens und der Anmut: eine glückliche Familie. Ihm ist der Gastgeber lieber, wie Hans ihn gemalt hat; bei dem Thomas More an der Wand kann man sehen, dass er denkt, aber nicht, was er denkt, und so sollte es sein. Der Maler hat sie geschickt gruppiert, sodass es zwischen den Personen keinen Platz für jemand Neues gibt. Der Außenseiter kann nur als unbeabsichtigter Klecks oder Fleck in die Szene eintauchen; Gardiner ist zweifellos ein Klecks oder Fleck, denkt er. Der königliche Sekretär wedelt mit seinen schwarzen Ärmeln; er diskutiert heftig mit ihrem Gastgeber. Was meint Paulus, wenn er sagt, dass Jesus etwas geringer als die Engel geschaffen wurde? Machen Holländer jemals Witze? Welches ist das korrekte Wappen des Erben des Herzogs von Norfolk? Hört man da Donner in der Ferne oder wird diese Hitze anhalten? Genau wie auf dem Bild hat Alice einen kleinen Affen an einer Goldkette bei sich. Auf dem Gemälde umspielt er ihren Rocksaum.

In der Wirklichkeit sitzt er auf ihrem Schoß und klammert sich an sie wie ein Kind. Ab und zu senkt sie den Kopf und spricht so leise mit ihm, dass niemand anders es hören kann.

More trinkt keinen Wein, obwohl er seinen Gästen welchen serviert. Es gibt mehrere Gerichte, die alle gleich schmecken – irgendwelches Fleisch mit einer klumpigen Sauce wie der Schlamm der Themse – und danach eine Quarkspeise und einen Käse, von dem er sagt, eine seiner Töchter habe ihn gemacht – eine seiner Töchter, Mündel, Stieftöchter, eine der Frauen, mit denen das Haus angefüllt ist. »Man muss sie nämlich beschäftigen«, sagt More. »Sie können nicht immer vor ihren Büchern sitzen, und außerdem neigen junge Frauen zu Unfug und Müßiggang.«

»Sicher«, murmelt er. »Demnächst werden sie sich auf der Straße prügeln.« Sein Blick wird unwillkürlich von dem Käse angezogen; er ist löchrig und schwabbelig, sieht aus wie das Gesicht eines Stalljungen, der eine Nacht Ausgang hatte.

»Henry Pattinson ist heute Abend reizbar«, sagt More. »Vielleicht sollte er geschröpft werden. Ich hoffe nur, seine Kost war nicht zu schwer.«

»Ach«, sagt Gardiner, »ich habe keinerlei Befürchtungen in dieser Hinsicht.«

Der alte John More – inzwischen muss er achtzig sein – nimmt am Abendessen teil, und sie gewähren ihm den Vorrang im Gespräch; er erzählt gerne Geschichten. »Haben Sie je von Humphrey Herzog von Gloucester und dem Bettler gehört, der vorgab, blind zu sein? Haben Sie je von dem Mann gehört, der nicht wusste, dass die Jungfrau Maria Jüdin war?« Von einem so scharfsinnigen alten Juristen erwartet man mehr, selbst wenn er ein wenig senil ist. Dann greift er auf seine riesige Sammlung von Anekdoten über törichte Frauen zurück, und als er einschläft, hat ihr Gastgeber weitere zu bieten. Lady Alice sitzt missmutig da. Gardiner, der all diese Geschichten schon gehört hat, knirscht mit den Zähnen.

»Nehmen Sie meine Schwiegertochter Anne hier«, sagt More. Das Mädchen senkt die Augen, ihre Schultern verspannen sich, als sie darauf wartet, was kommt. »Anne wünschte sich – soll ich es unseren Gästen erzählen, meine Liebe? – sie wünschte sich eine Perlenkette. Unablässig hat sie davon gesprochen, Sie wissen ja, wie junge Mädchen sind. Stellen Sie sich Ihr Gesicht vor, als ich ihr eine Schachtel gab, in der es klapperte. Stellen Sie sich ihr Gesicht beim Öffnen der Schachtel vor! Was war darin? Getrocknete Erbsen!«

Das Mädchen atmet tief ein. Sie hebt ihr Gesicht. Er sieht, welche Anstrengung sie das kostet. »Vater«, sagt sie, »vergiss nicht, die Geschichte von der Frau zu erzählen, die nicht glaubte, dass die Welt rund ist.«

»Nein, wirklich, die ist gut«, sagt More.

Als er zu Alice schaut, die ihren Mann mit gequälter Konzentration anstarrt, denkt er: Sie kann es immer noch nicht glauben.

Nach dem Essen sprechen sie über den bösen König Richard. Vor vielen Jahren hat Thomas More damit begonnen, ein Buch über ihn zu schreiben. Er konnte sich nicht entscheiden, in welcher Sprache er es verfassen sollte, Englisch oder Latein, und deshalb hat er beides getan; er ist allerdings nie fertig geworden und hat auch nichts davon drucken lassen. Richard wurde geboren, um böse zu sein, sagt More; er war von Geburt an damit gezeichnet. Er schüttelt den Kopf. »Bluttaten. Königliche Spiele.«

»Dunkle Tage«, sagt der Narr.

»Sie mögen niemals wiederkommen.«

»Amen.« Der Narr zeigt auf die Gäste. »Die sollen auch nicht wiederkommen.«

Es gibt Leute in London, die behaupten, dass John Howard, Großvater des jetzigen Norfolk, mehr als nur ein bisschen mit dem Verschwinden jener Kinder zu tun hatte, die in den Tower gingen und niemals wieder herauskamen. Die Londoner sagen – und er selbst denkt, die Londoner müssen es wissen –, dass die Prinzen zuletzt gesehen wurden, als Howard Wache hielt; trotzdem glaubt Thomas More, dass es der Kommandant des Towers, Constable Brakenbury, war, der den Mördern die Schlüssel aushändigte. Brakenbury starb in der Schlacht von Bosworth; er kann nicht aus seinem Grab steigen und sich beschweren.

Tatsache ist, dass Thomas More ein dicker Freund des jetzigen Norfolk ist und eifrig leugnet, dass dessen Vorfahr dabei geholfen hat, irgendjemanden verschwinden zu lassen, ganz zu schweigen von zwei Kindern königlichen Geblüts. Er vergegenwärtigt sich den heutigen Herzog: In einer vor Blut triefenden sehnigen Hand hält er eine kleine Leiche mit goldenem Haar und in der anderen ein kleines Messer, wie man es mit zu Tisch nimmt, um Fleisch zu schneiden.

Er wendet sich wieder dem Geschehen zu: Gardiner sticht mit dem Finger in die Luft, bedrängt den Lordkanzler, fordert Beweise für dessen Thesen. Gleich darauf wird das Murren und Stöhnen des Narren unerträglich. »Bitte, Vater«, sagt Margaret, »schick Henry hinaus.« More steht auf, schimpft Pattinson aus und ergreift seinen Arm. Alle Augen sind auf die beiden gerichtet. Gardiner nutzt die Gelegenheit. Er beugt sich hinüber und spricht Englisch mit gedämpfter Stimme. »Was Master Wriothesley betrifft. Sagen Sie es mir. Arbeitet er nun für mich oder für Sie?«

»Für Sie, hätte ich gedacht, jetzt wo er zu einem der Siegelbeamten befördert wurde. Deren Aufgabe ist es doch wohl, dem Ersten Sekretär zu assistieren?«

»Warum ist er dann immer in Ihrem Haus?«

»Er hat keine Verpflichtungen. Er kann kommen und gehen, wann er will.«

»Ich vermute, er hat Geistliche satt. Er will feststellen, ob er etwas lernen kann – von … wie nennen Sie sich eigentlich dieser Tage?«

»Person«, sagt er bedächtig. »Der Herzog von Norfolk sagt, ich bin eine Person.«

»Master Wriothesley hat seinen Vorteil im Auge.«

»Ich hoffe, das haben wir alle. Wozu hat Gott uns sonst Augen gegeben?«

»Er möchte sein Glück machen. Wir wissen ja alle, dass das Geld an Ihren Händen kleben bleibt.«

Wie die Blattläuse an Mores Rosen. »Nein«, seufzt er. »Es rinnt hindurch, leider. Sie wissen, Stephen, wie sehr ich den Luxus liebe. Zeigen Sie mir einen Teppich, und ich laufe darauf herum.«

Nachdem der Narr gescholten und hinausgeworfen wurde, kommt More zu ihnen zurück. »Alice, ich habe dir doch gesagt, was passiert, wenn man Wein trinkt. Deine Nase glänzt.« Alice' Gesicht erstarrt, Abneigung und eine gewisse Angst zeichnen sich darauf ab. Die jüngeren Frauen, die alles verstehen können, was gesagt wird, senken die Köpfe und betrachten ihre Hände, spielen an ihren Ringen und drehen sie so, dass sie das Licht einfangen. Mit einem dumpfen Schlag landet etwas auf dem Tisch, und Anne Cresacre, so erschrocken, dass sie in ihre Muttersprache verfällt, ruft: »Henry, hör auf damit!« Über ihnen ist eine Galerie mit Erkerfenstern; der Narr beugt sich durch eine der Öffnungen und bewirft sie mit Brocken von Brotkrusten. »Erschrecken Sie nicht, Masters«, ruft er. »Ich bewerfe Sie mit Gott.«

Er erzielt einen Treffer, und der alte Mann wacht erschrocken auf. Sir John sieht verwirrt in die Runde; mit seiner Serviette wischt er sich das besabberte Kinn ab. »Hör zu, Henry«, ruft More nach oben. »Du hast meinen Vater geweckt. Und du lästerst Gott. Und du verschwendest Brot.«

»Herr im Himmel, er sollte ausgepeitscht werden«, blafft Alice.

Er sieht sich um; er fühlt etwas, das er als Mitleid erkennt, eine heftige Regung unterhalb des Brustbeins. Er glaubt, Alice hat ein gutes Herz, glaubt es sogar dann noch, als er sich verabschiedet und die Erlaubnis hat, ihr auf Englisch zu danken. Sie sagt geradeheraus: »Thomas Cromwell, warum heiraten Sie nicht wieder?«

»Keine will mich, Lady Alice.«

»Unsinn. Ihr Herr mag am Ende sein, aber Sie sind nicht arm, oder? Sie haben Ihr Geld im Ausland, wie man hört. Sie haben ein schönes Haus, nicht wahr? Sie haben das Gehör des Königs, sagt mein Mann.

Und nach allem, was meine Schwestern in der City sagen, ist auch ansonsten alles funktionsfähig.«

»Alice!«, sagt More. Lächelnd ergreift er ihr Handgelenk und schüttelt sie ein wenig. Gardiner lacht: das tiefe Bassglucksen klingt wie Gelächter, das aus einer Erdspalte dringt.

Als sie zur Barke des Ersten Sekretärs hinausgehen, liegt der Duft der Gärten schwer in der Luft. »More geht um neun zu Bett«, sagt Stephen.

»Mit Alice?«

»Nein, heißt es.«

»Haben Sie Spione im Haus?«

Stephen antwortet nicht.

Es wird dunkel, Lichter tanzen auf dem Fluss. »Guter Gott, bin ich hungrig«, beklagt sich der königliche Sekretär. »Ich wünschte, ich hätte eine der Brotkrusten des Narren eingesteckt. Ich wünschte, ich hätte mir den weißen Hasen geschnappt; ich würde ihn roh aufessen.«

»Er wagt es nicht, offen zu sein«, bemerkt er.

»In der Tat, das wagt er nicht«, sagt Gardiner. Er sitzt zusammengekauert unter der Überdachung, als sei ihm kalt. »Aber wir alle kennen seine Ansichten, und ich glaube, sie sind unumstößlich und unempfänglich für Argumente. Als er sein Amt antrat, sagte er, er würde sich nicht in die Scheidung einmischen, und der König hat es akzeptiert, aber ich frage mich, wie lange er das noch akzeptieren wird.«

»Ich meinte nicht: offen gegenüber dem König; sondern gegenüber Alice.«

Gardiner lacht. »Das ist wahr. Wenn sie verstanden hätte, was er über sie gesagt hat, hätte sie ihn in die Küche geschickt und rupfen und braten lassen.«

»Angenommen, sie stirbt. Dann würde er es bedauern.«

»Er hätte eine neue Frau im Haus, bevor sie kalt wäre. Eine noch hässlichere sogar.«

Er überlegt: sieht vage die Möglichkeit voraus, eine Wette abzuschließen. »Diese junge Frau«, sagt er. »Anne Cresacre. Sie ist eine Erbin, wussten Sie das? Eine Waise?«

»Gab es da nicht irgendeinen Skandal?«

»Nach dem Tod ihres Vaters haben die Nachbarn sie sich geschnappt, weil ihr Sohn sie heiraten sollte. Der Junge hat sie vergewaltigt. Sie war dreizehn. Es war in Yorkshire … so führen sie sich dort auf. Mylord Kardinal war erbost, als er davon erfuhr, und hat sie da weggeholt. Er hat sie unter Mores Obhut gegeben, weil er glaubte, dort sei sie sicher.«

»Das ist sie doch.«

Nicht sicher vor Demütigungen. »Mores Sohn hat sie geheiratet, also lebt er von ihren Ländereien. Sie bekommt einhundert im Jahr. Man würde denken, sie könnte sich eine Perlenkette leisten.«

»Glauben Sie, More ist von seinem Jungen enttäuscht? Er zeigt kein Talent für öffentliche Angelegenheiten. Na ja, ich habe gehört, Sie haben auch so einen Jungen. Sie werden bald nach einer Erbin für ihn Ausschau halten.« Er antwortet nicht. Es ist wahr; John More, Gregory Cromwell – was haben wir mit unseren Söhnen gemacht? Wir haben sie zu untätigen jungen Herren erzogen – aber kann man uns Vorwürfe machen, weil wir ihnen eine Bequemlichkeit bieten wollten, die wir selbst nicht hatten? Eines muss man More lassen, er war nie auch nur eine Stunde untätig, er hat sein Leben mit Lesen und Schreiben verbracht und sich in seinen Reden für das eingesetzt, was er für das Wohl der christlichen Gemeinschaft hält. Stephen sagt: »Sie könnten natürlich noch mehr Söhne bekommen. Freuen Sie sich nicht auf die Frau, die Alice für Sie finden wird? Sie konnte Sie ja nicht genug loben.«

Er fürchtet sich. Es ist wie bei Mark, dem Lautenspieler: Die Leute fantasieren sich etwas zusammen, das sie nicht wissen können. Er ist sich sicher, dass er und Johane das Geheimnis gehütet haben. Er sagt: »Denken Sie je ans Heiraten?«

Ein kühler Hauch breitet sich auf dem Wasser aus. »Ich bin ein Geistlicher.«

»Ach, hören Sie, Stephen. Sie müssen doch Frauen haben. Ist es nicht so?«

Die darauf folgende Pause ist so lang, so still, dass er die Riemen hören kann, wenn sie in die Themse tauchen, das leise Plätschern, wenn sie wieder auftauchen; er kann die Wellen in ihrem Kielwasser hören. Er kann einen Hund bellen hören, am Südufer. Der Sekretär fragt: »Was ist denn das für eine Putney-Frage?«

Das Schweigen hält bis Westminster an. Aber im Ganzen: keine allzu schlimme Fahrt. Wie er anmerkt, als er von Bord geht, hat keiner von ihnen den anderen in den Fluss geworfen. »Ich warte, bis das Wasser kälter ist«, sagt Gardiner. »Und bis ich Gewichte an Ihnen festbinden kann. Sie haben den Dreh raus, wieder aufzutauchen, stimmt's? Übrigens, warum bringe ich Sie eigentlich nach Westminster?«

»Ich besuche Lady Anne.«

Gardiner ist gekränkt. »Das haben Sie aber nicht gesagt.«

»Soll ich Ihnen alle meine Pläne unterbreiten?«

Er weiß, dass Gardiner das gerne so hätte. Man hört, dass der König die Geduld mit seinem Kronrat verliert. Er schreit sie an: »Der Kardinal war ein besserer Mann als ihr alle zusammen, er hat die Angelegenheiten weitaus besser geregelt.« Wenn Mylord Kardinal zurückkommt, denkt er bei sich – was durch eine Laune des Königs jederzeit passieren kann –, dann seid ihr alle tot: Norfolk, Gardiner, More. Wolsey ist ein Mann, der Gnade walten lässt, aber sicherlich: nur bis zu einem bestimmten Punkt.

Mary Shelton ist da; sie hebt den Kopf, setzt ein geziertes Lächeln auf. Anne sieht prachtvoll aus in ihrem Nachtgewand aus dunkler Seide. Ihr Haar ist offen, ihre zarten Füße stecken nackt in Pantoffeln aus Ziegenleder. Sie liegt zusammengesunken in einem Sessel, als hätte der Tag ihr die Lebensgeister ausgetrieben. Und trotzdem, als sie aufsieht, funkeln ihre Augen, ihr Blick ist feindselig. »Wo waren Sie?«

»In Utopia.«

»Oh.« Sie ist interessiert. »Was hat sich zugetragen?«

»Dame Alice hat einen kleinen Affen, der bei Tisch auf ihrem Schoß sitzt.«

»Ich kann Affen nicht ausstehen.«

»Das weiß ich.«

Er geht umher. Anne gestattet ihm, sie relativ normal zu behandeln, außer sie hat plötzlich einen heftigen Anfall von Ich-die-ich-Königin-sein-werde und staucht ihn zusammen. Sie betrachtet die Spitze ihres Pantoffels. »Die Leute sagen, dass Thomas More in seine eigene Tochter verliebt ist.«

»Sie könnten recht haben.«

Anne kichert. »Ist sie ein hübsches Mädchen?«

»Nein. Aber gebildet.«

»Haben sie über mich geredet?«

»Sie werden im Hause More nicht erwähnt.« Er denkt, wie gerne würde ich Alice' Urteil hören.

»Worüber wurde denn dann gesprochen?«

»Die Laster und Torheiten der Frauen.«

»Ich vermute, Sie haben sich daran beteiligt. Jedenfalls ist es wahr. Die meisten Frauen sind töricht. Und boshaft. Ich habe es erlebt. Ich habe zu lange unter Frauen gelebt.«

»Norfolk und Mylord, Ihr Vater, sind damit beschäftigt, Botschafter zu treffen. Die Frankreichs und Venedigs, den Mann des Kaisers – alle in den letzten beiden Tagen.«

Er denkt: Sie wollen meinem Kardinal eine Falle stellen. Ich weiß es.

»Ich hätte nicht gedacht, dass Sie sich so gute Informationen leisten können. Obwohl erzählt wird, dass Sie tausend Pfund für den Kardinal ausgegeben haben.«

»Ich erwarte, dass ich sie zurückbekomme. Von hier und dort.«

»Vermutlich sind die Leute Ihnen dankbar. Wenn ihnen Land aus dem Besitz des Kardinals übereignet wurde.«

Er denkt: Dein Bruder George, Lord Rochford, dein Vater Thomas, Earl von Wiltshire, sind sie nicht durch den Fall des Kardinals reich geworden? Sieh dir an, wie George sich jetzt kleidet, sieh dir an, was er für Pferde und Mädchen ausgibt; aber ich kann bei den Boleyns keinerlei Anzeichen von Dankbarkeit erkennen. Er sagt: »Ich nehme lediglich meine Notargebühr.«

Sie lacht. »Dafür sehen Sie aber gut aus.«

»Ach, wissen Sie, es gibt Wege und Wege ... Manchmal erzählen mir die Leute einfach etwas.«

Es ist eine Einladung. Anne lässt den Kopf sinken. Sie steht kurz davor, in den Kreis dieser Leute aufgenommen zu werden. Aber vielleicht nicht heute Abend. »Mein Vater sagt, man kann sich bei dieser Person nie sicher sein, man kann nie genau sagen, für wen er arbeitet. Ich hätte gedacht – aber ich bin natürlich nur eine Frau –, es ist ganz offensichtlich, dass Sie für sich selbst arbeiten.«

In dem Punkt gleichen wir uns, denkt er – spricht es aber nicht aus.

Anne gähnt, ein kleines katzengleiches Gähnen. »Sie sind müde«, sagt er. »Ich werde gehen. Übrigens, warum haben Sie nach mir geschickt?«

»Wir möchten gerne darüber informiert sein, wo Sie sind.«

»Und warum schickt Ihr Herr Vater nicht nach mir oder Ihr Bruder?«

Sie sieht auf. Es mag spät sein, aber nicht zu spät für Annes wissendes Lächeln. »Sie glauben nicht, dass Sie kommen würden.«

August: Der Kardinal schreibt an den König; einen Brief voller Klagen, in dem er ihm mitteilt, dass er von seinen Gläubigern gejagt werde, dass »Elend und Furcht« ihn bedrängen – aber die Geschichten, die in London ankommen, klingen anders. Er lädt den gesamten örtlichen Adel zu Abendessen ein. Er verteilt Almosen im gewohnt fürstlichen Stil, schlichtet Rechtsstreitigkeiten und beschwatzt einander entfremdete Eheleute, wieder unter demselben Dach zu leben.

Nennt-mich-Risley war im Juni mit William Brereton, dem königlichen Kammerherrn, in Southwell: um den Kardinal eine Petition unterschreiben zu lassen, die Henry herumreichen lässt und die er dem

Papst schicken will. Es war Norfolks Idee, die Peers und Bischöfe dazu zu bringen, diesen Brief zu unterzeichnen, in dem Clemens gebeten wird, dem König seine Freiheit zu gewähren. Er enthält gewisse düstere, unbestimmte Drohungen, aber Clemens ist daran gewöhnt, bedroht zu werden – keiner beherrscht die Kunst der Verzögerung besser als er, die Kunst, eine Partei gegen die andere aufzuwiegeln und beide gegeneinander auszuspielen.

Der Kardinal sieht gut aus, wie Wriothesley berichtet. Und seine Bautätigkeiten gehen anscheinend über Reparaturen und einige Renovierungen hinaus. Er hat das Land nach Glasern, Tischlern und Klempnern abgesucht; es ist noch unklar, wann Mylord beschließt, die sanitären Anlagen zu verbessern. Er hat noch nie eine Pfarrkirche errichten lassen, ohne dass der Turm höher gebaut werden musste als alle anderen, nie irgendwo gewohnt, wo er nicht Pläne für das Abwassersystem entworfen hat. Bald wird es Erdarbeiten geben, Abflusskanäle und Leitungen werden gelegt werden. Als Nächstes wird er Springbrunnen installieren. Wo immer er auftaucht, wird er vom Volk bejubelt.

»Das Volk?«, sagt Norfolk. »Das Volk würde einem Berberaffen zujubeln. Wen schert es, wen oder was sie bejubeln? Zum Henker mit dem Volk.«

»Aber wen wollen Sie dann besteuern?«, sagt er, woraufhin Norfolk ihn ängstlich ansieht, unsicher, ob er einen Witz gemacht hat.

Die Gerüchte über die Popularität des Kardinals machen ihm keine Freude, sie machen ihm Angst. Der König hat Wolsey begnadigt, aber wenn er einmal beleidigt war, kann er auch wieder beleidigt sein. Wenn sie sich vierundvierzig Anklagepunkte ausdenken konnten, dann können sie sich auch vierundvierzig weitere ausdenken – sofern die Fantasie nicht durch die Wahrheit behindert wird.

Er beobachtet, wie Norfolk und Gardiner die Köpfe zusammenstecken. Sie sehen zu ihm hinüber; sie funkeln ihn an und sagen nichts.

Wriothesley bleibt bei ihm, folgt seinem Schatten und seinen Schritten, schreibt seine vertraulichsten Briefe, die an den Kardinal und den

König. Niemals sagt er: Ich bin zu müde. Niemals sagt er: Es ist spät. Er denkt an alles, woran er denken soll. Selbst Rafe ist nicht vollkommener.

Es wird Zeit, die Mädchen in das Familienunternehmen einzubinden. Johane bemängelt, dass ihre Tochter nicht gut nähen kann, aber es sieht so aus, dass das Kind die Nadel heimlich in die falsche Hand nimmt und auf diese Weise einen merkwürdigen kleinen Steppstich erfunden hat, den man kaum nachmachen kann. Sie bekommt die Aufgabe, seine Sendungen in den Norden zuzunähen.

September 1530: Der Kardinal verlässt Southwell und begibt sich etappenweise nach York. Der nächste Teil seiner Reise wird zu einer triumphalen Prozession. Leute aus der gesamten Umgebung kommen in Scharen herbei, lauern ihm bei Kreuzen am Wegesrand auf, damit er seine magischen Hände auf ihre Kinder legen kann; sie nennen es »Konfirmation«, aber es scheint ein älteres Sakrament zu sein. Sie strömen zu Tausenden herbei, um ihn zu sehen; und er betet für sie alle.

»Der Rat hält den Kardinal unter Beobachtung«, zischt Gardiner ihm im Vorbeigehen zu. »Sie haben die Häfen schließen lassen.«

Norfolk sagt: »Richten Sie ihm aus, wenn ich ihn je wiedersehe, fresse ich ihn mit Haut und Haaren auf und dazu noch Knochen, Fleisch und Knorpel.« Genauso schreibt er es auf und schickt es nach Norden: »Knochen, Fleisch und Knorpel«. Er kann das Knirschen und Knacken der herzoglichen Zähne hören.

Am 2. Oktober erreicht der Kardinal seinen Palast in Cawood, zehn Meilen von York entfernt. Seine Inthronisierung ist für den 7. November geplant. Die Nachricht trifft ein, dass er eine Versammlung der Nordkirche einberufen hat; sie soll am Tag nach seiner Inthronisierung in York zusammentreten. Es ist ein Signal seiner Unabhängigkeit – einige denken vielleicht, es ist ein Signal der Revolte. Er hat den König nicht informiert, er hat den alten Warham, Erzbischof von Canterbury, nicht informiert; er kann die Stimme des Kardinals hören, wie sie leise und belustigt sagt, aber Thomas, warum müssen sie das wissen?

Norfolk bestellt ihn zu sich. Sein Gesicht ist purpurrot und er hat ein bisschen Schaum vor dem Mund, als er zu schreien anfängt. Er war gerade zu einer Anprobe bei seinem Waffenmeister und trägt noch verschiedene Teile der Rüstung – seinen Brustharnisch, seinen Lendenschurz –, sodass er aussieht wie ein eiserner Kochtopf, der kurz vorm Überlaufen steht. »Glaubt er etwa, dass er sich da oben verschanzen und sich selbst ein Königreich zimmern kann? Der Kardinalshut ist nicht gut genug für ihn, nur eine Krone genügt dem verfluchten Thomas Wolsey, dem elenden Metzgerjungen, und ich sage Ihnen, ich sage Ihnen …«

Er senkt den Blick, falls der Herzog eine Pause macht, um seine Gedanken zu lesen. Er denkt: Mylord hätte einen so hervorragenden König abgegeben; so gütig, so sicher und verbindlich in seinen Geschäften, so gerecht, so schnell und so urteilsfähig. Seine Herrschaft wäre die beste Herrschaft gewesen, seine Diener die besten Diener, und wie viel Freude er an seinem Staat gehabt hätte!

Seine Augen folgen dem Herzog, der hin und her wippt und schäumt; aber als sich der Herzog umdreht und sich auf den metallbewehrten Oberschenkel schlägt, stellt er überrascht fest, dass eine Träne – hat der Schlag wehgetan oder ist es etwas anderes? – im herzoglichen Auge schwimmt. »Ach, Sie halten mich für einen harten Mann, Cromwell. So hart bin ich nicht, dass ich nicht sehe, wie verlassen Sie dastehen. Verstehen Sie, was ich sage? Ich meine, ich kenne nicht einen Mann in England, der für einen in Schmach und Schande gefallenen Mann dasselbe getan hätte wie Sie. Der König sagt das auch. Selbst dieser Chapuys, der Mann des Kaisers, sagt, man kann keinen Fehler bei Wie-heißt-er-noch entdecken. Ich sage, es ist sehr schade, dass Sie Wolsey je begegnet sind. Es ist schade, dass Sie nicht für mich arbeiten.«

»Nun«, sagt er, »wir wollen alle dasselbe. Nämlich, dass Ihre Nichte Königin wird. Können wir nicht zusammenarbeiten?«

Norfolk grunzt. In seinen Augen ist etwas falsch an dem Wort »zusammen«, aber er kann nicht in Worte fassen, was es ist. »Vergessen Sie Ihre Stellung nicht.«

Er verbeugt sich. »Ich bin mir der fortgesetzten Gunst bewusst, die Eure Lordschaft mir gewährt.«

»Passen Sie auf, Cromwell, ich wünschte, Sie würden mich zu Hause in Kenninghall besuchen und mit Mylady, meiner Frau, sprechen. Sie stellt ganz unerhörte Ansprüche. Sie findet, ich sollte keine Frau zu meinem persönlichen Gebrauch im Haus halten, wenn Sie verstehen? Ich sage, wo denn sonst? Soll ich mich etwa in einer Winternacht der Unbequemlichkeit unterziehen und mich auf die vereisten Straßen wagen? Es ist mir anscheinend nicht möglich, mich ihr gegenüber korrekt auszudrücken; glauben Sie, Sie könnten kommen und meinen Fall vertreten?« Hastig sagt er: »Natürlich nicht jetzt. Nein. Wichtiger ist … gehen Sie zu meiner Nichte …«

»Wie geht es ihr?«

»Meiner Ansicht nach«, sagt Norfolk, »ist Anne auf Mord aus. Sie will die Eingeweide des Kardinals in einer Schüssel serviert bekommen, damit sie sie an ihre Spaniels verfüttern kann; sie will, dass seine Gliedmaßen über die Stadttore von York genagelt werden.«

Es ist ein dunkler Morgen, und Anne zieht alle Blicke auf sich, aber dann nimmt er eine schattenhafte Bewegung am Rande des Lichtkreises wahr. Anne sagt: »Dr Cranmer ist gerade aus Rom zurückgekehrt. Er bringt uns keine guten Nachrichten, natürlich nicht.«

Sie kennen sich; Cranmer hat von Zeit zu Zeit für den Kardinal gearbeitet, aber wer hat das eigentlich nicht? Nun ist er in der Sache des Königs aktiv. Zögernd umarmen sie sich: der Gelehrte aus Cambridge, die Person aus Putney.

Er sagt: »Master, warum wollten Sie nicht an unser College kommen? Ans Cardinal College, meine ich. Seine Gnaden war sehr traurig darüber. Wir hätten gut für Sie gesorgt.«

»Ich denke, er wollte etwas Dauerhafteres«, sagt Anne spöttisch.

»Aber bei allem Respekt, Lady Anne, der König hat mir fast schon zugesichert, dass er die Stiftung in Oxford selbst übernehmen wird.« Er lächelt. »Vielleicht kann sie nach Ihnen benannt werden?«

An diesem Morgen trägt Anne ein Kruzifix an einer Goldkette. Ab und zu zieht sie ungeduldig mit den Fingern daran, dann steckt sie ihre Hände wieder in ihre Ärmel. Aufgrund dieser Angewohnheit meinen die Leute, sie habe etwas zu verbergen, eine Missbildung; er aber glaubt, dass sie einfach nicht gerne zeigt, was sie auf der Hand hat. »Mein Onkel Norfolk sagt, Wolsey zieht mit einem Gefolge von achthundert Bewaffneten umher. Es heißt, er hat Briefe von Katherine – ist das wahr? Es heißt, Rom wird ein Dekret erlassen, das dem König befiehlt, sich von mir zu trennen.«

»Das wäre ein entschiedener Fehler Roms«, sagt Cranmer.

»Ja, das wäre es. Weil er sich nichts *befehlen* lässt. Ist er etwa irgendein Küster in einer Gemeinde, der König von England? Oder ein Kind? Das würde in Frankreich nicht passieren; ihr König hat seine Geistlichen unter Kontrolle. Master Tyndale sagt: ›Ein König, ein Gesetz, das ist Gottes Ordnung in jedem Reich.‹ Ich habe sein Buch über den Gehorsam eines Christenmenschen gelesen. Ich selbst habe es dem König gezeigt und die Passagen markiert, die seine Autorität betreffen. Der Untertan muss seinem König gehorchen, wie er seinem Gott gehorchen würde; habe ich den Sinn erfasst? Der Papst muss in seine Schranken gewiesen werden.«

Cranmer betrachtet sie halb lächelnd; sie ist wie ein Kind, das man lesen lehrt und das plötzlich eine glänzende Begabung zeigt.

»Warten Sie«, sagt sie. »Ich muss Ihnen etwas zeigen.« Sie wirft einen Blick zur Seite. »Lady Carey …«

»Oh, bitte«, sagt Mary. »Beachte es nicht.«

Anne schnipst mit den Fingern. Mary Boleyn tritt ins Licht vor, ein Aufblitzen blonder Haare. »Gib her«, sagt Anne. Es ist ein Stück Papier, das sie auseinanderfaltet. »Das habe ich in meinem Bett gefunden, ist das nicht unglaublich? Zufällig war es eine Nacht, in der dieses kränkliche, kriechende Milchgesicht die Bettwäsche zurückgeschlagen hat, aber natürlich habe ich nichts aus ihr herausbekommen, sie weint nämlich schon, wenn man sie nur von der Seite ansieht. Deshalb weiß ich nicht, wer es hineingelegt hat.«

Es ist eine Zeichnung mit drei Figuren. Die Figur in der Mitte ist der König. Er ist groß und sieht gut aus, und damit man ihn auch wirklich erkennt, trägt er eine Krone. Rechts und links von ihm stehen zwei Frauen, die linke hat keinen Kopf. »Das ist die Königin«, sagt sie. »Katherine. Und das bin ich.« Sie lacht. »Anne *sans tête*.«

Dr Cranmer streckt die Hand nach dem Blatt aus. »Geben Sie es mir, ich vernichte es.«

Sie zerknüllt es in der Hand. »Das kann ich selbst. Es gibt eine Prophezeiung, dass eine Königin von England verbrannt werden wird. Aber die Prophezeiung macht mir keine Angst, und selbst wenn es stimmt, gehe ich das Risiko ein.«

Mary steht wie eine Statue in der Position, in der Anne sie hat stehen lassen, die Hände verharren so, als hielten sie noch das Blatt. Oh Gott, denkt er, man müsste sie von hier wegschaffen, irgendwohin bringen, wo sie vergessen könnte, dass sie eine Boleyn ist. Sie hat mich einmal darum gebeten. Ich habe sie ihrem Schicksal überlassen. Und wenn sie mich noch einmal darum bittet, würde ich sie wieder ihrem Schicksal überlassen.

Anne wendet sich zum Licht. Ihre Wangen sind hohl – wie dünn sie jetzt ist! –, ihre Augen leuchten. *»Ainsi sera«,* sagt sie. »Egal, wer es mir missgönnt, es wird geschehen. Ich will ihn haben.«

Auf ihrem Weg hinaus sprechen er und Dr Cranmer nicht miteinander, bis sie das blasse Mädchen auf sich zukommen sehen, das kränkliche, kriechende Milchgesicht. Sie trägt einen Stapel Leintücher.

»Ich glaube, das ist die, die weint«, sagt er. »Also sehen Sie sie nicht von der Seite an.«

»Master Cromwell«, sagt sie, »es könnte ein langer Winter werden. Schicken Sie uns doch noch ein paar von Ihren Orangentörtchen.«

»Ich habe Sie so lange nicht gesehen … Was haben Sie gemacht, wo sind Sie gewesen?«

»Meistens habe ich genäht.« Sie bedenkt jede Frage einzeln. »Wohin man mich geschickt hat.«

»Sie haben spioniert, vermute ich.«

Sie nickt. »Ich kann das nicht besonders gut.«

»Ich weiß nicht. Sie sind sehr klein und unauffällig.«

Es ist als Kompliment gedacht; sie nimmt es mit einem Augenzwinkern an. »Ich spreche kein Französisch. Bitte, tun Sie es auch nicht. Sonst habe ich nichts zu berichten.«

»Für wen spionieren Sie?«

»Für meine Brüder.«

»Kennen Sie Dr Cranmer?«

»Nein«, sagt sie; sie denkt, es sei eine echte Frage.

»Jetzt«, instruiert er sie, »müssen Sie sagen, wer *Sie* sind.«

»Oh. Ich verstehe. Ich bin John Seymours Tochter. Von Wolf Hall.«

Er ist überrascht. »Ich dachte, seine Töchter wären bei Königin Katherine.«

»Ja. Manchmal. Jetzt nicht. Ich habe es doch gesagt. Ich gehe dorthin, wohin man mich schickt.«

»Aber nicht dorthin, wo Sie geschätzt werden.«

»In gewisser Hinsicht werde ich das. Sehen Sie, Lady Anne weist die Damen der Königin nicht zurück, wenn sie Zeit mit ihr verbringen wollen.« Sie hebt die Augen, ein kurzes helles Aufleuchten. »Es sind nur sehr wenige.«

Jede aufsteigende Familie braucht Informationen. Da der König sich für einen Junggesellen hält, kann jedes kleine Mädchen den Schlüssel zur Zukunft in der Hand halten, und er hat nicht sein ganzes Geld auf Anne gesetzt. »Nun, viel Glück«, sagt er. »Ich werde versuchen, beim Englischen zu bleiben.«

»Ich wäre Ihnen sehr dankbar.« Sie verbeugt sich. »Dr Cranmer.«

Er dreht sich um und betrachtet sie, als sie sich mit Trippelschritten zu Anne Boleyn aufmacht. Ein kleiner Verdacht hinsichtlich der Zeichnung im Bett beschleicht ihn. Aber nein, denkt er. Das ist nicht möglich.

Dr Cranmer lächelt. »Sie kennen offenbar viele Hofdamen.«

»Nicht sehr viele. Ich weiß immer noch nicht, welche Tochter das war, es gibt mindestens drei. Und ich vermute, dass Seymours Söhne ehrgeizig sind.«

»Ich kenne sie kaum.«

»Der Kardinal hat Edward erzogen. Er ist klug. Und Tom Seymour ist nicht so ein Dummkopf, wie er vorgibt.«

»Der Vater?«

»Lebt in Wiltshire. Wir sehen ihn nie.«

»Man könnte ihn beneiden«, murmelt Dr Cranmer.

Das Landleben. Ländliches Glück. Eine Versuchung, die er nie verspürt hat. »Wie lange waren Sie in Cambridge, bevor der König Sie hierherbeordert hat?«

Cranmer lächelt. »Sechsundzwanzig Jahre.«

Sie sind beide in Reitkleidung. »Kehren Sie heute noch nach Cambridge zurück?«

»Nicht für lange. Die Familie« – die Boleyns, meint er – »möchte, dass ich verfügbar bleibe. Und Sie, Master Cromwell?«

»Ich muss zu einem Privatkunden. Lady Annes schwarze Blicke reichen nicht für meinen Lebensunterhalt.«

Jungen warten mit ihren Pferden. Aus diversen Verstecken in seiner Kleidung zieht Dr Cranmer in Stoff gehüllte Dinge hervor. Eines davon ist eine Karotte, sorgfältig der Länge nach geschnitten, und ein anderes ein verschrumpelter Apfel, geviertelt. Als wäre er ein Kind, das eine Belohnung ehrlich teilt, gibt er ihm zwei Stücke von der Karotte und den halben Apfel für sein Pferd und sagt: »Sie verdanken Anne Boleyn viel. Mehr, als Sie vielleicht glauben. Sie hat inzwischen eine gute

Meinung von Ihnen. Ich weiß allerdings nicht, ob sie gerne Ihre Schwägerin wäre ...«

Die Tiere beugen die Köpfe und knabbern ihr Futter, dabei wackeln sie dankbar mit den Ohren. Ein Augenblick des Friedens, wie eine Segnung. Er sagt: »Es gibt wohl gar keine Geheimnisse, oder?«

»Nein. Nein. Absolut keine.« Der Priester schüttelt den Kopf. »Sie haben gefragt, warum ich nicht an Ihr College kommen wollte.«

»Ich habe Konversation gemacht.«

»Und doch ... wie wir in Cambridge hören, haben Sie so viel Arbeit für die Stiftung geleistet ... die Studenten und die Fellows loben sie alle ... Master Cromwell entgeht kein Detail. Aber andererseits, die Annehmlichkeiten, auf die Sie alle so stolz sind ...« Sein Ton, ruhig und unaufgeregt, ändert sich nicht. »Der Fischkeller? Wo die Studenten gestorben sind?«

»Mylord Kardinal hat diese Angelegenheit nicht auf die leichte Schulter genommen.«

Cranmer sagt leichthin: »Ich auch nicht.«

»Mylord hat nie dazu geneigt, einen anderen wegen seiner Überzeugung zugrunde zu richten. Sie wären in Sicherheit gewesen.«

»Ich versichere Ihnen, er hätte keinerlei Häresie bei mir entdeckt. Selbst die Sorbonne konnte keinen Fehler an mir finden. Ich habe nichts zu befürchten.« Ein mattes Lächeln. »Aber vielleicht ... ach ja ... vielleicht gehöre ich einfach nach Cambridge.«

Er sagt zu Wriothesley: »Ist er das? In allen Punkten orthodox?«

»Schwer zu sagen. Er mag keine Mönche. Sie müssten sich gut verstehen.«

»War er im Jesus College beliebt?«

»Es heißt, er war ein strenger Prüfer.«

»Ich vermute, dass ihm nicht viel entgeht. Trotzdem. Er denkt, dass Anne eine tugendhafte Dame ist.« Er seufzt. »Und was denken wir?«

Nennt-mich-Risley schnaubt. Er hat gerade geheiratet – eine Verwandte Gardiners –, obwohl seine Einstellung zu Frauen im Großen und Ganzen nicht gerade positiv ist.

»Er scheint der melancholische Typ zu sein«, sagt er. »Jemand, der abgeschieden von der Welt leben möchte.«

Wriothesley zieht die blonden Augenbrauen fast unmerklich in die Höhe. »Hat er Ihnen von dem Schankmädchen erzählt?«

Als Cranmer ihn zu Hause besucht, gibt es zartes Rehfleisch; sie essen zu zweit, und langsam entlockt er ihm seine Geschichte, langsam und mühelos. Er fragt den Doktor, wo er herkommt, und als dieser sagt: Sie werden den Ort nicht kennen, antwortet er: Stellen Sie mich auf die Probe, ich war fast überall.

»Auch wenn Sie in Aslockton gewesen wären, wüssten Sie nicht, dass Sie da waren. Geht ein Mann fünfzehn Meilen nach Nottingham und bleibt nur eine Nacht weg, verschwindet der Ort völlig aus seiner Erinnerung.« Sein Dorf hat nicht einmal eine Kirche, es gibt nur ein paar armselige Hütten und das Haus seines Vaters, in dem die Familie seit drei Generationen lebt.

»Ihr Vater ist ein Gentleman?«

»Das ist er in der Tat.« Cranmer klingt leicht schockiert: Was denn sonst? »Die Tamworths aus Lincolnshire gehören zu meinen Verwandten. Die Cliftons aus Clifton. Die Familie Molyneux, von der Sie gehört haben werden. Oder nicht?«

»Und haben Sie viel Land?«

»Ich habe nicht daran gedacht, sonst hätte ich die Hauptbücher mitgebracht.«

»Vergeben Sie mir. Wir Geschäftsleute …«

Augen ruhen auf ihm, taxieren ihn. Cranmer nickt. »Wenige Morgen. Und ich bin nicht der älteste Sohn. Aber er hat mich gut erzogen. Hat mir das Reiten beigebracht. Von ihm habe ich meinen ersten Bogen bekommen. Von ihm bekam ich meinen ersten Falken zum Abrichten.«

Tot, denkt er, der Vater ist lange tot: Er tastet im Dunkeln immer noch nach seiner Hand.

»Als ich zwölf war, hat er mich in die Schule geschickt. Dort habe ich gelitten. Der Lehrer war streng.«

»Mit Ihnen? Oder auch mit den anderen?«

»Wenn ich ehrlich bin, habe ich nur an mich selbst gedacht. Ich war schwach, kein Zweifel. Ich vermute, er hat die Schwäche erkannt. Schulmeister sind so.«

»Konnten Sie sich nicht bei Ihrem Vater beschweren?«

»Ich frage mich wirklich, warum ich es nicht getan habe. Aber dann ist mein Vater gestorben. Ich war dreizehn. Ein Jahr später schickte meine Mutter mich nach Cambridge. Ich war froh, dem Lehrer entkommen zu sein. Seiner Knute. Nicht dass die Flamme der Gelehrsamkeit in Cambridge hell brannte. Der Ostwind hatte sie ausgeblasen. Oxford – besonders Magdalen College, wo Ihr Kardinal war –, das war damals alles.«

Er denkt: Ein Junge, der in Putney geboren wurde, hat jeden Tag den Fluss gesehen und sich vorgestellt, wie er breiter wird und ins Meer mündet. Selbst wenn er den Ozean nie gesehen hatte, kamen manchmal fremde Menschen flussaufwärts und erzählten davon, sodass er ein Bild in seiner Vorstellung besaß. Er wusste, dass er eines Tages hinausgehen würde in eine Welt mit Bürgersteigen aus Marmor, wo es Pfauen gibt und Hügel, die in der Hitze flirren, wo ihn der Duft zerriebener Kräuter beim Gehen einhüllt. Er hat schon vorausgesehen, was die Reisen ihm bringen würden: die Berührung warmer Terrakotta, den Nachthimmel in einem anderen Klima, fremde Blumen, den Blick der Heiligen anderer Menschen aus steinernen Augen. Aber wenn man in Aslockton geboren wurde, auf flachen Feldern, unter einem weiten Himmel, konnte man sich gerade noch bis Cambridge denken: weiter nicht.

»Einem Mann aus meinem College«, sagt Dr Cranmer zögernd, »hat der Kardinal erzählt, dass Sie als Säugling von Piraten geraubt wurden.«

Er starrt seinen Gast einen Augenblick an, dann lächelt er mit verhaltener Freude. »Wie sehr ich meinen Herrn doch vermisse! Jetzt, wo er nach Norden gegangen ist, gibt es niemanden mehr, der mich neu erfindet.«

Dr Cranmer, vorsichtig: »Dann ist es nicht wahr? Denn ich habe mich schon gefragt, ob Sie überhaupt getauft wurden. Ich habe befürchtet, das könnte bei so einem Vorkommnis fraglich sein.«

»Aber das Ganze hat sich nie zugetragen. Wirklich. Die Piraten hätten mich übrigens auch zurückgegeben.«

Dr Cranmer runzelt die Stirn. »Sie waren ein wildes Kind?«

»Wenn wir uns damals gekannt hätten, hätte ich Ihren Schulmeister für Sie zusammengeschlagen.«

Cranmer hat aufgehört zu essen – nicht dass er viel zu sich genommen hätte. Er denkt, in einem Winkel seines Bewusstseins wird dieser Mann immer glauben, dass ich Heide bin, ich werde ihn nie mehr davon abbringen. Er sagt: »Vermissen Sie Ihre Studien? Ihr Leben hat sich verändert, seit der König Sie zum Botschafter gemacht hat und Sie auf hoher See durchgeschaukelt wurden.«

»Als ich aus Spanien zurückkam, mussten wir in der Biskaya das Wasser aus dem Schiff schöpfen. Ich habe den Seeleuten die Beichte abgenommen.«

»Da muss es ja was zu hören gegeben haben.« Er lacht. »Sie haben vermutlich geschrien, um den Sturm zu übertönen.«

Nach dieser anstrengenden Reise wäre Cranmer vielleicht in sein altes Leben zurückgekehrt – obwohl der König mit dem Ergebnis seiner Mission zufrieden war –, hätte er nicht Gardiner getroffen und flüchtig erwähnt, dass man die europäischen Universitäten zum Fall des Königs befragen könne. Sie haben es bei den Spezialisten des kanonischen Rechts versucht; versuchen Sie es jetzt bei den Theologen. Warum nicht?, sagte der König; bringen Sie mir Dr Cranmer und betrauen Sie ihn damit. Der Vatikan ließ ausrichten, er habe nichts gegen diese Idee, nur dass man den Theologen kein Geld anbieten solle: ein amüsanter Vorbehalt eines Papstes mit dem Nachnamen de' Medici. Ihm erscheint diese Initiative so gut wie zwecklos – aber er denkt an Anne Boleyn, er denkt daran, was ihre Schwester gesagt hat: Sie wird nicht jünger. »Sehen Sie, Sie haben hundert Gelehrte an zwanzig Universitäten gefunden, und einige sagen, dass der König recht hat …«

»Die meisten …«

»Und wenn Sie noch zweihundert finden, was macht das schon aus? Clemens lässt sich wohl kaum noch überzeugen. Das Einzige, was helfen wird, ist Druck. Und ich meine keinen moralischen Druck.«

»Aber es ist nicht Clemens, den wir in dieser Sache überzeugen müssen. Es ist ganz Europa. Alle Männer der Christenheit.«

»Ich befürchte, dass die Frauen der härtere Brocken sind.«

Cranmer schlägt die Augen nieder. »Ich konnte meine Frau nie von etwas überzeugen. Ich wäre gar nicht auf den Gedanken gekommen, es zu versuchen.« Er macht eine Pause. »Wir sind beide Witwer, glaube ich, Master Cromwell, und wenn wir Kollegen werden, darf ich Sie nicht im Unklaren lassen oder den Geschichten überantworten, die irgendwelche Leute Ihnen erzählen.«

Das Licht um sie herum schwindet, während er spricht, und seine Stimme – jedes Murmeln, jedes Stocken – verliert sich in der Dämmerung. Außerhalb des Raums, in dem sie sitzen, folgen die Bewohner des Hauses ihrer abendlichen Routine; auf einmal ertönt ein Krachen und ein Schaben, als würden Möbelstücke bewegt, dazu leises Jubeln und Jauchzen. Aber er ignoriert es und konzentriert sich auf den Priester. Joan, eine Waise, sagt dieser, Dienstmädchen im Haus eines Gentleman, in dem er verkehrte; keine Angehörigen, keine Mitgift; er hatte Mitleid mit ihr. Geflüster in einem getäfelten Raum weckt die Geister im Moor auf, holt die Toten herbei: das Zwielicht von Cambridge, Feuchtigkeit, die von den Sümpfen hereinkommt, und Binsenlichter, die in einem kahlen, ausgefegten Raum brennen, wo ein Liebesakt stattfindet. Ich konnte nicht umhin, sie zu heiraten, sagt Dr Cranmer, und in der Tat, wie kann ein Mann umhin zu heiraten? Sein College kündigte ihm die Mitgliedschaft, natürlich, man kann als Fellow nicht verheiratet sein. Und natürlich musste sie ihre Stellung verlassen, und weil er nicht wusste, wohin mit ihr, brachte er sie im Dolphin unter, das von Verwandten von ihm betrieben wird, ja – er gesteht es, nicht ohne den Blick zu senken – von Angehörigen, ja, es ist wahr, dass einige seiner Leute das Dolphin betreiben.

»Deswegen muss man sich doch nicht schämen. Das Dolphin ist ein gutes Haus.«

Ach, Sie wissen Bescheid: Und er beißt sich auf die Lippe.

Er dagegen betrachtet Dr Cranmer: die Art, wie er blinzelt, wie er vorsichtig den Finger ans Kinn legt, seine sprechenden Augen und seine blassen betenden Hände. Also, sagt Dr Cranmer, Joan war kein … sie war kein, sehen Sie, kein Schankmädchen, was immer die Leute auch sagen, und ich weiß, was sie sagen. Sie war eine Ehefrau mit einem Kind im Bauch, und er war ein armer Gelehrter, der sich anschickte, mit ihr in ehrlicher Armut zu leben, aber das trat am Ende nicht ein. Er glaubte, er würde vielleicht eine Stelle als Sekretär eines Gentleman oder als Hauslehrer finden oder dass er seinen Lebensunterhalt mit Schreiben verdienen könnte, aber all diese Überlegungen waren vergeblich. Er glaubte, sie könnten aus Cambridge wegziehen, sogar aus England, aber am Ende war es nicht notwendig. Vor der Geburt des Kindes hatte er gehofft, einer seiner Verwandten würde etwas für ihn tun – aber als Joan bei der Geburt starb, konnte niemand etwas für ihn tun, nicht mehr. »Wenn das Kind überlebt hätte, hätte ich etwas retten können. Aber wie die Dinge lagen, wusste keiner, was er zu mir sagen sollte. Sie wussten nicht, ob sie mir ihr Beileid zu dem Verlust meiner Frau aussprechen oder mir gratulieren sollten, weil Jesus College mich zurückgenommen hatte. Ich ließ mich zum Priester weihen. Warum auch nicht? Meine Ehe, das Kind – all das schienen meine Kollegen für eine Art Irrtum zu halten. Als hätte man sich im Wald verlaufen. Man kommt nach Hause und denkt nie wieder daran.«

»Es gibt merkwürdige, kalte Menschen auf der Welt. Ich glaube, es sind Priester. Mit Verlaub. Sie gewöhnen sich natürliche Gefühle ab. Mit den besten Absichten, versteht sich.«

»Es war kein Fehler. Wir hatten ein Jahr. Ich denke jeden Tag an sie.«

Die Tür öffnet sich; Alice bringt ihnen Lichter. »Ist das Ihre Tochter?«

Anstatt seine Familienverhältnisse zu erklären, sagt er: »Das ist meine liebe Alice. Das ist doch nicht deine Aufgabe, Alice.«

Sie knickst, ein kleiner Kniefall vor dem Geistlichen. »Nein, aber Rafe und die anderen wollen wissen, worüber hier so lange gesprochen wird. Und ob heute Abend eine Sendung an den Kardinal geschickt wird. Jo steht mit Nadel und Faden bereit.«

»Sag ihnen, dass ich die Briefe eigenhändig schreibe und dass wir sie morgen abschicken. Jo kann ins Bett gehen.«

»Oh, wir gehen nicht ins Bett. Wir lassen Gregorys Windhunde die Halle rauf und runter laufen und machen dabei einen Lärm, der die Toten aufwecken könnte.«

»Ich kann nachvollziehen, warum ihr nicht damit aufhören wollt.«

»Ja, es ist großartig«, sagt Alice. »Wir haben Manieren wie Küchenmägde und keiner wird uns je heiraten wollen. Wenn unsere Tante Mercy sich so benommen hätte, als sie klein war, hätte sie Ohrfeigen bekommen, bis ihre Ohren blutig gewesen wären.«

»Dann leben wir ja in glücklichen Zeiten.«

Als sie die Tür wieder hinter sich geschlossen hat, sagt Cranmer: »Werden die Kinder nicht mit der Peitsche geschlagen?«

»Wir versuchen, sie durch unser Vorbild zu erziehen, wie es Erasmus vorschlägt, wobei wir jedoch alle gern die Hunde hin und her rennen lassen und Lärm machen – in dieser Hinsicht sind wir dann wohl kein so gutes Vorbild.« Er weiß nicht, ob er lächeln soll; er hat Gregory, er hat Alice und Johane und die kleine Jo, und im Augenwinkel am Rande seines Gesichtsfelds hat er das blasse Mädchen, das die Boleyns bespitzelt. Er hat Falken in seiner Remise, die auf ihn zukommen, wenn sie den Klang seiner Stimme hören. Was hat dieser Mann?

»Ich denke an die Berater des Königs«, sagt Dr Cranmer. »Die Art von Männern, mit denen er sich jetzt umgibt.«

Und er hat den Kardinal, wenn der Kardinal ihm nach allem, was geschehen ist, noch wohlgesonnen ist. Wenn er stirbt, hat er die schwarzen Hunde seines Sohnes, die zu seinen Füßen liegen.

»Es sind fähige Männer«, sagt Cranmer, »die alles tun, was er will, aber es scheint mir – ich weiß nicht, wie es Ihnen geht –, dass ihnen jedes Verständnis für seine Situation fehlt ... auch jeder Skrupel, jede Freundlichkeit. Jede Barmherzigkeit. Oder Liebe.«

»Deshalb glaube ich, dass er den Kardinal zurückholen wird.«

Cranmer betrachtet eingehend sein Gesicht. »Ich fürchte, das ist inzwischen nicht mehr möglich.«

Er spürt den Wunsch zu sprechen, auszudrücken, was er empfindet: die aufgestaute Wut und den Schmerz. Er sagt: »Man hat sich Mühe gegeben, Missverständnisse zwischen uns zu schaffen. Den Kardinal davon zu überzeugen, dass ich nicht in seinem Interesse arbeite, sondern nur in meinem eigenen, dass ich gekauft wurde, dass ich Anne jeden Tag sehe ...«

»Natürlich, sie sehen Sie ja auch ...«

»Wie soll ich sonst erfahren, was als Nächstes kommt? Mylord kann nicht wissen, kann nicht verstehen, wie es jetzt hier zugeht.«

Cranmer sagt sanft: »Sollten Sie nicht zu ihm gehen? Ihre Gegenwart würde jeden Zweifel zerstreuen.«

»Dazu ist es zu spät. Die Falle für ihn ist aufgestellt, und ich kann es nicht riskieren, mich zu entfernen.«

Kälte liegt in der Luft; die Sommervögel sind fortgeflogen, und schwarz geflügelte Juristen versammeln sich für die neue Sitzungsperiode auf dem Gelände von Lincoln's und von Gray's Inn. Die Jagdsaison – oder zumindest die Saison, in der der König jeden Tag jagt – wird bald vorüber sein. Was immer anderswo passiert, welche Täuschungen und Enttäuschungen auch immer, man kann sie auf dem Feld vergessen.

Der Jäger gehört zu den unschuldigsten Menschen; für den Augenblick zu leben gibt ihm ein Gefühl der Reinheit. Wenn er abends von der Jagd zurückkehrt, schmerzt sein Körper, im Kopf hat er Bilder von Blättern und vom Himmel; er will keine Dokumente lesen. Seine Qualen, seine Ratlosigkeit sind gewichen und bleiben auch fort, vorausgesetzt, dass er – nach Essen und Wein, Lachen und Geschichtenerzählen – im Morgengrauen aufsteht und alles wieder genauso macht.

Der Winterkönig jedoch ist weniger beschäftigt und wird anfangen, über sein Gewissen nachzudenken. Er wird anfangen, über seinen Stolz nachzudenken. Er wird anfangen, die Belohnungen für jene zu ersinnen, die ihm Resultate liefern.

Es ist ein Herbsttag, weißliches Sonnenlicht flirrt durch die flimmernden, sich langsam von den Ästen lösenden Blätter. Sie gehen zum Schießstand. Der König tut gern mehrere Dinge auf einmal: sprechen, Pfeile auf ein Ziel schießen. »Hier sind wir allein«, sagt er, »und ich kann Ihnen meine Gedanken eröffnen.«

In Wirklichkeit sind sie von so vielen Personen umgeben, dass sie für die Bevölkerung eines kleinen Dorfes reichen würden – Aslockton zum Beispiel. Der König weiß nicht, was »allein« bedeutet. Ist er jemals ganz für sich, selbst in seinen Träumen? »Allein« bedeutet in diesem Fall, ohne dass Norfolk hinter ihm hertrampelt. »Allein« bedeutet ohne Charles Brandon, dem der König in einem sommerlichen Wutanfall mitgeteilt hat, er solle verschwinden und dem Hof in einem Umkreis von fünfzig Meilen fernbleiben. »Allein« bedeutet nur mit meinem königlichen Beauftragten fürs Bogenschießen und dessen Untergegebenen, allein mit meinen Kammerherren, die meine auserwählten und persönlichen Freunde sind. Zwei dieser Herren schlafen am Fuß seines Bettes, es sei denn, er ist bei der Königin; das bedeutet wiederum, sie haben jetzt schon jahrelang ununterbrochen Dienst getan.

Als er Henry seinen Bogen spannen sieht, denkt er: Jetzt sehe ich, dass er königlich ist. Ob zu Hause oder in der Ferne, in Kriegszeiten oder im Frieden, glücklich oder gekränkt, der König liebt es, mehrmals pro Woche zu üben, wie es ein Engländer tun sollte; er nutzt seine Größe aus, seine schönen, trainierten Muskeln an Armen, Schultern und Brust, und befördert seine Pfeile auf direktem Wege ins Zentrum der Zielscheibe. Dann streckt er den Arm aus, damit ihm jemand den königlichen Armschutz ab- und wieder festschnallt, damit ihm jemand den Bogen abnimmt und eine neue Auswahl bringt. Ein unterwürfiger Sklave reicht ihm ein Tuch, damit er sich die Stirn abwischen kann, und hebt es dort auf, wo der König es fallen lässt; und dann, nachdem ein oder zwei Schüsse danebengegangen sind, schnipst der König von England verärgert mit den Fingern, damit Gott den Wind dreht.

Der König ruft: »Aus verschiedenen Ecken erhalte ich den Rat, dass ich meine Ehe in den Augen des christlichen Europa als aufgelöst betrachten und mich neu verheiraten soll, wie es mir beliebt. Und das bald.«

Er ruft nichts zurück.

»Andere jedoch sagen …« Der Wind trägt seine Worte fort – in Richtung Europa.

»Ich bin einer der anderen.«

»Mein Gott«, sagt Henry. »Das erschüttert mich. Wie lange, glauben Sie, hält meine Geduld noch an?«

Er zögert zu sagen: Sie leben immer noch mit Ihrer Frau. Sie teilen sich ein Dach, einen Hof; wo immer Sie gemeinsam hingehen, nimmt sie den Platz der Königin ein, Sie den Platz des Königs; Sie haben dem Kardinal gesagt, sie sei ihre Schwester, nicht ihre Frau – aber wenn Sie heute nicht gut schießen, wenn der Wind ungünstig steht oder Ihre Augen plötzlich tränen und Sie nichts sehen, haben Sie nur Schwester Katherine, der sie es erzählen können; Anne Boleyn können Sie keine Schwäche und keinen Misserfolg eingestehen.

Er hat Henry während der Übungsrunde genau beobachtet. Auf seine Aufforderung hin nimmt auch er einen Bogen zur Hand, was einige Bestürzung in den Reihen der Herren auslöst, die auf dem Gras verstreut sind und an Bäumen lehnen, gekleidet in Seidenstoffe mit Fallobstfarben wie Maulbeere, Gold und Pflaume. Obwohl Henry gut schießt, bewegt er sich nicht wie ein geborener Bogenschütze; der geborene Bogenschütze legt seinen ganzen Körper in den Bogen. Man muss ihn nur einmal mit Richard Williams vergleichen, der jetzt Richard Cromwell ist. Sein Großvater ap Evan war ein Künstler mit dem Bogen. Er hat sie nie gesehen, würde aber darauf wetten, dass er feste lange Muskeln hatte und dass jeder einzelne von den Fersen aufwärts benutzt wurde. Wenn er den König so betrachtet, kommt er zu dem Schluss, dass sein Urgroßvater nicht der Bogenschütze Blaybourne war, wie erzählt wird, sondern Richard, Herzog von York. Sein Großvater war königlichen Geblüts; seine Mutter war königlichen Geblüts; er schießt wie ein Gentleman-Amateur, und er ist durch und durch König.

Der König sagt: Sie haben einen guten Arm, ein gutes Auge. Geringschätzig erwidert er: ach, bei dieser Entfernung. Wir haben jeden Sonntag einen Wettbewerb, sagt er, mein Haushalt. Wir hören die Predigt in St Paul's und dann geht es nach Moorfields hinaus, wo wir die anderen Mitglieder der Gilden treffen und die Metzger und Lebensmittelhändler vernichtend schlagen, und dann essen wir zusammen zu Abend. Wir liefern uns erbitterte Zweikämpfe mit den Weinhändlern …

Henry dreht sich impulsiv zu ihm um: und wenn ich einmal mitkommen würde? Wenn ich in Verkleidung kommen würde? Die einfachen Leute würden das mögen, oder nicht? Ich könnte für Sie schießen. Ein König sollte sich hin und wieder zeigen, glauben Sie nicht auch? Es wäre vergnüglich, ja?

Nicht sehr, denkt er. Er kann es nicht beschwören, aber er glaubt, Henry hat Tränen in den Augen. »Wir würden ganz sicher gewinnen«, sagt er. So etwas würde man zu einem Kind sagen. »Die Weinhändler würden brüllen wie die Bären.«

Es fängt an zu nieseln, und als sie auf eine schützende Baumgruppe zugehen, überschattet ein Blattmuster das Gesicht des Königs. Er sagt:

Nan droht damit, mich zu verlassen. Sie sagt, es gibt noch andere Männer, und sie verschwendet ihre Jugend.

Norfolk – panisch – in der letzten Oktoberwoche 1530: »Hören Sie zu. Dieser Kerl hier«, unhöflich zeigt er mit dem Daumen in Richtung Brandon – er ist wieder am Hof, natürlich ist er wieder da – »dieser Kerl hier, vor ein paar Jahren hat er den König im Turnier angegriffen und fast getötet. Henry hatte sein Visier nicht geschlossen, Gott allein weiß, warum – aber so etwas passiert. Mylord hier stieß seine Lanze – wumm! – in den Helm des Königs, und die Lanze zerbrach – einen Zoll, *einen Zoll* von seinem Auge entfernt.«

Norfolk hat sich durch die Wucht seiner Demonstration an der rechten Hand wehgetan. Mit schmerzverzerrtem Gesicht, aber wütend, ernst fährt er fort. »Ein Jahr später folgt Henry seinem Falken – so eine zerfurchte Landschaft, flach, trügerisch, Sie wissen schon – und er kommt an einen Graben, er rammt einen Stab hinein, damit er ihn besser überqueren kann, das höllische Teil bricht durch, Gott verdamme es, und da liegt seine Majestät benommen und mit dem Gesicht nach unten in einem Fuß Wasser und Schlamm, und wenn nicht irgendein Diener ihn herausgeholt hätte, nun, meine Herren, mir schaudert bei dem Gedanken.«

Er denkt: Damit ist eine Frage beantwortet. Im Falle der Gefahr darf ich ihm hochhelfen. Ihn rausfischen. Was auch immer.

»Angenommen, er stirbt?«, will Norfolk wissen. »Angenommen, ein Fieber rafft ihn dahin oder er fällt vom Pferd und bricht sich den Hals? Dann was? Sein Bastard, Richmond? Ich habe nichts gegen ihn, er ist ein guter Junge, und Anne sagt, ich sollte ihn mit meiner Tochter Mary verheiraten – Anne ist nicht dumm, wir sollten überall Howards platzieren, sagt sie, wohin der König auch blickt. Nun, ich habe keinen Einwand gegen Richmond, außer dass er unehelich geboren wurde. Kann er regieren? Stellen Sie sich diese Frage, meine Herren. Wie haben die Tudors die Krone erlangt? Durch einen Anspruch auf den Thron? Nein.

Durch Gewalt? Richtig. Mit Gottes Gnade haben sie die Schlacht gewonnen. Der alte König hatte einen solchen Fausthieb, dass Sie viele Meilen laufen müssen, um so etwas zu finden, er hatte große Bücher, in die er jedes Vergehen eintrug, und wann hat er einem vergeben? Niemals! So herrscht man, meine Herren!« Er wendet sich seinem Publikum zu, den wartenden und zuschauenden Ratsmitgliedern und den Höflingen und Kammerherren, Henry Norris, seinem Freund William Brereton, dem Ersten Sekretär Gardiner, und, wie es sich ergeben hat, zufällig auch Thomas Cromwell, der immer häufiger dort ist, wo er nichts zu suchen hat. Er sagt: »Der alte König hat sich fortgepflanzt, und mit Hilfe des Himmels hat er Söhne gezeugt. Aber als Arthur starb, wurden in Europa die Schwerter geschliffen, und sie wurden geschliffen, um dieses Königreich zu zerstückeln. Der Henry von heute war damals ein Kind, neun Jahre alt. Hätte der alte König nicht noch ein paar Jahre durchgehalten, hätten die Kriege noch einmal durchgefochten werden müssen. Ein Kind kann England nicht halten. Und ein Bastard? Gott gebe mir Kraft! Und es ist wieder November!«

Es ist schwer, einen Fehler daran zu finden, was der Herzog sagt. Er versteht das alles, sogar diesen letzten Aufschrei, der direkt aus dem Herzen des Herzogs kommt. Es ist November, und ein Jahr ist vergangen, seit Howard und Brandon York Place betraten, die Amtskette des Kardinals verlangten und ihn aus seinem Haus warfen.

Stille tritt ein. Dann hustet jemand, jemand seufzt. Jemand – vermutlich Henry Norris – lacht. Er ist es auch, der spricht: »Der König hat ein Kind, das ehelich geboren wurde.«

Norfolk dreht sich um. Er läuft rot an, ein tiefes fleckiges Purpurrot. »Mary?«, sagt er. »Dieser sprechende Zwerg?«

»Sie wächst bestimmt noch.«

»Darauf warten wir alle«, sagt Suffolk. »Sie ist jetzt vierzehn, richtig?«

»Aber ihr Gesicht«, sagt Norfolk, »ist so groß wie mein Daumennagel.« Der Herzog zeigt den Versammelten den entsprechenden Finger. »Eine Frau auf dem englischen Thron, das ist gegen die Natur.«

»Ihre Großmutter war Königin von Kastilien.«

»Sie kann keine Armee führen.«

»Isabella hat das getan.«

Sagt der Herzog: »Cromwell, warum sind Sie hier? Und hören dem Gespräch von Gentlemen zu?«

»Mylord, wenn Sie schreien, können die Bettler auf der Straße Sie hören. In Calais.«

Gardiner hat sich zu ihm umgedreht, zeigt Interesse. »Sie glauben also, dass Mary regieren kann?«

Er zuckt mit den Achseln. »Hängt davon ab, wer sie berät. Davon, wen sie heiratet.«

Norfolk sagt: »Wir müssen bald handeln. Katherine lässt die Hälfte der Anwälte Europas Papier auftürmen. Diese Dispens. Jene Dispens. Die verdammte Dispens mit anderem Wortlaut, die sie angeblich in Spanien haben. Gleichgültig. Wir sind über das Papier hinaus.«

»Warum?«, sagt Suffolk. »Ist Ihre Nichte trächtig?«

»Nein! Leider. Denn wenn sie es wäre, müsste er etwas tun.«

»Was?«, sagt Suffolk.

»Ich weiß es nicht. Sich seine eigene Scheidung bewilligen?«

Unruhe kommt auf, Knurren, Seufzen. Einige blicken auf den Herzog, andere auf ihre Schuhe. Keiner im Raum ist dagegen, dass Henry bekommt, was er will. Ihr Leben und Schicksal hängen davon ab. Er sieht den Weg vor sich: einen mühsamen Weg durch flaches Gelände, der Horizont ist trügerisch klar, das Land durchzogen von Gräben, und der gegenwärtige Tudor, dessen Person und dessen Gesicht mit Schlamm bespritzt sind, wird herausgefischt und keucht in der klaren Luft.

Er sagt: »Dieser gute Mann, der den König aus dem Graben gezogen hat, wie war sein Name?«

Norfolk sagt trocken: »Master Cromwell hört gerne von den Taten niederer Männer.«

Er glaubt nicht, dass einer von ihnen den Namen kennt. Aber Norris sagt: »Ich weiß es. Sein Name war Edmund Mody.«

Wohl eher Modder, sagt Suffolk. Er brüllt vor Lachen. Sie starren ihn an.

Es ist Allerseelen, oder wie Norfolk sich ausdrückt: wieder November. Alice und Jo sind gekommen, um mit ihm zu sprechen. Sie führen Bella – die derzeitige Bella – an einem rosa Seidenband. Er sieht auf: Kann ich den beiden Damen helfen?

Alice sagt: »Master, meine Tante Elizabeth, Ihre Frau Gemahlin, ist mehr als zwei Jahre tot. Können Sie an den Kardinal schreiben und ihn bitten, dass er den Papst bittet, sie aus dem Fegefeuer zu entlassen?«

Er sagt: »Was ist mit eurer Tante Kat? Und euren kleinen Kusinen, meinen Töchtern?«

Die Kinder wechseln einen Blick. »Wir glauben, dass sie noch nicht so lange dort waren. Anne Cromwell war stolz darauf, wie sie mit Zahlen umgehen konnte, und hat damit geprahlt, dass sie Griechisch lernte. Grace hat sich etwas auf ihre Haare eingebildet und immer wieder gesagt, dass sie Flügel hat, das war eine Lüge. Wir glauben, dass sie vielleicht mehr leiden müssen. Aber der Kardinal könnte es versuchen.«

Wer nichts verlangt, der kriegt auch nichts, denkt er.

Alice ermutigt ihn: »Sie haben so viel für den Kardinal getan, dass er es nicht ablehnen würde. Und obwohl der König den Kardinal nicht mehr mag, mag der Papst ihn doch bestimmt?«

»Und ich nehme an«, sagt Jo, »dass der Kardinal jeden Tag an den Papst schreibt. Obwohl ich nicht weiß, wer seine Briefe zunäht. Und ich vermute, dass der Kardinal ihm vielleicht ein Geschenk für seine Mühe schickt. Etwas Geld, meine ich. Unsere Tante Mercy sagt, dass der Papst nur gegen Bargeld tätig wird.«

»Kommt mit«, sagt er. Sie tauschen Blicke aus. Er scheucht sie vor sich her. Bellas kleine Beine rennen. Jo lässt ihre Leine fallen, aber trotzdem läuft Bella hinterher.

Mercy und die ältere Johane sitzen zusammen. Sie schweigen, aber nicht gemeinsam. Mercy liest, murmelt die Worte dabei vor sich hin.

Johane starrt die Wand an, das Nähzeug im Schoß. Mercy markiert die Seite, bis zu der sie gekommen ist. »Was ist das, eine Delegation?«

»Erzähl es ihr«, sagt er. »Jo, erzähl deiner Mutter, was du mich gefragt hast.«

Jo fängt an zu weinen. Alice übernimmt das Sprechen und legt ihren Fall dar. »Wir wollen, dass unsere Tante Liz aus dem Fegefeuer kommt.«

»Was habt ihr ihnen nur beigebracht?«, fragt er.

Johane zuckt mit den Achseln. »Viele erwachsene Menschen glauben dasselbe wie die beiden.«

»Lieber Gott, was geht in diesem Haus vor? Diese Kinder glauben, dass der Papst mit einem Schlüsselbund in die Unterwelt hinabsteigen kann. Und andererseits leugnet Richard das Sakrament …«

»Was?« Johane steht der Mund offen. »Was tut er?«

»Richard hat recht«, sagt Mercy. »Als der gute Herr sagte: Das ist mein Leib, meinte er, das ist das Zeichen für meinen Leib. Er hat den Priestern keine Lizenz zum Zaubern erteilt.«

»Aber er sagte: *das ist*. Er hat nicht gesagt: das ist *wie* mein Leib, er hat gesagt: *das ist*. Kann Gott lügen? Nein. Dazu ist er nicht fähig.«

»Gott kann alles«, sagt Alice.

Johane starrt sie an. »Du kleines Biest.«

»Wenn meine Mutter hier wäre, würde sie dir dafür eine Ohrfeige geben.«

»Keine Prügeleien«, sagt er. »Bitte?« Austin Friars ist wie die Welt im Kleinen. In den letzten paar Jahren glich es eher einem Schlachtfeld als einem Haushalt, war eher wie ein Lager mit Zelten, in dem die Überlebenden voller Verzweiflung auf ihre zerstörten Gliedmaßen und enttäuschten Erwartungen blicken. Aber es ist seine Aufgabe, sie zu führen, diese letzte hartgesottene Truppe; wenn sie beim nächsten Angriff nicht überrollt werden sollen, ist es an ihm, sie die defensive Kunst zu lehren, es von beiden Seiten zu betrachten: Glauben und Werke, Papst und neue Brüder, Katherine und Anne. Er sieht Mercy an, die süffisant lächelt. Er sieht Johane an, deren Wangen stark gerötet sind. Er wendet sich von Johane ab und von seinen Gedanken, die nicht streng theologisch sind. Er sagt zu den Kindern: »Ihr habt nichts falsch gemacht.« Aber sie haben einen gequälten Gesichtausdruck, sodass er versucht, ihnen gut zuzureden: »Ich schenke dir etwas, Jo, für das Zunähen der Briefe an den Kardinal; und ich schenke dir etwas, Alice, ich bin sicher, dass wir keinen besonderen Grund brauchen. Ich schenke euch ein paar Äffchen.«

Die beiden sehen sich an. Jo ist in Versuchung. »Wissen Sie, wo man sie bekommt?«

»Ich denke schon. Ich war im Haus des Lordkanzlers, und seine Frau hat ein solches Tierchen, es sitzt auf ihrem Knie und achtet auf alles, was sie sagt.«

Alice sagt: »Sie sind gerade nicht in Mode.«

»Wenngleich wir Ihnen danken«, sagt Mercy.

»Wenngleich wir Ihnen danken«, wiederholt Alice. »Aber Affen wurden bei Hofe nicht mehr gesehen, seit Lady Anne aufgekommen ist. Wir hätten gern die Welpen von Bella, dann wären wir modisch.«

»Wenn es so weit ist«, sagt er. »Vielleicht.« Zahlreiche Untertöne füllen den Raum, und einige davon versteht er nicht. Er nimmt seinen Hund, steckt ihn unter den Arm und geht, weil er herausfinden muss, wie er mehr Geld für Bruder George Rochford beschaffen kann. Er setzt Bella auf seinen Schreibtisch, damit sie ein Nickerchen zwischen seinen Papieren machen kann. Sie hat das Ende ihres Seidenbands abgelutscht und geschickt versucht, den Knoten an ihrem Hals zu lösen.

Am 1. November 1530 wird Harry Percy, der junge Earl von Northumberland, mit der Verhaftung des Kardinals beauftragt. Achtundvierzig Stunden vor der geplanten Ankunft in York, wo die Amtseinführung stattfinden soll, trifft der Earl in Cawood ein, um den Kardinal festzunehmen. Unter Bewachung wird er nach Pontefract Castle gebracht, von dort aus nach Doncaster und dann nach Sheffield Park, dem Wohnsitz des Earls von Shrewsbury. Hier, in Talbots Haus, wird er krank. Am

26. November trifft der Kommandant des Towers mit vierundzwanzig bewaffneten Männern ein, um ihn nach Süden zu begleiten. Er begibt sich in die Abtei von Leicester. Drei Tage später stirbt er.

Was war England vor Wolsey? Eine kleine Insel vor der Küste, arm und kalt.

George Cavendish kommt nach Austin Friars. Er weint beim Reden. Von Zeit zu Zeit trocknet er seine Tränen und moralisiert. Aber hauptsächlich weint er. »Wir waren noch nicht einmal mit dem Essen fertig«, sagt er. »Mylord war gerade beim Dessert, als der junge Harry Percy hereinkam. Er war mit Schlamm bespritzt von der Straße, und er hatte die Schlüssel in der Hand; er hatte sie dem Pförtner bereits abgenommen und Wachen auf der Treppe postiert. Mylord stand auf, er sagte: Harry, wenn ich das gewusst hätte, hätte ich mit dem Abendessen auf Sie gewartet. Ich fürchte, wir haben den Fisch fast ganz aufgegessen. Soll ich um ein Wunder beten? Ich flüsterte ihm zu: Mylord, lästern Sie Gott nicht. Dann trat Harry Percy vor: Mylord, ich verhafte Sie wegen Hochverrats.«

Cavendish wartet. Darauf, dass er in Zorn ausbricht? Aber er legt seine Finger aneinander, als würde er beten. Er denkt, das hat Anne eingefädelt, und es muss ihr ein heftiges und heimliches Vergnügen bereitet haben; aufgeschobene Rache, Rache für sich selbst, für ihren früheren Liebhaber, den der Kardinal zusammengestaucht und vom Hof geschickt hat. Er sagt: »Wie sah er aus? Harry Percy?«

»Er zitterte von Kopf bis Fuß.«

»Und Mylord?«

»Verlangte den Haftbefehl von ihm, seine Vollmacht. Percy sagte: In meinen Instruktionen gibt es Punkte, die Sie nicht sehen dürfen. Nun, sagte Mylord, wenn Sie mir die Dokumente nicht zeigen, werde ich mich Ihnen nicht ergeben; eine ziemlich verfahrene Lage, Harry. Kommen Sie, George, sagte Mylord zu mir, wir gehen in meine Räume und beraten uns. Sie folgten ihm auf dem Fuße, die Leute des Earls, deshalb stellte ich mich in die Tür und versperrte den Weg. Mylord Kardinal ging in seine Kammer, wahrte die Selbstbeherrschung, und als er sich umdrehte, sagte er: Cavendish, sehen Sie in mein Gesicht – ich habe vor keinem lebenden Menschen Angst.«

Er, Cromwell, geht ein paar Schritte, damit er das Leid des Mannes nicht sehen muss. Er betrachtet die Wand, die Täfelung, seine neue kannelierte Täfelung, und fährt mit dem Zeigefinger über die Rillen. »Als sie ihn aus dem Haus brachten, waren die Bewohner der Stadt draußen versammelt. Sie knieten auf der Straße und weinten. Sie baten Gott, Rache an Harry Percy zu üben.«

Gott braucht sich nicht zu bemühen, denkt er: Darum kümmere ich mich selbst.

»Wir ritten nach Süden. Das Wetter verschlechterte sich. Es war spät, als wir in Doncaster ankamen. Auf den Straßen standen die Leute Schulter an Schulter, und alle hielten eine Kerze gegen die Dunkelheit in die Höhe. Wir dachten, sie würden auseinandergehen, aber sie standen die ganze Nacht auf der Straße. Und ihre Kerzen brannten. Und es war wie Tageslicht, beinahe jedenfalls.«

»Das muss ihm Mut gemacht haben. Die Menge zu sehen.«

»Ja, aber inzwischen – ich habe es nicht gesagt, ich hätte Ihnen das erzählen sollen – hatte er eine Woche lang nichts gegessen.«

»Warum? Warum hat er das getan?«

»Einige sagen, er wollte sich selbst töten. Ich kann das nicht glauben, eine christliche Seele ... Ich habe Kochbirnen für ihn bestellt, mit Gewürzen geröstete Birnen – habe ich das richtig gemacht?«

»Und hat er gegessen?«

»Ein wenig. Aber dann hat er die Hand auf die Brust gelegt. Er sagte, hier drinnen ist etwas Kaltes, kalt und hart wie ein Wetzstein. Und da hat es angefangen.« Cavendish steht auf. Jetzt läuft er auch im Zimmer herum. »Ich ließ einen Apotheker kommen. Er stellte ein Pulver her, und das ließ ich ihn in drei Becher füllen. Ich trank einen leer. Er, der Apotheker, er trank einen zweiten. Master Cromwell, ich habe niemandem getraut. Mylord nahm sein Pulver und bald darauf ließ der Schmerz nach, und er sagte: Da, es waren Blähungen. Und wir lachten, und ich dachte, morgen geht es ihm besser.«

»Dann kam Kingston.«

»Ja. Wir brachten es kaum über uns, Mylord zu sagen: Der Kommandant des Towers ist hier, um Sie zu holen. Mylord setzte sich auf eine Kiste mit Gepäck. Er sagte: William Kingston? William Kingston? Immer wieder sagte er den Namen.«

Und die ganze Zeit über ein Gewicht in der Brust, ein Wetzstein, ein Stahl, ein Schleifmesser im Bauch.

»Ich sagte zu ihm: Seien Sie froh, Mylord. Sie werden vor den König kommen und Ihren Namen reinwaschen können. Und Kingston sagte dasselbe, aber Mylord sagte: Sie gaukeln mir etwas vor. Ich weiß, was für mich vorgesehen ist, welcher Tod mir bevorsteht. In dieser Nacht schliefen wir nicht. Mylord entleerte sich und schied schwarzes Blut aus. Am nächsten Morgen war er zu schwach, um zu stehen, und deshalb konnten wir nicht reiten. Aber dann ritten wir. Und so kamen wir nach Leicester.

Die Tage waren sehr kurz, das Licht trübe. Am Montagmorgen um acht erwachte er. Ich brachte gerade die kleinen Wachslichter hinein und stellte sie auf den Schrank. Er sagte: Wessen Schatten ist das da an der Wand? Und er rief Ihren Namen. Gott vergebe mir, ich sagte, Sie wären auf dem Weg. Er sagte: Die Straßen sind trügerisch. Ich sagte: Sie kennen Cromwell, der Teufel kann ihn nicht aufhalten – wenn er sagt, er ist auf dem Weg, dann wird er kommen.«

»George, kürzen Sie diese Geschichte ab, ich kann sie nicht ertragen.«

Aber George muss seine Geschichte erzählen: Am nächsten Morgen um vier Uhr eine Schale mit Hühnerbrühe, aber der Kardinal wollte sie nicht essen. Ist heute nicht ein fleischloser Tag? Er ließ die Brühe wegtragen. Inzwischen war er schon acht Tage lang krank, hatte ständig seinen Darm entleert – blutig und unter Schmerzen. Und er sagte: Glauben Sie mir, das hier wird mit dem Tod enden.

Auch wenn Mylord in Schwierigkeiten steckt, er wird einen Weg finden, mit Raffinesse und Geschick findet er einen Weg, einen Ausweg. Gift? Wenn ja, dann aus eigener Hand.

Um acht Uhr am nächsten Morgen tat er seinen letzten Atemzug. Um sein Bett herum das leise Klacken von Rosenkränzen, draußen das unruhige Stampfen der Pferde in ihren Ställen, der schwache Wintermond, der die Straße nach London beschien.

»Er ist im Schlaf gestorben?« Er hätte ihm weniger Schmerzen gewünscht. George sagt, nein, er hat bis zuletzt gesprochen. »Hat er noch einmal von mir gesprochen?«

Irgendetwas? Ein Wort?

Ich habe ihn gewaschen, sagt George, ihn aufgebahrt für die Beisetzung. »Unter seinem feinen Leinenhemd fand ich einen härenen Gürtel ... es tut mir leid, Ihnen das erzählen zu müssen, ich weiß, dass Sie diese Praktiken verabscheuen, aber so war es. Ich glaube, dass er so etwas nie gemacht hat, bevor er in Richmond bei den Mönchen war.«

»Was ist damit geschehen? Mit diesem härenen Gürtel?«

»Die Mönche von Leicester haben ihn behalten.«

»Großer Gott! Sie werden dafür sorgen, dass er sich auszahlt.«

»Wissen Sie, dass sie nichts Besseres als einen Sarg aus einfachen Brettern zu bieten hatten?« Erst bei diesen Worten bricht George Cavendish ein, jetzt beginnt er zu fluchen und sagt: Bei den Leiden Christi, ich habe gehört, wie sie ihn zusammengezimmert haben. Wenn ich an den florentinischen Bildhauer und sein Grabmal denke, an den schwarzen Marmor, die Bronze, die Engel am Kopf und an den Füßen ... Aber ich habe dafür gesorgt, dass er in seine erzbischöflichen Gewänder gekleidet wurde, und ich habe ihm seinen Krummstab in die Hand gelegt, genauso wie er ihn gehalten hätte, wäre er in York inthronisiert worden. Es waren nur noch zwei Tage. Unsere Sachen waren gepackt und wir waren reisefertig – und dann spazierte Harry Percy herein.

»Sie wissen, George«, sagt er, »dass ich ihn angefleht habe: Seien Sie zufrieden mit dem, was Sie aus dem Ruin gerettet haben, gehen Sie nach

York, seien Sie froh, am Leben zu sein … Wenn die Dinge anders verlaufen wären, hätte er noch zehn Jahre gelebt, das weiß ich.«

»Wir haben nach dem Bürgermeister und allen Amtspersonen der Stadt geschickt, damit sie ihn in seinem Sarg sehen und keine Gerüchte aufkommen, dass er noch lebt und nach Frankreich geflüchtet ist. Einige haben Bemerkungen über seine niedrige Geburt gemacht, bei Gott, ich wünschte, Sie wären dagewesen …«

»Ich auch.«

»Denn vor Ihnen, Master Cromwell, hätten sie das nicht getan, sie hätten es gar nicht gewagt. Als das Licht schwand, hielten wir Wache; rund um seinen Sarg brannten die Kerzen. Das taten wir bis vier Uhr morgens, Sie wissen ja, die kanonische Stunde. Dann hörten wir die Messe. Um sechs haben wir ihn in die Krypta gelegt. Und dort gelassen.«

Sechs Uhr morgens, ein Mittwoch, das Fest des heiligen Andreas, des Apostels. Ich, ein einfacher Kardinal. Ihn dort gelassen und nach Süden geritten, um den König in Hampton Court aufzusuchen. Welcher zu George sagt: »Nicht für zwanzigtausend Pfund hätte ich gewollt, dass der Kardinal stirbt.«

»Passen Sie auf, Cavendish«, sagt er, »wenn Sie gefragt werden, was der Kardinal in den letzten Tagen vor seinem Tod gesagt hat, erzählen Sie ihnen nichts.«

George zieht die Augenbrauen hoch. »Das habe ich bereits getan. Ihnen nichts erzählt. Der König hat mich ausgefragt. Mylord Norfolk.«

»Wenn Sie Norfolk irgendetwas erzählen, verkehrt er es in Hochverrat.«

»Er hat mir trotzdem meinen ausstehenden Lohn bezahlt, er ist ja Lordschatzmeister. Ich war ein Dreivierteljahr im Rückstand.«

»Was hat man Ihnen gezahlt, George?«

»Zehn Pfund pro Jahr.«

»Sie hätten zu mir kommen sollen.«

Das sind die Fakten. Das sind die Zahlen. Wenn der Herr der Unterwelt morgen in den Privatgemächern des Königs erscheinen und ihm anbieten würde, einen toten Mann zurückzugeben, frisch aus dem Grab, frisch aus der Krypta, das Wunder des Lazarus für 20 000 Pfund – hätte Henry Tudor Schwierigkeiten, die Summe zusammenzukratzen. Norfolk als Lordschatzmeister? In Ordnung; es ist egal, wer den Titel trägt, wer die klappernden Schlüssel in der Hand hält, denn die Truhen sind leer.

»Wissen Sie«, sagt er, »wenn der Kardinal mich fragen könnte, was er mich immer gefragt hat: Thomas, was hätten Sie gern als Neujahrsgeschenk?, würde ich antworten: Ich würde gerne Einsicht in die Buchhaltung der Nation nehmen.«

Cavendish zögert; er fängt an zu sprechen; er verstummt; er beginnt erneut. »Der König hat gewisse Dinge zu mir gesagt. In Hampton Court. ›Drei können ein Geheimnis bewahren, wenn zwei davon fort sind.‹«

»Das ist ein Sprichwort, glaube ich.«

»Er sagte: ›Wenn ich vermuten würde, dass meine Kappe mein Geheimnis kennt, würde ich sie ins Feuer werfen.‹«

»Ich glaube, das ist auch ein Sprichwort.«

»Er will damit sagen, dass er keinen Berater mehr will: nicht Mylord von Norfolk und auch nicht Stephen Gardiner oder irgendjemanden sonst, keine Person soll ihm so nahe sein, wie es der Kardinal einst war.«

Er nickt. Die Interpretation leuchtet ihm ein.

Cavendish sieht krank aus. Es ist die Anstrengung langer schlafloser Nächte, in denen er am Sarg gewacht hat. Er sorgt sich um verschiedene Summen Geldes, die der Kardinal auf der Reise noch hatte, als er starb, jedoch nicht mehr. Er sorgt sich darum, wie er seine persönlichen Gegenstände von Yorkshire nach Hause schaffen soll; offenbar hat Norfolk ihm einen Wagen und Geld für den Transport versprochen. Er, Cromwell, redet darüber, wobei er an den König denkt, und ohne dass George es merkt, bohrt er seine Finger, einen nach dem anderen, fest in die Handfläche. Mary Boleyn hat in seine Handfläche einen Umriss gezeichnet, er denkt: Henry, ich habe dein Herz in der Hand.

Als Cavendish weg ist, geht er an seine Geheimschublade und nimmt das Päckchen heraus, das ihm der Kardinal an dem Tag gegeben hat, als er seine Reise nach Norden antrat. Er wickelt die Schnur ab, die darum geschlungen ist. Sie verfängt sich, verknotet sich, er bearbeitet sie geduldig. Auf einmal fällt der Türkisring in seine Handfläche, so kalt, als käme er aus der Gruft. Er stellt sich die Hände des Kardinals vor, die langen Finger, weiß und ohne Narben – so viele Jahre haben sie verlässlich auf dem Steuer des Staatsschiffs gelegen; aber der Ring passt, als wäre er für ihn gemacht.

Die scharlachroten Kleider des Kardinals liegen jetzt leer und zusammengefaltet da. Sie werden nicht verschwendet. Man wird sie auftrennen und zu anderen Kleidungsstücken verarbeiten. Wer weiß, wohin sie im Laufe der Jahre gelangen? Dein Auge wird von einem purpurroten Kissen angezogen werden oder von dem roten Flicken auf einer Flagge oder einem Banner. Du wirst sie für einen Augenblick im Ärmelfutter eines Mannes oder im Aufblitzen des Unterrocks einer Hure wiedersehen.

Ein anderer Mann würde nach Leicester gehen, um zu sehen, wo er gestorben ist, und mit dem Abt zu sprechen. Ein anderer Mann hätte Schwierigkeiten, es sich vorzustellen, er aber hat keine Schwierigkeiten. Das Rot im Grund eines Teppichs, der leuchtende Fleck auf der Brust des Rotkehlchens oder des Buchfinken, das Rot eines Wachssiegels oder das Herz der Rose: eingepflanzt in seine Landschaft, versiegelt in seinem inneren Auge und eingefangen im Glitzern eines Rubins, in der Farbe des Blutes lebt der Kardinal und spricht. Sehen Sie in mein Gesicht: Ich habe vor keinem lebenden Menschen Angst.

In der großen Halle von Hampton Court wird eine Posse aufgeführt; ihr Titel ist »Der Abstieg des Kardinals in die Hölle«. Das versetzt ihn ins letzte Jahr zurück, nach Gray's Inn. Unter Aufsicht der Beamten des königlichen Haushalts haben die Zimmerleute gegen Extrazulagen wie wild gearbeitet und Gerüste errichtet, an denen Leinwände hängen, die mit Folterszenen bemalt sind. Der hintere Teil der Halle ist ausschließlich mit Flammen aus Stoff behängt.

Die Unterhaltung besteht darin: Schauspieler, die als Teufel verkleidet sind, schleifen eine riesige scharlachrote Gestalt über den Boden, sie liegt auf dem Rücken und heult. Es gibt vier Teufel, einen für jede Extremität des toten Mannes. Die Teufel tragen Masken. Sie haben Dreizacke, mit denen sie den Kardinal stechen und dazu bringen, zu zucken und sich zu krümmen und zu betteln. Er hatte gehofft, der Kardinal wäre ohne Schmerzen gestorben, aber Cavendish hat nein gesagt. Er starb bei Bewusstsein und sprach vom König. Er war aus dem Schlaf aufgeschreckt und hatte gesagt: Wessen Schatten ist das da an der Wand?

Der Herzog von Norfolk läuft durch die Halle und gluckst: »Das ist doch wirklich gut, was? Es ist gut genug, um gedruckt zu werden! Bei allen Heiligen, genau das mache ich! Ich werde es drucken lassen, dann kann ich es mit nach Hause nehmen, und zu Weihnachten können wir es noch einmal aufführen.«

Anne sitzt da und lacht, zeigt mit dem Finger, applaudiert. Er hat sie noch nie so gesehen: strahlend, begeistert. Henry sitzt erstarrt an ihrer Seite. Manchmal lacht er, aber wenn man näherkäme, würde man die Angst in seinen Augen sehen, denkt er. Der Kardinal rollt über den Boden, setzt sich gegen die Dämonen in ihren schwarzen Wollkostümen zur Wehr, aber diese setzen ihm zu und rufen: »Komm, Wolsey, wir müssen dich in die Hölle bringen, denn unser Herr Beelzebub erwartet dich zum Abendessen.«

Als der scharlachrote Berg den Kopf in die Höhe schnellen lässt und fragt: »Was für einen Wein serviert er?«, vergisst er sich beinahe und lacht. »Ich trinke keinen englischen Wein«, erklärt der tote Mann. »Nichts von dieser Katzenpisse, die Mylord von Norfolk anbietet.«

Anne juchzt; sie zeigt; sie zeigt auf ihren Onkel; der Lärm steigt hoch unter die Dachbalken, zusammen mit dem Rauch von der Feuerstelle, dem Lachen und den Sprechchören von den Tischen, dem Heulen des fetten Prälaten. Nein, wird diesem versichert, der Teufel ist Franzose, und es gibt Pfiffe und Buhrufe, Lieder werden angestimmt. Jetzt fangen die Teufel den Kopf des Kardinals in einer Schlinge. Sie ziehen ihn auf die Füße, aber er wehrt sich. Die fuchtelnden Schläge sind nicht alle unecht, und er hört ihr Ächzen, als es ihnen den Atem verschlägt. Aber es gibt vier Henker und nur einen großen scharlachroten Sack, und der ist ein Nichts, das würgt und kratzt; der Hof ruft: »Lasst ihn runter! Lasst ihn lebend runter!«

Die Schauspieler werfen ihre Hände in die Höhe, sie tänzeln zurück und lassen ihn fallen. Als er keuchend auf den Boden plumpst, stechen sie mit ihren Dreizacken auf ihn ein und ziehen lange scharlachrote Wolldärme aus ihm heraus.

Der Kardinal gibt Gotteslästerungen von sich. Er gibt Furze von sich, und in den Ecken der Halle knallen Feuerwerkskörper. Aus dem Augenwinkel sieht er eine Frau wegrennen, sie hat die Hand auf den Mund gelegt; aber Onkel Norfolk marschiert herum und streckt den Zeigefinger aus: »Seht, da werden seine Eingeweide rausgeholt, wie der Henker sie rausziehen würde! Wirklich, ich würde dafür zahlen, um das zu sehen!«

Jemand ruft: »Schämen Sie sich, Thomas Howard, Sie hätten sogar Ihre eigene Seele verkauft, nur um Wolsey fallen zu sehen!« Köpfe drehen sich, auch sein Kopf, und keiner weiß, wer gesprochen hat; aber er glaubt, es könnte – kann das sein? – Thomas Wyatt gewesen sein. Die adligen Teufel haben sich ausgetobt und bekommen wieder Luft. Sie rufen »Jetzt!« und schlagen zu; der Kardinal wird in die Hölle gezerrt, die sich hinter den Leinwänden im hinteren Teil der Halle befindet, wie es scheint.

Er folgt ihnen hinter die Kulissen. Pagen kommen mit Leinenhandtüchern für die Schauspieler angerannt, aber der satanische Ansturm stößt sie zur Seite. Mindestens eines der Kinder bekommt einen Ellenbogen ins Auge, und die Schüssel mit dampfendem Wasser fällt ihm auf die Füße. Er sieht, wie die Teufel sich die Masken herunterreißen und sie fluchend in eine Ecke werfen; er sieht zu, wie sie versuchen, sich aus ihren gestrickten Teufelsgewändern zu klauben. Sie stellen sich voreinander und ziehen sie sich gegenseitig über den Kopf. »Es ist wie das Nessoshemd«, sagt George Boleyn, als Norris ihn mit einem Reißen davon befreit.

George wirft den Kopf herum, damit seine Haare wieder sitzen; seine weiße Haut lodert rot durch den Kontakt mit der rauen Wolle. George und Henry Norris sind die Handteufel, die den Kardinal bei den Vorderpfoten gepackt haben. Die zwei Fußteufel sind immer noch dabei, sich gegenseitig aus den Kostümen zu zerren. Es sind ein Junge namens Francis Weston und William Brereton, der – genau wie Norris – alt genug ist, um es besser zu wissen. Sie sind so mit sich selbst beschäftigt – sie fluchen, lachen, rufen nach frischer Wäsche –, dass sie nicht merken, wer sie beobachtet, aber es ist ihnen ohnehin egal. Sie bespritzen sich selbst und die anderen mit Wasser, sie reiben sich den Schweiß mit Handtüchern ab, sie reißen den Pagen die Hemden aus den Händen, sie ziehen sich die Hemden über die Köpfe. Immer noch ihre Pferdefüße tragend, stolzieren sie hinaus, um sich zu verbeugen.

In der Mitte der Szene, die sie verlassen haben, liegt bewegungslos der Kardinal; er ist von der Halle durch die Leinwände abgeschirmt; vielleicht schläft er.

Er geht auf den scharlachroten Haufen zu. Er bleibt stehen. Er sieht hinunter. Er wartet. Der Schauspieler macht ein Auge auf. »Das hier muss die Hölle sein«, sagt er. »Das muss die Hölle sein, wenn der Italiener da ist.«

Der tote Mann zieht sich die Maske ab. Es ist Sexton, der Narr: Master Patch. Master Patch, der so laut geschrien hat vor einem Jahr, als sie ihn von seinem Herrn trennen wollten.

Patch streckt eine Hand aus, damit er ihm hilft, auf die Füße zu kommen, aber er nimmt sie nicht. Der Mann rappelt sich selbst hoch, flucht dabei. Er beginnt, sich das Scharlachrot herunterzuziehen, er zerrt und reißt an dem Stoff. Er, Cromwell, steht mit verschränkten Armen da, seine Schreibhand ist versteckt zur Faust geballt. Der Narr wirft seine Polsterung ab, dicke Wollkissen. Sein Körper ist mager, ausgemergelt, seine Brust trägt einen Pelz aus borstigen Haaren. Er spricht: »Warum du kommen in mein Land, Italiener. Warum du nicht bleiben in eigenes Land?«

Sexton ist ein Narr, aber er ist nicht schwach im Kopf. Er weiß sehr gut, dass er kein Italiener ist.

»Sie hätten da drüben bleiben sollen«, sagt Patch in seiner eigenen Londoner Stimme. »Dann hätten Sie jetzt Ihre eigene, von Mauern umgebene Stadt. Sie hätten eine Kathedrale. Sie hätten Ihren eigenen Kardinal aus Marzipan, den Sie nach dem Essen verspeisen könnten. All das für ein oder zwei Jahre, bis ein noch größerer Rohling kommt und Sie vom Futtertrog verdrängt.«

Er hebt das Kostüm auf, das Patch abgeworfen hat. Sein Rot ist das feurige, billige, schnell verblassende Scharlach, für das Brasilholz als Farbstoff benutzt wird, und es riecht nach fremdem Schweiß. »Wie können Sie diese Rolle spielen?«

»Ich spiele die Rolle, für die man mich bezahlt. Und Sie?« Er lacht: sein schrilles Bellen, das als verrückt durchgeht. »Kein Wunder, dass Ihr Humor dieser Tage so bitter ist. Keiner zahlt Sie, was? Monsieur Cremuel, der Söldner im Ruhestand.«

»Nicht wirklich im Ruhestand. Ich kann Sie erledigen.«

»Mit dem Dolch, den Sie da tragen, wo früher einmal Ihre Taille war.« Patch springt davon, macht einen Luftsprung. Er, Cromwell, lehnt sich an die Wand; er beobachtet ihn. Er kann ein Kind schluchzen hören, irgendwo außer Sichtweite; vielleicht ist es der kleine Junge, der den Schlag ins Auge bekommen hat und der jetzt noch einmal geschlagen wird, weil ihm die Schüssel aus der Hand gefallen ist, oder vielleicht auch nur, weil er weint. Die Kindheit war genau so; du wirst bestraft, dann wieder bestraft, weil du aufbegehrst. So lernt man, sich nicht zu beklagen; es ist eine harte Lehre, aber du vergisst sie nie.

Patch probiert verschiedene Positionen und obszöne Gesten aus, als bereite er sich auf eine zukünftige Vorstellung vor. »Ich weiß, in welchem Graben du gezeugt wurdest, Tom, und der Graben war nicht weit von meinem eigenen entfernt.« Er dreht sich zur Halle um, wo, unsichtbar hinter der trennenden Leinwand, der König – vermutlich – seinen angenehmen Tag fortsetzt. Patch stellt sich breitbeinig hin, steckt die Zunge heraus. »Der Narr hat in seinem Herzen gesagt: Es gibt keinen Papst.« Er wendet den Kopf; er grinst. »Kommen Sie in zehn Jahren wieder, Master Cromwell, und sagen Sie mir, wer dann der Narr ist.«

»Sie verschwenden Ihre Witze an mich, Patch. Nutzen Ihr Handwerkszeug ab.«

»Narren können alles sagen.«

»Nicht, wo mein Gesetz herrscht.«

»Und wo ist das? Nicht einmal in dem Hinterhof, wo du in einer Pfütze getauft wurdest. Komm und triff mich hier, heute in zehn Jahren, wenn du noch am Leben bist.«

»Du würdest einen Heidenschreck bekommen, wenn ich tot wäre.«

»Ich stehe nämlich still und lasse mich von dir umstoßen.«

»Ich könnte deinen Schädel jetzt an der Wand zerschmettern. Keiner würde dich vermissen.«

»Das stimmt«, sagt Master Sexton. »Sie würden mich am Morgen hinausrollen und auf einen Misthaufen legen. Was ist schon ein einzelner Narr? England ist voll davon.«

Er ist überrascht, dass noch etwas Tageslicht da ist; er hatte gedacht, es wäre tiefste Nacht. In diesen Höfen gibt es Wolsey noch; er hat sie erbaut. Du umrundest eine Ecke und glaubst, Mylord mit einer Rolle Planungsskizzen in der Hand zu sehen, sein Entzücken über die sechzig türkischen Teppiche, seine Hoffnung, die besten Spiegelmacher Venedigs zu beherbergen und zu bewirten – »Jetzt, Thomas, fügen Sie Ihrem Brief ein paar venezianische Freundlichkeiten hinzu, ein paar indirekte Formulierungen, die im örtlichen Dialekt und auf die denkbar diskreteste Weise ausdrücken, dass ich Höchstpreise zahle.«

Und er wird noch hinzufügen, dass das englische Volk Fremde freundlich aufnimmt und dass das englische Klima milde ist. Dass goldene Vögel auf goldenen Zweigen singen und dass ein goldener König auf einem Berg aus Geldstücken sitzt und ein Lied singt, das er selbst verfasst hat.

Als er zu Hause in Austin Friars eintrifft, betritt er ein Areal, das sich merkwürdig und leer anfühlt. Es hat Stunden gedauert, von Hampton Court zurückzukommen, und es ist spät. Er sieht auf die Stelle an der Mauer, wo das Wappen des Kardinals leuchtet: der scharlachrote Hut, der auf seine Anweisung hin vor kurzem aufgefrischt wurde. »Ihr könnt es jetzt übermalen«, sagt er.

»Und was sollen wir darübermalen, Sir?«

»Lasst es leer.«

»Könnten wir nicht eine hübsche Allegorie haben?«

»Aber sicher.« Er dreht sich um und geht weg. »Eine leere Stelle.«

III

Die Toten beschweren sich über ihre Beerdigung

Die Weihnachtstage 1530

Das Klopfen am Tor kommt nach Mitternacht. Sein Wachmann weckt den Haushalt, und als er nach unten geht, trägt er einen wilden Gesichtsausdruck, aber ansonsten ist er vollständig bekleidet. Unten findet er Johane im Nachtkleid und mit offenen Haaren vor; sie fragt: »Was hat das zu bedeuten?« Richard, Rafe, die Männer des Haushalts schieben sie ein wenig zur Seite; in der Halle von Austin Friars steht William Brereton, Kammerherr des Königs, mit einem bewaffneten Begleiter. Sie sind gekommen, um mich zu verhaften, denkt er. Er geht auf Brereton zu. »Schöne Weihnachten, William? Sind Sie früh auf oder lange wach?«

Alice und Jo erscheinen. Er denkt an die Nacht, als Liz starb, als seine Töchter verloren und verwirrt in ihren Nachthemden dastanden und darauf warteten, dass er nach Hause käme. Jo beginnt zu weinen. Mercy erscheint und bringt die Mädchen schnell weg. Gregory kommt nach unten, gekleidet zum Ausgehen. »Ich bin da, wenn du mich brauchst«, sagt er schüchtern.

»Der König ist in Greenwich«, sagt Brereton. »Er möchte Sie sofort sehen.« Er zeigt seine Ungeduld auf die übliche Art und Weise: indem er seinen Handschuh in die Handfläche schlägt und mit dem Fuß auf den Boden klopft.

»Geht zurück ins Bett«, sagt er zu seinem Haushalt. »Der König würde mich nicht nach Greenwich befehlen, um mich zu verhaften; so wird das nicht gemacht.« Obwohl er eigentlich nicht weiß, wie es gemacht wird; er wendet sich an Brereton. »Wozu braucht er mich?«

Breretons Augen schweifen umher, er will sehen, wie diese Leute leben.

»Darüber kann ich Sie wirklich nicht unterrichten.«

Er blickt auf Richard und sieht, wie gerne dieser dem Lord Lümmel eins auf den Mund geben würde. Genauso war ich früher auch, denkt er. Aber jetzt bin ich so friedlich wie ein Morgen im Mai. Sie gehen hinaus, Richard, Rafe, er selbst, sein Sohn, in die dunkle und raue Kälte.

Eine Gruppe von Fackelträgern wartet mit Lichtern. Eine Barke wartet bei den nächstgelegenen Landungsstufen. Es ist so weit zum *Palace of Placentia*, die Themse ist so schwarz, dass sie auch auf dem Fluss Styx rudern könnten. Die Jungen sitzen ihm gegenüber, aneinandergedrängt, stumm, und sehen wie ein einziger zusammengesetzter Verwandter aus, obwohl Rafe natürlich nicht mit ihm verwandt ist. Ich werde langsam wie Dr Cranmer, denkt er: Die Tamworths aus Lincolnshire gehören zu meinen Verwandten, die Cliftons aus Clifton, die Familie Molyneux, von der Sie gehört haben werden, oder nicht? Er sieht zu den Sternen hinauf, aber sie leuchten schwach und scheinen weit weg zu sein, was sie, denkt er, vermutlich auch sind.

Nun, was soll er tun? Soll er eine Konversation mit Brereton versuchen? Die Ländereien der Familie liegen in Staffordshire, in Cheshire, an der Grenze zu Wales. Sir Randal ist dieses Jahr gestorben, und sein Sohn hat ein fettes Erbe angetreten, mindestens eintausend pro Jahr an Einkünften aus Übertragungen der Krone, dazu in etwa dreihundert aus nahe gelegenen Klöstern … Er rechnet die Summen im Kopf zusammen. Das Erbe ist auch keineswegs zu früh gekommen; der Mann muss so alt sein wie er selbst oder fast so alt. Sein Vater Walter hätte sich gut mit den Breretons verstanden, einer streitbaren Mannschaft, großen Störern des Landfriedens. Er erinnert sich an ein Verfahren gegen sie in der Sternkammer, vor ungefähr fünfzehn Jahren … Das ist vermutlich kein gutes Thema. Und Brereton scheint auch gar kein Gespräch zu wollen.

Jede Reise endet einmal, kommt an irgendeinem Pier ans Ziel, an irgendeinem nebelverhüllten Kai, wo Fackeln warten. Sie sollen umgehend zum König kommen, in das Innere des Palastes, in seine privaten Räume. Harry Norris wartet auf sie; wer sonst? »Wie geht es ihm jetzt?«, sagt Brereton. Norris verdreht die Augen.

»Nun, Master Cromwell«, sagt er, »wir treffen uns wirklich unter den merkwürdigsten Umständen. Sind das Ihre Söhne?« Er lächelt, betrachtet ihre Gesichter. »Nein, offensichtlich nicht. Es sei denn, sie haben verschiedene Mütter.«

Er nennt ihre Namen: Master Rafe Sadler, Master Richard Cromwell, Master Gregory Cromwell. Er bemerkt ein bestürztes Flackern auf dem Gesicht seines Sohnes und stellt klar: »Das ist mein Neffe, das – mein Sohn.«

»Nur Sie selbst gehen hinein«, sagt Norris. »Kommen Sie, er wartet.« Über die Schulter sagt er: »Der König befürchtet, es könnte ihm kalt werden. Würden Sie das rotbraune Nachtgewand heraussuchen, das mit dem Zobelfell?«

Brereton grunzt eine Antwort. Blöde Arbeit, die Pelze aufzuschütteln, wenn man in Chester sein könnte. Man könnte das Volk aufwecken und ringsum auf den Stadtmauern die Trommel schlagen.

Es ist ein geräumiges Gemach mit einem hohen geschnitzten Bett; sein Blick streift es flüchtig. Im Kerzenlicht sind die Vorhänge tintenschwarz. Das Bett ist leer. Henry sitzt auf einem Samthocker. Er scheint allein zu sein, aber im Raum liegt ein trockener Duft, eine zimtene Wärme, die ihn glauben lässt, der Kardinal müsse in den Schatten sein und die mit Gewürzen gefüllte ausgehöhlte Orange halten, die er immer in der Hand trug, wenn er dicht gedrängt unter Menschen stand. Sicher wollen die Toten den Geruch der Lebenden abwehren; aber was er am anderen Ende des Raumes sieht, ist nicht die schattenhafte Masse des Kardinals, sondern ein blasses schwebendes Oval, und das ist das Gesicht von Thomas Cranmer.

Der König dreht den Kopf zu ihm, als er eintritt. »Cromwell, mein toter Bruder ist mir in einem Traum erschienen.«

Er antwortet nicht. Welche vernünftige Antwort gibt es darauf? Er betrachtet den König. Er ist nicht versucht zu lachen. Der König sagt: »Während der zwölf Tage zwischen dem Weihnachtstag und dem Dreikönigstag erlaubt Gott den Toten zu wandern. Das ist allgemein bekannt.«

Er sagt vorsichtig: »Wie sah er aus, Ihr Bruder?«

»Er sah so aus, wie ich mich an ihn erinnere ... aber er war blass, sehr dünn. Um ihn herum schien ein weißes Feuer, ein Licht. Sie wissen doch, dass Arthur jetzt in seinem fünfundvierzigsten Jahr wäre. Ist das Ihr Alter, Master Cromwell?«

»Ungefähr«, sagt er.

»Ich kann das Alter von Menschen sehr gut schätzen. Ich frage mich, wem Arthur ähnlich sähe, wäre er noch am Leben. Meinem Vater vermutlich. Nun, ich bin wie mein Großvater.«

Er glaubt, der König wird sagen: Wem ähneln Sie? Aber nein: Er hat ein für alle Mal festgelegt, dass er keine Vorfahren hat.

»Er starb in Ludlow. Im Winter. Die Straßen waren nicht passierbar. Sie mussten seinen Sarg auf einen Ochsenkarren laden. Ein Prinz von England auf einem Karren! Ich kann nicht glauben, dass das gut war.«

Jetzt kommt Brereton mit dem rostfarbenen Samt, der mit Zobel gefüttert ist. Henry steht auf und legt eine Hülle aus Samt ab, bekommt eine andere, die dicker und plüschiger ist. Das Zobelfutter kriecht aus der Manschette auf seine Hände, als wäre er ein Monster-König, dem ein eigenes Fell wächst. »Sie haben ihn in Worcester begraben«, sagt er. »Aber es beunruhigt mich. Ich habe ihn nicht tot gesehen.«

Dr Cranmer sagt aus den Schatten: »Die Toten kommen nicht zurück, um sich über ihre Beerdigung zu beschweren. Es sind die Lebenden, die von diesen Dingen gequält werden.«

Der König hüllt sich fest in seine Robe. »Ich habe sein Gesicht nicht gesehen, erst jetzt in meinem Traum. Und seinen Körper, strahlend weiß.«

»Aber es ist nicht sein Körper«, sagt Cranmer. »Es ist ein Bild, das sich im Kopf Eurer Majestät formt. Solche Bilder sind *quasi corpora*, wie Körper. Lesen Sie Augustinus.«

Der König sieht nicht aus, als wolle er nach einem Buch schicken. »In meinem Traum stand er da und sah mich an. Er sah traurig aus, so traurig. Er schien zu sagen, dass ich seinen Platz eingenommen habe. Er schien zu sagen: Du hast mein Königreich genommen und du hast meine Frau benutzt. Er ist zurückgekehrt, um mich zu beschämen.«

Cranmer sagt, leicht ungeduldig: »Wenn der Bruder Eurer Majestät starb, bevor er regieren konnte, so war das Gottes Wille. Was Ihre vermeintliche Ehe betrifft, so wissen und glauben wir alle, dass sie eindeutig gegen die Schrift war. Wir wissen, dass der Mann in Rom nicht die Macht hat, Gottes Gesetz außer Kraft zu setzen. Dass es eine Sünde gab, erkennen wir an; aber bei Gott ist genug Gnade.«

»Nicht für mich«, sagt Henry. »Wenn ich vor Gottes Gericht stehe, wird mein Bruder gegen mich sprechen. Er ist zurückgekommen, damit ich mich schäme, und ich muss es ertragen.« Der Gedanke macht ihn wütend. »Ich, ich allein.«

Cranmer will etwas sagen; er, Cromwell, fängt seinen Blick auf und schüttelt fast unmerklich den Kopf. »Hat Ihr Bruder Arthur mit Ihnen gesprochen, in Ihrem Traum?«

»Nein.«

»Hat er ein Zeichen gemacht?«

»Nein.«

»Warum dann glauben, dass er Eurer Majestät etwas anderes als Gutes wünscht? Es scheint mir, Sie haben etwas in sein Gesicht hineingelesen, das nicht wirklich da war; das ist ein Fehler, den wir mit den Toten machen. Hören Sie auf mich.« Er legt seine Hand auf die königliche Person, auf seinen Ärmel aus rostbraunem Samt, auf seinen Arm, und er greift so fest zu, dass es zu spüren ist. »Kennen Sie den Juristenspruch ›*Le mort saisit le vif*‹? Der Tote packt den Lebenden. Der Prinz stirbt, aber im Augenblick seines Todes wird seine Macht weitergegeben, es gibt keine Lücke, kein Interregnum. Wenn Ihr Bruder Sie besucht hat, dann nicht, um Sie zu beschämen, sondern um Sie daran zu erinnern, dass Ihnen die Macht sowohl der Lebenden als auch der Toten verliehen ist. Es ist ein Zeichen für Sie, Ihr Königtum zu überdenken. Und auszuüben.«

Henry sieht zu ihm auf. Er denkt nach. Er streicht über seine Zobelmanschette, und sein Gesichtsausdruck ist verwirrt. »Ist das möglich?«

Wieder hebt Cranmer zum Sprechen an. Wieder schneidet er ihm das Wort ab. »Sie wissen, was auf Arthurs Grabmal geschrieben steht?«

»*Rex quondam rexque futurus.* Der einstige König ist auch der künftige König.«

»Ihr Vater hat das sichergestellt. Als Prinz, der aus Wales kam, hat er das Wort gehalten, das er seinen Vorfahren gegeben hatte. Aus seinem lebenslangen Exil ist er zurückgekehrt und hat sein uraltes Recht in Anspruch genommen. Aber es ist nicht genug, ein Land zu beanspruchen; es muss gehalten werden. Es muss gehalten und gesichert werden, in jeder Generation. Wenn Ihr Bruder zu sagen scheint, dass Sie seinen Platz eingenommen haben, dann in der Absicht, dass Sie der König werden sollen, der er gewesen wäre. Er selbst kann die Prophezeiung nicht erfüllen, aber er vermacht sie Ihnen. Für ihn das Versprechen und für Sie dessen Erfüllung.«

Die Augen des Königs gleiten zu Dr Cranmer, der steif sagt: »Ich kann nichts sehen, das dagegen spricht. Trotzdem rate ich immer noch, nicht auf Träume zu hören.«

»Oh«, sagt er, »aber die Träume von Königen sind nicht wie die Träume anderer Menschen.«

»Da mögen Sie recht haben.«

»Aber warum jetzt?«, sagt Henry, nicht unvernünftig. »Warum kehrt er jetzt zurück? Ich bin seit zwanzig Jahren König.«

Er schluckt die Versuchung hinunter zu antworten: Weil Sie vierzig sind und er Ihnen sagt, dass Sie erwachsen werden sollen. Wie viele Male haben Sie die Geschichten von Arthur aufgeführt – wie viele Maskenfeste, wie viele Historienspiele, wie viele Schauspielertruppen mit Papierschilden und Holzschwertern? »Weil jetzt die entscheidende Zeit gekommen ist«, sagt er. »Weil jetzt die Zeit ist, der Herrscher zu werden, der Sie sein sollen, das einzige und oberste Haupt Ihres Königreichs. Fragen Sie Lady Anne. Sie wird es Ihnen sagen. Sie wird dasselbe sagen.«

»Das tut sie«, gibt der König zu. »Sie sagt, wir sollten uns Rom nicht länger beugen.«

»Und sollte Ihr Vater Ihnen in einem Traum erscheinen, sollten Sie ihn genauso verstehen wie diesen Traum. Dass er gekommen ist, um Ihre Hand zu stärken. Kein Vater wünscht, seinen Sohn weniger mächtig zu sehen als sich selbst.«

Henry lächelt langsam. Den Traum, die Nacht, die Nacht der verhüllten Schrecken, der Maden und Würmer streift er ab und scheint sich zu strecken. Er steht auf. Sein Gesicht leuchtet. Das Feuer macht Streifen aus Licht auf seiner Robe, und in ihren tiefen Falten flackern Ocker und Rehbraun, Farben der Erde, des Lehms. »Sehr gut«, sagt er. »Ich verstehe. Ich verstehe jetzt alles. Ich wusste doch, nach wem ich schicken musste. Ich weiß das immer.« Er dreht sich um und spricht in die Dunkelheit hinein. »Harry Norris? Wie spät ist es? Ist es vier Uhr? Mein Kaplan soll sich zur Messe ankleiden.«

»Vielleicht könnte ich die Messe für Sie lesen«, schlägt Dr Cranmer vor, aber Henry sagt: »Nein, Sie sind müde. Ich habe Sie vom Schlafen abgehalten, meine Herren.«

So einfach ist das, so gebieterisch. Sie werden vor die Tür gesetzt. Sie gehen an den Wachen vorbei. Sie gehen stumm zurück zu ihren Leuten, der Mann Brereton folgt ihnen. Schließlich sagt Dr Cranmer: »Gute Arbeit.«

Er dreht sich um. Jetzt will er lachen, aber er wagt nicht zu lachen.

»Ein geschickter Zug: ›Und sollte Ihr Vater Ihnen erscheinen …‹ Ich nehme an, Sie möchten nicht allzu oft mitten in der Nacht geweckt werden.«

»Mein Haushalt war beunruhigt.«

Da sieht der Doktor bekümmert aus, als wäre er leichtfertig gewesen. »Natürlich«, murmelt er. »Weil ich kein verheirateter Mann bin, denke ich nicht an solche Dinge.«

»Ich bin auch kein verheirateter Mann.«

»Nein. Das hatte ich vergessen.«

»Sie haben Einwände gegen das, was ich gesagt habe?«

»Es war in jeder Hinsicht vollkommen. Als hätten Sie im Voraus darüber nachgedacht.«

»Wie hätte ich das können?«

»In der Tat. Sie sind ein Mann von enormem Einfallsreichtum. Allerdings … was das Evangelium betrifft, wissen Sie …«

»Auch im Hinblick auf das Evangelium erachte ich es für gute nächtliche Arbeit.«

»Aber ich frage mich«, sagt Cranmer fast zu sich selbst. »Ich frage mich, wofür Sie das Evangelium halten. Glauben Sie, es ist ein Buch mit leeren Blättern, denen Thomas Cromwell seine Wünsche aufprägt?«

Er bleibt stehen, er legt dem anderen eine Hand auf den Arm und sagt: »Dr Cranmer, sehen Sie mich an. Glauben Sie mir. Ich bin aufrichtig. Ich kann nichts dafür, wenn Gott mir die Miene eines Sünders gegeben hat. Er muss etwas damit bezwecken.«

»Das steht zu vermuten.« Cranmer lächelt. »Er hat Ihr Gesicht absichtlich so gestaltet, um unsere Feinde zu irritieren. Und dann, wie Sie das Zeremoniell in die Hand genommen haben – als Sie den Arm des Königs in Ihrem Griff hatten, bin ich selbst zusammengezuckt. Und Henry, er hat es gespürt.« Er nickt. »Sie sind eine Person von großer Willenskraft.«

Geistliche können das tun: über den Charakter sprechen. Urteile abgeben: Dieses hier scheint günstig zu sein, obwohl der Doktor genau wie ein Wahrsager nicht mehr gesagt hat, als er bereits wusste. »Kommen Sie«, sagt Cranmer, »Ihre Jungen werden sich Sorgen um Ihre Sicherheit machen.«

Rafe, Gregory, Richard scharen sich um ihn: Was ist passiert? »Der König hatte einen Traum.«

»Einen Traum?« Rafe ist schockiert. »Er hat uns wegen eines Traums aus dem Bett geholt?«

»Glauben Sie mir«, sagt Brereton, »er holt einen auch für weniger als das aus dem Bett.«

»Dr Cranmer und ich sind uns einig, dass die Träume eines Königs nicht dasselbe wie die Träume anderer Menschen sind.«

Gregory fragt: »War es ein schlimmer Traum?«

»Am Anfang. Er dachte es. Jetzt nicht mehr.«

Sie sehen ihn verständnislos an, aber Gregory versteht. »Als ich klein war, träumte ich von Dämonen. Ich glaubte, sie wären unter meinem Bett, aber du hast gesagt, das kann nicht sein, es gibt keine Dämonen auf unserer Seite des Flusses, die Wachen lassen sie nicht über die London Bridge.«

»Also bist du völlig verängstigt«, sagt Richard, »wenn du über den Fluss nach Southwark gehst?«

Gregory sagt: »Southwark? Was ist Southwark?«

»Wisst ihr«, sagt Rafe im Ton eines Schulmeisters, »es gibt Gelegenheiten, da sehe ich einen Funken von etwas wie Witz in Gregory. Kein helles Leuchten, das nicht. Nur einen Funken.«

»Dass ausgerechnet du spottest! Mit so einem Bart.«

»Ist das ein Bart?«, sagt Richard. »Diese dürftigen roten Borsten? Ich dachte, es wäre eine Nachlässigkeit des Barbiers.«

Sie umarmen einander, so heftig ist ihre Erleichterung. Gregory sagt: »Und wir haben geglaubt, der König hätte ihn in ein Verlies bringen lassen.«

Cranmer nickt wohlwollend, amüsiert. »Ihre Kinder lieben Sie.«

Richard sagt: »Wir kommen nicht ohne den Mann am Ruder aus.«

Es wird noch Stunden bis zur Morgendämmerung dauern. Es ist wie der lichtlose Morgen, an dem der Kardinal starb. Der Geruch nach Schnee liegt in der Luft.

»Ich vermute, er wird uns noch einmal sprechen wollen«, sagt Cranmer. »Wenn er darüber nachgedacht hat, was Sie zu ihm gesagt haben, und wenn er – ich möchte das so ausdrücken – seinen Gedanken dahin gefolgt ist, wohin sie ihn führen.«

»Trotzdem gehe ich in die City zurück und zeige mich dort.« Ich wechsle die Kleider, denkt er, und warte auf das, was kommt. Zu Brereton sagt er: »Sie wissen, wo Sie mich finden. William.«

Ein Nicken und er geht fort. »Dr Cranmer, sagen Sie der Lady, dass wir ein gutes Nachtwerk für sie verrichtet haben.« Er legt den Arm um die Schultern seines Sohnes und flüstert: »Gregory, diese Geschichten von Merlin, die du gelesen hast – wir werden noch ein paar davon schreiben.«

Gregory sagt: »Oh, aber ich habe sie gar nicht zu Ende gelesen. Die Sonne kam doch heraus.«

Noch am selben Tag kehrt er zurück und betritt ein getäfeltes Gemach in Greenwich. Es ist der letzte Tag des Jahres 1530. Er streift seine Handschuhe ab, Glacéleder parfümiert mit Ambra. Mit den Fingern seiner rechten Hand berührt er den Türkisring, rückt ihn zurecht.

»Der Rat wartet«, sagt der König. Er lacht – wie über einen persönlichen Triumph. »Gehen Sie zu ihnen hinein. Sie werden Ihnen den Eid abnehmen.«

Dr Cranmer ist beim König; er ist sehr blass, sehr stumm. Der Doktor nickt zu seiner Begrüßung, und dann breitet sich überraschend ein Lächeln auf seinem Gesicht aus, das den ganzen Nachmittag aufhellt.

Ein Anschein der Improvisation liegt über der nächsten Stunde. Der König möchte nicht warten, und die Frage ist, welche Ratsmitglieder kurzfristig zusammengerufen werden können. Die Herzöge sind in ihren eigenen Landen und halten weihnachtlichen Hof. Der alte Warham ist bei uns, Erzbischof von Canterbury. Es ist fünfzehn Jahre her, seit Wolsey ihn von seinem Posten als Lordkanzler entlassen hat oder, wie der Kardinal sich immer ausdrückte, von seinem weltlichen Amt befreit und ihm so die Gelegenheit geschenkt hat, sich während seiner letzten Jahre einem Leben des Gebets zu widmen. »Nun, Cromwell«, sagt er. »Sie ein Mitglied des Kronrats! Was nur aus der Welt geworden ist!« Sein Gesicht ist faltig, er hat tote Fischaugen. Die Hände zittern ein wenig, als er ihm das heilige Buch reicht.

Thomas Boleyn ist bei uns, Earl von Wiltshire, Lordsiegelbewahrer. Der Lordkanzler ist da; er denkt irritiert, warum rasiert More sich nie ordentlich? Kann er die Zeit nicht erübrigen, sein Programm mit der Peitsche nicht abkürzen? Als More ins Licht tritt, sieht er, dass er sogar noch ungepflegter ist als üblich, denn sein Gesicht ist hager und er hat pflaumenfarbene Flecken unter den Augen. »Was ist denn passiert?«

»Sie haben es nicht gehört. Mein Vater ist gestorben.«

»Der gute alte Mann«, sagt er. »Wir werden seinen weisen Rat in der Jurisprudenz vermissen.«

Und seine langweiligen Geschichten. Wohl kaum.

»Er starb in meinen Armen.« More beginnt zu weinen oder vielmehr scheint er zu schwinden, und sein ganzer Körper scheint Tränen abzusondern. Er sagt: Er war das Licht meines Lebens, mein Vater. Wir sind keine so großen Männer, wir sind ein Schatten dessen, was sie waren. Bitten Sie Ihre Leute in Austin Friars, für ihn zu beten. »Es ist merkwürdig, Thomas, aber seit er gegangen ist, spüre ich mein Alter. Als wäre ich bis vor wenigen Tagen lediglich ein Junge gewesen. Aber Gott hat mit den Fingern geschnipst, und ich stelle fest, dass meine besten Jahre hinter mir liegen.«

»Wissen Sie, nachdem Elizabeth starb, meine Frau …« Und dann, will er sagen, meine Töchter, meine Schwester, mein dezimierter Haushalt, meine Leute immer in Schwarz, und nun habe ich meinen Kardinal verloren … Aber er wird nicht zugeben, nicht einmal für einen Moment, dass die Trauer seinen Willen untergraben hat. Man kann keinen anderen Vater bekommen, aber das würde er auch kaum wollen; und was Ehefrauen betrifft, so sind sie wohlfeil bei Thomas More. »Sie werden es jetzt nicht glauben, aber das Gefühl kehrt zurück. Das Gefühl für die Welt und alles, was man in ihr tun muss.«

»Sie haben auch Verluste erlitten, ich weiß. Nun, nun.« Der Lordkanzler schnieft, er seufzt, schüttelt den Kopf. »Lassen Sie uns das Notwendige erledigen.«

Es ist More, der beginnt, ihm den Eid vorzulesen. Er schwört, dass er treuen Rat geben wird, dass seine Rede klar und unvoreingenommen sein wird, sein Verhalten verschwiegen, seine Treue wahrhaftig. Er ist bis zu dem weisen Rat und zur Verschwiegenheit gekommen, als die Tür auffliegt und Gardiner hinabstößt wie eine Krähe, die ein totes Schaf entdeckt hat. »Ich denke nicht, dass Sie das ohne den Ersten Sekretär tun können«, sagt er, und Warham sagt milde: Beim heiligen Kreuz, müssen wir mit seiner Vereidigung noch mal von vorn anfangen?

Thomas Boleyn streicht sich über den Bart. Sein Blick ist auf den Ring des Kardinals gefallen, und sein Gesichtsausdruck ist von schockiert zu lediglich höhnisch übergegangen. »Sollten wir die Prozedur nicht kennen«, sagt er, »bin ich sicher, dass Thomas Cromwell sich eine Notiz gemacht hat. Geben Sie ihm ein oder zwei Jahre, und wir stellen möglicherweise fest, dass wir alle überflüssig geworden sind.«

»Ich bin sicher, dass ich nicht lange genug leben werde, um das zu erleben«, sagt Warham. »Lordkanzler, sollen wir weitermachen? Ach, Sie armer Mann! Sie weinen schon wieder. Sie tun mir wirklich sehr leid. Aber der Tod kommt zu uns allen.«

Guter Gott, denkt er, wenn der Erzbischof von Canterbury nicht mehr als das zu bieten hat, könnte sogar ich den Job machen.

Er schwört, dass er die Autorität des Königs wahren wird, seinen Vorrang, seine Rechtsprechung. Er schwört, dass er seine Erben und rechtmäßigen Nachkommen achten wird, und er denkt an den Bastard, das Kind Richmond, und an Mary, den sprechenden Zwerg, und an den Herzog von Norfolk, wie er allen Anwesenden seinen Daumennagel zeigt. »Nun, das wäre erledigt«, sagt der Erzbischof. »Und Amen dazu, denn welche Wahl haben wir schon? Sollen wir uns ein Glas Wein wärmen lassen? Diese Kälte kriecht einem in die Knochen.«

Thomas More sagt: »Jetzt, da Sie ein Mitglied des Rates sind, hoffe ich, dass Sie dem König sagen werden, was er tun sollte, und nicht nur, was er tun kann. Würde der Löwe seine eigene Stärke kennen, wäre es schwer, ihn zu beherrschen.«

Draußen fällt Eisregen. Dunkle Flocken fallen in das Wasser der Themse. England streckt sich vor ihm aus, eine niedrig stehende rote Sonne auf Feldern von Schnee.

Er denkt an den Tag zurück, an dem York Place zerstört wurde. Er und George Cavendish standen dabei, als die Truhen geöffnet und die Messgewänder des Kardinals herausgenommen wurden. Die Chormäntel waren mit Gold- und Silberfäden bestickt, hatten Muster mit goldenen Sternen, mit Vögeln, Fischen, Hirschen, Löwen, Engeln, Blumen und Katharinenrädern. Als die Gewänder umgepackt und die Reisetruhen zugenagelt wurden, kramten die Männer des Königs in den Kisten mit den Alben und Chorhemden, von denen jedes von kundiger Hand fein gefaltet worden war. Sie gingen von Hand zu Hand, schwerelos wie schlafende Engel, und leuchteten weich im Licht; faltet eins auseinander, sagte ein Mann, lasst uns das Material sehen. Finger zerrten an den Leinenbändern; hier, lassen Sie mich das machen, sagte George Cavendish. Befreit, schwebte der Stoff im Luftzug, strahlend weiß, so fein wie Nachtfalterflügel. Als die Deckel der Truhen mit den Messgewändern angehoben wurden, war da der Duft von Zedern und Gewürzen gewesen, schwermütig, fern, wüstentrocken. Zwischen die schwebenden Engel dagegen war Lavendel gelegt worden; der Londoner Regen schlug an das Fensterglas, und der Duft des Sommers erfüllte den trüben Nachmittag.

TEIL VIER

I

Mach ein passendes Gesicht

1531

Es könnten Schmerzen sein oder Angst oder ein Fehler der Natur, die Sommerhitze oder der Klang von Jagdhörnern, die sich langsam entfernen, oder das Wirbeln glitzernden Staubs in leeren Räumen. Vielleicht hat das Mädchen auch zu wenig geschlafen, weil der abreisende Haushalt seines Vaters seit dem Morgengrauen zusammengepackt wurde – warum auch immer, es ist in sich zusammengesunken, und seine Augen sind von der Farbe abgestandenen Wassers. Einmal, als er die einleitenden Höflichkeiten auf Lateinisch absolviert, sieht er, wie es sich fester an die Rückenlehne des Stuhls klammert, auf dem seine Mutter sitzt. »Madam, Ihre Tochter sollte sich hinsetzen.« Falls ein Kräftemessen daraus werden sollte, nimmt er vorsorglich einen Hocker und stellt ihn mit einem entschlossenen kleinen Knall neben Katherines Röcke.

Starr in ihrem mit Fischbein verstärkten Mieder, beugt sich die Königin zurück, um ihrer Tochter etwas zuzuflüstern. Die Damen in Italien trugen scheinbar unbekümmert Konstruktionen aus Eisen unter ihren Seidenstoffen. Es bedurfte unendlicher Geduld – nicht nur beim Verhandeln –, um sie aus ihren Kleidern zu bekommen.

Mary senkt den Kopf und antwortet flüsternd; auf Kastilisch deutet sie an, dass sie unter weiblichem Unwohlsein leide. Zwei Augenpaare heben sich, um ihn anzusehen. Der Blick des Mädchens ist unbestimmt; sie sieht ihn, vermutet er, als eine unförmige Masse aus Schatten in einem Raum, in dem der Kummer stetig ansteigt. Steh gerade, murmelt Katherine: wie eine Prinzessin von England. Auf die Stuhllehne gestützt, atmet Mary tief ein. Sie wendet ihm ihr unattraktives, verkniffenes Gesicht zu: so hart wie Norfolks Fingernagel.

Es ist früher Nachmittag, sehr heiß. Die Sonne wirft sich immer wieder verändernde Vierecke aus Lila und Gold an die Wand. Die verwelkten Felder von Windsor breiten sich unter ihnen aus. Die Themse weicht von ihren Ufern zurück.

Die Königin spricht Englisch. »Weißt du, wer das ist? Das ist Master Cromwell. Der jetzt alle Gesetze schreibt.«

Unbequem zwischen den Sprachen eingeklemmt, sagt er: »Madam, sollen wir auf Englisch fortfahren oder auf Latein?«

»Ihr Kardinal hat das auch immer gefragt. Als wäre ich eine Fremde hier. Ich sage Ihnen jetzt, was ich auch immer zu ihm gesagt habe: dass ich schon als Prinzessin von Wales angeredet wurde, als ich drei Jahre alt war. Ich war sechzehn, als ich hierherkam, um Mylord Arthur zu heiraten. Ich war Jungfrau und siebzehn, als er starb. Ich war vierundzwanzig, als ich Königin von England wurde, und zur Vermeidung von Missverständnissen möchte ich anmerken, dass ich gegenwärtig sechsundvierzig Jahre alt bin, immer noch Königin und inzwischen, wie ich glaube, eine Art Engländerin. Aber ich werde nicht alles für Sie wiederholen, was ich dem Kardinal gesagt habe. Ich nehme an, dass er Ihnen Notizen davon hinterlassen hat.«

Er hält es für richtig, sich zu verbeugen. Die Königin sagt: »Seit Anfang des Jahres hat man gewisse Gesetzesvorlagen im Parlament eingebracht. Bislang hatte Master Cromwell ein Talent fürs Geldverleihen, aber jetzt stellt er fest, dass er auch ein Talent für die Gesetzgebung hat – wenn man gerne ein neues Gesetz haben möchte, braucht man ihn nur zu fragen. Ich höre, dass Sie nachts die Entwürfe in Ihr Haus mitnehmen – wo ist eigentlich Ihr Haus?« Sie lässt es wie »Ihr Hundeloch« klingen.

Mary sagt: »Diese Gesetze sind gegen die Kirche. Ich wundere mich, dass unsere Lords das erlauben.«

»Bekanntlich wurde der Kardinal von York«, sagt die Königin, »nach den Gesetzen des Praemunire angeklagt, weil er die Gerichtsbarkeit an sich gerissen hat, die deinem Lordvater als Herrscher von England zusteht. Jetzt stellen Master Cromwell und seine Freunde fest, dass die gesamte Geistlichkeit an dem Verbrechen beteiligt war, und fordern sie auf, eine Geldstrafe von mehr als einhunderttausend Pfund zu zahlen.«

»Keine Geldstrafe. Wir nennen es Spende.«

»Ich nenne es Erpressung.« Sie wendet sich an ihre Tochter. »Wenn du mich fragst, warum die Kirche nicht verteidigt wird, kann ich dir nur sagen, dass es Edelmänner in diesem Land gibt« – Suffolk, meint sie, Norfolk – »die vor Zeugen gesagt haben, sie wollen die Macht der Kirche niederreißen, damit sie nie wieder darunter leiden müssen – das Wort benutzen sie –, dass ein Kirchenmann so groß wird wie unser verstorbener Legat. Dass wir keinen neuen Wolsey brauchen, darin stimme ich überein. Mit den Angriffen auf die Bischöfe stimme ich nicht überein. Wolsey war für mich ein Feind. Das ändert meine Gefühle für unsere Heilige Mutter Kirche aber nicht.«

Er denkt: Wolsey war für mich ein Vater und ein Freund. Das ändert meine Gefühle für unsere Heilige Mutter Kirche aber nicht.

»Sie und der Sprecher des Unterhauses, Audley, Sie stecken bei Kerzenlicht die Köpfe zusammen.« Die Königin erwähnt den Namen des Sprechers, als würde sie sagen »Ihr Küchenjunge«. »Und am Morgen bringen Sie den König dazu, sich als Oberhaupt der Kirche in England zu bezeichnen.«

»Wohingegen«, sagt das Kind, »der Papst überall Oberhaupt der Kirche ist. Dem Thron des Heiligen Petrus entspringt die Rechtmäßigkeit jeglicher Regierung. Keiner anderen Quelle.«

»Lady Mary«, sagt er, »wollen Sie sich nicht setzen?« Er fängt sie im selben Augenblick auf, als ihre Knie einknicken, und setzt sie vorsichtig auf den Hocker. »Es ist nur die Hitze«, sagt er, damit sie sich nicht schämt. Sie hebt ihre faden grauen Augen und blickt ihn überaus dankbar an; sobald sie sitzt, verändert sich der Blick und wird so hart wie die Mauer einer belagerten Stadt.

»Sie sagen ›dazu bringen‹«, sagt er zu Katherine. »Aber Eure Hoheit weiß besser als alle anderen, dass der König nicht gelenkt werden kann.«

»Aber er kann verleitet werden.« Sie wendet sich an Mary, deren Arme auf ihren Bauch gerutscht sind. »Jetzt also wird dein Vater, der König, als Oberhaupt der Kirche bezeichnet, und um das Gewissen der Bischöfe zu beschwichtigen, hat man folgende Formel eingesetzt: ›soweit es das Gesetz Christi erlaubt.‹«

»Was soll das bedeuten?«, sagt Mary. »Es bedeutet nichts.«

»Hoheit, es bedeutet alles.«

»Ja. Es ist sehr klug.«

»Ich bitte Sie«, sagt er, »es so aufzufassen, dass der König damit lediglich einen früher wahrgenommenen Anspruch definiert hat, der durch sehr alte Präzedenzfälle ...«

»... in den letzten paar Monaten erfunden ...«

»... als sein Recht ausgewiesen ist.«

Unter ihrer plumpen Giebelhaube glänzt Marys Stirn schweißnass. Sie sagt: »Was definiert ist, kann neu definiert werden, ja?«

»In der Tat«, sagt ihre Mutter. »Und neu definiert zugunsten der Kirche – wenn ich mich nur ihren Wünschen beuge und mich selbst aus dem Status der Königin und Ehefrau entlasse.«

Die Prinzessin hat recht, denkt er. Da ist Spielraum für Verhandlungen. »Nichts davon ist unwiderruflich.«

»Nein, Sie warten darauf, was ich an den Tisch bringe, an dem der Vertrag abgeschlossen wird.« Katherine streckt die Hände aus – kleine, pummelige, geschwollene Hände –, um zu zeigen, dass sie leer sind. »Nur Bischof Fisher verteidigt mich. Nur er ist standhaft geblieben. Nur er kann die Wahrheit sagen, und die ist, dass das Unterhaus voller Heiden ist.« Sie seufzt, ihre Hände fallen zur Seite. »Und jetzt, unter welchem Einfluss ist mein Mann ohne Abschied fortgeritten? Das hat er noch nie gemacht. Niemals.«

»Er beabsichtigt, ein paar Tage bei Chertsey zu jagen.«

»Mit dieser Frau«, sagt Mary. »Dieser Person.«

»Dann reitet er über Guildford, um Lord Sandys zu besuchen – er möchte sich seine schöne neue Galerie in *The Vyne* ansehen.« Sein Ton ist gefällig und beruhigend wie der des Kardinals. Vielleicht zu sehr? »Abhängig vom Wetter und vom Wild will er sich von dort aus zu William Paulet in Basing begeben.«

»Und wann folge ich ihm nach?«

»Er wird in zwei Wochen zurückkehren, so Gott will.«

»Zwei Wochen«, sagt Mary. »Allein mit der Person.«

»Und noch davor, Madam, sollen Sie sich in einen anderen Palast begeben – er hat *The More* in Hertfordshire für Sie ausgewählt, und Sie wissen, dass es dort sehr komfortabel ist.«

»Da es das Haus des Kardinals ist«, sagt Mary, »muss es der pure Luxus sein.«

Meine eigenen Töchter, denkt er, hätten nie so gesprochen. »Prinzessin«, sagt er, »könnten Sie so barmherzig sein und aufhören, schlecht von einem Mann zu sprechen, der Ihnen nie etwas Böses getan hat?«

Mary errötet vom Hals bis zum Haaransatz. »Ich hatte nicht die Absicht, es an Barmherzigkeit mangeln zu lassen.«

»Der verstorbene Kardinal ist Ihr Taufpate. Sie schulden ihm Ihre Gebete.«

Ihr Blick flattert; sie wirkt eingeschüchtert. »Ich bete, um seine Zeit im Fegefeuer abzukürzen …«

Katherine unterbricht sie. »Schicken Sie meinetwegen eine Kiste nach Hertfordshire. Schicken Sie ein Paket. Aber versuchen Sie nicht, mich zu schicken.«

»Sie werden Ihren ganzen Hof dabeihaben. Der Haushalt ist darauf eingestellt, zweihundert Personen aufzunehmen.«

»Ich werde an den König schreiben. Sie können den Brief überbringen. Mein Platz ist an seiner Seite.«

»Mein Rat ist folgender«, sagt er, »nehmen Sie es hin. Oder er könnte …« Er weist auf die Prinzessin. Seine Hände treffen sich und öffnen sich wieder. Sie trennen.

Das Kind kämpft mit Schmerzen. Die Mutter kämpft mit Kummer und Wut und Abscheu und Angst. »Ich habe das erwartet«, sagt sie, »aber ich hatte nicht erwartet, dass er einen Mann wie Sie schicken würde, um es mir zu sagen.« Er runzelt die Stirn: Glaubt sie, es wäre besser, wenn es von Norfolk käme? »Es heißt, Sie sind dem Handwerk des Schmieds nachgegangen; ist das richtig?«

Gleich wird sie sagen: Pferde beschlagen?

»Es war das Handwerk meines Vaters.«

»Ich beginne Sie zu verstehen.« Sie nickt. »Der Schmied macht seine eigenen Werkzeuge.«

Kalksteinmauern reflektieren die Sonnenstrahlen auf eine halbe Meile und springen ihn mit weißer Hitze an. Im Schatten eines Torbogens balgen sich Gregory und Rafe und werfen sich die kulinarischen Beleidigungen an den Kopf, die sie von ihm gelernt haben: Sir, Sie sind ein fetter Flame und schmieren sich Butter aufs Brot. Sir, Sie sind ein römischer Habenichts, Ihre Nachkommen können Schnecken fressen. Master Wriothesley lehnt in der Sonne und sieht ihnen mit einem trägen Lächeln zu; Schmetterlinge umflattern seinen Kopf.

»Ach, *Sie* sind es«, sagt er. Das scheint Wriothesley zu gefallen. »So könnte man Sie malen, Master Wriothesley. Ein azurblaues Wams und ein präzise platzierter Lichtstrahl.«

»Sir? Katherine sagt?«

»Sie sagt, unsere Präzedenzfälle sind erfunden.«

Rafe: »Ist ihr klar, dass Sie und Dr Cranmer die ganze Nacht darüber gesessen haben?«

»Oh, wilde Zeiten!«, sagt Gregory. »Mit Dr Cranmer die Morgendämmerung begrüßen!«

Er wirft einen Arm um Rafes knochige, schmale Schultern und drückt ihn; es ist eine Befreiung, Katherine entkommen zu sein, und auch dem Mädchen, das zusammenzuckt wie eine gepeitschte Hündin. »Einmal habe ich mit Giovannino – also, mit ein paar Jungen, die ich kannte –« Er bricht ab: Was ist das? Ich erzähle keine Geschichten über mich selbst.

»Bitte …« sagt Wriothesley.

»Nun, wir ließen eine Statue machen, einen grinsenden kleinen Gott mit Flügeln, und dann haben wir sie mit Hämmern und Ketten bearbeitet, um sie antik aussehen zu lassen; wir haben einen Maultiertreiber angeheuert und sie nach Rom gebracht, wo wir sie an einen Kardinal verkauft haben.« So ein heißer Tag, als sie zu ihm vorgelassen wurden: dunstig, Donnergrollen in der Ferne, und in der Luft hing weißer Staub von Baustellen. »Ich weiß noch, dass er Tränen in den Augen hatte, als er uns bezahlte. ›Wenn man bedenkt, dass vielleicht der Blick von Kaiser Augustus auf diesen charmanten kleinen Füßen und diesen süßen Flügeln geruht hat.‹ Als sich die Portinari-Jungs auf den Rückweg nach Florenz machten, wankten sie unter dem Gewicht ihrer Geldbeutel.«

»Und du?«

»Ich nahm meinen Anteil und blieb noch, um die Maultiere zu verkaufen.«

Sie gehen durch die Innenhöfe nach unten. Als sie in die Sonne hinaustreten, legt er sich die Hand vor die Augen, als wolle er durch das Gewirr der Baumwipfel sehen, das sich in der Ferne verliert. »Ich habe der Königin gesagt, dass sie Henry in Frieden gehen lassen soll. Oder er würde die Prinzessin vielleicht nicht mit ihr nach Norden ziehen lassen.«

Wriothesley sagt erstaunt: »Aber es ist entschieden. Sie werden getrennt. Mary soll nach Richmond gehen.«

Das hat er nicht gewusst. Er hofft, dass sein Zögern nicht zu erkennen ist. »Natürlich. Aber der Königin hat man es noch nicht gesagt, und es war den Versuch wert, richtig?«

Sieh an, wie nützlich Master Wriothesley ist. Sieh an, wie er uns Informationen von Sekretär Gardiner liefert. Rafe sagt: »Es ist hart. Das Mädchen gegen ihre Mutter zu benutzen.«

»Hart, ja … aber die Frage ist: Hast du deinen Fürsten ausgewählt? Denn das ist es, was du tust, du wählst ihn aus, und du weißt, was er ist.

Und dann, wenn du dich entschieden hast, sagst du ja zu ihm – ja, das ist möglich, ja, das kann gemacht werden. Wenn du Henry nicht magst, kannst du in ein anderes Land gehen und dir einen anderen Fürsten suchen, aber ich sage dir – wenn das hier Italien wäre, läge Katherine bereits kalt in ihrem Grab.«

»Aber du hast geschworen«, sagt Gregory, »dass du die Königin achten willst.«

»Das tue ich auch. Und ich würde auch ihre Leiche achten.«

»Du würdest ihren Tod nicht herbeiführen, oder?«

Er bleibt stehen. Er nimmt Gregorys Arm und dreht seinen Sohn um, damit er ihm ins Gesicht sehen kann. »Verfolge unser Gespräch zurück.« Gregory macht sich los. »Nein, hör zu, Gregory. Ich sagte, du kommst den Bitten des Königs nach. Du machst den Weg für seine Wünsche frei. Das ist es, was ein Hofmann, ein *Cortegiano*, tut. Aber eines muss dir klar sein: Es ist unmöglich, dass Henry von mir oder einer anderen Person verlangen würde, der Königin etwas anzutun. Was ist er denn, ein Ungeheuer? Selbst jetzt empfindet er noch Zuneigung zu ihr; wie könnte er das nicht? Und er hat eine Seele, auf deren Rettung er hofft. Er beichtet jeden Tag bei dem einen oder anderen seiner Kapläne. Glaubst du, der Kaiser tut so viel? Oder König François? Henrys Herz, das versichere ich dir, ist ein Herz voller Gefühl; und Henrys Seele, das schwöre ich, ist die am besten erforschte Seele der Christenheit.«

Wriothesley sagt: »Master Cromwell, er ist Ihr Sohn und kein Botschafter.«

Er lässt Gregory los. »Sollen wir auf den Fluss? Vielleicht weht dort ein Wind.«

Im unteren Hof kläffen sechs Jagdhundpaare und bewegen sich unruhig in ihren Käfigen auf Rollen, die sie übers Land bringen werden. Mit wackelnden Schwänzen klettern sie übereinander her, ziehen und zwicken sich an den Ohren, und ihr Kläffen und Heulen verstärken die Atmosphäre der Beinahepanik, die den Palast in Besitz genommen hat. Es gleicht mehr der Evakuierung einer Festung als dem sommerlichen Aufbruch des Hofstaats. Schwitzende Träger hieven die Einrichtung des Königs auf Karren. Zwei Männer stecken mit einer verzierten Truhe in einem Eingang fest. Er denkt zurück und sieht sich auf der Straße: ein Junge mit blauen Flecken, der hilft, Wagen zu beladen, um mitgenommen zu werden. Er geht hinüber. »Wie ist das passiert, Jungs?«

Er hält eine Ecke der Truhe fest und lässt die beiden in den Schatten zurücktreten, reguliert die Drehung mit einer geschickten Handbewegung; es reicht ein kurzes Hantieren und Schieben, und sie stürzen ins Licht und rufen: »Na bitte!«, als wären sie selbst darauf gekommen. Demnächst packt ihr für die Königin, sagt er, wenn sie nach *The More* geht, dem Landsitz des Kardinals, und sie sagen erstaunt: Wirklich, Master, und was ist, wenn die Königin nicht gehen will? Er sagt: Dann rollen wir sie in einen Teppich und legen sie auf euren Wagen. Er verteilt Münzen: Macht langsam, es ist viel zu heiß für so schwere Arbeit. Er schlendert zu den Jungen zurück. Ein Mann führt Pferde heran, die an den Wagen mit den Jagdhunden angeschirrt werden sollen; sobald diese den Geruch der Pferde wittern, veranstalten sie ein aufgeregtes Gebell, das auch noch zu hören ist, als sie schon auf dem Wasser sind.

Der Fluss ist braun, träge; am Ufer von Eton gleitet eine Gruppe von lustlosen Schwänen in die Gräser und wieder hinaus. Ihr Boot schaukelt unter ihnen; er sagt: »Ist das nicht Sion Madoc?«

»Du vergisst wohl nie ’n Gesicht, was?«

»Nicht, wenn’s hässlich ist.«

»Haste dich mal selbst angeguckt, Junge?« Der Bootsführer hat einen Apfel mitsamt Kerngehäuse gegessen, jetzt schnipst er pingelig die Kerne über den Bootsrand.

»Wie geht’s deinem Dad?«

»Tot.« Sion spuckt den Stängel aus. »Sind welche von denen deine Kinder?«

»Ich«, sagt Gregory.

»Das is' meiner.« Sion nickt dem anderen Ruderer zu, einem Koloss von Jungen, der rot wird und wegsieht. »Dein Dad hat den Laden bei solchem Wetter immer zugemacht. Hat das Feuer ausgemacht und ist angeln gegangen.«

»Hat das Wasser mit seiner Rute geprügelt«, sagt er, »und den Fischen das Licht ausgeblasen. Ist reingesprungen und hat sie aus der grünen Tiefe gezogen, sodass sie nach Luft schnappten. Dann die Finger in die Kiemen gesteckt: ›Was stierst du so, du schuppiger Hurensohn? Stierst du mich an?‹«

»Er war keiner, der rumsaß und die Sonne genossen hat«, erklärt Madoc. »Ich könnte Geschichten über Walter Cromwell erzählen!«

Master Wriothesley steht die Verblüffung ins Gesicht geschrieben, denn er weiß nicht, wie viel man von Bootsführern mit ihrem lästerlichen und blitzschnellen Jargon lernen kann. Mit zwölf sprach er selbst ihn fließend, es war seine Muttersprache, und jetzt strömt sie wieder in seinen Mund, etwas Natürliches, etwas Schmutziges. Er beherrscht griechische Redewendungen, die er mit Thomas Cranmer, mit Nennt-mich-Risley austauscht: frühe Sprache, unverdorben wie zarte Früchte. Aber niemals lässt dich ein Meister des Griechischen die Ohren spitzen, wie es jetzt Sion tut, als er Putneys Meinung über die Scheißbullen zum Besten gibt. Henry treibt's mit der Mutter, viel Spaß dabei. Er treibt es mit der Schwester, wozu ist man König? Aber irgendwo gibt's 'ne Grenze. Wir sind schließlich keine Tiere. Sion nennt Anne einen Aal, er nennt sie eine glitschige Schleimtaucherin; er selbst erinnert sich daran, wie der Kardinal sie nannte: meine schlangengleiche Feindin. Sion sagt: Sie treibt es mit ihrem Bruder; er sagt: Was, mit ihrem Bruder George?

»Mit jedem Bruder, den sie hat. Diese Sorte hält sich an die Familie. Sie machen dreckige französische Tricks wie …«

»Könntest du etwas leiser sprechen?« Er sieht sich um, als könnten Spione neben dem Boot schwimmen.

»… und damit schafft sie's auch, Henry hinzuhalten, denn wenn sie's ihn machen lässt und sie bekommt einen Jungen, sagt er, vielen

Dank auch und jetzt verzieh dich, Mädel – also macht sie: Ach, Eure Hoheit, ich könnte das nie gestatten – weil sie weiß nämlich, dass ihr Bruder jede Nacht in ihr drin ist, sie bis sonst wohin abschleckt, und dann sagt er: Entschuldige mal, Schwester, was soll ich mit diesem großen Paket anfangen? – Sie sagt: Ach, mach dir keine Sorgen, Mylord Bruder, schieb's in den Hintereingang, da kann nichts schiefgehen.«

Danke, sagt er, ich hatte ja keine Ahnung, wie sie das hinkriegen.

Die Jungen haben ungefähr eines von drei Worten verstanden. Sion bekommt ein Trinkgeld. Das ist es auf jeden Fall wert, wieder Bekanntschaft mit der Vorstellungskraft von Putney zu machen. Er weiß Sions affektierte Nachahmung zu schätzen: ganz und gar nicht wie die wirkliche Anne.

Später, zu Hause, sagt Gregory: »Ist es richtig, wenn Leute so sprechen? Und noch dafür bezahlt werden?«

»Er hat gesagt, was er denkt.« Er zuckt die Achseln. »Also, wenn du wissen willst, was die Leute denken …«

»Nennt-mich-Risley hat Angst vor dir. Er sagt, als du mit dem Ersten Sekretär in Chelsea warst, hast du gedroht, ihn aus seiner eigenen Barke zu schubsen und zu ertränken.«

In seiner Erinnerung verlief das Gespräch etwas anders.

»Und glaubt Nennt-mich, dass ich es tun würde?«

»Ja. Er traut dir alles zu.«

Zu Neujahr hatte er Anne ein Geschenk gemacht: Silbergabeln mit Griffen aus Bergkristall. Er hofft, sie benutzt sie zum Essen, nicht um Leute damit zu stechen.

»Aus Venedig!« Sie freut sich. Sie hält sie in die Höhe, sodass die Griffe das Licht einfangen und brechen.

Er hat noch ein Geschenk mitgebracht, das sie für ihn weitergeben soll. Es ist in ein Stück himmelblauer Seide verpackt. »Für das kleine Mädchen, das immer weint.«

Anne öffnet den Mund ein wenig. »Ach, Sie wissen es noch nicht?« Ihre Augen sind randvoll mit schwarzem Entzücken. »Kommen Sie näher, damit ich es Ihnen ins Ohr flüstern kann.« Ihre Wange streift seine. Ihre Haut ist leicht parfümiert: Ambra, Rose. »Sir John Seymour? Der liebe Sir John? Der *alte* Sir John, wie die Leute ihn nennen?« Sir John ist nur etwa ein Dutzend Jahre älter als er selbst, aber Liebenswürdigkeit kann alt machen; und weil seine Söhne Edward und Tom inzwischen junge Männer sind, die bei Hofe ein und aus gehen, ist der Eindruck entstanden, der Vater habe sich zur Ruhe gesetzt. »Und jetzt verstehen wir auch, warum wir ihn nie sehen«, flüstert Anne. »Jetzt verstehen wir auch, was er auf dem Land treibt.«

»Er jagt, dachte ich.«

»Ja, und Catherine Fillol, Edwards Frau, ist ihm ins Netz gegangen. Man hat sie in flagranti ertappt, aber ich habe noch nicht herausgefunden, wo, ob nun in ihrem Bett oder seinem, auf einer Wiese oder einem Heuboden – ja sicher, das ist kalt, aber sie haben sich ja gegenseitig warmgehalten. Und inzwischen hat Sir John alles gestanden, von Mann zu Mann, und seinem Sohn ins Gesicht gesagt, dass er sie seit der Hochzeit jede Woche hatte, das sind also in etwa zwei Jahre und, sagen wir, sechs Monate, also …«

»Man könnte es auf einhundertzwanzigmal abrunden, wenn man davon ausgeht, dass sie sich an den hohen Feiertagen enthalten haben …«

»Ehebrecher unterbrechen ihr Tun nicht in der Fastenzeit.«

»Ach, und ich dachte, das würden sie.«

»Sie hat zwei Kinder bekommen, deshalb sollte man eine Pause für das Wochenbett einrechnen … Und es sind Jungen, wissen Sie. Deshalb will Edward …« Er stellt sich vor, was Edward will. Dieses unverfälschte Habichtprofil. »Er schließt sie aus der Familie aus. Sie sollen Bastarde sein. Sie, Catherine Fillol, soll in ein Kloster gesteckt werden. Ich meine ja, er sollte sie in einen Käfig sperren! Er bemüht sich um eine Annullierung der Ehe. Was den lieben Sir John betrifft, glaube ich nicht, dass wir ihn demnächst bei Hofe sehen.«

»Warum flüstern wir? Ich bin bestimmt die letzte Person in London, die es erfährt.«

»Der König weiß es noch nicht. Und Sie wissen ja, wie eigen er ist. Wenn also jemand zu ihm kommt und einen Witz darüber macht, ist es besser, wir sind es nicht.«

»Und die Tochter? Jane, nicht wahr?«

Anne kichert. »Das Käsegesicht? Ist nach Wiltshire gegangen. Das Beste für sie wäre, wenn sie ihrer Schwägerin in ein Nonnenkloster folgt. Ihre Schwester Lizzie hat gut geheiratet, aber keiner will die Heulsuse haben, und jetzt schon gar nicht.« Ihr Blick fällt auf sein Geschenk; sie sagt – plötzlich besorgt, eifersüchtig: »Was ist es?«

»Nur ein Buch mit Handarbeitsmustern.«

»Solange man keinen Verstand dazu braucht! Warum wollen Sie ihr eigentlich etwas schenken?«

»Sie tut mir leid.« Jetzt natürlich noch mehr.

»Oh. Sie mögen sie doch nicht etwa?« Die richtige Antwort ist: Nein, Mylady Anne, ich mag nur Sie. »Denn die Frage ist, ob es sich gehört, wenn Sie Ihr etwas schenken.«

»Es sind ja schließlich keine Geschichten von Boccaccio.«

Sie lacht. »Die könnten Boccaccio eine Geschichte erzählen, diese Sünder von Wolf Hall.«

Thomas Hitton, ein Priester, wurde verbrannt, als der Februar zu Ende ging; er war von Fisher, Bischof von Rochester, als Schmuggler von Tyndales Schriften aufgegriffen worden. Bald darauf brach ein Dutzend Gäste zusammen, als sie vom frugalen Tisch des Bischofs aufstanden; sie erbrachen sich, gelähmt vor Schmerzen, wurden bleich und beinahe ohne Puls zu Bett gebracht, um von den Ärzten behandelt zu werden. Dr Butts sagte, die Brühe wäre verantwortlich gewesen; nach Aussage der Servierjungen war sie das einzige Gericht, von dem alle genommen hatten.

Es gibt Gifte, die von der Natur selbst gebraut werden, und bevor er den Koch des Bischofs der Folter unterworfen hätte, wäre er, Cromwell, in den Küchentrakt gegangen, um den Suppentopf mit dem Schaumlöffel zu untersuchen. Aber sonst bezweifelt keiner, dass es sich um ein Verbrechen gehandelt hat.

Bald darauf gibt der Koch zu, ein weißes Pulver in die Brühe getan zu haben. Jemand habe es ihm gegeben. Wer? Einfach ein Mann. Ein Fremder, der gesagt habe, es sei ein guter Witz, Fisher und seinen Gästen ein Abführmittel zu verabreichen.

Der König ist außer sich: Wut und Angst. Er gibt Ketzern die Schuld. Dr Butts schüttelt den Kopf, zieht an seiner Unterlippe und sagt, dass Henry Gift mehr fürchte als die Hölle selbst.

Würde jemand Gift in das Abendessen eines Bischofs tun, weil ein Fremder meint, es wäre ein Lacher? Der Koch will nichts mehr sagen, oder vielleicht ist er über das Stadium hinaus, wo er noch etwas sagen kann. In diesem Fall ist das Verhör falsch geführt worden, sagt er zu Butts, ich frage mich, warum. Der Arzt, ein Mann, der das Evangelium liebt, lacht säuerlich und sagt: »Wenn sie den Mann zum Reden bringen wollten, hätten sie Thomas More rufen sollen.«

Es heißt, der Lordkanzler sei zum Meister der Zwillingskunst geworden, die Diener Gottes zu strecken und zusammenzupressen. Werden Ketzer aufgegriffen, steht er im Tower dabei, wenn die Folter angewandt wird. Es wird berichtet, dass er in seinem Pförtnerhaus in Chelsea Verdächtige im Stock hält, während er ihnen predigt und zusetzt: der Name des Druckers, der Name des Kapitäns, auf dessen Schiff diese Bücher nach England gebracht wurden. Man sagt, er benutzt die Peitsche, die Ketten und das Foltergerät, das *Skeffington's Daughter* genannt wird. Es ist eine tragbare Vorrichtung, in die ein Mann mit den Knien an der Brust und einem eisernen Reifen im Rücken gesetzt wird. Mit Hilfe einer Schraube wird der Reifen so lange enger gemacht, bis die Rippen des Mannes brechen. Die Anwendung erfordert großes Feingefühl, muss man doch aufpassen, dass der Mann nicht erstickt: Wenn das passiert, geht alles, was er weiß, verloren.

Während der nächsten Woche sterben zwei der Gäste; Fisher selbst erholt sich. Es ist möglich, denkt er, dass der Koch tatsächlich geredet hat, aber was er gesagt hat, war nicht für die Ohren des gewöhnlichen Untertans bestimmt.

Er sucht Anne auf. Ein Dorn zwischen zwei Rosen, sitzt sie zusammen mit ihrer Kusine Mary Shelton und Jane, Lady Rochford, der Frau ihres Bruders. »Mylady, wussten Sie, dass der König eine neue Form des Todes für Fishers Koch erdacht hat? Er soll lebendig gekocht werden.«

Mary Shelton zieht kurz die Luft ein und errötet, als hätte ein Galan sie gekniffen. Jane Rochford sagt gedehnt: *»Vere dignum et justum est, aequum et salutare.«* Sie übersetzt für Mary: »Passend.«

Annes Gesicht zeigt keinerlei Regung. Selbst ein so belesener Mann wie er findet darin nichts, was er entziffern kann. »Wie werden sie es tun?«

»Ich habe nicht nach der Technik gefragt. Möchten Sie, dass ich mich erkundige? Ich denke, dass dazugehören wird, ihn an Ketten in die Höhe zu ziehen, damit die Menge seine Schreie hört und sieht, wie sich seine Haut abschält.«

Eines muss man Anne lassen. Wenn man auf sie zukäme und sagte: Madam, Sie sollen gekocht werden, würde sie vermutlich mit der Schulter zucken: *c'est la vie.*

Fisher ist einen Monat bettlägerig. Als er wieder auf den Beinen ist, sieht er wie eine wandelnde Leiche aus. Die Fürsprache von Engeln und Heiligen hat nicht genügt, um seinen wunden Darm zu heilen und wieder Fleisch auf seine Knochen zu bringen.

Es sind Tage, in denen sich brutal bewahrheitet, was Tyndale sagt. Heilige sind nicht deine Freunde, und sie beschützen dich nicht. Sie können dir nicht zur Erlösung verhelfen. Du kannst sie nicht mit Gebeten und Kerzen in den Dienst nehmen, wie du etwa einen Mann für die Ernte anheuerst. Christus hat sich in Golgatha geopfert; sein Opfer findet nicht in der Messe statt. Priester können dich nicht in den Himmel bringen; du brauchst keinen Priester, der zwischen dir und deinem

Gott steht. Keines deiner Verdienste kann dich retten: nur die Verdienste des lebendigen Christus.

März: Lucy Petyt, deren Ehemann Großkaufmann und Mitglied des Unterhauses ist, sucht ihn in Austin Friars auf. Sie trägt schwarzes Lammfell – importiert, würde er sagen – und ein schlichtes graues Kammgarnkleid; Alice nimmt ihre Handschuhe entgegen und steckt verstohlen einen Finger hinein, um das Seidenfutter zu prüfen. Er erhebt sich von seinem Schreibtisch und nimmt ihre Hände, zieht sie zum Feuer und drängt sie, einen Becher warmen Gewürzwein zu nehmen. Ihre Hände zittern, als sie den Becher umfängt und sagt: »Ich wünschte, John hätte das auch. Diesen Wein. Dieses Feuer.«

Es schneite in der Morgendämmerung am Tag der Razzia auf dem Lion's Quay, aber bald ging die Wintersonne auf, wusch die Fensterscheiben sauber und brachte starke Kontraste in die getäfelten Räume der Stadthäuser: Schattenschluchten und kalte Lichtfluten. »Ich kann sie nicht aus dem Kopf bekommen«, sagt Lucy, »die Kälte.« Und natürlich More, der persönlich in der Tür stand, das Gesicht in Pelze eingemummt. Bei ihm waren seine Beamten, um das Lagerhaus und die Privaträume zu durchsuchen. »Ich war die Erste dort«, sagt sie, »und hielt ihn mit Höflichkeiten auf. Nach oben rief ich: Mein Lieber, der Lordkanzler ist hier, er kommt in Angelegenheiten des Parlaments.« Der Wein steigt ihr ins Gesicht, lockert ihr die Zunge. »Mehrmals fragte ich: Haben Sie gefrühstückt, Sir, sind Sie sicher? Und die Diener wimmelten herum und standen ihm im Weg« – sie stößt ein kleines, freudloses, keuchendes Lachen aus – »und die ganze Zeit über stopfte John seine Papiere hinter ein Paneel …«

»Das haben Sie gut gemacht, Lucy.«

»Als sie nach oben gingen, war John bereit für ihn – oh, Lordkanzler, willkommen in meinem bescheidenen Haus – aber der Unglücksrabe hatte sein Neues Testament fallen lassen, es lag unter seinem Schreibtisch, mein Blick fiel sofort darauf. Es ist ein Wunder, dass ihre Augen meinem Blick nicht gefolgt sind.«

Die Durchsuchung dauerte eine Stunde und ergab nichts; sind Sie wirklich sicher, John, sagte der Kanzler, dass Sie keine dieser neuen Bücher haben? Ich habe nämlich Informationen, dass Sie welche besitzen. (Und da lag Tyndale wie ein verräterischer Fleck auf den Fliesen.) Ich weiß gar nicht, wer Ihnen so etwas erzählt haben kann, sagte John Petyt. Ich war stolz auf ihn, sagt Lucy und hält ihm den Becher hin, damit er Wein nachschenkt, ich war stolz, dass er so gesprochen hat. More sagte: Es ist richtig, dass ich heute nichts gefunden habe, aber Sie müssen mit diesen Männern gehen. Herr Leutnant, nehmen Sie ihn in Ihre Obhut?

John Petyt ist kein junger Mann. More hat angewiesen, dass er auf einem Strohsack auf dem Steinboden schläft; Besucher wurden nur zugelassen, damit sie seinen Nachbarn berichten, wie krank er aussieht. »Wir haben Nahrung und warme Kleider geschickt«, sagt Lucy, »aber sie wurden auf Befehl des Lordkanzlers abgewiesen.«

»Es gibt eine Preisliste für Bestechungsgelder. Man bezahlt die Aufseher. Brauchen Sie Bargeld?«

»Wenn ja, komme ich zu Ihnen.« Sie stellt den Becher auf seinen Schreibtisch. »Er kann uns nicht alle einsperren.«

»Gefängnisse hat er genug.«

»Für unsere Körper, ja. Aber was sind Körper? Er kann unsere Güter nehmen, aber Gott wird uns reich machen. Er kann die Buchhandlungen schließen, aber es wird trotzdem Bücher geben. Die anderen haben diese alten Knochen und ihre gläsernen Heiligen in den Fenstern, ihre Kerzen und Heiligtümer, uns aber hat Gott die Druckerpresse gegeben.« Ihre Wangen glühen. Sie wirft einen Blick auf die Zeichnungen auf seinem Schreibtisch. »Was ist das, Master Cromwell?«

»Die Pläne für meinen Garten. Ich würde gerne einige der Häuser hinter unserem Gelände kaufen, ich möchte das Land haben.«

Sie lächelt. »Ein Garten … Das ist seit langem die erste angenehme Sache, die höre.«

»Ich hoffe, Sie und John werden kommen und sich daran erfreuen.«

»Und das hier … Sie wollen einen Tennisplatz bauen?«

»Wenn ich das Grundstück bekomme. Und hier, sehen Sie, möchte ich einen Obstgarten pflanzen.«

Ihre Augen füllen sich mit Tränen. »Sprechen Sie mit dem König. Wir zählen auf Sie.«

Er hört Schritte: Johanes. Lucys Hand fliegt an ihren Mund. »Gott vergebe mir … Für einen Augenblick hielt ich Sie für Ihre Schwester.«

»Dieser Irrtum kommt vor«, sagt Johane. »Und manchmal dauert er an. Mistress Petyt, es tut mir sehr leid zu hören, dass Ihr Mann im Tower ist. Aber Sie haben das selbst verschuldet. Leute wie Sie waren die Ersten, die den verstorbenen Kardinal mit Verleumdungen überhäuft haben. Jetzt wünschen Sie vermutlich, Sie hätten ihn zurück.«

Lucy geht ohne ein weiteres Wort hinaus, wirft nur einen langen Blick über die Schulter. Er hört, wie sie draußen von Mercy begrüßt wird; Mercys Worte werden schwesterlicher sein. Johane geht zum Feuer und wärmt sich die Hände. »Was kannst du denn ihrer Meinung nach für sie tun?«

»Zum König gehen. Oder zu Lady Anne.«

»Und wirst du? Besser nicht«, sagt sie, »tu es nicht.« Sie wischt sich eine Träne mit dem Fingerknöchel ab; Lucy hat sie aus der Fassung gebracht. »More wird ihn nicht auf die Folterbank spannen. Das spricht sich herum, und die City würde es nicht dulden. Aber er könnte trotzdem sterben.« Sie sieht zu ihm auf. »Sie ist ziemlich alt, weißt du, Lucy Petyt. Sie sollte kein Grau tragen. Hast du gesehen, wie eingefallen ihre Wangen sind? Sie wird keine Kinder mehr bekommen.«

»Ich verstehe, was du sagen willst«, sagt er.

Ihre Hand krallt sich in ihren Rock. »Aber was ist, wenn er es tut? Was ist, wenn er ihn auf die Folterbank spannt? Und wenn er Namen nennt?«

»Was soll mir das ausmachen?« Er wendet sich ab. »Er kennt meinen Namen bereits.«

Er spricht mit Lady Anne. Was kann ich tun?, fragt sie, und er sagt: Sie wissen, wie Sie den König zufriedenstellen können, vermute ich; sie lacht und sagt: Was, meine Jungfräulichkeit für einen Lebensmittelhändler?

Er spricht mit dem König, sobald er kann, aber der König sieht ihn mit leerem Blick an und sagt: »Der Lordkanzler weiß, was er tut.« Anne sagt: »Ich habe es versucht; wie Sie wissen, habe ich ihm Tyndales Bücher gegeben, in seine königliche Hand.« Er fragt: »Kann Tyndale eventuell in dieses Königreich zurückkehren, was glauben Sie?« Im Winter hat er mit Tyndale verhandelt, Briefe haben den Kanal überquert. Im Frühling hat Stephen Vaughan, sein Mann in Antwerpen, ein Treffen arrangiert: Abend, die Verschwiegenheit der Dämmerung, ein Feld außerhalb der Stadtmauern. Als ihm Cromwells Brief ausgehändigt wurde, weinte Tyndale: Ich möchte nach Hause kommen, sagte er, ich habe es satt, von Stadt zu Stadt und von Haus zu Haus gehetzt zu werden. Ich möchte nach Hause kommen, und wenn der König ja sagt, wenn er ja sagt zur Heiligen Schrift in unserer Muttersprache, dann kann er seinen Übersetzer wählen und ich werde nie wieder etwas schreiben. Er kann mit mir machen, was er will, mich foltern oder töten, er soll nur erlauben, dass das englische Volk das Evangelium hört.

Henry hat nicht nein gesagt. Er hat nicht gesagt: niemals. Obwohl Tyndales Übersetzung und jede andere verboten ist, ist es möglich, dass er eines Tages die Übersetzung eines Gelehrten erlaubt, den er schätzt. Was soll er auch sonst sagen? Er möchte Anne gefallen.

Aber der Sommer kommt, und er, Cromwell, weiß, dass er bis an die Grenze gegangen ist und seinen Weg zurück ertasten muss. Henry ist zu zaghaft, Tyndale zu unnachgiebig. Seine Briefe an Stephen schlagen einen panischen Ton an: Wir verlassen das Schiff. Er hat nicht die Absicht, sich selbst für Tyndales Aufsässigkeit zu opfern; lieber Gott, sagt er, More, Tyndale, die beiden verdienen einander, diese störrischen Esel, die als Männer durchgehen. Tyndale wird sich nicht für Henrys Scheidung aussprechen, ebenso wenig wie der Mönch Luther.

Man sollte denken, sie würden einen winzigen Teil ihrer Prinzipien opfern, um sich den König von England zum Freund zu machen – aber nein.

Und als Henry wissen will: »Wieso maßt Tyndale sich an, mich zu beurteilen?«, schickt Tyndale pfeilschnell eine Antwort: Ein Christenmensch darf einen anderen beurteilen.

»Eine Katze darf einen König ansehen«, sagt er. Er hält Marlinspike in den Armen und spricht zu Thomas Avery, dem Jungen, den er ausbildet. Avery ist eigentlich bei Stephen Vaughan, damit er die Gepflogenheiten der dortigen Kaufleute lernt, aber jedes Schiff kann ihn nach Austin Friars bringen, ihn und seine kleine Tasche, in der ein Wams aus Wolle und ein paar Hemden liegen. Wenn er hereingepoltert kommt, ruft er nach Mercy, nach Johane, nach den kleinen Mädchen, für die er Konfekt und modischen Schnickschnack von den Straßenhändlern mitbringt. Ein paar Knüffe treffen Richard, Rafe, Gregory, wenn er zu Hause ist; ich bin wieder da, sollen sie sagen, aber immer hält er seine Tasche fest unter den Arm geklemmt.

Der Junge folgt ihm in sein Büro. »Haben Sie nie Heimweh gehabt, Master, als Sie auf Ihren Reisen waren?«

Er zuckt mit den Schultern: Vielleicht, wenn ich ein Zuhause gehabt hätte. Er setzt die Katze ab, öffnet die Tasche. Mit dem Finger fischt er einen Rosenkranz heraus; zur Schau, sagt Avery, und er sagt: Guter Junge. Marlinspike springt auf seinen Schreibtisch, er späht in die Tasche, betupft den Inhalt mit der Pfote. »Die einzigen Mäuse darin sind aus Zucker.« Der Junge zieht die Katze an den Ohren, balgt mit ihr. »In Master Vaughans Haus gibt es keine kleinen Tiere.«

»Er ist durch und durch Geschäftsmann, unser Stephen. Und sehr streng dieser Tage.«

»Er sagt: Thomas Avery, wann bist du letzte Nacht nach Hause gekommen? Hast du an deinen Herrn geschrieben? Warst du in der Messe? Als ob er sich etwas aus der Messe macht! Fehlt nur noch, dass er fragt: Wie war dein Stuhlgang?«

»Im nächsten Frühjahr kannst du nach Hause kommen.«

Während sie sprechen, rollt er das Wams auseinander. Er schüttelt es, wendet es auf links, und mit einer kleinen Schere beginnt er, eine Naht aufzutrennen. »Ordentliche Stiche … Wer hat das genäht?«

Der Junge zögert; er wird rot. »Jenneke.«

Aus dem Futter zieht er das dünne zusammengefaltete Papier heraus. Faltet es auseinander. »Sie muss gute Augen haben.«

»Das hat sie.«

»Und sind es auch schöne Augen?« Er sieht hoch und lächelt. Der Junge blickt ihm ins Gesicht. Einen Augenblick lang wirkt er erschrocken, es sieht aus, als wolle er etwas sagen, dann senkt er den Blick und wendet den Kopf ab.

»Ich quäle dich nur ein bisschen, Tom, nimm's dir nicht zu Herzen.« Er liest Tyndales Brief. »Wenn sie ein gutes Mädchen ist und zu Stephens Haushalt gehört, was soll daran schlimm sein?«

»Was sagt Tyndale?«

»Du hast den Brief mitgenommen, ohne ihn zu lesen?«

»Ich wollte es lieber nicht wissen. Für den Fall der Fälle.«

Für den Fall, dass du plötzlich bei Thomas More zu Gast gewesen wärst. Er hält den Brief in der linken Hand, seine rechte ballt sich locker zur Faust. »Er soll es nur wagen, meinen Leuten zu nahe zu kommen. Dann zerre ich ihn aus seinem Sitzungssaal in Westminster und schlage seinen Kopf auf die Kopfsteine, bis er zur Vernunft kommt und versteht, was Gottesliebe eigentlich bedeutet.«

Der Junge grinst und lässt sich auf einen Hocker fallen. Er, Cromwell, sieht wieder auf den Brief. »Tyndale glaubt, er kann niemals zurückkommen, selbst wenn Mylady Anne Königin wäre … ein Projekt, bei dessen Verwirklichung er in keiner Weise hilft, muss ich sagen. Er schreibt, er würde einem sicheren Geleit nicht trauen, auch wenn der König selbst es unterschreiben sollte, nicht, solange Thomas More am Leben und im Amt ist, weil More sagt, ein Versprechen, das man einem Ketzer gegeben hat, braucht man nicht zu halten. Hier. Du kannst es selbst lesen. Unser Lordkanzler erkennt weder Unwissen noch Unschuld an.«

Der Junge zögert, aber er nimmt das Papier. Was ist das für eine Welt, in der Versprechen nicht gehalten werden? Er sagt sanft: »Erzähl mir, wer Jenneke ist. Möchtest Du, dass ich für dich an ihren Vater schreibe?«

»Nein.« Avery sieht erschrocken auf; er runzelt die Stirn. »Nein, sie ist Waise. Master Vaughan kommt für ihren Unterhalt auf. Wir bringen ihr alle Englisch bei.«

»Also bringt sie kein Geld mit?«

Der Junge sieht verwirrt aus. »Ich vermute, Stephen wird ihr eine Mitgift geben.«

Der Tag ist zu mild für ein Feuer. Und es ist zu früh für eine Kerze. Anstatt Tyndales Botschaft zu verbrennen, reißt er sie in Stücke. Marlinspike kaut mit gespitzten Ohren auf einem Fetzen herum. »Bruder Kater«, sagt er. »Er hat die Schriften schon immer geliebt.«

Scriptura sola. Nur das Evangelium leitet und tröstet dich. Zwecklos, zu einem geschnitzten Pfahl zu beten oder vor einem gemalten Gesicht eine Kerze anzuzünden. Tyndale sagt, *gospel* heißt gute Botschaft, es heißt Singen, es heißt Tanzen: in Grenzen, versteht sich. Thomas Avery sagt: »Kann ich wirklich im nächsten Frühling nach Hause kommen?«

John Petyt im Tower erhält die Erlaubnis, in einem Bett zu schlafen: aber keine Chance, dass er nach Hause zum Lion's Quay darf.

Cranmer hat eines Nachts, als sie sich lange unterhielten, zu ihm gesagt: Der heilige Augustinus sagt, wir brauchen nicht zu fragen, wo unser Zuhause ist, weil wir am Ende alle nach Hause zu Gott kommen.

Die Fastenzeit zehrt an den Kräften, was natürlich ihr Sinn und Zweck ist. Als er Anne wieder aufsucht, findet er den Jungen Mark vor, der über seiner Laute kauert und etwas Trübseliges zupft; er schnipst mit dem Finger an seinen Kopf, als er vorbeischlendert, und sagt: »Etwas munterer, bitte.«

Mark fällt fast von seinem Hocker. Für ihn, Cromwell, scheinen sie wie betäubt zu sein, diese Leute, ständig auf der Hut vor einem Schreck oder einem Hinterhalt. Anne erwacht aus ihrem Traum und sagt: »Was haben Sie da gerade gemacht?«

»Mark geschlagen. Nur« – er zeigt es – »mit dem Finger.«

Anne sagt: »Mark? Wen? Oh. Heißt er so?«

In diesem Frühling, 1531, macht er es zu seinem Anliegen, fröhlich zu sein. Der Kardinal war ein großer Nörgler, aber er nörgelte immer auf unterhaltsame Weise. Je heftiger er sich beklagte, desto fröhlicher wurde sein Mann Cromwell; das war das Arrangement.

Der König ist auch einer, der sich beklagt. Er hat Kopfschmerzen. Der Herzog von Suffolk ist dumm. Es ist zu warm für die Jahreszeit. Das Land geht vor die Hunde. Er macht sich auch Sorgen, hat Angst vor Zaubersprüchen und davor, dass die Leute in allgemeiner oder spezieller Hinsicht schlecht von ihm denken. Je besorgter der König ist, desto gelassener wird sein neuer Diener, desto optimistischer, desto zuverlässiger. Und je mehr der König mäkelt und meckert, desto häufiger suchen die Leute mit ihren Anliegen Cromwell auf, dessen liebenswürdige Höflichkeit so unerschütterlich ist.

Zu Hause kommt Jo zu ihm und sieht verwirrt aus. Sie ist jetzt eine junge Dame mit dem Stirnrunzeln einer Frau und einer weichen Falte auf der Stirn, wie sie Johane, ihre Mutter, auch hat. »Sir, wie sollen wir unsere Eier zu Ostern bemalen?«

»Wie habt ihr sie letztes Jahr bemalt?«

»Bis jetzt haben wir ihnen immer einen Kardinalshut aufgemalt.« Sie beobachtet sein Gesicht, um die Wirkung ihrer Worte herauszulesen; genau das ist auch seine Gewohnheit, und er denkt: Nicht nur unsere Kinder sind unsere Kinder. »War das falsch?«

»Auf gar keinen Fall. Ich wünschte, ich hätte es gewusst. Ich hätte ihm eines gebracht. Das hätte ihm gefallen.«

Jo legt ihre weiche kleine Hand in seine. Es ist noch eine Kinderhand, über den Knöcheln zerschrammt, mit abgekauten Nägeln. »Ich gehöre jetzt zum Rat des Königs«, sagt er. »Ihr könnt Kronen malen, wenn ihr mögt.«

Dieser Wahnsinn mit ihrer Mutter, dieser fortlaufende Wahnsinn, er muss beendet werden. Johane weiß es auch. Früher erfand sie Vorwände, um da sein zu können, wo er war. Jetzt aber ist sie, wenn er in Austin Friars ist, in dem Haus in Stepney.

»Mercy weiß es«, flüstert sie im Vorübergehen.

Erstaunlich ist nur, dass Mercy so lange gebraucht hat, aber daraus ist eine Lehre zu ziehen; du glaubst, alle beobachten dich ständig, aber es ist nur das Schuldgefühl, das dich dazu bringt, vor Schatten zu erschrecken. Aber schließlich hat Mercy festgestellt, dass sie Augen im Kopf hat und eine Zunge zum Sprechen, und sie wählt einen Zeitpunkt, als sie allein sein können. »Ich habe gehört, dass der König eine Möglichkeit gefunden hat, zumindest einen der Stolpersteine aus dem Weg zu räumen. Ich meine die Schwierigkeit, Lady Anne heiraten zu können, obwohl ihre Schwester Mary in seinem Bett gelegen hat.«

»Wir haben den allerbesten Rat eingeholt«, sagt er schnell. »Auf meine Empfehlung hin hat Dr Cranmer sich an eine Gruppe gelehrter Rabbiner in Venedig gewendet, um ihre Meinung zur Bedeutung der alten Texte einzuholen.«

»Also ist es kein Inzest? Es sei denn, man war tatsächlich mit der einen Schwester verheiratet?«

»Die Geistlichen sagen nein.«

»Wie viel hat das gekostet?«

»Das weiß Dr Cranmer gar nicht. Die Priester und Gelehrten setzen sich an den Verhandlungstisch, und anschließend kommt ein weniger frommer Mann mit einem Sack voll Geld. Sie treffen ihn gar nicht, weder beim Hineingehen noch beim Herauskommen.«

»In deinem Fall ist das kaum eine Hilfe«, sagt sie unverblümt.

»Es gibt keine Hilfe in meinem Fall.«

»Sie möchte mit dir sprechen. Johane.«

»Was gibt es da zu sagen? Wir wissen alle …« Wir wissen alle, dass es nirgendwohin führen kann. Selbst wenn ihr Mann John Williamson immer noch hustet: Immer horcht man halb darauf, hier und in Stepney, auf dieses ankündigende Keuchen auf einer Treppe oder im Zimmer nebenan; eins muss man ihm lassen, John Williamson: Er kommt nie überraschend. Dr Butts hat ihm Landluft empfohlen, denn er soll sich von Rauch und Dämpfen fernhalten. »Es war ein Augenblick der Schwäche«, sagt er. Und dann … was? Noch ein Augenblick der Schwäche. »Gott sieht alles. So sagt man.«

»Du musst ihr zuhören.« Mercy dreht sich noch einmal um, und ihr Gesicht glüht. »Das schuldest du ihr.«

»Mir scheint es so, dass es wie ein Stück Vergangenheit ist.« Johanes Stimme zittert; ihre Finger zupfen an ihrer Halbmondhaube, rücken sie zurecht und ziehen den Schleier, eine Wolke aus Seide, über die eine Schulter. »Lange Zeit habe ich nicht geglaubt, dass Liz wirklich fort ist. Ich habe erwartet, sie eines Tages hereinkommen zu sehen.«

Es war eine beständige Versuchung für ihn, Johane schön angezogen zu sehen, und er ist ihr begegnet, indem er den Londoner Goldschmieden und Seidenhändlern das Geld, wie Mercy sagt, in den *Rachen* geworfen hat, sodass die Frauen von Austin Friars bei den Ehefrauen der City als Inbegriff der Eleganz gelten. Hinter vorgehaltener Hand (aber mit andächtigem Flüstern, fast einem Kniefall) sagen sie: Du meine Güte, Thomas Cromwell scheint das Geld zuzufliegen wie die Gnade Gottes.

»Deshalb glaube ich jetzt«, sagt sie, »dass das, was wir getan haben, weil sie tot war – als wir unter Schock standen, als wir traurig waren –, dass wir das jetzt lassen müssen. Ich meine, wir sind immer noch traurig. Wir werden immer traurig sein.«

Er versteht sie. Liz ist in einem anderen Zeitalter gestorben, als der Kardinal noch in vollem Pomp stand, und er war der Mann des Kardinals. »Wenn du gerne heiraten würdest«, sagt sie, »Mercy hat ihre Liste. Aber vermutlich hast du deine eigene Liste. Mit keiner darauf, die wir kennen.«

»Wenn natürlich«, sagt sie, »wenn John Williamson – Gott möge mir vergeben, aber jeden Winter denke ich, es ist sein letzter – dann natürlich, würde ich ohne Frage, ich meine sofort, Thomas, sobald der Anstand es gestattet, nicht dass man sich über seinem Sarg die Hand reicht ... aber dann würde die Kirche es nicht erlauben. Das Gesetz würde es nicht erlauben.«

»Man kann nie wissen«, sagt er.

Sie streckt die Hände von sich, Worte strömen aus ihr heraus. »Es heißt, du hast die Absicht ... dass du die Absicht hast, die Macht der Bischöfe zu brechen und den König zum Oberhaupt der Kirche zu machen und dem Heiligen Vater die Einkünfte wegzunehmen und sie Henry zu geben, und dann kann Henry das Gesetz bestimmen, wenn er will, und seine Frau ablegen, wie es ihm gefällt, und Lady Anne heiraten, und er wird sagen, was eine Sünde ist und was nicht und wer heiraten kann. Und Prinzessin Mary, Gott schütze sie, ist plötzlich ein Bastard, und der nächste König nach Henry wird dann ein Kind, das die Lady ihm schenkt.«

»Johane ... wenn das Parlament wieder zusammenkommt, würdest du vielleicht kommen und ihnen erzählen, was du gerade gesagt hast? Das würde eine Menge Zeit sparen.«

»Das kannst du nicht tun«, sagt sie entsetzt. »Das Unterhaus wird nicht dafür stimmen. Die Lords auch nicht. Bischof Fisher wird es nicht erlauben. Erzbischof Warham. Der Herzog von Norfolk. Thomas More.«

»Fisher ist krank. Warham ist alt. Norfolk hat erst neulich zu mir gesagt: ›Ich bin es leid, unter dem Banner von Katherines‹ – wenn du den Ausdruck entschuldigst – ›beflecktem Laken zu kämpfen, und ob Arthur sie genießen konnte oder nicht, ist doch ... interessiert doch wirklich niemanden.‹ Er hat die Worte des Herzogs schnell abgeändert, die extrem vulgär waren. ›Lasst endlich meine Nichte Anne ran‹, sagte er, ›und ihr Schlimmstes tun.‹«

»Was ist das?« Johanes Mund steht offen; die Worte des Herzogs werden die Gracechurch Street hinabrollen, zum Fluss und über die Brücke rollen, bis die angemalten Damen in Southwark sie von Mund zu Mund weitergeben wie Mundfäule; aber so sind die Howards, so sind die Boleyns; mit oder ohne sein Zutun werden Informationen über Annes Charakter London und die Welt erreichen.

»Sie provoziert den König und bringt ihn in Rage«, sagt er. »Er beschwert sich und sagt, dass Katherine niemals so mit ihm gesprochen hat, wie Anne es tut. Norfolk sagt, sie benutzt Ausdrücke in seiner Gegenwart, die man für keinen Hund benutzen würde.«

»Jesus! Ich frage mich, warum er sie nicht auspeitscht.«

»Vielleicht tut er das, wenn sie verheiratet sind. Pass auf, wenn Katherine ihre Klage in Rom zurückziehen würde, wenn sie mit einer Entscheidung des Falles in England einverstanden wäre oder wenn der Papst sich den Wünschen des Königs beugen würde, dann würde all das – alles, was du gesagt hast – nicht passieren, es würde einfach …« Mit der Hand macht er eine fließende, abschließende Geste wie das Einrollen eines Pergaments. »Wenn Clemens eines Morgens an seinen Schreibtisch kommen sollte und noch nicht ganz wach wäre und mit der linken Hand ein Stück Papier unterzeichnen würde, das er nicht gelesen hat, wer könnte ihm daraus einen Vorwurf machen? Und dann lasse ich ihn, wir lassen ihn völlig in Ruhe, im Besitz seiner Einkünfte, im Besitz seiner Autorität, denn im Moment will Henry nur eines, er will Anne in seinem Bett haben; aber die Zeit läuft weiter, und glaub mir, er beginnt an andere Dinge zu denken, die er vielleicht haben will.«

»Ja. Zum Beispiel seinen Willen.«

»Er ist König. Daran ist er gewöhnt.«

»Und wenn der Papst stur bleibt?«

»Dann muss er um seine Einkünfte betteln.«

»Wird der König wirklich das Geld von Christen nehmen? Der König ist reich.«

»Da irrst du dich. Der König ist arm.«

»Oh. Weiß er es?«

»Ich bin mir nicht sicher, ob er weiß, woher sein Geld kommt oder wohin es geht. Als Mylord Kardinal noch lebte, fehlte es dem König nie an einem neuen Edelstein für seinen Hut oder an einem Pferd oder an einem schönen Haus. Henry Norris verwaltet seine Privatschatulle, aber darüber hinaus mischt er für meinen Geschmack zu viel bei den Staatseinkünften mit. Henry Norris«, teilt er ihr mit, bevor sie fragen kann, »ist der Fluch meines Lebens.« Er ist immer bei Anne, fügt er *nicht* hinzu, wenn ich sie alleine sprechen muss.

»Ich würde sagen, wenn er nicht weiß, was er zu Abend essen soll, kann er hierherkommen. Nicht dieser Henry Norris. Ich meine unseren bedürftigen König.« Sie steht auf; sie sieht sich selbst im Spiegel; sie weicht aus, als scheue sie vor ihrem Spiegelbild zurück, und verändert ihren Gesichtsausdruck, sodass er leichter, wissbegieriger und distanzierter, weniger persönlich wird; er betrachtet sie dabei, sieht, wie sie die Augenbrauen eine Spur hochzieht, ebenso die Mundwinkel. Ich könnte sie malen, denkt er, wenn ich das Talent dazu hätte. Ich habe sie so lange angeschaut; aber das Anschauen bringt die Toten nicht zurück, je intensiver man schaut, desto schneller und weiter weg gehen sie. Er hat nie geglaubt, dass Liz Wykys mit einem Lächeln vom Himmel auf das herabsah, was er mit ihrer Schwester getan hat. Nein, denkt er, ich habe Liz in die Dunkelheit geschoben, das ist alles; und dann erinnert er sich an etwas, das Walter einmal gesagt hat: dass seine Mutter ihre Gebete immer zu einer kleinen geschnitzten Heiligenfigur sprach. Sie steckte in ihrem Bündel, als sie als junge Frau aus dem Norden gekommen war, und sie drehte sie immer mit dem Gesicht vom Bett weg, bevor sie sich zu ihm legte. Walter hatte gesagt: Mein Gott, Thomas, es war die verdammte heilige Felicitas, wenn ich mich nicht irre, und ihr Gesicht war bestimmt zur Wand gedreht in der Nacht, als ich dich gezeugt habe.

Johane geht im Zimmer umher. Es ist ein großer Raum, der mit Licht gefüllt ist. »All diese Sachen«, sagt sie, »all diese Sachen, die wir jetzt haben. Die Uhr. Die neue Truhe, die du dir von Stephen aus Flandern hast schicken lassen, die mit den geschnitzten Vögeln und Blumen, ich habe es mit meinen eigenen Ohren gehört, wie du zu Thomas Avery gesagt hast: Ach, sag Stephen, ich will sie haben, egal, was sie kostet. All diese gemalten Bilder von Leuten, die wir nicht kennen, all diese, ich weiß nicht was, diese Lauten und Notenhefte, das hatten wir früher nie; als Mädchen habe ich mich nie im Spiegel betrachtet, aber jetzt sehe ich mich jeden Tag. Und einen Kamm, du hast mir einen Elfenbeinkamm geschenkt. Ich hatte nie einen eigenen. Liz hat mir immer die Haare geflochten und unter die Haube geschoben, und dann habe ich es bei ihr gemacht, und wenn wir nicht aussahen, wie wir aussehen sollten, hat uns das ganz schnell jemand gesagt.«

Warum hängen wir so an den Härten der Vergangenheit? Warum sind wir so stolz darauf, dass wir unsere Väter und unsere Mütter ertragen haben, die Tage ohne Feuer und die Tage ohne Fleisch, die harten Winter und die scharfen Zungen? Wir hatten doch gar keine Wahl. Selbst Liz … als sie beide jung waren, hatte sie einmal gesehen, wie er früh am Morgen Gregorys Hemd zum Anwärmen vors Feuer gelegt hatte, selbst Liz hatte scharf gesagt: Mach das nicht, sonst wird er es jeden Tag wollen.

Er sagt: »Liz – ich meine, Johane …«

Das war einmal zu oft, sagt ihr Gesicht.

»Ich möchte gut zu dir sein. Sag mir, was ich dir schenken kann.«

Er wartet darauf, dass sie schimpft, wie es Frauen tun: Glaubst du, du kannst mich kaufen?, aber sie tut es nicht, sie hört zu, und er glaubt, sie ist gefesselt, ihr Gesicht ist aufmerksam, ihre Augen blicken in seine, als sie seine Theorie hört, was man mit Geld kaufen kann. »In Florenz gab es einen Mann, einen Mönch, Fra Savonarola, der die Menschen dazu brachte zu glauben, Schönheit sei eine Sünde. Manche meinen, er war ein Zauberer und hielt die Leute für eine Saison in seinem Bann, denn sie machten Feuer auf den Straßen und warfen alles hinein, was sie gerne hatten, Dinge, die sie hergestellt oder für die sie gearbeitet hatten: Seidenballen und Wäsche, die ihre Mütter für ihre Ehebetten bestickt hatten, Bücher mit Gedichten, die der Dichter persönlich aufgeschrieben hatte, Schuldverschreibungen und Testamente, Mietverträge, Grundeigentumsurkunden, Hunde und Katzen, die Hemden, die sie auf dem Leib trugen, die Ringe von ihren Fingern, Frauen warfen ihre Schleier hinein. Und weißt du, was am schlimmsten war, Johane? Sie warfen auch ihre Spiegel ins Feuer. Dann konnten sie ihre Gesichter nicht mehr sehen und erkennen, was sie von den Tieren auf dem Feld unterschied und von den Kreaturen, die auf dem Scheiterhaufen brüllten. Und als ihre Spiegel zerschmolzen waren, kehrten sie in ihre leeren Häuser zurück und legten sich auf den Boden, denn sie hatten ihre Betten verbrannt, und als sie am nächsten Tag aufstanden, hatten sie Schmerzen von dem harten Boden und es gab keinen Tisch für ihr Frühstück, denn sie hatten den Tisch benutzt, um das Feuer zu nähren, und sie hatten keinen Hocker zum Sitzen, weil sie ihn in Stücke gehackt hatten, und es gab kein Brot zum Essen, weil die Bäcker die Schüsseln und die Hefe und das Mehl und die Waagen in die Flammen geworfen hatten. Und weißt du, was das Schlimmste daran war? Sie waren nüchtern. Am Abend hatten sie ihre Weinschläuche genommen …« Er schwenkt seinen Arm und ahmt einen Mann nach, der etwas in ein Feuer wirft. »Deshalb waren sie nüchtern und hatten einen klaren Kopf, aber sie sahen sich um und hatten nichts zu essen, nichts zu trinken und nichts, um darauf zu sitzen.«

»Aber das war nicht das Schlimmste. Du hast gesagt, die Spiegel wären des Schlimmste. Wenn man sich nicht selbst ansehen kann.«

»Ja. Das denke ich jedenfalls. Ich hoffe, ich kann mir immer ins Gesicht sehen. Und du, Johane, du solltest immer einen schönen Spiegel haben, um dich zu sehen. Denn du bist eine Frau, die anzusehen sich lohnt.«

Du könntest ein Sonett schreiben, Thomas Wyatt könnte ihr ein Sonett schreiben und nicht diese Wirkung erzielen … Sie wendet den

Kopf ab, aber durch den zarten Film ihres Schleiers kann er ihre Haut leuchten sehen. Frauen bitten immer: Erzähl mir etwas, irgendetwas, sag mir, was du denkst; und das hat er getan.

Sie trennen sich als Freunde. Es gelingt ihnen sogar ohne ein letztes Mal als Erinnerung an alte Zeiten. Nicht dass sie wirklich getrennt sind, aber ihr Verhältnis ist jetzt ein anderes. Mercy sagt: »Thomas, selbst wenn du kalt bist und unter einem Stein liegst, wird es dir noch gelingen, dich aus deinem Grab herauszureden.«

Der Haushalt ist ruhig, friedlich. Der Aufruhr der Stadt bleibt hinter dem verschlossenen Tor; er lässt die Schlösser erneuern, die Ketten verstärken. Jo bringt ihm ein Osterei. »Hier, das haben wir für Sie aufbewahrt.« Es ist ein weißes Ei, nicht gesprenkelt. Es hat keine Gesichtszüge, aber eine einzelne Locke von der Farbe einer Zwiebelhaut lugt unter einer schief sitzenden Krone hervor. Du wählst deinen Fürsten aus, und du weißt, was er ist: oder nicht?

Das Kind sagt: »Meine Mutter schickt eine Botschaft: Sag deinem Onkel, dass ich als Geschenk gerne einen Trinkbecher aus der Schale eines Greifeneis hätte. Das ist ein Löwe mit dem Kopf und den Flügeln eines Vogels; er ist ausgestorben, also kann man ihn nicht mehr bekommen.«

Er sagt: »Frag sie, welche Farbe sie möchte.«

Jo drückt ihm einen Kuss auf die Wange.

Er sieht in den Spiegel, und der ganze helle Raum wird zurückgeworfen: Lauten, Porträts, Seidenbehänge. In Rom gab es einen Bankier namens Agostino Chigi. In Siena, wo er herkam, behauptete man, er wäre der reichste Mann der Welt. Als Agostino den Papst zum Abendessen bei sich hatte, servierte er ihm das Essen auf goldenen Tellern. Dann betrachtete er die Folgen – die herumlümmelnden, gesättigten Kardinäle, die Unordnung, die sie hinterlassen hatten, die halb abgenagten Knochen und Fischgräten, die Austern- und Orangenschalen – und er sagte: Scheiß drauf, sparen wir uns das Abwaschen.

Die Gäste warfen ihre Teller aus den offenen Fenstern direkt in den Tiber. Die besudelte Tischwäsche flog hinterher, wobei die weißen Servietten hinunterflatterten wie gierige Möwen, die nach Speiseresten tauchen. Salven von römischem Gelächter ergossen sich in die römische Nacht.

Chigi hatte das Ufer mit Netzen ausgelegt, und Taucher standen bereit, falls etwas danebengegangen sein sollte. Ein scharfsichtiger Diener aus seinem Haushalt stand am Ufer, als die Dämmerung hereinbrach, kontrollierte alles mit einer Liste und markierte jeden geborgenen Gegenstand mit einer Nadel, sobald er aus der Tiefe kam.

1531: Es ist der Sommer des Kometen. In der langen Dämmerung spazieren Herren in schwarzen Roben unter der Rundung des aufgehenden Mondes und dem Licht des merkwürdigen neuen Sterns Arm in Arm im Garten umher und sprechen von der Erlösung. Es sind Thomas Cranmer, Hugh Latimer und die Priester und Schreiber aus Annes Haushalt; der Wind eines theologischen Geplänkels hat sie losgemacht und nach Austin Friars verschlagen: An welchem Punkt ist die Kirche in die Irre gegangen? Wie können wir sie wieder auf den richtigen Weg bringen? »Es wäre ein Fehler zu glauben«, sagt er, während er ihnen vom Fenster aus zusieht, »dass diese Herren bei der Interpretation der Schrift in irgendeinem Punkt übereinstimmen würden. Verschone sie eine Weile mit Thomas More, und sie werden dazu übergehen, sich gegenseitig zu verfolgen.«

Gregory sitzt auf einem Kissen und spielt mit dem Hund. Er streicht mit einer Feder über ihre Nase, und sie niest zu seiner Belustigung. »Sir«, sagt er, »warum heißen deine Hunde immer Bella und sind immer so klein?«

Hinter ihm sitzt an einem Eichentisch Nikolaus Kratzer, der Astronom des Königs, vor sich sein Astrolabium, sein Papier und seine Tinte. Er legt die Feder nieder und sieht auf. »Master Cromwell«, sagt er leichthin, »entweder sind meine Berechnungen falsch oder das Universum ist nicht so, wie wir denken.«

Er sagt: »Warum sind Kometen schlechte Zeichen? Warum keine guten? Warum kündigen sie den Fall von Nationen an? Warum nicht ihren Aufstieg?«

Kratzer ist aus München, ein dunkler, etwa gleichaltriger Mann mit einem breiten humorvollen Mund. Er kommt wegen der Gesellschaft her, wegen der guten und gelehrten Gespräche, einige davon in seiner eigenen Sprache. Der Kardinal war sein Kunde gewesen, und er hatte ihm eine schöne goldene Sonnenuhr gemacht. Als er sie sah, war der große Mann vor Freude errötet. »Neun Zifferblätter, Nikolaus! Sieben mehr als der Herzog von Norfolk hat.«

Im Jahre 1456 gab es einen Kometen wie diesen. Gelehrte dokumentierten ihn, Papst Kalixt exkommunizierte ihn, und es kann sein, dass noch ein oder zwei alte Männer am Leben sind, die ihn gesehen haben. Sein Schweif wurde als säbelförmig beschrieben, und in jenem Jahr belagerten die Türken Belgrad. Es kann nicht schaden, von den Vorzeichen Notiz zu nehmen, die der Himmel zu bieten hat, und der König will immer den besten Rat. Der Konjunktion der Planeten im Sternbild der Fische im Herbst 1524 folgten große Kriege in Deutschland, der Aufstieg von Luthers Sekte, Aufstände der gemeinen Männer und der Tod von 100 000 Untertanen des Kaisers. Und auch: drei Jahre Regen. Die Plünderung Roms wurde volle zehn Jahre vor dem Ereignis durch Schlachtenlärm in der Luft und unter der Erde vorhergesagt: der Zusammenstoß unsichtbarer Armeen, das Scheppern von Stahl auf Stahl und die gespenstischen Schreie sterbender Männer. Er selbst war damals nicht in Rom und hatte es nicht gehört, aber er hat viele Männer getroffen, die sagen, dass sie einen Freund haben, der einen Mann kennt, der dort war.

Er sagt: »Nun, wenn Sie sich für die Bestimmung der Winkel verbürgen können, kann ich Ihre Berechnungen überprüfen.«

Gregory sagt: »Dr Kratzer, wohin geht der Komet, wenn wir ihn nicht sehen?«

Die Sonne ist gesunken; der Gesang der Vögel ist gedämpft; der Duft der Kräuterbeete kommt durch das offene Fenster. Immer noch sieht Kratzer, ein durchs Gebet oder durch Gregorys Frage erstarrter Mann, auf seine Papiere hinunter, die langen knochigen Finger ineinandergelegt. Unten im Garten sieht Dr Latimer auf und winkt.

»Hugh hat Hunger. Gregory, hol unsere Gäste ins Haus.«

»Ich werde vorher noch die Zahlen durchgehen.« Kratzer schüttelt den Kopf. »Luther sagt, Gott steht über der Mathematik.«

Für Kratzer werden Kerzen gebracht. Das Holz des Tisches ist schwarz in der Dämmerung, und das Licht lässt sich in zitternden Sphären darauf nieder. Die Lippen des Gelehrten bewegen sich wie die Lippen eines Mönchs bei der Vesper; flüssige Zahlen ergießen sich aus seiner Feder. Er, Cromwell, dreht sich in der Tür um und sieht sie. Sie flattern vom Tisch, streifen die Ecken des Raumes und zerschmelzen dort.

Thurston kommt aus dem Küchentrakt heraufgestampft. »Ich frage mich manchmal, was nach Meinung dieser Leute hier vor sich geht! Geben Sie ein paar Abendessen, oder wir sind ruiniert. All diese Herren und auch Damen, die auf die Jagd gehen, haben uns genug Fleisch geschickt, um eine Armee zu verköstigen.«

»Schicken Sie es den Nachbarn.«

»Suffolk schickt uns jeden Tag einen Rehbock.«

»Monsieur Chapuys ist unser Nachbar, er bekommt nicht viele Geschenke.«

»Und Norfolk …«

»Geben Sie es am Hintertor weg. Fragen Sie in der Gemeinde, wer Hunger leidet.«

»Aber es geht um das Zerlegen! Das Häuten, das Vierteln!«

»Ich komme und helfe Ihnen dabei, soll ich?«

»Das können Sie nicht machen!« Thurston wringt seine Schürze.

»Es wird mir ein Vergnügen sein.« Er zieht sich den Ring des Kardinals vom Finger.

»Bleiben Sie sitzen! Bleiben Sie sitzen und seien Sie ein Gentleman, Sir. Erheben Sie eine Anklage, geht das nicht? Schreiben Sie ein Gesetz!

Sir, Sie müssen vergessen, dass Sie solche Tätigkeiten je beherrscht haben.«

Er setzt sich wieder hin, seufzt tief. »Erhalten unsere Wohltäter Dankesschreiben? Ich sollte sie lieber selbst unterzeichnen.«

»Es wird immerzu gedankt«, sagt Thurston. »Ein Dutzend Schreiber ist unentwegt am Kritzeln.«

»Sie müssen mehr Küchenjungen einstellen.«

»Und Sie mehr Schreiberlinge.«

Wenn der König nach ihm verlangt, verlässt er London und geht dahin, wo der König ist. Im August findet er sich in einer Gruppe von Höflingen wieder, die Anne beobachten. Sie steht in einem Kreis aus Sonnenlicht, verkleidet als Maid Marian, und schießt auf eine Zielscheibe. »William Brereton, guten Tag«, sagt er. »Sie sind nicht in Cheshire?«

»Doch. Trotz des gegenteiligen Anscheins bin ich dort.«

Das habe ich herausgefordert. »Ich dachte nur, Sie würden auf Ihrem eigenen Land jagen.«

Brereton sieht ihn missmutig an. »Muss ich Ihnen über meine Bewegungen Rechenschaft ablegen?«

Auf ihrer grünen Lichtung, in ihrer grünen Seide schäumt und wütet Anne. Ihr Bogen entspricht nicht ihren Vorstellungen. Wutentbrannt wirft sie ihn ins Gras.

»So war sie schon im Kinderzimmer.« Er dreht sich um und findet Mary Boleyn an seiner Seite: ein paar Zentimeter näher, als jeder andere stände.

»Wo ist Robin Hood?« Seine Augen ruhen auf Anne. »Ich habe Schreiben für ihn.«

»Vor Sonnenuntergang wird er keinen Blick darauf werfen.«

»Und dann hat er sicher zu tun?«

»Sie verkauft sich Zoll um Zoll. Die Herren sagen alle, dass Sie sie beraten. Für jedes Vorrücken oberhalb ihres Knies verlangt sie ein Geschenk in bar.«

»Anders als Sie, Mary. Ein Schubs und: Braves Mädchen, hier hast du vier Pennys.«

»Na ja. Wissen Sie. Wenn Könige das Schubsen übernehmen.« Sie lacht. »Anne hat sehr lange Beine. Wenn er bei ihren Geheimnissen ankommt, ist er bankrott. Die Kriege gegen Frankreich werden im Vergleich dazu billig sein.«

Anne hat Mistress Sheltons Angebot eines anderen Bogens ausgeschlagen. Sie stolziert über das Gras auf sie zu. Auf dem goldenen Netz, das ihr Haar hält, glitzern diamantene Punkte. »Was hat das zu bedeuten, Mary? Noch ein Angriff auf Master Cromwells guten Ruf?« Die Umstehenden kichern. »Haben Sie gute Nachrichten für mich?«, fragt sie. Ihre Stimme wird weicher, ihr Ausdruck auch. Sie legt eine Hand auf seinen Arm. Das Kichern hört auf.

In einem nach Norden liegenden verborgenen Winkel, abseits des gleißenden Lichts, erzählt sie ihm: »In Wirklichkeit habe ich Neuigkeiten für Sie. Gardiner soll Winchester bekommen.«

Winchester war Wolseys reichstes Bistum; er hat alle Zahlen im Kopf. »Diese Bevorzugung könnte ihn gefügig machen.«

Sie lächelt: eine Verzerrung des Mundes. »Nicht in meinem Fall. Er hat daran gearbeitet, Katherine loszuwerden, aber es wäre ihm lieber, wenn nicht gerade ich sie ablösen würde. Selbst Henry gegenüber macht er kein Geheimnis daraus. Ich wünschte, er wäre nicht Sekretär. Sie …«

»Zu früh.«

Sie nickt. »Ja. Vielleicht. Wissen Sie, dass man den kleinen Bilney verbrannt hat? Während wir im Wald waren und Räuber gespielt haben.«

Bilney wurde vor den Bischof von Norwich gebracht, nachdem man ihn dabei erwischt hatte, wie er auf offenen Feldern predigte und seinen Zuhörern Seiten aus Tyndales Evangelien aushändigte. Der Tag, an dem er verbrannt wurde, war windig, und der Wind blies die Flammen immer wieder von ihm weg, sodass es sehr lange dauerte, bis er starb. »Thomas More sagt, er hat widerrufen, als er im Feuer war.«

»Ich habe etwas anderes von den Leuten gehört, die dabei waren.«

»Er war ein Narr«, sagt Anne. Die Farbe steigt ihr ins Gesicht, ein tiefes, wütendes Rot. »Man sollte irgendetwas sagen, gleichgültig was, um am Leben zu bleiben, bis bessere Zeiten kommen. Das ist keine Sünde. Würden Sie das nicht tun?« Er ist nicht oft unschlüssig. »Ach, kommen Sie, Sie haben doch darüber nachgedacht.«

»Bilney hat sich selbst ins Feuer gebracht. Das habe ich immer gesagt. Er hatte schon einmal widerrufen und wurde freigelassen, und deshalb war es unmöglich, ihm Gnade zu gewähren.«

Anne senkt die Augen. »Welches Glück wir haben, dass die Gnade Gottes endlos ist.« Sie scheint sich zu schütteln. Sie reckt die Arme. Sie riecht nach grünen Blättern und Lavendel. Im Schatten sind ihre Diamanten so kühl wie Regentropfen. »Der König der Outlaws wird inzwischen wieder da sein. Wir sollten besser zu ihm gehen.« Sie streckt sich.

Die Ernte wird eingebracht. Die Nächte sind violett, und der Komet scheint über den Stoppelfeldern. Die Jäger rufen die Hunde herein. Nach dem Heiligkreuztag sind die Hirsche in Sicherheit. Als er Kind war, war dies die Zeit, zu der die Jungen, die den ganzen Sommer wild auf der Heide gelebt hatten, nach Hause gingen und ihren Frieden mit den Vätern machten. Sie kamen an einem Erntetag zum Abendessen angeschlichen, wenn die Gemeinde reichlich zu trinken hatte. Seit kurz vor Pfingsten hatten sie irgendwo Nahrung aufgestöbert oder trickreich erbettelt, sie hatten Vögel und Hasen mit Fallen gefangen und in einem eisernen Topf gekocht, sie hatten alle Mädchen, denen sie begegnet waren, verfolgt, bis diese schreiend zu Hause ankamen, und in nassen und kalten Nächten hatten sie sich in Nebengebäude und Scheunen geschlichen, um sich durch Singen und das Erzählen von Witzen und Rätseln warmzuhalten. Wenn diese Saison vorbei war, kam die Zeit, in der er den Kochtopf verkaufte, von Tür zu Tür ging und seine Verdienste anpries. »Dieser Topf ist nie leer«, behauptete er dann. »Wenn Sie ein paar Fischköpfe haben, brauchen Sie die nur reinzuwerfen, und schon schwimmt da ein Heilbutt.«

»Hat er Löcher?«

»Dieser Topf ist heil, und wenn Sie mir nicht glauben, Madam, können Sie reinpinkeln. Kommen Sie, machen Sie mir ein Angebot. So einen Topf hat es nicht mehr gegeben, seit Merlin noch klein war. Fangen Sie eine Maus in der Falle, schmeißen Sie sie rein und gleich darauf erblicken Sie einen gewürzten Wildschweinkopf, komplett, mit Apfel im Mund.«

»Wie alt bist du?«, fragt ihn eine Frau.

»Das kann ich nicht sagen.«

»Komm nächstes Jahr wieder, dann können wir uns in mein Federbett legen.«

Er zögert. »Nächstes Jahr bin ich schon weggelaufen.«

»Du gehst als Schausteller auf Wanderschaft? Mit deinem Topf?«

»Nein, ich denke daran, als Räuber auf die Heide zu gehen. Oder ich halte mir Bären. Ein Bärenführer hat eine geregelte Arbeit.«

Die Frau sagt: »Ich hoffe, alles läuft gut für dich.«

In dieser Nacht möchte der König nach seinem Bad, seinem Essen, seinem Gesang, seinem Tanz einen Spaziergang. Er hat einen ländlichen Geschmack, trinkt gerne, was man Feld-Wald-und-Wiesen-Wein nennen könnte, nichts Starkes, aber in diesen Tagen kippt er seinen ersten Becher schnell hinunter und nickt zum Zeichen, dass er mehr will; deshalb braucht er Francis Westons stützenden Arm, als er vom Tisch aufsteht. Starker Tau ist gefallen, und Herren mit Fackeln patschen durch das Gras. Der König atmet in der feuchten Luft ein paar Mal tief ein. »Sie und Gardiner«, sagt er, »Sie kommen nicht miteinander aus.«

»Ich habe keinen Streit mit ihm«, sagt er ausdruckslos.

»Dann hat er Streit mit Ihnen.« Der König verschwindet in der Dunkelheit; als Nächstes spricht er hinter der Flamme einer Fackel wie Gott aus dem brennenden Dornbusch. »Ich kann mit Stephen umgehen. Ich kann ihn einschätzen. Er ist wacker und streitbar, solche Diener brauche ich jetzt. Ich will keine Männer, die Angst vor Auseinandersetzungen haben.«

»Eure Majestät sollten hineingehen. Diese nächtliche Feuchtigkeit ist nicht gesund.«

»Sie reden wie der Kardinal.« Der König lacht.

Er nähert sich der linken Hand des Königs. Weston, der jung und zierlich ist, zeigt Anzeichen von wankenden Knien. »Stützen Sie sich auf mich, Sir«, schlägt er vor. Der König legt einen Arm um seinen Hals, sein Griff gleicht dem eines Ringers. Ein Bärenführer hat eine geregelte Arbeit. Einen Augenblick lang glaubt er, dass der König weint.

Im Jahr darauf war er nicht weggelaufen, weder um Bären zu führen noch um irgendein anderes Gewerbe auszuüben. Im Jahr darauf gab es den Aufstand in Cornwall, die Rebellen zogen von Westen nach Osten und waren wild entschlossen, London niederzubrennen, den englischen König zu überwältigen und dem kornischen Willen zu unterwerfen. Angst ging ihrer Armee voraus, denn sie waren dafür bekannt, dass sie Heuschober ansteckten und Rindern die Achillessehne durchschnitten, Häuser mitsamt den Menschen darin in Brand setzten, Priester abschlachteten, Babys aßen und Abendmahlsbrot zertrampelten.

Der König lässt ihn unvermittelt los. »Auf in unsere kalten Betten. Oder ist nur meines kalt? Morgen werden Sie jagen. Wenn Sie kein gutes Pferd haben, bekommen Sie eins von uns. Ich will sehen, ob ich Sie ermüden kann, obwohl Wolsey gesagt hat, das wäre unmöglich. Sie und Gardiner, Sie müssen lernen, an einem Strang zu ziehen. Diesen Winter werden Sie vor den Pflug gespannt.«

Der König will gar keine Ochsen, sondern Bestien, die Kopf an Kopf rennen und sich im Kampf um seine Gunst verletzen und selbst verstümmeln. Es ist völlig klar, dass seine Chancen beim König besser stehen, wenn er *nicht* mit Gardiner auskommt. Teile und herrsche. Allerdings herrscht er sowieso.

Obwohl das Parlament nicht wieder einberufen wird, ist die Zeit von Michaelis an die geschäftigste, die er je mitgemacht hat. Dicke Ordner mit den Anliegen des Königs treffen fast stündlich ein, und Austin

Friars füllt sich mit Kaufleuten aus der City, mit Mönchen und Priestern verschiedener Art, mit Leuten, die ihn um fünf Minuten seiner Zeit bitten. Als spürten sie etwas, eine Verschiebung der Macht, ein bevorstehendes Spektakel, beginnen sich kleine Gruppen von Londonern vor seinem Tor zu versammeln und sich gegenseitig die Livree der Männer zu zeigen, die kommen und gehen: die Männer des Herzogs von Norfolk, die Diener des Earls von Wiltshire. Aus einem Fenster sieht er auf sie hinunter und hat das Gefühl, sie zu kennen; sie sind die Söhne der Männer, die in jedem Herbst an der Tür zur Schmiede seines Vaters standen, schwatzten und sich wärmten. Sie sind Jungen wie der Junge, der er einmal war: Unruhig warten sie darauf, dass etwas passiert.

Er sieht auf sie hinunter und macht ein passendes Gesicht. Erasmus sagt, dass man das jeden Morgen tun muss, bevor man das Haus verlässt: »Setze sozusagen eine Maske auf.« Er übt das an jedem Ort, in jedem Palast, jedem Gasthaus oder auf jedem Adelssitz, wo immer er aufwacht, wenn er unterwegs ist. Er schickt Erasmus etwas Geld, wie es der Kardinal zu tun pflegte. »Um seinen Haferschleim zu finanzieren«, sagte er dann, »und damit der armen Seele nicht die Federkiele und die Tinte ausgehen.« Erasmus ist überrascht; er hat von Thomas Cromwell nur schlechte Dinge gehört.

Von dem Tag an, als er in den königlichen Rat eingeschworen wurde, hat er an seinem Gesicht gearbeitet. Er hat die ersten Monate des Jahres damit verbracht, die Gesichter anderer Menschen zu studieren, um wahrzunehmen, wenn sich Zweifel, Bedenken, Rebellion auf ihnen abzeichneten – um den winzigen Moment zu erwischen, bevor sie in die verbindlichen Gesichtszüge des Höflings, des Vermittlers, des Jasagers zurückfielen. Rafe sagt zu ihm: Wir können Wriothesley nicht trauen, und er lacht: Ich weiß, woran ich mit Nennt-mich bin. Er hat gute Verbindungen bei Hofe, doch angefangen hat er im Haushalt des Kardinals: Wer eigentlich nicht? Gardiner war dagegen sein Lehrer in Trinity Hall, und er hat uns beide in der Welt aufsteigen sehen. Er hat gesehen, wie wir Muskeln entwickelt haben, zwei Kampfhunde wurden, und er weiß nicht, auf wen er sein Geld setzen soll. Er sagt zu Rafe: An seiner Stelle würde ich vermutlich auch so handeln; zu meiner Zeit war es leicht, man hat einfach auf Wolsey gesetzt. Er hat keine Angst vor Wriothesley oder Leuten wie ihm. Das Vorgehen prinzipienloser Männer ist berechenbar. Solange du sie fütterst, laufen sie dir hinterher. Weniger berechenbar, gefährlicher sind Männer wie Stephen Vaughan, Männer, die an dich schreiben, wie Vaughan es tut: Thomas Cromwell, ich würde alles für Sie tun. Männer, die sagen, dass sie dich verstehen, deren Umarmung so fest und unnachgiebig ist, dass sie dich über den Abgrund tragen würden.

In Austin Friars lässt er Bier und Brot zu den Männern hinausschicken, die am Tor stehen, und Brühe, als die Kälte am Morgen beißender wird. Thurston sagt: Na ja, wenn es Ihr Ziel ist, die ganze Gegend durchzufüttern. Im letzten Monat, sagt er, haben Sie sich doch noch beklagt, dass die Speisekammern überquellen und die Keller voll sind. Der heilige Paulus lehrt uns, wie wir gedeihen – sowohl in Zeiten der Not als auch in Zeiten des Überflusses, mit einem vollen Magen und einem leeren. Er geht in die Küche hinunter und spricht mit den Jungen, die Thurston eingestellt hat. Sie rufen laut ihre Namen und sagen, was sie können; ernsthaft notiert er ihre Fähigkeiten in einem Buch: Simon kann einen Salat anrichten und die Trommel schlagen, Matthew kann sein Paternoster aufsagen. All diese *garzoni* müssten auszubilden sein. Eines Tages sollten sie in der Lage sein, nach oben zu gehen, wie er es getan hat, und ihren Platz im Kontor einzunehmen. Alle müssen warme und anständige Kleidung bekommen und angehalten werden, sie zu tragen und nicht zu verkaufen, denn er erinnert sich aus seinen Tagen in Lambeth an die durchdringende Kälte in den Vorratskammern; aber auch in Wolseys Küchen in Hampton Court, wo die Kamine gut ziehen und die Hitze nicht entweichen lassen, hat er vereinzelt Schneeflocken in den Deckensparren treiben und sich auf Simsen niederlassen sehen.

Wenn er in der frischen Morgendämmerung mit seinem Gefolge von Schreibern aus dem Haus kommt, versammeln sich die Londoner bereits. Sie treten zurück und beobachten ihn, weder freundlich noch feindlich. Er ruft ihnen »Guten Morgen« zu und »Gott segne euch«, und einige rufen »Guten Morgen« zurück. Sie nehmen ihre Kappen ab, und weil er ein Berater des Königs ist, bleiben sie ohne Kopfbedeckung stehen, bis er vorbeigegangen ist.

Oktober: Monsieur Chapuys, der Botschafter des Kaisers, kommt zum Essen nach Austin Friars, und Stephen Gardiner steht auf der Tagesordnung. »Kaum nach Winchester berufen und schon ins Ausland geschickt«, sagt Chapuys. »Und wird König François ihn mögen, was denken Sie? Was kann er als Diplomat ausrichten, das Sir Thomas Boleyn nicht kann? Obwohl ich vermute, dass dieser *parti pris* ist. Da er ja der Vater der Dame ist. Gardiner ist eher ... ambivalent, würden Sie nicht auch sagen? Eher neutral, das ist das richtige Wort. Ich sehe nicht, welchen Vorteil König François daraus ziehen könnte, sollte er die Heirat befürworten, es sei denn, Ihr König würde ihm etwas anbieten. Und was? Geld? Kriegsschiffe? Calais?«

Mit dem Haushalt bei Tisch hat Monsieur Chapuys angenehm über Poesie, Porträtmalerei und seine Universitätsjahre in Turin geplaudert; mit Rafe, dessen Französisch hervorragend ist, hat er über die Falknerei gesprochen, da dieses Thema junge Männer vermutlich interessiert. »Sie müssen einmal mit unserem Herrn gehen«, teilt Rafe ihm mit. »Die Falknerei ist in diesen Tagen fast seine einzige Entspannung.«

Monsieur Chapuys richtet seine aufgeweckten kleinen Augen auf ihn. »Inzwischen spielt er königliche Spiele.«

Sie stehen vom Tisch auf und Chapuys lobt das Essen, die Musik, die Einrichtung. Man kann sein Gehirn arbeiten sehen, man kann ein leises Klicken wie beim Mechanismus eines komplizierten Schlosses hören, als er seine Beobachtungen im Geiste schon verschlüsselt, um sie seinem Herrn, dem Kaiser, in einer geheimen Botschaft mitzuteilen.

Später in seinem Kabinett lässt der Botschafter seinen Fragen freien Lauf, redet drauflos, wartet nicht auf Antworten. »Wenn der Bischof von Winchester in Frankreich ist, was macht Henry dann ohne seinen Sekretär? Master Stephens Mission wird nicht kurz sein. Vielleicht ist das Ihre Chance, noch näher an ihn heranzukommen, was glauben Sie? Sagen Sie, ist es wahr, dass Gardiner Henrys unehelicher Cousin ist? Und Ihr Junge Richard auch? Solche Dinge verwirren den Kaiser. Ein König, der so wenig königlich ist. Vielleicht ist es kein Wunder, dass er danach trachtet, eine arme Dame zu heiraten.«

»Ich würde Lady Anne nicht arm nennen.«

»Es stimmt, der König hat ihre Familie reich gemacht.« Chapuys grinst. »Ist es in diesem Lande üblich, das Mädchen im Voraus für seine Dienste zu bezahlen?«

»Das ist es in der Tat – und Sie sollten daran denken. Es würde mir wirklich leid tun, wenn ich zusehen müsste, wie man Ihnen auf der Straße hinterherjagt.«

»Sie beraten sie, Lady Anne?«

»Ich überprüfe die Buchhaltung. Das ist keine große Sache – ein Gefallen für eine gute Freundin.«

Chapuys lacht fröhlich. »Eine Freundin! Sie ist eine Hexe, wissen Sie das? Sie hat den König in ihren Bann geschlagen, sodass er alles riskiert – den Ausschluss aus der Christenheit, die Verdammnis. Und ich glaube, halb weiß er es. Ich habe ihn gesehen, wenn ihr Blick auf ihm liegt: Sein Verstand zerstreut und verflüchtigt sich, seine Seele windet und krümmt sich wie ein Hase im Angesicht eines Falken. Vielleicht hat sie auch Sie verzaubert.« Monsieur Chapuys beugt sich vor und stützt sich auf seine Hand, auf seine kleine Affenpfote. »Brechen Sie den Bann, *mon cher ami*. Sie werden es nicht bereuen. Ich diene einem sehr freigebigen Fürsten.«

November: Sir Henry Wyatt steht in der Halle von Austin Friars; er blickt auf die leere Stelle an der Wand, wo das Wappen des Kardinals übermalt wurde. »Er ist erst seit einem Jahr fort, Thomas. Mir erscheint es länger. Es heißt, wenn man ein alter Mann ist, ist ein Jahr wie das andere. Ich kann Ihnen versichern, dass es nicht stimmt.«

Oh, kommen Sie, Sir, rufen die kleinen Mädchen, Sie sind doch nicht so alt, dass Sie keine Geschichte erzählen können. Sie ziehen ihn zu einem der neuen Samtsessel und setzen ihn auf den Thron. Alle würden Sir Henry zum Vater haben wollen, wenn sie die Wahl hätten, alle zum Großvater. Er hat in der Schatzkammer dieses Henrys und des Henrys vor ihm gedient; wenn die Tudors arm sind, so hat er keine Schuld daran.

Alice und Jo waren draußen im Garten und haben versucht, die Katze einzufangen. Sir Henry hat es gerne, wenn eine Katze im Haushalt geehrt wird; auf Bitten der Kinder erklärt er, warum.

»Es geschah einmal«, beginnt er, »dass sich in diesem Land England ein grausamer Tyrann mit dem Namen Richard Plantagenet erhob ...«

»Oh, das sind böse Leute, die so heißen«, bricht es aus Alice hervor. »Und wussten Sie, dass es immer noch welche gibt?«

Gelächter. »Aber es ist wahr«, ruft Alice mit lodernden Wangen.

»... und ich, euer Diener Wyatt, der diese Geschichte erzählt, wurde von dem Tyrannen in einen Kerker geworfen, wo ich auf Stroh schlafen musste, in einem Kerker mit nur einem einzigen kleinen Fenster, und das Fenster war vergittert ...«

Der Winter setzte ein, sagt Sir Henry, und ich hatte kein Feuer; ich hatte kein Essen oder Wasser, denn die Wachen hatten mich vergessen. Richard Cromwell sitzt da und hört zu, das Kinn auf die Hand gelegt; er wechselt einen Blick mit Rafe; beide blicken ihn an, und er macht eine kleine Geste, mildert die Schrecken der Vergangenheit. Sir Henry, das wissen sie genau, wurde nicht im Tower vergessen. Seine Bewacher legten ihm weiß glühende Messer ans Fleisch. Sie rissen ihm die Zähne aus.

»Nun, was sollte ich tun?«, sagt Sir Henry. »Zu meinem Glück war mein Kerker feucht. Ich trank das Wasser, das an der Wand nach unten rann.«

»Und was haben Sie gegessen?«, sagt Jo. Ihre Stimme ist leise und erregt.

»Ah, jetzt kommen wir zum besten Teil der Geschichte.« Eines Tages, sagt Sir Henry, als ich dachte, ich würde sterben, wenn ich nichts zu essen bekäme, merkte ich, dass kein Licht durch mein kleines Fenster fiel; und was erblickte ich, als ich aufsah? Die Gestalt einer Katze, einer schwarzweißen Londoner Katze. »Sieh an, eine Miezekatze«, sagte ich zu ihr, und sie miaute. Als sie das tat, ließ sie ihre Last fallen. Und was hatte sie mir gebracht?«

»Eine Taube!«, ruft Jo.

»Entweder warst du selbst schon im Gefängnis oder du hast diese Geschichte schon einmal gehört, mein Fräulein.«

Die Mädchen haben vergessen, dass er keinen Koch hat, keinen Spieß, kein Feuer; die jungen Männer schlagen die Augen nieder und schrecken vor der bildlichen Vorstellung zurück, wie ein Gefangener mit gefesselten Händen Unmengen von Federn ausreißt, die vor Vogelläusen nur so wimmeln.

»Nun, die nächste Neuigkeit, die ich vernahm, als ich auf dem Stroh lag, war das Läuten von Glocken und ein Ruf auf den Straßen: Ein Tudor! Ein Tudor! Ohne das Geschenk der Katze hätte ich nicht lange genug gelebt, um es zu hören oder um zu hören, wie der Schlüssel im Schloss umgedreht wurde und König Henry persönlich rief: Wyatt, sind Sie das? Treten Sie vor und nehmen Sie Ihre Belohnung entgegen!«

Eine verzeihliche Übertreibung. König Henry ist nie in dieser Zelle gewesen, wohl aber König Richard. Er war es, der das Erhitzen des Messers überwacht hatte, der mit leicht zur Seite geneigtem Kopf zugehört hatte, als Henry Wyatt schrie, der dem Geruch brennenden Fleisches angewidert ausgewichen und zur Seite getreten war und dann befohlen hatte, das Messer erneut zu erhitzen und anzuwenden.

Es wird erzählt, dass der kleine Bilney in der Nacht, bevor er verbrannt wurde, seine Finger in die Flamme einer Kerze hielt und Jesus anrief, ihn zu lehren, wie man den Schmerz aushielte. Es war nicht klug, sich vor dem Ereignis selbst zu verstümmeln; klug oder nicht, daran denkt er jetzt. »Und jetzt, Sir Henry«, sagt Mercy, »müssen Sie uns die

Geschichte von dem Löwen erzählen, weil wir nicht schlafen können, wenn wir sie nicht hören.«

»Nun, in Wirklichkeit ist das die Geschichte meines Sohnes, er sollte hier sein.«

»Wenn er hier wäre«, sagt Richard, »würden die Damen ihn alle mit Kulleraugen ansehen und seufzen – ja, das würdest du, Alice – und sich nichts aus der Geschichte von dem Löwen machen.«

Als Sir Henry nach seiner Haft wieder gesund war, wurde er ein mächtiger Mann bei Hofe, und ein Bewunderer schickte ihm ein Geschenk: ein Löwenjunges. In Allington Castle zog ich sie auf wie mein Kind, sagt er, bis sie, wie es Mädchen tun, ihren eigenen Willen entwickelte. An einem sorglosen Tag, und die Schuld lag bei mir, kam sie aus ihrem Käfig. Leontina, rief ich ihr zu, bleib stehen, damit ich dich zurückführen kann! Sie aber kauerte, ganz still, und nahm mich ins Visier, und ihre Augen brannten wie Feuer. In diesem Augenblick wurde mir klar, sagt er, dass ich nicht ihr Vater war, wie sehr ich sie auch geliebt hatte: Ich war ihr Abendessen.

Alice sagt, eine Hand auf dem Mund: »Sir Henry, Sie glaubten, Ihre letzte Stunde hätte geschlagen.«

»So war es in der Tat, und so wäre es gekommen, hätte nicht mein Sohn Thomas zufällig den Hof betreten. Augenblicklich erkannte er meine gefährliche Lage und rief ihr zu: Leontina, hierher zu mir, und sie wandte den Kopf. In diesem Moment, in dem ihr wütender Blick abgelenkt war, trat ich einen Schritt zurück und noch einen. Sieh mich an, rief Thomas. Nun, an diesem Tag war er sehr bunt gekleidet mit langen flatternden Ärmeln und einem lockeren Gewand, in das der Wind fuhr, und weil er blondes Haar hat, wisst ihr, das er damals lang trug, muss er wie eine Flamme ausgesehen haben, glaube ich, eine große Flamme, die in der Sonne flackerte, und einen Augenblick lang stand sie verwirrt da, und ich trat zurück, einen Schritt und noch einen und noch einen …«

Leontina dreht sich um, sie kauert; sie lässt den Vater in Ruhe und beginnt, sich an den Sohn anzupirschen. Man kann ihre tappenden

Pfoten sehen und den Gestank des Blutes in ihrem Atem wahrnehmen. (In der Zwischenzeit weicht er, Henry Wyatt, in kaltem Angstschweiß zurück, weicht dorthin zurück, wo er Hilfe holen kann.) Mit seiner weichen, bezaubernden Stimme, in liebevollem Gemurmel, im Tonfall des Gebets spricht Tom Wyatt mit der Löwin, bittet den heiligen Franziskus, ihr grausames Herz für die Gnade zu öffnen. Leontina schaut zu. Sie hört zu. Sie öffnet den Mund. Sie brüllt. Was sagt sie?

Pass auf, gibt Acht, sei auf der Hut, ich wittre, rieche Britenblut.

Tom Wyatt steht so still wie eine Statue. Stallburschen kriechen mit Netzen über den Hof. Leontina ist nur wenige Fuß von ihm entfernt, aber noch prüft sie die Lage, lauscht. Sie richtet sich auf, ist unsicher, ihre Ohren zucken. Er kann den rosa Geifer an ihrem Maul sehen und ihr muffiges Fell riechen. Sie verlagert das Gewicht auf die Hinterhand. Er spürt ihren Atem. Sie ist bereit zum Sprung. Er sieht, wie ihre Muskeln beben, ihr Kiefer sich spannt; sie springt – aber sie dreht sich in der Luft, als sich ein Pfeil in ihre Rippen bohrt. Sie wirbelt herum, prallt mit dem Widerhaken im Fleisch auf, brüllt, stöhnt; ein zweiter Pfeil schlägt in ihre kompakte Flanke ein, und als sie sich jaulend wieder umdreht, fallen die Netze über sie. Sir Henry, der ruhig auf sie zuschreitet, platziert seinen dritten Pfeil in ihrem Hals.

Selbst als sie stirbt, brüllt sie. Sie hustet Blut und schlägt um sich. Einer der Stallburschen trägt bis zum heutigen Tag die Spuren ihrer Klauen. Ihr Fell kann an der Wand in Allington betrachtet werden. »Und ihr jungen Damen werdet kommen und mich besuchen«, sagt Sir Henry. »Dann könnt ihr sehen, was für eine Bestie sie war.«

»Toms Gebete wurden nicht erhört«, sagt Richard lächelnd. »Der heilige Franziskus hat nicht eingegriffen, soweit ich das beurteilen kann.«

»Sir Henry«, Jo zieht an seinem Ärmel, »Sie haben das Beste noch nicht gesagt.«

»Nein. Habe ich vergessen. Nun, mein Sohn Tom, der Held des Tages, kommt davon und übergibt sich in einen Busch.«

Die Kinder atmen aus. Alle applaudieren. Zu jener Zeit war die Geschichte an den Hof gelangt und hatte den König – damals war er jünger und sanftmütiger gewesen – ein wenig eingeschüchtert. Selbst jetzt noch nickt er, wenn er Tom sieht, und murmelt vor sich hin: »Tom Wyatt. Er kann Löwen zähmen.«

Als Sir Henry, der Beerenobst mag, ein paar dicke Brombeeren mit gelber Sahne gegessen hat, sagt er: »Ein Wort unter vier Augen«, und sie ziehen sich zurück. Wenn ich an Ihrer Stelle wäre, sagt Sir Henry, würde ich ihn bitten, mich zum Verwahrer der Kronjuwelen zu machen. »Als ich diesen Posten hatte, stellte ich fest, dass man so einen Überblick über die Staatseinkünfte erhält.«

»Wie soll ich ihn das fragen?«

»Bringen Sie Lady Anne dazu, ihn zu fragen.«

»Vielleicht könnte Ihr Sohn helfen, indem er Anne darum bittet.«

Sir Henry lacht; oder vielmehr deutet er mit einem kleinen Ähem an, dass er weiß, es hat sich um einen Witz gehandelt. Glaubt man den Trinkern in den Bierkneipen von Kent und den Hintertreppengesprächen der Diener bei Hofe (dem Musiker Mark, zum Beispiel), so hat Anne Thomas Wyatt alle Gefälligkeiten erwiesen, um die ein Mann vernünftigerweise bitten kann, selbst in einem Bordell.

»Ich beabsichtige, in diesem Jahr den Hofdienst aufzugeben«, sagt Sir Henry. »Es wird Zeit, dass ich mein Testament mache. Darf ich Sie als Testamentsvollstrecker einsetzen?«

»Sie erweisen mir eine Ehre.«

»Es gibt niemandem, dem ich meine Angelegenheiten lieber anvertrauen würde. Sie haben die sicherste Hand, die ich kenne.«

Er lächelt verwirrt; nichts in dieser Welt scheint ihm sicher.

»Ich kann Sie verstehen«, sagt Wyatt. »Ich weiß, dass unser alter Freund in Scharlachrot Sie beinahe zu Fall gebracht hat. Aber betrachten Sie es einmal so: Sie essen Mandeln, haben noch all Ihre Zähne im Mund und Ihren Haushalt um sich, Ihre Geschäfte florieren, und Männer wie Norfolk sprechen höflich mit Ihnen.« Vor einem Jahr noch, braucht er nicht hinzuzufügen, haben dieselben Männer sich die Füße an Ihnen abgewischt. Sir Henry bricht ab, zwischen den Fingern hält er eine Zimtwaffel und legt sie sich sanft auf die Zunge, eine behutsame, eine weltliche Eucharistie. Seit dem Tower sind vierzig Jahre oder mehr vergangen, aber sein zertrümmerter Kiefer ist immer noch versteift und quält ihn mit Schmerzen. »Thomas, ich muss Sie um etwas bitten … Werden Sie ein Auge auf meinen Sohn haben? Ein Vater für ihn sein?«

»Tom ist wie alt, achtundzwanzig? Vielleicht möchte er gar keinen anderen Vater.«

»Sie können es nicht schlechter machen als ich. Ich habe viel zu bedauern, insbesondere seine Ehe … Er war siebzehn, er wollte nicht heiraten, ich wollte es, weil ihr Vater Baron Cobham war, und ich wollte meine Position bei meinen Nachbarn in Kent untermauern. Tom hat immer gut ausgesehen, er war genauso freundlich wie höflich, man hätte geglaubt, dass er dem Mädchen genügen würde, aber ich weiß nicht, ob sie ihm auch nur einen Monat lang treu war. Dann hat er es ihr natürlich in gleicher Münze heimgezahlt … das Haus ist randvoll mit seinen Flittchen, in Allington braucht man nur einen Wandschrank zu öffnen, und es fällt irgendein Püppchen heraus. Er zieht in die Ferne, und was passiert? Er endet als Gefangener in Italien, und das ist eine Angelegenheit, die ich nie verstehen werde. Seit Italien ist er sogar noch unvernünftiger geworden. Gewiss, er schreibt Ihnen Terzinen, aber dass er sich hinsetzt und feststellt, wohin sein Geld verschwunden ist …« Er reibt sich das Kinn. »Aber so ist das nun mal. Alles in allem gibt es keinen besseren Jungen als meinen.«

»Werden Sie wiederkommen und uns Gesellschaft leisten? Sie wissen, dass es für uns ein Festtag ist, wenn Sie uns besuchen.«

Sir Henry hievt sich in die Höhe. Er ist ein beleibter Mann, obwohl er sich nur von dicker Suppe und Pürees ernährt. »Thomas, wie kommt es, dass ich so alt geworden bin?«

Als sie in die Halle zurückkehren, stellen sie fest, dass eine Aufführung im Gange ist. Rafe spielt die Rolle von Leontina, und der Haushalt feuert ihn brüllend an. Es ist nicht so, dass die Jungen die Geschichte mit dem Löwen nicht glauben, sie möchten sie nur in ihre eigenen Worte kleiden. Er streckt mahnend eine Hand zu Richard aus, der auf einem Hocker gestanden und gekreischt hat. »Du bist eifersüchtig auf Tom Wyatt«, sagt er.

»Bitte nicht böse sein, Master.« Rafe nimmt wieder menschliche Gestalt an und wirft sich auf eine Bank. »Erzählen Sie uns von Florenz. Erzählen Sie uns, was Sie noch angestellt haben, Sie und Giovannino.«

»Ich bin mir nicht sicher, ob das gut ist. Dann macht ihr ein Schauspiel daraus.«

Ach bitte, überreden sie ihn, und er sieht sich um: Rafe ermuntert ihn mit einem Schnurren. »Ist Nennt-mich-Risley auch ganz bestimmt nicht hier? Nun … wenn wir einen freien Tag hatten, haben wir immer Gebäude niedergerissen.«

»Niedergerissen?«, sagt Henry Wyatt. »Das haben Sie getan?«

»Ich meine, wir haben sie in die Luft gejagt. Und nicht ohne die Erlaubnis des Besitzers. Es sei denn, wir glaubten, sie fielen in sich zusammen und wären eine Gefahr für Passanten. Wir haben nur die Explosivstoffe in Rechnung gestellt. Nicht unsere Fachkenntnis.«

»Die erheblich war, nehme ich an?«

»Es bedeutete eine Menge Graben für ein paar Sekunden Spaß. Ich kannte sogar ein paar Jungen, die es zu ihrem Beruf gemacht haben. Aber in Florenz«, sagt er, »war es nur ein Zeitvertreib für uns. So ähnlich wie Angeln. Es hat uns vor Schwierigkeiten bewahrt.« Er zögert. »Na ja, das stimmt nicht. Nicht ganz.«

Richard sagt: »Hat Nennt-mich es weitererzählt? An Gardiner? Die Sache mit dem Amor?«

»Was glaubst du?«

Der König hat zu ihm gesagt: Wie ich höre, haben Sie eine Statue zur Antiquität gemacht. Der König hat dabei gelacht, aber vielleicht hat er es sich auch gemerkt; er lachte, weil der Witz auf Kosten von Geistlichen, von Kardinälen ging, und er ist in Stimmung für solche Witze.

Sekretär Gardiner: »Statuen, Statuten, kein großer Unterschied.«

»Ein Buchstabe bedeutet alles beim Erlassen von Gesetzen. Aber meine Präzedenzfälle sind nicht erfunden.«

»Weit hergeholt?«, sagt Gardiner.

»Majestät, das Konzil von Konstanz gewährte Ihrem Vorläufer Henry V. eine solche Kontrolle über die Kirche in England, wie sie kein anderer christlicher König in seinem Reich ausgeübt hat.«

»Die Zugeständnisse wurden aber nicht umgesetzt. Nicht nachhaltig. Warum ist das so?«

»Ich weiß es nicht. Inkompetenz?«

»Aber jetzt haben wir bessere Ratgeber?«

»Bessere Könige, Eure Majestät.«

Hinter Henrys Rücken schneidet Gardiner ihm eine Fratze. Beinahe muss er lachen.

Die juristische Sitzungsperiode endet. Anne sagt: Kommen Sie zu einem bescheidenen Adventsessen zu mir. Wir werden Gabeln benutzen.

Er geht hin, aber die Gesellschaft gefällt ihm nicht. Sie hat die Freunde des Königs, die Kammerherren, zu ihren Haustieren gemacht: Henry Norris, William Brereton und die anderen, und natürlich ist ihr Bruder dabei, Lord Rochford. Anne ist spröde in ihrer Gesellschaft und geht so erbarmungslos mit ihren Komplimenten um wie eine Hausfrau, die Lerchen den Hals umdreht, bevor sie sie zum Essen serviert. Wenn ihr präzises Lächeln für einen Augenblick schwindet, beugen sie sich alle vor und suchen eifrig nach Wegen, ihr Vergnügen zu bereiten. Um eine noch größere Ansammlung von Narren zu finden, müsste man weit laufen.

Was ihn betrifft, so kann er überall hingehen, er war überall. Geschult durch die Tischgespräche der Familie Frescobaldi, der Familie Portinari und später dann durch die Gespräche mit Gelehrten und geistreichen Köpfen am Tisch des Kardinals, können ihn die hübschen Menschen, die Anne um sich versammelt, kaum in Verlegenheit bringen. Bei Gott, sie tun ihr Bestes, die Herren, um ihm Unbehagen zu bereiten; er bringt jedoch seine eigene Behaglichkeit, seine Ruhe, seine genaue und pointierte Konversation mit. Norris, der ein witziger Mann ist und nicht jung, gibt sich selbst der Lächerlichkeit preis, wenn er solche Gesellschaft sucht: und warum? Die Nähe zu Anne lässt ihn erzittern. Es ist fast ein Witz, aber ein Witz, den niemand erzählt.

Am Ende dieses ersten Essens bei Anne folgt ihm Norris hinaus, berührt seinen Ärmel, bringt ihn zum Stehen, sieht ihn an. »Sie sehen es gar nicht, habe ich recht? Anne?«

Er schüttelt den Kopf.

»Was ist denn Ihre Vorstellung? Irgendein dickes Fräulein von Ihren Reisen?«

»Eine Frau, die ich lieben könnte, wäre eine Frau, die den König überhaupt nicht interessiert.«

»Wenn das ein Ratschlag sein soll, geben Sie ihn dem Sohn Ihres Freundes Wyatt.«

»Ach, ich glaube, der junge Wyatt hat eine Lösung gefunden. Er ist ein verheirateter Mann. Er sagt sich, mach ein Gedicht aus deinen Entbehrungen. Machen uns die Nadelstiche gegen unsere *amour propre* nicht alle weiser?«

»Wenn Sie mich ansehen«, sagt Norris, »können Sie dann glauben, dass ich weiser werde?«

Er reicht Norris sein Taschentuch. Norris wischt sich das Gesicht ab und gibt das Taschentuch zurück. Er denkt an die heilige Veronika, die mit ihrem Schleier die Gesichtszüge des leidenden Christus abgetupft hat; er überlegt, ob sich Henrys noble Gesichtszüge auf dem Tuch abzeichnen, wenn er nach Hause kommt, und wenn ja, ob er das Resultat an die Wand hängen wird. Norris wendet sich mit einem kleinen Lachen ab: »Weston – der junge Weston, wissen Sie –, er ist eifersüchtig auf einen Jungen, den sie an manchen Abenden ruft, damit er für uns singt.

Er ist eifersüchtig auf den Mann, der kommt, um das Holz aufs Feuer zu legen, oder auf das Mädchen, das ihr die Strümpfe auszieht. Jedes Mal, wenn sie Sie ansieht, zählt er mit, er sagt: Da, da, siehst du, sie schaut diesen fetten Metzger an, sie hat ihn fünfzehn Mal in zwei Stunden angesehen.«

»Das war der Kardinal, er war der fette Metzger.«

»Für Francis ist ein Handwerker wie der andere.«

»Das kann ich nachvollziehen. Ich wünsche eine gute Nacht.«

Nacht, Tom, sagt Norris, schlägt ihm auf die Schulter, abwesend, zerstreut, fast als wären sie gleichgestellt, als wären sie Freunde; seine Augen sind zu Anne zurückgekehrt, seine Schritte lassen ihn zu seinen Rivalen zurückkehren.

Ein Handwerker wie der andere? Nicht in der wirklichen Welt. Jeder Mann mit einer ruhigen Hand und einem Hackbeil kann sich Metzger nennen: aber ohne den Schmied, wo nimmt er da sein Hackbeil her? Ohne den Mann, der Metall bearbeitet, was wird da aus unseren Hämmern, unseren Sicheln, Scheren und Hobeln? Wo kommen unsere Waffen und Rüstungen her, unsere Pfeilspitzen, unsere Spieße und unsere Kanonen? Wo kommen unsere Seeschiffe und ihre Anker her? Wo unsere Enterhaken, unsere Nägel, Riegel, Scharniere, Schürhaken und Feuerzangen? Wo unsere Bratspieße, Kessel, Dreifüße, die Ringe für unsere Pferdegeschirre, die Schnallen und Trensen? Woher kommen unsere Messer?

Er erinnert sich an den Tag, an dem sie hörten, dass die Armee aus Cornwall auf dem Weg war. Wie alt war er – zwölf? Er war in der Schmiede, hatte den großen Blasebalg gesäubert und war dabei, das Leder einzuölen. Walter kam dazu und sah es sich an. »Muss abgedichtet werden.«

»In Ordnung«, sagte er. (Das war die Art Gespräch, die er mit Walter führte.)

»Macht sich nicht von alleine.«

»Ich sagte, in Ordnung, in Ordnung, ich mach es!«

Er sah auf. Ihr Nachbar Owen Madoc stand in der Türöffnung. »Sie sind auf dem Marsch. Die Nachricht ist schon den ganzen Fluss runter. Henry Tudor ist zum Kampf bereit. Die Königin und die Kleinen sind im Tower.«

Walter wischt sich den Mund ab. »Wie lange brauchen sie?«

Madoc sagt: »Das weiß nur Gott. Die Ärsche können fliegen.«

Er richtet sich auf. In seine Hand ist ein Vier-Pfund-Hammer mit einem Stiel aus Eschenholz geraten.

In den nächsten paar Tagen arbeiteten sie bis zum Umfallen. Walter kümmerte sich um Brustpanzer für seine Freunde, und er selbst übernahm es, alles zu schärfen, was Rebellenfleisch schneiden, reißen, aufreißen kann. Die Männer von Putney haben kein Verständnis für diese Heiden. Sie selbst zahlen ihre Steuern: warum nicht die Leute aus Cornwall? Die Frauen haben Angst, dass ihnen die Ehre geraubt wird. »Unser Priester sagt, sie machen es nur mit ihren Schwestern«, sagt er, »also kannst du aufatmen, Bet. Aber andererseits sagt der Priester, dass sie kalte, schuppige Glieder wie der Teufel haben, und vielleicht hättest du gerne mal Abwechslung.«

Bet bewirft ihn mit etwas. Er weicht aus. Das ist die gängige Entschuldigung in diesem Haus, wenn etwas zerbrochen ist: Ich hab es nach Thomas geworfen. »Na ja, ich weiß ja nicht, was du magst«, sagt er.

In dieser Woche vervielfältigen sich die Gerüchte. Die Leute aus Cornwall arbeiten unter der Erde, und deshalb sind ihre Gesichter schwarz. Sie sind halb blind, und deshalb kann man sie in einem Netz fangen. Der König gibt dir einen Shilling für jeden, den du fängst, zwei Shillinge, wenn es ein großer ist. Aber wie groß sind sie eigentlich? Sie schießen nämlich mit ein Meter langen Pfeilen.

Alle Haushaltsgegenstände werden jetzt in einem anderen Licht gesehen. Spitze Stäbe, Bratspieße, Spicknadeln: geeignet zur Verteidigung aus großer Nähe. In Walters anderem Geschäftszweig, der Brauerei, geben die Nachbarn ihr Geld aus, als glaubten sie, die Leute aus Cornwall wollten ganz England austrinken. Owen Madoc kommt vorbei und gibt ein Jagdmesser in Auftrag: mit Handschutz, Blutrinne und einer Klinge von zwölf Zoll. »Zwölf Zoll?«, sagt er. »Wenn du damit rumfuchtelst, schneidest du dir glatt das Ohr ab.«

»Und du wirst längst nicht mehr so frech sein, wenn diese Leute dich schnappen. Sie spießen solche Kinder wie dich nämlich auf und rösten sie im Feuer.«

»Kannst du sie nicht einfach mit einem Ruder hauen?«

»Ich hau dir gleich auf den Mund«, bellt Owen Madoc. »Du kleiner Scheißkerl, du hattest schon einen miesen Ruf, bevor du überhaupt geboren wurdest.«

Er zeigt Owen Madoc das Messer, das er für sich selbst gemacht hat und das an einer Schnur unter seinem Hemd hängt: ein Stumpf von einer Klinge wie ein einzelner böser Zahn. »Was hältst du davon?«

»Jesus«, sagt Madoc. »Pass bloß auf, in wem du es stecken lässt.«

Er sagt zu seiner Schwester Kat, nachdem er seinen Vier-Pfund-Hammer auf ihrem Fensterbrett im Pegasus abgelegt hat: Warum hatte ich schon einen schlechten Ruf, bevor ich geboren wurde?

Frag Morgan Williams, sagt sie. Er wird es dir sagen. Ach, Tom, Tom, sagt sie. Sie greift nach ihm und küsst seinen Kopf. Du gehst da nicht raus. Lass *ihn* kämpfen.

Sie hofft, die Rebellen werden Walter töten. Sie sagt es nicht, aber er weiß es.

Wenn ich der Mann in der Familie bin, sagt er, wird es anders sein, das kann ich dir sagen.

Morgan erzählt ihm – errötend, denn er ist ein sehr anständiger Mann –, dass seiner Mutter auf der Straße immer irgendwelche Jungen hinterherliefen und riefen: »Guck dir diese alte Stute an. Die ist ja trächtig!«

Seine Schwester Bet sagt: »In Cornwall haben sie noch was anderes, und das ist ein Riese, der Bolster heißt und in die heilige Agnes verliebt ist. Er folgt ihr auf Schritt und Tritt, und weil ihr Bild auf ihren Fahnen ist, kommt er ihnen nach London nach.«

»Bolster?«, höhnt er. »Das ist ja ein alberner Riese!«

»Oh, du wirst schon sehen«, sagt Bet. »Und dann wirst du nicht mehr so vorlaut sein.«

Die Frauen der Gegend, sagt Morgan, benahmen sich wie Glucken und taten so, als seien sie um seine Mutter besorgt: Was es wohl werden wird, sie ist ja eine regelrechte Tonne!

Und dann, als er in diese Welt kam, brüllend, mit geballten Fäusten und feuchten schwarzen Locken, torkelten Walter und seine Freunde singend durch Putney. Sie riefen: »Kommt und lasst es euch besorgen, Mädels!« und »Hier werden kinderlose Frauen bedient!«

Vom Datum wurde nie Notiz genommen. Zu Morgan sagte er: Das macht nichts. Ich weiß nichts über die Planetenkonstellation bei meiner Geburt. Also habe ich kein Schicksal.

Wie das Schicksal es wollte, gab es keine Schlacht in Putney. Für die Vorreiter und Flüchtlinge standen die Frauen mit Brot- und Rasiermessern bereit, die Männer mit Schaufeln und Hacken, um sie zu erschlagen und dann mit Dechseln auszuhöhlen und auf Wetzstahl aufzuspießen. Der große Kampf fand allerdings in Blackheath statt: Die Rebellen wurden in Stücke geschnitten, von dem Tudor in seiner militärischen Hackfleischmaschine zerkleinert. Jetzt waren sie vor ihnen sicher: nur nicht vor Walter.

Seine Schwester Bet sagt: »Du weißt doch, dieser Riese, Bolster? Er hört, dass die heilige Agnes tot ist. Er hat sich in den Arm geschnitten, und in seiner Trauer fließt sein Blut ins Meer. Es hat eine Höhle gefüllt, die niemals gefüllt werden kann, sie führt nämlich in ein Loch, und dieses Loch führt bis unter den Meeresboden und zum Mittelpunkt der Erde und in die Hölle. Und deshalb ist er tot.«

»Oh gut. Ich hab mir schon richtig Sorgen wegen Bolster gemacht.«

»Tot bis zum nächsten Mal«, sagt seine Schwester.

An einem Tag, dessen Datum unbekannt ist, wurde er geboren. Mit drei Jahren sammelte er Anmachholz für den Glühofen. »Seht mal, mein kleiner Mann!«, sagte Walter immer und schlug ihm freundlich auf den Kopf. Seine Finger rochen verbrannt und seine Handfläche war fest und schwarz.

In den vergangenen Jahren haben die Gelehrten natürlich versucht, ihm ein Schicksal zu geben; Männer, die den Himmel deuten können, sind davon ausgegangen, was er jetzt ist und wie er ist, und haben versucht, den Zeitpunkt seiner Geburt zu bestimmen. Jupiter zeigt in günstiger Konstellation Wohlstand an. Merkur am Aszendenten verleiht die Fähigkeit zu schneller und überzeugender Sprache. Kratzer sagt, wenn Mars nicht im Skorpion ist, kenne ich mein Handwerk nicht. Seine Mutter war zweiundfünfzig, und sie glaubten, sie könne weder ein Kind empfangen noch gebären. Sie versteckte ihr Vermögen und verbarg ihn tief in ihrem Inneren unter weiten Gewändern, solange es irgend ging. Er kam heraus, und sie sagten: Was ist das?

Mitte Dezember schwört James Bainham, ein Rechtsanwalt, der Middle Temple angehört, vor dem Bischof von London seinem Irrglauben ab. Er wurde gefoltert, sagt man in der City, More hat ihn persönlich befragt, während der Griff der Folterbank gedreht wurde, und hat ihn aufgefordert, die Namen anderer infizierter Mitglieder der Anwaltskammern zu nennen. Ein paar Tage später werden ein ehemaliger Mönch und ein Lederhändler gemeinsam verbrannt. Der Mönch hatte Bücherlieferungen über die Häfen von Norfolk ins Land und dann – was wirklich dumm war – nach St Katharine's Dock gebracht, wo der Lordkanzler bereits darauf wartete. Der Lederhändler war im Besitz von Luthers *Von der Freiheit eines Christenmenschen*, eigenhändig hatte er den Text kopiert. Es sind Männer, die er kennt, der entehrte und gebrochene Bainham, der Mönch Bayfield, John Tewkesbury, der weiß Gott kein Doktor der Theologie war. Und so geht das Jahr zu Ende: in einer Rauchwolke, einer Wolke aus menschlicher Asche, die über Smithfield hängt.

Am Neujahrstag wacht er noch vor der Dämmerung auf und sieht Gregory am Fuß seines Bettes stehen. »Du musst kommen. Tom Wyatt ist festgenommen worden.«

Umgehend springt er aus dem Bett; sein erster Gedanke ist, dass More ins Herz von Annes Kreis getroffen hat. »Wo ist er? Sie haben ihn doch nicht nach Chelsea gebracht?«

Gregory klingt verwirrt. »Warum sollten sie ihn nach Chelsea bringen?«

»Der König kann nicht zulassen – es kommt ihm zu nahe – Anne hat Bücher, sie hat sie ihm gezeigt – auch er hat Tyndale gelesen – und was kommt jetzt, wird More den König verhaften?« Er greift nach einem Hemd.

»Es hat gar nichts mit More zu tun. Es geht um ein paar Idioten, die aufgegriffen wurden, weil sie in Westminster Krawall gemacht haben. Sie sind auf der Straße über Sylvesterfeuer gesprungen und haben damit angefangen, Fenster einzuwerfen, du weißt ja, wie es ist ...« Gregory klingt müde. »Und dann sind sie auf die Wachen losgegangen und eingesperrt worden. Jetzt haben sie eine Nachricht geschickt. Kann Master Cromwell kommen und dem Wachhabenden ein Neujahrsgeschenk machen?«

»Jesus«, sagt er. Er setzt sich aufs Bett, bemerkt plötzlich seine Nacktheit, seine Füße, Schienbeine, Schenkel, seinen Schwanz, den Pelz aus Körperhaaren, das stoppelige Kinn: und den Schweiß, der auf seinen Schultern ausgebrochen ist. Er zieht sein Hemd über. »Sie müssen mich so nehmen, wie ich bin«, sagt er. »Und außerdem frühstücke ich zuerst.«

Gregory sagt mit leiser Boshaftigkeit: »Du warst damit einverstanden, ihm ein Vater zu sein. Und genau das heißt es, ein Vater zu sein.«

Er steht auf. »Hol Richard.«

»Ich komme mit.«

»Komm mit, wenn es sein muss, aber ich will Richard dabeihaben, falls es Ärger gibt.«

Es gibt keinen Ärger, es wird nur etwas gefeilscht. Die Dämmerung setzt ein, als die jungen Herren hinauswanken an die Luft: übernächtigt, übel zugerichtet, die Kleider zerrissen und schmutzig. »Francis Weston«, sagt er, »guten Morgen, Sir.« Er denkt: Hätte ich gewusst, dass du auch hier bist, hätte ich dich dringelassen. »Warum sind Sie nicht bei Hofe?«

»Das bin ich«, sagt der Junge und stößt sauren Atem aus. »Ich bin in Greenwich. Ich bin nicht hier. Sie verstehen?«

»Bilokation«, sagt er. »Genau.«

»Oh Jesus. Oh Jesus, mein Erlöser.« Thomas Wyatt steht in dem hellen, vom Schnee reflektierten Licht und reibt sich den Kopf. »Nie wieder.«

»Bis zum nächsten Jahr«, sagt Richard.

Er, Cromwell, dreht sich um und sieht eine letzte wankende Gestalt auf die Straße stolpern. »Francis Bryan«, sagt er, »ich hätte wissen sollen, dass dieses Unternehmen ohne Sie nicht komplett ist. Sir.«

Der ersten Kälte des neuen Jahres ausgesetzt, schüttelt sich Lady Annes Vetter wie ein nasser Hund. »Bei den Titten der heiligen Agnes, es ist saukalt.« Sein Wams ist zerfetzt und sein Hemdkragen abgerissen, außerdem hat er nur einen Schuh. Er umklammert seine Beinkleider, damit sie nicht nach unten rutschen. Vor fünf Jahren hat er im Turnier ein Auge verloren; jetzt hat er seine Augenklappe verloren, und die verfärbte Augenhöhle ist sichtbar. Mit der verbliebenen visuellen Ausstattung sieht er sich um. »Cromwell? Ich kann mich gar nicht erinnern, dass Sie letzte Nacht mit uns zusammen waren.«

»Ich war in meinem Bett und wäre gerne immer noch dort.«

»Legen Sie sich doch wieder hin.« Bryan riskiert, auszurutschen und hinzufallen, als er seine Arme weit ausstreckt. »Welche der Ehefrauen aus der City wartet auf Sie? Haben sie eine für jeden der zwölf Tage von Weihnachten bis zum Dreikönigstag?« Er lacht beinahe, aber dann fügt Bryan hinzu: »Stimmt es eigentlich, dass sich die Männer Ihrer Konfession die Frauen teilen?«

»Wyatt«, er dreht sich um, »bringen Sie ihn dazu, sich zu bedecken, sonst erfrieren ihm noch seine besten Teile. Schlimm genug, nur ein Auge zu haben.«

»Sagt danke.« Thomas Wyatt brüllt und stößt seine Gefährten an. »Sagt danke zu Master Cromwell und zahlt zurück, was ihr ihm schuldet. Wer außer ihm würde an einem Feiertag so früh aufstehen und auch noch die Geldbörse zücken? Wir hätten sonst bis morgen dort bleiben müssen.«

Sie sehen nicht wie Männer aus, die zusammen auch nur einen Shilling haben. »Ist in Ordnung«, sagt er. »Sie haben Kredit.«

II

»Weh mir, was soll ich für die Liebe tun?«

Frühling 1532

Es ist an der Zeit, die Verträge zu betrachten, die die Welt zusammenhalten: den Vertrag zwischen Herrscher und Beherrschten und den zwischen Ehemann und Ehefrau. Beide Abmachungen basieren auf unermüdlicher Ergebenheit: einer zum Wohle des anderen. Der Herr und der Ehemann schützen und versorgen; die Ehefrau und der Diener gehorchen. Über den Herren, über den Ehemännern ist es Gott, der alles beherrscht. Er zählt unsere banalen Rebellionen zusammen, unsere menschlichen Torheiten. Er streckt seinen langen Arm aus, die Hand zur Faust geballt.

Stellen wir uns eine Erörterung dieser Fragen mit George, Lord Rochford, vor. Er steht anderen jungen Männern in England an Geist nicht nach, ist gebildet und belesen; was ihn aber heute fasziniert, ist der flammenfarbene Satin, der durch seinen geschlitzten Samtärmel blitzt. Immer wieder bearbeitet er die Bäuschchen aus Stoff mit der Fingerspitze, faltet und knautscht sie, lässt sie wachsen, sodass er wie einer dieser Jongleure aussieht, die Bälle auf ihren Armen rollen lassen.

Es ist Zeit zu sagen, was England ist, seinen Rahmen, seine Grenzen zu umreißen: nicht seine Verteidigungsanlagen in den Häfen und seine Grenzmauern zu zählen und auszumessen, sondern seine Fähigkeit zur Selbstregierung einzuschätzen. Es ist Zeit zu sagen, was ein König ist und welche Verantwortung und Fürsorge er seinem Volk schuldet: welche Verteidigung vor fremden Übergriffen moralischer oder physischer Natur, welchen Schutz vor den Ansprüchen jener, die einem Engländer gerne vorschreiben möchten, wie er zu seinem Gott sprechen soll.

Das Parlament tritt Mitte Januar zusammen. Im Vorfrühling hat es die Aufgabe, den Widerstand der Bischöfe gegen Henrys neue Verfügung zu brechen, die darauf abzielt, eine bis dato aufgeschobene Gesetzgebung in Kraft zu setzen. Sie wird Roms Einkünfte beschneiden und dafür sorgen, dass Henrys Oberhoheit über die Kirche nicht mehr rein nominell ist. Das Unterhaus verfasst einen Antrag gegen die Kirchengerichte, die so willkürlich in ihren Verfahren und so arrogant in ihrer angemaßten Rechtsprechung sind; es stellt ihre Zuständigkeit, ihre Existenzberechtigung in Frage. Die Papiere gehen durch viele Hände, aber schließlich arbeitet er selbst mit Rafe und Nennt-mich-Risley die Nacht durch, notiert Änderungen und Ergänzungen über den Zeilen. Er scheucht die Opposition auf: Obwohl er der Sekretär des Königs ist, fühlt sich Gardiner verpflichtet, seine Mit-Prälaten in die Schlacht zu führen.

Der König schickt nach Master Stephen. Als Gardiner hineingeht, sträuben sich seine Nackenhaare, und er schrumpft in seiner Haut wie ein Mastiff, der zu einem Bären geführt wird. Der König hat eine hohe Stimme für einen großen Mann, und wenn er wütend ist, erhebt sie sich zu einem dröhnenden Kreischen. Sind die Geistlichen nun seine Untertanen oder nur halbe Untertanen? Vielleicht sind sie überhaupt nicht seine Untertanen, denn wie können sie das sein, wenn sie einen Eid ablegen, dem Papst zu gehorchen und zu helfen? Müssten sie nicht, brüllt er, vor *mir* einen Eid ablegen?

Als Stephen herauskommt, lehnt er sich an die bemalte Täfelung. In seinem Rücken tummelt sich eine Truppe gemalter Nymphen auf einer Waldlichtung. Er nimmt ein Taschentuch heraus, scheint aber vergessen zu haben, wozu; er knetet es in seiner großen Pfote und wickelt es um seine Fingerknöchel wie einen Verband. Schweiß rinnt ihm über das Gesicht.

Er, Cromwell, ruft nach Unterstützung. »Mylord der Bischof ist krank.« Ein Hocker wird gebracht, und Stephen funkelt den Hocker an, funkelt ihn an, dann setzt er sich vorsichtig hin, als könne er der

Tischlerarbeit nicht trauen. »Ich gehe davon aus, dass Sie ihn gehört haben?«

Jedes Wort. »Wenn er Sie einsperrt, sorge ich dafür, dass Sie ein paar kleine Annehmlichkeiten erhalten.«

Gardiner sagt: »Gott verfluche Sie, Cromwell. Wer sind Sie denn? Welches Amt bekleiden Sie? Sie sind nichts. Nichts.«

Wir müssen die Debatte gewinnen, nicht nur unsere Feinde niederschlagen. Er hat Christopher St German besucht, den betagten Juristen, dessen Stimme in ganz Europa geachtet wird. Der alte Mann empfängt ihn höflich in seinem Haus. Es gibt keinen Menschen in England, sagt er, der nicht glaubt, dass unsere Kirche einer Reform bedarf, und von Jahr zu Jahr wird dies dringlicher. Wenn die Kirche es nicht tun kann, muss und kann es der König im Parlament tun. Das ist die Schlussfolgerung, zu der ich gekommen bin, nachdem ich die Frage einige Jahrzehnte lang erforscht habe.

Natürlich stimmt Thomas More nicht mit mir überein, sagt der alte Mann. Vielleicht ist seine Zeit vorbei. Utopia ist schließlich kein Ort, an dem man leben kann.

Als er den König trifft, wütet Henry gegen Gardiner: Illoyalität, brüllt er, Undankbarkeit. Kann er mein Sekretär bleiben, wenn er sich in direkte Opposition zu mir begeben hat? (Das ist der Mann, den Henry selbst als wackeren Streiter gelobt hat.) Er sitzt schweigend da, beobachtet Henry, versucht, die Situation durch Ruhe zu entschärfen, den König in schützende Stille einzuhüllen, damit er, Henry, auf sich selbst hören kann. Es ist eine große Sache, wenn man fähig ist, den Zorn des Löwen von England abzuwenden. »Ich denke ...«, sagt er leise, »mit der Erlaubnis Eurer Majestät, was ich denke ... Der Bischof von Winchester streitet gerne, wie wir wissen. Aber nicht mit seinem König. Er würde es nicht wagen, das nur zum Vergnügen zu tun.« Er macht eine Pause. »Also vertritt er seine Ansichten, wenn auch irrig, in aufrichtiger Weise.«

»Das ist richtig, aber ...« Der König bricht ab. Henry hat seine eigene Stimme gehört, die Stimme, die er beim Kardinal benutzt hat, als er ihn zu Fall brachte. Gardiner ist nicht Wolsey – und sei es nur, weil sich wenige mit Bedauern an ihn erinnern werden, sollte er geopfert werden. Trotzdem hält er, Cromwell, es im Augenblick für opportun, den knurrenden Bischof auf seinem Posten zu halten, denn er kümmert sich um Henrys Reputation in Europa. Also sagt er: »Majestät, Stephen hat Ihnen als Botschafter bis an die Grenzen seiner Möglichkeiten gedient, und es wäre besser, ihn aus ehrlicher Überzeugung heraus zu versöhnen, als ihn durch das Gewicht Ihres Missfallens zum Handeln zu zwingen. Das ist der angenehmere Kurs und auch der ehrenvollere.«

Er beobachtet Henrys Gesicht. Der König ist empfänglich für alles, was die Ehre betrifft.

»Ist das der Rat, den Sie immer geben würden?«

Er lächelt. »Nein.«

»Sie sind also nicht völlig darauf festgelegt, dass ich im Geist der christlichen Demut regieren sollte?«

»Nein.«

»Ich weiß, dass Sie Gardiner nicht mögen.«

»Und deshalb sollten Eure Majestät meinen Rat vielleicht bedenken.«

Er denkt: Du schuldest mir was, Stephen. Die Rechnung wird nach und nach bei dir eintreffen.

In sein eigenes Haus kommen Parlamentarier und Männer aus den Anwaltskammern und den Zünften der City of London; Thomas Audley, der Mr Speaker ist, und sein Protegé Richard Riche, ein junger Mann mit goldenem Haar, der so hübsch wie ein gemalter Engel ist und über einen lebendigen, schnellen und weltlichen Geist verfügt; Rowland Lee, ein bodenständiger Geistlicher, so geradeheraus und so wenig priesterlich, dass man schwerlich einen zweiten wie ihn finden würde. In diesen Monaten lichten sich die Reihen seiner Freunde aus der City durch Krankheit und unnatürlichen Tod. Thomas Somer, den er seit vielen Jahren kannte, ist unmittelbar nach seiner Entlassung aus dem Tower gestorben; dort war er eingesperrt, weil er das Evangelium auf Englisch verteilt hatte; Somer war Liebhaber schöner Kleider und schneller Pferde, ein Mann von unbändiger Lebenslust, bis der Tag der Abrechnung mit dem Lordkanzler kam. John Petyt ist entlassen worden, ist aber zu krank, um weiterhin an den Sitzungen des Unterhauses teilzunehmen. Er besucht ihn; Petyt kann sein Zimmer nicht verlassen. Es ist schmerzlich, ihn um Atem ringen zu hören. Auch der Frühling 1532 mit der ersten Wärme des Jahres bringt ihm keine Erleichterung. Ich habe das Gefühl, sagt Petyt, als läge ein eiserner Ring um meine Brust und sie machen ihn immer enger. Er sagt: Thomas, kümmern Sie sich um Luce, wenn ich sterbe?

Manchmal, wenn er mit den Abgeordneten oder mit Annes Kaplänen im Garten spazieren geht, wird er sich der Abwesenheit Dr Cranmers zu seiner Rechten bewusst. Seit Januar ist dieser unterwegs, denn er ist der Botschafter des Königs beim Kaiser; auf seinen Reisen besucht er Gelehrte in Deutschland, bei denen er um Unterstützung für die Scheidung des Königs wirbt. Er, Cromwell, hatte zu ihm gesagt: »Was soll ich tun, wenn der König einen Traum hat, während Sie fort sind?«

Cranmer hatte gelächelt. »Sie haben es das letzte Mal ganz allein geschafft. Ich war nur dazu da, es abzunicken.«

Er sieht Marlinspike; der Kater hat sich mit herabhängenden Pfoten auf einem schwarzen Ast niedergelassen. Er zeigt auf ihn. »Meine Herren, diese Katze gehörte dem Kardinal.« Beim Anblick der Besucher flitzt Marlinspike ein Stück die Grenzmauer entlang und verschwindet dann mit einem Schlagen seines Schwanzes in das unbekannte Territorium dahinter.

Unten in der Küche von Austin Friars lernen die *garzoni* die Zubereitung von Waffeln. Das erfordert ein gutes Auge, ein Gefühl für den richtigen Zeitpunkt und eine sichere Hand. Es gibt so viele Punkte, an denen es missglücken kann. Der Teig muss die richtige Konsistenz haben und flüssig sein, die Flächen der Eisen mit den langen Griffen müssen gut eingefettet und heiß sein. Treffen die Flächen beim Zusammendrücken aufeinander, klingen sie wie der Schrei eines Tieres, und der Dampf zischt. Wenn man in Panik gerät und den Druck verringert, muss man eine klebrige Schweinerei abkratzen. Man muss warten, bis der Dampf nachlässt, und dann beginnt man zu zählen. Wenn man einen Takt aussetzt, breitet sich der Geruch nach Angebranntem in der Luft aus. Eine Sekunde trennt den Erfolg vom Misserfolg.

Als er den Antrag im Unterhaus einbringt, die Zahlung der Annaten an Rom aufzuschieben, schlägt er eine offene Stimmabgabe vor. Das ist sehr unüblich, aber schockiert und murrend fügen sich die Abgeordneten: für die Vorlage auf diese Seite, gegen die Vorlage auf die andere. Der König ist anwesend; er sieht zu, er erfährt, wer für ihn ist und wer gegen ihn, und am Ende des Vorgangs bedenkt er seinen Ratgeber mit einem grimmigen zustimmenden Nicken. Im Oberhaus hilft diese Taktik nicht. Der König muss persönlich erscheinen, dreimal, und seinen Fall vertreten. Die alte Aristokratie – stolze Familien wie der Exeter-Clan mit seinem eigenen Anspruch auf den Thron – sind für den Papst und Katherine und haben keine Angst, das zu sagen: oder noch keine. Aber Henry erkennt seine Feinde und spaltet sie, wenn er kann.

Sobald die Küchenjungen die erste lobenswerte Waffel gemacht haben, lässt Thurston sie hundert weitere produzieren. Sie wird zur zweiten Natur, die Drehung des Handgelenks, mit der man die halbfeste Waffel mit einem Holzlöffel aufnimmt und dann auf den Trockenständer wirft, damit sie knusprig wird. Die Erfolge – nach und nach sollte es nur noch Erfolge geben – werden mit dem Zeichen der Tudors versehen und dutzendweise in die hübschen Schachteln mit Intarsien gelegt; so werden sie zu Tisch gebracht, wobei jede zarte goldene Scheibe mit Rosenwasser parfümiert ist. Er schickt einen Schub an Thomas Boleyn.

Als Vater der zukünftigen Königin meint Wiltshire, einen ganz besonderen Titel zu verdienen, und lässt verbreiten, dass es ihm nicht unangenehm wäre, als Monseigneur angesprochen zu werden. Er, Cromwell, berät sich mit ihm, seinem Sohn und ihren Freunden, dann geht er durch die Gemächer von Whitehall, um Anne aufzusuchen. Monat um Monat wird ihr Haushalt größer, aber ihre Leute verneigen sich, wenn er vorbeikommt. Keinen Deut zu fein für seine Stellung als Gentleman kleidet er sich bei Hofe und in den Büros von Westminster in weite Jacken aus so feiner Ryelandwolle, dass sie fließen wie Wasser, und in so dunkle, fast schwarze Violett- und Indigotöne, dass es aussieht, als hätte sich die Nacht in sie ergossen; seine Kappe aus schwarzem Samt sitzt auf seinem dunklen Haar, nur seine lebhaften Augen leuchten und die kräftigen, fleischigen Hände, mit denen er gestikuliert. Das und die Feuerblitze von Wolseys Türkisring.

In Whitehall – York Place, wie es früher hieß – sind noch die Bauleute am Werk. Zu Weihnachten hat der König Anne ein Schlafzimmer geschenkt. Er hatte sie persönlich hingeführt, um den kleinen Laut der Überraschung zu hören, den sie beim Anblick der Wandbehänge aus silbernem und goldenem Tuch und des geschnitzten Bettes mit dem Behang aus purpurrotem, mit Bildern von Blumen und Kindern besticktem Satin von sich geben würde. Henry Norris hat ihm berichtet, dass Anne diesen Laut nicht von sich gegeben hat, dass sie sich lediglich langsam im Raum umgesehen, gelächelt und geblinzelt hat. Dann war ihr eingefallen, was von ihr erwartet wurde; sie gab vor, von der Ehrung überwältigt zu sein, und erst als sie schwankte und der König die Arme um sie legte, stieß sie den Laut aus. Ich hoffe inständig, hatte Norris gesagt, dass wir wenigstens einmal im Leben eine Frau dazu bringen, dass ihr der Atem stockt.

Als Anne ihren Dank ausgesprochen hatte, kniend, musste Henry natürlich gehen, musste den schimmernden Raum verlassen, sie an der Hand hinter sich herziehen und zum Neujahrsfest zurückkehren, zur öffentlichen Überprüfung seines Gesichtsausdrucks: in der Gewissheit, dass die Kunde davon in ganz Europa verbreitet würde, auf dem Land- und auf dem Seeweg, chiffriert und nicht chiffriert.

Am Ende seines Weges durch die alten Räumlichkeiten des Kardinals findet er Anne bei ihren Damen sitzend vor, sie weiß bereits oder scheint zu wissen, was ihr Vater und Bruder gesagt haben. Sie glauben, dass sie die Taktik festlegen, aber Anne ist selbst eine hervorragende Taktikerin und in der Lage, zurückzudenken und einzuschätzen, was fehlgegangen ist; er bewundert jeden, der aus Fehlern lernen kann. Vor den offenen Fenstern bauen die Vögel flügelschlagend ihre Nester, und sie sagt: »Sie haben einmal zu mir gesagt, dass nur der Kardinal dem König seine Freiheit schenken könnte. Wissen Sie, was ich jetzt denke? Ich denke, Wolsey war die letzte Person, die das konnte. Weil er so stolz war und weil er Papst sein wollte. Wäre er demütiger gewesen, wäre Clemens entgegenkommender gewesen.«

»Daran mag etwas Wahres sein.«

»Ich vermute, wir sollten eine Lehre daraus ziehen«, sagt Norris.

Sie drehen sich beide um. Anne sagt: »Ach wirklich?« und er sagt: »Welche Lehre wäre das?«

Norris weiß nicht weiter.

»Wir werden wahrscheinlich alle keine Kardinäle werden«, sagt Anne. »Selbst Thomas, der nach den meisten Dingen strebt, würde danach nicht trachten.«

»Oh? Darauf würde ich aber kein Geld wetten.« Norris schlendert davon, wie nur ein seidener Gentleman schlendern kann, und lässt ihn bei den Frauen zurück.

»Nun, Lady Anne«, sagt er, »wenn Sie über den verstorbenen Kardinal nachdenken, nehmen Sie sich dann Zeit, für seine Seele zu beten?«

»Ich denke, Gott hat ihn gerichtet, und meine Gebete, ob ich sie nun verrichte oder nicht, haben keine Wirkung.«

Mary Boleyn sagt sanft: »Er zieht dich auf, Anne.«

»Ohne den Kardinal wären Sie jetzt mit Harry Percy verheiratet.«

»Zumindest hätte ich den Status einer Ehefrau«, schnappt sie, »ein ehrenhafter Stand, aber so ...«

»Ach, Kusine«, sagt Mary Shelton, »Harry Percy ist doch verrückt geworden. Das wissen alle. Er gibt sein ganzes Geld aus.«

Mary Boleyn lacht. »So ist es, und meine Schwester vermutet, dass der Kummer um sie der Grund ist.«

»Mylady«, er wendet sich an Anne, »Sie wären nicht gerne in Harry Percys Landen. Denn Sie wissen ja, dass er so handeln würde, wie es alle diese Lords im Norden tun – er würde Sie in einem eiskalten Turm mit einer Wendeltreppe einsperren und Ihnen nur erlauben, zum Essen nach unten zu kommen. Und sobald Sie sich hingesetzt haben und ein Pudding aufgetragen wird, der aus Hafermehl besteht, vermischt mit Rinderblut, das bei einem Überfall erbeutet wurde, kommt Mylord hereingestürmt und schwingt einen Sack – Oh Liebling, sagen Sie, ein Geschenk für mich? Und er sagt: Aye, Madam, wenn es beliebt, öffnet den Sack und in Ihren Schoß rollt der abgetrennte Kopf eines Schotten.«

»Oh, das ist ja schrecklich«, flüstert Mary Shelton. »Machen sie das wirklich so?« Anne hält die Hand vor den Mund, sie lacht.

»Sie wissen ja«, sagt er, »dass Sie viel lieber leicht gedünstete, in Scheiben geschnittene Hähnchenbrust in einer Sahnesoße mit Estragon essen. Und auch einen feinen gereiften Käse, den der Botschafter von Spanien importiert hat und der zweifellos für die Königin bestimmt war, der aber irgendwie den Weg in mein Haus gefunden hat.«

»Wie könnte man mir besser dienen«, fragt Anne, »als mit einer Bande von Wegelagerern auf der Landstraße, die Katherines Käse rauben?«

»Nun, nachdem ich einen solchen Coup gelandet habe, muss ich gehen ...«, er weist mit einer Geste auf den Lautenspieler in der Ecke, »und Sie bei Ihrem Anbeter mit den Stielaugen zurücklassen.«

Anne wirft dem Jungen Mark einen Blick zu. »Er hat Stielaugen. Das stimmt.«

»Soll ich ihn wegschicken? Hier gibt es jede Menge Musiker.«

»Lassen Sie ihn«, sagt Mary. »Er ist ein süßer Junge.«

Mary Boleyn steht auf. »Ich will nur ...«

»Jetzt wird Lady Carey eine ihrer Konferenzen mit Master Cromwell abhalten«, sagt Mary Shelton in einem Tonfall, in dem man angenehme Mitteilungen überbringt.

Jane Rochford: »Sie wird ihm wieder mal ihre Tugend anbieten.«

»Lady Carey, was gibt es, das nicht vor uns allen gesagt werden kann?« Aber Anne nickt. Er darf gehen. Mary darf gehen. Vermutlich soll Mary

Botschaften weitergeben, die sie, Anne, aus Gründen des Takts nicht direkt ansprechen will.

Draußen: »Manchmal muss ich einfach Luft holen.« Er wartet. »Jane und unser Bruder George, Sie wissen, dass die beiden sich hassen? Er geht nicht mit ihr ins Bett. Wenn er nicht bei irgendeiner anderen Frau ist, sitzt er nachts bei Anne in ihren Gemächern. Sie spielen Karten. Sie spielen bis zur Morgendämmerung *Pope Julius*. Wussten Sie, dass der König ihre Spielschulden bezahlt? Sie braucht ein größeres Einkommen und ein eigenes Haus, einen Zufluchtsort, nicht so weit von London entfernt, irgendwo am Fluss …«

»Wessen Haus schwebt ihr vor?«

»Ich glaube nicht, dass sie jemanden hinauswerfen will.«

»Häuser gehören in der Regel jemandem.« Da kommt ihm ein Gedanke. Er lächelt.

Sie sagt: »Einst habe ich Ihnen geraten, Sie sollten sich von ihr fernhalten. Aber jetzt kommen wir nicht ohne Sie aus. Selbst mein Vater und mein Onkel sagen das. Ohne die Gunst des Königs, ohne seine beständige Anwesenheit wird nichts erreicht, gar nichts. Und wenn Sie dieser Tage nicht bei Henry sind, will der König wissen, wo Sie sind.« Sie tritt zurück und betrachtet ihn einen Augenblick lang prüfend, als wäre er ein Fremder. »Meine Schwester auch.«

»Ich brauche einen Posten, Lady Carey. Es reicht nicht, dem Rat anzugehören. Ich brauche einen offiziellen Platz im Haushalt.«

»Ich werde es ihr sagen.«

»Ich möchte einen Posten im Jewel House. Oder im Schatzamt.«

Sie nickt. »Sie hat Tom Wyatt zum Dichter gemacht. Sie hat Harry Percy zum Wahnsinnigen gemacht. Ich bin ganz sicher, dass ihr etwas einfällt, wozu sie Sie machen kann.«

Ein paar Tage, bevor das Parlament zusammentrat, war Thomas Wyatt zu ihm gekommen, um sich dafür zu entschuldigen, dass er ihn am Neujahrstag in aller Frühe aus dem Bett geholt hatte. »Sie haben jedes Recht, verärgert zu sein, aber ich möchte Sie bitten, mir nicht böse zu sein. Sie wissen ja, wie es Silvester zugeht. Trinksprüche werden ausgebracht, der Humpen geht herum, und man muss den Humpen austrinken.«

Er beobachtet, wie Wyatt im Zimmer umherläuft, zu neugierig und unruhig und auch etwas zu schüchtern, um sich hinzusetzen und von Angesicht zu Angesicht Abbitte zu leisten. Wyatt dreht an der bemalten Weltkugel und legt seinen Zeigefinger auf England. Er bleibt stehen, um Bilder zu betrachten – auch ein kleines Altarbild – und dreht sich mit fragendem Blick um; es gehörte meiner Frau, sagt er, es ist ein Andenken an sie. Master Wyatt trägt eine steife Jacke aus cremefarbenem Brokat, besetzt mit Zobel, den er sich vermutlich nicht leisten kann; er trägt ein Wams aus lohfarbener Seide. Er hat weiche blaue Augen und eine goldene Haarmähne, die sich lichtet. Manchmal legt er vorsichtig die Fingerspitzen an den Kopf, als habe er immer noch das Kopfweh von Neujahr; in Wirklichkeit kontrolliert er seinen Haaransatz, will feststellen, ob er in den letzten fünf Minuten zurückgegangen ist. Er bleibt stehen und sieht sich im Spiegel an; das tut er sehr oft. Mein Gott, sagt er. Dass ich mit dieser Bande durch die Straßen gezogen bin! Ich bin zu alt für so ein Benehmen. Aber zu jung dafür, dass mir die Haare ausfallen. Glauben Sie, Frauen macht das etwas aus? Viel? Glauben Sie, wenn ich mir einen Bart wachsen lasse, lenkt das von … Nein, vermutlich nicht. Aber vielleicht mache ich es trotzdem. Der Bart des Königs sieht gut aus, finden Sie nicht auch?«

Er sagt: »Hat Ihr Vater Ihnen keine Ratschläge gegeben?«

»Oh ja. Trink eine Schale Milch, bevor du ausgehst. Quittenkompott in Honig – glauben Sie, das hilft?«

Er versucht, nicht zu lachen. Er will sie ernst nehmen, seine neue Position als Wyatts Vater. Er sagt: »Ich meine, hat er Ihnen nie geraten, sich von Frauen fernzuhalten, an denen der König interessiert ist?«

»Ich habe mich ferngehalten. Erinnern Sie sich, dass ich nach Italien gegangen bin? Und danach war ich ein ganzes Jahr in Calais. Aber wie soll sich ein Mann dauerhaft fernhalten?«

Diese Frage stellt sich auch in seinem eigenen Leben; er kennt sie. Wyatt setzt sich auf einen kleinen Hocker. Er stützt die Ellenbogen auf seine Knie. Er legt seinen Kopf in die Hände, die Fingerspitzen an den Schläfen. Er lauscht auf seinen eigenen Herzschlag; er denkt; vielleicht verfasst er ein Gedicht? Er sieht auf. »Mein Vater sagt, jetzt, wo Wolsey tot ist, sind Sie der klügste Mann in England. Deshalb können Sie vielleicht verstehen, was ich meine, auch wenn ich es nur einmal sage? Wenn Anne keine Jungfrau ist, habe ich nichts damit zu tun.«

Er schenkt ihm ein Glas Wein ein. »Stark«, sagt Wyatt, nachdem er ausgetrunken hat. Er starrt in die Tiefe des Glases und auf seine eigenen Finger, die es halten. »Ich glaube, ich muss mehr sagen.«

»Wenn Sie das müssen, sagen Sie es hier und nur einmal.«

»Verbirgt sich jemand hinter dem Wandbehang? Man hat mir erzählt, dass es in Chelsea Diener gibt, die Ihnen Bericht erstatten. Heutzutage kann niemand mehr seinen Dienern vertrauen, es gibt überall Spione.«

»Sagen Sie mir, zu welcher Zeit es keine Spione gab«, sagt er. »Es gab ein Kind in Mores Haus, Dick Purser, More nahm es aus schlechtem Gewissen auf, nachdem das Kind zur Waise geworden war – ich kann nicht sagen, dass More den Vater glattweg getötet hat, aber er hatte ihn am Pranger und im Tower, und das hat ihm die Gesundheit geraubt. Dick hat den anderen Jungen erzählt, er glaube nicht, dass Gott in der Abendmahlshostie sei, und deshalb ließ More ihn vor dem gesamten Haushalt auspeitschen. Jetzt habe ich ihn hierhergebracht. Was konnte ich anderes tun? Ich werde auch andere aufnehmen, wenn er sie misshandelt.«

Lächelnd streicht Wyatt mit der Hand über die Königin von Saba: soll heißen, über Anselma. Der König hat ihm Wolseys schönen Gobelin geschenkt. Anfang des Jahres, als er in Greenwich war, um mit Henry zu sprechen, sah dieser, wie er zur Begrüßung zu ihr hinaufblickte, und fragte ihn mit einem lächelnden Seitenblick: Kennen Sie diese Frau? Früher einmal, hatte er geantwortet, hatte es erklärt, hatte sich entschuldigt; der König sagte: Nicht von Bedeutung, wir waren alle mal jung und leichtsinnig, und man kann nicht jede heiraten, habe ich recht? Dann fügte er mit leiser Stimme hinzu: Mir ist so, als hätte dieser Gobelin dem Kardinal von York gehört. Und dann, energischer: Wenn Sie nach Hause kommen, suchen Sie einen Platz für sie aus; ich finde, sie sollte mitgehen und bei Ihnen leben.

Er nimmt sich selbst ein Glas Wein und schenkt auch Wyatt nach, sagt: »Gardiner hat Leute vor dem Tor, die beobachten, wer hier ein und aus geht. Es ist ein Stadthaus, keine Festung – aber wenn Personen auftauchen, die nicht hier sein sollten, macht es meinem Haushalt Freude, sie vor die Tür zu setzen. Wir kämpfen gerne. Ich würde meine Vergangenheit lieber hinter mir lassen, aber das erlaubt man mir nicht. Onkel Norfolk erinnert mich immer wieder daran, dass ich ein gemeiner Soldat war, und das nicht einmal in seiner Armee.«

»So nennen Sie ihn?« Wyatt lacht. »Onkel Norfolk?«

»Unter uns. Aber ich brauche Sie nicht daran zu erinnern, was den Howards ihrer Ansicht nach zusteht. Sie sind als Thomas Boleyns Nachbar aufgewachsen, und deshalb muss Ihnen klar sein, dass Sie ihn nicht verärgern dürfen, was auch immer Sie für seine Tochter empfinden. Ich hoffe doch, Sie empfinden nichts – oder?«

»Zwei Jahre lang«, sagt Wyatt, »machte der Gedanke, dass ein anderer Mann sie berühren würde, meine Seele krank. Aber was hatte ich anzubieten? Ich bin ein verheirateter Mann, und auch nicht der Herzog oder Prinz, den sie sich angeln wollte. Sie mochte mich, glaube ich, oder sie mochte meine uneingeschränkte Ergebenheit, das hat sie amüsiert. Wenn wir allein waren, erlaubte sie mir, sie zu küssen, und ich dachte immer … aber das ist Annes Taktik, wissen Sie, sie sagt ja, ja, ja, und dann sagt sie nein.

»Und Sie sind natürlich ein echter Gentleman.«

»Was, hätte ich sie vergewaltigen sollen? Wenn Sie stopp sagt, meint sie stopp – Henry weiß das. Aber dann kam ein anderer Tag, und wieder ließ sie sich von mir küssen. Ja, ja, ja, nein. Das Schlimmste daran sind ihre Andeutungen, sie prahlt beinahe damit, dass sie nein zu mir sagt, aber ja zu anderen …«

»Und die sind?«

»Ach, Namen, Namen würden ihr die Kurzweil verderben. Es ist darauf angelegt, dass man bei jedem Mann, den man bei Hofe oder in Kent sieht, ins Grübeln kommt. Ist er derjenige? Oder der oder der? So fragt man sich unablässig: Warum gelingt es dir nicht, warum kannst du sie nie zufriedenstellen, warum bekommst du nie eine Chance?«

»Ich würde denken, Sie schreiben die besten Gedichte. Damit können Sie sich trösten. Die Verse seiner Majestät können ein wenig gleichförmig sein, um nicht zu sagen selbstbezogen.«

»Dieses Lied, das er geschrieben hat, ›Pastime With Good Company‹. Wenn ich es höre, spüre ich etwas in mir, das heulen möchte wie ein kleiner Hund.«

»Nun ja, der König ist über vierzig. Es ist ein bisschen traurig, ihn von den Tagen singen zu hören, als er jung und dumm war.« Er beobachtet Wyatt. Der junge Mann sieht benommen aus, als hätte er einen hartnäckigen Schmerz zwischen den Augen. Er behauptet, dass Anne ihn nicht mehr quält, aber so sieht es nicht aus. So brutal wie ein Schlachter sagt er: »Also, wie viele Liebhaber hat sie Ihrer Meinung nach gehabt?«

Wyatt blickt auf seine Füße. Er blickt an die Decke. Er sagt: »Ein Dutzend? Oder keinen? Oder hundert? Brandon hat versucht, Henry zu sagen, dass sie verdorbene Ware ist. Da hat er Brandon vom Hof verbannt. Stellen Sie sich vor, ich würde es versuchen. Ich bezweifle, dass ich den Raum lebend verlassen würde. Brandon hat sich zum Sprechen gezwungen, denn wenn der Tag kommt, an dem sie Henry nachgibt – was dann? Wird er es nicht merken?«

»Verlassen Sie sich auf sie. Sie hat das sicherlich bedacht. Und außerdem ist der König nicht gerade ein Experte in Sachen Jungfräulichkeit. Das gibt er selbst zu. Bei Katherine hat er zwanzig Jahre gebraucht, um dahinterzukommen, dass sein Bruder vor ihm am Ziel war.«

Wyatt lacht. »Wenn der Tag kommt oder die Nacht, kann Anne das aber kaum ins Feld führen.«

»Hören Sie. Ich sehe den Fall so. Anne macht sich keine Sorgen um ihre Hochzeitsnacht, weil es keinen Anlass zur Sorge gibt.« Er möchte sagen, weil Anne kein sinnliches Wesen ist, sie ist ein berechnendes Wesen mit einem kalten raffinierten Hirn, das hinter ihren hungrigen schwarzen Augen am Werk ist. »Ich glaube, dass jede Frau, die nein zum König von England sagen und bei ihrem Nein bleiben kann, auch gewitzt genug ist, nein zu einer beliebigen Anzahl weiterer Männer zu sagen, Sie eingeschlossen, Harry Percy eingeschlossen, jeder andere eingeschlossen, den sie auswählt, um ihn zum eigenen Vergnügen zu quälen, während sie ihre Karriere auf die Weise gestaltet, die ihr gefällt. Deshalb glaube ich: Ja, Sie sind zum Narren gemacht worden, aber nicht ganz so, wie Sie geglaubt haben.«

»Ist das als Trost gedacht?«

»Es sollte Sie trösten. Wenn Sie wirklich ihr Liebhaber gewesen wären, hätte ich Angst um Sie. Henry glaubt an ihre Jungfräulichkeit. Was soll er auch sonst glauben? Aber er wird eifersüchtig sein, sobald sie verheiratet sind.«

»Und werden sie das? Verheiratet sein?«

»Ich arbeite hart mit dem Parlament daran, glauben Sie mir, und ich denke, ich kann die Bischöfe brechen. Und danach, das weiß Gott allein … Thomas More sagt, während der Regierungszeit König Johns, als der Papst das Interdikt über England verhängte, vermehrten sich die Rinder nicht, das Korn wollte nicht reifen, das Gras hörte auf zu wachsen, und die Vögel fielen vom Himmel. Aber wenn das geschieht«, er lächelt, »können wir unsere Politik bestimmt rückgängig machen.«

»Anne hat mich gefragt: Cromwell, was glaubt er wirklich?«

»Also sprechen Sie miteinander. Und auch noch über mich? Nicht nur ja, ja, ja, nein? Ich bin geschmeichelt.«

Wyatt sieht unglücklich aus. »Sie können sich nicht irren? In Bezug auf Anne?«

»Möglich. Für den Augenblick akzeptiere ich sie so, wie sie sich selbst sieht. Das kommt mir entgegen. Das kommt uns beiden entgegen.«

Als Wyatt geht: »Sie müssen bald wiederkommen. Meine Mädchen haben gehört, wie gut Sie aussehen. Sie können Ihren Hut aufbehalten, wenn Sie befürchten, dass ihnen sonst die Illusionen geraubt werden.«

Wyatt spielt regelmäßig mit dem König Tennis. Deshalb kennt er sich mit gekränktem Stolz aus. Es gelingt ihm zu lächeln.

»Ihr Vater hat uns von dem Löwen erzählt. Die Jungen haben ein Stück daraus gemacht. Vielleicht möchten Sie eines Tages kommen und Ihre eigene Rolle übernehmen?«

»Ach, der Löwe. Inzwischen denke ich daran zurück und es scheint mir gar nicht ähnlich zu sehen. Still zu stehen, ohne Deckung, und das Tier rankommen zu lassen.« Er macht eine Pause. »Es scheint eher etwas zu sein, das Sie tun würden, Master Cromwell.«

Thomas More kommt nach Austin Friars. Er lehnt es ab, etwas zu essen, er lehnt es ab, etwas zu trinken, obwohl er so aussieht, als brauche er beides.

Der Kardinal hätte ein solches Nein nicht akzeptiert. Er hätte More dazu gezwungen, sich hinzusetzen und Weinschaumcreme zu essen. Oder wenn es Erdbeerzeit gewesen wäre, hätte er ihm einen großen Teller Erdbeeren und einen sehr kleinen Löffel gegeben.

More sagt: »In den vergangenen zehn Jahren haben die Türken Belgrad genommen. Sie haben ihre Lagerfeuer in der großen Bibliothek von Buda entzündet. Es ist erst zwei Jahre her, dass sie vor den Toren Wiens standen. Warum wollen Sie eine weitere Bresche in die Mauern der Christenheit schlagen?«

»Der König von England ist kein Ungläubiger. Und ich bin es auch nicht.«

»Ach nein? Ich weiß gar nicht, ob Sie zu dem Gott Luthers und der Deutschen beten oder zu einem heidnischen Gott, dem Sie auf Ihren Reisen begegnet sind, oder zu einer englischen Gottheit, die Sie selbst erfunden haben. Vielleicht steht Ihr Glaube zum Verkauf. Sie würden dem Sultan dienen, wenn der Preis stimmt.«

Erasmus sagt: Hat die Natur jemals etwas Freundlicheres, Sanfteres oder Harmonischeres geschaffen als den Charakter Thomas Mores?

Er schweigt. Er sitzt an seinem Schreibtisch – More hat ihn bei der Arbeit überrascht – und hat das Kinn auf die Fäuste gestützt. Es ist eine Pose, die ihn kämpferisch erscheinen lässt, vermutlich zu seinem Vorteil.

Der Lordkanzler sieht aus, als wolle er sich die Kleider zerreißen: was diese nur verbessern könnte. Man könnte ihn bemitleiden, aber er entscheidet sich dagegen. »Master Cromwell, weil Sie dem Rat angehören, denken Sie, dass Sie hinter dem Rücken des Königs mit Ketzern verhandeln können. Sie irren sich. Ich weiß von den Briefen, die zwischen Ihnen und Stephen Vaughan hin und her gehen, ich weiß, dass er sich mit Tyndale getroffen hat.«

»Bedrohen Sie mich? Ich frage das aus reinem Interesse.«

»Ja«, sagt More traurig. »Genau das tue ich.«

Ihm wird klar, dass sich das Gleichgewicht der Macht zwischen ihnen verschoben hat: nicht in ihrer Eigenschaft als Staatsdiener, sondern als Männer.

Als More geht, sagt Richard zu ihm: »Das sollte er nicht tun. Drohen, meine ich. Heute kommt er wegen seines Amtes ungeschoren davon, aber morgen, wer weiß?«

Er denkt, ich war ein Kind, vielleicht neun Jahre alt, ich büchste aus und lief nach London, wo ich eine alte Frau für ihren Glauben leiden sah. Die Erinnerung strömt in seinen Körper, und er geht, als segle er auf ihrer Flut, sagt über die Schulter: »Richard, vergewissere dich, dass der Lordkanzler angemessenen Begleitschutz hat. Wenn nicht, sorg dafür, dass er ihn bekommt, und versuch, ihn in ein Boot zurück nach Chelsea zu setzen. Wir wollen nicht, dass er durch London streift und allen eine Strafpredigt hält, an deren Tor er zufällig stehen bleibt.«

Den letzten Teil sagt er auf Französisch, er weiß nicht, warum. Er denkt an Anne, ihre ausgestreckte Hand, die ihn zu sich zieht: *Maître Cremuel, à moi.*

Er kann sich nicht mehr an das genaue Jahr erinnern, aber er erinnert sich an das Wetter. Es war Ende April, und dicke Regentropfen sprenkelten das helle frische Grün. Er kann sich nicht an den Grund für Walters Wut erinnern, aber er erinnert sich an die Angst, die er im Kern seines Wesens verspürte, und an sein Herz, das heftig gegen die Rippen pochte. Wenn er sich in jenen Tagen nicht bei seinem Onkel John in Lambeth verstecken konnte, machte er sich in die Stadt auf und suchte Leute, denen er sich anschließen konnte – versuchte, durch Botengänge zu den Kais oder in die Stadt, durch das Tragen von Körben oder das Beladen von Schubkarren einen Penny zu verdienen. Wenn man nach ihm pfiff, kam er; er hatte Glück, wie er jetzt weiß, nicht an übles Gesindel geraten zu sein, was dazu hätte führen können, dass er gebrandmarkt oder ausgepeitscht worden wäre, er hatte Glück, dass er keine der kleinen Leichen war, die aus dem Fluss gefischt wurden. In diesem Alter hat man kein Urteilsvermögen. Wenn jemand sagte, da drüben ist was los, folgte er dem ausgestreckten Finger. Er hatte nichts gegen die alte Frau, aber er hatte noch nie gesehen, wie jemand verbrannt wurde.

Was hat sie verbrochen?, sagte er, und sie sagten: Die is' von den Lollarden. Und die Lollarden sagen, dass der Gott auf dem Altar ein Stück Brot ist. Was, sagte er, Brot wie beim Bäcker? Lasst dieses Kind nach vorn, sagten sie. Er soll was lernen, es ist gut für ihn, wenn er es von nahem sieht, dann geht er immer brav zur Messe und gehorcht seinem Priester. Sie schoben ihn in der Menge ganz nach vorne. Komm her, Schätzchen, stell dich neben mich, sagte eine Frau. Sie hatte ein breites Lächeln und trug eine saubere weiße Haube. Allein fürs Zugucken kriegst du Vergebung für deine Sünden, sagte sie. Und alle, die Reisigbündel fürs Feuer mitbringen, kriegen vierzig Tage Fegefeuer erlassen.

Als die Lollardin von den Wachen herangeführt wurde, buhten und schrien die Leute. Er sah, dass sie eine Großmutter war, vielleicht die älteste Person, die er je gesehen hatte. Die Wachen trugen sie beinahe. Sie hatte weder Haube noch Schleier. Das Haar schien ihr in Büscheln vom Kopf gerissen worden zu sein. Hinter ihm sagten Leute: Das hat sie bestimmt selber gemacht, aus Verzweiflung über ihre Sünden. Hinter ihr kamen zwei Mönche wie fette graue Ratten mit Kreuzen in ihren rosa Pfoten. Die Frau mit der sauberen Haube drückte seine Schulter: wie es eine Mutter tun würde, wenn man eine hätte. Sieh sie dir an, sagte sie, achtzig Jahre alt und durch und durch böse. Ein Mann sagte: Die hat nicht viel Fett auf den Knochen, das wird nicht lange dauern, außer der Wind dreht sich noch.

Aber was ist ihre Sünde?, sagte er.

Hab ich dir doch gesagt. Sie sagt, die Heiligen sind nichts als Holzpfähle.

Wie der Pfahl, an den sie gekettet wird?

Ja, genauso.

Der Pfahl wird auch verbrennen.

Sie nehmen das nächste Mal einen neuen, sagte die Frau. Sie nahm die Hand von seiner Schulter. Sie ballte beide Hände zur Faust und stieß sie in die Luft, und aus der Tiefe ihres Bauches entließ sie einen Schrei, ein Horrido, das sie mit der schrillen Stimme eines Dämons ausstieß. Die Menschenmenge nahm den Schrei auf. Die Leute drängelten und schoben sich nach vorn, um besser sehen zu können, sie johlten und pfiffen und trampelten mit den Füßen. Beim Gedanken an den schrecklichen Anblick, der sich ihm bieten würde, wurde ihm heiß und kalt. Er verrenkte sich, um in das Gesicht der Frau aufsehen zu können, die in dieser Menge seine Mutter war. Guck genau hin, sagte sie. Mit einer ganz sanften Bewegung ihrer Finger drehte sie sein Gesicht zu dem Schauspiel hin. Jetzt pass auf. Die Wachen nahmen Ketten und fesselten die alte Frau an den Pfahl.

Der Pfahl stand auf einem Steinhaufen, und ein paar Herren kamen und Priester, vielleicht Bischöfe, das wusste er nicht. Sie riefen der Frau zu, sie solle ihren Irrglauben ablegen. Er stand nah genug, um sehen zu können, wie sich ihre Lippen bewegten, aber er konnte nicht hören, was sie sagte. Wenn sie jetzt ihre Meinung ändert, wird sie dann freigelassen? Bestimmt nicht, kicherte die Frau. Sieh mal, sie ruft Satan an, ihr zu helfen. Die Herren zogen sich zurück. Die Wachen schichteten Holz und Strohballen rund um die Lollardin auf. Die Frau klopfte ihm auf die Schulter: Hoffen wir mal, dass es feucht ist, was? Hier kann man gut sehen, das letzte Mal stand ich ganz hinten. Der Regen hatte aufgehört, die Sonne war herausgekommen. Als der Scharfrichter mit einer Fackel kam, leuchtete sie kaum in der Sonne, sie war kaum mehr als eine gleitende Bewegung wie von Aalen in einem Sack. Die Mönche psalmodierten und hielten ein Kreuz zu der Lollardin hinauf, und erst als sie vor den ersten Rauchschwaden zurücksprangen, wusste die Menge, dass das Feuer entzündet worden war.

Die Leute wogten nach vorn, brüllten. Wachen bildeten eine Barriere mit Knüppeln und riefen mit mächtigen tiefen Stimmen: zurück, zurück, zurück, und die Menge kreischte und fiel zurück und dann drängte sie wieder nach vorn, brüllte und rief im Sprechchor, als wäre es ein Spiel. Wirbelnder Rauch versperrte ihnen die Sicht, und die Leute wedelten hustend mit den Händen. Riecht sie!, brüllten sie. Riecht die alte Sau! Er hatte die Luft angehalten, damit er die alte Frau nicht einatmete. In dem Rauch schrie die Lollardin. Jetzt ruft sie die Heiligen an!, sagten sie. Die Frau beugte sich hinab und sagte ihm ins Ohr: Wusstest du, dass sie im Feuer bluten? Manche Leute glauben, sie verschrumpeln nur, aber ich hab es schon öfter gesehen und weiß, wie es ist.

Als sich der Rauch verzogen hatte und sie wieder sehen konnten, stand die alte Frau in Flammen. Die Menge begann zu jubeln. Sie hatten gesagt, es würde nicht lange dauern, aber es dauerte lange, bis das Schreien aufhörte, zumindest schien es ihm so. Betet denn keiner für sie, fragte er, und die Frau sagte: Wozu denn? Selbst als nichts mehr von der alten Frau übrig war, das schreien konnte, wurde das Feuer noch geschürt. Die Wachen standen am Rand, stampften brennende Strohfetzen aus, die wegzufliegen drohten, und stießen größere Teile zurück.

Als die Menge sich zerstreute und schwatzend nach Hause ging, konnte man die erkennen, die auf der falschen Seite des Feuers gestanden hatten, denn ihre Gesichter waren grau von Holzasche. Er wollte auch nach Hause gehen, aber dann dachte er wieder an Walter, der an diesem Morgen gesagt hatte, er würde ihn scheibchenweise töten. Er sah zu, wie die Wachen mit ihren Eisenstangen auf die menschlichen Überreste einschlugen. An den Ketten waren Fleischreste hängen geblieben. Er trat auf die Männer zu und fragte: Wie heiß muss das Feuer sein, um Knochen zu verbrennen? Er erwartete, dass sie über diese Kenntnisse verfügten. Aber sie verstanden seine Frage nicht. Leute, die keine Schmiede sind, glauben, dass alle Feuer gleich sind. Bei seinem Vater hatte er gelernt, wie unterschiedlich Rot sein kann: Sonnenuntergangsrot, Kirschrot, das helle gelbliche Rot, das keinen Namen hat, es sei denn, man nennt es Scharlachrot.

Der Schädel der Lollardin lag auf dem Boden, auch die langen Knochen ihrer Arme und Beine. Ihr gebrochener Brustkorb war nicht viel größer als der eines Hundes. Ein Mann nahm eine Eisenstange und stieß sie durch das Loch, wo das linke Auge der Frau gewesen war. Er hob den Schädel an der Stange in die Höhe und stellte ihn auf die Steine, sodass der Schädel ihn ansah. Dann schwang der Mann die Stange und ließ sie auf die Stirn niedersausen. Noch bevor der Schlag landete, wusste er, dass er falsch war, falsch platziert. Wie eine Sternschnuppe flog ein Knochensplitter in den Dreck, aber der größte Teil des Schädels war heil geblieben. Jesus, sagte der Mann. Hier, Junge, willst du mal? Ein kräftiger Schlag, und sie ist hin.

Normalerweise sagte er zu jeder Aufforderung ja. Jetzt aber wich er zurück, die Hände hinter dem Rücken. Beim Leiden Christi, sagte der Mann, ich wünschte, ich könnte auch so zimperlich sein. Bald darauf begann es zu regnen. Die Männer wischten sich die Hände ab, putzten sich die Nase und ließen die Arbeit liegen. Sie warfen ihre Eisenstangen in das, was von der Lollardin übrig war. Das waren nur noch Knochensplitter und dicke matschige Asche. Er hob eine der Eisenstangen auf für den Fall, dass er eine Waffe brauchte. Er befingerte das spitz zulaufende Ende, das wie ein Meißel geformt war. Er wusste nicht, wie weit er von zu Hause weg war und ob Walter ihm nachkommen würde. Er überlegte, wie man eine Person scheibchenweise tötete, ob man sie verbrannte oder in Stücke schnitt. Er hätte die Wachen fragen sollen, als sie noch da waren, denn als Diener der Stadt würden sie es wissen.

Der Gestank der Frau hing noch in der Luft. Er überlegte, ob sie jetzt in der Hölle war oder immer noch durch die Straßen streifte, aber er hatte keine Angst vor Geistern. Sie hatten eine Tribüne für die Herren errichtet; zwar war der Baldachin abgenommen worden, aber sie war hoch genug über dem Boden, dass er sich zum Schutz unter sie hocken konnte. Er betete für die Frau, weil er glaubte, es könnte nicht schaden. Er bewegte die Lippen beim Beten. Regenwasser sammelte sich über ihm und fiel in dicken Tropfen durch die Planken. Er zählte die Zeit zwischen den Tropfen und fing sie in der hohlen Hand auf. Das machte er nur zum Zeitvertreib. Es dämmerte. Wäre es ein normaler Tag gewesen, wäre er inzwischen hungrig und hätte sich auf die Suche nach Essbarem gemacht.

Im Zwielicht kamen einige Männer und auch Frauen; weil Frauen dabei waren, wusste er, dass sie keine Wachen waren oder Leute, die ihm etwas tun würden. Sie rückten zusammen und bildeten einen lockeren Kreis um den Scheiterhaufen. Er kroch aus seinem Versteck unter der Tribüne hervor und näherte sich ihnen. Sie fragen sich bestimmt, was hier passiert ist, sagte er. Aber sie sahen nicht zu ihm hin und sprachen auch nicht mit ihm. Sie fielen auf die Knie, und er glaubte, sie würden beten. Ich habe auch für sie gebetet, sagte er.

Das hast du? Guter Junge, sagte einer der Männer. Er sah nicht einmal auf. Wenn er mich ansieht, dachte er, wird er merken, dass ich nicht gut bin, sondern ein nichtsnutziger Junge, der mit seinem Hund loszieht und vergisst, die Sole für den Glühofen zu machen, und wenn Walter ruft: Wo ist der Scheißkübel zum Abschrecken, dann ist er nicht da. Mit einem üblen Schlingern im Magen erinnerte er sich daran, was er nicht getan hatte und warum er getötet werden sollte. Er schrie beinahe auf. Als hätte er Schmerzen.

Er sah jetzt, dass die Männer und Frauen nicht beteten. Sie waren auf Händen und Knien. Es waren Freunde der Lollardin, und sie kratzten sie auf. Eine der Frauen kniete mit ausgebreiteten Röcken und hielt ein Gefäß aus Ton. Seine Augen waren selbst in der Düsterheit scharf, und aus dem Schlamm und Dreck hob er einen Knochensplitter auf. Hier ist was, sagte er. Die Frau hielt ihm das Gefäß hin. Hier ist noch was.

Einer der Männer stand allein in einiger Entfernung. Warum hilft er uns nicht?, sagte er.

Er passt auf. Er pfeift, wenn die Beamten kommen.

Nehmen sie uns fest?

Schnell, schnell, sagte ein anderer Mann.

Als die Schüssel gefüllt war, sagte die Frau, die sie hielt: »Gib mir deine Hand.«

Vertrauensvoll hielt er sie hin. Sie tauchte die Finger in die Schüssel. Sie schmierte eine Mischung aus Matsch und Sand, Fett und Asche auf seinen Handrücken. »Joan Boughton«, sagte sie.

Jetzt, als er daran zurückdenkt, wundert er sich über seine eigene unzulängliche Erinnerung. Er hat die Frau nie vergessen, deren letzte Reste er als fettigen Fleck auf seiner Haut davontrug, aber wie kommt es, dass bei seinem Leben als Kind ein Teil nicht zum anderen zu passen scheint? Er kann sich nicht daran erinnern, wie er wieder nach Hause kam und was Walter machte, statt ihn scheibchenweise zu töten, oder warum er überhaupt weggelaufen war, ohne die Sole zu machen. Vielleicht, denkt er, habe ich das Salz verschüttet und hatte zu viel Angst, ihm das zu sagen. Das scheint plausibel. Eine Angst führt zu einer Unterlassung, das Vergehen löst eine größere Angst aus, und es kommt der Punkt, an dem die Angst zu groß ist und der menschliche Geist einfach aufgibt, ein Kind verwirrt und ziellos wegläuft und schließlich einer Menge folgt und sieht, wie jemand umgebracht wird.

Er hat diese Geschichte nie jemandem erzählt. Es macht ihm nichts aus, mit Richard, mit Rafe über seine Vergangenheit zu sprechen – in einem vernünftigen Rahmen –, aber er hat nicht die Absicht, sich Stück für Stück zu offenbaren. Chapuys kommt sehr häufig zum Abendessen, sitzt neben ihm und entlockt ihm so geschickt Fragmente seiner Lebensgeschichte, wie er das zarte Fleisch vom Knochen löst.

Manche Leute sagen, Ihr Vater war Ire, sagt Eustache. Dann wartet er in aller Ruhe ab.

Das höre ich zum ersten Mal, sagt er, aber ich versichere Ihnen, dass er ein Rätsel war, auch für sich selbst. Chapuys zieht die Luft ein; die Iren sind ein sehr gewalttätiges Volk, sagt er. »Sagen Sie mir, ist es wahr, dass Sie England mit fünfzehn verlassen haben, nachdem Sie aus dem Gefängnis geflüchtet sind?«

»Aber sicher doch«, sagt er. »Ein Engel hat meine Ketten gelöst.«

Das liefert Chapuys etwas, das er nach Hause schreiben kann. »Ich habe Cremuel mit der Behauptung konfrontiert, und er hat eine blasphemische Antwort gegeben, die für Ihr kaiserliches Ohr nicht geeignet ist.« Chapuys ist nie verlegen um Sachen, die er in seine Berichte aufnehmen kann. Wenn es wenig Neuigkeiten gibt, schickt er den Klatsch. Es gibt den Klatsch, den er bei fragwürdigen Quellen aufschnappt, und den Klatsch, den er, Cromwell, ihm absichtlich zuspielt. Da Chapuys nicht Englisch spricht, bekommt er seine Nachrichten auf Französisch von Thomas More, auf Italienisch von dem Kaufmann Antonio Bonvisi, und auf Gott weiß was – Latein? – von Stokesley, dem Bischof von London, dessen Tafel er ebenfalls beehrt. Bei seinem Herrn, dem Kaiser, geht Chapuys mit der Idee hausieren, das englische Volk sei so unzufrieden mit seinem König, dass die Ermutigung durch ein paar spanische Truppen genügen würde, um eine Revolte zu entfachen. Chapuys täuscht sich natürlich gewaltig. Die Engländer mögen auf Königin Katherines Seite stehen – im Großen und Ganzen sieht es so aus. Sie mögen die kürzlich vom Parlament ergriffenen Maßnahmen ablehnen oder gar nicht verstehen. Aber sein Instinkt sagt ihm, dass sie sich gegen eine Einmischung von außen zusammenschließen werden. Sie mögen Katherine, weil sie vergessen haben, dass sie Spanierin ist, sie ist ja schon so lange hier. Aber es ist dasselbe Volk, das am Evil May Day gegen Ausländer rebelliert hat, dasselbe engherzige, störrische Volk, das an seinem Fleckchen Boden hängt. Nur eine überwältigende Macht – eine Koalition, sagen wir, aus König François und dem Kaiser – wird sie in Bewegung bringen. Wir können natürlich die Möglichkeit nicht ausschließen, dass eine solche Koalition zustande kommt.

Als das Abendessen vorbei ist, bringt er Chapuys zurück zu seinen Leuten, zu seinen großen kräftigen Jungen, Leibwächtern, die herumstehen und sich auf Flämisch unterhalten, oft über ihn. Chapuys weiß, dass er in den Niederlanden war; glaubt er, er versteht die Sprache nicht? Oder ist es ein raffinierter doppelter Bluff?

Es hat Tage gegeben, nicht allzu lange her, Tage nach Lizzies Tod, an denen er morgens aufgewacht war und, bevor er mit jemandem gesprochen hatte, entscheiden musste, wer er war und warum. Es hat Tage gegeben, an denen er aus Träumen von den Toten und von seiner Suche nach ihnen erwacht war. An denen sein waches Ich an der Schwelle zur Erlösung von seinen Träumen zitterte.

Aber jene Tage sind nicht diese Tage.

Manchmal, wenn Chapuys damit fertig ist, Walters Knochen auszugraben und ihm sein eigenes Leben fremd zu machen, fühlt er sich fast genötigt, etwas zur Verteidigung seines Vaters, seiner Kindheit zu sagen. Aber es hat keinen Sinn, sich zu rechtfertigen. Es ist nicht gut, Erklärungen abzugeben. Es zeugt von Schwäche, Anekdoten zu erzählen. Es ist klug, die Vergangenheit zu verbergen, selbst wenn es nichts zu verbergen gibt. Die Macht eines Mannes liegt im Halbdunkel, in den nur halb wahrgenommenen Bewegungen seiner Hand und in dem nicht entschlüsselten Ausdruck seines Gesichts. Die Abwesenheit von Fakten ist es, die Menschen erschreckt: die Lücke, die man öffnet und die sie mit ihren Ängsten, Fantasien, Wünschen füllen.

Am 14. April 1532 ernennt ihn der König zum *Keeper of the Jewel House*. Auf diesem Posten, hatte Henry Wyatt gesagt, ist man in der Lage, sich einen Überblick über das Einkommen des Königs und seine Ausgaben zu verschaffen.

Wie als Botschaft für jeden vorbeikommenden Höfling ruft der König: »Warum nicht, sagt mir, warum soll ich nicht den Sohn eines ehrlichen Schmieds anstellen?«

Er verkneift sich das Lächeln bei dieser Beschreibung Walters; so viel schmeichelhafter als alles, wozu der spanische Botschafter gelangt ist. Der König sagt: »Was Sie sind, dazu mache ich Sie. Ich allein. Alles, was Sie sind, alles, was Sie haben, wird von mir stammen.«

Der Gedanke bereitet Henry ein Vergnügen, das man ihm kaum missgönnen kann. Er ist dieser Tage so entgegenkommend, so freigebig und aufgeschlossen, dass man ihm das gelegentliche Hervorheben seiner Position – sei es nun notwendig oder nicht – verzeihen muss. Der Kardinal sagte immer, dass die Engländer einem König alles vergeben, bis er versucht, sie zu besteuern. Er sagte auch immer: Die Bezeichnung eines Amtes ist eigentlich gleichgültig. Wenn irgendein Kollege im Kronrat mal nicht aufgepasst hat, musste er ziemlich bald feststellen, dass ich inzwischen seine Arbeit übernommen hatte.

An einem Tag im April ist er in einem Büro in Westminster, als Hugh Latimer vorbeikommt, frisch aus der Haft in Lambeth Palace entlassen. »Nun?«, sagt Hugh. »Sie sollten mit dem Schreiben aufhören und mir die Hand geben.«

Er steht hinter seinem Schreibtisch auf und umarmt Latimer: staubiger schwarzer Mantel, Sehnen, Knochen. »Sie haben Warham also eine schöne Rede gehalten?«

»Aus dem Stegreif, auf meine Weise. Sie kam so frisch aus meinem Mund wie aus dem Mund eines Babys. Vielleicht hat der alte Knabe inzwischen keinen Appetit mehr auf Verbrennungen, weil sein eigenes Ende so nah ist. Er verschrumpelt wie eine Samenschote in der Sonne, und wenn er sich bewegt, hört man die Knochen klappern. Wie dem auch sei, ich kann es selbst nicht erklären, aber hier stehe ich vor Ihnen.«

»Wie hat er Sie behandelt?«

»Nackte Wände waren meine Bibliothek. Zum Glück habe ich viele Texte im Kopf. Er hat mich mit einer Warnung entlassen. Sagte, wenn ich nicht nach Feuer röche, so röche ich zumindest nach der Bratpfanne. Das hat man mir schon mal gesagt. Es muss jetzt zehn Jahre her sein, dass ich wegen Häresie vor der scharlachroten Bestie stand.« Er lacht. »Aber Wolsey gab mir meine Predigerlizenz zurück. Und er gab mir den Friedenskuss. Und ein Abendessen. Also? Sind wir einer Königin nähergekommen, die das Evangelium liebt?«

Ein Achselzucken. »Wir – sie – sprechen mit den Franzosen. Ein Vertrag liegt in der Luft. François hat eine Schar Kardinäle, die uns vielleicht ihre Stimme in Rom leihen werden.«

Hugh schnaubt. »Immer noch diese Verneigung vor Rom.«

»So muss es sein.«

»Wir werden Henry auf unsere Seite bringen. Wir werden ihn zum Evangelium bringen.«

»Vielleicht. Aber nicht plötzlich. Nach und nach.«

»Ich werde Bischof Stokesley um die Erlaubnis bitten, unseren Bruder Bainham zu besuchen. Kommen Sie mit?«

Bainham ist der Rechtsanwalt, der letztes Jahr von More verhaftet und gefoltert wurde. Kurz vor Weihnachten kam er vor den Bischof von London. Er schwor ab und war im Februar frei. Er ist ein normaler Mensch; er wollte leben, wie nicht? Aber sobald er frei war, ließ ihn sein Gewissen nicht mehr schlafen. Eines Sonntags ging er in eine volle Kirche, stellte sich vor die Leute und legte mit Tyndales Bibel in der Hand ein Bekenntnis seines Glaubens ab. Jetzt ist er im Tower und wartet darauf, das Datum seiner Hinrichtung zu erfahren.

»Nun?«, sagt Latimer. »Kommen Sie mit oder kommen Sie nicht mit?«

»Ich sollte dem Lordkanzler lieber keine Munition liefern.«

Ich könnte versuchen, Bainhams Entschlossenheit zu untergraben, denkt er. Könnte zu ihm sagen: Glaub irgendwas, Bruder, beschwöre es und kreuze dabei die Finger hinter dem Rücken. Aber andererseits ist es mehr oder weniger gleichgültig, was Bainham jetzt sagt. Gnade wird für ihn nicht zu erwirken sein, er muss brennen.

Hugh Latimer eilt davon. Die Gnade Gottes wirkt für Hugh. Der Herr geht mit ihm, steigt mit ihm in ein Boot und geht im Schatten des Towers von Bord; und weil das so ist, wird Thomas Cromwell nicht gebraucht.

More sagt, es macht nichts, wenn man Ketzer anlügt oder sie täuscht, sodass sie gestehen. Sie haben kein Recht zu schweigen, selbst wenn sie wissen, dass ihre Aussage sie belastet; wenn sie nicht reden wollen, dann muss man ihnen die Finger brechen, sie mit heißen Eisen verbrennen, sie an den Handgelenken aufhängen. Es ist legitim – und More geht sogar noch weiter –, es ist gesegnet.

Es gibt eine Gruppe aus dem Unterhaus, die in einer Schenke namens Queen's Head regelmäßig mit Priestern zu Abend isst. Von ihnen kommt die Kunde und verbreitet sich unter den Bewohnern Londons, dass alle, die die Scheidung des Königs unterstützen, verdammt werden. So treu ergeben ist Gott der Sache dieser Abgeordneten, heißt es, dass ein Engel mit einer Schriftrolle an den Sitzungen des Parlaments teilnimmt, aufschreibt, wer seine Stimme abgibt und wofür er stimmt, und einen rußigen Fleck neben den Namen all jener macht, die Henry mehr fürchten als den Allmächtigen.

In Greenwich hält ein Mönch namens William Peto, Oberhaupt seines Zweigs des Franziskanerordens in England, eine Predigt vor dem König, in der er die Geschichte und das Beispiel des unglücklichen Ahab aufnimmt, des siebten Königs von Israel, der in einem Palast aus Elfenbein lebte. Unter dem Einfluss der bösen Isebel baute er einen heidnischen Tempel und gab den Priestern Baals Plätze in seinem Gefolge. Der Prophet Elija sagte zu Ahab, dass die Hunde sein Blut auflecken würden, und so geschah es auch, was nicht weiter verwundert, weil man sich ja nur an die erfolgreichen Propheten erinnert. Die Hunde von Samaria leckten Ahabs Blut auf. Alle seine männlichen Erben kamen um. Sie lagen unbegraben auf den Straßen. Isebel wurde aus einem Fenster ihres Palasts geworfen. Wilde Hunde zerfetzten ihren Körper.

Anne sagt: »Ich bin Isebel. Sie, Thomas Cromwell, sind die Priester Baals.« Ihre Augen leuchten. »Weil ich eine Frau bin, bin ich der Weg, auf dem die Sünde in diese Welt kommt. Ich bin das Einfallstor des Teufels, die fluchbeladene Pforte. Ich bin Mittel zum Zweck, durch mich greift Satan den Mann an, denn anders hätte er nicht den Mut dazu. So sehen es jedenfalls diese Leute. Meine Meinung ist, dass es zu viele Priester mit unzureichender Bildung und noch weniger Beschäftigung gibt. Und ich wünschte, der Papst und der Kaiser und alle Spanier würden im Meer ertrinken. Und wenn jemand aus einem Palastfenster geworfen wird … *alors*, Thomas, ich weiß genau, wen ich gerne hinauswerfen würde. Nur dass die wilden Hunde an dem Kind Mary keinen Fetzen Fleisch zum Abnagen finden würden und dass Katherine so fett ist, dass sie zurückprallen würde.«

Als Thomas Avery nach Hause kommt, setzt er die Reisekiste mit all seinen Habseligkeiten auf den Steinplatten ab und erhebt sich mit ausgebreiteten Armen, um wie ein Kind seinen Herrn zu umarmen. Die Nachricht von seiner Beförderung auf einen Regierungsposten hat Antwerpen erreicht. Anscheinend ist Stephen Vaughan vor Freude ziegelrot angelaufen und hat einen ganzen Becher Wein leergetrunken, ohne ihn mit Wasser zu verdünnen.

Komm herein, sagt er, es sind fünfzig Leute da, die mich sprechen wollen, aber sie können warten, komm und erzähl mir, wie es meinen Freunden auf der anderen Seite des Meeres geht. Thomas Avery beginnt sofort zu reden. Aber er bleibt im Türrahmen stehen. Er sieht den Gobelin, das Geschenk des Königs. Seine Augen betrachten ihn forschend, wenden sich dem Gesicht seines Herrn zu und kehren dann zu dem Gobelin zurück. »Wer ist diese Dame?«

»Errätst du es nicht?« Er lacht. »Es ist die Königin von Saba, die Salomon besucht. Der König hat mir den Gobelin geschenkt. Er gehörte

Mylord Kardinal. Er sah, dass ich ihn mochte. Und er macht gerne Geschenke.«

»Er muss wertvoll sein.« Avery betrachtet ihn ehrfürchtig, wie es sich für einen tüchtigen jungen Buchhalter gehört.

»Sieh mal«, sagt er zu ihm, »ich habe noch ein Geschenk; was hältst du davon? Vielleicht ist es die einzige gute Sache, die ein Kloster je hervorgebracht hat. Bruder Luca Pacioli. Er hat dreißig Jahre gebraucht, um es zu schreiben.«

Das Buch ist in außergewöhnlich tiefem Grün mit goldenem Zierrand gebunden und hat vergoldete Schnitte, sodass es im Licht leuchtet. Die Verschlüsse sind mit schwärzlichen, glatten, durchsichtigen Granaten besetzt. »Ich wage es kaum zu öffnen«, sagt der Junge.

»Bitte. Du wirst es mögen.«

Es ist die *Summa de Arithmetica*. Er öffnet es und findet einen Holzschnitt des Autors, der ein Buch und zwei Kompasse vor sich hat. »Ist das ein Neudruck?«

»Nicht direkt, aber meine Freunde in Venedig haben sich gerade jetzt an mich erinnert. Ich war natürlich ein Kind, als Luca es schrieb, und an dich war noch gar nicht zu denken.« Seine Fingerspitzen berühren die Seite kaum. »Sieh mal, hier behandelt er die Geometrie, siehst du die Zahlen? Hier ist die Stelle, wo er sagt, dass man nicht zu Bett gehen soll, bevor die Bücher übereinstimmen.«

»Master Vaughan zitiert diese Maxime ständig. Es hat dazu geführt, dass ich bis in die Morgendämmerung gearbeitet habe.«

»Ich auch.« Viele Nächte in vielen Städten. »Luca, musst du wissen, war ein armer Mann. Er stammte aus Sansepulcro. Er war mit Künstlern befreundet und wurde ein großer Mathematiker in Urbino; das ist eine kleine Stadt in den Bergen, wo Graf Federigo, der große *condottiere*, seine Bibliothek mit mehr als tausend Büchern hatte. Er war Magister an der Universität von Perugia, später von Mailand. Ich frage mich, warum ein solcher Mann Mönch bleiben wollte, aber es hat natürlich Männer gegeben, die Algebra und Geometrie betrieben haben und dafür als Zauberer in den Kerker geworfen wurden, deshalb hat er vielleicht gedacht, die Kirche würde ihn beschützen ... Ich habe in Venedig einen Vortrag von ihm gehört, es muss jetzt mehr als zwanzig Jahre her sein, ich war in deinem Alter, denke ich. Er sprach über die Proportion. Proportion in der Baukunst, in der Musik, in Gemälden, in der Justiz, im Staat. Er erklärte, dass Rechte ausgewogen sein müssen, sprach über die Macht eines Fürsten und seiner Untertanen, über den wohlhabenden Bürger, der seine Bücher in Ordnung halten, seine Gebete verrichten und den Armen dienen solle. Er erklärte, wie eine gedruckte Seite aussehen und wie ein Gesetz beschaffen sein sollte. Oder was ein Gesicht zu einem schönen Gesicht macht.«

»Verrät er es mir in diesem Buch?« Thomas Avery wirft noch einen Blick auf die Königin von Saba. »Ich vermute, die Menschen, die diesen Gobelin gemacht haben, wussten es.«

»Wie geht es Jenneke?«

Der Junge blättert ehrfürchtig die Seiten um. »Es ist ein schönes Buch. Ihre Freunde in Venedig müssen Sie sehr bewundern.«

Also gibt es Jenneke nicht mehr, denkt er. Sie ist tot oder sie ist in einen anderen verliebt. »Manchmal«, sagt er, »schicken mir meine Freunde aus Italien neue Gedichte, aber ich glaube, in diesem Buch sind alle Gedichte enthalten ... Nicht dass eine Seite mit Zahlen ein Gedicht ist, aber alles, was präzise ist, ist schön, alles, bei dem alle Teile im Gleichgewicht sind, alles, was proportional ist ... glaubst du nicht auch?«

Die Macht der Königin von Saba, den Blick des Jungen auf sich zu ziehen, verwundert ihn. Es ist unmöglich, dass er Anselma gesehen hat, dass er sie je getroffen oder von ihr gehört hat. Ich habe Henry von ihr erzählt, denkt er. An einem dieser Nachmittage, als ich meinem König ein wenig erzählt habe und er mir viel erzählt hat: wie er vor Verlangen zittert, wenn er an Anne denkt, dass er es mit anderen Frauen versucht habe, ein Notbehelf, um seiner Lust die Heftigkeit zu nehmen, damit er als vernunftbegabtes Wesen denken und sprechen und handeln könne, dass er bei den anderen jedoch versagt habe ... Ein merkwürdiges Geständnis, aber der König glaubt, es rechtfertigt ihn, bestätigt die Richtigkeit seines Strebens. Ich jage nur eine Hinde, sagt er, ein seltsames scheues Wild, und sie führt mich von den Pfaden weg, die andere Männer ausgetreten haben, sie führt mich ganz allein in die Tiefen des Waldes.

»Jetzt«, sagt er, »legen wir dieses Buch auf deinen Schreibtisch. Damit du einen Trost hast, wenn nichts zu stimmen scheint.«

Er setzt große Hoffnung auf Thomas Avery. Es ist einfach, ein Kind zu beschäftigen, das die Spalten zusammenzählt und dir unter die Nase hält, sie abzeichnen lässt und sie dann in eine Truhe schließt. Aber welchen Sinn hat das? Die Seite eines Rechnungsbuches ist zu deinem Nutzen da, genau wie ein Liebesgedicht. Sie ist nicht dafür da, dass du nickst und sie dann abtust; sie ist da, um dein Herz für das Mögliche zu öffnen. Sie ist wie die Heilige Schrift: sie ist da, damit du darüber nachdenkst und deine Handlungen danach ausrichtest. Liebe deinen Nachbarn. Beobachte den Markt. Steigere die Verbreitung von Güte. Bringe nächstes Jahr bessere Zahlen ein.

Das Datum für James Bainhams Hinrichtung wird auf den 30. April festgesetzt. Er kann nicht zum König gehen, es gibt nicht die kleinste Hoffnung auf eine Begnadigung. Vor langer Zeit wurde Henry der Titel Verteidiger des Glaubens verliehen; es ist ihm daran gelegen zu beweisen, dass er ihn immer noch verdient.

Auf der Tribüne in Smithfield, die für die Würdenträger errichtet wurde, trifft er den Botschafter von Venedig, Carlo Capello. Sie verbeugen sich voreinander. »In welcher Eigenschaft sind Sie hier, Cromwell? Als Freund dieses Ketzers oder aufgrund Ihrer Position? Und was ist eigentlich Ihre Position? Das weiß allein der Teufel.«

»Ich bin sicher, er wird es Eurer Exzellenz mitteilen, wenn Sie das nächste Mal unter vier Augen sprechen.«

Eingehüllt in sein Laken aus Flammen ruft der sterbende Mann aus: »Möge der Herr Sir Thomas More vergeben.«

Am 15. Mai unterzeichnen die Bischöfe ein Dokument, mit dem sie sich dem König unterordnen. Ohne Genehmigung des Königs werden sie keine neuen Kirchengesetze erlassen, und sie unterwerfen alle bestehenden Gesetze einer Überprüfung durch eine Kommission, an der auch Laien beteiligt sind – Abgeordnete des Parlaments und vom König ernannte Personen. Sie werden keine Konvokation ohne Erlaubnis des Königs einberufen.

Am nächsten Tag steht er auf einer Galerie in Whitehall, von der man auf einen Innenhof hinabsieht, einen Garten, wo der König wartet und der Herzog von Norfolk geschäftig auf und ab läuft. Anne steht neben ihm auf der Galerie. Sie trägt ein dunkelrotes Kleid aus gemustertem Damast, so schwer, dass ihre winzigen weißen Schultern darin zu versinken scheinen. Manchmal – in einer Art Komplizenschaft mit der Fantasie – stellt er sich vor, dass er seine Hand auf ihre Schulter legt und mit seinem Daumen die ausgeprägte Höhlung zwischen ihrem Schlüsselbein und ihrem Hals nachzeichnet, stellt sich vor, dass er mit dem Zeigefinger der schwellenden Linie ihrer Brust über dem Mieder folgt wie ein Kind, das eine gedruckte Zeile mit dem Finger liest.

Sie wendet den Kopf und lächelt leicht. »Da kommt er. Er trägt nicht die Kette des Lordkanzlers. Was kann er damit gemacht haben?«

Thomas More lässt die Schultern hängen und sieht mutlos aus. Norfolk wirkt angespannt. »Mein Onkel hat schon seit Monaten versucht, das hinzukriegen«, sagt Anne. »Aber der König kann nicht dazu gebracht werden. Er will More nicht verlieren. Er möchte alle zufriedenstellen. Sie wissen, wie es ist.«

»Er kannte Thomas More schon, als er jung war.«

»Als ich jung war, kannte ich die Sünde.«

Sie lächeln sich an. »Sehen Sie«, sagt Anne. »Glauben Sie, es ist das Siegel von England, das er da in dem Lederbeutel hat?«

Als Wolsey das Große Siegel abgab, zögerte er den Prozess zwei Tage lang hinaus. Jetzt aber wartet der König mit geöffneter Hand in dem privaten Paradies da unten.

»Und wer jetzt?«, sagt Anne. »Gestern Abend sagte er, meine Lordkanzler bereiten mir nichts als Kummer. Vielleicht kann ich ganz ohne auskommen.«

»Die Anwälte würden das nicht wollen. Jemand muss die Aufsicht über die Gerichte haben.«

»Nun, wen würden Sie vorschlagen?«

»Bringen Sie ihn auf den Gedanken, den Sprecher des Unterhauses zu ernennen. Audley wird ehrliche Arbeit leisten. Der König kann ihn *pro tem* in der Rolle ausprobieren, wenn er will, und wenn er ihm nicht zusagt, braucht er ihn nicht zu bestätigen. Aber ich glaube, er wird ihn mögen. Audley ist ein guter Anwalt und er ist sein eigener Herr, aber er weiß, wie man sich nützlich macht. Und er versteht mich, glaube ich.«

»Zu denken, dass jemand das tut! Gehen wir nach unten?«

»Sie können nicht widerstehen?«

»Sie doch auch nicht.«

Sie steigen die Innentreppe hinab. Anne legt ihre Fingerspitzen leicht auf seinen Arm. Unten im Garten hängen Nachtigallen in Käfigen. Mit Stummheit geschlagen, kauern sie abgewandt von der hellen Sonne. Ein Wasserstrahl plätschert in ein Becken. Der Duft von Thymian steigt von den Kräuterbeeten auf. Im Inneren des Palastes lacht eine Person, die nicht zu sehen ist. Das Geräusch bricht abrupt ab, als wäre eine Tür geschlossen worden. Er bückt sich und pflückt einen Zweig des Krauts, zerdrückt ihn und verreibt den Duft in seiner Handfläche. Das bringt ihn an einen anderen Ort, weit weg von hier. More verbeugt sich vor Anne. Sie nickt kaum zur Erwiderung. Sie macht einen tiefen Knicks vor Henry und stellt sich an seine Seite, die Augen auf den Boden geheftet. Henry umklammert ihr Handgelenk; er möchte ihr etwas sagen oder einfach allein mit ihr sein.

»Sir Thomas?« Er streckt seine Hand aus. More wendet sich ab. Dann überlegt er es sich anders, dreht sich wieder um und nimmt sie. Seine Fingerspitzen sind kalt wie Asche.

»Was werden Sie jetzt tun?«

»Schreiben. Beten.«

»Meine Empfehlung wäre, nur wenig zu schreiben und viel zu beten.«

»Aber, aber, ist das eine Drohung?« More lächelt.

»Vielleicht. Ich bin an der Reihe, meinen Sie nicht auch?«

Als der König Anne sah, hellte sich sein Gesicht auf. Sein Herz ist voller Leidenschaft; in der Hand seines Ratgebers fühlt es sich an, als brenne es.

Er erwischt Gardiner in Westminster, in einem der verrauchten hinteren Höfe, wo die Sonne niemals hinkommt. »Mylord Bischof?«

Gardiner zieht seine buschigen Augenbrauen zusammen.

»Lady Anne hat mich gebeten, über ein Haus auf dem Land für sie nachzudenken.«

»Was habe ich damit zu tun?«

»Lassen Sie mich darlegen, welchen Weg meine Gedanken genommen haben«, sagt er. »Es sollte am Fluss liegen, in der Nähe von Hampton Court, und Whitehall und Greenwich sollten mit der Barke erreichbar sein. Ein Anwesen in gutem Zustand, denn sie hat keine Geduld, sie will nicht warten. Ein Anwesen mit hübschen Gärten, schön angelegt ... Dann denke ich, was ist mit Stephens Landsitz in Hanworth, den der König ihm verpachtet hat, als er Erster Sekretär wurde?«

Selbst in dem trüben Licht kann er sehen, wie die Gedanken in Stephens Kopf einander jagen. Oh, mein Wassergraben und meine kleinen Brücken, meine Rosengärten und Erdbeerbeete, mein Kräutergarten, meine Bienenstöcke, meine Teiche und mein Obstgarten, oh, meine Rundbilder aus Terrakotta in italienischem Stil, meine Intarsien, meine Vergoldungen, meine Galerien, mein Muschelbrunnen, mein Wildpark.

»Es wäre zuvorkommend von Ihnen, ihr den Pachtvertrag zu überlassen, bevor ein königlicher Befehl dazu ergeht. Eine gute Tat, die sich angenehm vom Starrsinn der Bischöfe abhebt? Ach, kommen Sie, Stephen. Sie haben noch andere Häuser. Es ist schließlich nicht so, als müssten Sie in einem Heuschober schlafen.«

»Wenn das so wäre«, sagt der Bischof, »würde ich einen von Ihren Jungen in Begleitung eines Rattenpinschers erwarten, die mich aus meinen Träumen aufschrecken lassen.«

Gardiners Nagetierinstinkte sind erwacht; seine feuchten schwarzen Augen glitzern. Im Inneren schreit er vor Empörung und unterdrückter Wut. Aber wenn man es recht bedenkt, ist ein Teil von ihm vielleicht auch erleichtert, weil das Gesetz so früh vorgelegt wurde und weil er seinen Bedingungen nachkommen kann.

Gardiner ist immer noch Erster Sekretär, aber er, Cromwell, sieht den König inzwischen fast jeden Tag. Wenn Henry einen Ratschlag möchte, kann er damit dienen, und wenn die Frage sein Aufgabengebiet überschreitet, findet er jemanden, der sie beantworten kann. Wenn der König sich über etwas beschwert, sagt er: Überlassen Sie es mir. Wenn ich die Sache mit Ihrer königlichen Erlaubnis in die Hand nehmen darf? Wenn der König guter Stimmung ist, lacht er bereitwillig, wenn der König unglücklich ist, geht er sanft und vorsichtig mit ihm um. Der König hat einen Kurs der Verstellung eingeschlagen, der dem spanischen Botschafter, scharfsichtig wie er ist, nicht entgehen konnte. »Er empfängt Sie unter vier Augen, nicht in seinem Audienzsaal«, sagt er. »Er zieht es vor, dass seine Adligen nicht erfahren, wie oft er sich mit Ihnen berät. Wenn Sie kleiner wären, könnten Sie in einem Wäschekorb hinein- und herausgebracht werden. Wie die Dinge liegen, glaube ich, dass diese ach so gehässigen Kammerherren nicht umhinkönnen, ihren Freunden davon zu erzählen, und diese Freunde werden über Ihren Erfolg murren und Verleumdungen gegen Sie in Umlauf setzen und Komplotte schmieden, um Sie zu Fall zu bringen.« Der Botschafter lächelt und sagt: »Wenn ich ein Bild benutzen darf, das Ihnen gefallen wird – treffe ich den Nagel auf den Kopf?«

Aus einem Brief von Chapuys an den Kaiser, der zufällig von Mr Wriothesley befördert wird, erfährt er etwas über seinen eigenen Charakter. Nennt-mich liest ihm den Brief vor: »Er sagt, dass Ihre Herkunft obskur ist, Ihre Jugend leichtsinnig und wild war, dass Sie seit langem Ketzer und eine Schande für das Amt des Ratgebers sind; aber persönlich hält er Sie für einen Mann guten Mutes, liberal, freigebig, kultiviert …«

»Ich wusste doch, dass er mich mag. Ich sollte ihn um Arbeit bitten.«

»Er sagt, dass Sie sich das Vertrauen des Königs mit dem Versprechen erworben haben, Sie würden ihn zum reichsten König machen, den England je gehabt hat.«

Er lächelt.

Ende Mai werden zwei Fische von enormer Größe in der Themse gefangen oder vielmehr sterbend ans schlammige Ufer gespült. »Erwartet man von mir, dass ich in dieser Sache etwas unternehme?«, sagt er, als Johane mit der Nachricht nach Hause kommt.

»Nein«, sagt sie. »Wenigstens glaube ich das nicht. Es ist ein Vorzeichen, richtig? Es ist ein Omen, das ist alles.«

Ende Juli erhält er einen Brief von Cranmer aus Nürnberg. Vorher hatte er aus den Niederlanden geschrieben und um Rat für seine geschäftlichen Verhandlungen mit dem Kaiser gebeten, eine Sache, der er sich nicht gewachsen fühlt; aus Städten längs des Rheins hatte er hoffnungsvoll geschrieben, dass der Kaiser zu einer Einigung mit den lutherischen Fürsten kommen müsse, da er ihre Hilfe gegen die Türken an der Grenze benötige. Er schrieb davon, welche Mühe er sich gebe, ein Meister in Englands üblichem diplomatischem Spiel zu werden: Zunächst wird die Freundschaft des Königs von England angeboten und dann verlockendes englisches Gold in Aussicht gestellt, allerdings ohne dass dieses Versprechen tatsächlich eingelöst wird.

Aber dieser Brief ist anders. Er wurde einem Schreiber diktiert. Er spricht vom Wirken des Heiligen Geistes im Herzen. Rafe liest ihm den Brief vor und zeigt auf einige Wörter in Cranmers eigener Handschrift, die sich von ganz unten am linken Rand hochziehen: »Etwas ist passiert. Kann nicht in einem Brief darüber schreiben. Es könnte Aufsehen erregen. Manche würden sagen, ich war unbedacht. Ich brauche Ihren Rat. Behalten Sie es für sich.«

»Na ja«, sagt Rafe, »wir könnten die Cheapside rauf und runter rennen: ›Thomas Cranmer hat ein Geheimnis, aber wir wissen nicht, was es ist!‹«

Eine Woche später taucht Hans in Austin Friars auf. Er hat ein Haus in der Maiden Lane gemietet und wohnt im Steelyard, solange es für ihn hergerichtet wird. »Zeigen Sie mir Ihr neues Bild, Thomas«, sagt er beim Hereinkommen. Er bleibt davor stehen. Verschränkt die Arme. Tritt einen Schritt zurück. »Kennen Sie diese Leute? Trifft das Bild sie?«

Zwei italienische Bankiers, Geschäftspartner, schauen den Betrachter an, sehnen sich aber danach, Blicke miteinander zu wechseln; einer in Seide, einer in Pelz; eine Vase mit Nelken, ein Astrolabium, ein Stieglitz, ein Glas, durch das der Sand halb geronnen ist; hinter dem Bogenfenster ein mit Seide getakeltes Schiff, mit lichtdurchlässigen Segeln treibt es in einem Spiegelmeer. Hans dreht sich um, erfreut. »Wie bekommt er diesen Ausdruck ins Auge – so hart und doch so verstohlen?«

»Wie geht es Elsbeth?«

»Fett. Traurig.«

»Ist das überraschend? Sie kehren nach Hause zurück, machen ihr ein Kind und gehen wieder fort.«

»Ich will gar nicht für einen guten Ehemann gehalten werden. Ich schicke einfach Geld nach Hause.«

»Wie lange werden Sie bei uns bleiben?«

Hans grunzt, leert seinen Becher Wein und spricht von dem, was er zurückgelassen hat: das Gerede über Basel, über die Kantone und Städte der Schweiz. Aufstände und offene Schlachten. Bilder, keine Bilder. Statuen, keine Statuen. Es ist der Leib Gottes, es ist nicht der Leib Gottes, es ist mehr oder weniger der Leib Gottes. Es ist sein Blut, es ist nicht sein Blut. Priester dürfen heiraten, sie dürfen es nicht. Es gibt sieben Sakramente, es gibt drei. Das Kruzifix: wir kriechen auf den Knien zu ihm und verehren es mit unseren Lippen, oder das Kruzifix: wir zerhacken es und verbrennen es auf öffentlichen Plätzen. »Ich bin kein

Freund des Papstes, aber das ermüdet mich. Erasmus hat sich nach Freiburg zu den Papisten abgesetzt, und jetzt habe ich mich zu euch und Junker Heinrich abgesetzt. So nennt Luther euren König. ›Seine Ungnaden, der König von England‹.« Er wischt sich den Mund ab. »Ich verlange nicht mehr, als gute Arbeiten zu machen und dafür bezahlt zu werden. Und es ist mir lieber, wenn meine Bemühungen nicht von irgendeinem Sektierer mit einem Eimer Tünche zunichte gemacht werden.«

»Sie sind auf der Suche nach Frieden und Bequemlichkeit zu uns gekommen?« Er schüttelt den Kopf. »Zu spät.«

»Ich bin gerade über die London Bridge gelaufen und habe festgestellt, dass sich jemand die Madonnenstatue vorgenommen und dem Kind den Kopf abgeschlagen hat.«

»Das ist schon vor einer ganzen Weile passiert. Das muss dieser Teufel Cranmer gewesen sein. Sie wissen, wie er ist, wenn er etwas getrunken hat.«

Hans grinst. »Sie vermissen ihn. Wer hätte gedacht, dass Sie Freunde werden würden?«

»Dem alten Warham geht es nicht gut. Wenn er diesen Sommer stirbt, wird Lady Anne um Canterbury für meinen Freund bitten.«

Hans ist überrascht. »Nicht Gardiner?«

»Er hat seine Chance beim König verspielt.«

»Er ist sich selbst der schlimmste Feind.«

»Das würde ich nicht sagen.«

Hans lacht. »Es wäre eine große Beförderung für Dr Cranmer. Er wird es nicht wollen. Nicht er. So viel Pomp. Er liebt seine Bücher.«

»Er wird annehmen. Das ist seine Pflicht. Die Besten von uns müssen sich überwinden.«

»Was, Sie?«

»Wenn Ihr früherer Kunde kommt und mich in meinem eigenen Haus bedroht, kostet es Überwindung, die Ruhe zu bewahren. Und das mache ich. Waren Sie in Chelsea?«

»Ja. Ein trauriger Haushalt.«

»Es wurde verkündet, dass er aus Krankheitsgründen zurückgetreten ist. Um niemanden in Verlegenheit zu bringen.«

»Er sagt, es schmerzt ihn hier«, Hans reibt sich die Brust, »und der Schmerz überkommt ihn, wenn er zu schreiben beginnt. Aber die anderen sehen gut aus. Die Familie an der Wand.«

»Sie brauchen nicht mehr nach Chelsea zu gehen, um einen Auftrag zu bekommen. Der König hat mich mit den Arbeiten im Tower betraut; wir setzen die Befestigungen instand. Er hat Bauleute und Maler und Vergolder geholt, wir räumen die alten königlichen Gemächer aus und machen etwas Schöneres, und ich werde neue Räumlichkeiten für die Königin bauen. Sie müssen wissen, dass in diesem Land die Könige und Königinnen die Nacht vor ihrer Krönung im Tower verbringen. Wenn Annes Tag kommt, wird es sehr viel Arbeit für Sie geben. Historienspiele und Festzüge müssen entworfen, Bankette ausgestattet werden, und die Stadt wird Gold- und Silbergeschirr bestellen, um es dem König zu schenken. Sprechen Sie mit den Kaufleuten der Hanse, sie werden dabei sein wollen. Bringen Sie sie dazu, Pläne zu machen. Sichern Sie sich selbst die Arbeit, bevor die Hälfte der Handwerker Europas hier ist.«

»Soll sie neue Juwelen bekommen?«

»Sie soll Katherines bekommen. Er hat nicht komplett den Verstand verloren.«

»Ich würde sie gerne malen. Anna Bolena.«

»Ich weiß nicht. Vielleicht möchte sie nicht so eingehend betrachtet werden.«

»Es heißt, sie ist nicht schön.«

»Nein, vielleicht ist sie das nicht. Sie würden sie nicht als Modell für die Primavera auswählen. Oder für eine Marienstatue. Oder ein Abbild des Friedens.«

»Was denn dann? Eva? Medusa?« Hans lacht. »Antworten Sie nicht.«

»Sie hat große Ausstrahlung, *esprit* … Vielleicht gelingt es Ihnen nicht, das in einem Gemälde einzufangen.«

»Ich sehe, dass Sie meine Fähigkeiten für begrenzt halten.«

»Manche Sujets widerstehen Ihnen, da bin ich sicher.«

Richard kommt herein. »Francis Bryan ist hier.«

»Lady Annes Vetter.« Er steht auf.

»Sie müssen nach Whitehall kommen. Lady Anne zertrümmert die Möbel und zerschmettert die Spiegel.«

Er flucht leise. »Geleite du Master Holbein zum Abendessen.«

Francis Bryan lacht so heftig, dass sein Pferd unter ihm nervös zusammenzuckt, zur Seite ausweicht und Passanten in Gefahr bringt. Als sie in Whitehall eintreffen, hat er folgende Geschichte zusammenbekommen: Anne hat soeben erfahren, dass sich Harry Percys Frau, Mary Talbot, anschickt, eine Scheidungsklage im Parlament einzureichen. Zwei Jahre lang, sagt sie, hat ihr Mann das Bett nicht mit ihr geteilt, und als sie ihn schließlich fragte, warum, sagte er, er könne die Vorspiegelung falscher Tatsachen nicht fortführen; sie seien nicht wirklich verheiratet und seien es auch nie gewesen, da er mit Anne Boleyn verheiratet sei.

»Mylady ist wütend«, sagt Bryan. Seine Augenklappe, die mit Juwelen verziert sind, funkelt, als er kichert. »Sie sagt, Harry Percy wird ihr alles verderben. Sie kann sich nicht entscheiden, ob sie ihn mit einem einzigen Schwerthieb totschlagen oder in vierzig Tagen der öffentlichen Folter auseinandernehmen soll, wie es in Italien üblich ist.«

»Diese Geschichten sind stark übertrieben.«

Er ist nie Zeuge von Lady Annes unkontrollierten Wutausbrüchen geworden und glaubt auch nicht recht an sie. Als er eingelassen wird, läuft sie hin und her, ringt die Hände und sieht klein und angespannt aus, als hätte sie jemand gestrickt und die Maschen zu eng zusammengezogen. Drei Damen – Jane Rochford, Mary Shelton, Mary Boleyn – folgen ihr mit den Augen. Ein kleiner Teppich, der vielleicht an der Wand hängen sollte, liegt zerknautscht am Boden. Jane Rochford sagt: »Wir haben das zerbrochene Glas zusammengefegt.« Sir Thomas Boleyn, Monseigneur, sitzt an einem Tisch, einen Stapel Papiere vor sich. George sitzt neben ihm auf einem Hocker. George hat den Kopf in die

Hände gelegt. Seine Ärmel sind nur halb gepufft. Der Herzog von Norfolk starrt in den Kamin, wo ein Feuer aufgeschichtet, aber nicht entfacht ist, vielleicht versucht er, den Funken allein durch die Macht seines Blickes zu entzünden.

»Schließ die Tür, Francis«, sagt George, »und lass niemanden sonst herein.«

Er ist der Einzige im Raum, der kein Howard ist.

»Ich schlage vor, wir packen Annes Sachen und schicken sie nach Kent«, sagt Jane Rochford. »Der Zorn des Königs, wenn er einmal entfacht ist …«

George: »Sag nichts mehr oder ich schlage vielleicht zu.«

»Es ist mein ehrlicher Rat.« Jane Rochford, Gott schütze sie, ist eine jener Frauen, die nicht wissen, wann sie aufhören müssen. »Master Cromwell, der König hat zu verstehen gegeben, dass es eine Untersuchung geben muss. Die Sache muss vor den Kronrat kommen. Dieses Mal kann man es nicht hinbiegen. Harry Percy wird uneingeschränkt aussagen. Und was der König schon getan hat, was er noch zu tun beabsichtigt – unmöglich, all das für eine Frau zu tun, die eine heimliche Heirat verschweigt.«

»Ich wünschte, ich könnte mich von dir scheiden lassen«, sagt George. »Ich wünschte, du wärst schon jemand anderem versprochen gewesen, aber mein Gott, keine Chance, die Felder waren schwarz vor Männern, die in die andere Richtung gelaufen sind.«

Monseigneur hält eine Hand in die Höhe. »Bitte.«

Mary Boleyn sagt: »Was für einen Sinn hat es, Master Cromwell herzubitten und ihm nicht zu sagen, was vorgefallen ist? Der König hat bereits mit Mylady, meiner Schwester, gesprochen.«

»Ich streite alles ab«, sagt Anne. Es ist, als stünde der König vor ihr.

»Gut«, sagt er. »Gut.«

»Dass der Earl von seiner Liebe zu mir gesprochen hat, räume ich ein. Er schrieb mir Gedichte, und weil ich damals ein junges Mädchen war, konnte ich nichts Unrechtes daran erkennen …«

Er muss beinahe lachen. »Gedichte? Harry Percy? Haben Sie sie noch?«

»Nein. Natürlich nicht. Nichts Schriftliches.«

»Das macht es einfacher«, sagt er behutsam. »Und natürlich gab es kein Versprechen, keinen Vertrag, und es war auch nicht davon die Rede.«

»Und«, sagt Mary, »nichts ist in irgendeiner Weise vollzogen worden. Das ist unmöglich. Meine Schwester ist eine notorische Jungfrau.«

»Und wie hat es der König aufgenommen, war er …«

»Er verließ das Zimmer«, sagt Mary, »und ließ sie stehen.«

Monseigneur sieht auf. Er räuspert sich. »In dieser Krise gibt es etliche Herangehensweisen, es scheint mir, dass man vielleicht …«

Norfolk explodiert. Er stampft auf dem Boden herum wie Satan in einem Passionsspiel. »Oh, beim dreimal beschissenen Leichentuch des Lazarus! Während Sie eine Herangehensweise bestimmen, Mylord, während Sie die Angelegenheit eingehend betrachten, wird Mylady, Ihre Tochter, im ganzen Land verleumdet, die Gedanken des Königs werden vergiftet, und das Glück dieser Familie wird vor Ihren Augen zunichte gemacht.«

»Harry Percy«, sagt George; er hebt seine Hände in die Höhe. »Hört zu, lasst ihr mich sprechen? Wie ich es verstehe, wurde Harry Percy schon einmal dazu überredet, seine Ansprüche zu vergessen. Also, wenn er einmal ausgeschaltet wurde …«

»Ja«, sagt Anne, »aber der Kardinal hat ihn ausgeschaltet, und unglücklicherweise ist der Kardinal tot.«

Stille tritt ein: eine Stille so süß wie Musik. Er blickt lächelnd zu Anne, zu Monseigneur, zu Norfolk. Wenn das Leben eine Goldkette ist, hängt Gott manchmal einen Glücksbringer daran. Um den Moment zu verlängern, durchquert er den Raum und hebt den Wandbehang auf. Schmaler Knüpfstuhl. Untergrund indigoblau. Asymmetrischer Knoten. Isfahan? Steif marschieren kleine Tiere darüber, schlängeln sich durch dicht an dicht stehende Blumen. »Sehen Sie«, sagt er. »Erkennen Sie diese Tiere? Pfauen.«

Mary Shelton kommt näher und sieht ihm über die Schulter. »Was sind diese Schlangendinger mit Beinen?«

»Skorpione.«

»Heilige Mutter Gottes, beißen die nicht?«

»Sie stechen.« Er sagt: »Lady Anne, wenn der Papst Sie nicht davon abhalten kann, Königin zu werden, und ich glaube nicht, dass er das kann, sollte uns Harry Percy nicht im Weg stehen.«

»Also dann, schieben Sie ihn da weg«, sagt Norfolk.

»Ich verstehe, warum es keine gute Idee für Sie als Familie wäre …«

»Tun Sie's«, sagt Norfolk. »Schlagen Sie ihm den Schädel ein.«

»Bildlich gesprochen«, sagt er. »Mylord.«

Anne setzt sich. Sie hat das Gesicht von den Frauen abgewandt. Ihre kleinen Hände sind zu Fäusten geballt. Monseigneur schiebt seine Papiere hin und her. George nimmt gedankenverloren seine Kappe ab, spielt mit der juwelenbesetzten Hutnadel und probiert ihre Spitze an seinem Zeigefinger aus.

Er hat den Wandbehang zusammengerollt und übergibt ihn fürsorglich Mary Shelton. »Danke«, flüstert sie und wird rot, als hätte er etwas sehr Persönliches getan. George quiekt; es ist ihm gelungen, sich zu stechen. Onkel Norfolk sagt bitter: »Du dummer Junge.«

Francis Bryan folgt ihm hinaus.

»Bitte seien Sie versichert, dass Sie mich jetzt allein lassen können, Sir Francis.«

»Ich wollte eigentlich mitkommen. Ich möchte wissen, was Sie tun.«

Er verlangsamt seinen Schritt, schlägt mit der flachen Hand auf Bryans Brust, stößt ihn zur Seite und hört, wie sein Schädel an die Wand stößt. »Bin in Eile«, sagt er.

Jemand ruft seinen Namen. Master Wriothesley kommt um eine Ecke. »Das Schild mit Markus und dem Löwen. Fünf Minuten zu Fuß von hier.«

Nennt-mich hat Männer beauftragt, die Harry Percy gefolgt sind, seit er nach London gekommen ist. Seine Sorge war, dass sich Annes

Feinde bei Hofe – der Herzog von Suffolk und seine Frau und jene Träumer, die glauben, dass Katherine zurückkehren wird – mit dem Earl treffen würden und ihn ermutigen, die Vergangenheit auf eine Weise zu interpretieren, die nützlich sein könnte – aus ihrer Sicht. Aber anscheinend gab es keine Treffen: es sei denn, sie werden am Südufer der Themse in Surreys Badehäusern abgehalten.

Nennt-mich geht um eine Ecke und biegt in eine Gasse ein, die sie in den schmutzigen Hof eines Gasthauses führt. Er sieht sich um; zwei Stunden mit einem Besen und einem willigen Herzen, und es könnte anständig hergerichtet werden. Mr Wriothesleys hübscher rotgoldener Schopf leuchtet wie ein Signalfeuer. Der heilige Markus, der über seinem Kopf knarrt, hat eine Tonsur wie ein Mönch. Der Löwe ist klein und blau und trägt ein Lächeln im Gesicht. Nennt-mich berührt seinen Arm: »Da hinein.« Sie wollen gerade gebückt durch eine Seitentür eintreten, als über ihnen ein scharfer Pfiff erklingt. Zwei Frauen lehnen sich aus einem Fenster und lassen jauchzend und kichernd ihre nackten Brüste über den Sims hängen. »Jesus«, sagt er. »Noch mehr Howard-Ladys.«

Im Inneren des *Mark and the Lion* sind mehrere Männer in der Livree der Percys über Tischen zusammengesackt oder liegen darunter. Der Earl von Northumberland trinkt in einem privaten Raum. Vielmehr wäre er privat, wenn es keine Servierluke gäbe, in der immer wieder anzüglich grinsende Gesichter erscheinen. Der Earl erblickt ihn. »Oh. Ich habe Sie halb erwartet.« Nervös fährt er sich mit den Händen durch die kurzen Haare, sodass sie über den ganzen Kopf hochstehen.

Er, Cromwell, geht zu der Luke, hält seinen Zeigefinger vor den Zuschauern in die Höhe und knallt die Luke zu. Aber seine Stimme ist sanft wie immer, als er sich zu dem Jungen setzt und sagt: »Nun, Mylord, was ist zu tun? Wie kann ich Ihnen helfen? Sie sagen, Sie können nicht mit Ihrer Frau zusammenleben. Aber sie steht an Liebenswürdigkeit den anderen Damen in diesem Königreich in nichts nach, und wenn sie Fehler hat, so habe ich nie davon gehört. Also, warum kommen Sie nicht miteinander aus?«

Aber Harry Percy ist nicht hier, um sich wie einen scheuen Falken behandeln zu lassen. Er ist hier, um zu schreien und zu weinen. »Wenn ich schon an unserem Hochzeitstag nicht mit ihr auskommen konnte, wie soll ich das jetzt können? Sie hasst mich, weil sie weiß, dass wir nicht richtig verheiratet sind. Warum soll nur der König ein Gewissen in dieser Hinsicht haben, warum nicht ich? Wenn er seine Ehe anzweifelt, ruft er das in die ganze Christenheit hinaus, aber wenn ich meine anzweifle, schickt er den niedrigsten seiner Diener, um mich zu beschwatzen und mir zu sagen, ich solle nach Hause gehen und das Beste daraus machen. Mary Talbot weiß, dass ich Anne versprochen war, sie weiß, für wen mein Herz schlägt und immer schlagen wird. Ich habe schon früher die Wahrheit gesagt, ich sagte, wir haben vor Zeugen einen Pakt geschlossen, und deshalb war keiner von uns beiden frei. Ich habe es geschworen, und der Kardinal hat mich drangsaliert, um mich davon abzubringen; mein Vater sagte, er würde mich aus seiner Linie streichen, aber mein Vater ist tot, und ich habe keine Angst mehr, die Wahrheit zu sagen. Henry mag König sein, aber er stiehlt einem anderen Mann die Frau; Anne Boleyn ist rechtmäßig meine Ehefrau, und wie wird er am Tag des Jüngsten Gerichts dastehen, wenn er nackt und ganz ohne sein Gefolge vor Gott kommt?«

Er lässt ihn ausreden, hört, wie die Rede des Jungen abrutscht und taumelt, zusammenhanglos wird … wahre Liebe … Versprechen … schwor, sie würde mir ihren Körper schenken, erlaubte mir Freiheiten, wie sie nur eine Anverlobte erlauben würde …

»Mylord«, sagt er. »Sie haben gesagt, was Sie zu sagen haben. Jetzt hören Sie mir zu. Sie sind ein Mann, dessen Geld fast vollständig ausgegeben ist. Ich bin ein Mann, der weiß, wie Sie es ausgegeben haben. Sie sind ein Mann, der sich in ganz Europa Geld geliehen hat. Ich bin ein Mann, der Ihre Gläubiger kennt. Ein Wort von mir, und Ihre Schulden werden eingefordert.«

»Ach, und was können sie tun?«, sagt Percy. »Bankiers haben keine Armeen.«

»Sie haben auch keine Armeen, Mylord, wenn Ihre Schatullen leer sind. Sehen Sie mich an. Sie müssen sich eines klarmachen. Der König hat Ihnen Ihre Grafschaft verliehen. Ihre Aufgabe ist es, den Norden zu sichern. Die Percys und die Howards verteidigen uns gemeinsam gegen Schottland. Nun nehmen wir mal an, dass Percy es nicht schafft. Ihre Männer werden sich nicht durch ein freundliches Wort zum Kampf bewegen lassen …«

»Es sind meine Pächter, es ist ihre Pflicht zu kämpfen.«

»Aber, Mylord, sie brauchen Vorräte, sie brauchen Nachschub, sie brauchen Waffen, sie brauchen Mauern und Festungen in ordentlichem Zustand. Wenn Sie diese Dinge nicht gewährleisten können, sind Sie mehr als nutzlos. Der König wird Ihnen Ihren Titel und Ihr Land und Ihre Schlösser wegnehmen und sie jemandem geben, der die Aufgabe erfüllt, die Sie nicht erfüllen können.«

»Das wird er nicht. Er respektiert alle alten Titel. Alle alten Rechte.«

»Dann sagen wir mal, dass ich es tun werde.« Sagen wir, dass ich Ihr Leben in Stücke reiße. Ich und meine Bankiersfreunde.

Wie kann er es ihm erklären? Die Welt wird nicht dort gelenkt, wo er denkt. Nicht in seinen Grenzfestungen, nicht einmal in Whitehall. Die Welt wird in Antwerpen gelenkt, in Florenz, an Orten, die er sich nie vorgestellt hat; in Lissabon, wo die Schiffe mit Segeln aus Seide nach Westen treiben und in der Sonne glühen. Nicht auf Burgmauern, sondern in Kontoren, nicht durch das Hornsignal, sondern durch das Klicken des Abakus, nicht durch das Knirschen und Knacken im Mechanismus der Kanone, sondern durch das Kratzen der Feder auf dem Schuldschein, der die Kanone und den Waffenschmied und das Pulver und die Munition bezahlt.

»Ich stelle Sie mir ohne Geld und Titel vor«, sagt er. »Ich stelle Sie mir in einer armseligen Hütte vor, wie Sie handgewebte Kleider tragen und einen Hasen für den Topf nach Hause bringen. Ich stelle mir Ihre rechtmäßige Ehefrau Anne Boleyn vor, wie sie diesen Hasen häutet und zerlegt. Ich wünsche Ihnen sehr viel Glück dabei.«

Harry Percy sackt über dem Tisch zusammen. Tränen der Wut schießen aus seinen Augen.

»Sie haben nie ein Eheversprechen abgegeben«, sagt er. »Die törichten Versprechungen, die Sie eventuell gemacht haben, hatten keinerlei rechtliche Auswirkung. Etwaige Übereinkünfte, die Sie zu haben glaubten, hatten Sie nicht. Und da ist noch etwas, Mylord. Wenn Sie jemals ein weiteres Wort über Lady Annes *Freiheit* verlieren« – in dieses Wort packt er einen Ekel, der Bände spricht – »dann bekommen Sie es mit mir zu tun und mit den Howards und den Boleyns. George Rochford wird nicht liebevoll mit Ihrer Person umgehen, und Mylord Wiltshire wird Ihren Stolz kränken, und was den Herzog von Norfolk betrifft, wenn ihm auch nur der leiseste Zweifel an der Ehre seiner Nichte zu Ohren kommt, wird er Sie aus jedem Loch zerren, in das Sie sich verkrochen haben, und Ihnen die Eier abbeißen. Also«, sagt er, nun wieder mit seiner vorherigen Liebenswürdigkeit, »ist das klar, Mylord?« Er durchquert den Raum und macht die Servierluke wieder auf. »Sie können jetzt wieder reinstarren.« Gesichter erscheinen oder vielmehr – um bei der Wahrheit zu bleiben – Stirnen und Augen tauchen plötzlich auf. In der Tür bleibt er stehen und wendet sich noch einmal zum Earl um. »Eines muss ich noch sagen, damit keine Zweifel aufkommen. Wenn Sie glauben, dass Lady Anne Sie liebt, irren Sie sich gewaltig. Sie hasst Sie. Der einzige Dienst, den Sie ihr jetzt erweisen können – außer dass Sie sterben –, besteht darin, dass Sie ungesagt machen, was Sie zu Ihrer armen Frau gesagt haben, und jeden Eid schwören, den man von Ihnen verlangt, um Anne den Weg freizumachen, Königin von England zu werden.«

Auf dem Weg nach draußen sagt er zu Wriothesley: »Er tut mir leid. Wirklich.« Nennt-mich lacht so heftig, dass er sich an die Wand lehnen muss.

Am nächsten Tag kommt er zu früh zur Sitzung des Kronrats. Der Herzog von Norfolk nimmt seinen Platz am Kopfende des Tisches ein, dann setzt er sich doch woanders hin, als die Kunde kommt, dass der König selbst den Vorsitz übernehmen werde. »Und Warham ist hier«, sagt jemand: Die Tür öffnet sich, nichts passiert, dann schlurft langsam, sehr langsam der greise Prälat herein. Er nimmt Platz. Seine Hände zittern, als er sie vor sich auf das Tischtuch legt. Sein Kopf zittert auf seinem Hals. Seine Haut ist pergamentfarben wie auf der Zeichnung, die Hans von ihm gemacht hat. Mit einem langsamen Eidechsenblinzeln sieht er in die Runde.

Er geht durch den Raum, bleibt auf der anderen Seite des Tisches vor Warham stehen und erkundigt sich nach seiner Gesundheit; es ist eine Formalität, es ist klar, dass er bald sterben wird. Er sagt: »Diese Prophetin, der Sie in Ihrer Diözese Unterschlupf gewähren. Eliza Barton. Wie geht es damit weiter?«

Warham sieht kaum auf. »Was wollen Sie eigentlich, Cromwell? Meine Kommission hat nichts gegen das Mädchen gefunden. Das wissen Sie.«

»Ich höre, sie erzählt ihren Anhängern, dass der König nur noch ein Jahr regieren wird, wenn er Lady Anne heiratet.«

»Das könnte ich nicht beschwören. Ich habe es nicht mit eigenen Ohren gehört.«

»Soweit ich weiß, hat Bischof Fisher sie aufgesucht.«

»Nun ... oder sie ihn. Das eine oder das andere. Warum sollte er das nicht tun? Sie ist eine gesegnete junge Frau.«

»Wer hat sie unter Kontrolle?«

Warhams Kopf sieht aus, als würde er gleich von seinen Schultern kullern. »Sie mag unklug sein. Sie mag sich täuschen. Schließlich ist sie ein einfaches Landmädchen. Aber sie hat eine Gabe, dessen bin ich mir sicher. Wenn Menschen ihr begegnen, kann sie ihnen sofort sagen, was sie bedrückt. Welche Sünden ihnen auf dem Gewissen liegen.«

»Wirklich? Ich muss sie aufsuchen. Vielleicht weiß sie ja, was mich bedrückt.«

»Frieden«, sagt Thomas Boleyn. »Harry Percy ist da.«

Der Earl kommt herein, rechts und links von ihm zwei seiner Leibwächter. Seine Augen sind rot, und ein Hauch von schalem Erbrochenen legt nahe, dass er den Bemühungen seiner Leute, ihn abzuschrubben, widerstanden hat. Der König kommt herein. Es ist ein warmer Tag, und er trägt Seide in blassen Farben. Rubine wölben sich an seinen Fingerknöcheln wie Blutblasen. Er setzt sich auf seinen Platz. Er heftet seinen ausdruckslosen blauen Blick auf Harry Percy.

Thomas Audley – vertretungsweise Lordkanzler – führt den Earl durch seine Dementis. Ein formelles Eheversprechen? Nein. Sonstige Versprechen irgendwelcher Art? Leibliches – ich bedaure so sehr, das erwähnen zu müssen – Beiwohnen? Auf meine Ehre, nein, nein und nein.

»So traurig es ist, wir brauchen mehr als Ihr Ehrenwort«, sagt der König. »Die Dinge sind zu weit gegangen, Mylord.«

Harry Percy sieht aus, als wäre er von Panik überwältigt. »Was muss ich denn sonst noch tun?«

Er sagt leise: »Gehen Sie zu seiner Gnaden von Canterbury, Mylord. Er wird Ihnen das Buch hinhalten.«

Das ist es jedenfalls, was der alte Mann zu tun versucht. Monseigneur will ihm helfen, aber Warham schlägt seine Hände weg. Er greift nach der Tischkante, das Tuch verrutscht, und hievt sich auf die Füße. »Harry Percy, Sie haben sich in dieser Angelegenheit gedreht und gewendet, Sie haben es behauptet, es abgestritten, es behauptet, und jetzt hat man Sie hergebracht, um es noch einmal abzustreiten, aber dieses Mal nicht nur im Angesicht von Menschen. Nun ... werden Sie Ihre Hand auf diese Bibel legen und vor mir und in der Gegenwart des Königs und seines Rates schwören, dass Sie Lady Anne nicht unrechtmäßig erkannt haben und dass Sie keinen Ehevertrag mit ihr geschlossen haben?«

Harry Percy reibt sich die Augen. Er streckt die Hand aus. Seine Stimme zittert. »Ich schwöre es.«

»Das wäre erledigt«, sagt der Herzog von Norfolk. »Man fragt sich, wie die ganze Sache überhaupt in die Welt gekommen ist.« Er geht zu

Harry Percy und ergreift seinen Ellenbogen. »Wir werden nichts mehr davon hören, Junge?«

Der König sagt: »Howard, Sie haben gehört, wie er seinen Eid abgelegt hat, belästigen Sie ihn jetzt nicht mehr. Einige der Anwesenden sollen dem Erzbischof helfen. Sie sehen ja, dass es ihm nicht gut geht.« In besänftigter Stimmung lächelt er in die Runde seiner Ratgeber. »Meine Herren, wir gehen in meine private Kapelle und sind Zeugen, wenn Harry Percy das heilige Abendmahl empfängt, um seinen Eid zu besiegeln. Dann werden Lady Anne und ich den Nachmittag mit Besinnung und Gebet verbringen. Ich möchte nicht gestört werden.«

Warham schlurft zum König. »Winchester kleidet sich an, um die Messe für Sie zu lesen. Ich kehre in meine Diözese zurück.« Henry murmelt etwas und beugt sich hinunter, um seinen Ring zu küssen. »Henry«, sagt der Erzbischof, »ich habe gesehen, wie Sie an Ihrem Hof und im Rat Personen befördert haben, deren Prinzipien und Moral einer Überprüfung kaum standhalten würden. Ich habe gesehen, wie Sie zum Kummer und Entsetzen christlicher Menschen Ihren eigenen Willen und Appetit vergöttlicht haben. Ich habe mich loyal verhalten, bis an die Grenze der Verletzung meines eigenen Gewissens. Ich habe viel für Sie getan, jetzt aber habe ich das Letzte getan, was ich je tun werde.«

In Austin Friars wartet Rafe auf ihn. »Ja?«

»Ja.«

»Und jetzt?«

»Jetzt kann Harry Percy sich noch mehr Geld leihen und sich langsam ruinieren. Ein Vorgang, den ich ihm mit Freude erleichtern werde.« Er setzt sich. »Ich denke, eines Tages werde ich ihm seine Grafschaft abnehmen.«

»Wie wollen Sie das tun, Sir?« Er zuckt mit den Achseln: weiß nicht. »Sie würden nicht wollen, dass die Howards in den Grenzgebieten noch mehr Einfluss gewinnen, als sie jetzt schon haben.«

»Nein. Nein, wahrscheinlich nicht.« Er grübelt. »Kannst du die Papiere über Warhams Prophetin heraussuchen?«

Während er wartet, öffnet er das Fenster und sieht in den Garten hinaus. Das Rosa der Rosen in seinen Lauben ist von der Sonne ausgeblichen. Mary Talbot tut mir leid, denkt er; ihr Leben wird nach alldem nicht leichter werden. Ein paar Tage lang, nur ein paar Tage, haben alle am Hofe des Königs nur über sie gesprochen und nicht über Anne. Er denkt daran, wie Harry Percy hereinspaziert ist, um den Kardinal zu verhaften, die Schlüssel in der Hand: die Wachen, die er rund um das Bett des sterbenden Mannes aufgestellt hat.

Er lehnt sich aus dem Fenster. Ich frage mich, ob es möglich wäre, Pfirsichbäume anzupflanzen. Rafe bringt das Bündel.

Er zerschneidet das Band und glättet die Briefe und Memoranden. Diese unappetitliche Affäre begann vor sechs Jahren in Kent bei einer verfallenen Kapelle am Rande des Marschlands, als eine Marienstatue Pilger anzuziehen begann und eine junge Frau namens Elizabeth Barton anfing, ihnen etwas zu bieten. Was machte die Statue eigentlich ursprünglich, um Aufmerksamkeit zu erregen? Wahrscheinlich bewegte sie sich: oder sonderte Blutstropfen ab. Das Mädchen ist eine Waise und wurde von einem der Gutsverwalter Warhams in seinem Haushalt großgezogen. Sie hat eine Schwester, keine weitere Familie. Er sagt zu Rafe: »Niemand hat von ihr Notiz genommen, bis sie zwanzig oder so war, und dann hatte sie irgendeine Krankheit, und als es ihr besser ging, begann sie, Visionen zu haben und in fremden Stimmen zu sprechen. Sie sagt, sie hat Petrus am Himmelstor mit seinen Schlüsseln gesehen. Sie hat gesehen, wie der heilige Michael Seelen wog. Wenn jemand sie fragt, wo seine toten Angehörigen sind, kann sie es ihm sagen. Wenn es der Himmel ist, spricht sie mit hoher Stimme. Wenn es die Hölle ist, mit tiefer.«

»Das könnte eine komische Wirkung haben«, sagt Rafe.

»Meinst du? Was für pietätlose Kinder ich aufgezogen habe!« Er liest, dann sieht er auf. »Manchmal nimmt sie neun Tage lang keine Nahrung zu sich. Manchmal fällt sie plötzlich zu Boden. Kein Wunder, oder? Sie hat Krämpfe, Zuckungen und Trancezustände. Es klingt außerordentlich unangenehm. Sie wurde von Mylord Kardinal befragt, aber …«, er sucht in den Papieren, »da ist nichts, keine Aufzeichnung des Gesprächs. Ich frage mich, was passiert ist. Vermutlich hat er versucht, sie dazu zu bewegen, ihr Abendbrot zu essen, und das wird ihr nicht gefallen haben. Hier wird gesagt …«, er liest, »… dass sie in einem Kloster in Canterbury ist. Die verfallene Kapelle hat ein neues Dach bekommen und bei den Geistlichen dort geht viel Geld ein. Heilungen geschehen. Die Lahmen gehen, die Blinden sehen. Kerzen zünden sich von alleine an. Die Pilger drängen sich auf den Straßen. Warum habe ich das Gefühl, diese Geschichte schon einmal gehört zu haben? Sie hat eine Schar Mönche und Priester um sich, und die lenken die Blicke der Leute in den Himmel, während sie ihnen in die Taschen greifen. Wir dürfen annehmen, dass es sich um dieselben Mönche und Priester handelt, die sie angewiesen haben, mit ihrer Meinung zur Heirat des Königs hausieren zu gehen.«

»Thomas More hat sie getroffen. Genauso wie Fisher.«

»Ja, das merke ich mir. Ach … sieh mal hier … Maria Magdalena hat ihr einen Brief geschrieben. Mit goldenen Illuminationen.«

»Kann sie ihn lesen?«

»Ja, scheint so.« Er sieht auf. »Was denkst du? Der König hält es bestimmt aus, beschimpft zu werden, wenn es eine heilige Jungfrau tut. Ich vermute, er ist daran gewöhnt. Anne schilt ihn oft genug.«

»Möglicherweise hat er Angst.«

Rafe ist bei Hofe mit ihm gewesen; offensichtlich versteht er Henry besser als einige Leute, die ihn schon sein ganzes Leben lang kennen. »Das hat er in der Tat. Er glaubt an einfache Mägde, die mit den Heiligen sprechen können. Er ist geneigt, an Prophezeiungen zu glauben, während ich … ich denke, wir lassen es eine Weile so laufen. Stellen fest, wer sie besucht. Wer spendet. Gewisse adlige Damen haben Kontakt zu ihr aufgenommen, wollten sich weissagen und ihre Mütter aus dem Fegefeuer beten lassen.«

»Mylady Exeter«, sagt Rafe.

Henry Courtenay, Marquis von Exeter, ist der nächste männliche Verwandte des Königs, da er ein Enkel des alten Königs Edward ist. Von daher ist er nützlich für den Kaiser, wenn der mit seinen Truppen kommt, um Henry rauszuschmeißen und einen neuen König auf den Thron zu setzen. »An Exeters Stelle würde ich meine Frau nicht um einen Wirrkopf herumscharwenzeln lassen, um ein Mädchen, das ihren Fantasien, eines Tages Königin zu werden, Nahrung gibt.« Er beginnt, die Papiere wieder zusammenzufalten. »Dieses Mädchen, musst du wissen, behauptet, dass sie die Toten erwecken kann.«

Bei John Petyts Beerdigung ruft er, während die Frauen oben bei Lucy sitzen, unten am Lion's Quay eine spontane Sitzung ein, um mit den anderen Kaufleuten über die Vorfälle in der City zu sprechen. Antonio Bonvisi, Mores Freund, entschuldigt sich und sagt, er wird nach Hause gehen. »Die Dreifaltigkeit segne euch und lasse euch gedeihen«, sagt er, als er sich zurückzieht und die bewegliche Insel der Kälte mitnimmt, die ihm seit seinem unerwarteten Auftauchen gefolgt ist. »Sie wissen ja«, sagt er und dreht sich in der Tür noch einmal um, »wenn die Frage der Hilfe für Mistress Petyt aufkommt, trage ich gerne …«

»Nicht nötig. Sie bleibt reich zurück.«

»Aber wird die City ihr erlauben, das Geschäft zu übernehmen?«

Er schneidet ihm das Wort ab: »Ich kümmere mich darum.«

Bonvisi nickt und geht. »Wirklich eine Überraschung, dass er gekommen ist.« John Parnell von der Tuchhändlerzunft hat bereits mehrere Zusammenstöße mit More hinter sich. »Master Cromwell, da Sie sich um diese Angelegenheit kümmern, heißt das … beabsichtigen Sie, Lucy die Frage zu stellen?«

»Ich? Nein.«

Humphrey Monmouth sagt: »Sollen wir erst unsere Sitzung abhalten und das Arrangieren von Ehen so lange aufschieben? Wir sind besorgt, Master Cromwell, wie Sie es sicher auch sind, wie es der König sein muss … wir sind alle, denke ich …«, er sieht in die Runde, »nachdem Bonvisi gegangen ist, sind wir unter uns und befürworten alle das Anliegen, für das unser verstorbener Bruder Petyt am Ende zum Märtyrer geworden ist, aber es ist auch an uns, den Frieden zu halten, uns von den blasphemischen Ausbrüchen zu distanzieren ...«

Einen solchen gab es in einer Pfarrgemeinde der City am letzten Sonntag im heiligen Moment der Elevation der Hostie. Als der Priester verkündete: *»hoc est enim corpus meum«,* wurde lauthals intoniert: *»hoc est corpus,* Hokuspokus«. Und in einer benachbarten Gemeinde geschah es beim Gedenken an die Heiligen, bei dem der Priester uns an die Gemeinschaft mit den heiligen Märtyrern gemahnt: *»cum Joanne, Stephano, Mathia, Barnaba, Ignatio, Alexandro, Marcellino, Petro ...«,* dass eine Person laut rief: »Nicht zu vergessen ich und meine Kusine Kate und Dick mit seinem Muschelfass auf der Leadenhall Street und seine Schwester Susan und ihr kleiner Hund Posset.«

Er legt die Hand über den Mund. »Sie wissen ja, wo Sie mich finden, wenn Posset einen Anwalt braucht.«

»Master Cromwell«, sagt ein griesgrämiger Ältester von der Kürschnerzunft, »Sie haben diese Versammlung einberufen. Seien Sie uns ein Beispiel an Ernsthaftigkeit.«

»Über Lady Anne werden Balladen verfasst«, sagt Monmouth, »deren Worte in dieser Gesellschaft nicht wiedergegeben werden können. Thomas Boleyns Diener beklagen sich darüber, dass sie auf der Straße beschimpft werden. Ihre Livreen werden mit Kot beworfen. Die Meister müssen ihre Lehrlinge fest im Griff halten. Illoyales Gerede sollte gemeldet werden.«

»Bei wem?«

Er sagt: »Versuchen Sie's mit mir.«

Er findet Johane in Austin Friars vor. Sie hat eine Entschuldigung vorgebracht, um zu Hause bleiben zu können: eine Sommererkältung. »Frag mich nach dem Geheimnis, das ich kenne«, sagt er.

Um den Schein zu wahren, reibt sie sich die Nasenspitze. »Mal sehen. Du weißt bis auf den Shilling, was der König in seiner Kasse hat?«

»Das weiß ich bis auf den Penny. Nicht das. Frag mich. Süße Schwester.«

Als sie genug geraten hat, erzählt er ihr: »John Parnell wird Luce heiraten.«

»Was? Und John Petyt ist noch nicht kalt?« Sie wendet sich ab, um über Gefühle welcher Art auch immer hinwegzukommen. »Deine Brüder halten zusammen. Parnells Haushalt ist nicht frei von Sektierern. Einer seiner Diener ist in Bischof Stokesleys Gefängnis, habe ich gehört.«

Richard Cromwell steckt seinen Kopf durch die Tür. »Master. Der Tower. Backsteine. Fünf Shilling pro tausend.«

»Nein.«

»In Ordnung.«

»Man würde denken, sie würde eine Sorte Mann heiraten, die sicherer ist.«

Er geht zur Tür. »Richard, komm zurück.« Wendet sich zu Johane. »Ich glaube nicht, dass sie so jemanden kennt.«

»Sir?«

»Handle sie um Sixpence runter und kontrolliere jeden Packen. Du solltest aus jeder Partie ein paar herausnehmen und genau untersuchen.«

Johane im Zimmer, in seinem Rücken: »Auf jeden Fall hast du das Richtige gemacht.«

»Miss sie aus, zum Beispiel ... Johane, hast du geglaubt, ich würde aus einer Unachtsamkeit heraus heiraten? Aus Versehen?«

»Wie bitte?«, sagt Richard.

»Denn wenn du sie immer wieder ausmisst, geraten die Ziegelbrenner in Panik, und du kannst an ihren Gesichtern erkennen, ob sie irgendwelche faulen Tricks versuchen.«

»Ich vermute, du hast schon eine Dame im Auge. Bei Hofe. Der König hat dir ein neues Amt gegeben ...«

»*Clerk of the Hanaper.* Ja. Ein Posten bei den Finanzen im Gerichtshof des Lordkanzlers. Das ist wohl kaum der blumige Pfad zu einer Liebesaffäre. Weißt du, was ich glaube?«

»Du glaubst, du solltest noch warten. Bis sie, diese Frau, Königin ist.«

»Ich glaube, es ist der Transport, der die Kosten in die Höhe treibt. Selbst auf dem Wasserweg. Ich hätte etwas Land räumen lassen und meine eigenen Brennöfen bauen sollen.«

Sonntag, der 1. September, in Windsor: Anne kniet vor dem König, um den Titel »Marquess von Pembroke« zu empfangen. Die Ritter des Hosenbandordens auf ihren Chorstühlen beobachten sie, die adligen Damen Englands flankieren sie, und Norfolks Tochter Mary (die Herzogin hatte sich geweigert und einen Fluch ausgestoßen, als ihr der Vorschlag gemacht wurde) trägt ihr Diadem auf einem Kissen; die Howards und die Boleyns sind *en fête*. Monseigneur streichelt seinen Bart, nickt und lächelt, als er geflüsterte Glückwünsche vom französischen Botschafter entgegennimmt. Bischof Gardiner liest Annes neuen Titel vor. Sie leuchtet in rotem Samt und Hermelin, und ihr schwarzes Haar fällt in jungfräulichem Stil in Wellen bis zur Taille. Er, Cromwell, hat das Einkommen von fünfzehn Landgütern organisiert, um ihre Würde zu unterstützen.

Ein *Te Deum* wird gesungen. Eine Predigt gehalten. Als die Zeremonie vorbei ist und sich die Damen bücken, um Annes Schleppe aufzuheben, bemerkt er ein blaues Leuchten wie von einem Eisvogel, sieht auf und erblickt John Seymours Tochter unter den Damen der Howards. Ein Schlachtross hebt den Kopf beim Klang der Trompeten, und große Damen blicken auf und lächeln; als die Musiker eine Fanfare spielen und die Prozession die St George's Chapel verlässt, senkt das Mädchen sein blasses Gesicht und richtet die Augen auf die Zehen, als hätte es Angst zu stolpern.

Beim Festmahl sitzt Anne auf dem Podium neben Henry, und wenn sie sich zur Seite dreht, um mit ihm zu sprechen, streifen ihre schwarzen Wimpern die Wangen. Sie ist jetzt fast da, fast angekommen, ihr Körper ist gespannt wie eine Bogensehne, ihre Haut bestäubt mit Gold, mit Schattierungen von Aprikose und Honig; wenn sie lächelt, was sie oft tut, zeigt sie kleine Zähne, weiß und scharf. Sie plant, Katherines Barke zu beschlagnahmen, erzählt sie ihm, die Aufschrift »H & K« wegbrennen und alle Abzeichen Katherines auslöschen zu lassen. Der König hat nach Katherines Juwelen geschickt, damit Anne sie auf der geplanten Reise nach Frankreich tragen kann. In dem schönen Septemberwetter hat er, Cromwell, einen Nachmittag, zwei Nachmittage, drei mit ihr und dem Goldschmied des Königs verbracht; dieser fertigte Zeichnungen an, und auch er als *Master of the Jewels* hatte Vorschläge zu machen; Anne möchte neue Fassungen anfertigen lassen. Zunächst hatte sich Katherine geweigert, die Juwelen zu übergeben. Sie sagte, sie könne das Eigentum der Königin von England nicht hergeben und in die Hände der Schande der Christenheit legen. Ein königlicher Befehl war notwendig, um sie dazu zu bringen, die Sachen rauszurücken.

Anne leitet alles an ihn weiter; sie sagt lachend: »Cromwell, Sie sind mein Mann.« Der Wind ist günstig, und die Flut arbeitet für ihn. Unter seinen Füßen kann er spüren, wie sie ihn mitzieht. Sein Freund Audley wird gewiss als Kanzler bestätigt werden; der König gewöhnt sich an ihn. Alte Höflinge sind lieber zurückgetreten, als Anne zu dienen, der neue Rechnungsprüfer des Haushalts ist Sir William Paulet, einer seiner Freunde aus Wolseys Tagen. So viele der neuen Höflinge sind Freunde aus Wolseys Tagen. Und der Kardinal hat keine Dummköpfe beschäftigt.

Nach der Messe und Annes Einsetzung kümmert er sich um den Bischof von Winchester, als dieser seine Messgewänder auszieht und etwas anlegt, das für weltliche Feiern besser geeignet ist. »Werden Sie tanzen?«, fragt er ihn. Er sitzt auf einem steinernen Fenstersims und wendet seine Aufmerksamkeit halb dem Geschehen unten in den Höfen zu, wo die Musiker Flöten und Lauten, Harfen und Rebecs, Oboen, Violen und Trommeln herbeibringen. »Sie würden eine gute Figur machen. Oder tanzen Sie jetzt nicht mehr, wo Sie Bischof sind?«

Stephens Konversation läuft auf ihrer eigenen Spur. »Man würde doch meinen, es müsste jeder Frau genügen, Marquess aus eigenem Recht zu werden, denken Sie nicht auch? Jetzt wird sie ihm nachgeben. Wird vor Weihnachten einen Erben im Bauch haben, so Gott will.«

»Ach, Sie wünschen ihr Erfolg?«

»Ich möchte, dass er sich beruhigt. Und dass das alles zu einem Ergebnis führt. Dass es nicht umsonst geschehen ist.«

»Wissen Sie, was Chapuys über Sie sagt? Dass Sie zwei Frauen in Ihrem Haushalt halten, als Jungen verkleidet.«

»Ist das so?« Er runzelt die Stirn. »Immerhin besser als zwei Jungen, die als Frauen verkleidet sind. Das wäre wirklich schändlich.« Stephen gibt ein bellendes Gelächter von sich. Sie schlendern zusammen zu dem Fest. *Trollylolly,* singen die Musiker. *»Pastime with good company, I love and shall until I die.«* Die Seele ist von Natur aus musikalisch, sagen die Philosophen. Der König ruft Thomas Wyatt herbei, damit er mit ihm und dem Musiker Mark singt. *»Alas, what shall I do for love? For love, alas, what shall I do?«*

»Alles, was ihm einfällt«, sagt Gardiner. »Soweit ich das sehe, hat das, was er für die Liebe tun würde, keine Grenzen.«

Er sagt: »Der König ist gut zu jenen, die ihn für gut halten.« Er spielt es dem Bischof unter dem Klang der Musik zu.

»Nun«, sagt Gardiner, »wenn der Geist unendlich flexibel ist. Wie es der Ihre allem Anschein nach zwangsläufig sein muss.«

Er spricht mit Mistress Seymour. »Sehen Sie«, sagt sie. Sie hält ihre Ärmel in die Höhe. Die Kante aus strahlendem Blau, die sie angesetzt hat, das Leuchten des Eisvogels, ist aus der Seide geschnitten, in die er die Handarbeitsmuster für sie eingepackt hat. Wie stehen die Dinge jetzt in Wolf Hall?, fragt er so taktvoll wie möglich: Wie erkundigt man sich nach einer Familie, die mit den Nachwirkungen des Inzests zu kämpfen hat? Sie sagt in ihrer klaren, kleinen Stimme: »Sir John geht es sehr gut. Allerdings geht es Sir John immer sehr gut.«

»Und den anderen?«

»Edward ist wütend, Tom unruhig, Mylady, meine Mutter, knirscht mit den Zähnen und knallt mit den Türen. Die Ernte wird eingebracht, die Äpfel hängen an den Zweigen, die Mädchen sind in der Molkerei, unser Kaplan beim Gebet, die Hennen legen, die Lauten sind gestimmt und Sir John ... Sir John geht es wie immer sehr gut. Warum suchen Sie sich nicht eine Angelegenheit in Wiltshire, um die Sie sich kümmern müssen, und reiten zu uns, um uns zu inspizieren? Ach, und wenn der König eine neue Frau bekommt, wird sie Damen brauchen, die ihr aufwarten, und meine Schwester Liz kommt an den Hof. Ihr Mann ist der Gouverneur von Jersey, kennen Sie ihn, Anthony Oughtred? Ich selbst würde lieber nach Norden zur Königin gehen. Aber es heißt, sie zieht wieder woanders hin, und ihr Haushalt wird verkleinert.«

»Wenn ich Ihr Vater wäre ... nein ...«, er formuliert es um, »wenn ich Ihnen einen Rat geben sollte, würde ich sagen, dienen Sie Lady Anne.«

»Marquess von Pembroke«, sagt sie. »Natürlich ist es gut, demütig zu sein. Sie stellt sicher, dass wir es sind.«

»Im Moment ist es schwierig für sie. Ich denke, sie wird nachgiebiger werden, wenn sie am Ziel ihrer Wünsche ist.« Sobald er es ausgesprochen hat, weiß er, dass es nicht stimmt.

Jane senkt den Kopf und sieht mit halb geschlossenen Lidern von unten zu ihm auf. »Das ist mein demütiges Gesicht. Glauben Sie, es erfüllt seinen Zweck?«

Er lacht. »Damit erreichen Sie alles.«

Als die Tänzer eine Pause machen, sich nach den Galliarden, Pavanen und Allemanden Luft zufächeln, singen er und Wyatt das kleine Soldatenlied: Scaramella zieht in den Krieg, mit seinem Schild, seiner Lanze. Es ist melancholisch, wie es Lieder ungeachtet ihres Textes sind, wenn das Licht schwindet und die menschliche Stimme unbegleitet in den Schatten des Raumes versickert. Charles Brandon fragt ihn: »Worum geht es in diesem Lied, geht es um eine Dame?«

»Nein, es handelt von einem Jungen, der in den Krieg zieht.«

»Was ist sein Schicksal?«

Scaramella fa la gala. »Für ihn ist alles ein einziger großer Festtag.«

»Das waren bessere Tage«, sagt der Herzog. »Echtes Soldatenleben.«

Der König singt zur Laute, singt mit starker, wahrhaftiger, schallender Stimme: »*As I Walked the Woods So Wild.*« Ein bisschen mitgenommen von den starken italienischen Weinen weinen ein paar Frauen.

In Canterbury liegt Erzbischof Warham kalt auf einer Steinplatte; Münzen des Königreichs sind auf seine Augenlider gelegt worden, als solle das Bildnis seines Königs für alle Ewigkeit in sein Gehirn eingeschlossen werden. Er wartet darauf, im Beinhaus unter den Steinplatten der Kathedrale an die feuchte freie Stelle neben Beckets Knochen gelegt zu werden. Anne sitzt so still wie eine Statue, die Augen auf ihren Geliebten gerichtet. Nur ihre unruhigen Finger bewegen sich, sie umklammert im Schoß einen ihrer kleinen Hunde, und ihre Hände fahren wieder und wieder über sein Fell, drehen an seinen Locken. Als die letzte Note verklingt, werden Kerzen hereingebracht.

Oktober und wir gehen nach Calais – ein Zug von zweitausend Menschen erstreckt sich von Windsor nach Greenwich, von Greenwich über die grünen Felder von Kent nach Canterbury: für einen Herzog ein Gefolge von vierzig, für einen Marquess von fünfunddreißig, für einen Earl von vierundzwanzig, während ein Viscount mit zwanzig über die Runden kommen muss und er selbst mit Rafe und allen Schreibern, die er in die Rattenlöcher des Schiffes stopfen kann. Der König wird seinen Bruder Frankreich treffen, der die Absicht hat, ihm einen Gefallen zu erweisen und seine neue Ehe beim Papst zu befürworten. François hat angeboten, einen seiner drei Söhne – *seiner drei Söhne*, wie sehr Gott ihn lieben muss! – mit der Nichte des Papstes, Caterina de' Medici, zu verheiraten; er sagt, er wird es zur Vorbedingung für die Eheschließung machen, dass Königin Katherine die Erlaubnis verweigert wird, ihren Fall in Rom überprüfen zu lassen, und dass seinem Bruder England gestattet wird, seine ehelichen Angelegenheiten innerhalb seiner eigenen Jurisdiktion mit seinen eigenen Bischöfen zu regeln.

Es ist das erste Wiedersehen dieser beiden mächtigen Monarchen seit dem Treffen, das Feld des Güldenen Tuches genannt wird und das der Kardinal organisiert hatte. Der König sagt, die Reise soll weniger kosten als damals, aber wenn er nach Einzelheiten gefragt wird, will er mehr von diesem und zwei von jenen – alles größer, nobler, üppiger und mit mehr Vergoldung. Er nimmt seine eigenen Köche mit und sein eigenes Bett, seine Minister und Musikanten, seine Pferde, Hunde und Falken und die Dame, die jetzt Marquess von Pembroke ist und in Europa als seine Konkubine bezeichnet wird. Er nimmt die möglichen Thronanwärter mit, darunter den Vertreter des Hauses York, Lord Montague, und die Nevilles aus dem Hause Lancaster; damit will er beweisen, wie zahm sie sind und wie sicher die Tudors im Sattel sitzen. Er nimmt sein Goldgeschirr mit, seine Wäsche, seine Konditoren und Geflügelrupfer und Gift-Vorkoster, und er nimmt sogar seinen eigenen Wein mit: was wir für überflüssig halten könnten, aber was wissen wir schon?

Rafe, der ihm beim Packen seiner Papiere hilft: »Ich höre, dass König François in Rom für das Anliegen des Königs eintreten will. Aber ich bin mir nicht sicher, was bei diesem Vertrag für ihn rausspringt.«

»Wolsey hat immer gesagt, dass das Vereinbaren eines Vertrags der Vertrag ist. Es ist gleichgültig, wie die Bedingungen aussehen, wichtig ist, dass es Bedingungen gibt. Es ist der gute Wille, der zählt. Wenn der nicht mehr da ist, wird der Vertrag gebrochen, egal, was die Bedingungen sagen.«

Es sind die Umzüge, die wichtig sind, der Austausch von Geschenken, die königlichen Vergnügungen wie das Bowls-Spiel, die Turniere, die Zweikämpfe und Maskenspiele: Das alles ist kein Vorgeplänkel für den Prozess, es ist der Prozess selbst. Anne, vertraut mit dem französischen Hof und der französischen Etikette, erläutert die Schwierigkeiten, die bevorstehen. »Wenn der Papst ihn besuchen würde, dann könnte Frankreich auf ihn zugehen, zum Beispiel in einem Innenhof. Aber zwei Monarchen, die sich treffen, sollten die gleiche Anzahl von Schritten aufeinander zugehen, sobald sie in Sichtweite des anderen sind. Und das glückt, es sei denn, der eine Monarch – hélas – würde sehr kleine Schritte machen und damit den anderen zwingen, die größere Entfernung zurückzulegen.«

»Bei Gott«, bricht es aus Charles Brandon hervor, »ein solcher Mann wäre ein Schurke. Würde François so etwas tun?«

Anne sieht ihn mit halb geschlossenen Lidern an. »Mylord Suffolk, ist Mylady fertig für die Reise?«

Suffolk läuft rot an. »Meine Frau ist eine frühere Königin von Frankreich.«

»Das ist mir bewusst. François wird sich freuen, sie wiederzusehen. Er fand sie sehr schön. Obwohl sie damals natürlich jung war.«

»Mein Schwester ist immer noch schön«, sagt Henry friedfertig. Aber ein Sturm braut sich in Charles Brandon zusammen und bricht mit donnerndem Geschrei los: »Sie erwarten, dass sie Sie bedient? Dass sie Boleyns Tochter bedient? Ihnen Ihre Handschuhe reicht, Madam, und Ihnen beim Essen zuerst vorlegt? Gewöhnen Sie sich an den Gedanken – dieser Tag wird niemals kommen.«

Anne wendet sich an Henry, legt ihre Hand auf seinen Arm. »Er demütigt mich in Ihrer Gegenwart.«

»Charles«, sagt Henry, »lass uns allein und komm zurück, wenn du Herr deiner selbst bist. Keinen Augenblick früher.« Er seufzt und macht ein Zeichen: Cromwell, gehen Sie ihm nach.

Der Herzog von Suffolk brodelt und schäumt.

»Frische Luft, Mylord«, schlägt er vor.

Der Herbst ist bereits da; vom Fluss kommt ein rauer Wind. Er bläst einen Schauer durchweichter Blätter in die Höhe, die vor ihnen herflattern wie die Fahnen einer Miniaturarmee. »Ich finde immer, Windsor ist ein kalter Ort. Finden Sie nicht auch, Mylord? Ich meine den Standort, nicht nur das Schloss.« Seine Stimme fährt fort, beruhigend, leise. »Wenn ich König wäre, würde ich mehr Zeit in dem Palast in Woking verbringen. Wussten Sie, dass es dort niemals schneit? Zumindest gab es in den letzten zwanzig Jahren keinen Schnee.«

»Wenn Sie König wären?« Brandon stampft bergab. »Wenn Anne Boleyn Königin sein kann, warum nicht?«

»Ich nehme das zurück. Ich hätte einen demütigeren Ausdruck benutzen sollen.«

Brandon grunzt. »Meine Frau. Sie wird nie im Gefolge dieser Dirne erscheinen. «

»Mylord, halten Sie sie lieber für keusch. Das tun wir alle.«

»Ihre Mutter hat sie angelernt, und sie war eine große Hure, das kann ich Ihnen sagen. Liz Boleyn, damals Liz Howard – sie war die erste Frau, die Henry in ihr Bett genommen hat. Ich weiß diese Sachen, ich bin sein ältester Freund. Siebzehn war er und wusste nicht, wo er ihn hinstecken sollte. Sein Vater hat ihn wie eine Nonne gehalten.«

»Aber keiner von uns glaubt diese Geschichte jetzt noch. Über Monseigneurs Gattin.«

»*Monseigneur!* Herr im Himmel.«

»Er möchte gern so genannt werden. Das schadet doch nicht.«

»Ihre Schwester Mary hat sie angelernt, und Mary wurde in einem Bordell ausgebildet. Wissen Sie, was sie in Frankreich machen? Mylady, meine Frau, hat es mir erzählt. Also, nicht erzählt, sie hat es aufgeschrieben, auf Lateinisch. Der Mann hat einen Standschwanz, und sie nimmt ihn in den Mund! Können Sie sich so etwas vorstellen? Kann man eine Frau, die eines so schmutzigen Vorgehens fähig ist, überhaupt noch Jungfrau nennen?«

»Mylord … wenn Ihre Frau nicht nach Frankreich gehen will, wenn Sie sie nicht überreden können … sollen wir sagen, dass sie krank ist? Es wäre etwas, das Sie für den König tun können, von dem Sie wissen, dass er Ihr Freund ist. Es würde ihn vor …« Beinahe sagt er: vor der scharfen Zunge der Dame bewahren. Aber er macht einen Rückzieher und sagt etwas anderes. »Es würde das Gesicht wahren.«

Brandon nickt. Sie gehen immer noch auf den Fluss zu, und er versucht, ihre Schritte zu verlangsamen, denn Anne wird ihn bald mit der Nachricht von einer Entschuldigung zurückerwarten. Als sich der Herzog zu ihm umdreht, ist sein Gesicht ein Bild des Jammers. »Es stimmt ohnehin. Sie ist krank. Ihre hübschen kleinen« – er macht eine Geste: hält die Luft in den hohlen Händen – »sind ganz verschwunden. Ich liebe sie trotzdem. Sie ist so dünn wie ein Strich. Ich sage immer zu ihr: Mary, eines Tages werde ich aufwachen und dich nicht finden können, ich werde dich mit einem Faden im Bettlaken verwechseln.«

»Das tut mir sehr leid«, sagt er.

Brandon fährt sich durch das Gesicht. »Ach, Gott. Gehen Sie zu Henry zurück, bitte. Sagen Sie ihm, dass wir das nicht machen können.«

»Er wird erwarten, dass Sie mit nach Calais kommen, wenn Mylady es nicht kann.«

»Ich möchte sie nicht allein lassen, verstehen Sie?«

»Anne ist nachtragend«, sagt er. »Schwer zufriedenzustellen, leicht zu beleidigen. Mylord, lassen Sie sich von mir leiten.«

Brandon grunzt. »Das tun wir doch alle. Bleibt uns gar nichts anderes übrig. Sie machen alles, Cromwell. Sie sind inzwischen alles. Wir sagen: Wie ist das geschehen? Wir fragen uns das.« Der Herzog zieht die Luft ein. »Wir fragen uns das, aber beim dampfenden Blut Christi, wir kennen die verdammte Antwort nicht.«

Das dampfende Blut Christi. Der Fluch ist Thomas Howards würdig, des älteren Herzogs. Wann ist er eigentlich zum Interpreten der Herzöge, zu ihrem Erklärer geworden? Das fragt er sich, aber er kennt die verdammte Antwort nicht. Als er zum König und der zukünftigen Königin zurückkehrt, sehen die beiden einander liebevoll ins Gesicht. »Der Herzog von Suffolk bittet um Entschuldigung«, sagt er. Ja, ja, sagt der König. Wir sehen uns morgen, aber nicht zu früh. Man könnte meinen, sie wären bereits Mann und Frau und hätten eine wohlige Nacht voller ehelicher Freuden vor sich. Man könnte es meinen, nur dass er Mary Boleyns Wort hat, dass das Marquisat Henry lediglich das Recht eingebracht hat, die Innenseite des Oberschenkels ihrer Schwester zu streicheln. Mary erzählt ihm das – und das nicht einmal auf Lateinisch. Wann immer Anne mit dem König allein war, erstattet sie ihren Angehörigen Bericht und lässt keine Einzelheit aus. Man muss sie bewundern; ihre kühle Genauigkeit, ihre Beherrschung. Sie benutzt ihren Körper wie ein Soldat, bewahrt seine Ressourcen; wie ein Lehrer in der Anatomieschule von Padua teilt sie ihn auf und benennt jeden Teil: dies ist mein Oberschenkel, dies meine Brust, dies meine Zunge.

»Vielleicht in Calais«, sagt er. »Vielleicht bekommt er dort, was er will.«

»Sie muss sicher sein.« Mary geht fort. Sie bleibt stehen, kommt zurück, Beunruhigung im Gesicht. »Anne sagt: Cromwell ist mein Mann. Mir gefällt es nicht, wenn sie das sagt.«

In den folgenden Tagen kommen weitere Fragen auf, die die englische Seite quälen. Welche königliche Dame wird Annes Gastgeberin sein, wenn sie die Franzosen treffen? Königin Eleonore wird es nicht sein – das kann man nicht erwarten, da sie die Schwester des Kaisers ist, und die Gefühle der Familie sind verletzt, weil seine Ungnaden Katherine verlassen hat. François' Schwester, die Königin von Navarra, schiebt lieber eine Krankheit vor, als dass sie die Geliebte des Königs von England empfängt. »Ist es dieselbe Krankheit, an der die arme Herzogin von Suffolk leidet?«, fragt Anne. Vielleicht, schlägt François vor, wäre es angemessen, wenn die Dame, die jetzt Marquess von Pembroke ist, durch die Herzogin von Vendôme begrüßt würde, seiner eigenen *maîtresse en titre*?

Henry ist so böse, dass er Zahnschmerzen bekommt. Dr Butts kommt mit seiner Truhe voller Spezifika. Ein Narkotikum scheint das freundlichste Heilmittel zu sein, aber als der König erwacht, ist er immer noch so verärgert, dass es ein paar Stunden lang keine andere Lösung zu geben scheint, als die ganze Expedition abzusagen. Können sie nicht verstehen, können sie nicht begreifen, dass Anne niemandes Mätresse ist, sondern die zukünftige Braut eines Königs? Aber das zu begreifen, liegt nicht in François' Natur. Er würde niemals länger als eine Woche auf eine Frau warten, die er begehrt. Ein Muster an Ritterlichkeit, er? Allerchristlichster König? Der kann doch nichts, bellt Henry, als brunften wie ein Hirsch. Aber ich sage euch, wenn seine Brunft vorbei ist, werden die anderen Hirsche ihn besiegen. Da kann man jeden Jäger fragen!

Am Ende bietet sich als Lösung an, dass die zukünftige Königin in Calais zurückbleiben wird, mithin auf englischem Boden, wo sie keinen Beleidigungen ausgesetzt ist, während der König sich mit François in Boulogne trifft. Calais, eine kleine Stadt, sollte einfacher in Schach zu halten sein als London, selbst wenn sich am Hafen Leute aufstellen, um »*Putain!*« und »Große Hure von England« zu rufen. Wenn sie obszöne Lieder singen, weigern wir uns einfach, sie zu verstehen.

In Canterbury füllen der Tross des Königs und dazu noch die Pilger aus allen Nationen jedes Haus vom Keller bis zum Dach. Er und Rafe werden einigermaßen komfortabel in der Nähe des Königs untergebracht, aber es kommt vor, dass Lords in verlausten Gasthöfen und Ritter in den Hinterzimmern von Bordellen bleiben müssen, Pilger gezwungen sind, in Ställen und Nebengebäuden oder im Freien unter den Sternen zu schlafen. Zum Glück ist das Wetter mild für Oktober. In jedem anderen Jahr vor diesem hätte der König Beckets Schrein aufgesucht, um dort zu beten und eine großzügige Spende zu hinterlassen. Aber Becket war ein Rebell gegen die Krone, nicht die Art von Erzbischof, die wir im Moment bestärken möchten. In der Kathedrale hängt noch der Weihrauch von Warhams Bestattung in der Luft, und Gebete für seine Seele verursachen ein unablässiges Brummen wie das Summen von tausend Bienenstöcken. An Cranmer sind Briefe geschickt worden und liegen irgendwo in Deutschland beim reisenden Hofstaat des Kaisers. Anne hat begonnen, ihn als designierten Erzbischof zu bezeichnen. Keiner weiß, wie lange er brauchen wird, um nach Hause zu gelangen. Mit seinem Geheimnis, sagt Rafe.

Natürlich, erwidert er, sein Geheimnis, von dem er am Rand der Seite geschrieben hat.

Rafe besucht den Schrein. Es ist sein erstes Mal. Er kommt mit aufgerissenen Augen zurück und sagt, der Schrein sei mit Edelsteinen übersät, so groß wie Gänseeier.

»Ich weiß. Sind sie echt, was glaubst du?«

»Man bekommt einen Schädel gezeigt, der Beckets sein soll, die Ritter haben ihn eingeschlagen, aber er wird von einer Silberplatte zusammengehalten. Gegen Bargeld darf man ihn küssen. Es gibt auch eine flache Schale mit seinen Fingerknochen. Sie haben sein vollgerotztes Taschentuch. Und ein Stück von seinem Stiefel. Und eine Phiole, die vor dir geschüttelt wird, das soll sein Blut sein.«

»In Walsingham haben sie eine Phiole mit der Milch der Heiligen Jungfrau.«

»Jesus Christus, was mag da wohl drin sein?« Rafe sieht aus, als würde ihm schlecht. »Das Blut, man sieht ganz genau, dass es Wasser ist, vermischt mit etwas roter Erde. Es ist ganz klumpig.«

»Nun, nimm mal den Gänsekiel da, der stammt nämlich aus den Flügeln des Engels Gabriel. Wir schreiben an Stephen Vaughan. Wir müssen ihn vielleicht auf die Reise schicken, damit er Thomas Cranmer nach Hause bringt.«

»Das kann nicht schnell genug geschehen«, sagt Rafe. »Nur einen Augenblick, Master, bis ich mir die Hände gewaschen habe. Da ist noch ein bisschen Becket dran.«

Obwohl er nicht zu dem Schrein gehen will, möchte sich der König mit Anne an seiner Seite dem Volk zeigen. Jeden Ratschlag missachtend, mischt er sich unter die Menge, als sie von der Messe kommen; seine Wachen stehen zurück, seine Ratgeber umringen ihn. Auf ihrem schmalen Hals ruckt Annes Kopf hin und her, dreht sich zu den Kommentaren hin, die den Weg zu ihr finden. Die Leute strecken die Hände aus, um den König zu berühren.

Norfolk ist neben ihm, überaus angespannt und besorgt, die Augen überall: »Das gefällt mir ganz und gar nicht, Master Cromwell.« Er selbst, der das Messer schon einmal schnell zur Hand hatte, ist auf der Hut vor Bewegungen unterhalb seiner Augenhöhe. Aber was einer Waffe am nächsten kommt, ist ein übergroßes Kreuz, das von einigen Franziskanermönchen geschwungen wird. Die Menge macht den Weg frei, und es folgen ein ungeordneter Haufen Laienpriester in Messgewändern und ein Kontingent Benediktiner von der Abtei mit einer jungen Frau im Habit einer Benediktinernonne in ihrer Mitte.

»Majestät?«

Henry dreht sich um. »Bei Gott, das ist die heilige Magd«, sagt er. Die Wächter rücken vor, aber Henry hält eine Hand in die Höhe. »Ich will sie ansehen.« Sie ist ein großes Mädchen und nicht so jung, vielleicht achtundzwanzig; ein unscheinbares Gesicht, die Haut dunkel getönt, mit einer aufgeregten, hektischen Röte überzogen. Sie schiebt sich auf den König zu, und einen Augenblick sieht er ihn mit ihren Augen: ein undeutliches Bild in Rot und Gold, ein gerötetes Gesicht, ein bereitwilliger, lüsterner Körper, eine Hand wie ein Schinken, die ausgestreckt wird, um ihren Ellenbogen zu ergreifen, den Ellenbogen einer Nonne. »Madam, haben Sie mir etwas zu sagen?«

Sie versucht zu knicksen, aber sein Griff erlaubt es ihr nicht. »Der Himmel hat mir mitgeteilt«, sagt sie, »die Heiligen, mit denen ich mich unterhalte, sagen, dass die Ketzer in Ihrer Umgebung in ein großes Feuer gesteckt werden müssen, und wenn Sie dieses Feuer nicht entzünden, werden Sie selbst brennen.«

»Welche Ketzer? Wo sind sie? Ich habe keine Ketzer bei mir.«

»Da ist eine.«

Anne drängt sich an den König; vor dem Scharlachrot und Gold seiner Jacke schmilzt sie wie Wachs.

»Und wenn Sie eine Form der Ehe mit dieser unwürdigen Frau eingehen, werden Sie keine sieben Monate mehr regieren.«

»Hören Sie, Madam, sieben Monate? Runden Sie es auf, geht das vielleicht? Was für eine Prophezeiung ist das, die sagt ›sieben Monate‹?«

»So hat es der Himmel mir gesagt.«

»Und wenn die sieben Monate vorbei sind, wer wird dann König? Heraus damit: Wen sähen Sie gerne an meiner Stelle?«

Die Mönche und Priester versuchen sie wegzuziehen; das hier gehört nicht zu ihrem Plan. »Lord Montague, er ist von Geblüt. Der Marquis von Exeter, er hat königliches Blut.« Jetzt versucht sie, sich vom König wegzureißen. »Ich sehe Ihre Mutter«, sagt sie, »umgeben von hellen Feuern.«

Henry lässt sie los, als wäre ihr Fleisch heiß. »Meine Mutter? Wo?«

»Ich habe nach dem Kardinal von York gesucht. Ich habe den Himmel, die Hölle und das Fegefeuer abgesucht, aber der Kardinal ist nicht dort.«

»Sie muss doch verrückt sein«, sagt Anne. »Sie ist verrückt und muss ausgepeitscht werden. Und wenn sie es nicht ist, muss sie aufgehängt werden.«

Einer der Priester sagt: »Madam, sie ist eine sehr heilige Person. Ihre Rede ist begnadet.«

»Schafft sie mir aus dem Weg«, sagt Anne.

»Der Blitz wird Sie treffen«, teilt die Nonne Henry mit. Er lacht unsicher.

Norfolk platzt in die Gruppe, mit zusammengebissenen Zähnen und in die Höhe gereckter Faust. »Schleppt sie in ihr Hurenhaus zurück, bevor sie diese Faust zu spüren bekommt, bei Gott!« In dem Durcheinander schlägt ein Mönch einen anderen mit dem Kreuz; die heilige Magd wird nach hinten gezogen, wobei sie immer noch prophezeit; der Lärm in der Menge steigt an, und Henry greift Anne beim Arm und zieht sie dorthin zurück, woher sie gekommen sind. Er selbst folgt der Magd, hält sich nahe hinter der Gruppe, bis die Menschenmenge durchlässiger wird und er einem der Mönche auf den Arm klopfen und ihn bitten kann, mit ihr sprechen zu dürfen. »Ich war ein Diener Wolseys«, sagt er, »ich möchte ihre Botschaft hören.«

Eine kurze Beratung, dann lassen sie ihn durch. »Sir?«, sagt sie.

»Könnten Sie noch einmal probieren, den Kardinal zu finden? Wenn ich eine Spende gäbe?«

Sie zuckt mit den Achseln. Einer der Franziskaner sagt: »Es müsste schon eine erhebliche Spende sein.«

»Wie ist Ihr Name?«

»Ich bin Vater Risby.«

»Ich kann fraglos Ihren Erwartungen entsprechen. Ich bin ein wohlhabender Mann.«

»Wollen Sie die Seele lediglich lokalisieren, um Ihre eigenen Gebete zu unterstützen, oder dachten Sie an Seelenmessen, vielleicht an eine Stiftung?«

»Was immer Sie empfehlen. Aber natürlich müsste ich wissen, dass er nicht in der Hölle ist. Es hätte keinen Zweck, gute Messen an einen hoffnungslosen Fall zu verschwenden.«

»Ich werde mit Vater Bocking sprechen müssen«, sagt das Mädchen.

»Vater Bocking ist der spirituelle Anleiter dieser Dame.«

Er neigt den Kopf. »Kommen Sie wieder und fragen Sie mich«, sagt das Mädchen. Sie dreht sich um und verliert sich in der Menge. Er gibt ihrem Gefolge an Ort und Stelle etwas Geld. Für Vater Bocking, wer immer das sein mag. Wie es aussieht, macht Vater Bocking die Preisliste und die Buchhaltung.

Die Nonne hat den König in Niedergeschlagenheit gestürzt. Wie würden Sie sich fühlen, wenn man Ihnen sagte, Sie würden vom Blitz getroffen? Am Abend klagt er über Kopfweh, Schmerzen im Gesicht und am Kiefer. »Gehen Sie weg«, sagt er zu seinen Ärzten. »Sie können es nie heilen, warum sollte es Ihnen jetzt glücken? Und Sie, Madam«, sagt er zu Anne, »lassen sich von Ihren Damen zu Bett bringen, ich möchte kein Geschnatter, ich kann schrille Stimmen nicht aushalten.«

Norfolk knurrt vor sich hin: Immer hat er irgendwas, der Tudor.

In Austin Friars führen die Jungen eine Posse auf, wenn jemand einen Schnupfen oder eine Verstauchung hat; sie trägt den Titel »Wenn Norfolk Doktor Butts wäre«. Du hast Zahnschmerzen? Reiß sie dir raus! Du hast dir den Finger geklemmt? Hack dir die Hand ab! Du hast Kopfschmerzen? Schneid ihn ab, du hast ja noch einen!

Norfolk, der sich gerade zurückziehen wollte, bleibt stehen. »Majestät, sie hat nicht gesagt, dass der Blitz Sie tatsächlich töten würde.«

»Hat sie auch nicht«, sagt Brandon fröhlich.

»Nicht tot, aber entthront, nicht tot, aber geschlagen und versengt, das sind wirklich gute Aussichten, was?« Mitleidheischend macht der König auf seine Lage aufmerksam, indem er einem Diener befiehlt, Holzscheite zu bringen, und einem Pagen, Wein zu wärmen. »Soll ich, der König von England, mit einem jämmerlichen Feuer und ohne etwas zu trinken hier sitzen?« Er sieht in der Tat aus, als sei ihm kalt. Er sagt: »Sie hat meine Mutter gesehen.«

»Eure Majestät«, sagt er vorsichtig, »wissen Sie, dass eines der Fenster in der Kathedrale ein Bild Ihrer Frau Mutter zeigt? Und wenn die Sonne durch das Glas scheint, würde es dann nicht so aussehen, als stünde sie in einem lodernden Licht? Ich glaube, das ist es, was die Nonne gesehen hat.«

»Sie glauben nicht an diese Visionen?«

»Ich glaube, dass sie das, was sie in der äußeren Welt sieht, vielleicht nicht von dem unterscheiden kann, was sich in ihrem Kopf abspielt. Manche Menschen sind so. Vielleicht muss man Mitleid mit ihr haben. Allerdings nicht zu viel.«

Der König runzelt die Stirn. »Aber ich habe meine Mutter geliebt«, sagt er. Dann: »Buckingham hat Visionen große Bedeutung beigemessen. Er hatte einen Mönch, der ihm etwas prophezeit hat. Er sagte, er würde König werden.« Überflüssig hinzuzufügen: Buckingham war ein Verräter und ist seit mehr als zehn Jahren tot.

Als der Hof nach Frankreich segelt, ist er in der Gruppe des Königs auf der *Swallow*. Er ist an Deck und sieht England in der Ferne verschwinden; neben ihm steht der Herzog von Richmond, Henrys Bastard, der aufgeregt ist, weil er das erste Mal eine Seereise macht, und das auch noch in Gesellschaft seines Vaters. Fitzroy ist ein hübscher Junge von dreizehn Jahren, blond, groß für sein Alter, aber schlank: Henry, wie er als junger Prinz gewesen sein muss. Der Junge ist mit einem ausgeprägten Bewusstsein seiner selbst und seiner Würde begabt. »Master Cromwell«, sagt er, »ich habe Sie seit dem Fall des Kardinals nicht gesehen.« Ein etwas peinlicher Augenblick. »Ich bin froh, dass es Ihnen gut geht. Denn in dem Buch mit dem Titel *Il Cortegiano* wird gesagt, dass wir in Männern niederer Abkunft oft hohe Gaben der Natur sehen.«

»Sie lesen italienisch, Sir?«

»Nein, aber Teile dieses Buches sind für mich ins Englische übertragen worden. Es ist eine sehr gute Lektüre für mich.« Eine Pause. »Ich wünschte« – er wendet den Kopf und senkt die Stimme – »ich wünschte, der Kardinal wäre nicht tot. Denn jetzt ist der Herzog von Norfolk mein Vormund.«

»Und ich höre, dass Euer Gnaden seine Tochter Mary heiraten wird.«

»Ja. Ich will aber nicht.«

»Warum nicht?«

»Ich habe sie gesehen. Sie hat keine Brüste.«

»Aber sie hat einen wachen Verstand, Mylord. Und die Zeit heilt vielleicht die andere Sache, bevor Sie zusammenleben werden. Wenn Ihre Leute jenen Teil von Castigliones Buch für Sie übersetzen, der sich auf Damen und ihre Tugenden bezieht, werden Sie mit Sicherheit feststellen, dass Mary Howard jede einzelne davon besitzt.«

Wir wollen nur hoffen, denkt er, dass es sich nicht so entwickelt wie Harry Percys Ehe oder George Boleyns. Auch des Mädchens wegen; Castiglione sagt, dass alles, was von Männern verstanden werden kann, auch von Frauen verstanden werden kann, dass ihr Verständnis und ihre Fähigkeiten gleich sind und zweifellos ihre Abneigungen und Vorlieben. Castiglione liebte seine Frau Ippolita, sie starb jedoch, nachdem er sie erst vier Jahre lang zur Frau gehabt hatte. Er schrieb ein Gedicht für sie, eine Elegie, aber er schrieb es, als würde Ippolita schreiben: Die tote Frau spricht mit ihm.

Im Kielwasser des Schiffs schreien die Möwen wie verlorene Seelen. Der König kommt an Deck und sagt, seine Kopfschmerzen seien verschwunden. Er sagt: »Majestät, wir haben über Castigliones Buch gesprochen. Haben Sie Zeit gefunden, es zu lesen?«

»In der Tat. Er rühmt die *sprezzatura*. Die Kunst, alles gut und mit Anmut zu tun, ohne den Anschein von Mühe. Eine Eigenschaft, die auch Fürsten pflegen sollten.« Er fügt etwas unsicher hinzu: »König François hat sie.«

»Ja. Aber neben der *sprezzatura* muss man zu jeder Zeit eine würdevolle Zurückhaltung in der Öffentlichkeit zeigen. Ich habe schon daran gedacht, vielleicht als Geschenk für Mylord Norfolk eine Übersetzung in Auftrag zu geben.«

Sicher steht das Bild dem König noch vor Augen: Thomas Howard in Canterbury, der droht, der heiligen Nonne einen Hieb zu versetzen. Henry grinst. »Das sollten Sie tun.«

»Gut, aber vielleicht würde er es als Vorwurf auffassen. Castiglione empfiehlt, dass ein Mann sich keine Locken drehen oder die Augenbrauen zupfen sollte. Und Sie wissen ja, dass Mylord beides tut.«

Das Prinzchen runzelt die Stirn. »Mylord von Norfolk?« Henry bricht in ein unkönigliches gellendes Gelächter aus, das weder würdig noch zurückhaltend ist. Seinen Ohren ist es willkommen. Die Schiffsplanken knarren. Der König hält sein Gleichgewicht, indem er ihm eine Hand auf die Schulter legt. Der Wind spannt die Segel. Die Sonne tanzt über das Wasser. »Eine Stunde und wir sind im Hafen.«

Calais, dieser englische Vorposten, Englands letzter Zugriff auf Frankreich, ist eine Stadt, in der er viele Freunde hat, viele Kunden, viele Mandanten. Er kennt sich dort aus, kennt Watergate und Lantern Gate, die St Nicholas Church und die Church of Our Lady, er kennt seine Türme und Bollwerke, seine Märkte, Höfe und Kais, Staple Inn, wo der Gouverneur wohnt, und die Häuser der Familien Whethill und Wingfield, Häuser mit schattigen Gärten, wo Herren angenehm zurückgezogen von einem England leben, von dem sie behaupten, es nicht mehr zu verstehen. Er kennt die Befestigungen – bröckelnd – und *The Pale*, das Gebiet jenseits der Stadtmauern, das englischer Jurisdiktion unterliegt, seine Wälder, Dörfer und Marschen, seine Schleusen, Deiche und

Kanäle. Er kennt die Straße nach Boulogne und die Straße nach Gravelines auf dem Territorium des Kaisers, und er weiß, dass jeder der beiden Monarchen, François oder Karl, diese Stadt Calais mit einem einzigen entschlossenen Vorstoß nehmen könnte. Die Engländer sind seit zweihundert Jahren hier, aber auf den Straßen wird inzwischen mehr Französisch und Flämisch gesprochen.

Der Gouverneur begrüßt Seine Majestät; Lord Berners, alter Soldat und Gelehrter, ist ein Muster altmodischer Tugend, und würde er nicht hinken und sich ganz offensichtlich über die enormen Ausgaben grämen, die ihm jetzt entstehen, könnte er direkt aus dem *Buch vom Hofmann* kommen. Er hat sogar dafür gesorgt, König und Marquess in Räumen mit einer Verbindungstür unterzubringen. »Ich denke, das wird sich als angemessen erweisen, Mylord«, sagt er, Cromwell. »Solange es auf beiden Seiten einen starken Riegel gibt.«

Denn bevor sie trockenes Land hinter sich ließen, hat Mary zu ihm gesagt: »Bis jetzt wollte sie nicht; jetzt würde sie, aber er will nicht. Er sagt, wenn sie ein Kind bekommt, muss er ganz sicher sein, dass es ehelich geboren wird.«

Die Monarchen werden fünf Tage lang in Boulogne zusammenkommen, dann fünf Tage in Calais. Der Gedanke, dass sie zurückgelassen werden soll, kränkt Anne. An ihrer Rastlosigkeit erkennt er, dass sie weiß: Dieses Land ist umstritten, hier können unvorhersehbare Dinge geschehen. Unterdessen muss er sich um ein privates Geschäft kümmern. Er lässt sogar Rafe zurück und begibt sich verstohlen in ein Gasthaus, das sich in einem Hinterhof an der Calkwell Street befindet.

Es ist ein schäbiger Ort, wo es nach Holzfeuer, Fisch und Schimmel riecht. An einer Seitenwand hängt ein trüber Spiegel, in dem er sein eigenes Gesicht erblickt: blass, nur die Augen lebendig. Einen Augenblick lang ist er schockiert; man erwartet in einer Bruchbude wie dieser nicht, das eigene Gesicht zu sehen.

Er setzt sich an einen Tisch und wartet. Nach fünf Minuten bewegt sich die Luft im hinteren Teil des Raumes. Aber nichts passiert. Er hat geahnt, dass sie ihn warten lassen würden; um sich die Zeit zu vertreiben, geht er im Kopf Zahlen durch: die Einnahmen des Königs aus dem Herzogtum Cornwall im letzten Jahr. Er will sich gerade den Zahlen zuwenden, die der Kämmerer von Chester vorgelegt hat, als plötzlich ein großer dunkler Fleck auftaucht und zur Person eines alten Mannes in einem langen Gewand wird. Er wankt voran, und alsbald folgen ihm zwei weitere Männer. Sie sind alle miteinander austauschbar: hohles Husten, lange Bärte. Gemäß einer Rangordnung, die sie durch Grunzen aushandeln, nehmen sie auf einer Bank ihm gegenüber Platz. Er hasst Alchimisten, und in seinen Augen sehen sie wie Alchimisten aus: ominöse Kleckser auf der Kleidung, tränende Augen, von Dämpfen verursachtes Schniefen. Er begrüßt sie auf Französisch. Sie schaudern, und einer von ihnen fragt auf Latein, ob sie denn nichts zu trinken bekommen. Er ruft nach dem Jungen und fragt ihn ohne große Hoffnung, was er empfiehlt. »Irgendwo anders trinken?«, schlägt der Junge vor.

Ein Krug mit etwas Säuerlichem kommt. Er lässt die alten Männer einen ordentlichen Schluck nehmen, bevor er sagt: »Wer von Ihnen ist Maître Camillo?«

Sie wechseln Blicke. Dazu brauchen sie so lange wie die Graien, wenn sie ihr einziges gemeinsames Auge weitergeben.

»Maître Camillo ist nach Venedig gegangen.«

»Warum?«

Einiges Husten. »Für Beratungen.«

»Aber er hat die Absicht, nach Frankreich zurückzukehren?«

»Recht wahrscheinlich.«

»Die Sache, die Sie haben, ich will sie für meinen Herrn.«

Stille. Wie wäre es, denkt er, wenn ich ihnen den Wein wegnehme, bis sie etwas Sinnvolles sagen? Doch einer von ihnen kommt ihm zuvor und schnappt sich den Krug; seine Hand zittert, und der Wein ergießt sich auf den Tisch. Die anderen beiden meckern verärgert.

»Ich dachte, Sie würden Zeichnungen mitbringen«, sagt er.

Sie tauschen Blicke aus. »Oh nein.«

»Aber es gibt Zeichnungen?«

»Nicht als solche.«

Der verschüttete Wein beginnt, in das zersplitterte Holz zu sickern. Sie sitzen griesgrämig und stumm da und sehen zu, wie das passiert. Einer von ihnen beschäftigt sich damit, einen Finger durch ein Mottenloch in seinem Ärmel zu stecken.

Er ruft nach dem Jungen und bestellt einen zweiten Krug. »Wir möchten nicht ungefällig sein«, sagt ihr Sprecher. »Aber Sie müssen wissen, dass Maître Camillo im Augenblick unter dem Schutz von König François steht.«

»Er beabsichtigt, ein Modell für ihn anzufertigen?«

»Das ist möglich.«

»Ein funktionstüchtiges Modell?«

»Jedes Modell wäre naturgemäß funktionstüchtig.«

»Sollte er seine Arbeitsbedingungen in irgendeiner Hinsicht unbefriedigend finden, würde mein Herr, König Henry, ihn mit großer Freude in England willkommen heißen.«

Eine weitere Pause entsteht, bis der Krug gebracht und der Junge verschwunden ist. Dieses Mal kümmert er sich selbst ums Ausschenken. Die alten Männer tauschen wiederum Blicke aus, und einer sagt: »Der Magister glaubt, er würde das englische Klima nicht mögen. Den Nebel. Und außerdem ist die ganze Insel voller Hexen.«

Das Gespräch ist unbefriedigend verlaufen. Aber man muss an irgendeinem Punkt beginnen. Als er geht, sagt er zu dem Jungen: »Du könntest mal hingehen und den Tisch abwischen.«

»Ich kann aber auch warten, bis sie den zweiten Krug umgekippt haben, Monsieur.«

»Das stimmt. Bring ihnen etwas zu essen. Was gibt es?«

»Suppe. Kann ich aber nicht empfehlen. Sie sieht aus wie das, was übrig bleibt, wenn eine Hure ihr Hemd gewaschen hat.«

»Mir war gar nicht klar, dass die Mädchen in Calais irgendwas waschen. Kannst du lesen?«

»Ein bisschen.«

»Schreiben?«

»Nein, Monsieur.«

»Du solltest es lernen. Unterdessen halte die Augen offen. Wenn irgendjemand anders kommt, um mit ihnen zu sprechen, wenn sie irgendwelche Zeichnungen, Pergamente, Schriftrollen oder etwas in der Art rausholen, möchte ich das wissen.«

Der Junge sagt: »Worum handelt es sich, Monsieur? Was haben sie zu verkaufen?«

Fast verrät er es ihm. Was kann es schaden? Aber am Ende fallen ihm die richtigen Worte nicht ein.

Als die Gespräche in Boulogne schon eine Weile laufen, erhält er die Nachricht, dass François ihn sprechen möchte. Henry denkt gründlich darüber nach, bevor er ihm die Erlaubnis gibt; persönlich sollten Monarchen nur mit anderen Monarchen zu tun haben und mit Lords und hochrangigen Kirchenleuten. Brandon und Howard, die an Bord recht freundlich waren, verhalten sich ihm gegenüber sehr distanziert, seit sie gelandet sind, als wollten sie den Franzosen deutlich machen, dass sie ihm keinen Status zuschreiben; sie tun, als sei er eine Laune Henrys, ein Ratgeber mit dem Reiz des Neuen, der bald zugunsten eines Viscounts, Barons oder Bischofs verschwinden wird.

Der französische Bote erklärt ihm: »Es ist keine Audienz.«

»Nein«, sagt er, »ich verstehe. Nichts dergleichen.«

Nur von einer Handvoll Höflingen umgeben, sitzt François da und wartet auf das, was keine Audienz ist. Er ist eine Bohnenstange von einem Mann, seine Ellenbogen und Knie ragen in die Luft, seine großen knochigen Füße bewegen sich ruhelos in riesigen gepolsterten Pantoffeln. »Cremuel«, sagt er. »Nun, damit ich Sie verstehe. Sie sind Waliser.«

»Nein, Eure Hoheit.«

Traurige Hundeaugen; sie mustern ihn, sie mustern ihn noch einmal. »Kein Waliser.«

Er versteht die Schwierigkeit des französischen Königs. Wie hat er Zugang zum Hof erhalten, wenn er nicht einer Familie von bescheidenen Gefolgsleuten der Tudors entstammt? »Es war der verstorbene Kardinal, der mich mit den Angelegenheiten des Königs vertraut gemacht hat.«

»Ja, das weiß ich«, sagt François, »aber ich denke mir, da muss noch etwas anderes im Spiel sein.«

»Schon möglich, Hoheit«, sagt er spitz, »aber es dreht sich bestimmt nicht darum, Waliser zu sein.«

François berührt die Spitze seiner überlangen Nase, biegt sie noch näher in Richtung Kinn. Wähle deinen Fürsten aus: Diesen würdest du nicht jeden Tag angucken wollen. Henry sieht so gesund aus in seinem geschrubbten rosigen Weiß. François sagt, wobei sein Blick abdriftet: »Es heißt, Sie haben einmal für die Ehre Frankreichs gekämpft.«

Garigliano: Für einen Augenblick senkt er die Augen, als würde er sich an einen besonders schlimmen Unfall auf der Straße erinnern: an ein Zerquetschen und irreparables Verstümmeln von Körpern. »An einem äußerst unglücklichen Tag.«

»Nun ... diese Dinge vergehen. Wer erinnert sich heute noch an Azincourt?«

Er lacht beinahe. »Das ist wahr«, sagt er. »Eine Generation oder zwei oder drei ... vier ... und diese Dinge sind nichts mehr.«

François sagt: »Es heißt, Sie haben sehr gute Beziehungen zu der gewissen Lady.« Er saugt seine Lippe nach innen. »Ich bin neugierig, sagen Sie mir, was mein Bruderkönig glaubt. Glaubt er, sie ist Jungfrau? Ich selbst habe sie nie ausprobiert. Als sie hier am Hof war, war sie jung und flach wie ein Brett. Ihre Schwester allerdings ...«

Er würde ihn gerne zum Schweigen bringen, aber man kann einen König nicht zum Schweigen bringen. François' Stimme wandert über die nackte Mary vom Kinn bis zu den Zehen, und dann wendet er sie wie einen Pfannkuchen und behandelt die andere Seite vom Nacken bis zu den Fersen. Ein Diener reicht ihm ein Stück feines Leinen, und als er fertig ist, tupft er sich die Mundwinkel ab: und gibt das Taschentuch zurück.

»Nun, genug«, sagt François. »Ich sehe, dass Sie nicht zugeben wollen, Waliser zu sein, und das ist das Ende meiner Theorien.« Seine Mundwinkel ziehen sich nach oben; seine Ellenbogen arbeiten ein bisschen; seine Knie zittern; die Nicht-Audienz ist vorbei. »Monsieur Cremuel«, sagt er, »vielleicht sehen wir uns nicht wieder. Ihr unvermutetes Glück ist möglicherweise nicht von Dauer. Und deshalb – treten Sie näher, reichen Sie mir die Hand wie ein Soldat Frankreichs. Und schließen Sie mich in Ihre Gebete ein.«

Er verbeugt sich. »Ihr Fürbitter, Sir.«

Als er geht, tritt einer der Höflinge vor, murmelt: »Ein Geschenk von seiner Hoheit« und reicht ihm ein Paar bestickte Handschuhe.

Ein anderer Mann, nimmt er an, wäre erfreut und würde sie anprobieren. Was ihn betrifft, so befühlt er die Finger und findet, was er sucht. Vorsichtig schüttelt er den Handschuh über seiner anderen Hand aus, die er zur Schale geformt hat.

Er geht direkt zu Henry. Er findet ihn im Sonnenschein, wo er mit einigen französischen Lords eine Partie Bowls spielt. Henry kann eine Partie Bowls so geräuschvoll gestalten wie ein Turnier: Jauchzen, Stöhnen, den Spielstand ausrufen, Klagelaute, Flüche. Der König sieht zu ihm auf, seine Augen sagen: »Nun?« Seine eigenen Augen sagen: »Allein«, die des Königs sagen: »Später«, wobei kein einziges Wort gesprochen wird, der König aber die ganze Zeit über mit Scherzen und Schulterklopfen fortfährt. Dann richtet er sich auf, sieht seiner Holzkugel zu, wie sie über das geschorene Gras gleitet, und zeigt in seine Richtung. »Sehen Sie dort meinen Ratgeber? Ich warne Sie, spielen Sie nie ein Spiel mit ihm. Er nimmt nämlich keine Rücksicht auf Ihre Abstammung. Er hat kein Wappen und keinen Namen, aber er glaubt, er ist zum Siegen geboren.«

Einer der französischen Lords sagt: »Mit Anmut zu verlieren ist eine Kunst, die jeder Gentleman kultiviert.«

»Ich hoffe sie ebenfalls zu kultivieren«, sagt er. »Wenn Sie ein Vorbild sehen, an das ich mich halten könnte, weisen Sie mich bitte darauf hin.«

Denn sie sind alle, bemerkt er, darauf bedacht, dieses Spiel zu gewinnen und dem König von England ein Goldstück abzunehmen. Um Geld zu spielen ist kein Laster, wenn man es sich leisten kann. Vielleicht könnte ich ihn mit Spielmarken ausstatten, die nur einlösbar sind, wenn man persönlich in einem Büro in Westminster erscheint: was umständlichen Papierkram, Gebühren für Schreiber und ein eigens anzubringendes Spezialsiegel nach sich zieht. Das würde uns ein wenig Geld sparen.

Aber die Spielkugel des Königs bewegt sich flink auf die Zielkugel zu. Henry gewinnt das Spiel ohnehin. Von den Franzosen kommt höflicher Applaus.

Als er mit dem König allein ist, sagt er: »Hier ist etwas, das Ihnen gefallen wird.«

Henry liebt Überraschungen. Mit einem dicken Zeigefinger, mit seinem rosigen sauberen englischen Fingernagel rollt er den Rubin auf seinem Handrücken hin und her. »Es ist ein guter Stein«, sagt er. »Ich kann das beurteilen.« Eine Pause. »Wer ist der beste Goldschmied hier? Bitten Sie ihn, für mich zu arbeiten. Es ist ein dunkler Stein, und François wird ihn wiedererkennen; ich werde ihn am Finger tragen, bevor unser Treffen vorüber ist. Frankreich soll sehen, wie mir gedient wird.« Er ist in Hochstimmung. »Ich werde Ihnen jedoch den Wert erstatten.« Er nickt, er entlässt ihn. »Natürlich werden Sie sich mit dem Goldschmied zusammentun, um den Schätzwert in die Höhe zu treiben, und dann teilen Sie den Profit unter sich auf … aber in dieser Angelegenheit bin ich liberal.«

Mach ein passendes Gesicht.

Der König lacht. »Wieso sollte ich einem Mann meine Geschäfte anvertrauen, wenn er seine eigenen nicht im Auge hat? Eines Tages wird François Ihnen eine Rente anbieten. Sie müssen sie nehmen. Übrigens, was hat er Sie gefragt?«

»Er hat gefragt, ob ich Waliser bin. Das schien ihn sehr zu beschäftigen, und es tat mir leid, ihn enttäuschen zu müssen.«

»Oh, Sie enttäuschen einen nie«, sagt Henry. »Sobald Sie das tun, werde ich es Sie wissen lassen.«

Zwei Stunden. Zwei Könige. Was sagst du nun, Walter? Er steht in der salzigen Luft und spricht mit seinem toten Vater.

Als François mit seinem Bruderkönig nach Calais kommt, ist es Anne, die ihn nach dem großen Festmahl am Abend zum Tanz führt. Sie hat gerötete Wangen, und ihre Augen glitzern hinter ihrer vergoldeten Maske. Als sie die Maske senkt und den König von Frankreich ansieht, hat sie ein merkwürdiges halbes Lächeln aufgesetzt, als trüge sie hinter der Maske noch eine Maske. Man sieht seinen Kiefer herunterfallen, man sieht, wie ihm das Wasser im Mund zusammenläuft. Sie schlingt ihre Finger in seine and führt ihn zu einem Fenstersitz. Eine Stunde lang sprechen sie Französisch, flüstern, sein glatter dunkler Kopf beugt sich zu ihr hin; manchmal lachen sie, sehen sich in die Augen. Zweifellos diskutieren sie die neue Allianz; er scheint zu denken, dass ein weiterer Vertrag in ihrem Mieder steckt. Einmal greift François nach ihrer Hand und hebt sie an. Sie schreckt halb widerstrebend zurück, und einen Augenblick lang scheint er die Absicht zu haben, ihre schmalen Finger auf seinen unbeschreiblichen Hosenbeutel zu legen. Alle wissen, dass François vor kurzem die Quecksilberkur gemacht hat. Aber keiner weiß, ob sie gewirkt hat.

Henry tanzt mit den Ehefrauen der Notabeln von Calais: die Gigue, den Saltarello. Charles Brandon scheint seine kranke Frau vergessen zu haben und bringt seine Partnerinnen zum Kreischen, indem er sie so durch die Luft wirbelt, dass ihre Röcke fliegen. Aber Henrys Blick wandert immer wieder durch die Halle zu Anne, zu François. Seine ganz persönliche Angst hat seinen Rücken steif werden lassen. Auf seinem Gesicht zeigt sich ein gequältes Lächeln.

Schließlich denkt er: Ich muss dem ein Ende machen. Kann es sein, dass ich meinen König wirklich liebe, wie es ein Untertan sollte?

Er stöbert Norfolk in der dunklen Ecke auf, in der dieser sich vor lauter Angst versteckt, dass man ihm befielt, mit der Frau des Gouverneurs zu tanzen. »Mylord, holen Sie Ihre Nichte da weg. Sie hat genug Diplomatie gemacht. Unser König ist eifersüchtig.«

»Was? Worüber beschwert er sich denn jetzt, zum Teufel?« Aber Norfolk sieht mit einem Blick, was los ist. Er flucht und durchquert den Raum – geht mitten durch die Tänzer, nicht um sie herum. Er packt Anne beim Handgelenk und biegt es so heftig zurück, als wolle er es brechen. »Mit Ihrer Erlaubnis, Hoheit. Mylady, wir tanzen.« Er zieht sie schnell auf die Füße. Sie tanzen auch, obwohl es keine Ähnlichkeit mit irgendeinem Tanz hat, der je zuvor in einer Halle gesehen wurde. Im Falle des Herzogs kommt es einem Donnern mit Dämonenhufen gleich, ihrerseits einer bleichen Kapriole, bei der ein Arm wie ein gebrochener Flügel gehalten wird.

Er sieht zu Henry hinüber. Auf dem Gesicht des Königs zeigt sich unverhohlene Genugtuung. Anne musste bestraft werden, und von wem, wenn nicht von ihrer Verwandtschaft? Die französischen Lords hocken zusammen und kichern. François schaut mit zusammengekniffenen Augen zu.

In dieser Nacht zieht sich der König früh zurück und entlässt sogar die Kammerherren; nur Henry Norris geht ein und aus, gefolgt von einem Handlanger, der Wein trägt, Früchte, eine große Steppdecke, dann ein Kohlebecken; es ist kühl geworden. Die Damen ihrerseits sind bissig und gereizt. Annes erhobene Stimme ist gehört worden. Türenschlagen. Während er mit Thomas Wyatt spricht, kommt Mistress Shelton auf ihn zugerast. »Mylady möchte eine Bibel!«

»Master Cromwell kann das gesamte Neue Testament auswendig«, sagt Wyatt hilfsbereit.

Das Mädchen sieht gequält aus. »Ich glaube, sie braucht sie, um darauf zu schwören.«

»In diesem Fall bin ich nutzlos.«

Wyatt greift nach ihren Händen. »Wer hält Sie heute Nacht warm, junge Shelton?« Sie entzieht sich ihm, schießt auf der Suche nach der Heiligen Schrift davon. »Ich sage Ihnen, wer. Henry Norris.«

Er sieht dem Mädchen nach. »Was, sie zieht Lose?«

»Ich hatte Glück.«

»Der König?«

»Vielleicht.«

»Vor kurzem?«

»Anne würde allen beiden das Herz rausreißen und es rösten.«

Er hat das Gefühl, in der Nähe bleiben zu müssen, falls Henry nach ihm ruft. Er findet eine Ecke, in der er eine Partie Schach mit Edward Seymour spielen kann. Zwischen den Zügen: »Ihre Schwester Jane ...«, sagt er.

»Merkwürdiges kleines Wesen, nicht wahr?«

»Wie alt ist sie eigentlich?«

»Ich weiß nicht ... zwanzig oder so? Sie ist in Wolf Hall herumgelaufen und hat gesagt: ›Das sind Thomas Cromwells Ärmel‹, und keiner wusste, wovon sie sprach.« Er lacht. »Sie war sehr zufrieden mit sich.«

»Hat Ihr Vater schon eine Ehe für sie arrangiert?«

»Es wurde darüber geredet, dass ...« Er sieht auf. »Warum fragen Sie?«

»Nur zu Ihrer Zerstreuung.«

Tom Seymour platzt durch die Tür. »N'Abend, Großväterchen«, ruft er seinem Bruder zu. Er reißt sich die Kappe herunter und rauft sich die Haare. »Auf uns warten Frauen.«

»Mein Freund hier rät davon ab.« Edward schüttelt seine Kappe aus. »Er sagt, sie sind genau wie die Engländerinnen, nur schmutziger.«

»Die Stimme der Erfahrung?«, sagt Tom.

Edward setzt seine Kappe ordentlich wieder auf. »Wie alt ist eigentlich unsere Schwester Jane?«

»Einundzwanzig, zweiundzwanzig. Warum?«

Edward sieht auf das Schachbrett und greift nach seiner Königin. Er merkt, dass er in der Falle sitzt. Er sieht anerkennend auf. »Wie haben Sie das geschafft?«

Später sitzt er vor einem leeren Stück Papier. Er will einen Brief an Cranmer schreiben und ihn in alle vier Winde zerstreuen, auf die Suche durch Europa schicken. Er nimmt seine Feder auf, aber er schreibt nicht. Im Geist kehrt er zu seiner Unterhaltung mit Henry über den Rubin zurück. Sein König stellt sich vor, er würde sich an Hintertreppengemauschel von der Art beteiligen, die ihn vielleicht in jenen Tagen amüsiert hätte, als er noch Cupidos auf antik getrimmt und an Kardinäle verkauft hat. Aber wenn man sich gegen solche Anschuldigungen verteidigt, wirkt man schuldig. Und ist es verwunderlich, wenn Henry ihm nicht völlig traut? Ein Fürst ist allein: in seiner Ratskammer, in seiner Bettkammer und schließlich in der Vorkammer zur Hölle, nackt und ohne Gefolge – wie Harry Percy gesagt hat – wartet er auf das Jüngste Gericht.

Der Besuch in Calais hat die Streitigkeiten und Intrigen des Hofes komprimiert, innerhalb der Stadtmauern sitzen sie auf engstem Raum in der Falle. Die Reisenden sind so eng miteinander verbunden wie Spielkarten in einem Packen: Sie berühren sich, aber ihre Papieraugen sind blind. Er fragt sich, wo Tom Wyatt ist und in welcher Art von Schwierigkeiten. Er glaubt nicht, schlafen zu können: aber nicht, weil er sich Sorgen um Wyatt macht. Er geht ans Fenster. Als ob er beschämt wäre, zieht der Mond schwarze Wolkenfetzen hinter sich her.

In den Gärten brennen Fackeln auf Mauerkonsolen, aber er geht vom Licht weg. Das schwache Schieben und Ziehen des Meeres ist so beständig und beharrlich wie sein eigener Herzschlag. Er weiß, dass er nicht allein ist in dieser Dunkelheit, und einen Augenblick später ist da ein Schritt, ein Rascheln von Röcken, ein leichtes Luftholen, eine Hand, die auf seinen Arm gleitet. »Sie«, sagt Mary.

»Ich.«

»Wissen Sie, dass sie die Tür zwischen sich entriegelt haben?« Sie lacht, ein gnadenloses Kichern. »Sie liegt in seinen Armen, nackt, wie sie geboren wurde. Jetzt kann sie nicht mehr zurück.«

»Heute Abend, dachte ich, würden sie sich streiten.«

»Das haben sie. Sie mögen Streit. Sie behauptet, Norfolk habe ihr den Arm gebrochen. Henry beschimpfte sie als Magdalena und nannte noch ein paar andere Namen, die ich vergessen habe, aber ich glaube, es waren römische Damen. Nicht Lucrezia.«

»Nein. Wenigstens hoffe ich das. Wofür wollte sie die Bibel haben?«

»Um ihm den Eid abzunehmen. Vor Zeugen. Mir. Norris. Er hat ein bindendes Versprechen gegeben. Sie sind vor dem Angesicht Gottes verheiratet. Und er schwört, dass er sie in England noch einmal heiraten und zur Königin krönen wird, wenn der Frühling kommt.«

Er denkt an die Nonne in Canterbury: Wenn Sie eine Form der Ehe mit dieser unwürdigen Frau eingehen, werden Sie keine sieben Monate mehr regieren.

»Jetzt also«, sagt Mary, »steht nur noch in Frage, ob er sich in der Lage sieht, die Tat zu vollbringen.«

»Mary.« Er nimmt ihre Hand. »Machen Sie mir keine Angst.«

»Henry ist schüchtern. Er glaubt, man erwartet eine königliche Vorstellung. Aber wenn er schüchtern sein sollte, wird Anne wissen, wie sie ihm helfen kann.« Vorsichtig fügt sie hinzu: »Ich will damit sagen, dass ich sie beraten habe.« Sie lässt ihre Hand auf seine Schulter gleiten. »Nun, wie sieht es mit uns aus? Es war ein ermüdender Kampf, sie an diesen Punkt zu bringen. Ich denke, wir haben uns Entspannung verdient.«

Keine Antwort.

»Haben Sie immer noch Angst vor meinem Onkel Norfolk?«

»Mary, ich habe furchtbare Angst vor Ihrem Onkel Norfolk.«

Dennoch ist das nicht der Grund, nicht der Grund, aus dem er zögert, halb zurückschreckt. Ihre Lippen streifen seine. Sie fragt: »Was denken Sie?«

»Ich habe gedacht, wäre ich nicht der gehorsamste Diener des Königs, könnte ich das nächste Schiff nehmen, das ausläuft.«

»Wohin würden wir fahren?«

Er kann sich nicht daran erinnern, um Gesellschaft gebeten zu haben. »In östliche Richtung. Obwohl ich zugebe, dass der Ausgangspunkt nicht so gut ist.« Östlich von den Boleyns, denkt er. Östlich von allen. Er denkt an das Mittelmeer, nicht an diese nördlichen Gewässer, und an eine Nacht im Besonderen, eine warme Mitternacht in einem Haus in Larnaka: an venezianische Lichter, die sich auf das gefährliche Hafengebiet ergießen, an das Tappen von Sklavenfüßen auf Fliesen, an einen Duft von Weihrauch und Koriander. Er legt einen Arm um Mary und begegnet etwas Weichem, völlig Unerwartetem: Fuchspelz. »Klug von Ihnen«, sagt er.

»Ach, wir haben alles mitgenommen. Jeden Fetzen. Für den Fall, dass wir bis zum Winter hier sind.«

Ein Schimmern von Licht auf Fleisch. Ihr Hals ist sehr weiß, sehr weich. Alle Dinge scheinen möglich, wenn der Herzog nicht nach draußen kommt. Seine Fingerspitze zieht den Pelz heraus, bis der Finger auf Fleisch trifft. Ihre Schulter duftet, sie ist warm und ein wenig feucht. Er fühlt das Schlagen ihres Pulses.

Ein Geräusch hinter ihm. Er dreht sich um, den Dolch in der Hand. Mary schreit, zieht an seinem Arm. Die Spitze der Waffe verharrt auf dem Wams eines Mannes, direkt unter dem Brustbein. »In Ordnung, in Ordnung«, sagt eine nüchterne, ungehaltene englische Stimme. »Nehmen Sie das weg.«

»Himmel«, sagt Mary. »Sie haben beinahe William Stafford ermordet.«

Er schiebt den Fremden weiter nach hinten ins Licht. Als er sein Gesicht sieht, nicht vorher, zieht er die Klinge zurück. Er weiß nicht, wer

Stafford ist: der Pferdebursche von irgendwem? »William, ich dachte, du würdest nicht kommen«, sagt Mary.

»Für den Fall scheinst du ja eine Reserve gehabt zu haben.«

»Du weißt nicht, wie das Leben einer Frau ist! Sie denkt, sie hat etwas mit einem Mann verabredet, aber es stimmt gar nicht. Er sagt, er kommt, und dann erscheint er nicht.«

Es ist ein Aufschrei, der von Herzen kommt. »Ich wünsche gute Nacht«, sagt er. Mary dreht sich um, als wolle sie sagen: Oh, gehen Sie nicht. »Zeit für mich, meine Gebete zu sprechen.«

Ein Wind bläst vom engen Meer hinauf, fährt in die Takelagen im Hafen, klappert an den Fenstern weiter im Land. Morgen, denkt er, könnte es regnen. Er zündet eine Kerze an und kehrt zu seinem Brief zurück. Aber sein Brief übt keine Anziehungskraft aus. Blätter aus den Gärten, aus den Obstgärten werden in die Luft gewirbelt. Bilder bewegen sich hinter dem Fensterglas, Möwen treiben im Wind wie Geister: ein Aufleuchten der weißen Haube seiner Frau Elizabeth, als sie ihm an ihrem letzten Morgen zur Tür folgt. Nur dass sie es nicht getan hat: Sie schlief, eingehüllt in feuchte Laken unter der Steppdecke aus gelbem türkischem Satin. Wenn er an das Geschick denkt, das ihn hierhergebracht hat, denkt er ebenso an das Geschick, das ihn zu dem Morgen vor fünf Jahren gebracht hat, als er Austin Friars als verheirateter Mann mit Wolseys Akten unter dem Arm verließ. War er damals glücklich? Er weiß es nicht.

In jener Nacht in Zypern, inzwischen lange her, stand er kurz davor, bei seiner Bank die Kündigung einzureichen oder zumindest um Empfehlungsbriefe zu bitten, die ihn nach Osten bringen würden. Er war neugierig auf das Heilige Land, auf seine Pflanzenwelt und seine Menschen, wollte die Steine küssen, auf denen die Jünger gewandelt waren, wollte in den versteckten Vierteln fremder Städte feilschen, in schwarzen Zelten, wo verschleierte Frauen wie Kakerlaken in die Ecken flitzen. In jener Nacht war sein Geschick in der Schwebe gewesen. Als er auf die Hafenlichter hinaussah, hörte er in dem Raum hinter sich das kehlige Lachen einer Frau, ihr leises *»al-hamdu lillah«*, als sie die Elfenbeinwürfel in der Hand schüttelte. Er hörte, wie sie geworfen wurden, hörte sie rasseln und zur Ruhe kommen: »Wie viele Punkte?«

Hohe Punktzahl bedeutet Osten. Niedrige Punktzahl bedeutet Westen. Das Glücksspiel ist kein Laster, wenn man es sich leisten kann.

»Drei und drei.«

Ist das niedrig? Du musst sagen, dass es niedrig ist. Das Schicksal hat ihm keinen Stoß gegeben, eher einen sanften Schubs. »Ich werde nach Hause zurückkehren.«

»Aber nicht heute Nacht. Es ist zu spät, keine Flut.«

Am nächsten Tag jedoch fühlte er die Götter in seinem Rücken wie eine Brise. Er ging nach Europa zurück. Zu Hause war damals ein schmales Haus mit Fensterläden an einem stillen Kanal, wo Anselma kniete, nackt und samtig unter ihrem fließenden Nachthemd aus grünem Damast, der im Licht der Kerzen einen schwärzlichen Schimmer hatte; sie kniete vor dem kleinen silbernen Altarbild, das sie in ihrem Zimmer hatte und das ihr viel bedeutete, wie sie ihm erzählte: mein wertvollster Besitz. Entschuldige mich einen Moment, hatte sie gesagt; sie betete in ihrer eigenen Sprache, mal schmeichelnd, mal beinahe drohend, und sie musste ihren Silberheiligen einen Anflug von Gnade entlockt oder in ihrer glitzernden Rechtschaffenheit ein Nachgeben wahrgenommen haben, weil sie aufstand, sich zu ihm drehte und sagte: »Jetzt bin ich bereit«, wobei sie an den Seidenbändern ihres Gewands zog, damit er ihre Brüste in seine Hände nehmen konnte.

III

Frühmesse

November 1532

Rafe steht über ihm und sagt: Es ist schon sieben. Der König ist zur Messe gegangen.

Er hat in einem Bett der Phantome geschlafen. »Wir wollten Sie nicht wecken. Sie schlafen nie lange.«

Der Wind ist ein gedämpftes Seufzen in den Schornsteinen. Eine Handvoll Regen prasselt wie Kies gegen das Fenster, wirbelt davon und wird wieder zurückgeworfen. »Wir sind vielleicht noch eine Weile in Calais«, sagt er.

Als Wolsey vor fünf Jahren nach Frankreich reiste, hatte er ihn gebeten, die Situation bei Hofe zu beobachten und Bericht zu erstatten, wenn der König und Anne miteinander schliefen. Er hatte gesagt, woran soll ich erkennen, dass es passiert ist? Der Kardinal hatte gesagt: »Ich würde denken, Sie erkennen es an seinem Gesicht.«

Der Wind hat sich gelegt, und der Regen macht eine Pause, als er die Kirche erreicht hat, aber die Straßen sind zu Schlamm geworden, und die Leute, die darauf warten, die Lords herauskommen zu sehen, haben immer noch ihre Mäntel über den Kopf gezogen wie eine neue Rasse von wandelnden Enthaupteten. Er drängt sich durch die Menge, dann schlängelt und flüstert er sich seinen Weg durch die versammelten Herren: *s'il vous plaît, c'est urgent,* macht Platz für einen großen Sünder. Sie lachen und lassen ihn durch.

Anne kommt am Arm des Gouverneurs heraus. Er sieht angespannt aus – anscheinend plagt ihn seine Gicht –, aber er behandelt sie aufmerksam, murmelt Höflichkeiten, auf die er keine Antwort erhält, sie hat einen Ausdruck gewissenhafter Leere aufgesetzt. Der König hat eine der Damen Wingfield am Arm, die ihr Gesicht nach oben wendet und plappert. Er nimmt überhaupt keine Notiz von ihr. Er sieht groß, breit, gütig aus. Sein königlicher Blick überfliegt die Menge. Auf ihm bleibt er liegen. Der König lächelt.

Als er die Kirche verlässt, setzt Henry seinen Hut auf. Es ist ein großer Hut, ein neuer Hut. Und in diesem Hut steckt eine Feder.

TEIL FÜNF

I

Anna Regina

1533

Die beiden Kinder sitzen auf einer Bank in der Halle von Austin Friars. Sie sind so klein, dass ihre Beine waagrecht von ihnen abstehen, und da sie noch Kittel tragen, kann man ihr Geschlecht nicht von der Kleidung ablesen. Unter ihren Hauben strahlen ihre Gesichter mit den Grübchen. Dass sie so rund und zufrieden aussehen, macht der jungen Frau Ehre, die jetzt ihre Geschichte erzählt: Helen Barre, Tochter eines bankrotten Kleinkaufmanns aus Essex, Ehefrau eines gewissen Matthew Barre, der sie schlug und verließ, und sie »damit«, sagt sie und zeigt auf eines der Kinder, »im Bauch zurückließ.«

Die Nachbarn kommen beständig mit Problemen zu ihm, die in der Gemeinde entstehen. Unsichere Kellertüren. Ein übel riechender Gänsestall. Ein Ehepaar, das schreit und die ganze Nacht über mit Töpfen knallt, sodass das Haus nebenan keinen Schlaf bekommt. Er versucht, nicht unruhig zu werden, wenn diese Dinge an seiner Zeit zehren, und Helen macht ihm weniger aus als ein Gänsestall. Im Geiste befreit er sie von der billigen, eingelaufenen Wolle und kleidet sie in den gemusterten Samt, den er gestern gesehen hat, sechs Shilling der Yard. Ihre Hände, bemerkt er, sind abgeschürft und geschwollen von grober Arbeit; er fügt Glacéhandschuhe hinzu.

»Obwohl, ich sage, dass er mich verlassen hat, aber es kann auch sein, dass er tot ist. Er war ein großer Trinker und Raufbold. Ein Mann, der ihn kannte, hat mir erzählt, dass er als Verlierer aus einem Kampf hervorgegangen ist und dass ich ihn am Grund des Flusses suchen soll. Aber jemand anders hat ihn an den Kais in Tilbury gesehen, mit einer Reisetasche. Also was bin ich – Ehefrau oder Witwe?«

»Ich werde das überprüfen. Obwohl ich glaube, dass es Ihnen lieber wäre, wenn ich ihn nicht finde. Wovon haben Sie gelebt?«

»Nachdem er gegangen ist, habe ich zuerst für einen Segelmacher genäht. Dann bin ich nach London gekommen, um ihn zu suchen, und habe mich tageweise verdingt. Ich war in der Wäscherei eines Frauenklosters in der Nähe von St Paul's und habe beim alljährlichen Waschen der Bettwäsche geholfen. Sie finden, dass ich gut arbeite, und sagen, sie geben mir eine Pritsche auf dem Dachboden, aber sie wollen die Kinder nicht aufnehmen.«

Noch ein Beispiel für die Barmherzigkeit der Kirche. Er stößt immer wieder auf so etwas. »Es geht nicht, dass Sie zur Sklavin einer Bande von Heuchlerinnen werden. Sie müssen zu uns kommen. Ich bin sicher, dass wir Sie brauchen können. Das Haus füllt sich die ganze Zeit über, und ich baue gerade, wie Sie sehen.« Sie muss ein gutes Mädchen sein, denkt er, weil sie es ablehnt, ihren Lebensunterhalt auf die naheliegende Weise zu verdienen; wenn sie die Straße auf und ab liefe, würde es ihr nicht an Angeboten fehlen. »Man hat mir gesagt, Sie würden gerne lesen lernen, damit Sie das Evangelium lesen können.«

»Ein paar Frauen, die ich kennengelernt habe, haben mich an einen Ort mitgenommen, den sie Abendschule nennen. Es war in einem Keller in Broadgate. Davor kannte ich Noah, die Heiligen drei Könige und Vater Abraham, aber von dem Apostel Paulus hatte ich noch nie gehört. Zu Hause auf unserem Bauernhof gab es Kobolde, die ließen die Milch sauer werden und machten Gewitter, aber man hat mir gesagt, dass das keine Christen sind. Trotzdem wünschte ich, wir wären Bauern geblieben. Mein Vater hatte kein Geschick für das Stadtleben.« Ihre Augen folgen wachsam den Kindern. Diese sind von der Bank geklettert und über die Fliesen getapst, um das Bild zu betrachten, das an der Wand entsteht, und jeder ihrer Schritte lässt ihre Mutter den Atem anhalten. Der Arbeiter ist ein Deutscher, ein junger Mann, den Hans für eine einfache Aufgabe empfohlen hat, und er dreht sich um – er spricht kein Englisch –, um den Kindern zu erklären, was er macht. Eine Rose. Drei Löwen, seht mal, wie sie springen. Zwei schwarze Vögel.

»Rot«, ruft das ältere Kind.

»Sie kennt die Farben«, sagt Helen und errötet vor Stolz. »Sie fängt gerade mit dem Eins-zwei-drei an.«

Die Fläche, auf der früher Wolseys Wappen zu sehen war, wird mit seinem eigenen, ihm gerade erst zugesprochenen Wappen übermalt: *azurblau, auf einem Balken zwischen drei aufgerichteten Löwen – gold, eine Rose – rot, mit Stacheln – grün, zwischen zwei kornischen Krähenvögeln in ihrer natürlichen Farbe.* »Sehen Sie, Helen«, sagt er, »diese beiden schwarzen Vögel waren Wolseys Wappenbild.« Er lacht. »Es gibt Leute, die gehofft haben, sie würden sie nie wiedersehen.«

»Es gibt andere Leute von unserer Sorte, die das nicht verstehen können.«

»Meinen Sie Leute von der Abendschule?«

»Sie sagen, wie kann ein Mann, der das Evangelium liebt, einen solchen Mann geliebt haben?«

»Ich habe seine hochmütigen Manieren nie gemocht, wissen Sie, seine täglichen Prozessionen, den Staat, den er gehalten hat. Aber seit Englands Anfängen hat es nie einen Mann gegeben, der England aktiver gedient hat. »Und wenn man«, sagt er traurig, »sein Vertrauen gewonnen hatte, war er auch ein Mann von solcher Anmut und Leichtigkeit … Helen, können Sie heute noch herkommen?« Er denkt an diese Nonnen und das jährliche Waschen ihrer Bettwäsche. Er stellt sich das entsetzte Gesicht des Kardinals vor. Waschfrauen folgten seinem Tross wie Huren einer Armee, erhitzt von ihren stundenlangen Mühen. In York Place ließ er ein Bad bauen, tief genug, dass ein Mann aufrecht darin stehen konnte, und der Raum wurde von einem Ofen beheizt, wie man ihn in den Niederlanden findet; viele Male hatte er mit dem Kopf des Kardinals verhandelt, ein Kopf, der sich auf und ab bewegte und aussah wie gekocht. Henry hat das Bad jetzt übernommen und plätschert darin mit ausgewählten Gentlemen, die es sich gefallen lassen, von ihrem Herrn unter Wasser getaucht und halb ertränkt zu werden, wenn seine Stimmung ihn dazu verleitet.

Der Maler bietet dem älteren Kind den Pinsel an. Helen strahlt. »Vorsichtig, Schatz«, sagt sie. Ein Klecks Blau wird aufgetragen. Du bist eine kleine Meisterin, sagt der Maler. Auf Deutsch: Gefällt es Ihnen, Herr Cromwell, sind Sie stolz darauf?

Er übersetzt es für Helen. Sie sagt: Wenn Sie nicht stolz darauf sind, sind es Ihre Freunde für Sie.

Immerzu übersetze ich, denkt er: wenn nicht von einer Sprache in die andere, dann von Person zu Person. Anne zu Henry. Henry zu Anne. An den Tagen, wenn er Besänftigung braucht und sie so stachlig wie eine Stechpalme ist. Zu den Zeiten – sie kommen vor –, wenn sein Blick in die Irre geht, einer anderen Frau folgt und sie es merkt und in ihre eigenen Gemächer stürmt. Er, Cromwell, geht umher wie ein öffentlicher Dichter und trägt Beteuerungen des Verlangens von einem zum anderen.

Es ist noch nicht einmal drei Uhr, und schon liegt der Raum im Halbdunkel. Er hebt das jüngere Kind hoch, das sich an seine Schulter fallen lässt und mit der Geschwindigkeit einschläft, mit der jemand von einer Mauer fällt, wenn man ihn stößt. »Helen«, sagt er, »dieser Haushalt ist voller ansehnlicher junger Männer, und sie werden sich alle ins Zeug legen, um Sie das Lesen zu lehren, sie werden Ihnen Geschenke bringen und versuchen, Ihre Tage zu versüßen. Lernen Sie und nehmen Sie die Geschenke und seien Sie glücklich hier bei uns, aber wenn sich jemand Freiheiten erlaubt, müssen Sie es mir sagen oder Rafe Sadler. Das ist der Junge mit dem kleinen roten Bart. Obwohl ich nicht Junge sagen sollte.« Es ist bald zwanzig Jahre her, dass er Rafe im Haus seines Vaters abgeholt und hergebracht hat, an einem verhangenen, dunklen Tag wie diesem, an dem der Regen wie aus Eimern vom Himmel fiel und das Kind an seiner Schulter zusammengesackt war, als er es in seine Halle in der Fenchurch Street trug.

Die Stürme hatten sie zehn Tage lang in Calais festgehalten. Schiffe, die Boulogne verließen, erlitten Schiffbruch, Antwerpen war überflutet, ein großer Teil des Landes stand unter Wasser. Er hätte gerne Botschaften an seine Freunde geschickt und sich nach ihrem Leben und Besitz erkundigt, aber die Straßen sind unpassierbar, Calais ist eine treibende Insel, auf der ein glücklicher Monarch regiert. Er geht zu den Gemächern des Königs und bittet um eine Audienz – die Arbeit hört bei schlechtem Wetter nicht auf –, aber man teilt ihm mit: »Der König kann Sie heute Morgen nicht empfangen. Er und Lady Anne komponieren ein Stück für die Harfe.«

Rafe fängt seinen Blick auf, und sie gehen wieder. »Wir wollen hoffen, dass sie nach einer gewissen Zeit ein kleines Lied vorzuweisen haben.«

Thomas Wyatt und Henry Norris betrinken sich zusammen in einer Spelunke. Sie schwören sich ewige Freundschaft. Aber ihre Gefolgsleute geraten im Hof des Gasthauses in Streit und rollen sich gegenseitig durch den Schlamm.

Mary Boleyn sieht er nicht wieder. Vermutlich haben sie und Stafford einen Unterschlupf gefunden, in dem sie komponieren können.

Bei Kerzenlicht, um die Mittagszeit, zeigt ihm Lord Berners seine Bibliothek, hinkt energisch von Pult zu Pult und behandelt die alten Folianten, von denen er seine gelehrten Übersetzungen gemacht hat, mit großer Sorgfalt. Hier ist ein Roman von König Arthur: »Als ich begonnen habe, ihn zu lesen, gab ich das Projekt beinahe wieder auf. Für mich war klar, dass es zu fantastisch ist, um wahr zu sein. Aber wissen Sie, nach und nach schien mir beim Lesen, dass die Geschichte eine Moral hat.« Er sagt nicht, welche das ist. »Und hier ist Froissart, übertragen ins Englische, ein Unternehmen, um das Seine Majestät mich persönlich gebeten hat. Ich konnte gar nicht anders, denn er hatte mir gerade fünfhundert Pfund geliehen. Würden Sie gerne meine Übersetzungen aus dem Italienischen sehen? Sie sind ganz privat, ich habe sie nicht zum Drucker gegeben.«

Er verbringt einen Nachmittag mit den Manuskripten, und sie diskutieren beim Abendessen darüber. Lord Berners hat einen Posten inne,

Schatzkanzler, den Henry ihm lebenslang übertragen hat, aber weil er nicht in London ist, um ihn zu versehen, bringt er ihm nicht viel Geld ein und auch nicht den Einfluss, der damit verbunden sein sollte. »Ich weiß, dass Sie ein guter Geschäftsmann sind. Könnten Sie sich im Vertrauen meine Bücher ansehen? Sie sind nicht in einem Zustand, den man ordentlich nennen könnte.«

Lord Berners lässt ihn allein mit dem Kuddelmuddel, das er seine Hauptbücher nennt. Eine Stunde vergeht: Der Wind pfeift über die Dächer, die Flammen der Kerzen zittern, Hagel trommelt gegen das Fenster. Er hört das Schaben, das der schlimme Fuß seines Gastgebers verursacht: ein besorgtes Gesicht erscheint im Türrahmen. »Irgendein Ergebnis?«

Alles, was er finden kann, sind Schulden. Das hat man davon, wenn man sich der Gelehrsamkeit widmet und dem König über das Meer hinweg dient, während man mit scharfen Zähnen und Augen und Ellenbogen bei Hofe sein könnte, stets auf den eigenen Vorteil bedacht. »Ich wünschte, Sie hätten mich früher gerufen. Es gibt immer Dinge, die man machen kann.«

»Ach, aber wer kannte Sie denn, Master Cromwell?«, sagt der alte Mann. »Man hat einander Briefe geschrieben, ja. Wolseys Angelegenheiten, die Angelegenheiten des Königs. Aber Sie kannte ich nicht. Und die Bekanntschaft schien auch nicht wahrscheinlich. Bis jetzt.«

An dem Tag, an dem sie endlich zum Einschiffen bereit sind, taucht der Junge aus dem Alchimistengasthof auf. »Du kommst doch noch! Was hast du für mich?«

Der Junge zeigt seine leeren Hände und geht zu einer Variante des Englischen über. »*On dit*, die Weisen aus dem Morgenland sind wieder nach Paris zurück.«

»Dann bin ich enttäuscht.«

»Sie sind schwer zu finden, Monsieur. Ich gehen dahin, wo *le roi Henri* und die *grande putain* untergebracht sind: ›*Je cherche milord Cremuel*‹, und die Personen dort lachen mich aus und schlagen mich.«

»Das kommt, weil ich kein Milord bin.«

»In diesem Fall ich nicht wissen, wie ein Milord in Ihrem Land aussieht.« Er bietet dem Jungen eine Münze für seine Bemühungen an und noch eine für die Schläge, aber der schüttelt den Kopf. »Ich habe daran gedacht, Ihr Diener zu sein, Monsieur. Ich habe mich entschlossen, auf die Reise zu gehen.«

»Wie heißt du?«

»Christophe.«

»Hast du einen Familiennamen?«

»*Ça ne fait rien.*«

»Hast du Eltern?«

Ein Achselzucken.

»Wie alt bist du?«

»Was würden Sie denn sagen?«

»Ich weiß, dass du lesen kannst. Kannst du kämpfen?«

»Wird viel gekämpft *chez vous*?«

Christophe hat denselben gedrungenen Körperbau wie er; er muss aufgepäppelt werden, aber in einem oder zwei Jahren wird er schwer umzustoßen sein. Er schätzt ihn auf fünfzehn, nicht älter. »Bist du mit dem Gesetz in Konflikt geraten?«

»In Frankreich«, sagt er verächtlich, so wie man sagen könnte: im fernen China.

»Bist du ein Dieb?«

Ein unsichtbares Messer in der Hand, macht der Junge die Bewegung des Zustechens.

»Du hast jemanden getötet?«

»Als ich wegging, sah er nicht gut aus.«

Er grinst. »Bist du sicher, dass du Christophe heißen willst? Jetzt kannst du den Namen noch ändern, später nicht mehr.«

»Sie verstehen mich, Monsieur.«

Bei Gott, natürlich. Du könntest mein Sohn sein. Dann mustert er ihn genau, um sich zu vergewissern, dass es nicht tatsächlich so ist, dass er keines der rauflustigen Kinder ist, von denen der Kardinal sprach, die er an der Themse hinterlassen hat, auch an anderen Flüssen und in anderen Gegenden der Welt, das ist keineswegs auszuschließen. Aber Christophes Augen sind groß und sorglos blau. »Du hast keine Angst vor der Seereise?«, sagt er. »In meinem Haus in London gibt es viele Personen, die Französisch sprechen. Du wirst bald einer von uns sein.«

Jetzt, in Austin Friars, verfolgt Christophe ihn mit Fragen. Diese Heiligen drei Könige, worum geht es dabei eigentlich? Haben sie eine Karte von einem vergrabenen Schatz? Haben sie – er flattert mit den Armen – die Anleitung, wie man eine Flugmaschine macht? Ist es eine Maschine *pour faire* große Explosionen oder ein militärischer Drache, der Feuer speit?

Er sagt: »Hast du jemals von Cicero gehört?«

»Nein. Aber das kann ja noch kommen. Bis heute habe ich auch noch nichts von Bischof Gardineur gehört. *On dit,* Sie haben seine Beete mit Erdbeeren gestohlen und an die *maîtresse* des Königs gegeben, und nun er will …«, der Junge bricht ab und gibt noch einmal seine Vorstellung von einem militärischen Drachen zum Besten, »Sie völlig ruinieren und Sie bis in den Tod verfolgen.«

»Und noch weit darüber hinaus, so wie ich den Mann kenne.«

Es hat schon schlimmere Beschreibungen seiner Situation gegeben. Er möchte gerne sagen, sie ist keine Mätresse, nicht mehr, aber obwohl das Geheimnis bald ein offenes Geheimnis sein wird, steht es ihm nicht zu, es zu enthüllen.

Der 25. Januar 1533, Morgendämmerung, eine Kapelle in Whitehall, sein Freund Rowland Lee als Priester: Anne und Henry geben ihr Eheversprechen ab, bestätigen den Vertrag, den sie in Calais geschlossen haben, fast im Geheimen, ohne Feier, nur eine kleine Gruppe von Zeugen, die Eheleute beide sprachlos, abgesehen von den knappen Eingeständnissen ihrer Absicht, die ihnen durch die Zeremonie abgezwungen werden. Henry Norris ist blass und nüchtern: War es freundlich, ihn gleich zweimal bezeugen zu lassen, wie Anne einem anderen Mann gegeben wird?

William Brereton ist auch Zeuge, da er Dienst in den Privatgemächern des Königs hat. »Sind Sie wirklich hier?«, fragt er ihn. »Oder sind Sie woanders? Die Herren sagen mir, dass Sie die Fähigkeit zur Bilokation haben wie große Heilige.«

Brereton funkelt ihn an. »Sie haben Briefe nach Chester geschrieben.«

»In Angelegenheiten des Königs. Wie nicht?«

Sie müssen das flüsternd abhandeln, da Rowland gerade die Hände der Braut und des Bräutigams vereint. »Ich sage Ihnen das nur einmal. Halten Sie sich aus den Angelegenheiten meiner Familie raus. Oder es wird Ihnen schlimmer ergehen, Master Cromwell, als Sie sich das vorstellen können.«

Anne wird nur von einer Dame begleitet, ihrer Schwester. Als sie aufbrechen – der König legt die Hand auf den Oberarm seiner Frau und zieht sie dorthin, wo ein wenig Harfenmusik gespielt wird –, dreht Mary sich um und schenkt ihm ein üppiges Lächeln. Sie hält die Hand hoch, Zeigefinger und Daumen einen Zollbreit auseinander.

Sie hat immer gesagt: Ich bin die Erste, die es erfährt. Ich bin diejenige, die ihre Mieder weiter macht.

Er ruft William Brereton zurück, höflich; er sagt: Es war ein Fehler, mich zu bedrohen.

Er kehrt in sein Büro in Westminster zurück. Weiß der König es schon?, überlegt er. Vermutlich nicht.

Er setzt sich an seine Arbeit, an sein Schriftstück. Kerzen werden gebracht. Er sieht den Schatten seiner eigenen Hand über das Papier gleiten, seine eigene, nicht zu verbergende Faust, nachdem der maskierende Samthandschuh gefallen ist. Nichts soll zwischen ihm und dem Gewebe des Papiers sein, der schwarzen Linie aus Tinte, die darauf verläuft, und deshalb nimmt er seine Ringe ab, Wolseys Türkis und François' Rubin – zu Neujahr hat der König ihn von seinem eigenen Finger gezogen, ihm den Stein in der Fassung des Goldschmieds von Calais zurückgegeben und im Überschwang des Vertrauens gesagt, wie Herrscher es tun: Nun, das wird ein Zeichen zwischen uns sein, Cromwell, schicken Sie ein Papier mit diesem Ring und ich werde wissen, dass es aus Ihrer Hand stammt, selbst wenn Sie Ihr Siegel nicht haben.

Ein Vertrauter Henrys, der dabeistand – es war Nicholas Carew – hatte bemerkt: Der Ring seiner Majestät passt Ihnen wie angegossen. Er sagte: So ist es.

Er zögert, seine Feder schwebt in der Luft. Er schreibt: »Dieses Königreich England ist ein Imperium.« *Dieses Königreich England ist ein Imperium und als solches in der Welt anerkannt, es wird von einem Oberhaupt und König regiert …*

Um elf Uhr, als der Tag seinen hellsten Punkt erreicht hat, isst er mit Cranmer in dessen Unterkunft in der Cannon Row zu Mittag; dort lebt Cranmer, bis ihm seine neue Würde verliehen wird und er in Lambeth Palace einziehen kann. Er hat seine neue Unterschrift schon geprobt: Thomas Electus von Canterbury. Bald wird er mit allem Pomp dinieren, aber heute schiebt er seine Papiere wie ein ärmlicher Gelehrter beiseite, während ein Tischtuch ausgelegt und der Salzfisch gebracht wird, über dem er das Zeichen des Segens macht.

»Das wird ihn nicht besser machen«, sagt er, Cromwell. »Wer kocht für Sie? Ich schicke Ihnen jemanden.«

»Nun, ist die Ehe geschlossen?« Es sieht Cranmer ähnlich, darauf zu warten, dass man ihm die Neuigkeit überbringt: sechs Stunden in stummer Geduld zu arbeiten, den Kopf über seine Bücher gebeugt.

»Ja, Rowland war seinem Amt gewachsen. Er hat sie nicht mit Norris verheiratet oder den König mit ihrer Schwester.« Er schüttelt seine Serviette aus. »Ich weiß etwas. Aber Sie müssen es mir entlocken.«

Er hofft, dass sich Cranmer seinerseits das Geheimnis entlocken lässt, von dem er in seinem Brief gesprochen hat, das Geheimnis auf dem Rand der Seite. Aber es muss sich um eine kleinere Indiskretion gehandelt haben, die jetzt vergessen ist. Und weil Canterbury Electus damit beschäftigt ist, zögerlich in Schuppen und Haut zu stochern, sagt er: »Sie, Anne, erwartet ein Kind.«

Cranmer sieht auf. »Wenn Sie das in diesem Ton erzählen, werden die Leute glauben, dass Sie es sich persönlich als Verdienst anrechnen.«

»Sie sind nicht erstaunt? Sie sind nicht erfreut?«

»Ich frage mich, was für ein Fisch das sein soll«, sagt Cranmer mit mildem Interesse. »Natürlich bin ich entzückt. Aber ich wusste es. Weil diese Ehe rein ist – warum sollte Gott sie nicht mit Nachkommen segnen? Und mit einem Erben?«

»Natürlich, mit einem Erben. Sehen Sie.« Er nimmt die Papiere heraus, an denen er gearbeitet hat. Cranmer wäscht sich seine fischigen Finger und beugt sich näher zur Flamme der Kerze. »Nach Ostern«, sagt Cranmer, als er liest, »wird es gegen das Gesetz und das königliche Prärogativ sein, in irgendeiner Angelegenheit an den Papst zu appellieren. Damit ist Katherines Klage tot und begraben. Und ich, Canterbury, kann den Fall des Königs in unseren eigenen Gerichten entscheiden. Nun, das war schon lange überfällig.«

Er lacht. »*Sie* waren lange überfällig.« Cranmer hielt sich in Mantua auf, als er von der Ehre hörte, die der König ihm erweisen wollte. Daraufhin trat er seine umständliche Reise an: Stephen Vaughan traf sich mit ihm in Lyon und brachte ihn schnell über die winterlichen Straßen und durch die Schneewehen in der Picardie zum Schiff. »Warum haben Sie sich so viel Zeit genommen? Will nicht jeder Junge später mal Erzbischof werden? Nur ich nicht, wenn ich mich richtig erinnere. Ich wollte lieber meinen eigenen Bären haben.«

Cranmer sieht ihn prüfend an. »Ich bin sicher, das lässt sich arrangieren.«

Gregory hat ihn gefragt: Woran erkennen wir, dass Dr Cranmer einen Witz macht? Er hat geantwortet: Gar nicht, Witze sind bei ihm so selten wie die Apfelblüte im Januar. Und jetzt wird er einige Wochen lang halbwegs befürchten, dass ein Bär an seiner Tür auftaucht. Als sie sich an diesem Tag verabschieden, sieht Cranmer vom Tisch auf und sagt: »Natürlich weiß ich offiziell nichts davon.«

»Von dem Kind?«

»Von der Heirat. Da ich im Fall der früheren Ehe des Königs die Rolle des Richters übernehmen soll, wäre es nicht schicklich, wenn ich wüsste, dass seine neue bereits geschlossen wurde.«

»Richtig«, sagt er. »Was Rowland in den frühen Morgenstunden treibt, geht nur ihn etwas an.« Als er geht, beugt Cranmer den Kopf über die Reste ihrer Mahlzeit, als wolle er den Fisch wieder zusammensetzen.

Da unsere Ablösung vom Vatikan noch nicht vollständig vollzogen ist, können wir keinen neuen Erzbischof haben, wenn nicht der Papst ihn ernennt. Abgesandte in Rom sind ermächtigt, alles zu sagen, alles zu versprechen – *pro tem* –, um Clemens zu einer Zustimmung zu bewegen. Der König sagt entgeistert: »Wissen Sie, was die päpstlichen Bullen für Canterbury kosten? Und dass ich für sie zahlen muss? Und wissen Sie, wie viel es kostet, ihn in sein Amt einzuführen?« Er setzt hinzu: »Es muss natürlich ordentlich gemacht werden, nichts darf ausgelassen werden, es darf an nichts mangeln.«

»Wenn es nach mir geht, wird es das letzte Geld sein, das Eure Majestät nach Rom schickt.«

»Und wissen Sie«, sagt der König, als hätte er etwas Erstaunliches entdeckt, »dass Cranmer keinen einzigen Pfennig besitzt? Er kann nichts beisteuern.«

Er leiht das Geld im Namen der Krone bei einem reichen Genueser, den er kennt; er heißt Salvago. Um ihn zu dem Darlehen zu überreden, schickt er ihm einen Kupferstich, von dem er weiß, dass Salvago ihn begehrt. Er zeigt einen jungen Mann, der in einem Garten steht, die Augen erhoben zu einem leeren Fenster, in dem, wie zu hoffen ist, bald eine Dame erscheinen wird; ihr Duft liegt bereits in der Luft, und Vögel auf den Zweigen blicken fragend auf die leere Stelle, bereit zu singen. In seinen beiden Händen hält der junge Mann ein Buch; das Buch hat die Form eines Herzens.

In Hinterzimmern von Westminster sitzt Cranmer jeden Tag in Ausschüssen. Er schreibt einen Text für den König, um etwas darzulegen. Selbst wenn die Ehe seines Bruders mit Katherine nicht vollzogen wurde, hat das keine Auswirkung auf die beantragte Annullierung, denn zweifellos hatten sie die Absicht, verheiratet zu sein, und diese Absicht schafft Verbundenheit; ebenso muss es in den Nächten, die sie zusammen verbracht haben, ihre Absicht gewesen sein, Kinder zu zeugen, auch wenn sie es nicht richtig angestellt haben. Um weder Henry noch Katherine als Lügner dastehen zu lassen, denken sich die Männer in den Ausschüssen Umstände aus, unter denen die Ehe eventuell teilweise vollzogen wurde oder ein bisschen vollzogen wurde, und zu diesem Zweck müssen sie sich jede Katastrophe und jede Schmach vorstellen, die zwischen einem Mann und einer Frau passieren können, wenn sie allein in einem dunklen Zimmer sind. Gefällt Ihnen Ihre Arbeit, erkundigt er sich und betrachtet die gekrümmten und staubigen Erscheinungen dieser Männer; er vermutet, dass sie die nötige Erfahrung haben. Cranmer nennt Katherine beim Schreiben immer wieder ›Serenissima‹, als wolle er ihr gelassenes Gesicht auf einem Leinenkissen von den Erniedrigungen abgrenzen, die ihrem Unterleib aufgezwungen werden, von dem Fummeln und Wühlen des Jungen, von dem Betatschen ihrer Schenkel.

Unterdessen läuft Anne, die heimliche Königin von England, ihren adligen Begleitern weg, als sie durch eine Galerie in Whitehall geht. Sie lacht, als sie in einen Trab, fast ein Hüpfen verfällt, und die Herren strecken die Arme aus, um sie zurückzuhalten, als wäre sie gefährlich, aber sie verscheucht die Hände und lacht. »Wissen Sie, dass ich ein großes Verlangen habe, Äpfel zu essen? Der König sagt, es bedeutet, dass ich ein Baby bekomme, aber ich antworte: nein, nein, das kann nicht sein …« Sie wirbelt herum und noch einmal herum. Sie errötet, Tränen springen aus ihren Augen und scheinen durch die Luft zu fliegen wie Wasser aus einem schlecht eingestellten Brunnen.

Thomas Wyatt schiebt sich durch die Menge. »Anne …« Er greift nach ihren Händen, er zieht sie zu sich. »Anne, pst, mein Schatz … pst …« Sie bricht in hicksende Schluchzer aus, schmiegt sich an seine Schulter. Wyatt hält sie fest; seine Augen wandern umher, als würde er plötzlich nackt auf der Straße stehen und auf einen Wanderer warten, der mit einem Kleidungsstück vorbeikommt, damit er seine Scham bedecken kann. Unter den Umstehenden befindet sich auch Chapuys; der Botschafter macht einen schnellen, entschlossenen Abgang; seine kleinen Beine arbeiten heftig, in sein Gesicht ist ein spöttisches Lächeln eingegraben.

Die Neuigkeit wird eilends dem Kaiser überbracht. Es wäre gut, wenn die alte Ehe abgesagt, die neue Ehe angesagt gewesen wäre und diese Kunde Europa erreicht hätte, bevor Annes gesegneter Zustand verkündet wurde. Aber das Leben ist eben nie vollkommen für den Diener eines Fürsten; wie Thomas More zu sagen pflegte, sollten wir nicht erwarten, auf Federbetten in den Himmel zu kommen.

Zwei Tage später ist er mit Anne allein; sie hockt mit geschlossenen Augen in einer Fensterlaibung und badet wie eine Katze in einem der seltenen Strahlen der Wintersonne. Sie streckt ihm die Hand hin, kaum wissend, wer er ist. Jeder Mann ist willkommen? Er nimmt ihre Fingerspitzen. Sie schlägt ihre schwarzen Augen auf. Als würden die Fensterläden abgenommen und das Geschäft geöffnet: Guten Morgen, Master Cromwell, was können wir einander heute verkaufen?

»Ich habe Mary satt«, sagt sie. »Und ich möchte sie loswerden.«

Meint sie Katherines Tochter, die Prinzessin? »Sie sollte verheiratet werden«, sagt sie, »und mir aus dem Weg sein. Ich möchte sie niemals mehr sehen müssen. Ich möchte nicht an sie denken müssen. Ich habe mir schon lange vorgestellt, dass sie mit einer unbedeutenden Person verheiratet ist.«

Er wartet, immer noch im Unklaren.

»Ich vermute, sie wäre keine schlechte Ehefrau für jemanden, der bereit ist, sie an der Wand anzuketten.«

»Ah. Mary, Ihre Schwester.«

»Was haben Sie denn geglaubt? Ach so«, sie lacht, »Sie dachten, ich meine Mary, den Bastard des Königs. Nun, das bringt mich auf den Gedanken. Sie sollte auch verheiratet werden. Wie alt ist sie?«

»Siebzehn dieses Jahr.«

»Und immer noch Zwergin?« Anne wartet nicht auf eine Antwort. »Ich werde einen alten Gentleman für sie finden, einen sehr ehrbaren gebrechlichen Gentleman, der ihr keine Kinder macht und den ich bezahlen werde, damit er dem Hof fernbleibt. Aber was Lady Carey betrifft, was lässt sich da machen? *Sie* kann sie nicht heiraten. Wir ziehen sie damit auf, dass ihre Wahl auf Sie gefallen ist. Einige Damen haben eine heimliche Vorliebe für einfache Männer. Wir sagen: Mary, ach, wie du dich danach sehnst, in den Armen des Schmieds zu ruhen ... schon bei dem Gedanken daran wird dir heiß.«

»Sind Sie glücklich?«, fragt er.

»Ja.« Sie senkt die Augen und legt ihre kleinen Hände auf den Leib. »Ja, deswegen. Wissen Sie«, sagt sie langsam, »begehrt wurde ich immer. Aber jetzt werde ich geschätzt. Und das ist etwas ganz anderes, stelle ich fest.«

Er schweigt, damit sie ihre eigenen Gedanken denken kann: die ihr viel bedeuten, wie er sieht. »Nun«, sagt sie, »Sie haben einen Neffen Richard, eine Art Tudor, obwohl ich überhaupt nicht verstehen kann, wie es dazu gekommen ist.«

»Ich kann den Stammbaum für Sie aufzeichnen.«

Sie schüttelt lächelnd den Kopf. »Die Mühe brauchen Sie sich nicht zu machen. Seit dem hier«, ihre Finger gleiten nach unten, »wache ich morgens auf und kann mich kaum an meinen Namen erinnern. Ich habe mich immer gefragt, warum Frauen so närrisch sind, und jetzt weiß ich es.«

»Sie erwähnten meinen Neffen.«

»Ich habe ihn mit Ihnen gesehen. Er sieht entschlossen aus. Er wäre vielleicht etwas für sie. Was sie will, sind Pelze und Juwelen. Das können Sie ihr geben, habe ich recht? Und jedes zweite Jahr ein Kind in der Wiege. Bezüglich der Frage, wer es zeugt, können Sie ja Absprachen in Ihrem Haushalt treffen.«

»Ich dachte«, sagt er, »dass Ihre Schwester eine Bindung hat?«

Er will keine Rache: nur eine Klarstellung.

»Hat sie das? Nun ja, Marys Bindungen ... normalerweise kurzlebig und zuweilen sehr merkwürdig – wie Sie wissen, nicht wahr.« Es ist keine Frage. »Bringen Sie sie an den Hof, Ihre Kinder. Wir möchten sie sehen.«

Er verlässt sie, und ihre Augen schließen sich wieder, sie schmiegt sich erneut in die minimale Wärme, in den kleinen Sonnenstrahl, der alles ist, was der Februar zu bieten hat.

Der König hat ihm Gemächer im alten Palast von Westminster gegeben, denn meistens arbeitet er so lange, dass er es nicht mehr nach Hause schafft. Deshalb muss er im Geiste durch seine Räume in Austin Friars gehen und seine Gedächtnisbilder dort aufsammeln, wo er sie hinterlassen hat: auf Fensterbänken und unter Hockern und in den wollenen Blütenblättern der Blumen zu Füßen Anselmas auf dem Gobelin. Am Ende eines langen Tages isst er dann mit Cranmer und mit Rowland Lee zu Abend. Letzterer stapft zwischen den verschiedenen Arbeitsgruppen hin und her und treibt sie an. Manchmal kommt auch Audley zum Essen, der Lordkanzler, aber sie machen keine formelle Angelegenheit daraus, setzen sich einfach an den Tisch wie eine Bande studentischer Tintenkleckser und reden, bis Cranmers Schlafenszeit kommt. Er möchte sie ganz genau verstehen, diese Männer, möchte prüfen, inwieweit er sich auf sie verlassen kann, und ihre Schwächen herausfinden. Audley ist ein umsichtiger Anwalt, der einen Satz durchsieben kann wie ein Koch, der einen Sack Reis auf Sand durchsiebt. Er ist ein eloquenter Redner, bleibt beharrlich bei der Sache und hat seine Karriere im Blick; jetzt, da er Kanzler ist, beabsichtigt er, ein Einkommen zu erzielen, das dem Amt entspricht. Was er glaubt, ist Verhandlungssache; er glaubt an das Parlament, an die Macht des Königs im

Parlament, und in religiösen Fragen ... sagen wir mal, seine Überzeugungen sind flexibel. Was Lee betrifft, so muss man sich fragen, ob er überhaupt an Gott glaubt – obwohl ihn das nicht davon abhält, ein Bistum für sich ins Auge zu fassen. Er sagt: »Rowland, nehmen Sie Gregory in Ihrem Haushalt auf? Ich denke, Cambridge hat alles getan, was es für ihn tun kann. Und ich gebe zu, dass Gregory nichts für Cambridge getan hat.«

»Ich nehme ihn in den Norden mit«, sagt Rowland, »ich muss mich nämlich mit den Bischöfen dort streiten. Er ist ein guter Junge, Gregory. Nicht gerade ein Schnellstarter, aber das kann ich verstehen. Wir sorgen dafür, dass etwas Nützliches aus ihm wird.«

»Sie haben ihn nicht für die Kirche bestimmt?«, fragt Cranmer.

»Ich sagte«, knurrt Rowland, »wir machen etwas Nützliches aus ihm.«

In Westminster gehen seine Schreiber ein und aus, bringen Neuigkeiten und Klatsch und Papierkram, und er behält Christophe bei sich, angeblich, damit er sich um seine Kleidung kümmert, aber in Wirklichkeit soll er ihn zum Lachen bringen. Er vermisst die Musik, die sie jeden Abend in Austin Friars machen, und die Stimmen der Frauen, die man aus den anderen Räumen hört.

Die meisten Tage der Woche ist er am Tower und überredet die Vorarbeiter, ihre Männer auch bei Frost und Regen durcharbeiten zu lassen; er überprüft die Bücher des Zahlmeisters und erstellt eine neue Bestandsliste mit den Juwelen, dem Gold und dem Silber des Königs. Er besucht die Aufseher der Münzanstalt und schlägt Stichproben vor, um das Gewicht der königlichen Münzen zu kontrollieren. »Ich möchte gerne erreichen«, sagt er, »dass unsere englischen Münzen so solide werden, dass die Kaufleute auf dem Festland sich gar nicht die Mühe machen, sie zu wiegen.«

»Haben Sie überhaupt die Befugnis dazu?«

»Wieso, was haben Sie zu verbergen?«

Er hat ein Memorandum für den König geschrieben, in dem er die Quellen seiner jährlichen Einkünfte darlegt und detailliert verzeichnet, durch welche Regierungsämter sie laufen. Es ist bemerkenswert präzise. Der König liest es und liest es ein zweites Mal. Er dreht das Papier um, um festzustellen, ob auf der Rückseite etwas Verwickeltes und Unerklärliches steht. Aber da ist nichts, es gibt keinen doppelten Boden.

»Das ist nichts Neues«, sagt er halb entschuldigend. »Der verstorbene Kardinal hatte das im Kopf. Ich werde weiterhin in der Münzanstalt vorbeischauen. Mit Eurer Majestät Erlaubnis.«

Im Tower besucht er einen Gefangenen, John Frith. Er hat den Wunsch geäußert – und sein Wunsch zählt etwas –, dass der Gefangene sauber gehalten wird, nicht auf dem Boden; er hat warmes Bettzeug, ausreichend zu essen, einen Vorrat an Wein, Papier, Tinte, obwohl er ihm geraten hat, das Geschriebene beiseite zu räumen, wenn er den Schlüssel im Schloss hört.

Er steht neben dem Schließer, der ihn einlässt, hat die Augen gesenkt und es gefällt ihm nicht, was er gleich sehen wird; John Frith jedoch erhebt sich von seinem Tisch, ein sanfter, schlanker junger Mann, Kenner des Griechischen, und sagt: Master Cromwell, ich wusste, dass Sie kommen würden.

Als er Friths Hände ergreift, stellt er fest, dass sie nichts als Knochen sind, kalt und trocken und übersät mit verräterischen Tintenspuren. Er denkt, dass Frith recht robust sein muss, da er so lange überlebt hat. Er war einer der Bibelleute im Keller von Wolseys College, wo sie eingeschlossen wurden, weil es keinen anderen sicheren Ort gab. Als die Sommerseuche unterirdisch zuschlug, lag Frith im Dunkeln bei den Leichen, bis jemand daran dachte, ihn herauszulassen.

»Master Frith«, sagt er, »wäre ich in London gewesen, als Sie ergriffen wurden …«

»Aber Thomas More wurde tätig, während Sie in Calais waren.«

»Was hat Sie dazu bewegt, nach England zurückzukehren? Nein, erzählen Sie es mir nicht. Wenn Sie in Sachen Tyndale unterwegs waren, ist es besser, ich weiß nichts davon. Es heißt, Sie haben eine Frau genommen, ist das richtig? In Antwerpen? Es gibt eine Sache, die der

König nicht ertragen kann – nein, es sind viele Dinge, die er nicht ertragen kann –, aber er hasst verheiratete Priester. Und er hasst Luther, und Sie haben Luther ins Englische übersetzt.«

»Sie haben den Fall sehr gut dargestellt – im Sinne der Anklage gegen mich.«

»Sie müssen mir helfen, damit ich Ihnen helfen kann. Wenn ich für Sie eine Audienz beim König erwirken könnte ... Sie müssten vorbereitet sein, er ist ein sehr scharfsinniger Theologe ... meinen Sie, Sie könnten Ihre Antworten abmildern, um ihm entgegenzukommen?«

Das Feuer brennt, aber der Raum ist trotzdem kalt. Man kann den Nebeln und Ausdünstungen der Themse hier nicht entkommen. Frith sagt mit kaum hörbarer Stimme: »Thomas More hat immer noch Ansehen beim König. Und er hat ihm einen Brief geschrieben, in dem er sagt«, es gelingt ihm zu lächeln, »dass ich Wycliffe, Luther und Zwingli in einem bin, zusammengerollt und mit einer Schnur zusammengebunden – ein Reformer, der in einem anderen steckt, so wie man für ein Festmahl einen Fasan in ein Hühnchen und das Hühnchen in eine Gans packen kann. More beabsichtigt, mich zu verspeisen, und deshalb sollten Sie Ihr Ansehen nicht gefährden, indem Sie um Gnade für mich bitten. Und was das Abmildern meiner Antworten betrifft ... ich glaube und ich werde vor jedem Tribunal sagen ...«

»Tun Sie es nicht, John.«

»Ich werde vor jedem Tribunal sagen, was ich vor meinem letzten Richter sagen werde – die Eucharistie ist nichts als Brot, für die Buße haben wir keine Verwendung, das Fegefeuer ist eine Erfindung, die nicht in der Schrift begründet ist ...«

»Wenn ein paar Männer kommen und Sie auffordern mitzukommen, Frith, dann gehen Sie mit ihnen. Es werden meine Männer sein.«

»Sie glauben, Sie können mich aus dem Tower holen?«

Tyndales Bibel sagt: Mit Gott wird nichts unmöglich sein. »Wenn nicht aus dem Tower, dann, wenn Sie zur Befragung gebracht werden, das ist Ihre Chance. Seien Sie bereit, sie zu ergreifen.«

»Aber zu welchem Zweck?« Frith spricht freundlich, als spräche er zu einem jungen Schüler. »Glauben Sie, Sie können mich in Ihrem Haus festhalten und darauf warten, dass sich der Sinn des Königs wandelt? Ich würde ausbrechen müssen und nach Paul's Cross laufen und vor den Londonern sagen, was ich bereits gesagt habe.«

»Ihr Bekenntnis kann nicht warten?«

»Nicht auf Henry. Denn es könnte sein, dass ich warten muss, bis ich alt bin.«

»Man wird Sie verbrennen.«

»Und Sie glauben, ich kann den Schmerz nicht aushalten? Sie haben recht, das kann ich nicht. Aber man wird mir keine andere Wahl lassen. Wie More sagt: Ein Mensch wird schwerlich zum Helden, wenn er einwilligt, dazustehen und zu brennen, während er schon an den Pfahl gekettet ist. Ich habe Bücher geschrieben und kann sie nicht rückgängig machen. Ich kann nicht rückgängig machen, was ich glaube. Ich kann mein Leben nicht rückgängig machen.«

Er verlässt Frith. Vier Uhr: auf dem Fluss wenig Verkehr, ein feiner und durchdringender Dunst kriecht zwischen Luft und Wasser herauf.

Am nächsten Tag, einem Tag von knackiger blauer Kälte, kommt der König in der königlichen Barke, um den Fortgang der Arbeit zu sehen; der neue französische Gesandte ist bei ihm; sie gehen vertraulich miteinander um, der König legt beim Gehen eine Hand auf de Dintevilles Schulter oder vielmehr auf seine Polsterung; der Franzose trägt so viele Lagen, dass er breiter zu sein scheint als die Türöffnungen, aber trotzdem fröstelt er. »Unser Freund hier muss etwas Sport treiben, um sein Blut zu wärmen«, sagt der König, »und er ist ein Stümper mit dem Bogen – als wir das letzte Mal am Schießstand waren, hat er so gezittert, dass ich glaubte, er würde sich in den Fuß schießen. Er beklagt sich, dass wir keine richtigen Falkner sind, und deshalb habe ich gesagt, er soll mit Ihnen hinausgehen, Cromwell.«

Ist das ein Versprechen von Freizeit? Der König schlendert davon und lässt sie zurück. »Nicht, wenn es so kalt ist wie jetzt«, sagt der Gesandte. »Ich stehe nicht auf einem Feld, wenn der Wind pfeift, das wird mein Tod sein. Wann werden wir die Sonne wiedersehen?«

»Oh, ungefähr im Juni. Aber die Falken werden bis dahin in der Mauser sein. Ich beabsichtige, meine im August wieder fliegen zu lassen, daher *nil desperandum*, Monsieur, wir werden schon noch Sport treiben.«

»Sie würden diese Krönung nicht vielleicht verschieben?« So ist es immer; nach ein wenig Schwatz und Scherz platzt ein botschafterliches Anliegen aus seinem Mund. »Denn als mein Herr den Vertrag gemacht hat, erwartete er nicht, dass Henry seine mutmaßliche Frau und ihren dicken Bauch zur Schau stellen würde. Wenn er sie im Stillen halten würde, wäre die Sache ganz anders.«

Er schüttelt den Kopf. Es wird keine Verschiebung geben. Henry sagt, er habe die Unterstützung der Bischöfe, der Adligen, der Richter, des Parlaments und des Volkes; Annes Krönung ist seine Chance, diese Behauptung zu beweisen. »Nichts für ungut«, sagt er. »Morgen haben wir den päpstlichen Nuntius zu Gast. Sie werden sehen, wie mein Herr mit ihm zurechtkommt.«

Henry ruft von oben, von der Mauer: »Kommen Sie herauf, Sir, genießen Sie die Aussicht auf meinen Fluss.«

»Wundert es Sie, dass ich bibbere?«, sagt der Franzose leidenschaftlich. »Wundern Sie sich, dass ich vor ihm zittere? Mein Fluss. Meine Stadt. Meine Erlösung, auf meine Person zugeschnitten und mit Stickereien versehen. Mein persönlicher maßgeschneiderter englischer Gott.« Er flucht leise und beginnt hinaufzusteigen.

Als der päpstliche Nuntius nach Greenwich kommt, nimmt Henry ihn bei der Hand und erklärt ihm freimütig, wie sehr seine gottlosen Berater ihn quälen und wie heftig er sich danach sehnt, wieder eine ungetrübte Freundschaft mit Papst Clemens zu pflegen.

Man könnte Henry ein Jahrzehnt lang jeden Tag beobachten und nie dasselbe sehen. Wähle deinen Fürsten aus: Er bewundert Henry mehr und mehr. Manchmal scheint er glücklos zu sein, manchmal nutzlos, manchmal ein Kind, manchmal Meister seines Faches. Manchmal scheint er ein Künstler zu sein, wenn sein Blick auf eine gewisse Art über sein Werk streift; manchmal bewegt sich seine Hand und er scheint ihre Bewegung nicht zu sehen. Wenn das Leben ihm eine bescheidenere Position zugedacht hätte, wäre er vielleicht reisender Schauspieler und Leiter seiner Truppe geworden.

Auf Annes Geheiß bringt er seinen Neffen zum Hof und Gregory auch; Rafe kennt der König schon, denn er ist immer an seiner Seite. Der König steht lange da und betrachtet Richard versunken. »Ich sehe es. Ich sehe es wirklich.«

In Richards Gesicht gibt es, soweit er das beurteilen kann, keinerlei Anzeichen, dass er Tudor-Blut hat, aber der König betrachtet ihn mit den Augen eines Mannes, der gerne Verwandte hätte. »Ihr Großvater ap Evan war ein großer Diener des Königs, meines Vaters. Sie sind gut gebaut. Ich würde Sie gerne auf dem Turnierplatz sehen. Ich würde gerne sehen, wie Sie Ihre Fahne in den Zweikampf tragen.«

Richard verbeugt sich. Und weil er der Inbegriff der Höflichkeit ist, wendet sich der König dann an Gregory und sagt: »Und Sie, Master Gregory, Sie sind auch ein vortrefflicher junger Mann.«

Als der König davongeht, öffnet sich Gregorys Gesicht vor lauter Freude. Er legt seine Hand auf den Arm, auf die Stelle, die der König berührt hat, als wolle er die königliche Gnade auf seine Fingerspitzen übertragen. »Er ist ganz großartig. Er ist so großartig. Mehr, als ich je gedacht habe. Und dass er mit mir gesprochen hat!« Er wendet sich an seinen Vater. »Wie schaffst du es nur, jeden Tag mit ihm zu sprechen?«

Richard wirft ihm einen Seitenblick zu. Gregory schlägt ihm auf den Arm. »Von deinem Großvater, dem Bogenschützen, mal abgesehen, was würde er wohl sagen, wenn er wüsste, dass dein Vater *so* groß war?« Zwischen Zeigefinger und Daumen zeigt er die Statur von Morgan Williams an. »Seit Jahren reite ich beim Ringelstechen mit. Ich bin auf das Bildnis des Sarazenen zugeritten und habe meine Lanze einfach so, bums, direkt über seinem schwarzen Sarazenenherz hineingestochen.«

»Ja«, sagt Richard geduldig, »aber auch du Jämmerling wirst noch feststellen, dass ein lebendiger Ritter ein schwierigeres Unterfangen ist als ein hölzerner Ungläubiger. Und denk mal an die Kosten – ein Vorzeigeharnisch, ein ganzer Stall von Spezialpferden …«

»Wir können es uns leisten«, sagt er. »Es scheint, dass unsere Tage als Fußsoldaten hinter uns liegen.«

Am Abend in Austin Friars bittet er Richard, nach dem Essen mit ihm allein zu sprechen. Möglicherweise macht er einen Fehler, als er Richard den Plan darlegt und die Ehe, die Anne vorgeschlagen hat, als geschäftliches Vorhaben formuliert. »Bau nicht darauf. Wir brauchen noch die Zustimmung des Königs.«

Richard sagt: »Aber sie kennt mich ja gar nicht.«

Er wartet auf Einwände; wenn man jemanden nicht kennt, ist das ein Einwand? »Ich werde dich nicht zwingen.«

Richard sieht auf. »Sind Sie sicher?«

Wann habe ich, wann habe ich jemals jemanden gezwungen, etwas zu tun, will er sagen, aber Richard schneidet ihm das Wort ab: »Nein, das tun Sie nicht, das stimmt, es ist nur, dass Sie geübt im Überreden sind; manchmal ist es eher schwierig, Sir, den Unterschied festzustellen: Wurde man nun von Ihnen überredet oder von Fremden auf der Straße zusammengeschlagen und getreten?«

»Ich weiß, Lady Carey ist älter als du, aber sie ist sehr schön, ich glaube sogar, sie ist die schönste Frau bei Hofe, und sie ist nicht so einfältig, wie alle denken, außerdem hat sie nichts von der Boshaftigkeit ihrer Schwester an sich.« Auf merkwürdige Art, denkt er, war sie mir eine gute Freundin. »Und statt der nicht anerkannte Vetter des Königs zu sein, wärest du sein Schwager. Wir würden alle davon profitieren.«

»Ein Titel vielleicht? Für Sie und für mich. Hervorragende Partien für Alice und Jo. Und Gregory? Mindestens eine Gräfin für ihn.« Richards Stimme ist ausdruckslos. Überredet er sich selbst dazu? Schwer zu sagen. Bei vielen Menschen, vielleicht den meisten, liegt das Buch ihres Herzens geöffnet vor ihm, aber es gibt Zeiten, in denen es einfacher ist, Außenstehende zu lesen als die eigene Familie. »Und Thomas Boleyn wäre mein Schwiegervater. Und Onkel Norfolk wäre wirklich unser Onkel.«

»Stell dir sein Gesicht vor.«

»Oh, sein Gesicht. Ja, man würde barfuß über glühende Kohlen laufen, nur um seinen Gesichtsausdruck zu sehen.«

»Denk darüber nach. Erzähle es niemandem.«

Richard verlässt den Raum mit einem Kopfnicken, aber ohne weiteres Wort. Anscheinend interpretiert er »erzähle es niemandem« als »erzähle es niemandem außer Rafe«, denn zehn Minuten später kommt Rafe herein, steht vor ihm, sieht ihn an und zieht die Augenbrauen in die Höhe. Rothaarige können recht angestrengt aussehen, wenn sie Augenbrauen in die Höhe ziehen, die nicht wirklich da sind. Er sagt: »Du brauchst Richard nicht zu erzählen, dass sich Mary Boleyn mir einmal angeboten hat. Zwischen uns ist nichts. Es wird nicht sein wie in Wolf Hall, wenn du das denkst.«

»Und was, wenn die Braut andere Pläne hat? Ich frage mich, warum Sie sie nicht mit Gregory verheiraten.«

»Gregory ist zu jung. Richard ist dreiundzwanzig, ein gutes Alter, um zu heiraten, wenn man es sich leisten kann. Und du bist schon darüber hinaus – es wird Zeit, dass auch du heiratest.«

»Ich gehe, bevor Sie eine Boleyn für mich finden.« Rafe dreht sich noch einmal um und sagt leise: »Nur eines, Sir, und ich glaube, das gibt Richard zu denken … Leben und Geschick von uns allen hängen jetzt von dieser Dame ab, die nicht nur launisch, sondern auch sterblich ist, und die Ehegeschichte des Königs sagt uns, dass ein Kind im Mutterleib noch lange kein Thronerbe in der Wiege ist.«

Im März kommt die Nachricht aus Calais, dass Lord Berners gestorben ist. Der Nachmittag in seiner Bibliothek, als draußen der Sturm blies: Im Rückblick scheint es ein Hafen der Ruhe gewesen zu sein, die letzte Stunde, die er für sich selbst hatte. Er möchte ein Angebot für die Bücher machen – ein großzügiges Angebot, um Lady Berners zu helfen – aber die Folianten scheinen von ihren Pulten gesprungen und weggelaufen zu sein, einige in Richtung Francis Bryans, dem Neffen des alten Mannes, und einige zu einem anderen seiner Verwandten, Nicholas Carew. »Würden Sie ihm seine Schulden erlassen«, fragt er Henry, »zumindest solange seine Frau lebt? Sie wissen, er hinterlässt …«

»Keine Söhne.« Henrys Gedanken sind vorausgeeilt: Auch ich war einmal in dieser unglücklichen Lage, hatte keinen Sohn, aber bald bekomme ich meinen Erben.

Er bringt Anne Majolikaschalen mit. Die Außenseite ist mit dem Wort *maschio* bemalt, im Inneren sind feiste blonde Babys abgebildet, jedes hat einen unschuldigen kleinen Phallus. Sie lacht. Die Italiener sagen, für einen Jungen muss man sich warmhalten, erzählt er ihr. Erwärmen Sie Ihren Wein, um Ihr Blut zu erwärmen. Keine kalten Früchte, kein Fisch.

Jane Seymour sagt: »Glauben Sie, es ist schon entschieden, was es sein wird, oder entscheidet Gott das später? Glauben Sie, dass es selbst weiß, was es ist? Glauben Sie, wenn wir in sie hineinsehen könnten, würden wir es erkennen?«

»Jane, ich wünschte, du wärst noch in Wiltshire«, sagt Mary Shelton.

Anne sagt: »Sie brauchen mich nicht aufzuschneiden, Mistress Seymour. Es ist ein Junge, und keiner soll etwas anderes denken oder sagen.« Sie runzelt die Stirn, und man kann sehen, dass sie die große Kraft ihres Willens konzentriert und beugt.

»Ich hätte gern ein Baby«, sagt Jane.

»Aufgepasst«, ermahnt Lady Rochford sie. »Wenn Ihr Bauch sichtbar wird, Mistress, werden wir Sie lebendig einmauern lassen.«

»Ihre Familie«, sagt Anne, »würde ihr einen Blumenstrauß überreichen. In Wolf Hall weiß man nicht, was das Wort Enthaltsamkeit bedeutet.«

Jane ist errötet und zittert. »Ich habe nichts Böses gemeint.«

»Lasst sie in Ruhe«, sagt Anne, »es ist, als wolle man eine Feldmaus in der Falle fangen.« Sie wendet sich an ihn. »Ihre Gesetzesvorlage ist noch nicht verabschiedet. Was ist der Grund für die Verzögerung?«

Sie meint das Gesetz, das es verbietet, in Rom Berufung einzulegen. Er hebt an, ihr die Stärke der Opposition zu erklären, aber sie zieht die Augenbrauen in die Höhe und sagt: »Mein Vater spricht für Sie im Oberhaus und Norfolk auch. Wer sollte es da wagen, uns zu widersprechen?«

»Ich werde es bis Ostern durchbekommen, verlassen Sie sich darauf.«

»Die Frau, die wir in Canterbury gesehen haben, es heißt, ihre Leute drucken ein Buch mit ihren Prophezeiungen.«

»Das kann schon sein, aber ich werde sicherstellen, dass es niemand liest.«

»Es heißt, am Tag der heiligen Katharina, während wir in Calais waren, hatte sie eine Vision, in der die sogenannte Prinzessin Mary zur Königin gekrönt wurde.« Ihre Stimme fährt fort, flüssig, schnell: Das sind meine Feinde, die Prophetin und ihr Anhang; Katherine, die sich mit dem Kaiser verschwört; ihre Tochter Mary, die angebliche Erbin; Marys alte Gouvernante Margaret Pole, Lady Salisbury, sie und ihre ganze Familie sind meine Feinde; ihr Sohn Lord Montague, ihr Sohn Reginald Pole, der im Ausland ist; die Leute sprechen von seinem Anspruch auf den Thron, und warum kann er nicht zurückgeholt werden, warum kann seine Treue nicht geprüft werden? Henry Courtenay, der Marquis von Exeter, er glaubt, er hat einen Anspruch, aber wenn mein Sohn geboren wird, kann er sich das nicht mehr einbilden. Lady Exeter, Gertrude, sie beklagt sich ständig, dass Adlige durch Männer niedriger Geburt von ihren Plätzen vertrieben werden, und Sie wissen, wen sie damit meint.

Mylady, sagt ihre Schwester leise, machen Sie sich nicht solche Sorgen.

Ich mache mir keine Sorgen, sagt Anne. Mit der Hand auf dem wachsenden Kind sagt sie ruhig: »Diese Leute wollen, dass ich sterbe.«

Die Tage sind immer noch kurz, die Geduld des Königs noch kürzer. Chapuys verbeugt sich und windet sich vor ihm, verdreht sich und grimassiert, als wäre es seine Absicht, Henry zum Tanz zu bitten. »Ich habe mit einiger Verwirrung bestimmte Schlussfolgerungen gelesen, zu denen Dr Cranmer gelangt ist ...«

»Mein Erzbischof«, sagt der König kalt; unter großen Kosten hat die Salbung inzwischen stattgefunden.

»... Schlussfolgerungen, die Königin Katherine betreffen ...«

»Wen? Meinen Sie die Frau meines verstorbenen Bruders, die Prinzessin von Wales?«

»... denn Eure Majestät weiß, dass Dispense erteilt wurden, die die Gültigkeit Ihrer Ehe gewährleisten, ob nun die vorherige Ehe vollzogen wurde oder nicht.«

»Ich möchte das Wort Dispens nicht hören«, sagt Henry. »Ich möchte Sie nicht über das sprechen hören, was Sie meine Ehe nennen. Der Papst hat nicht die Macht, Inzest zu legalisieren. Ich bin ebenso wenig Katherines Ehemann wie Sie.«

Chapuys verbeugt sich.

»Wäre der Vertrag nicht nichtig gewesen«, sagt Henry, zum letzten Mal geduldig, »hätte Gott mich nicht mit dem Verlust meiner Kinder gestraft.«

»Wir wissen nicht, ob die gesegnete Katherine nicht noch gebärfähig ist.« Chapuys sieht mit einem gekonnt durchtriebenen Blick auf.

»Sagen Sie mal, warum, glauben Sie, tue ich das?« Der König klingt neugierig. »Aus Begierde? Ist es das, was Sie denken?«

Einen Kardinal töten? Sein Land entzweien? Die Kirche spalten? »Das scheint mir übertrieben«, murmelt Chapuys.

»Aber das ist es, was Sie denken. Das ist es, was Sie dem Kaiser erzählen. Sie irren sich. Ich bin der Verwalter meines Landes, Sir, und wenn ich jetzt mit einer Frau eine von Gott gesegnete Verbindung eingehe, geschieht das, um einen Sohn von ihr zu bekommen.«

»Aber es gibt keine Garantie, dass Eure Majestät einen Sohn bekommt. Oder überhaupt lebende Kinder.«

»Und warum nicht?« Henry läuft rot an. Er ist aufgesprungen, brüllt, Tränen der Wut stürzen ihm über das Gesicht. »Bin ich kein Mann wie andere Männer? Bin ich das nicht? Bin ich das nicht?«

Er ist ein eifriger kleiner Terrier, der Mann des Kaisers; aber selbst er weiß, dass es an der Zeit ist, lockerzulassen, wenn man einen König zum Weinen gebracht hat. Auf dem Weg hinaus rechtfertigt er sich mit dem üblichen selbstironischen Flattern und sagt: »Man muss einen Unterschied zwischen dem Wohlergehen des Landes und dem Wohlergehen der Tudor-Linie machen. Meinen Sie nicht auch, Monsieur Cremuel?«

»Wer ist denn Ihr bevorzugter Kandidat für den Thron? Sind Sie für Courtenay oder Pole?«

»Sie sollten nicht über Personen königlichen Geblüts spotten.« Chapuys schüttelt seine Ärmel aus. »Zumindest bin ich jetzt offiziell informiert über den Status der Lady, während ich vorher nur aus gewissen törichten Spektakeln, deren Zeuge ich wurde, darauf schließen konnte ... Wissen Sie eigentlich, Cremuel, wie viel Sie auf den Körper einer einzigen Frau setzen? Wir wollen hoffen, dass ihr kein Leid geschieht, was?«

Er ergreift den Arm des Botschafters und dreht den Mann blitzschnell zu sich herum. »Was für ein Leid? Sagen Sie, was Sie damit meinen.«

»Wenn Sie bitte meine Jacke loslassen würden. Danke. Sie greifen sehr schnell darauf zurück, Leute grob zu behandeln, was einiges über Ihre Kinderstube aussagt.« Seine Worte sind draufgängerisch, aber er zittert. »Sehen Sie sich um und stellen Sie fest, wie sie durch ihren Stolz und ihre Anmaßung den Adel Ihres Landes brüskiert. Ihr eigener Onkel kann ihre Mätzchen nicht ertragen. Die ältesten Freunde des Königs bleiben dem Hof unter Vorwänden fern.«

»Warten Sie, bis sie gekrönt ist«, sagt er. »Sie werden sehen, wie sie angerannt kommen.«

Am 12. April, Ostersonntag, erscheint Anne mit dem König beim Hochamt, und man betet für sie als Königin von England. Sein Gesetz ist erst gestern vom Parlament verabschiedet worden; er erwartet eine bescheidene Belohnung, und bevor die königliche Gruppe hineingeht, um das Fasten zu brechen, winkt ihn der König zu sich und gibt ihm Lord Berners' alten Posten, den des Schatzkanzlers. »Berners selbst hat Sie vorgeschlagen.« Henry lächelt. Er macht gerne Geschenke; wie ein Kind freut er sich darauf zu sehen, wie glücklich der Beschenkte ist.

Während der Messe wandern seine Gedanken durch die City. Welche übel riechenden Gänseställe erwarten ihn wohl zu Hause? Welche auf der Straße ausgetragenen Streitigkeiten, welche Babys, die auf Kirchenstufen abgelegt wurden, welche aufrührerischen Lehrlinge, mit denen er bitte ein Wörtchen reden soll? Haben Alice und Jo Ostereier bemalt? Sie sind inzwischen zu erwachsen, aber sie sind damit zufrieden, die Kinder des Hauses zu sein, bis die nächste Generation kommt. Es ist Zeit, dass er sich nach Ehemännern für sie umsieht. Wenn sie noch lebte, könnte seine Anne inzwischen verheiratet sein, und das mit Rafe, weil er noch nicht vergeben ist. Er denkt an Helen Barre; wie schnell sie mit dem Lesen vorankommt und wie unentbehrlich sie in Austin Friars geworden ist. Er glaubt jetzt, dass ihr Mann tot ist, und er denkt, ich muss mit ihr reden, ich muss ihr erzählen, dass sie frei ist. Sie ist zu anständig, als dass sie Freude darüber zeigen würde, aber welche Frau möchte nicht gerne wissen, dass sie einem solchen Mann nicht mehr ausgesetzt ist.

Die ganze Messe über redet Henry, ein beständiges Murmeln und Summen. Er sortiert Papiere und reicht sie durch die Reihe an seine Ratgeber weiter; nur bei der Konsekration wirft er sich in fieberhafter Ehrfurcht auf die Knie, als das Wunder stattfindet und eine Oblate Gott wird. Sobald der Priester sagt: *»Ite, missa est«*, flüstert Henry ihm zu: Kommen Sie in mein Gemach, allein.

Aber zuerst müssen die versammelten Höflinge ihre Verbeugung vor Anne machen. Ihre Damen rauschen zurück und lassen sie auf einem kleinen Fleck in der Sonne allein. Er beobachtet sie, beobachtet die Herren und die Mitglieder des Kronrats, unter denen an diesem Festtag viele Freunde des Königs aus Kindertagen sind. Er beobachtet insbesondere Sir Nicholas Carew; seiner Ehrerbietung für seine neue Königin mangelt es an nichts, aber er kann nicht verhindern, dass sich seine Mundwinkel nach unten ziehen. Mach ein passendes Gesicht, Nicholas Carew, mach dein uraltes Familiengesicht. Er hört Anne sagen: Das sind meine Feinde; er setzt Carew auf die Liste.

Hinter den Staatsgemächern liegen die privaten Räume des Königs, die nur seine Vertrauten sehen, wo er von seinen Gentlemen bedient wird und wo er frei von Botschaftern und Spionen sein kann. Es ist Henry Norris' Revier, und Norris gratuliert ihm höflich zu seiner neuen Aufgabe und geht auf leisen Sohlen davon.

»Sie wissen, dass Cranmer ein Gericht einberufen soll, um eine formale Auflösung der …« Henry hat gesagt, er will nichts mehr über seine Ehe hören, sodass er nicht einmal das Wort ausspricht. »Ich habe ihn gebeten, in dem Priorat in Dunstable zusammenzukommen, weil es – wie viele? – zehn, zwölf Meilen von Ampthill entfernt ist, wo *sie* untergebracht ist, und so kann sie ihre Anwälte schicken, wenn sie will. Oder selbst vor Gericht erscheinen. Ich möchte, dass Sie sie aufsuchen, im Geheimen, reden Sie einfach mit ihr …«

Vergewissern Sie sich, dass sie keine Überraschungen in petto hat.

»Lassen Sie Rafe bei mir, während Sie fort sind.« Er wird mit solcher Leichtigkeit verstanden, dass sich der König entspannt, seine Laune wird besser. »Ich kann mich darauf verlassen, dass er sagt, was Cromwell sagen würde. Sie haben da einen guten Mann. Und es gelingt ihm besser als Ihnen, ein ernstes Gesicht zu machen. Ich sehe Sie, wenn wir im Rat sitzen, und Sie halten sich die Hand vor den Mund. Manchmal möchte ich selbst lachen, wissen Sie.« Er lässt sich in einen Sessel fallen und legt die Hände vors Gesicht, als wolle er seine Augen abschirmen. Offenbar ist der König den Tränen nahe, schon wieder. »Brandon sagt, meine Schwester stirbt. Es gibt nichts mehr, was die Ärzte noch für sie tun können. Sie wissen doch, wie blond ihr Haar einmal war, Haare wie Silber – meine Tochter hatte sie auch. Mit sieben war sie das Abbild meiner Schwester, wie eine gemalte Heilige an der Wand. Sagen Sie mir, was soll ich mit meiner Tochter machen?«

Er wartet, bis er weiß, dass es eine echte Frage ist. »Seien Sie gut zu ihr, Sir. Besänftigen Sie sie. Sie sollte nicht leiden.«

»Aber ich muss sie zum Bastard machen. Ich muss England meinen legitimen Kindern hinterlassen.«

»Das Parlament wird es tun.«

»Ja.« Er schnieft. Wischt sich die Tränen weg. »Nachdem Anne gekrönt ist. Cromwell, noch eines, und dann werden wir unser Frühstück einnehmen, denn ich bin wirklich sehr hungrig. Dieses Projekt einer Heirat für meinen Vetter Richard …«

Blitzschnell bahnen sich seine Gedanken ihren Weg durch Englands Adel. Aber nein, ihm wird klar, dass es sein Richard ist, Richard Cromwell. »Lady Carey …« Die Stimme des Königs wird weicher. »Nun, ich habe darüber nachgedacht, und ich denke, nein. Oder zumindest nicht gerade jetzt.«

Er nickt. Er versteht den Grund. Wenn Anne dahinterkommt, wird sie Gift und Galle spucken.

»Manchmal ist es ein Trost für mich«, sagt Henry, »dass ich nicht reden und reden muss. Sie wurden geboren, um mich zu verstehen. Vielleicht.«

Das ist eine Sicht ihrer Situation. Er war bereits sechs Jahre oder so in dieser Welt, bevor Henry sie betrat, Jahre, von denen er guten Gebrauch gemacht hatte. Henry nimmt seine bestickte Kappe ab, wirft sie zu Boden und fährt mit den Händen durch sein Haar. Wie Wyatts goldene Mähne wird auch sein Haar dünner und die Form seines massiven Schädels wird sichtbar. Einen Augenblick lang wirkt er wie eine geschnitzte Statue, wie eine einfachere Form seiner selbst oder seiner Vorfahren: einer aus der Rasse der Riesen, die durch Britannien zogen und keine Spuren hinterließen außer in den Träumen ihrer unbedeutenden Abkömmlinge.

Er kehrt nach Austin Friars zurück, sobald er sich davonmachen kann. Er kann doch sicher einen freien Tag nehmen? Die Menge vor seinem Tor hat sich zerstreut, weil Thurston den Leuten ein Osteressen gegeben hat. Er geht zunächst in die Küche, um seinem Mann einen Klaps auf den Kopf und ein Goldstück zu geben. »Hundert offene Mäuler, ich schwöre es«, sagt Thurston. »Und zum Abendessen sind die alle wieder hier.«

»Es ist eine Schande, dass es Bettler gibt.«

»Bettler, dass ich nicht lache! Was aus dieser Küche kommt, ist so gut, dass da draußen Ratsherren stehen. Sie ziehen sich die Kapuze über den Kopf, damit wir sie nicht erkennen. Und hier ist das Haus immer voll, ob Sie nun da sind oder nicht – ich habe Franzosen, Deutsche, ich habe Florentiner, und die behaupten alle, Sie zu kennen, und alle wollen sie ein Essen nach ihrem Geschmack. Und hier unten habe ich ihre Diener, die eine Prise von dem, eine Spur von jenem verlangen. Wir müssen weniger Leute füttern oder noch eine Küche bauen.«

»Ich werde mich darum kümmern.«

»Master Rafe sagt, dass Sie für den Tower einen ganzen Steinbruch in der Normandie aufgekauft haben. Er sagt, alles ist unterhöhlt und die Franzosen plumpsen in die Löcher im Boden.«

So schöner Stein. Die Farbe von Butter. Vierhundert Männer auf der Lohnliste, und jeder, der herumsteht, wird umgehend zu den Bauarbeiten in Austin Friars verlegt. »Thurston, lassen Sie niemanden irgendwelche Prisen oder dergleichen in unser Essen tun.« Er denkt, so ist Bischof Fisher beinahe gestorben, außer es war doch eine Brühe, die nicht genügend gekocht war. An Thurstons Brühe ist nie etwas auszusetzen. Er geht hinüber und inspiziert, wie sie vor sich hinkocht. »Wo ist Richard, wissen Sie das?«

»Hackt Zwiebeln auf der Hintertreppe. Ach, Sie meinen Master Richard? Der ist oben. Er isst. Wo sonst?«

Er geht nach oben. Die Ostereier, sieht er, tragen seine eigenen unverkennbaren Gesichtszüge. Jo hat seine Kopfbedeckung und die Haare in einem Stück gemalt, sodass er eine Kappe mit Ohrenschützern zu tragen scheint. Sie hat ihm ein mindestens zweifaches Kinn gegeben. »Aber es stimmt«, sagt Gregory, »du bist etwas fülliger geworden. Als Stephen Vaughan hier war, konnte er es kaum glauben.«

»Mein Herr, der Kardinal, nahm zu wie der Mond«, sagt er. »Warum, ist ein Geheimnis, denn kaum hatte er sich zum Essen hingesetzt, sprang er auf, um sich um etwas Dringliches zu kümmern, und selbst wenn er bei Tisch war, aß er kaum, weil er so viel zu sagen hatte. Ich bemitleide mich selbst. Ich habe seit gestern Abend kein Brot gebrochen.« Er bricht es und sagt: »Hans will mich malen.«

»Hoffentlich ist er gut zu Fuß«, sagt Richard.

»Richard …«

»Essen Sie Ihr Mittagessen.«

»Mein Frühstück. Nein, es ist egal. Komm mit.«

»Der glückliche Bräutigam«, spottet Gregory.

»Du«, droht ihm sein Vater, »gehst mit Rowland Lee in den Norden. Wenn du glaubst, ich bin ein strenger Mann, warte ab, bis du Rowland kennenlernst.«

In seinem Büro sagt er: »Was macht dein Training auf dem Turnierplatz?«

»Es macht sich gut. Die Cromwells werden alle Konkurrenten abwerfen.«

Er hat Angst um seinen Sohn – dass er fallen könnte, dass er verstümmelt, getötet wird. Er hat auch Angst um Richard; diese Jungen sind die Hoffnung seines Hauses. Richard sagt: »Bin ich es? Der glückliche Bräutigam?«

»Der König sagt nein. Es ist nicht wegen meiner Familie oder deiner Familie – er nennt dich seinen Vetter. Er ist … im Augenblick ist seine Einstellung uns gegenüber hervorragend, würde ich sagen. Aber er braucht Mary für sich selbst. Das Kind wird im Spätsommer kommen, und er hat Angst, Anne anzurühren. Er möchte jedoch sein enthaltsames Leben nicht wieder aufnehmen.«

Richard sieht auf. »Das hat er gesagt?«

»Er gab es mir zu verstehen. Und so, wie ich es verstehe, übermittle ich es dir, und wir sind beide erstaunt, kommen aber darüber hinweg.«

»Ich vermute, wenn sich die Schwestern ähnlicher wären, könnte man beginnen, es zu verstehen.«

»Ich vermute«, sagt er, »das könnte man.«

»Und er ist das Oberhaupt unserer Kirche. Kein Wunder, dass die Ausländer lachen.«

»Würde er in seinem Privatleben ein vorbildliches Verhalten zeigen, wäre man … überrascht … aber was mich betrifft, verstehst du, so kann ich mich nur mit seinem Königtum befassen. Wenn er das Land unterdrücken würde, sich über das Parlament hinwegsetzen würde, wenn er dem Unterhaus keine Beachtung schenken und ganz allein herrschen würde … Aber das tut er nicht … und deshalb darf es mich nichts angehen, wie er seine Frauen behandelt.«

»Aber wenn er nicht König wäre …«

»Oh, da stimme ich dir zu. Man würde ihn einsperren. Aber andererseits, Richard, lass Mary beiseite, und er hat sich einigermaßen gut benommen. Er hat keine ganze Kinderstube mit Bastarden gefüllt, wie es die schottischen Könige tun. Es hat Frauen gegeben, aber wer kennt ihre Namen? Man weiß nur von Richmonds Mutter und den Boleyns. Er war diskret.«

»Ich wage zu behaupten, dass Katherine ihre Namen kannte.«

»Wer kann von sich selbst sagen, ob er ein treuer Ehemann sein wird? Und du, wirst du es sein?«

»Ich bekomme vielleicht gar nicht die Gelegenheit.«

»Im Gegenteil, ich habe eine Frau für dich. Thomas Murfyns Mädchen? Die Tochter eines Bürgermeisters ist keine schlechte Partie. Und dein Vermögen wird ihrem mehr als gleichkommen, dafür sorge ich. Und Frances mag dich. Ich weiß das, weil ich sie gefragt habe.«

»Sie haben meine Frau gefragt, ob sie mich heiraten will?«

»Ich war gestern zum Essen dort – hat keinen Sinn, es rauszuzögern, richtig?«

»Nein, eigentlich nicht.« Richard lacht. Er streckt sich auf seinem Stuhl. Seinen Körper – den tüchtigen, bewundernswerten Körper, der den König so beeindruckt hat – durchflutet Erleichterung. »Frances. Gut. Ich mag Frances.«

Mercy heißt es gut. Nicht auszudenken, wie sie Lady Carey aufgenommen hätte; er hat das Thema bei den Frauen nicht angeschnitten. Sie sagt: »Du solltest auch recht bald eine Ehe für Gregory arrangieren. Er ist sehr jung, ich weiß. Aber einige Männer werden nie erwachsen, bis sie nicht einen eigenen Sohn haben.«

Daran hat er noch nicht gedacht, aber es könnte wahr sein. Wenn es stimmt, besteht Hoffnung für das Königreich England.

Zwei Tage später ist er wieder beim Tower. Die Zeit vergeht schnell zwischen Ostern und Pfingsten, und dann wird Anne gekrönt werden. Er besichtigt ihre neuen Gemächer und lässt Kohlebecken bringen, damit der Putz schneller trocknet. Er möchte mit den Fresken vorankommen – er wünschte, Hans würde kommen, aber Hans malt de Dinteville und sagt, er muss sich sputen, weil der Botschafter König François ersucht, ihn zurückzurufen; mit jedem Boot geht ein jammernder Brief ab. Für die neue Königin wollen wir nicht diese Jagdszenen, die man überall sieht, und auch keine grimmigen heiligen Jungfrauen mit den Instrumenten ihrer Folter, sondern Göttinnen, Tauben, weiße Falken, grüne Blätterdächer. In der Ferne Städte auf Hügeln: im Vordergrund Tempel, Haine, gefallene Säulen und heiße blaue Himmel, wie durch einen Rahmen begrenzt von Bordüren in vitruvischen Farben, Quecksilber und Zinnober, gebranntes Ocker, Malachit, Indigo und Violett. Er entrollt die Skizzen, die die Handwerker gemacht haben. Minervas Eule breitet ihre Flügel auf einem Paneel aus. Eine barfüßige Diana legt einen Pfeil in ihren Bogen. Eine weiße Hirschkuh steht zwischen den Bäumen und beobachtet sie. Er schreibt eine Anweisung für den Vorarbeiter: *Der Pfeil soll in Gold hervorgehoben werden. Alle Göttinnen haben dunkle Augen.* Wie eine Flügelspitze aus dem Dunkeln streift ihn die Furcht: und wenn Anne stirbt? Henry wird eine andere Frau wollen. Er wird sie in diese Räume bringen. Ihre Augen könnten blau sein. Wir werden die Gesichter abtragen und neu malen müssen, im Hintergrund dieselben Städte, dieselben violetten Hügel.

Draußen bleibt er stehen, um einen Kampf zu beobachten. Ein Steinmetz und der Vorarbeiter der Maurer prügeln sich mit Latten. Er steht im Kreis bei den Männern mit der Traufel. »Worum geht es?«

»Nix. Steinmetze und Maurer bekämpfen sich eben.«

»Wie Lancaster und York?«

»Genau so.«

»Haben Sie je von dem Feld gehört, das Towton heißt? Der König sagt mir, dass dort mehr als zwanzigtausend Engländer gestorben sind.«

Der Mann starrt ihn mit offenem Mund an. »Gegen wen haben die gekämpft?«

»Gegeneinander.«

Es war Palmsonntag, das Jahr 1461. Die Armeen zweier Könige trafen im Schneetreiben aufeinander. König Edward, der Großvater des Königs, war der Sieger, sofern man sagen kann, dass es einen Sieger gab. Leichen bildeten eine schaukelnde Brücke über den Fluss. Unzählige Männer krochen davon, sie fielen und wälzten sich im eigenen Blut: einige erblindet, einige entstellt, einige lebenslang zum Krüppel gemacht.

Das Kind in Annes Leib ist die Garantie gegen weiteren Bürgerkrieg. Er ist der Beginn, der Anfang von etwas, das Versprechen eines anderen Landes.

Er geht zwischen die Kämpfer. Er bellt sie an, dass sie aufhören sollen. Er gibt beiden einen Schubs und sie kippen nach hinten: zwei morsche Engländer mit zerbrechlichen Knochen und kreidigen Zähnen. Die Sieger von Azincourt. Er ist froh, dass Chapuys nicht da ist, um das zu sehen.

Die Bäume stehen in vollem Laub, als er in inoffizieller Mission mit kleinem Gefolge nach Bedfordshire reitet. Christophe reitet neben ihm und lässt ihm keine Ruhe: Sie haben gesagt, dass Sie mir erzählen, wer Cicero ist und wer Reginald Pole ist.

»Cicero war ein Römer.«

»Ein General?«

»Nein, das hat er anderen überlassen. Wie ich es zum Beispiel Norfolk überlassen könnte.«

»Oh, Norferk.« Christophe unterwirft den Herzog seiner seltsamen Aussprache. »Das ist einer, der auf Ihren Schatten pisst.«

»Du meine Güte, Christophe! Ich habe allerdings schon gehört, dass jemand einen Schatten anspuckt.«

»Ja, aber wir sprechen von Norferk. Und Cicero?«

»Wir Anwälte versuchen, all seine Reden auswendig zu lernen. Wenn irgendein Mann heutzutage mit Ciceros gesamter Weisheit im Kopf herumlaufen würde, wäre er …« Was wäre er? »Cicero wäre auf der Seite des Königs«, sagt er.

Christophe ist nicht sehr beeindruckt. »Pole, ist der General?«

»Priester. Das stimmt nicht ganz … Er hat Ämter in der Kirche, aber er ist nicht geweiht.«

»Warum nicht?«

»Zweifellos, damit er heiraten kann. Es ist sein Blut, das ihn gefährlich macht. Er ist ein Plantagenet. Seine Brüder sind hier in diesem Königreich, und wir haben sie im Blick. Aber Reginald ist im Ausland, und wir befürchten, dass er sich mit dem Kaiser verschwört.«

»Schicken Sie jemanden, der ihn tötet. Ich mach das.«

»Nein, Christophe, ich brauche dich, damit der Regen meine Hüte nicht ruiniert.«

»Wie Sie meinen.« Christophe zuckt mit den Schultern. »Aber ich töte einen Pole, wenn Sie wollen. Wird mir eine Freude sein.«

Das Herrenhaus in Ampthill, einst befestigt, hat luftige Türme und ein großartiges Pförtnerhaus. Es steht auf einem Hügel mit Ausblick auf bewaldete Landschaft; es ist ein hübscher Sitz, die Art von Haus, die man nach einer Krankheit aufsuchen würde, wenn man wieder zu Kräften kommen will. Es wurde mit Geld gebaut, das in den französischen Kriegen verdient wurde, in jenen Tagen, als die Engländer sie noch gewannen.

Im Einklang mit Katherines neuem Status als verwitwete Prinzessin von Wales hat Henry ihren Haushalt beschnitten, trotzdem ist sie immer noch umgeben von Kaplänen und Beichtvätern, von Haushaltsbeamten mit ihrem eigenen Stab von Untergebenen, von Butlern und Tranchierern, Ärzten, Köchen, Küchenjungen, Mälzern, Harfenisten, Lautenspielern, Geflügelhütern, Gärtnern, Wäscherinnen, Apothekern und einem Gefolge von Damen für ihre Garderobe, Damen für ihr Schlafgemach und deren Dienstmädchen. Aber als er hineingeführt wird, bedeutet sie ihren Damen durch ein Kopfnicken, sich zurückzuziehen. Keiner hat ihr gesagt, dass er kommen würde, sie muss also Spione auf der Straße haben. Daher der nonchalante Anschein von Beschäftigung: ein Gebetbuch in ihrem Schoß und eine Näharbeit. Er kniet vor ihr nieder und weist mit einem Nicken auf diese Gegenstände. »Sicher doch nur das eine oder das andere, Madam?«

»Soll es heute Englisch sein? Stehen Sie auf, Cromwell. Wir werden unsere Zeit nicht wie bei unserem letzten Gespräch durch die Wahl einer Sprache verschwenden. Inzwischen sind Sie ja ein dermaßen vielbeschäftigter Mann.«

Nach Beendigung der Formalitäten sagt sie: »Zunächst einmal. Ich erscheine nicht vor Ihrem Gericht in Dunstable. Sie sind gekommen, um das herauszufinden, so ist es doch? Ich erkenne dieses Gericht nicht an. Mein Fall liegt in Rom und wartet darauf, vom Heiligen Vater behandelt zu werden.«

»Er nimmt sich Zeit, nicht wahr?« Er schenkt ihr ein verwirrtes Lächeln.

»Ich werde warten.«

»Aber der König möchte seine Angelegenheiten regeln.«

»Er hat einen Mann, der das tun wird. Ich nenne ihn nicht Erzbischof.«

»Clemens hat die Bullen ausgestellt.«

»Clemens wurde getäuscht. Dr Cranmer ist ein Häretiker.«

»Vielleicht glauben Sie, dass der König ein Häretiker ist?«

»Nein. Nur ein Schismatiker.«

»Wenn ein allgemeines Konzil einberufen werden sollte, würde sich Seine Majestät seinem Urteil unterwerfen.«

»Es wird zu spät sein, wenn er exkommuniziert ist und von der Kirche ausgeschlossen wurde.«

»Wir alle hoffen – ich bin sicher, auch Sie, Madam –, dass dieser Tag nie kommen wird.«

»*Nulla salus extra ecclesiam.* Außerhalb der Kirche gibt es kein Heil. Selbst Könige werden gerichtet. Henry weiß das, und er hat Angst.«

»Madam, geben Sie ihm nach. Für den Augenblick. Wer weiß, was morgen ist? Zerstören Sie nicht jede Möglichkeit einer Annäherung.«

»Ich höre, dass Thomas Boleyns Tochter ein Kind erwartet.«

»In der Tat, aber ...«

Katherine müsste vor allen anderen wissen, dass dadurch nichts garantiert wird. Sie versteht, was er meint, denkt darüber nach, nickt. »Ich sehe Umstände, unter denen er vielleicht zu mir zurückkehrt. Ich hatte reichlich Gelegenheit, den Charakter dieser Dame zu studieren, und sie ist weder geduldig noch freundlich.«

Das tut nichts zur Sache, sie muss nur Glück haben. »Für den Fall, dass die beiden keine Nachkommen haben, sollten Sie an Ihre Tochter denken. Besänftigen Sie ihn, Madam. Vielleicht bestätigt er Lady Mary als Thronerbin. Wenn Sie nachgeben, wird er Ihnen jede Ehre erweisen und ein großes Anwesen anbieten.«

»Ein großes Anwesen!« Katherine steht auf. Ihre Näharbeit gleitet von ihren Röcken, das Gebetbuch prallt mit einem dicken ledernen Knall auf den Boden, und ihr silberner Fingerhut hüpft über die Dielen und rollt in eine Ecke. »Bevor Sie mir noch weitere absurde Angebote machen,

Master Cromwell, möchte ich Ihnen ein Kapitel aus meiner Geschichte anbieten. Nachdem Mylord Arthur starb, verbrachte ich fünf Jahre in Armut. Ich konnte meine Bediensteten nicht bezahlen. Wir kauften die billigsten Lebensmittel ein, die wir finden konnten, einfachste Lebensmittel, schale Lebensmittel, den Fisch von gestern – jeder kleine Kaufmann servierte besseres Essen als die Tochter Spaniens. Der verstorbene König Henry ließ mich nicht zu meinem Vater zurückkehren, weil er sagte, man schulde ihm Geld – er feilschte wie eine der Frauen an der Türschwelle, die uns schlechte Eier verkauften. Ich habe auf Gott vertraut und verzweifelte nicht, aber ich erfuhr die ganze Tiefe der Demütigung.«

»Und warum sollten Sie das noch einmal erfahren wollen?«

Sie stehen sich gegenüber. Sie funkeln sich wütend an. »Vorausgesetzt«, sagt er, »dass Demütigung alles ist, was der König beabsichtigt.«

»Sagen Sie es geradeheraus.«

»Wenn Sie des Verrats überführt werden, wird das Gesetz seinen Lauf nehmen, bei Ihnen wie bei jedem anderen Untertan. Ihr Neffe droht damit, in Ihrem Namen in unser Land einzufallen.«

»Das wird nicht geschehen. Nicht in meinem Namen.«

»Das sage ich ja immer, Madam.« Er mildert seinen Ton. »Ich sage, der Kaiser hat mit den Türken zu tun, und so gern hat er seine Tante auch wieder nicht – mit Verlaub –, dass er eine weitere Armee aufstellt. Aber andere sagen: Ach, seien Sie ruhig, Cromwell, was wissen Sie schon? Diese anderen sagen, wir müssen unsere Häfen befestigen, wir müssen Truppen ausheben, wir müssen das Land in Alarmbereitschaft versetzen. Chapuys, wie Sie wissen, setzt sich ständig bei Karl dafür ein, dass eine Blockade gegen unsere Häfen verhängt wird und dass unsere Waren und Handelsschiffe im Ausland beschlagnahmt werden. In jedem Bericht an den Kaiser drängt er auf Krieg.«

»Ich habe keine Kenntnis davon, was Chapuys in seine Berichte aufnimmt.«

Das ist eine so unglaubliche Lüge, dass er sie nur bewundern kann. Nachdem Katherine sie vorgebracht hat, scheint sie geschwächt; sie sinkt in ihren Sessel zurück, und bevor er es für sie tun kann, beugt sie sich angestrengt nach unten, um ihre Näharbeit aufzuheben; ihre Finger sind geschwollen, und das Hinunterbeugen scheint ihr den Atem zu nehmen. Sie sitzt einen Moment still und erholt sich, und als sie wieder spricht, ist sie ruhig und bedächtig. »Master Cromwell, ich weiß, dass mein Versagen Sie enttäuscht hat. Das heißt, ich habe Ihr Land enttäuscht, das inzwischen auch mein Land ist. Der König war mir ein guter Ehemann, aber als Ehefrau konnte ich ihm nicht geben, was für ihn am notwendigsten war. Und dennoch war ich, bin ich, eine Ehefrau – Sie verstehen, nicht wahr, dass ich unmöglich glauben kann, zwanzig Jahre lang eine Dirne gewesen zu sein. Nun, die Wahrheit ist, dass ich England wenig Gutes getan habe, aber ich würde ihm ungern Schaden zufügen.«

»Aber das tun Sie, Madam. Sie mögen es nicht wollen, aber der Schaden ist da.«

»Mit einer Lüge ist England nicht gedient.«

»So denkt Dr Cranmer. Deshalb wird er Ihre Ehe annullieren, ob Sie vor Gericht erscheinen oder nicht.«

»Dr Cranmer wird auch exkommuniziert werden. Kommen ihm gar keine Zweifel? Ist er so weit von allem abgewichen?«

»Der Erzbischof ist der beste Hüter der Kirche, Madam, den wir in vielen Jahrhunderten hatten.« Er denkt daran, was Bainham sagte, bevor sie ihn verbrannten; in England gab es achthundert Jahre der Verwirrung und nur sechs Jahre der Wahrheit und des Lichts, sechs Jahre, seit das Evangelium auf Englisch nach und nach in das Königreich gelangte. »Cranmer ist kein Häretiker. Er glaubt, wie auch der König glaubt. Er wird das reformieren, was der Reformation bedarf, das ist alles.«

»Ich weiß, wo das enden wird. Sie nehmen der Kirche die Ländereien weg und geben sie dem König.« Sie lacht. »Oh, Sie sind stumm? Sie werden es tun. Das ist Ihre Absicht.« Sie klingt beinahe unbeschwert, wie es Menschen manchmal tun, wenn man ihnen sagt, dass sie sterben. »Master Cromwell, Sie dürfen dem König versichern, dass ich keine Armee gegen ihn aufbringen werde. Sagen Sie ihm, dass ich täglich für ihn bete. Einige Leute, solche, die ihn nicht kennen, wie ich ihn kenne, sagen: ›Ach, er wird seinen Willen durchsetzen, er wird sich seinen Wunsch um jeden Preis erfüllen.‹ Ich aber weiß, dass er auf der Seite des Lichts sein muss. Er ist kein Mann wie Sie, der einfach seine Sünden in die Satteltaschen packt und sie von Land zu Land trägt, und wenn sie zu schwer werden, pfeift er ein oder zwei Maultiere herbei, sodass er bald einen ganzen Zug und eine Truppe Maultiertreiber kommandiert. Henry mag irren, aber er braucht die Vergebung. Und deshalb glaube ich und werde auch weiterhin glauben, dass er diesen Irrweg verlässt, um im Frieden mit sich selbst zu sein. Und Frieden wünschen wir uns alle, dessen bin ich mir sicher.«

»An welch friedfertiges Ende Sie kommen, Madam. ›Frieden wünschen wir uns alle.‹ Wie eine Äbtissin. Sind Sie übrigens ganz sicher, dass Sie nicht in Erwägung ziehen würden, Äbtissin zu werden?«

Ein Lächeln. Ein recht breites Lächeln. »Es wird mir leid tun, wenn ich Sie nicht mehr sehe. Sie sind so viel schlagfertiger als die Herzöge.«

»Die Herzöge werden wiederkommen.«

»Ich bin gewappnet. Gibt es Nachrichten von Mylady Suffolk?«

»Der König sagt, sie liegt im Sterben. Brandon ist ganz mutlos geworden.«

»Das glaube ich gern«, murmelt sie. »Ihr Einkommen als Königinwitwe von Frankreich stirbt mit ihr, und das ist der größere Teil seiner Einkünfte. Aber Sie werden ihm zweifellos ein Darlehen vermitteln. Zu einem ungeheuerlichen Zinssatz.« Sie sieht auf. »Meine Tochter wird sich freuen zu hören, dass ich Sie gesehen habe. Sie meint, Sie waren freundlich zu ihr.«

Er weiß nur, dass er ihr einen Hocker zum Sitzen gegeben hat. Ihr Leben muss trostlos sein, wenn sie sich daran noch erinnert.

»Eigentlich hätte sie stehen bleiben und ein Zeichen von mir abwarten sollen.«

Ihre eigene schmerzgeplagte kleine Tochter. Sie lächelt vielleicht, gibt aber keinen Zollbreit nach. Julius Caesar hätte mehr Skrupel gehabt. Hannibal.

»Sagen Sie«, sagt sie, das Terrain sondierend. »Der König, würde er einen Brief von mir lesen?«

Henry hat angefangen, ihre Briefe ungelesen zu zerreißen oder zu verbrennen. Er sagt, sie ekeln ihn an mit ihren Beteuerungen der Liebe. Aber er hat nicht den Mut, ihr das zu erzählen. »Dann verweilen Sie noch eine Stunde«, sagt sie, »während ich den Brief schreibe. Es sei denn, Sie bleiben die Nacht über hier. Ich wäre froh, Gesellschaft beim Abendessen zu haben.«

»Ich danke Ihnen, aber ich muss mich auf den Rückweg machen, der Rat trifft sich morgen. Und außerdem, wenn ich hier bleibe, wo soll ich meine Maultiere unterbringen? Ganz zu schweigen von der Mannschaft der Treiber.«

»Oh, die Ställe sind halb leer. Der König stellt sicher, dass ich zu wenig Pferde habe. Er glaubt, dass ich meinem Haushalt entwischen, zur Küste reiten und auf einem Schiff nach Flandern fliehen würde.«

»Und ist das Ihre Absicht?«

Er hat ihren Fingerhut geholt; er gibt ihn zurück; sie lässt ihn in ihrer Hand hüpfen wie einen Würfel, den sie werfen will.

»Nein. Ich bleibe hier. Oder gehe dorthin, wohin man mich schickt. Wie der König befiehlt. Wie es eine Ehefrau sollte.«

Bis zu seiner Exkommunikation, denkt er. Das wird dich von allen Verpflichtungen entbinden, als Ehefrau, als Untertanin. »Das gehört auch Ihnen«, sagt er. Er öffnet die Hand; auf der Handfläche liegt eine Nadel, die Spitze zeigt auf sie.

In der Stadt wird erzählt, Thomas More sei verarmt. Er lacht mit Sekretär Gardiner darüber. »Alice war eine reiche Witwe, als er sie heiratete«, sagt Gardiner. »Und er hat eigenes Land; wie kann er da arm sein? Und die Töchter, er hat sie gut verheiratet.«

»Und er hat immer noch seine Pension vom König.« Er sieht Papiere für Stephen durch, der sich darauf vorbereitet, als leitender Anwalt für Henry in Dunstable aufzutreten. Die Aussagen der Verhandlung in Blackfriars sind alle zu den Akten gelegt worden, und all das scheint in einem anderen Zeitalter geschehen zu sein.

»Die Engel mögen uns schützen«, sagt Gardiner, »gibt es irgendetwas, das Sie nicht ablegen?«

»Wenn wir uns bis zum Grund dieser Truhe durcharbeiten, finde ich die Liebesbriefe Ihres Vaters an Ihre Mutter.« Er bläst den Staub vom letzten Bündel. »Hier, bitte.« Die Papiere landen auf dem Tisch. »Stephen, was können wir für John Frith tun? Er war Ihr Schüler in Cambridge. Lassen Sie ihn nicht im Stich.«

Aber Gardiner schüttelt den Kopf und beschäftigt sich mit den Dokumenten, blättert sie durch, summt leise vor sich hin, ruft aus: »Nun, wer hätte das gedacht!« und »Das ist ein wirklich guter Punkt!«

Er nimmt ein Boot nach Chelsea. Der Ex-Kanzler sitzt bequem in seinem Salon, Tochter Margaret übersetzt mit monotoner Stimme und kaum hörbar aus dem Griechischen; als er sich nähert, hört er, wie ihr Vater sie auf einen Fehler aufmerksam macht. »Lass uns allein, Tochter«, sagt More, als er ihn sieht. »Ich möchte nicht, dass du dich in der Gesellschaft dieses Teufels aufhältst.« Aber Margaret sieht auf und lächelt, und More erhebt sich von seinem Sessel, ein wenig steif, als schmerze ihn sein Rücken, und bietet ihm die Hand an.

Reginald Pole, der in Italien lauert, sagt, dass er ein Teufel ist. Der Witz ist, er meint es so; bei ihm ist es kein Bild wie in einer Geschichte, sondern etwas, das er für wahr hält, so wie er, Cromwell, das Evangelium für wahr hält.

»Nun«, sagt er. »Wir hören, dass Sie nicht zu der Krönung kommen, weil Sie sich keinen neuen Mantel leisten können. Der Bischof von Winchester wird Ihnen persönlich einen kaufen, wenn Sie sich an dem Tag zeigen.«

»Stephen? Das will er?«

»Ich schwöre es.« Der Gedanke, nach London zurückzukehren und Gardiner um zehn Pfund zu bitten, macht ihm große Freude. »Oder die Gilden machen eine Sammlung; wenn Sie wollen, auch für einen neuen Hut und ein Wams.«

»Und wie werden Sie erscheinen?«, fragt Margaret sanft, als wäre sie gebeten worden, für den Nachmittag auf zwei Kinder aufzupassen.

»Es wird etwas für mich angefertigt. Ich überlasse es anderen. Solange ich vermeiden kann, Belustigung hervorzurufen, genügt mir das.«

Anne hat gesagt: Kleiden Sie sich an meinem Krönungstag nicht wie ein Anwalt. Sie hat Jane Rochford zugerufen: Thomas muss in Purpurrot erscheinen. Jane Rochford hat das notiert wie ein Schreiber. »Mistress Roper«, sagt er, »sind Sie nicht neugierig auf die Krönung der Königin?«

Ihr Vater mischt sich ein und lässt sie nicht zu Wort kommen: »Für Englands Frauen ist es ein Tag der Schande. Auf den Straßen hört man sie sagen: Wenn der Kaiser kommt, werden Ehefrauen wieder Rechte haben.«

»Vater, ich bin mir ganz sicher, dass sie es nicht in Master Cromwells Hörweite sagen.«

Er seufzt. Es ist nicht viel, wenn man weiß, dass man alle fröhlichen jungen Huren auf seiner Seite hat. All die ausgehaltenen Frauen und die ausgerissenen Töchter. Jetzt allerdings, da sie verheiratet ist, macht sich Anne zum Vorbild. Schon hat sie Mary Shelton einen Klaps gegeben, erzählt ihm Lady Carey, weil sie ein Rätsel in ihr Gebetbuch geschrieben hat, und es war nicht einmal unanständig. Die Königin sitzt sehr aufrecht dieser Tage, das Kind bewegt sich in ihrem Bauch, sie hält die Handarbeit in der Hand, und wenn Norris und Weston und ihre noblen Freunde in ihre Gemächer schwärmen, wenn sie ihr Komplimente zu Füßen legen, sieht sie sie an, als würden sie Spinnen an ihrem Rocksaum aussetzen. Wenn man sich ihr nicht mit einem Wort aus der Bibel auf den Lippen nähert, ist es besser, sich ihr überhaupt nicht zu nähern.

Er sagt: »War die Magd noch einmal hier bei Ihnen? Die Prophetin?«

»Ja, das war sie«, sagt Meg, »aber wir haben sie nicht empfangen.«

»Ich glaube, Sie hat Lady Exeter aufgesucht. Auf deren Einladung hin.«

»Lady Exeter ist eine törichte und ehrgeizige Frau«, sagt More.

»Wie ich höre, hat die Magd ihr gesagt, sie würde Königin von England werden.«

»Ich wiederhole meinen Kommentar.«

»Glauben Sie an ihre Visionen? Soll heißen an deren Heiligkeit?«

»Nein. Ich glaube, sie ist eine Schwindlerin. Sie macht es, um Aufmerksamkeit zu erregen.«

»Nur deswegen?«

»Sie wissen nicht, was junge Frauen alles anstellen. Ich habe ein Haus voller Töchter.«

Er zögert. »Sie sind gesegnet.«

Meg blickt auf; sie erinnert sich an seine Verluste, obwohl sie nie Anne Cromwells Frage gehört hat: Warum sollte mich Mistress More an Bildung übertreffen? Sie sagt: »Es gab schon vorher heilige Mägde. Eine in Ipswich. Ein kleines Mädchen von nur zwölf Jahren. Sie kam aus guter Familie, es heißt, sie hat Wunder gewirkt und nichts daraus gewonnen, keinen persönlichen Profit, und sie starb jung.«

»Aber dann gab es die Magd von Leominster«, sagt More mit düsterer Befriedigung. »Es wird erzählt, dass sie jetzt Hure in Calais ist und nach dem Essen mit ihren Kunden über die Tricks lacht, mit denen sie die gläubigen Menschen getäuscht hat.«

Also mag More keine heiligen Mägde. Aber Bischof Fisher tut das. Er hat die Prophetin oft gesehen. Er hat Umgang mit ihr. Als nehme er ihm die Worte aus dem Mund, sagt More: »Fisher hat natürlich seine eigenen Ansichten.«

»Fisher glaubt, sie hat Tote auferweckt.« More zieht eine Augenbraue in die Höhe. »Aber nur so lange, wie es dauerte, bis die betreffende Leiche ihre Beichte abgelegt und Absolution erhalten hatte. Und dann fiel sie um und war wieder tot.«

More lächelt. »Ach, diese Art von Wunder.«

»Vielleicht ist sie eine Hexe«, sagt Meg. »Glauben Sie das? Es gibt Hexen in der Schrift. Ich könnte Stellen anführen.«

Bitte nicht. More sagt: »Meg, habe ich dir gezeigt, wo ich den Brief hingelegt habe?« Sie steht auf, markiert mit einem Faden ihre Stelle in dem griechischen Text. »Ich habe dieser Magd geschrieben, Barton ... Dame Elizabeth, wie wir sie jetzt nennen müssen, da sie Nonne ist und ihr Gelübde abgelegt hat. Ich habe ihr geraten, das Königreich in Ruhe zu lassen und damit aufzuhören, den König mit ihren Prophezeiungen zu quälen, die Gesellschaft wichtiger Männer und Frauen zu meiden, auf ihre geistlichen Ratgeber zu hören, kurz gesagt, zu Hause zu bleiben und zu beten.«

»Wie wir es alle sollten, Sir Thomas. Ihrem Beispiel folgend.« Er nickt energisch. »Amen. Und ich nehme an, Sie haben eine Kopie?«

»Hol sie, Meg. Sonst geht er vielleicht nie.«

More gibt seiner Tochter ein paar schnelle Anweisungen. Sie genügen, um ihn davon zu überzeugen, dass More ihr nicht befiehlt, einen solchen Brief auf der Stelle zu fabrizieren. »Ich würde schon rechtzeitig gehen«, sagt er. »Ich will die Krönung nicht verpassen. Ich muss doch meine neuen Kleider tragen. Wollen Sie nicht kommen und uns Gesellschaft leisten?«

»Sie und die anderen werden sich selbst Gesellschaft genug sein – in der Hölle.«

Das ist es, was man vergisst, seine Vehemenz; seine Fähigkeit, böse Witze zu machen, aber selbst keine vertragen zu können.

»Die Königin sieht gut aus«, sagt er. »Ihre Königin, meine ich, nicht meine. Es scheint ihr in Ampthill sehr gut zu gehen. Aber das wissen Sie natürlich.«

More sagt, ohne mit der Wimper zu zucken: Ich korrespondiere nicht mit der ... mit der Prinzessinnenwitwe. Gut, erwidert er, denn ich lasse zwei Mönche beobachten, die ihre Briefe auf den Kontinent befördert haben – und ich beginne zu glauben, dass der gesamte Orden der Franziskaner gegen den König arbeitet. Wenn ich sie festnehme und nicht dazu überreden kann – und Sie wissen, dass ich sehr überzeugend bin –, meinen Verdacht zu bestätigen, muss ich sie vielleicht an den Handgelenken aufhängen und sie eine Art Wettkampf antreten lassen, welcher von ihnen als Erster zur Einsicht gelangt. Natürlich würde es mir mehr liegen, sie mit nach Hause zu nehmen, ihnen zu essen zu geben und sie mit starken Getränken abzufüllen, aber andererseits, Sir Thomas, habe ich immer zu Ihnen aufgeblickt, und Sie sind bei diesem Vorgehen mein Lehrmeister gewesen.

Er muss alles sagen, bevor Margaret Roper zurückkommt. Er klopft mit den Fingern auf den Tisch, um More dazu zu bringen, sich aufzusetzen und aufzupassen. John Frith, sagt er. Bitten Sie darum, Henry sehen zu dürfen. Er wird Sie wie ein verlorenes Kind willkommen heißen. Sprechen Sie mit ihm und bitten Sie ihn, Frith persönlich zu treffen. Ich verlange nicht von Ihnen, dass Sie mit John übereinstimmen – Sie halten ihn für einen Häretiker, vielleicht ist er ein Häretiker –, ich bitte Sie nur, eines einzuräumen und dies auch dem König zu sagen, nämlich dass Frith eine reine Seele ist, ein hervorragender Gelehrter, und deshalb sollte man ihn leben lassen. Wenn seine Lehre falsch ist und Ihre wahr, können Sie ihn zurückgewinnen, Sie sind ein eloquenter Mann, Sie sind der große Überredungskünstler unseres Zeitalters, nicht ich – bringen Sie ihn mit Worten zurück nach Rom, wenn Sie das können. Aber wenn er stirbt, werden Sie nie erfahren, ob Sie seine Seele hätten gewinnen können, habe ich recht?«

Margarets Schritte. »Ist es das, Vater?«

»Gib es ihm.«

»Es gibt Kopien der Kopie, vermute ich?«

»Es wird Sie sicher nicht wundern«, sagt das Mädchen, »dass wir sehr sorgfältig sind.«

»Ihr Vater und ich haben gerade über Mönche und Ordensbrüder diskutiert. Wie können sie dem König gute Untertanen sein, wenn sie den Oberhäuptern ihrer Orden Treue schulden und diese sich in anderen Ländern befinden und selbst Untertanen vielleicht des Königs von Frankreich oder des Kaisers sind?«

»Ich vermute, sie sind immer noch Engländer.«

»Ich treffe allerdings wenige, die sich so verhalten. Ihr Vater wird meine Ansicht weiter ausführen.« Er verbeugt sich vor ihr. Er nimmt Mores Hand und hält ihre beweglichen Sehnen in seiner Handfläche. Narben verschwinden, es ist ganz erstaunlich, und jetzt ist seine eigene Hand weiß, die Hand eines Gentleman, das Fleisch liegt leicht auf den Gelenken, obwohl er einmal glaubte, sie würden nie verblassen, die Brandnarben, die Streifen, die sich jeder Schmied bei der Ausübung seines Gewerbes zuzieht.

Er geht nach Hause. Helen Barre empfängt ihn. »Ich war angeln«, sagt er. »In Chelsea.«

»Haben Sie More gefangen?«

»Nicht heute.«

»Ihre Gewänder sind gekommen.«

»Ja?«

»Purpurrot.«

»Guter Gott.« Er lacht. »Helen ...« Sie sieht ihn an; sie scheint zu warten. »Ich habe Ihren Mann nicht gefunden.«

Sie hat die Hände in die Tasche ihrer Schürze gesteckt. Sie bewegt sie, als ob sie etwas hielte; er sieht, dass eine Hand die andere umklammert. »Sie nehmen an, dass er tot ist?«

»Es wäre vernünftig, das anzunehmen. Ich habe mit dem Mann gesprochen, der gesehen hat, wie er in den Fluss fiel. Er scheint ein guter Zeuge zu sein.«

»Also könnte ich wieder heiraten. Wenn irgendjemand mich will.«

Helens Blick liegt auf seinem Gesicht. Sie sagt nichts. Steht nur da. Der Augenblick scheint lange zu dauern. Dann: »Was ist mit unserem Bild passiert? Das mit dem Mann, der sein Herz in der Hand hält, das wie ein Buch geformt ist. Oder meine ich sein Buch, das wie ein Herz geformt ist?«

»Ich habe es einem Genueser geschenkt.«

»Warum?«

»Ich musste für einen Erzbischof bezahlen.«

Sie bewegt sich, zögernd, langsam. Mit Mühe nimmt sie die Augen von seinem Gesicht. »Hans ist da. Er hat auf Sie gewartet. Er ist böse. Er sagt, Zeit ist Geld.«

Hans hat sich freigenommen von seinen Vorbereitungen für die Krönung. Er baut ein lebendes Modell des Berges Parnass auf der Gracechurch Street, und heute muss er mit den neun Musen ihre Schritte proben, sodass es ihm nicht gefällt, dass Thomas Cromwell ihn warten lässt. Er poltert im Nebenzimmer herum. Anscheinend schiebt er die Möbel hin und her.

Sie bringen Frith zum Palast des Erzbischofs in Croydon, damit Cranmer ihn examinieren kann. Der neue Erzbischof hätte ihn in Lambeth sehen können; aber der Weg nach Croydon ist länger und führt durch die Wälder. In den Tiefen dieser Wälder, sagen sie zu ihm, wäre es wirklich schlecht für uns, wenn Sie uns entwischen würden. Sehen Sie mal, wie dicht die Bäume auf der Seite von Wandsworth stehen. Darin könnte man eine Armee verstecken. Wir könnten zwei Tage oder mehr damit verbringen, dort zu suchen – und wenn Sie nach Osten gingen, nach Kent und zum Fluss, wären Sie längst weg, bevor wir dort ankämen.

Aber Frith kennt seinen Weg; er geht auf seinen Tod zu. Sie stehen auf dem Pfad, pfeifen und reden über das Wetter. Einer pinkelt in aller Ruhe an einen Baum. Einer verfolgt den Flug eines Eichelhähers zwischen den Zweigen. Doch als sie sich wieder umdrehen, wartet Frith gelassen darauf, dass seine Reise weitergeht.

Vier Tage. Ein langer Zug von fünfzig Barken, ausgestattet von den Zünften der Stadt; zwei Stunden von der City bis Blackwall, die Takelage mit Glocken und Fahnen behängt; eine leichte, aber frische Brise, wie er sie in seinen Gebeten bei Gott bestellt hat. Dann fahren die Boote in umgekehrter Reihenfolge, ankern an den Stufen des Palastes von Greenwich, holen die kommende Königin in ihrer eigenen Barke ab – es ist Katherines alte Barke, neu gekennzeichnet, mit vierundzwanzig Ruderern: als Nächstes ihre Frauen, ihre Wache, die Zierden des königlichen Hofes, all die stolzen und edlen Seelen, die geschworen haben, sie würden das Ereignis sabotieren. Boote voller Musikanten, dreihundert Fahrzeuge auf dem Wasser, Banner und Wimpel flattern, Musik klingt von Ufer zu Ufer, und jedes Ufer ist gesäumt von Londonern. Flussaufwärts mit der Flut, angeführt von einem Wasserdrachen, der Feuer speit, und begleitet von wilden Männern, die Feuerwerkskörper entzünden. Seetüchtige Schiffe feuern ihre Geschütze als Salut ab.

Als sie den Tower erreichen, ist die Sonne herausgekommen. Es sieht aus, als stünde die Themse in Flammen. Henry ist schon da, um Anne zu begrüßen, als sie anlegt. Er küsst sie ohne Formalität, zieht ihr Gewand nach hinten und spannt es an den Seiten, um England ihren Bauch zu zeigen.

Als Nächstes macht Henry neue Ritter: einen Schwarm Howards und Boleyns, ihre Freunde und Gefolgsleute. Anne ruht sich aus.

Onkel Norfolk verpasst die Schau. Henry hat ihn zu König François geschickt, um die allerfreundlichste Allianz zwischen unseren beiden Königreichen zu bekräftigen. Er ist königlicher Zeremonienmeister und eigentlich für die Krönung zuständig, aber es gibt einen anderen Howard, der als Stellvertreter fungiert, und außerdem kontrolliert er, Thomas Cromwell, alles, inklusive dem Wetter.

Er hat sich mit Arthur Lord Lisle beraten, der den Vorsitz beim Krönungsbankett haben wird: Arthur Plantagenet, das liebenswürdige Relikt eines früheren Zeitalters. Er soll nach Calais gehen, sobald dies hier vorbei ist, um Lord Berners als Gouverneur nachzufolgen, und er, Cromwell, muss ihm Anweisungen geben, bevor er geht. Lisle hat ein langes, knochiges Plantagenet-Gesicht, und er ist groß wie sein Vater, König Edward, der ohne Zweifel viele Bastarde hatte, aber keinen so hervorragenden wie diesen älteren Mann, der sein knirschendes Knie in Ehrerbietung vor Boleyns Tochter beugt. Seine Frau Honor, seine zweite Frau, ist zwanzig Jahre jünger als er, klein und zart, eine Spielzeugfrau. Sie trägt lohfarbene Seide, Korallenarmbänder mit Goldherzen und einen Ausdruck wachsamer Unzufriedenheit, der an Gereiztheit grenzt. Sie mustert ihn von oben bis unten. »Ich vermute, Sie sind Cromwell?« Wenn ein Mann in diesem Ton mit dir spräche, würdest du ihn auffordern, nach draußen zu treten, und jemand anders bitten, deinen Mantel zu halten.

Tag zwei: Anne wird nach Westminster gebracht. Er ist vor dem ersten Licht auf den Beinen, er steht auf den Zinnen und sieht zu, wie sich über dem Ufer von Bermondsey dünne Wolken zerstreuen und eine frühe Kälte so klar wie Wasser von einer beständigen goldenen Hitze abgelöst wird.

Ihr Zug wird vom Gefolge des französischen Botschafters angeführt. Die Richter in Scharlachrot folgen, die Ritter vom Bathorden in altertümlich geschnittenem Blauviolett, dann die Bischöfe, Lordkanzler Audley und sein Gefolge, die großen Lords in purpurrotem Samt. Sechzehn Ritter tragen Anne in einer weißen, mit Silberglocken behängten Sänfte; bei jedem Schritt, bei jedem Atemzug läuten sie; die Königin trägt Weiß, ihr Körper schimmert in seiner fremden Haut, das Gesicht zeigt ein kontrolliertes ernstes Lächeln, ihr Haar ist offen unter einem Kranz von Edelsteinen. Nach ihr kommen Damen auf Zeltern, die mit weißem Samt geschmückt sind, und steinalte adlige Witwen in ihren Wagen, die Gesichter angesäuert.

An jeder Biegung des Weges gibt es Schauspiele und lebende Statuen, Rezitationen, die Annes Tugend preisen, Goldgeschenke aus den Schatztruhen der City und ihre Bilddevise: der gekrönte weiße Falke mit den Rosen. Unter den Schritten der kräftigen Sechzehn werden Blüten zerdrückt und zerkleinert, sodass Duft wie Rauch aufsteigt. Entlang der Strecke hängen Gobelins und Banner; er, Cromwell, hat angeordnet, dass der Boden unter den Pferdehufen mit Kies bedeckt wird, damit sie nicht ausrutschen; die Massen werden hinter Absperrungen zurückgehalten, um Krawall und Gedränge zu verhindern; jeder Polizeibeamte, den London aufzubieten hat, befindet sich in der Menge; denn wenn sich die Zuschauer später an das Ereignis erinnern und Leuten davon erzählen, die nicht dabei waren, soll niemand sagen können: Oh, Königin Annes Krönung, das war der Tag, an dem ich von einem Taschendieb bestohlen wurde. Fenchurch Street, Leadenhall, Cheapside, Paul's Churchyard, Fleet, Temple Bar, Westminster Hall. Aus so vielen Brunnen fließt Wein, dass es schwer ist, einen zu finden, aus dem Wasser fließt. Und auf all das sehen die anderen Londoner hinab: die Ungeheuer, die in der Luft leben, die ungezählten Bewohner der Stadt aus Stein; Männer und Frauen und Tiere und Wesen, die weder Mensch noch Tier sind; fliegende Hasen und solche mit Fangzähnen, vierbeinige Vögel und geflügelte Schlangen, Kobolde mit hervorquellenden Augen und Entenschnäbeln, Männer, die von Blättern umschlungen sind oder die Köpfe von Ziegen- oder Schafböcken haben; Kreaturen mit wirren Locken und Lederflügeln, mit haarigen Ohren und Pferdefüßen, gehörnt und brüllend, gefedert und geschuppt; einige lachen, einige singen, einige fletschen die Zähne; Löwen und Mönche, Esel und Gänse, Teufel mit Kindern im Maul, die sie hinunterschlingen, sodass nur noch die hilflos zappelnden Füße zu sehen sind; aus Kalkstein oder Blei, Metall oder Marmor kreischen und kichern sie über den Bewohnern der Stadt, sie johlen und grimassieren und würgen auf Stützpfeilern, Mauern und Dächern.

An diesem Abend kehrt er mit Erlaubnis des Königs nach Austin Friars zurück. Er besucht seinen Nachbarn Chapuys; dieser hat sich von den Ereignissen des Tages abgesondert, die Läden verriegelt und die Ohren gegen die Fanfaren und das zeremonielle Kanonenfeuer zugestopft. Er kommt in einer kleinen spaßhaften Prozession, die von Thurston angeführt wird, und bringt dem Botschafter Zuckerwerk, um seinen Groll zu mildern, und feinen italienischen Wein, den ihm der Herzog von Suffolk geschickt hat.

Chapuys begrüßt ihn, ohne zu lächeln. »Nun, Sie hatten Erfolg, wo der Kardinal gescheitert ist, und Henry hat endlich bekommen, was er wollte. Zu meinem Herrn, der diese Dinge unvoreingenommen betrachten kann, sage ich: Aus Henrys Sicht ist es jammerschade, dass er nicht schon vor Jahren auf Cromwell zurückgegriffen hat. Seine Angelegenheiten wären viel besser vorangegangen.« Er will gerade sagen: Der Kardinal hat mich alles gelehrt, aber Chapuys lässt ihn nicht zu Wort kommen. »Wenn der Kardinal an eine geschlossene Tür kam, hat er ihr geschmeichelt – oh, du schöne, nachgiebige Tür! Dann versuchte er trickreich, sie zu öffnen. Und Sie sind genauso, ganz genauso.« Er schenkt sich von dem Geschenk des Herzogs ein. »Aber als letzten Ausweg treten Sie sie einfach ein.«

Der Wein ist einer jener großen, edlen Weine, die Brandon schätzt, und Chapuys trinkt anerkennend und sagt: Ich verstehe es nicht, nichts verstehe ich in diesem gottverlassenen Land. Ist Cranmer jetzt Papst? Oder ist Henry Papst? Vielleicht sind Sie ja Papst? Meine Leute, die heute in der Menge standen, sagen, dass sie wenig Jubelrufe für die Konkubine gehört haben, aber viele Stimmen, die Gott anriefen, Katherine zu segnen, die rechtmäßige Königin.

Wirklich? Ich weiß ja nicht, in welcher Stadt sie waren.

Chapuys rümpft die Nase: Ist es ein Wunder? Der König hat dieser Tage nur noch Franzosen um sich, und sie, Boleyn, sie ist halb Französin und steht ganz in ihrem Dienst; François hat ihre gesamte Familie in der Tasche. Aber Sie, Thomas, Sie fallen nicht auf diese Franzosen herein, oder?

Er beruhigt ihn: Mein lieber Freund, keine Sekunde.

Chapuys weint; es sieht ihm nicht ähnlich: Es ist dem noblen Wein zuzuschreiben. »Ich habe versagt. Ich habe meinen Herrn, den Kaiser, enttäuscht. Ich habe Katherine enttäuscht.«

»Nicht so schlimm.« Er denkt: Morgen gibt es eine neue Schlacht, morgen gibt es eine neue Welt.

Er ist an der Abtei, als es dämmert. Der Zug formiert sich um sechs. Eingelassen in das bemalte Mauerwerk gibt es hinter einer Abtrennung aus Gitterwerk eine Loge, von der aus Henry die Krönung betrachten wird. Als er gegen acht Uhr den Kopf hineinsteckt, sitzt der König bereits erwartungsvoll auf einem Samtkissen, und ein kniender Diener packt sein Frühstück aus. »Der französische Botschafter wird sich zu mir gesellen«, sagt Henry; er selbst trifft diesen Herrn, als er davoneilt.

»Man hört, dass Sie gemalt wurden, Maître Cremuel. Ich bin auch gemalt worden. Haben Sie das Ergebnis gesehen?«

»Noch nicht. Hans ist so beschäftigt.« Selbst hier unter dem Fächergewölbe, an diesem schönen Morgen sieht der Botschafter bläulich aus. »Nun«, sagt er, »es scheint, dass unsere beiden Nationen mit der Krönung dieser Königin einen Zustand vollkommener Freundschaft erreicht haben. Wie soll man Vollkommenheit noch verbessern? Das frage ich Sie, Monsieur.«

Der Botschafter verbeugt sich. »Von jetzt an bergab?«

»Wir sollten es versuchen, wissen Sie. Einen Zustand der gegenseitigen Nützlichkeit zu bewahren. Wenn unsere Herrscher wieder einmal nach einander schnappen.«

»Noch ein Treffen in Calais?«

»Vielleicht in einem Jahr.«

»Nicht früher?«

»Ich werde meinen König nicht ohne guten Grund der hohen See aussetzen.«

»Wir sprechen uns, Cremuel.« Mit der flachen Hand klopft ihm der Botschafter auf die Brust, direkt über dem Herzen.

Annes Zug formiert sich um neun. Sie ist eingehüllt in violetten Samt, besetzt mit Hermelin. Auf dem blauen Tuch, das sich bis zum Altar erstreckt, hat sie siebenhundert Yards zu laufen, und ihr Gesicht ist verzückt. Weit hinter ihr die Herzoginwitwe von Norfolk, die ihre Schleppe trägt; näher bei ihr halten der Bischof von Winchester auf der einen Seite, der Bischof von London auf der anderen den Saum ihres langen Kleides. Beide, Gardiner und Stokesley, waren in der Frage der Scheidung die Männer des Königs; jetzt aber sehen sie aus, als wünschten sie sich, weit entfernt zu sein von dem lebenden Objekt seiner Wiederverheiratung, das einen feinen Schweißglanz auf der hohen Stirn hat und dessen zusammengepresste Lippen – als es schließlich den Altar erreicht – vom Gesicht verschluckt zu werden scheinen. Wer sagt, dass zwei Bischöfe ihren Saum halten sollen? Alles ist in einem großen Buch aufgeschrieben, so alt, dass man es kaum zu berühren oder über ihm zu atmen wagt; Lisle scheint es auswendig zu kennen. Vielleicht sollte es kopiert und gedruckt werden, denkt er, Cromwell.

Er macht sich in Gedanken eine Notiz, und dann konzentriert er seinen Willen auf Anne: dass Anne nicht stolpert, als sie die Knie beugt, um sich auf den Boden zu legen und mit dem Gesicht nach unten vor dem Altar zu beten, wobei ihre Damen vortreten und ihr bei den kritischen zwölf Zoll behilflich sind, bevor Bauch auf heilige Steinplatten trifft. Er stellt fest, dass er betet: Dieses Kind, dieses halb geformte Herz, das jetzt gegen den Steinboden schlägt, lass ihn durch den Moment geweiht sein, und lass ihn wie der Vater seines Vaters, wie seine Tudor-Onkel sein; lass ihn hart und aufgeweckt sein, lass ihn Chancen erkennen und noch aus der kleinsten Wendung des Schicksals seinen Nutzen pressen. Wenn Henry noch zwanzig Jahre lebt, Henry, der Wolseys Schöpfung ist, und wenn ihm dann dieses Kind nachfolgt, kann ich meinen eigenen Prinzen schaffen: zur Lobpreisung Gottes und des Staates England. Denn ich werde noch nicht zu alt dafür sein. Denk an Norfolk, er ist schon sechzig, sein Vater war siebzig, als er in Flodden kämpfte. Und ich will nicht wie Henry Wyatt sein und sagen, jetzt ziehe ich mich von den Staatsgeschäften zurück. Denn was gibt es anderes als Staatsgeschäfte?

Anne ist wieder auf den Füßen, wacklig. Cranmer, eingehüllt von einer dichten Weihrauchwolke, legt das Zepter in ihre Hand, den Elfenbeinstab, und drückt kurz die Edwardskrone auf ihren Kopf, bevor er sie durch eine leichtere, erträglichere Krone ersetzt: eine Fingerfertigkeit mit geschmeidigen Händen, als hätte er sein ganzes Leben lang Kronen ausgetauscht. Der Prälat sieht leicht aufgeregt aus. Hat ihm womöglich jemand einen Becher warme Milch angeboten?

Gesalbt, zieht sich Anna zurück, Weihrauchschwaden umgeben sie, verschlucken sie: Anna Regina begibt sich in ein Schlafgemach, das ihr zur Verfügung steht, um sich auf das Festmahl in Westminster Hall vorzubereiten. Er schiebt sich ohne Umstände durch die Würdenträger – ihr alle, ihr alle, die ihr gesagt habt, ihr würdet nicht hier sein – und erblickt Charles Brandon, Konnetabel von England, der auf seinem weißen Pferd sitzt und darauf wartet, zwischen ihnen in die Halle zu reiten. Er ist eine riesige, lodernde Erscheinung, von der er seinen Blick abwendet; auch Charles, denkt er, wird mich nicht überleben. Zurück in das Halbdunkel, auf Henry zu. Nur eines hält ihn auf: der Anblick des Saums einer scharlachroten Robe, die um eine Ecke huscht; zweifellos ist es einer der Richter, der seinem Zug entflohen ist.

Der venezianische Botschafter blockiert den Eingang zu Henrys Loge, aber der König winkt ihn zur Seite und sagt: »Cromwell, sah meine Frau nicht gut aus, sah sie nicht schön aus? Würden Sie zu ihr gehen und ihr etwas geben ...«, er sieht sich um, sucht nach einem passenden Geschenk, zerrt dann einen Diamanten von seinem Fingerknöchel, »würden Sie ihr das hier geben?« Er küsst den Ring. »Und das auch?«

»Ich werde mir Mühe geben, das Gefühl zu überbringen«, sagt er und seufzt, als wäre er Cranmer.

Der König lacht. Sein Gesicht leuchtet. »Das ist mein bester«, sagt er. »Das ist mein bester Tag.«

»Bis zur Geburt, Majestät«, sagt der Venezianer und verbeugt sich.

Es ist Mary Howard, Norfolks kleine Tochter, die ihm die Tür öffnet.

»Nein, Sie können ganz sicher nicht hereinkommen«, sagt sie. »Ganz und gar nicht. Die Königin ist unbekleidet.«

Richmond hat recht, denkt er, sie hat überhaupt keine Brüste. Trotzdem. Mit vierzehn. Ich werde diese kleine Howard bezaubern, denkt er, also bleibt er stehen, spinnt sie in Worte ein, macht ihr Komplimente für ihr Kleid und ihren Schmuck, bis er von innen eine Stimme hört, gedämpft wie eine Stimme aus dem Grab; und Mary Howard springt und sagt: Oh, in Ordnung, wenn sie es sagt, können Sie zu ihr hinein.

Die Bettvorhänge sind zugezogen. Er zieht sie zurück. Anne liegt in ihrem Hemd da. Sie sieht flach aus wie ein Geist, bis auf den schockierenden Sechsmonatshügel ihres Kindes. In ihren zeremoniellen Gewändern war ihr Zustand kaum zu sehen gewesen, und nur der heilige Moment, in dem sie mit dem Bauch auf den Steinen lag, hatte ihn in Verbindung mit ihrem Körper gebracht, der jetzt ausgestreckt daliegt wie eine Opfergabe: ihre geschwollenen Brüste unter dem Leinen, ihre nackten, angeschwollenen Füße.

»Mutter Gottes«, sagt sie. »Können Sie die Howard-Frauen nicht in Ruhe lassen? Für einen hässlichen Mann sind Sie sehr selbstsicher. Lassen Sie sich ansehen.« Sie hebt den Kopf. »Ist das Purpurrot? Es ist ein sehr schwarzes Purpurrot. Haben Sie meine Befehle missachtet?«

»Ihr Vetter Francis Bryan sagt, dass ich aussehe wie ein wandelnder Bluterguss.«

»Eine Prellung des Staatskörpers.« Jane Rochford lacht.

»Werden Sie es schaffen?«, fragt er: fast zweifelnd, fast zärtlich. »Sie sind erschöpft.«

»Ach, ich glaube, sie wird durchhalten.« In Marys Stimme ist kein schwesterlicher Stolz zu hören. »Sie wurde dafür geboren, ist es nicht so?«

Jane Seymour: »Sieht der König zu?«

»Er ist stolz auf sie.« Er spricht zu Anne, die ausgestreckt auf ihrem Katafalk liegt. »Er sagt, Sie haben niemals schöner ausgesehen. Er schickt Ihnen das hier.«

Anne gibt einen kleinen Laut von sich, ein Stöhnen, bei dem sich Dankbarkeit und Langeweile die Waage halten: oh, was, noch ein Diamant?

»Und einen Kuss, von dem ich sagte, er solle ihn lieber persönlich überbringen.«

Sie macht keine Anstalten, den Ring von ihm zu nehmen. Es ist beinahe unwiderstehlich, ihn auf ihren Bauch zu legen und zu gehen. Stattdessen übergibt er ihn ihrer Schwester. Er sagt: »Das Festmahl wird auf Sie warten, Hoheit. Kommen Sie erst, wenn Sie sich dazu bereit fühlen.«

Sie stemmt sich in die Höhe, mit einem Keuchen. »Ich komme jetzt.« Mary Howard beugt sich vor und reibt ungeübt Annes Kreuz, eine nervöse jungfräuliche Bewegung, als würde sie einen Vogel streicheln. »Ach, verschwinde«, schnappt die gesalbte Königin. Sie sieht krank aus. »Wo waren Sie gestern Abend? Ich habe Sie gebraucht. Die Straßen haben mir zugejubelt. Ich habe sie gehört. Es heißt, das Volk liebt Katherine, aber in Wirklichkeit sind es nur die Frauen, denn sie tut ihnen leid. Wir werden ihnen etwas Besseres zeigen. Sie werden mich lieben, wenn dieses Wesen erst aus mir heraus ist.«

Jane Rochford: »Oh, Madam, das Volk liebt Katherine, weil sie die Tochter von zwei gesalbten Herrschern ist. Finden Sie sich damit ab, Madam – es wird Sie nie lieben, genauso wenig wie es ... Cromwell hier liebt. Das hat nichts mit Ihren Verdiensten zu tun. Es ist eine Tatsache. Man muss ihr ins Auge sehen.«

»Vielleicht genug«, sagt Jane Seymour. Er dreht sich zu ihr um und sieht etwas Erstaunliches: Sie ist erwachsen geworden.

»Lady Carey«, sagt Jane Rochford, »wir müssen Ihre Schwester jetzt auf die Füße und in ihre Gewänder bekommen, also bringen Sie Master Cromwell hinaus und plaudern Sie mit ihm wie üblich. Heute ist kein Tag, um mit der Tradition zu brechen.«

An der Tür: »Mary?«, sagt er. Bemerkt die dunklen Flecken unter ihren Augen.

»Ja?« Ihrem Tonfall nach zu urteilen, ist es ein »Ja, was ist jetzt schon wieder?«.

»Es tut mir leid, dass die Heirat mit meinem Neffen nicht zustande gekommen ist.«

»Nicht, dass ich je gefragt wurde, natürlich nicht.« Sie lächelt gequält. »Ich werde Ihr Haus nie sehen. Und man hört so viel davon.«

»Was hören Sie?«

»Ach … von Truhen, die vor Goldstücken überquellen.«

»Das würden wir niemals zulassen. Wir würden größere Truhen beschaffen.«

»Die Leute sagen, es ist das Geld des Königs.«

»Es ist alles das Geld des Königs. Sein Bild ist darauf. Mary, sehen Sie«, er nimmt ihre Hand, »ich konnte ihm seine Neigung für Sie nicht ausreden. Er …«

»Wie heftig haben Sie sich bemüht?«

»Ich wünschte, Sie wären bei uns in Sicherheit. Obwohl es natürlich nicht die große Partie ist, die Sie als Schwester der Königin erwarten dürfen.«

»Ich bezweifle, dass es viele Schwestern gibt, die erwarten, was ich bekomme, Nacht für Nacht.«

Sie wird noch ein Kind von Henry bekommen, denkt er. Anne wird es in der Wiege erwürgen lassen. »Ihr Freund William Stafford ist am Hof. Zumindest glaube ich, dass er noch Ihr Freund ist?«

»Sie können sich sicher vorstellen, was er von meiner Situation hält. Nun, immerhin bekomme ich freundliche Worte von meinem Vater zu hören. Monseigneur stellt fest, dass er wieder Verwendung für mich hat. Gott verhüte, dass der König eine Stute aus einem anderen Stall reitet.«

»Es wird enden. Er wird Sie freigeben. Er wird Ihnen etwas zukommen lassen. Eine Pension. Ich verwende mich für Sie.«

»Bekommt ein schmutziges Geschirrtuch denn eine Pension?« Mary schwankt beim Stehen; sie scheint benommen vor Elend und Müdigkeit; große Tränen steigen in ihre Augen. Er steht da und fängt die Tränen auf, tupft sie ab, flüstert ihr zu und beruhigt sie und möchte gerne woanders sein. Als er sich befreit hat, dreht er sich noch einmal zu ihr um, sieht, wie sie niedergeschlagen in der Tür steht. Man muss etwas für sie tun, denkt er. Sie verliert ihre Schönheit.

Hoch über der Halle von Westminster sieht Henry auf einer Galerie zu, wie seine Königin ihren Ehrenplatz einnimmt, umgeben von ihren Damen: die Blume des Hofes und der Adel Englands. Der König hat sich bereits etwas früher gestärkt und nascht jetzt von einem Gewürzteller, taucht dünne Apfelscheiben in Zimt. Mit ihm auf der Galerie *encore les ambassadeurs*, Jean de Dinteville, gegen die Junikälte in Pelz gehüllt, und sein Freund, der Bischof von Lavaur, der ein feines Brokatgewand trägt.

»Alles war außerordentlich beeindruckend, Cremuel«, sagt de Selve; scharfsinnige braune Augen mustern ihn, nehmen alles wahr. Auch er nimmt alles wahr: Nähte und Polster, Besatz und Färbung; er bewundert den tiefen Maulbeerton des bischöflichen Brokats. Es heißt, diese beiden Franzosen befürworten das Evangelium, aber das reicht an François' Hof nicht weiter als bis zu einem kleinen Kreis von Gelehrten, den zu unterstützen dem französischen König aus persönlicher Eitelkeit gefällt; es ist ihm niemals ganz gelungen, seinen eigenen Thomas More, seinen eigenen Erasmus heranzuziehen, und das kränkt seinen Stolz.

»Sehen Sie auf meine Frau, die Königin.« Henry beugt sich über die Galerie. Er könnte ebenso gut unten sein. »Sie ist das Schauspiel wert, nicht wahr?«

»Ich habe alle Fenster neu verglasen lassen«, sagt er. »Damit man sie besser sieht.«

»Fiat lux«, murmelt de Selve.

»Sie hat es sehr gut gemacht«, sagt de Dinteville. »Sie muss heute Stunden auf den Beinen gewesen sein. Man kann Eurer Majestät nur dazu gratulieren, eine Königin bekommen zu haben, die so stark ist wie eine Bauersfrau. Das soll natürlich nicht respektlos sein.«

In Paris werden Lutheraner verbrannt. Er würde das gerne mit den Gesandten erörtern, aber das kann er nicht, solange der Geruch von geröstetem Schwan und Pfau nach oben steigt.

»Messieurs«, sagt er (um sie herum erhebt sich Musik wie eine seichte Flut, Silberwellen des Klangs), »kennen Sie den Mann Giulio Camillo? Ich höre, dass er am Hofe Ihres Herrn ist.«

De Selve und sein Freund tauschen Blicke aus. Das hat sie umgeworfen. »Der Mann, der die Holzkiste baut«, murmelt Jean. »Oh ja.«

»Es ist ein Theater«, sagt er.

De Selve nickt. »In dem Sie selbst das Stück sind.«

»Erasmus hat uns davon geschrieben.« Henry spricht über seine Schulter. »Er lässt die Schreiner kleine Holzregale und Schubladen machen, von denen eine in der anderen steckt. Es ist ein Erinnerungssystem für die Reden von Cicero.«

»Mit Ihrer Erlaubnis, er beabsichtigt mehr als das«, sagt er. »Es ist ein Theater nach dem alten vitruvianischen Plan. Aber es ist nicht dafür da, Stücke aufzuführen. Wie Mylord Bischof sagt, stehen Sie in seinem Zentrum. Um sie herum ist ein System des menschlichen Wissens aufgereiht. Wie eine Bibliothek, aber als wäre … können Sie sich eine Bibliothek vorstellen, in der jedes Buch ein anderes Buch enthält und darin steckt wieder ein kleineres Buch? Und doch ist es mehr als das.«

Der König steckt sich ein Stück Aniskonfekt in den Mund und zerbeißt es. »Es gibt schon jetzt zu viele Bücher auf der Welt. Jeden Tag werden es mehr. Ein einziger Mann kann sie unmöglich alle lesen.«

»Ich verstehe gar nicht, wieso Sie so viel davon wissen«, sagt de Selve. »Meine Anerkennung, Maître Cremuel. Giulio spricht nur seinen italienischen Dialekt, und selbst in dem stammelt er.«

»Wenn es Ihrem Herrn gefällt, dafür sein Geld auszugeben«, sagt Henry. »Er ist aber kein Hexenmeister, dieser Giulio, oder? Ich möchte nicht, dass François einem Hexenmeister in die Hände fällt. Übrigens, Cromwell, ich schicke Stephen wieder nach Frankreich.«

Stephen Gardiner. Also verhandeln die Franzosen nicht gerne mit Norferk. Nicht weiter überraschend. »Wird seine Mission von längerer Dauer sein?«

De Selve fängt seinen Blick auf. »Aber wer wird die Arbeit des Ersten Sekretärs machen?«

»Ach, das macht Cromwell. Sie machen das doch?« Henry lächelt.

Kaum ist er unten in der Halle angelangt, wird er schon von Master Wriothesley abgefangen. Dies ist ein großer Tag für die Herolde und die Siegelbeamten, ihre Kinder und ihre Freunde; saftige Honorare kommen auf sie zu. Das sagt er, und Nennt-mich sagt: Saftige Honorare kommen auf *Sie* zu. Vorsichtig schiebt sich Wriothesley an die Trennwände und spricht leise; das war vorauszusehen, sagt er, weil Henry sie nämlich satt hat, Winchesters zermürbende Opposition auf jedem Schritt des Weges. Er hat die Streitereien satt, und jetzt als verheirateter Mann strebt er nach ein wenig mehr *douceur*. Mit Anne?, sagt er, und Nennt-mich lacht: Sie kennen sie besser als ich; wenn sie wirklich eine Dame mit einer so scharfen Zunge ist, wie man sagt, ist sein Bedürfnis nach Ministern, die freundlich zu ihm sind, umso größer. Also sorgen Sie dafür, dass Stephen im Ausland bleibt, und zu gegebener Zeit wird er Sie auf dem Posten bestätigen.

Christophe, fein gemacht für diesen Nachmittag, drückt sich in der Nähe herum und gibt ihm Zeichen. Entschuldigen Sie mich bitte, sagt er, aber Wriothesley berührt sein purpurrotes Gewand, als würde ihm das Glück bringen, und sagt: Sie sind der Herr des Hauses und der Herr der Festlichkeiten, Sie haben das Glück des Königs möglich gemacht, Sie haben geschafft, was der Kardinal nicht vermochte, und noch viel mehr. Selbst das hier – er zeigt in die Runde, wo sich der Adel Englands, nachdem er schon seine Bedenken hinuntergeschluckt hat, jetzt durch dreiundzwanzig Gänge arbeitet – selbst dieses Fest ist hervorragend organisiert worden. Niemand muss nach etwas rufen, es steht alles vor ihm, bevor er überhaupt daran denkt.

Er neigt den Kopf, Wriothesley geht davon, und er ruft den Jungen heran. Christophe sagt: Man hat mir gesagt, in Hörweite von Nennt-mich soll ich keine vertraulichen Mitteilungen überbringen, Rafe sagt nämlich, er geht tritt-trott zu Gardineur mit allem, was er hört. Nun, Sir, ich habe eine Nachricht, Sie müssen schnell zu dem Erzbischof gehen. Wenn das Fest vorbei ist. Er wirft einen Blick auf das Podium, wo der Erzbischof neben Anne sitzt, unter ihrem Staatsbaldachin. Beide essen nicht, obwohl Anne zu essen vorgibt, beide blicken prüfend in die Halle.

»Ich gehe tritt-trott«, sagt er. Die Formulierung gefällt ihm. »Wo?«

»Seine alte Unterkunft. Er sagt, Sie wissen wo. Er möchte, dass Sie geheim kommen. Er sagt, Sie sollen keine Person mitbringen.«

»Nun, du kannst mitkommen, Christophe. Du bist keine Person.«

Der Junge grinst.

Er ist besorgt; der Gedanke an das Gelände der Abtei, an die betrunkenen Mengen in der Dämmerung behagt ihm nicht. Er braucht jemanden, der ihm Rückendeckung gibt. Leider kann ein Mann nicht zwei Vorderseiten haben.

Sie haben Cranmers Unterkunft fast erreicht, als sich die Müdigkeit auf seine Schultern legt wie ein eiserner Umhang. »Warte einen Moment«, sagt er zu Christophe. Er hat kaum geschlafen in den vergangenen Nächten. Er holt tief Luft, im Schatten; hier ist es kalt, und als er den Kreuzgang betritt, taucht er in Nacht ein. Die Fensterläden der hier liegenden Räume sind geschlossen, kein Laut dringt heraus. Nur hinter ihm auf den Straßen von Westminster: ein urtümliches Rufen wie die Schreie der Verlorenen nach einer Schlacht.

Cranmer sieht auf; er sitzt bereits an seinem Schreibtisch. »Dies sind Tage, die wir nie vergessen werden«, sagt er. »Keiner, der nicht dabei war, würde es glauben. Der König hat Sie heute in den herzlichsten Worten gepriesen. Ich denke, es war seine Absicht, dass ich Ihnen das übermittle.«

»Ich frage mich, warum ich je einen Gedanken an die Kosten der Backsteine für den Tower verschwendet habe. Das scheint jetzt ein so kleiner Posten zu sein. Und morgen das Turnier. Werden Sie dort sein? Mein Junge Richard ist für die Kämpfe zu Fuß aufgestellt, die Zweikämpfe.«

»Er wird sich durchsetzen«, erklärt Christophe. »*Peng* und der andere liegt flach, steht nie wieder auf.«

»Pst«, sagt Cranmer. »Du bist nicht hier, Kind. Cromwell, bitte.«

Cranmer öffnet eine niedrige Tür im Hintergrund der Kammer. Er, Cromwell, senkt den Kopf und erblickt im Halblicht hinter der Tür einen Tisch, einen Hocker und auf dem Hocker eine Frau, jung, ruhig, den Kopf über ein Buch gebeugt. Sie sieht auf. »Ich bitte Sie, ich brauch eine Kerze«, sagt sie auf Deutsch.

»Christophe, eine Kerze für sie.«

Das Buch, das vor ihr liegt, erkennt er; es ist ein Traktat Luthers. »Darf ich?«, sagt er und nimmt es in die Hand.

Plötzlich liest er. Seine Gedanken springen über die Zeilen. Ist sie ein Flüchtling, den Cranmer aufgenommen hat? Weiß er, was es ihn kostet, wenn sie entdeckt wird? Er hat Zeit, eine halbe Seite zu lesen, bevor der Erzbischof angetröpfelt kommt wie eine verspätete Entschuldigung. »Diese Frau ist …?«

Cranmer sagt: »Margarete. Meine Frau.«

»Guter Gott.« Er knallt Luther auf den Tisch. »Was haben Sie getan? Wo haben Sie sie aufgelesen? Offensichtlich in Deutschland. Deshalb haben Sie so lange für Ihre Rückkehr gebraucht. Jetzt verstehe ich. Aber warum?«

Cranmer sagt sanftmütig: »Ich konnte nicht anders.«

»Wissen Sie, was der König mit Ihnen macht, wenn er es herausfindet? Der oberste Scharfrichter in Paris hat einen Apparat erfunden, einen Balken mit einem Gegengewicht – soll ich es für Sie aufzeichnen? –, der einen Ketzer beim Verbrennen ins Feuer taucht und wieder in die Höhe hebt, sodass die Leute die Stadien seiner Qual betrachten können. Henry will bestimmt auch so etwas haben. Oder er wird sich eine Vorrichtung anschaffen, mit der man Ihnen über eine Zeitspanne von vierzig Tagen den Kopf von den Schultern löst.«

Die junge Frau sieht auf. Auf Deutsch: »Mein Onkel …«

»Wer ist das?«

Sie nennt einen Theologen, Andreas Osiander: einen Nürnberger, einen Lutheraner. Ihr Onkel und seine Freunde, sagt sie, und die gelehrten Männer ihrer Stadt, sie glauben …

»In Ihrem Land mag man glauben, Madam, dass ein Pastor eine Frau haben sollte, aber nicht hier. Hat Dr Cranmer Sie nicht gewarnt?«

»Bitte«, meint Cranmer, »sagen Sie mir, was sie sagt. Gibt sie mir die Schuld? Wünscht sie sich nach Hause zurück?«

»Nein. Nein, sie sagt, Sie sind freundlich. Was ist nur in Sie gefahren, Mann?«

»Ich habe Ihnen gesagt, dass ich ein Geheimnis habe.«

Das haben Sie. Unten am Rand der Seite. »Aber sie hier unterzubringen, direkt unter der Nase des Königs?«

»Ich hatte sie auf dem Land untergebracht. Aber ich musste ihr den Wunsch erfüllen, die Feierlichkeiten zu sehen.«

»Sie war draußen auf den Straßen?«

»Warum nicht? Keiner kennt sie.«

Das stimmt. Das Untertauchen eines Fremden in der Stadt; eine junge Frau in buntem Kleid und bunter Haube, ein Paar Augen unter Tausenden von Augen: Man kann einen Baum im Wald verstecken. Cranmer tritt an ihn heran. Er streckt seine Hände aus, an denen vor so kurzer Zeit das heilige Öl haftete, die blassen Rechtecke seiner Handflächen durchzogen von sich kreuzenden Linien: Kunde von Seereisen und Allianzen. »Ich habe Sie als meinen Freund hergebeten. Denn ich halte Sie in dieser Welt für meinen wichtigsten Freund, Cromwell.«

Also gibt es nichts anderes zu tun, als diese knochigen Finger freundschaftlich mit den eigenen zu umschließen. »Sehr gut. Wir werden eine Lösung finden. Wir werden Ihre Dame geheimhalten. Ich wundere mich nur, dass Sie sie nicht bei ihrer eigenen Familie gelassen haben, bis wir den König auf unseren Weg bringen können.«

Margarete beobachtet sie, blaue Augen huschen von Gesicht zu Gesicht. Sie steht auf. Sie schiebt den Tisch von sich weg; er beobachtet sie dabei, und sein Herz macht einen Ruck. Weil er schon früher gesehen hat, wie eine Frau das tut, seine eigene Frau, und er hat gesehen, wie sie ihre Handflächen auf die Tischplatte legt, um sich hochzustemmen.

Margarete ist groß, und die Wölbung ihres Bauches ragt über die Tischplatte.

»Jesus«, sagt er.

»Ich hoffe auf eine Tochter«, sagt der Erzbischof.

»Wann ungefähr?«, fragt er Margarete.

Statt einer Antwort nimmt sie seine Hand. Sie legt sie auf ihren Bauch und drückt sie mit der eigenen Hand nach unten. Im Einklang mit den Feierlichkeiten tanzt das Kind: *Spanoletta, Estampie Royal.* Das ist vielleicht ein Fuß; das ist eine Faust. »Sie brauchen eine Freundin«, sagt er. »Eine Frau in Ihrer Nähe.«

Cranmer folgt ihm, als er aus dem Raum stampft. »Wegen John Frith …«, sagt er.

»Was?«

»Seit er nach Croydon gebracht wurde, habe ich dreimal vertraulich mit ihm gesprochen. Ein würdiger junger Mann, ein überaus sanftmütiges Wesen. Ich habe Stunden mit ihm verbracht, von denen ich keine Sekunde bereue, aber ich kann ihn nicht von seinem Weg abbringen.«

»Er hätte in die Wälder laufen sollen. Das war sein Weg.«

»Nicht alle von uns …« Cranmer senkt die Augen. »Vergeben Sie mir, aber nicht alle von uns sehen so viele Wege wie Sie.«

»Sie müssen ihn jetzt an Stokesley übergeben, weil er in Stokesleys Diözese gefasst wurde.«

»Als der König mir diese Würde gab, als er darauf bestand, dass ich diesen Sitz einnehme, habe ich nie daran gedacht, dass es eine meiner ersten Handlungen sein würde, auf einen jungen Mann wie John Frith zu treffen und zu versuchen, ihm seinen Glauben auszureden.«

Willkommen in der Welt hier unten. »Ich kann nicht viel länger warten«, sagt Cranmer.

»Ihre Frau auch nicht.«

Die Straßen rund um Austin Friars sind beinahe verlassen. Freudenfeuer brennen überall in der Stadt, und die Sterne werden von Rauch verdunkelt. Seine Wachen sind am Tor: nüchtern, wie er erfreut feststellt. Er bleibt auf ein Wort stehen; es ist eine Kunst, in Eile zu sein, es aber nicht zu zeigen. Dann geht er hinein und sagt: »Ich brauche Mistress Barre.«

Die meisten aus dem Haushalt sind ausgegangen, um die Feuer anzusehen, und werden bis Mitternacht fortbleiben und tanzen. Sie haben die Erlaubnis dazu; wer sollte die neue Königin feiern, wenn nicht sie? John Page kommt heraus: Ist etwas zu erledigen, Sir? William Brabazon mit der Feder in der Hand stammt aus Wolseys alter Mannschaft: Die Geschäfte des Königs hören niemals auf. Thomas Avery, direkt aus seiner Buchhaltung: Immer gibt es Geld, das hereinkommt, das hinausfließt. Als Wolsey zu Fall kam, verließ sein Haushalt ihn, Thomas Cromwells Diener jedoch blieben, um ihrem Herrn beizustehen.

Im oberen Stockwerk knallt eine Tür. Rafe kommt herunter, mit polternden Stiefeln, hochstehenden Haaren. Er sieht gerötet und verwirrt aus. »Sir?«

»Dich brauche ich nicht. Ist Helen da, weißt du das?«

»Warum?«

In diesem Augenblick erscheint Helen. Sie ist noch dabei, ihr Haar unter eine saubere Haube zu stecken. »Sie müssen eine Tasche packen und mit mir kommen.«

»Für wie lange, Sir?«

»Das kann ich nicht sagen.«

»Ist es außerhalb von London?«

Er denkt, ich werde etwas arrangieren mit den Ehefrauen und Töchtern aus der City, es sind diskrete Frauen, sie werden Diener für sie finden und eine Hebamme, eine tüchtige Frau, die Cranmers Kind in seine Hände legt. »Vielleicht für kurze Zeit.«

»Die Kinder …«

»Wir werden uns um Ihre Kinder kümmern.«

Sie nickt. Eilt davon. Fast wünscht er, die Männer in seinem Dienst wären ebenso flink wie sie. Rafe ruft ihr nach: »Helen …« Er sieht zornig aus. »Wo geht sie hin, Sir? Sie können sie doch nicht einfach in die Nacht hinauszerren.«

»Oh doch, das kann ich«, sagt er leichthin.

»Ich muss es wissen.«

»Glaub mir, das musst du nicht.« Er gibt nach. »Wenn doch, jetzt ist keine Zeit – Rafe, ich bin müde. Ich möchte das nicht diskutieren.«

Er könnte es vielleicht Christophe überlassen, Helen aus der Wärme von Austin Friars in die Kälte des Abteigeländes zu bringen, auch einigen anderen aus seinem Haushalt, die keine Fragen stellen, oder er könnte es bis zum Morgen aufschieben. Aber die Einsamkeit von Cranmers Frau steht ihm deutlich vor Augen, die Fremdartigkeit der Stadt *en fête*, der verlassene Eindruck der Cannon Row, wo sogar im Schatten der Abtei mit Sicherheit Räuber lauern. Selbst zu der Zeit König Richards war der Bezirk das Zuhause von Diebesbanden, die nachts nach Belieben ausschwärmten und zurückkehrten, wenn der Morgen dämmerte, um das Privileg der Zuflucht in Anspruch zu nehmen, und zweifellos auch, um die Beute mit der Geistlichkeit zu teilen. Ich werde mit dieser Bande aufräumen, denkt er. Meine Leute werden hinter ihnen her sein wie Frettchen, die in einen Bau kriechen.

Mitternacht: Die Steine stoßen moosigen Atem aus, die gepflasterten Wege sind rutschig von den Ausdünstungen der Stadt. Helen legt ihre Hand in seine. Ein Diener lässt sie ein, die Augen niedergeschlagen; er steckt ihm eine Münze zu, damit es dabei bleibt. Keine Spur vom Erzbischof: gut. Eine Lampe ist entzündet. Eine Tür aufgeschoben. Cranmers Frau liegt auf einer kleinen Liege. Er sagt zu Helen: »Das ist die Dame, die Ihr Mitgefühl braucht. Sie sehen, in welcher Lage sie ist. Sie spricht kein Englisch. Sie brauchen sie also gar nicht erst nach ihrem Namen zu fragen.«

»Das ist Helen«, sagt er auf Deutsch. »Sie hat selbst zwei Kinder. Sie wird Ihnen helfen.«

Mistress Cranmer, die Augen geschlossen, nickt nur und lächelt. Als Helen eine sanfte Hand auf sie legt, greift sie nach ihr und streichelt sie.

»Wo ist Ihr Mann?«

»Er betet.«

»Ich hoffe nur, er betet für mich.«

Am Tag, an dem Frith verbrannt wird, jagt er mit dem König auf dem Land nahe Guildford. Vor der Morgendämmerung regnet es, ein böiger Wind zerrt an den Baumwipfeln: Es regnet in ganz England und die Ernten auf den Feldern werden durchnässt. Aber Henrys Stimmung bekommt keine Delle. Er setzt sich, um an Anne zu schreiben, die er in Windsor zurückgelassen hat. Nachdem er seinen Federkiel zwischen den Fingern gedreht, sein Papier gewendet und wieder gewendet hat, verlässt ihn der Wille: Sie machen das für mich, Cromwell. Ich sage Ihnen, was Sie schreiben sollen.

Ein Schneiderlehrling kommt mit Frith auf den Scheiterhaufen: Andrew Hewitt.

Katherine ließ sich immer Reliquien bringen, sagt Henry, zum Beistand, wenn sie in den Wehen lag. Einen Gürtel der Heiligen Jungfrau. Ich habe ihn ausgeliehen.

Ich glaube nicht, dass die Königin das will.

Und besondere Gebete zur heiligen Margaret. Frauensachen.

Am besten überlässt man es ihnen, Sir.

Später wird er hören, dass Frith und der Junge leiden mussten, weil der Wind die Flammen wiederholt von ihnen wegblies. Der Tod ist ein Spaßvogel – ruf ihn herbei, und er kommt nicht. Er ist ein Witzbold – er lauert dir im Dunkeln auf, ein schwarzes Tuch über dem Gesicht.

In London gibt es Fälle von Schweißfieber. Der König, der sein ganzes Volk verkörpert, hat jeden Tag alle Symptome.

Jetzt starrt Henry auf den fallenden Regen. Um sich aufzumuntern, sagt er: Er lässt vielleicht nach, Jupiter ist am Aszendenten. Nun, sagen Sie ihr, sagen Sie der Königin …

Er wartet, die Feder in Bereitschaft.

Nein, das reicht. Geben Sie es mir, Thomas, ich werde es unterschreiben.

Er wartet darauf, dass der König ein Herz zeichnet. Aber die Tändeleien des Werbens sind vorbei. Die Ehe ist eine ernsthafte Angelegenheit. *Henricus Rex*.

Ich glaube, ich habe einen Magenkrampf, sagt der König. Ich glaube, ich habe Kopfweh. Mir ist schlecht, und ich habe schwarze Punkte vor den Augen, das ist ein Zeichen, habe ich recht?

Wenn sich Majestät ein wenig ausruhen, sagt er. Und Mut fassen.

Sie wissen, was man über das Schweißfieber sagt. Heiter beim Frühstück, mittags schon tot. Aber wussten Sie, dass es Sie innerhalb von zwei Stunden töten kann?

Er sagt: Ich habe gehört, dass einige Leute aus Angst sterben.

Am Nachmittag kämpft sich die Sonne durch. Lachend gibt Henry seinem Reitpferd unter den tropfenden Bäumen die Sporen. In Smithfield wird Frith zusammengeschaufelt, seine Jugend, seine Anmut, seine Gelehrsamkeit und seine Schönheit: eine Zusammenballung von Schlamm, Fett, verkohlten Knochen.

Der König hat zwei Körper. Der erste existiert innerhalb der Grenzen seines physischen Seins; man kann ihn messen, und das tut Henry oft, seine Taille, seine Wade, die anderen Körperteile. Der zweite ist sein fürstlicher Doppelgänger: losgelöst, ungebunden, gewichtslos, kann er gleichzeitig an mehreren Orten sein. Henry mag im Wald jagen, während sein fürstlicher Doppelgänger Gesetze macht. Der eine kämpft, der andere betet um Frieden. Einer ist eingehüllt in das Geheimnis seines Königtums: einer isst eine junge Ente mit grünen Erbsen.

Der Papst sagt jetzt, dass seine Ehe mit Anne nichtig ist. Er wird ihn exkommunizieren, wenn er nicht zu Katherine zurückkehrt. Die Christenheit wird ihn abstreifen, Körper und Seele, und seine Untertanen werden sich gegen ihn auflehnen und ihn verstoßen, in die Schmach, ins Exil; kein christliches Heim wird ihm Unterschlupf gewähren, und wenn er stirbt, wird sein Körper zusammen mit Tierknochen in einer Leichengrube vergraben.

Er hat Henry gelehrt, den Papst »Bischof von Rom« zu nennen. Zu lachen, wenn sein Name erwähnt wird. Auch wenn es ein unsicheres Gelächter ist, ist es doch besser als sein früherer Kniefall.

Cranmer hat die Prophetin, Elizabeth Barton, zu einem Gespräch in sein Haus in Kent eingeladen. Sie hat eine Vision von Mary, der früheren Prinzessin, als Königin gehabt? Ja. Von Gertrude, Lady Exeter, als Königin? Ja. Er sagt sanft: Beides zusammen geht nicht. Die Magd sagt: Ich berichte nur, was ich sehe. Er schreibt, dass sie lebhaft und selbstsicher ist; sie ist an den Umgang mit Erzbischöfen gewohnt, und sie hält ihn für einen weiteren Warham, der an ihren Lippen hängen wird.

Sie ist eine Maus unter der Pfote der Katze.

Königin Katherine zieht um. Mit ihrem stark verkleinerten Haushalt zieht sie in den Palast des Bischofs von Lincoln in Buckden, ein altes Haus aus rotem Backstein mit einer großen Halle und Gärten, die in Wäldchen und Felder übergehen und damit in das Marschland der Fens. Der September wird ihr die ersten Früchte des Herbstes bringen, während der Oktober den Nebel bringt.

Der König verlangt, dass Katherine für das Kind, auf das er wartet, die Gewänder hergibt, in denen das Kind Mary getauft wurde. Als er Katherines Antwort hört, muss er, Thomas Cromwell, lachen. Die Natur hat Katherine Unrecht getan, sagt er, weil sie keinen Mann aus ihr gemacht hat; sie hätte alle Helden der Antike übertroffen. Ein Dokument wird ihr vorgelegt, in dem sie als »Prinzessinnenwitwe« angesprochen wird; schockiert zeigt man ihm, wo ihre Feder das Papier beim Durchstreichen ihres neuen Titels zerfetzt hat.

Gerüchte gedeihen in den kurzen Sommernächten. In der Dämmerung finden sie sich wie Pilze im feuchten Gras. Mitglieder von Thomas Cromwells Haushalt haben nach Mitternacht eine Hebamme gesucht. Er versteckt eine Frau in einem seiner Landhäuser, eine ausländische Frau, die ihm eine Tochter geboren hat. Was immer du tust, sagt er zu Rafe, verteidige meine Ehre nicht. Ich habe solche Frauen überall.

Sie werden es glauben, sagt Rafe. In der City heißt es, Thomas Cromwell hat einen gewaltigen …

Erinnerung, sagt er. Ich habe ein sehr großes Hauptbuch. Ein riesiges Ablagesystem, in dem Angaben zu den Leuten, die mir in die Quere gekommen sind (unter ihrem Namen und auch unter ihren Vergehen) verzeichnet sind.

Alle Astrologen sagen, dass der König einen Sohn bekommen wird. Aber man hat besser keinen Umgang mit solchen Leuten. Ein Mann kam vor Monaten zu ihm und bot ihm an, einen Stein der Weisen für den König herzustellen, und als ihm gesagt wurde, er solle verschwinden, wurde er trotzig und unverschämt, wie es bei diesen Alchimisten üblich ist, und jetzt verkündet er, dass der König dieses Jahr sterben wird. Er sagt, dass in Sachsen der älteste Sohn des verstorbenen König Edward wartet. Alle hielten ihn für ein klapperndes Skelett unter den Steinplatten des Towers, nur seine Mörder wussten, wo: Alle haben sich getäuscht, denn er ist ein erwachsener Mann und willens, Anspruch auf sein Königreich zu erheben.

Er zählt es zusammen: König Edward V., wenn er noch lebte, würde im kommenden November vierundsechzig. Er kommt ein bisschen zu spät in den Ring, sagt er.

Er steckt den Alchimisten in den Tower, damit er seine Haltung überdenkt.

Nichts mehr aus Paris. Was immer Maître Giulio vorhat, er spricht nicht darüber.

Hans Holbein sagt: Thomas, ich habe Ihre Hände gemalt, aber ich habe Ihrem Gesicht noch nicht genügend Aufmerksamkeit gewidmet. Ich verspreche, dass ich Sie diesen Herbst fertig mache.

Angenommen, in jedem Buch ist ein anderes Buch, und in jedem Buchstaben auf jeder Seite ein weiterer Band, der sich beständig entfaltet; aber diese Bände beanspruchen keinen Platz auf dem Schreibtisch.

Angenommen, das Wissen könnte auf eine Quintessenz reduziert und in einem Bild, einem Zeichen, an einem Ort, der kein Ort ist, aufbewahrt werden. Angenommen, der menschliche Schädel würde sich erweitern, Räume würden sich in ihm auftun, summende Kammern wie Bienenstöcke.

Lord Mountjoy, Katherines Kammerherr, hat ihm eine Liste geschickt mit allem, was für die Niederkunft einer Königin von England notwendig ist. Sie amüsiert ihn, die reibungslose und höfliche Übergabe; der Hof und seine Zeremonien gehen weiter, ungeachtet der Veränderungen beim Personal, aber es ist klar, dass Lord Mountjoy ihn für den Mann hält, der jetzt für alles verantwortlich ist.

Er geht nach Greenwich und lässt die Räumlichkeiten verschönern, damit sie für Anne bereit sind. Proklamationen (undatiert) werden vorbereitet; sie sollen an das englische Volk und die Herrscher Europas gehen und die Geburt eines Prinzen verkünden. Lassen Sie einfach eine kleine Lücke, schlägt er vor, am Ende von »Prinz«, dann kann man, wenn nötig … Aber sie sehen ihn an, als wäre er ein Verräter, sodass er seinen Satz nicht beendet.

Wenn sich eine Frau zurückzieht, um ein Kind zu gebären, mag die Sonne scheinen, aber die Läden ihres Zimmers werden geschlossen, damit sie ihr eigenes Wetter bestimmen kann. Sie wird im Dunkeln gehalten, damit sie träumen kann. Ihre Träume tragen sie weit fort, von *terra firma* in ein morastiges Gebiet zu einem Landungssteg, zu einem Fluss, wo ein Nebel das andere Ufer verschleiert und Erde und Himmel untrennbar sind; dort muss sie sich nach Leben und Tod einschiffen, eine verhüllte Gestalt im Heck führt die Ruder. In diesem Boot werden Gebete gesprochen, die Männer niemals hören. Zwischen einer Frau und ihrem Gott werden Übereinkünfte getroffen. Der Fluss ist von Gezeiten abhängig, und zwischen einem Federstrich und dem nächsten kann sich die Strömung ändern.

Am 26. August 1533 geleitet ein feierlicher Zug die Königin zu ihren versiegelten Räumen in Greenwich. Ihr Mann küsst sie, *Adieu* und *Bon*

Voyage, und weder lächelt sie noch spricht sie. Sie ist sehr blass, sehr prächtig, ein winziger mit Juwelen geschmückter Kopf balanciert auf dem schwankenden Zelt ihres Körpers, ihre Schritte sind klein und umsichtig, sie hält ein Gebetbuch in den Händen. Am Kai wendet sie den Kopf: ein langer Blick. Sie sieht ihn; sie sieht den Erzbischof. Ein letzter Blick, dann setzt sie – von ihren Frauen an den Ellenbogen gestützt – ihren Fuß in das Boot.

II

Teufelsspucke

Herbst und Winter 1533

Es ist großartig. Im Moment des Aufpralls sind die Augen des Königs geöffnet, sein Körper ist gewappnet für den *atteint*; mustergültig nimmt er den Schlag entgegen, dessen Wucht von einem stark gerüsteten Körper aufgefangen wird, er bewegt sich in die richtige Richtung, er bewegt sich mit der richtigen Geschwindigkeit. Seine Gesichtsfarbe ändert sich nicht. Seine Stimme zittert nicht.

»Gesund?«, sagt er. »Dann danke ich Gott für das Wohlwollen, das er uns erweist. Wie ich Ihnen danke, Mylords, für diese angenehme Nachricht.«

Er denkt: Der König hat es geprobt. Ich vermute, das haben wir alle.

Der König geht davon in seine eigenen Gemächer. Sagt über die Schulter: »Nennen Sie sie Elizabeth. Streichen Sie die Turnierzweikämpfe.«

Einer der Boleyns blökt: »Die anderen Feierlichkeiten wie geplant?«

Keine Antwort. Cranmer sagt: Alles wie geplant, bis wir etwas anderes hören. Ich soll Taufpate für die ... die Prinzessin sein. Er stockt. Er kann es kaum glauben. Für sich selbst hat er eine Tochter bestellt und eine Tochter bekommen. Seine Augen folgen Henrys Rücken, der sich entfernt. »Er hat sich nicht nach der Königin erkundigt. Er hat nicht gefragt, wie es ihr geht.«

»Das ist doch wohl nicht wichtig.« Edward Seymour, der brutal ausspricht, was alle denken.

Dann bleibt Henry auf seinem langen einsamen Gang stehen, dreht sich um. »Mylord Erzbischof. Cromwell. Aber nur Sie.«

In Henrys Gemach: »Hätten Sie sich das vorstellen können?«

Einige würden lächeln. Er nicht. Der König lässt sich in einen Sessel fallen. Der Drang überkommt ihn, eine Hand auf seine Schulter zu legen, wie man das bei jedem untröstlichen Lebewesen tut. Er widersteht ihm; er biegt einfach seine Finger schützend zur Faust, die das Herz des Königs hält. »Eines Tages werden wir eine glänzende Ehe für sie arrangieren.«

»Armes Ding. Ihre eigene Mutter wird sie fortwünschen.«

»Eure Majestät ist jung genug«, sagt Cranmer. »Die Königin ist stark und ihre Familie ist fruchtbar. Sie können bald wieder ein Kind bekommen. Und vielleicht beabsichtigt Gott einen besonderen Segen mit dieser Prinzessin.«

»Mein lieber Freund, ich bin sicher, dass Sie recht haben.« Henry klingt unschlüssig, aber er sieht sich um, um Stärke aus seiner Umgebung zu ziehen, als hätte Gott vielleicht eine freundliche Botschaft an der Wand hinterlassen: obwohl nur solche der feindseligen Art überliefert sind. Er holt tief Atem, steht auf und schüttelt die Ärmel aus. Er lächelt: Und man kann ihn im Fluge ergreifen, als wäre er ein Vogel mit einem stark schlagenden Herzen – den Willensakt, der einen trostlosen armen Teufel in den Leitstern seiner Nation verwandelt.

Später flüstert er Cranmer zu: »Es war, als sähe man Lazarus aufstehen.«

Bald schreitet Henry im Palast von Greenwich umher und setzt die Feierlichkeiten in Gang. Wir sind jung genug, sagt er, und das nächste Mal wird es ein Junge. Eines Tages werden wir eine glänzende Ehe für sie arrangieren. Glaubt mir, Gott beabsichtigt einen besonderen Segen mit dieser Prinzessin.

Die Gesichter der Boleyns hellen sich auf. Es ist Sonntag, vier Uhr nachmittags. Er geht und lacht ein bisschen über die Schreiber, die »Prinz« auf ihre Proklamationen geschrieben haben und nun einige Extrabuchstaben hineinquetschen müssen, dann geht er zurück, um die Ausgaben für den Haushalt der neuen Prinzessin zu errechnen. Er hat empfohlen, dass Gertrude, Lady Exeter, zu den Taufpaten des Kindes gehört. Warum soll nur die Magd eine Vision von Ihr haben? Es wird ihr gut tun, vom ganzen Hof gesehen zu werden, wie sie gezwungen lächelt und Annes Baby am Taufbecken hält.

Besagte Magd ist nach London gebracht und in einem privaten Haus untergebracht worden; dort sind die Betten weich und die Stimmen in ihrer Umgebung, die Stimmen der Cromwell-Frauen, stören ihre Gebete kaum; dort wird der Schlüssel in dem geölten Schloss mit einem Klicken umgedreht, das nicht lauter als das Brechen eines Vogelknochens ist. »Isst sie?«, fragt er Mercy, und sie sagt: Sie isst genauso herzhaft wie du: ach nein, Thomas, vielleicht nicht ganz so herzhaft.

»Und was ist aus ihrem Projekt geworden, sich von der Kommunionshostie ernähren zu wollen?«

»Sie können ihr doch nicht mehr beim Essen zusehen, diese Priester und Mönche, die sie dazu verleitet haben.«

Ihrem prüfenden Blick entzogen, hat die Nonne begonnen, sich wie eine normale Frau zu benehmen und den simplen Forderungen ihres Körpers nachzugeben wie jedermann, der leben will; aber es könnte zu spät sein. Es gefällt ihm, dass Mercy nicht sagt: ach, die arme harmlose Seele. Dass sie nicht von Natur aus harmlos ist, wird klar, als sie nach Lambeth Palace gebracht wird, um dort befragt zu werden. Man würde denken, dass Lordkanzler Audley, dessen großartige Gestalt mit der Amtskette behangen ist, ausreichen würde, um jedes Mädchen vom Lande zu beeindrucken. Man füge noch den Erzbischof von Canterbury hinzu, um sich vorzustellen, dass eine junge Nonne vielleicht ein wenig Ehrfurcht empfindet. Nicht die Spur. Die Magd behandelt Cranmer voller Herablassung – als wäre er ein Novize im religiösen Leben. Wenn er bei bestimmten Punkten zweifelt und sagt: »Woher wissen Sie das?«, lächelt sie mitleidig und sagt: »Ein Engel hat es mir erzählt.«

Audley bringt zu ihrer zweiten Sitzung Richard Riche mit, damit er Notizen macht und auf Punkte hinweist, die ihm auffallen. Er ist jetzt

Sir Richard, zum Ritter geschlagen und zum Kronanwalt befördert worden. In seinen Studententagen war er für seine scharfe, verleumderische Zunge bekannt, für Respektlosigkeit gegenüber Älteren, fürs Trinken und Spielen um hohe Einsätze. Aber wer würde schon gut dabei wegkommen, wenn die Leute uns danach beurteilten, wie wir mit zwanzig waren? Es zeigt sich, dass Riche ein Talent für Gesetzesentwürfe hat, das nur von seinem eigenen übertroffen wird. Unter seinem feinen blonden Haar hat er einen verkniffenen Gesichtsausdruck vor lauter Konzentration und er spitzt den Mund; die Jungen nennen ihn deswegen Sir Spitz. Wenn man ihn seine Papiere akkurat auslegen sieht, würde man nie denken, dass er einmal die große Schande des Inner Temple war. Um ihn aufzuziehen, sagt er ihm das mit gedämpfter Stimme, während sie darauf warten, dass das Mädchen hereingebracht wird. Na ja, Master Cromwell!, sagt Riche, und wie steht es mit Ihnen und dieser Äbtissin in Halifax?

Er wird sich hüten, es abzustreiten: oder sonst eine der Geschichten, die der Kardinal über ihn erzählt hat. »Ach das«, sagt er. »Das war nichts – das erwartet man in Yorkshire.«

Er befürchtet, dass das Mädchen das Ende des Wortwechsels mitbekommen hat, denn heute, als sie sich auf den Stuhl setzt, den sie ihr hingestellt haben, bedenkt sie ihn mit einem besonders durchdringenden Blick. Sie ordnet ihre Röcke, verschränkt die Arme und wartet darauf, dass sie von ihnen unterhalten wird. Seine Nichte Alice Wellyfed sitzt auf einem Hocker an der Tür: sie ist da für den Fall einer Ohnmacht oder einer anderen Aufregung. Obwohl ein Blick auf die Magd genügt: Die Gefahr, ohnmächtig zu werden, ist bei ihr auch nicht größer als bei Audley.

»Soll ich?«, sagt Riche. »Anfangen?«

»Ja, warum nicht?«, sagt Audley. »Sie sind jung und munter.«

»Diese Prophezeiungen, die Sie machen – ständig ändern Sie den Zeitpunkt der Katastrophe, die Sie voraussehen, aber ich weiß genau, dass Sie gesagt haben, der König würde keinen Monat mehr regieren, nachdem er Lady Anne geheiratet hat. Nun, Monate sind vergangen, Lady Anne ist gekrönte Königin und hat dem König eine gesunde Tochter geschenkt. Und was sagen Sie jetzt?«

»Ich sage, dass er in den Augen der Welt König zu sein scheint. Aber in den Augen Gottes«, sie zuckt mit den Achseln, »nicht mehr. Er ist genauso wenig der richtige König wie er«, sie nickt in Cranmers Richtung, »ein richtiger Erzbischof ist.«

Riche lässt sich nicht ablenken. »Soll das heißen, es wäre gerechtfertigt, eine Rebellion gegen ihn anzuzetteln? Ihn zu entthronen? Ihn zu töten? Jemand anders an seine Stelle zu setzen?«

»Nun, was denken Sie?«

»Und unter den Thronanwärtern ist Ihre Wahl auf die Familie Courtenay gefallen, nicht die Poles. Henry, Marquis von Exeter. Nicht Henry, Lord Montague.«

»Oder«, sagt er verständnisvoll, »bringen Sie sie vielleicht durcheinander?«

»Natürlich nicht.« Sie errötet. »Ich habe beide Herren getroffen.«

Riche macht sich eine Notiz.

Audley sagt: »Courtenay, das ist Lord Exeter, er stammt von einer Tochter König Edwards ab. Lord Montague stammt von König Edwards Bruder, dem Herzog von Clarence ab. Wie bewerten Sie ihre Ansprüche? Wenn wir schon von richtigen Königen und falschen Königen sprechen, sollten wir erwähnen, dass einige Leute behaupten, Edward war ein Bastard, den seine Mutter von einem Bogenschützen empfangen hat. Ich frage mich, ob Sie Licht in die Sache bringen können.«

»Warum sollte sie?«, sagt Riche.

Audley verdreht die Augen. »Weil sie mit den Heiligen im Himmel spricht. Die müssen es ja wissen.«

Er sieht Riche an, und es ist, als könne er dessen Gedanken lesen: Niccolò sagt in seinem Buch, dass der weise Fürst die Neider ausrottet, und wenn ich, Riche, König wäre, wären diese Thronanwärter und ihre

Familien tot. Das Mädchen ist gewappnet für die nächste Frage: Wie kommt es, dass sie zwei Königinnen in ihrer Vision gesehen hat? »Ich vermute, das wird sich von alleine regeln«, sagt er, »wenn gekämpft wird. Es ist gut, ein paar Könige und Königinnen in Reserve zu haben, wenn man einen Krieg in einem Land anfängt.«

»Es ist nicht nötig, einen Krieg zu führen«, sagt die Nonne. Oh? Sir Spitz setzt sich auf: Das ist neu. »Gott schickt England stattdessen eine Seuche. Henry wird in sechs Monaten tot sein. Und sie auch, Thomas Boleyns Tochter.«

»Und ich?«

»Sie auch.«

»Und alle anderen in diesem Raum? Außer Ihnen natürlich? Alle und auch Alice Wellyfed, die Ihnen nie etwas Böses getan hat?«

»Alle Frauen in Ihrem Haus sind Ketzerinnen, und die Seuche wird sie an Körper und Seele zugrunde richten.«

»Wie steht es mit Prinzessin Elizabeth?«

Sie dreht sich auf ihrem Stuhl, um ihre Worte an Cranmer zu richten. »Es heißt, bei der Taufe haben Sie das Wasser erwärmt, um ihr einen Schock zu ersparen. Sie hätten es kochend auf sie schütten sollen.«

Oh, Gott im Himmel, sagt Riche. Er wirft seine Feder hin. Er ist ein zärtlicher junger Vater mit einer Tochter in der Wiege.

Er legt tröstend eine Hand auf die des Kronanwalts. Man würde denken, Alice müsste getröstet werden; aber als die Magd sie zum Tode verurteilte, hat er durch den Raum auf seine Nichte geblickt und festgestellt, dass sich Spott in seiner reinsten Form auf ihrem Gesicht abzeichnete. Er sagt zu Riche: »Das hat sie sich nicht selbst ausgedacht, das kochende Wasser. Das wird auf den Straßen gesagt.«

Cranmer krümmt sich; die Magd hat ihn verletzt, sie hat einen Punkt erzielt. Er, Cromwell, sagt: »Ich habe die Prinzessin gestern gesehen. Sie gedeiht trotz ihrer Feinde, die ihr Böses wollen.« Seine Stimme mahnt zur Ruhe: Wir müssen den Erzbischof wieder in den Sattel bekommen. Er wendet sich an die Magd: »Sagen Sie, haben Sie den Kardinal lokalisiert?«

»Was?«, sagt Audley.

»Dame Elizabeth sagte, sie würde auf einem ihrer Ausflüge in den Himmel, die Hölle und das Fegefeuer nach meinem früheren Herrn Ausschau halten, und ich habe angeboten, ihr die Reisekosten dafür zu erstatten. Ich habe ihren Leuten eine Anzahlung gegeben – ich hoffe doch, es gibt Fortschritte?«

»Wolsey hätte weitere fünfzehn Jahre zu leben gehabt«, sagt das Mädchen. Er nickt: Das hat er auch gesagt. »Aber dann hat Gott ihn vom Leben abgeschnitten, um ein Exempel zu statuieren. Ich habe Teufel gesehen, die sich um seine Seele stritten.«

»Kennen Sie das Ergebnis?«, fragt er.

»Es gibt kein Ergebnis. Ich habe ihn überall gesucht. Ich glaubte schon, Gott hätte ihn ausgelöscht. Aber dann sah ich ihn eines Nachts.« Ein langes, taktisches Zögern. »Ich sah seine Seele im Kreise der Ungeborenen.«

Stille tritt ein. Cranmer sinkt auf seinem Stuhl zusammen. Riche knabbert leicht am Ende seiner Feder. Audley dreht einen Knopf an seinem Ärmel herum und herum, bis der Faden sich spannt.

»Wenn Sie möchten, kann ich für ihn beten«, sagt die Magd. »Gott antwortet normalerweise auf meine Bitten.«

»Früher, als Sie Ihre Berater um sich hatten, Vater Bocking und Vater Gold und Vater Risby und die anderen, war dies der Punkt, an dem Sie zu feilschen anfingen. Ich bot dann eine weitere Summe für Ihren guten Willen an, und Ihre spirituellen Anleiter trieben sie in die Höhe.«

»Warten Sie.« Cranmer legt eine Hand auf seinen Brustkorb. »Können wir zurückgehen? Lordkanzler?«

»Wir können in jede von Ihnen gewünschte Richtung gehen, Mylord Erzbischof. Meinetwegen auch dreimal um den Maulbeerbusch, wenn Sie wollen …«

»Sehen Sie Teufel?«

Sie nickt.

»Wie erscheinen sie?«

»Als Vögel.«

»Immerhin ein Trost«, sagt Audley trocken.

»Nein, Sir. Luzifer stinkt. Seine Klauen sind missgebildet. Er kommt als Hahn und ist mit Blut und Scheiße beschmiert.«

Er sieht zu Alice hinüber, erwägt, sie rauszuschicken. Er denkt: Was ist dieser Frau bloß angetan worden?

Cranmer sagt: »Das muss unangenehm für Sie sein. Aber es ist ein Charakteristikum von Teufeln, meine ich, dass sie sich auf mehr als eine Weise zeigen.«

»Ja. Das tun sie, um einen zu täuschen. Er kommt als junger Mann.«

»Wirklich?«

»Einmal hat er eine Frau mitgebracht. Nachts in meine Zelle.« Sie macht eine Pause. »Er hat sie betatscht.«

Riche: »Er ist bekannt dafür, keine Scham zu kennen.«

»Und was dann, Dame Elizabeth? Nach dem Betatschen?«

»Zog er ihr die Röcke hoch.«

»Und sie hat sich nicht gewehrt?«, sagt Riche. »Sie überraschen mich.«

Audley sagt: »Fürst Luzifer, ich bezweifle nicht, dass der was an sich hat.«

»Vor meinen Augen hat er es mit ihr getan, auf meinem Bett.«

Riche macht sich eine Notiz. »Diese Frau, kannten Sie sie?« Keine Antwort. »Und der Teufel hat nicht dasselbe bei Ihnen probiert? Sie können frei sprechen. Man wird Ihnen daraus keinen Strick drehen.«

»Er kam, um mich zu beschwatzen. Stolzierte in seinem blauen Seidenmantel herum, das ist der beste, den er hat. Und neue Beinkleider mit Diamanten bis ganz nach unten.«

»Diamanten bis ganz nach unten«, sagt er. »Das muss wohl eine große Versuchung gewesen sein?«

Sie schüttelt den Kopf.

»Aber Sie sind eine ansehnliche junge Frau – gut genug für jeden Mann, würde ich sagen.«

Sie sieht auf: der Anflug eines Lächelns. »Ich bin nicht für Master Luzifer bestimmt.«

»Was hat er gesagt, als Sie ihn zurückgewiesen haben?«

»Er hat mich gefragt, ob ich ihn heiraten will.« Audley legt den Kopf in die Hände. »Ich sagte, ich habe Keuschheit gelobt.«

»War er nicht wütend, als Sie nicht einwilligten?«

»Oh ja. Er spuckte mir ins Gesicht.«

»Ich hätte nichts anderes von ihm erwartet«, sagt Riche.

»Ich habe mir die Spucke mit einer Serviette abgewischt. Sie ist schwarz. Sie stinkt nach Hölle.«

»Und wie riecht das?«

»Wie etwas, das verfault.«

»Wo ist sie jetzt, die Serviette? Ich vermute, Sie haben sie nicht in die Wäsche gegeben?«

»Dom Edward hat sie.«

»Zeigt er sie den Leuten? Für Geld?«

»Für Spenden.«

»Für Geld.«

Cranmer nimmt das Gesicht aus den Händen. »Sollen wir eine Pause machen?«

»Eine Viertelstunde?«, sagt Riche.

Audley: »Ich habe doch gesagt, dass er jung und munter ist.«

»Vielleicht treffen wir uns morgen«, sagt Cranmer. »Ich muss beten. Und eine Viertelstunde wird nicht reichen.«

»Aber morgen ist Sonntag«, sagt die Nonne. »Es gab einmal einen Mann, der am Sonntag auf die Jagd ging, und dann fiel er durch ein bodenloses Loch direkt in die Hölle. Stellen Sie sich das vor!«

»Wie konnte es bodenlos sein«, fragt Riche, »wenn doch die Hölle da war, um ihn aufzunehmen?«

»Ich wünschte, ich könnte auf die Jagd gehen«, sagt Audley. »Gott weiß, ich würde es riskieren.«

Alice erhebt sich von ihrem Hocker und gibt der jungen Frau ein Zeichen. Die Magd kommt auf die Füße. Sie lächelt breit. Sie hat den Erzbischof erschreckt, ihm selbst ist kalt geworden, und den Kronanwalt hat sie mit ihrem Gerede über verbrühte Babys beinahe zum Weinen gebracht. Sie glaubt, sie ist dabei zu gewinnen; aber die ganze Zeit verliert sie und verliert und verliert. Alice legt ihr sanft die Hand auf den Arm, aber die Magd schüttelt sie ab.

Draußen sagt Richard Riche: »Wir sollten sie verbrennen.«

Cranmer sagt: »Wir sehr uns ihre Geschichten von dem verstorbenen Kardinal, der ihr erscheint, und von Teufeln in ihrer Schlafkammer auch missfallen mögen, sie spricht auf diese Weise, weil man ihr beigebracht hat, die Behauptungen gewisser Nonnen nachzuahmen, die es vor ihr gab und die Rom bereitwillig als Heilige anerkennt. Ich kann diese Nonnen nicht im Nachhinein wegen Häresie verurteilen. Und ich habe auch keine Beweise, um die Magd als Häretikerin vor Gericht zu stellen.«

»Verbrennen wegen Verrats, meinte ich.«

Das ist die Strafe für Frauen, während ein Mann halb erhängt und kastriert und dann langsam vom Scharfrichter ausgeweidet wird.

Er sagt: »Es liegt keine offenkundige Tat vor. Sie hat nur eine Absicht ausgedrückt.«

»Die Absicht, eine Rebellion auszulösen, den König zu entthronen, soll das kein Verrat sein? Worte sind schon als Verrat ausgelegt worden, es gibt Präzedenzfälle, Sie kennen sie.«

»Es würde mich erstaunen«, sagt Audley, »wenn das Cromwells Aufmerksamkeit entgangen wäre.«

Es ist, als könnten sie die Teufelsspucke riechen; sie rempeln sich beinahe, um an die frische Luft zu gelangen, die mild und feucht ist: ein schwacher Geruch von Blättern, ein grüngoldenes raschelndes Licht. Er sieht voraus, dass der Verrat in den kommenden Jahren neue und verschiedene Formen annehmen wird. Als das letzte einschlägige

Gesetz gemacht wurde, konnte niemand seine Worte in einem gedruckten Buch oder auf einem Plakat verbreiten, weil an gedruckte Bücher nicht zu denken war. Einen Moment lang empfindet er Neid auf die Toten, auf die Menschen, die ihren Königen in langsameren Zeiten dienten; heutzutage können die Ausgeburten eines gekauften oder vergifteten Hirns innerhalb eines Monats in ganz Europa verbreitet werden.

»Ich denke, wir benötigen neue Gesetze«, sagt Riche.

»Ich kümmere mich darum.«

»Und ich glaube, dass diese Frau zu nachsichtig behandelt wird. Wir sind zu weich. Wir spielen nur mit ihr.«

Cranmer geht davon, mit gebeugten Schultern, sein Habit schleift auf dem Boden und wirbelt die Blätter auf. Audley dreht sich zu ihm um, heiter und energisch, ein Mann, der unbedingt das Thema wechseln will. »Nun zur Prinzessin. Sie sagten, es geht ihr gut?«

Die Prinzessin war ohne Windeln auf Kissen zu Annes Füßen gelegt worden: ein hässliches, violettes, quengelndes Knäuel Weiblichkeit mit einer abstehenden hellen Haarkrause und der Angewohnheit, ihr Kleid mit den Füßen nach oben zu stoßen, als wolle sie ihr bedauerlichstes Merkmal zur Schau stellen. Anscheinend sind Geschichten verbreitet worden, dass Annes Kind mit Zähnen geboren wurde, sechs Finger an jeder Hand hat und am ganzen Körper behaart ist wie ein Affe, weshalb ihr Vater sie den Botschaftern nackt gezeigt hat und ihre Mutter sie beständig zur Schau stellt und hofft, so den Gerüchten begegnen zu können. Der König hat Hatfield zu ihrem Sitz gewählt, und Anne sagt: »Mir scheint, dass wir Verschwendung meiden und die richtige Ordnung der Dinge herstellen könnten, wenn der Haushalt der spanischen Mary aufgelöst und sie selbst ein Mitglied des Haushalts der Prinzessin Elizabeth, meiner Tochter, werden würde.«

»In der Eigenschaft von …?« Das Kind ist ruhig; aber nur, bemerkt er, weil es eine Faust in seinen Schlund gesteckt hat und an sich selbst nagt.

»In der Eigenschaft als Dienerin meiner Tochter. Was sonst? Es kann keinen Anschein von Gleichheit geben. Mary ist ein Bastard.«

Die kurze Atempause ist vorbei; die Prinzessin hebt zu einem Kreischen an, das die Toten herbeiholen könnte. Annes Blick gleitet zur Seite, ein verliebtes Lächeln nimmt ihr Gesicht ganz in Besitz, und sie beugt sich zu ihrer Tochter hinunter, aber sofort stoßen geschäftig und flatternd Frauen herab; die schreiende Kreatur wird hochgerissen, eingewickelt, fortgetragen, und der traurige Blick der Königin folgt der Frucht ihres Leibes, als diese in einem feierlichen Zug ihren Abgang macht. Er sagt sanft: »Ich glaube, sie hatte Hunger.«

Samstagabend: ein Essen in Austin Friars für Stephen Vaughan, wie so oft auf der Durchreise: William Butts, Hans, Kratzer, Nennt-mich-Risley. Das Gespräch findet in verschiedenen Sprachen statt und Rafe Sadler übersetzt geschickt, flüssig; sein Kopf wendet sich von einer Seite zur anderen: bedeutende Themen und unbedeutende, Staatskunst und Klatsch, Zwinglis Theologie, Cranmers Frau. Was Letztere betrifft, so war es nicht möglich, das Gerede im Steelyard und in der City zu unterdrücken; Vaughan sagt: »Kann Henry es wissen und zugleich nicht wissen?«

»Das ist sehr gut möglich. Er ist ein Fürst mit einem sehr großen Fassungsvermögen.«

Das täglich größer wird, sagt Wriothesley lachend; Dr Butts sagt: Er gehört zu jenen Männern, die aktiv sein müssen, und in letzter Zeit schmerzt ihn sein Bein, die alte Verletzung; aber bedenken Sie, wie wahrscheinlich ist es denn, dass ein Mann, der sich im Jagdrevier und auf dem Turnierplatz nicht geschont hat, keinerlei Verletzung hat, wenn er das Alter das Königs erreicht? Er ist im dreiundvierzigsten Jahr, wissen Sie, und ich wäre froh, Kratzer, Ihre Meinung zu erfahren, was die Planeten für die späteren Jahre eines Mannes zu sagen haben, dessen Diagramm so von Luft und Feuer dominiert wird; übrigens, habe ich nicht immer vor seinem Mond im Schützen (ein vorschneller und hastiger Planet) im Haus der Ehe gewarnt?

Er sagt ungeduldig: Wir haben sehr wenig über den Mond im Schützen gehört, als er zwanzig Jahre lang mit Katherine lebte. Es sind nicht die Sterne, die uns formen, Dr Butts, es sind Umstände und *necessità*, die Entscheidungen, die wir unter Druck treffen; unsere Tugenden formen uns, aber Tugenden sind nicht genug, wir müssen manchmal auch unsere Laster einsetzen. Oder stimmen Sie mir nicht zu?

Er macht Christophe ein Zeichen, dass er ihre Gläser füllen soll. Sie sprechen über die Münzanstalt, wo Vaughan einen Posten bekommen soll; über Calais, wo Honor Lisle die Affären anscheinend fleißiger betreibt als ihr Mann, der Gouverneur. Er denkt an Giulio Camillo in Paris, der sorgenvoll zwischen den hölzernen Wänden seiner Gedächtnismaschine hin und her läuft, während in Höhlungen und verborgenen inneren Räumen das Wissen ungesehen und von alleine wächst. Er denkt an die Magd – von der man inzwischen weiß, dass sie weder heilig noch jungfräulich ist –, die zweifellos in diesem Augenblick mit seinen Nichten beim Abendessen sitzt. Er denkt an die Männer, die sie mit ihm zusammen verhören: Cranmer betet auf den Knien, Sir Spitz runzelt die Stirn über den Mitschriften des Tages, Audley – was tut wohl der Lordkanzler? Er reibt seine Amtskette blank, entscheidet er. Er will gerade zu Vaughan sagen, leise, abseits des allgemeinen Gesprächs: Gab es in Ihrem Haus nicht ein Mädchen namens Jenneke? Was ist mit ihr geschehen? Aber Wriothesley unterbricht seinen Gedankengang. »Wann bekommen wir das Porträt meines Herrn zu sehen? Sie arbeiten schon eine ganze Weile daran, Hans, es wird langsam Zeit, dass es fertig wird. Wir sind gespannt darauf zu sehen, was Sie aus ihm gemacht haben.«

»Er hat immer noch mit den französischen Gesandten zu tun«, sagt Kratzer. »De Dinteville will sein Bild mit nach Hause nehmen, wenn er endlich abberufen wird …«

Es gibt einiges Gelächter auf Kosten des französischen Botschafters, der ständig packt und dann wieder auspacken muss, wenn sein Herr ihm befiehlt, dort zu bleiben, wo er ist. »Ohnehin hoffe ich, dass er es nicht zu schnell mitnimmt«, sagt Hans, »weil ich beabsichtige, es zu zeigen und eventuell weitere Aufträge zu erhalten. Ich möchte, dass der König es sieht, tatsächlich möchte ich den König malen. Glauben Sie, es ist möglich?«

»Ich frage ihn«, sagt er leichthin. »Lassen Sie mich den Zeitpunkt wählen.« Er blickt den Tisch hinunter und sieht Vaughan vor Stolz glühen wie Jupiter auf einem Deckengemälde.

Nachdem sie vom Tisch aufgestanden sind, essen seine Gäste Ingwerkonfekt und kandierte Früchte, und Kratzer macht ein paar Zeichnungen. Er zeichnet die Sonne und die Planeten in ihren Umlaufbahnen nach dem Plan, von dem er durch Vater Kopernikus gehört hat. Er zeigt, wie sich die Welt um ihre eigene Achse dreht, und niemand im Raum leugnet das. Unter ihren Füßen können sie den Zug und den Hub spüren; die Felsen ächzen, weil sie sich losreißen wollen, die Ozeane kippen und klatschen an ihre Küsten, die Alpenpässe schlingern schwindelerregend, die Wälder von Deutschland reißen an ihren Wurzeln, um frei zu sein. Die Welt ist nicht die, die sie war, als er und Vaughan jung waren, sie ist nicht einmal die, die sie in den Tagen des Kardinals war.

Die Gäste sind gegangen, als seine Nichte Alice kommt; in einen Umhang gehüllt, geht sie an seinen Wachleuten vorbei; sie wird von Thomas Rotherham begleitet, einem seiner Mündel, das im Haus lebt. »Keine Angst, Sir«, sagt sie, »Jo hält Wache bei Dame Elizabeth, und Jo entgeht nichts.«

Wirklich nicht? Diesem Kind, das ständig in Tränen aufgelöst ist wegen verunglückter Nähte? Diesem schmuddeligen kleinen Mädchen, das man manchmal mit einem nassen Hund unter einem Tisch herumrollen oder einem Hausierer auf der Straße nachjagen sieht? »Ich würde gerne mit Ihnen sprechen«, sagt Alice, »wenn Sie Zeit für mich haben.« Natürlich, sagt er, nimmt ihren Arm, nimmt ihre Hand; Thomas Rotherham wird blass – was ihn verwirrt – und stiehlt sich davon.

Alice setzt sich in seinem Büro. Sie gähnt. »Entschuldigung – aber es ist harte Arbeit, und es sind viele Stunden.« Sie steckt eine Haarsträhne unter ihre Haube. »Sie hält nicht mehr lange durch«, sagt sie. »Ihnen spielt sie die Mutige vor, aber sie weint nachts, weil sie weiß, dass sie eine Betrügerin ist. Und sogar wenn sie weint, blinzelt sie unter den Augenlidern hervor, um festzustellen, welche Wirkung sie damit erzielt.«

»Ich möchte, dass das jetzt endet«, sagt er. »Mit all den Schwierigkeiten, die sie uns bereitet hat, sind wir nicht gerade ein erbauliches Spektakel, wir drei oder vier Männer, die das Recht und die Schriften studiert haben und Tag für Tag zusammenkommen, um so ein junges Ding zum Stolpern zu bringen.«

»Warum wurde sie nicht schon früher zur Rechenschaft gezogen?«

»Ich wollte nicht, dass sie ihren Prophetenladen dichtmacht. Ich wollte sehen, wer angerannt kommt, wenn sie pfeift. Lady Exeter kam und Bischof Fisher auch. Und zwanzig Mönche und törichte Priester, deren Namen ich kenne, und vielleicht einhundert, deren Namen ich noch nicht kenne.«

»Und wird der König sie alle töten?«

»Sehr wenige, hoffe ich.«

»Sie veranlassen ihn zur Gnade?«

»Ich veranlasse ihn zur Geduld.«

»Was wird mit ihr geschehen? Dame Eliza?«

»Wir werden eine Anklage formulieren.«

»Sie wird nicht in den Kerker kommen?«

»Nein, ich werde den König dazu bewegen, sie nachsichtig zu behandeln. Er respektiert Personen des religiösen Lebens – normalerweise. Aber Alice«, er sieht, dass sie sich in Tränen auflöst, »ich glaube, das ist alles zu viel für dich gewesen.«

»Nein, keineswegs. Wir sind alle Soldaten in Ihrer Armee.«

»Sie hat dich nicht erschreckt mit ihrem Gerede von den bösen Angeboten des Teufels?«

»Nein, es sind Thomas Rotherhams Angebote … er will mich heiraten.«

»Ach so, das ist mit ihm los!« Er ist belustigt. »Konnte er nicht selbst fragen?«

»Er glaubt, Sie würden ihn auf die gewisse Weise ansehen … als ob Sie ihn wiegen.«

Wie eine beschnittene Münze? »Alice, er besitzt eine dicke Scheibe von Bedfordshire und seine Landgüter gedeihen prächtig, seit ich mich darum kümmere. Und wenn ihr euch mögt, wie könnte ich da Einwände haben? Du bist ein kluges Mädchen, Alice. Deine Mutter«, sagt er sanft, »und dein Vater würden sich sehr freuen, wenn sie dich sehen könnten.«

Das ist der Grund, warum Alice weint. Sie muss die Erlaubnis ihres Onkels einholen, weil sie dieses Jahr zur Waise geworden ist. An dem Tag, als seine Schwester Bet starb, war er mit dem König auf dem Land. Henry empfing aus Angst vor Ansteckung keine Boten aus London, und deshalb war Bet tot und begraben, bevor er überhaupt wusste, dass sie krank war. Als die Nachricht endlich doch durchsickerte, sprach der König sehr warmherzig mit ihm, er legte eine Hand auf seinen Arm; er sprach von seiner eigenen Schwester, der Lady, die silbernes Haar wie eine Prinzessin aus einem Buch gehabt hatte; sie war aus diesem Leben in paradiesische Gärten gegangen, die für die königlichen Toten reserviert sind, wie er behauptete; denn es ist unmöglich, hatte er gesagt, sich diese Dame an einem niedrigen Ort vorzustellen, einem Ort der Dunkelheit, im verriegelten Beinhaus des Purgatoriums mit seiner fliegenden Asche und dem Schwefelgestank, seinem kochenden Teer und den trüben Wolken voller Eisregen.

»Alice«, sagt er, »trockne deine Tränen, geh zu Thomas Rotherham und beende seine Qual. Du brauchst morgen nicht nach Lambeth zu kommen. Jo kann kommen, wenn sie so tüchtig ist, wie du sagst.«

Alice dreht sich in der Tür um. »Aber ich werde sie noch einmal sehen? Eliza Barton? Ich würde sie gerne sehen, bevor …«

Bevor sie getötet wird. Alice ist nicht naiv, sie kennt sich aus in dieser Welt. Umso besser. Man sieht ja, wie die Naiven enden: Leute, die vor Sünde triefen, zynische Leute benutzen sie, biegen sie für ihre Zwecke zurecht und zertreten sie dann unter ihren Füßen.

Er hört, wie Alice nach oben rennt. Er hört sie rufen: Thomas, Thomas … Es ist ein Name, der den halben Haushalt aufschreckt und aus Nachtgebeten, gar aus Betten stürzen lässt: Ja, suchst du mich? Er zieht seine pelzbesetzte Robe über und geht hinaus, um die Sterne zu betrachten. Das Gelände seines Hauses wird gut beleuchtet; die Gärten im Fackellicht sind Ausgrabungsstätten, für Fundamente werden Gräben ausgehoben, die Erde türmt sich in Schubkarren und Haufen. Das riesige Holzgerüst für einen neuen Flügel ragt in den Himmel; im Mittelgrund seine neue Anpflanzung, ein Obstgarten in der Stadt, wo Gregory eines Tages die Früchte ernten wird, auch Alice und Alice' Söhne. Er hat schon Obstbäume, aber er möchte Kirschen und Pflaumen wie die, die er im Ausland gegessen hat, und späte Birnen, um sie auf toskanische Weise zu verwenden und ihr knackiges metallisches Fruchtfleisch im Winter mit dem gepökelten Kabeljau zu servieren. Im nächsten Jahr will er dann einen weiteren Garten bei der Jagdhütte anlegen, die er in Canonbury hat, damit sie zu einem Sommerhaus in den Feldern wird, zu einer Zuflucht vor der Stadt. Auch in Stepney wird gerade an Erweiterungen gearbeitet; John Williamson beaufsichtigt die Bauleute für ihn. Merkwürdig, aber wie ein Wunder scheint ihn der Wohlstand der Familie von seinem tödlichen Husten geheilt zu haben. Ich mag John Williamson, denkt er, warum habe ich je mit seiner Frau …

Hinter dem Tor hört er Schreien und Rufe, London ist niemals leise oder gar still; die Friedhöfe sind voll, aber die Lebenden ziehen durch die Straßen, betrunkene Kämpfer stürzen von der London Bridge, Männer, die bei der Kirche Zuflucht gefunden haben, schleichen sich hinaus, um zu stehlen, die Huren von Southwark rufen ihre Preise aus wie Metzger, die totes Fleisch verkaufen.

Er geht ins Haus. Sein Schreibtisch zieht ihn wieder hinein. In einer kleinen Truhe verwahrt er das Buch seiner Frau, ihr Stundenbuch. Sie hat lose Blätter mit Gebeten zwischen die Seiten gelegt. Sage tausendmal den Namen des Heilands, und das Fieber bleibt fern. Aber das stimmt nicht. Das Fieber kommt auf jeden Fall und tötet dich. Neben den Namen ihres ersten Mannes, Thomas Williams, hat sie seinen eigenen Namen geschrieben, aber sie hat Tom Williams nie ausgestrichen, bemerkt er. Sie hat die Geburten ihrer Kinder vermerkt, und er hat daneben die Todesdaten seiner Töchter geschrieben. Er findet eine freie Stelle, wo er die Hochzeiten der Kinder seiner Schwestern notieren wird: Richard mit Frances Murfyn, Alice mit seinem Mündel.

Er denkt, vielleicht bin ich über Liz hinweggekommen. Es schien unmöglich, dass diese Last in seiner Brust jemals weichen würde, aber sie ist um so viel leichter geworden, dass er mit seinem Leben weitermachen kann. Ich könnte wieder heiraten, denkt er, aber das ist doch, was die Leute mir ständig sagen? Er sagt sich: Ich denke jetzt nie an Johane Williamson, nicht an Johane, wie sie für mich war. Ihr Körper hatte einmal eine besondere Bedeutung, aber diese Bedeutung ist jetzt gelöscht; das Fleisch, das unter seinen Fingerspitzen geschaffen wurde, geheiligt vom Verlangen, wird zu dem gewöhnlichen Stoff, aus dem eine Ehefrau der City gemacht ist, eine verblühende Frau von keiner besonderen Schönheit. Er sagt sich: Ich denke jetzt nie an Anselma; sie ist nur die Frau auf dem Gobelin, die Frau im Gewebe.

Er greift nach der Feder. Ich bin über Liz hinweggekommen, sagt er sich. Sicher? Er zögert, die Feder in der Hand, beschwert von der Tinte. Er hält die Seiten flach nach unten und streicht den Namen ihres ersten Mannes durch. Er denkt: Das wollte ich schon seit Jahren tun.

Es ist spät. Oben, wo der Mond hohläugig hereinstarrt wie ein Betrunkener, der sich verlaufen hat, schließt er die Läden. Christophe faltet Kleidungsstücke zusammen und sagt: »Gibt es Loups? In diesem Königreich?«

»Ich glaube, die Wölfe sind alle gestorben, als die großen Wälder abgeholzt wurden. Das Heulen, das du da hörst, das sind nur die Londoner.«

Sonntag: In rosa getöntem Licht brechen sie in Austin Friars auf; seine Männer in ihrer neuen Livree aus grau marmoriertem Stoff holen die Gruppe in seinem Stadthaus ab, wo die Nonne festgehalten wurde. Es wäre bequem, denkt er, wenn ich die Barke des königlichen Sekretärs hätte, anstatt *ad hoc* für Beförderung sorgen zu müssen, wenn wir den Fluss überqueren. Er war bereits in der Messe, aber Cranmer besteht darauf, dass sie alle eine weitere besuchen. Er beobachtet das Mädchen und sieht ihre Tränen fließen. Alice hat recht; sie ist ans Ende ihres Einfallsreichtums gelangt.

Um neun Uhr entwirrt sie die Fäden, mit deren Verwicklung sie Jahre verbracht hat. Sie gesteht in großem Stil, so heftig und schnell, dass Riche kaum mitkommt, und sie appelliert an sie als Männer von Welt, als Leute, die ihren Weg machen müssen: »Sie wissen, wie das ist. Sie erwähnen etwas, und die Leute bedrängen Sie, was meinst du damit, was meinst du damit? Sie sagen, Sie haben eine Vision gehabt, und die anderen lassen Sie nicht mehr in Ruhe.«

»Man kann die Leute nicht enttäuschen?«, sagt er; sie stimmt zu, so ist es, das kann man nicht. Wenn man einmal angefangen hat, muss man weitermachen. Wenn man versucht, es rückgängig zu machen, wird man geschlachtet.

Sie gesteht, dass ihre Visionen Erfindungen sind. Sie hat niemals mit himmlischen Wesen gesprochen. Oder die Toten erweckt; das war alles Schwindel. Sie hatte nie bei Wundern die Hand im Spiel. Den Brief von Maria Magdalena, den hat Vater Bocking geschrieben, und ein Mönch hat die Buchstaben vergoldet, der Name wird ihr gleich einfallen. Die Engel entstammen ihrer eigenen Erfindung, sie glaubte sie zu sehen, aber jetzt weiß sie, dass sie lediglich das Aufblitzen von Licht an der Wand waren. Die Stimmen, die sie gehört hat, waren nicht die

Stimmen der Engel, es waren überhaupt keine deutlichen Stimmen, nur der Klang ihrer Schwestern, die in der Kapelle sangen, oder eine Frau, die auf der Straße weinte, weil sie geschlagen und beraubt wurde, oder vielleicht das sinnlose Klappern von Geschirr in der Küche; und jenes Stöhnen und Schreien, das aus den Hälsen der Verdammten zu kommen schien, das war nur jemand über ihr, der einen Tisch über den Boden schleifte, es war das Winseln eines verirrten Hundes. »Ich weiß jetzt, Sirs, dass diese Heiligen nicht wirklich waren. Nicht so, wie Sie wirklich sind.«

Etwas in ihr ist zerbrochen, und er fragt sich, was es ist.

Sie sagt: »Ist es vielleicht möglich, dass ich wieder nach Kent zurückkehren kann, nach Hause?«

»Ich werde sehen, was sich arrangieren lässt.«

Hugh Latimer sitzt bei ihnen und wirft ihm einen strengen Blick zu, als würde er falsche Versprechungen machen. Nein, wirklich, sagt er. Überlassen Sie es mir.

Cranmer teilt ihr sanft mit: »Bevor Sie irgendwohin gehen können, ist es notwendig, dass Sie Ihren Schwindel öffentlich zugeben. Ein öffentliches Geständnis.«

»Menschenmengen machen ihr keine Angst, richtig?« All diese Jahre war sie mit ihrer Vorstellung auf Tournee, und das wird sie wieder sein, auch wenn sich der Charakter der Vorstellung gewandelt hat; er hat die Absicht, sie und ihre Reue in Paul's Cross zur Schau zu stellen und vielleicht auch außerhalb Londons. Er hat das Gefühl, dass sie die Rolle der Betrügerin ebenso freudig übernehmen wird, wie sie ihre Rolle als Heilige übernommen hat.

Er sagt zu Riche: Niccolò schreibt, dass unbewaffnete Propheten immer scheitern. Er lächelt und sagt: Ich erwähne das, Ricardo, weil ich weiß, das Sie alles gerne so haben, wie es im Buche steht.

Cranmer beugt sich vor und sagt zu der Magd: Diese Männer um Sie, Edward Bocking und die anderen, welche von Ihnen waren Ihre Liebhaber?

Sie ist schockiert: Vielleicht weil die Frage von ihm gekommen ist, dem sanftesten der Männer, die sie verhört haben. Sie starrt ihn einfach nur an, als wäre einer von ihnen beiden dumm.

Er murmelt: Vielleicht denkt sie, Liebhaber ist nicht das richtige Wort.

Genug. Zu Audley, zu Latimer, zu Riche sagt er: »Ich werde jetzt ihre Anhänger und ihre Führer vor Gericht bringen. Sie wird viele zu Fall bringen, wenn wir ihren Fall herbeiführen wollen. Fisher mit Sicherheit, Margaret Pole vielleicht, Gertrude und ihren Mann bestimmt. Lady Mary, die Tochter des Königs, möglicherweise. Thomas More nein, Katherine nein, aber eine reiche Ausbeute an Franziskanern.«

Das Gericht erhebt sich, wenn man es denn Gericht nennen kann. Jo steht auf. Sie hat eine Handarbeit gemacht – oder vielmehr ungeschehen gemacht, sie hat die Granatapfelbordüre an einem Streifen Crewelstickerei aufgetrennt –, diese Erinnerungen an Katherine, an das staubige Königreich Granada verweilen noch in England. Sie faltet ihre Arbeit zusammen, steckt die Schere in die Tasche, schiebt den Ärmel hoch und steckt ihre Nadel zum späteren Gebrauch in den Stoff. Sie geht auf die Gefangene zu und legt eine Hand auf ihren Arm. »Wir müssen Adieu sagen.«

»William Hawkhurst«, sagt das Mädchen, »jetzt erinnere ich mich an den Namen. Der Mönch, der den Brief von Maria Magdalena vergoldet hat.«

Richard Riche macht eine Notiz.

»Sagen Sie heute nichts mehr«, rät Jo ihr.

»Kommen Sie mit mir, Mistress? Wo gehe ich hin?«

»Niemand wird mit Ihnen kommen«, sagt Jo. »Ich glaube, Sie haben nicht richtig verstanden, Dame Eliza. Sie gehen in den Tower, und ich gehe nach Hause zum Abendessen.«

Dieser Sommer von 1533 war ein Sommer der wolkenlosen Tage, des Erdbeerhochgenusses in Londoner Gärten, des Summens suchender Bienen, der warmen Abende, an denen man unter Rosenlauben spazierte und von den Alleen den Lärm junger Herren hörte, die sich beim Bowls stritten. Die Kornernte ist sogar im Norden reich. Die Bäume biegen sich unter dem Gewicht reifender Früchte. Als hätte er dekretiert, dass die Hitze anhalten muss, leuchtet der Hof des Königs hell durch den Herbst. Monseigneur, der Vater der Königin, scheint wie die Sonne, und um ihn herum dreht sich ein kleinerer, aber immer noch strahlender Mittagsplanet, sein Sohn George Rochford. Aber es ist Brandon, der den Tanz anführt, er galoppiert mit seiner neuen Braut im Schlepptau durch die Hallen, sie ist vierzehn Jahre alt. Sie ist eine Erbin und war seinem Sohn versprochen, aber Charles glaubte, ein erfahrener Mann wie er könne eine bessere Verwendung für sie finden.

Die Seymours haben ihren Familienskandal hinter sich gebracht, und ihre Geschicke wenden sich zum Besseren. Jane Seymour sagt zu ihm, während sie auf ihre Füße blickt: »Master Cromwell, mein Bruder Edward hat letzte Woche gelächelt.«

»Das war voreilig von ihm, was hat ihn dazu veranlasst?«

»Er hat gehört, dass seine Frau krank ist. Die Frau, die er früher hatte. Dieselbe, die mein Vater, Sie wissen schon.«

»Ist es wahrscheinlich, dass sie stirbt?«

»Oh, sehr wahrscheinlich. Dann bekommt er eine neue. Aber er wird sie in seinem Haus in Elvetham lassen und sie mindestens eine Meile von Wolf Hall entfernt halten. Und wenn mein Vater Elvetham besucht, wird sie im Wäschezimmer eingeschlossen, bis er wieder gegangen ist.«

Janes Schwester Lizzie ist am Hof mit ihrem Mann, dem Gouverneur von Jersey, der irgendwie mit der neuen Königin verwandt ist. Lizzie kommt verpackt in Samt und Spitze, ihre Umrisse sind so klar, wie die ihrer Schwester unbestimmt und verschwommen sind, ihre Augen sind forsch und haselnussbraun und beredt. Janes Augen haben die Farbe von Wasser, sie ist ein Hauch im Kielwasser ihrer Schwester, wo ihre Gedanken vorbeihuschen wie vergoldete Fische, zu winzig für Haken oder Netz.

Es ist Jane Rochford – deren Verstand seiner Meinung nach unterbeschäftigt ist –, die bemerkt, dass er die Schwestern beobachtet. »Lizzie Seymour muss einen Liebhaber haben«, sagt sie, »denn es kann nicht ihr Mann sein, der den Glanz auf ihre Wangen bringt, er ist ein alter Mann. Er war schon alt, als er in den schottischen Kriegen gekämpft hat.« Die beiden Schwestern ähneln sich nur ein bisschen, erklärt sie; sie haben beide die Angewohnheit, den Kopf schnell zu senken und die Unterlippe einzuziehen. »Ansonsten«, sagt sie süffisant, »würde man denken, ihre Mutter hätte dasselbe getrieben wie ihr Mann. Sie war eine Schönheit, als sie jung war, wissen Sie, Margery Wentworth. Und niemand weiß, was in Wiltshire vor sich geht.«

»Es erstaunt mich, dass Sie das nicht wissen, Lady Rochford. Sie scheinen sich in jedermanns Angelegenheiten auszukennen.«

»Sie und ich, wir halten die Augen offen.« Sie senkt den Kopf und sagt, als würde sie ihre Worte nach innen richten, an ihren eigenen Körper: »Ich könnte meine Augen offen halten, wenn Sie wollen, an Orten, zu denen Sie keinen Zugang haben.«

Großer Gott, was will sie? Doch sicher kein Geld? Die Frage kommt kälter heraus, als er beabsichtigt: »Und was wäre der mögliche Anreiz?«

Sie hebt die Augen und sieht ihn an. »Ich hätte gerne Ihre Freundschaft.«

»Die ist nicht an Bedingungen geknüpft.«

»Ich dachte, ich könnte Ihnen helfen. Weil Ihre Verbündete Lady Carey nach Hever gegangen ist, um ihre Tochter zu sehen. Sie ist nicht mehr erwünscht, seit Anne ihren Dienst in der Schlafkammer wieder aufgenommen hat. Die arme Mary.« Sie lacht. »Gott hat ihr sehr gute Karten ausgeteilt, aber sie wusste sie nie richtig auszuspielen. Sagen Sie, was tun Sie, wenn die Königin kein Kind mehr bekommt?«

»Es gibt keinen Grund für eine solche Befürchtung. Ihre Mutter hat jedes Jahr ein Kind bekommen. Boleyn hat sich ständig darüber beklagt, weil es ihn angeblich arm machte.«

»Haben Sie jemals bemerkt, dass sich ein Mann einen Sohn als alleiniges Verdienst anrechnet und seiner Frau die Schuld gibt, wenn er eine Tochter bekommt? Und wenn sie gar keine Kinder haben, sagen wir, dass ihr Leib unfruchtbar ist. Wir sagen nicht, dass sein Samen schlecht ist.«

»Genauso ist es in den Evangelien. Der steinige Boden trägt die Schuld.«

Der steinige Ort, die dornige, unergiebige Öde. Jane Rochford ist nach sieben Jahren Ehe kinderlos. »Ich glaube, mein Mann wünscht, dass ich sterbe.« Sie sagt es leichthin. Er weiß nicht, was er antworten soll. Er hat sie nicht gebeten, ihn ins Vertrauen zu ziehen. »Wenn ich wirklich sterbe«, sagt sie in demselben heiteren Tonfall, »lassen Sie meinen Körper öffnen. Ich bitte Sie aus Freundschaft darum. Ich habe Angst vor Gift. Mein Mann und seine Schwester sind stundenlang hinter verschlossenen Türen allein, und Anne kennt alle Arten von Gift. Sie hat sich damit gebrüstet, dass sie Mary ein Frühstück servieren würde, von dem sie sich nicht erholt.« Er wartet. »Mary, die Tochter des Königs, meine ich. Obwohl ich mir sicher bin, dass Anne gegebenenfalls keine Skrupel hätte, auch ihre eigene Schwester zu beseitigen.« Sie sieht wieder auf. »Wenn Sie Ihr Herz ehrlich befragen, würden Sie gerne wissen, was ich weiß.«

Sie ist einsam, denkt er, und entwickelt ein wildes Herz wie Leontina in ihrem Käfig. Sie stellt sich vor, alles dreht sich um sie, jeder Blick, jedes geheime Gespräch. Sie hat Angst, dass die anderen Frauen sie bemitleiden, und sie hasst es, bemitleidet zu werden. Er sagt: »Was wissen Sie von meinem Herzen?«

»Ich weiß, wohin es neigt.«

»Das ist mehr, als ich selbst weiß.«

»Das ist bei Männern nicht ungewöhnlich. Ich kann Ihnen sagen, wen Sie lieben. Warum bitten Sie nicht um sie, wenn Sie sie wollen? Die Seymours sind nicht reich. Sie werden Jane an Sie verkaufen und froh über den Handel sein.«

»Sie irren sich, was den Grund meines Interesses betrifft. Ich habe junge Herren in meinem Haus, ich habe Mündel, und sie zu verheiraten, das ist mein Anliegen.«

»Ach, falala«, sagt sie. »Singen Sie ein anderes Lied. Erzählen Sie das den Säuglingen im Kinderzimmer. Erzählen Sie das dem Unterhaus, das Sie sowieso meistens anlügen. Aber glauben Sie nicht, Sie können mich täuschen.«

»Für eine Dame, die mir ihre Freundschaft anbietet, haben Sie ruppige Manieren.«

»Daran müssen Sie sich gewöhnen, wenn Sie meine Informationen wollen. Wenn Sie jetzt in Annes Gemächer gehen, was sehen Sie da? Die Königin an ihrem Betpult. Die Königin, die einen Kittel für eine Bettlerin näht und Perlen so groß wie Kichererbsen trägt.«

Es ist schwer, nicht zu lächeln. Die Beschreibung ist treffend. Anne hat Cranmer bezaubert. Er hält sie für ein Muster an frommer Weiblichkeit.

»Können Sie sich vorstellen, was wirklich vor sich geht? Können Sie sich vorstellen, dass sie den Umgang mit flinken jungen Herren aufgegeben hat? Rätsel und Verse und Lieder, die sie preisen, glauben Sie, sie hat das aufgeben?«

»Sie hat den König, um sie zu preisen.«

»Aus der Richtung wird sie kein gutes Wort hören, bis ihr Bauch wieder rund ist.«

»Und was sollte das verhindern?«

»Nichts. Sofern er dem gewachsen ist.«

»Seien Sie vorsichtig.« Er lächelt.

»Ich wusste gar nicht, dass es Verrat ist, wenn man darüber redet, was im Bett eines Fürsten vor sich geht. Ganz Europa hat über Katherine gesprochen – welcher Körperteil wohin getan wurde, ob sie penetriert wurde, und wenn ja, hat sie es gemerkt?« Sie kichert. »Harrys Bein tut ihm nachts weh. Er hat Angst, dass die Königin ihn in der Übermacht der Leidenschaft tritt.« Sie legt die Hand auf den Mund, aber die Worte kriechen durch die enge Lücke zwischen ihren Fingern heraus. »Aber wenn sie still unter ihm liegt, sagt er: Was, Madam, sind Sie so wenig daran interessiert, meinen Erben zu machen?«

»Ich sehe nicht, was sie tun könnte.«

»Sie sagt, sie findet kein Vergnügen mit ihm. Und er – nachdem er sieben Jahre gekämpft hat, um sie zu bekommen, kann er kaum zugeben, dass es so schnell schal geworden ist. Es war schon schal, bevor sie aus Calais zurückkehrten, das jedenfalls glaube ich.«

Es ist möglich; vielleicht waren sie schlachtmüde, erschöpft. Und doch macht er ihr so großartige Geschenke. Und sie streiten so viel. Würden sie so viel streiten, wenn sie einander gleichgültig wären?

»Nun«, fährt sie fort, »mit all den Fußtritten und dem wunden Bein und seinem Mangel an Geschicklichkeit und ihrem Mangel an Begierde wird es ein Wunder sein, wenn wir jemals einen Prinzen von Wales bekommen. Oh, er wäre natürlich Manns genug, wenn er jede Woche eine neue Frau hätte. Und wenn er sich nach Neuem sehnt, wer wollte sagen, dass sie es nicht tut? Ihr eigener Bruder steht in ihrem Dienst.«

Er dreht sich zu ihr und sieht sie an. »Gott helfe Ihnen, Lady Rochford«, sagt er.

»Um seine Freunde zu ihr zu bringen, meine ich. Was glaubten Sie denn?« Ein kleines kratziges Lachen.

»Wissen Sie eigentlich selbst, was Sie meinen? Sie waren lange genug am Hof, Sie wissen, welche Spiele gespielt werden. Es ist nicht von Belang, wenn eine Dame Verse und Komplimente bekommt, selbst wenn sie verheiratet ist. Sie weiß, dass ihr Mann woanders Verse schreibt.«

»Oh, das weiß sie. Zumindest weiß ich das. Es gibt im Umkreis von dreißig Meilen kein kleines Biest, das nicht eine Sammlung von Rochfords Versen bekommen hat. Aber wenn Sie glauben, dass die Galanterie an der Tür zum Schlafgemach aufhört, sind Sie naiver, als ich dachte. Sie mögen in Seymours Tochter verliebt sein, aber Sie brauchen ihr nicht nachzueifern und den Witz eines Schafs anzustreben.«

Er lächelt. »Das ist üble Nachrede. Schafhirten sagen, dass Schafe sich gegenseitig erkennen. Sie hören auf ihre Namen. Sie schließen Freundschaften fürs Leben.«

»Und ich erzähle Ihnen, wer zwischen allen Schlafkammern hin und her flitzt. Es ist dieser kriecherische Mark. Er macht für alle den Liebesboten. Mein Mann bezahlt ihn mit Perlmuttknöpfen und Konfektschachteln und Federn für seinen Hut.«

»Warum, mangelt es Lord Rochford an Bargeld?«

»Sehen Sie da etwa eine Möglichkeit, Wucher zu treiben?«

»Wie nicht?« Zumindest, denkt er, gibt es einen Punkt, in dem wir uns einig sind: eine unbegründete Abneigung gegen Mark. In Wolseys Haus hatte er Pflichten, musste die Chorkinder unterrichten. Hier tut er nichts als herumzustehen, wo immer der Hof ist, in größerer oder kleinerer Entfernung zu den Räumen der Königin. »Ich kann keine Gefahr in dem Jungen erkennen«, sagt er.

»Er klebt wie eine Klette an Leuten, die über ihm stehen. Er kennt seine Stellung nicht. Er ist ein aufgeblasener Niemand, der seine Chance ergreift, weil die Zeiten in Unordnung sind.«

»Ich vermute, Sie könnten dasselbe von mir sagen, Lady Rochford. Und ich bin mir sicher, dass Sie das auch tun.«

Thomas Wyatt bringt ihm Körbe mit Hasel- und Lambertsnüssen, scheffelweise Äpfel aus Kent. Er ist selbst auf dem Karren nach Austin Friars mitgekommen und hat sich durchrütteln lassen. »Das Rehfleisch kommt später«, sagt er, als er hinunterspringt. »Ich bin lieber mit den frischen Früchten gekommen als mit den Kadavern.« Sein Haar riecht nach Äpfeln, seine Kleider sind staubig von der Straße. »Jetzt werden Sie mich ermahnen«, sagt er, »weil ich mein teures Wams riskiert habe …«

»Das so viel kostet, wie der Kärrner pro Jahr verdient.«

Wyatt sieht einsichtig aus. »Ich vergesse immer, dass Sie mein Vater sind.«

»Ich habe Sie getadelt, also können wir uns jetzt den Männergesprächen zuwenden.« Er steht in einem Streifen der milden Herbstsonne und hält einen Apfel in der Hand. Er schält ihn mit einer dünnen Klinge, und die Schale fällt leise vom Fruchtfleisch und bleibt zwischen seinen Papieren liegen wie der Schatten eines Apfels, grün auf weißem Papier und schwarzer Tinte. »Haben Sie Lady Carey gesehen, als Sie auf dem Land waren?«

»Mary Boleyn auf dem Land. Welch taufrische Freuden kommen einem da in den Sinn. Ich vermute, sie brunftet auf irgendeinem Heuboden.«

»Ich möchte nur an ihr festhalten, für das nächste Mal, wenn ihre Schwester *hors de combat* ist.«

Wyatt setzt sich zwischen die Akten, einen Apfel in der Hand. »Cromwell, angenommen, Sie wären sieben Jahre lang nicht in England gewesen. Sie wären wie ein Ritter in einer Geschichte mit einem Zauberbann belegt worden. Sie würden sich umsehen und sich wundern: Wer sind sie, diese Leute?«

Diesen Sommer würde er in Kent bleiben, hat Wyatt geschworen. An feuchten Tagen würde er lesen und schreiben, bei gutem Wetter jagen. Aber der Herbst kommt, und die Nächte werden länger, und Anne zieht ihn zurück und zurück. Sein Herz ist wahrhaftig, glaubt er: und wenn sie falsch ist, ist es schwer zu entscheiden, wo die Falschheit liegt. Man kann im Augenblick nicht mit Anne scherzen. Man kann nicht lachen. Man muss sie für vollkommen halten, oder sie ersinnt eine Strafe.

»Mein alter Vater spricht über die Tage König Edwards. Er sagt, siehst du jetzt, warum es nicht gut für den König ist, eine Untertanin, eine Engländerin zu heiraten?«

Das Problem ist, dass Anne den Hof zwar erneuert hat, dass es aber immer noch Menschen gibt, die sie vorher kannten, in den Tagen, als sie aus Frankreich kam, als sie sich daranmachte, Harry Percy zu verführen. Sie wetteifern darin, Geschichten darüber zu erzählen, wie unwürdig sie ist. Oder unmenschlich. Dass sie eine Schlange ist. Oder ein Schwan. *Una candida cerva.* Eine vereinzelte Hirschkuh, die zwischen silbrig-grauen Blättern verborgen ist; zitternd versteckt sie sich zwischen den Bäumen und wartet auf den Geliebten, der sie vom Tier zur Göttin zurückverwandeln wird. »Schicken Sie mich nach Italien zurück«, sagt Wyatt. Ihre dunklen, ihre glänzenden, ihre schräg stehenden Augen: Sie verfolgt mich. In der Nacht kommt sie zu mir in mein einsames Bett.

»Einsam? Das glaube ich nicht.«

Wyatt lacht. »Sie haben recht. Ich nehme mit, was ich kann.«

»Sie trinken zu viel. Mischen Sie Wasser in den Wein.«

»Es hätte anders sein können.«

»Alles könnte anders sein.«

»Sie denken nie über die Vergangenheit nach.«

»Ich spreche nie über sie.«

Wyatt bittet: »Schicken Sie mich irgendwohin.«

»Das mache ich. Wenn der König einen Botschafter braucht.«

»Stimmt es, dass die Medici ein Angebot für die Hand der Prinzessin Mary gemacht haben?«

»Nicht Prinzessin Mary, Sie meinen Lady Mary. Ich habe den König gebeten, darüber nachzudenken. Aber sie sind ihm nicht groß genug. Wissen Sie, wenn Gregory auch nur das geringste Interesse für das Bankwesen hätte, würde ich in Florenz für ihn nach einer Braut suchen. Es wäre angenehm, eine Italienerin im Haus zu haben.«

»Schicken Sie mich dorthin zurück. Setzen Sie mich irgendwo ein, wo ich von Nutzen sein kann, für Sie oder den König, denn hier bin ich zu gar nichts zu gebrauchen, nicht einmal für mich selbst, und ich gereiche niemandem zur Freude.«

Er sagt: »Oh, bei den ausgebleichten Gebeinen Beckets! Hören Sie auf, sich selbst zu bemitleiden.«

Norfolk hat seine eigene Meinung zu den Freunden der Königin. Er rasselt ein wenig, als er sie verkündet, seine Reliquien klimpern, seine grauen unordentlichen Augenbrauen arbeiten über weit aufgerissenen Augen. Diese Männer, sagt er, diese Männer, die sich mit Frauen abgeben! Norris, das hätte ich nicht von ihm gedacht! Und Henry Wyatts Sohn! Verse schreiben. Singen. Reden-reden-reden. »Was für einen Sinn soll es haben, mit Frauen zu reden?«, fragt er ernsthaft. »Cromwell, Sie reden doch nicht mit Frauen, oder? Ich meine, über welches Thema denn? Was würde einem überhaupt einfallen?«

Ich werde mit Norfolk sprechen, beschließt er, wenn er aus Frankreich zurückkommt; ich bitte ihn, Anne zur Vorsicht anzuhalten. Die Franzosen treffen den Papst in Marseilles, und in Ermangelung seiner eigenen Teilnahme muss Henry von seinem wichtigsten Peer vertreten werden. Gardiner ist bereits da. Für mich ist jeder Tag wie ein Feiertag, sagt er zu Tom Wyatt, wenn diese beiden nicht da sind.

Wyatt sagt: »Ich glaube, Henry hat bis dahin vielleicht schon ein neues Objekt seines Interesses gefunden.«

In den nächsten Tagen folgt er Henrys Blick, als dieser auf verschiedenen Damen des Hofes ruht. Da ist nichts in diesem Blick – vielleicht – außer dem hypothetischen Interesse eines jeden Mannes; nur Cranmer glaubt, dass man eine Frau heiraten muss, wenn man sie zweimal angeschaut hat. Er beobachtet den König, als er mit Lizzie Seymour tanzt, wobei seine Hand länger als nötig auf ihrer Taille verweilt. Er sieht, dass Anne es sieht, ihr Ausdruck ist kalt, verkniffen.

Am nächsten Tag leiht er Edward Seymour etwas Geld zu sehr günstigen Bedingungen.

An den feuchten Herbstmorgen, noch im Dämmerlicht, macht sich sein Haushalt in aller Frühe in die feuchten, tropfenden Wälder auf. Es kann keine *torta di funghi* geben, wenn man nicht die rohen Zutaten sammelt.

Richard Riche trifft um acht Uhr ein, sein Gesicht wirkt erstaunt und beunruhigt. »Ich wurde an Ihrem Tor angehalten, Sir, und gefragt: Wo ist Ihr Beutel mit den Pilzen? Niemand kommt ohne Pilze hier rein.« Riches Würde ist missachtet worden. »Ich glaube nicht, dass sie den Lordkanzler nach Pilzen gefragt hätten.«

»Oh doch, das hätten sie, Richard. Außerdem werden Sie in einer Stunde welche zu essen bekommen, mit Eiern in Sahne gebacken, und der Lordkanzler kriegt keine. Sollen wir uns an die Arbeit machen?«

Im Laufe des Septembers hat er die Priester und Mönche dingfest gemacht, die engen Kontakt mit der Nonne hatten. Er geht mit Sir Spitz die Papiere durch, und sie führen die Vernehmungen. Sobald die Geistlichen hinter Schloss und Riegel sind, beginnen sie damit, die Magd zu verleugnen und sich gegenseitig zu verleugnen: Ich habe nie an sie geglaubt, es war Vater Soundso, der mich dazu gebracht hat, ich wollte keinen Ärger haben. Was ihre Kontakte zu Exeters Frau, zu Katherine, zu Mary betrifft – jeder leugnet seine eigene Beteiligung und beeilt sich, seinen Bruder-in-Christus zu belasten. Die Leute der Nonne waren beständig in Verbindung mit dem Exeter-Haushalt. Sie selbst hat viele der wichtigsten klösterlichen Gemeinschaften des Königreichs besucht – Syon Abbey, die Kartause von Sheen, das Haus der Franziskaner in Richmond. Er weiß das, weil er viele Kontakte zu unzufriedenen Mönchen hat. In jedem Kloster gibt es welche, und er macht die intelligentesten ausfindig. Katherine hat die Nonne nicht persönlich getroffen. Warum auch? Sie hat Fisher, der als Vermittler fungiert, und Gertrude, Lord Exeters Frau.

Der König sagt: »Es fällt mir schwer zu glauben, dass Henry Courtenay mich verraten würde. Ein Ritter des Hosenbandordens, ein großer Mann auf dem Turnierplatz, mein Freund seit Kindertagen. Wolsey versuchte, uns auseinanderzubringen, aber das habe ich nicht geduldet.« Er lacht. »Brandon, weißt du noch, Greenwich, damals zu Weihnachten, welches Jahr war es? Erinnerst du dich an die Schneeballschlacht?«

Das ist die Schwierigkeit im Umgang mit ihnen, mit diesen Männern, die ständig über uralte Stammbäume reden und über Jungenfreundschaften und über Dinge, die passiert sind, als du noch in Antwerpen an der Wollbörse gehandelt hast. Du legst ihnen die Beweise unter die Nase, und sie werden sentimental, weil sie an Schneeballschlachten denken. »Passen Sie auf«, sagt Henry, »es ist Courtenays Frau, die Schuld daran hat. Wenn er erst über all ihre Machenschaften Bescheid weiß, wird er sie loswerden wollen. Sie ist wankelmütig und schwach wie ihr ganzes Geschlecht und leicht zur Intrige zu verleiten.«

»Dann vergeben Sie ihr«, sagt er. »Schreiben Sie ihr eine Begnadigung. Verpflichten Sie diese Leute zur Dankbarkeit, wenn Sie wollen, dass sie von ihrer törichten Zuneigung zu Katherine ablassen.«

»Sie glauben, dass Sie Herzen kaufen können?«, sagt Charles Brandon. Er klingt, als wäre er traurig, wenn die Frage mit ja beantwortet würde.

Er denkt: Das Herz ist wie jedes andere Organ, man kann es auf einer Waage wiegen. »Der Preis, den wir zahlen, ist kein Geld. Ich habe genug in der Hand, um die Familie Courtenay vor Gericht zu stellen, den ganzen Exeter-Clan. Wenn wir darauf verzichten, gewähren wir ihnen ihre Freiheit und ihre Ländereien. Wir geben ihnen Gelegenheit, die Ehre ihres Namens wiederherzustellen.«

Henry sagt: »Sein Großvater hat den Buckligen verlassen, um in den Dienst meines Vaters zu treten.«

»Wenn wir ihnen vergeben, werden sie uns zum Narren halten«, sagt Charles.

»Das glaube ich nicht, Mylord. Alles, was sie von jetzt an tun, tun sie unter meinen Augen.«

»Und die Poles, Lord Montague: Was schlagen Sie da vor?«

»Er sollte nicht annehmen, dass er begnadigt wird.«

»Der soll schwitzen, was?«, sagt Charles. »Ich weiß nicht, ob ich die Art und Weise mag, wie Sie mit Adligen umgehen.«

»Sie bekommen, was sie verdienen«, sagt der König. »Ruhe, Mylord, ich muss nachdenken.«

Eine Pause. Brandons Position ist zu kompliziert, als dass er sie aufrechterhalten könnte. Er möchte sagen: Zahlen Sie es den Verrätern heim, Cromwell, aber geben Sie acht, dass Sie sie respektvoll abschlachten. Plötzlich hellt sich sein Gesicht auf: »Ah, jetzt erinnere ich mich an Greenwich. Der Schnee lag knietief in dem Jahr. Ach, damals waren wir jung, Harry. Es gibt nicht mehr solchen Schnee wie damals, als wir jung waren.«

Er sammelt seine Papiere zusammen und bittet darum, sich entschuldigen zu dürfen. Die einsetzenden Erinnerungen werden den Nachmittag beanspruchen, und er hat Arbeit zu erledigen. »Rafe, reite nach West Horsley hinüber. Sag Exeters Frau, dass der König glaubt, alle Frauen seien wankelmütig und schwach – obwohl ich gedacht hätte, dass er ausreichend Beweise für das Gegenteil hat. Sag ihr, sie soll schriftlich niederlegen, dass sie nicht so viel Grips wie ein Floh hat. Sag ihr, sie soll behaupten, dass sie sich außergewöhnlich leicht verleiten lässt, selbst für eine Frau. Sag ihr, sie soll zu Kreuze kriechen. Berate sie bei den Formulierungen. Du weißt, wie das geht. Für Henry kann es gar nicht demütig genug sein.«

Die Zeit der Demut ist gekommen. Von den Gesprächen in Marseilles hört man, dass König François sich dem Papst zu Füßen geworfen und seine Pantoffeln geküsst hat. Als die Nachricht eintrifft, brüllt Henry etwas Vulgäres und zerfetzt die Mitteilung eigenhändig.

Er sammelt die Teile auf, legt sie auf einem Tisch zusammen und liest. »François hat allerdings Wort gehalten«, sagt er. »Überraschend.« Er hat den Papst überredet, seine Bulle der Exkommunikation aufzuschieben. England hat eine Atempause.

»Ich wünsche Papst Clemens ins Grab«, sagt Henry. »Gott weiß, dass er ein schmutziges Leben lebt, außerdem kränkelt er unentwegt, also sollte er sterben. Manchmal«, sagt er, »bete ich, dass Katherine ins ewige Reich eingeht. Ist das falsch?«

»Wenn Sie mit den Fingern schnippen, Majestät, kommen hundert Priester angerannt und lehren Sie, falsch von richtig zu unterscheiden.«

»Aber anscheinend höre ich es lieber von Ihnen.« Henry brütet in mürrischer, nervöser Stille. »Wenn Clemens stirbt, wer wird dann der nächste amtierende Gauner?«

»Ich habe mein Geld auf Alessandro Farnese gesetzt.«

»Wirklich?« Henry setzt sich auf. »Es gibt Wetten?«

»Ja, aber die Gewinnmarge ist nicht groß. Er hat beim römischen Mob all die Jahre mit solchen Bestechungsgeldern um sich geworfen, dass sie die Kardinäle in Angst und Schrecken versetzen werden, wenn die Zeit kommt.«

»Sagen Sie mal, wie viele Kinder hat er eigentlich?«

»Vier, von denen ich weiß.«

Der König blickt auf den Gobelin an der Wand neben ihm, wo Frauen mit weißen Schultern barfuß auf einem Teppich aus Frühlingsblumen wandeln. »Ich habe vielleicht bald noch ein Kind.«

»Die Königin hat mit Ihnen gesprochen?«

»Noch nicht.« Aber er sieht – wie wir alle – die Farbe auf Annes Wangen, die seidene Glätte ihrer Person, den Befehlston in ihrer Stimme, wenn sie Gefälligkeiten und Belohnungen an die Leute in ihrer Umgebung verteilt. In dieser letzten Woche gab es mehr Belohnungen als dunkle Blicke, und Stephen Vaughans Frau, die in der Schlafkammer dient, sagt, dass ihre Regel ausgeblieben ist. Der König sagt: »Sie hat ihre ...« und dann verstummt er und wird rot wie ein Schuljunge. Henry durchquert den Raum, öffnet die Arme weit und umarmt ihn, er leuchtet wie ein Stern, seine großen Hände mit ihren flammenden Ringen greifen fest in den schwarzen Samt seiner Jacke. »Dieses Mal bestimmt. England gehört uns.«

Archaisch, dieser Schrei aus dem Herzen: Als stünde er auf dem Schlachtfeld zwischen den blutigen Bannern, die Krone in einem Dornbusch, seine Feinde tot zu seinen Füßen.

Er befreit sich vorsichtig, lächelt. Er streicht das Memorandum glatt, das er in der Faust zusammengeballt hat, als der König ihn packte; denn so ist es doch, wenn Männer sich umarmen: Sie kneten einander mit großen Fäusten, als wollten sie sich umstoßen. Henry drückt seinen Arm und sagt: »Thomas, es ist, als würde man einen Hafendamm umarmen. Woraus sind Sie gemacht?« Er nimmt das Blatt Papier. Er starrt es an. »Steht da, was wir heute Morgen tun müssen? Auf dieser Liste?«

»Nicht mehr als fünfzig Punkte. Wir werden sie schnell abarbeiten.«

Den ganzen Tag kann er nicht aufhören zu lächeln. Wer schert sich um Clemens und seine päpstlichen Bullen? Es würde ihm nichts ausmachen, auf der Cheapside zu stehen und sich von der Bevölkerung mit allerlei bewerfen zu lassen. Es würde ihm nichts ausmachen, unter den Weihnachtsgirlanden zu stehen – die wir in Jahren ohne Schnee mit Mehl bestäuben – und zu singen: »Hey nonny no, Fa-la-la, Under the trees so green-o.«

An einem kalten Tag Ende November tun die Magd und ein halbes Dutzend ihrer wichtigsten Unterstützer Buße in Paul's Cross. An Ketten gefesselt und barfuß stehen sie in einem peitschenden Wind. Die Menge ist groß und ausgelassen, die Predigt erzählt anschaulich, was die Magd auf ihren nächtlichen Spaziergängen getan hat, wenn ihre Schwestern im Glauben schliefen, und welche widerlichen Geschichten von Teufeln sie erzählt hat, um ihre Anhänger zu beeindrucken. Ihr Geständnis wird vorgelesen, und als das beendet ist, bittet sie die Londoner, für sie zu beten, und fleht um die Gnade des Königs.

Man würde es jetzt nicht wiedererkennen, das hübsche Mädchen, das sie in Lambeth vernommen haben. Sie sieht verhärmt aus und zehn Jahre älter. Nicht dass ihr wehgetan wurde, das würde er bei einer Frau nicht dulden; tatsächlich haben sie alle ausgepackt, ohne dass Zwang ausgeübt wurde; die Schwierigkeit war, sie davon abzuhalten, die Geschichte durch Gerüchte und Hirngespinste so zu komplizieren, dass halb England hineingezogen wird. Den einen Priester, der hartnäckig gelogen hatte, hat er einfach mit einem Informanten zusammengesperrt; der Mann war wegen Mordes inhaftiert, und in kürzester Zeit unternahm Vater Rich den Versuch, die Seele seines Mitgefangenen zu retten, die Prophezeiungen der Magd für ihn zu deuten und ihn mit den Namen von wichtigen Leuten zu beeindrucken, die er bei Hofe kennt. Erbärmlich, wirklich. Aber es war notwendig, diese Schau zu veranstalten, und als Nächstes wird er sie nach Canterbury bringen, damit Dame Elizabeth auf heimischem Boden gestehen kann. Es ist notwendig, den Einfluss dieser Leute zu brechen, die von Endzeit reden und uns mit Seuchen und Verdammnis drohen. Es ist notwendig, den Schrecken zu vertreiben, den sie verbreiten.

Thomas More ist da, eingezwängt zwischen den städtischen Würdenträgern; jetzt kommt er auf ihn zu, während die Prediger hinuntersteigen und die Gefangenen von der Plattform geführt werden. More reibt sich seine kalten Hände. Er haucht sie an. »Ihr Verbrechen ist, dass sie benutzt wurde.«

Er denkt: Warum hat Alice dich ohne Handschuhe ausgehen lassen? »Trotz aller Zeugenaussagen, die ich habe«, sagt er, »kann ich immer noch nicht verstehen, wie sie hierhergekommen ist, vom Rande des Marschlandes zu einem öffentlichen Tribunal in Paul's. Es ist ganz sicher, dass sie kein Geld damit gemacht hat.«

»Wie werden Sie die Anklage formulieren?« Mores Ton ist neutral, interessiert, von Jurist zu Jurist.

»Das Gewohnheitsrecht befasst sich nicht mit Frauen, die sagen, sie können fliegen oder die Toten erwecken. Ich werde einen parlamentarischen Strafbeschluss erwirken. Eine Anklage wegen Verrats gegen die Haupttäter. Für die Komplizen lebenslange Haft, Konfiszierung ihres Besitzes, Geldstrafen. Der König wird umsichtig sein, denke ich. Sogar gnädig. Ich bin mehr daran interessiert, die Pläne dieser Leute zu durchkreuzen, als Strafen zu verhängen. Ich will keinen Prozess mit Dutzenden von Angeklagten und Hunderten von Zeugen, der die Gerichte jahrelang beschäftigt.«

More zögert.

»Kommen Sie«, sagt er, »Sie wären auf genau dieselbe Weise mit ihnen verfahren, als Sie Kanzler waren.«

»Sie könnten recht haben. Ich bin ohnehin unbelastet.« Pause. More sagt: »Thomas. *Im Namen Christi, Sie wissen das.*«

»Solange der König es weiß. Wir müssen es fest in seinem Kopf verankern. Ein Brief von Ihnen vielleicht, in dem Sie sich nach Prinzessin Elizabeth erkundigen.«

»Das kann ich machen.«

»In dem Sie deutlich machen, dass Sie ihre Rechte und Titel anerkennen.«

»Das ist keine Schwierigkeit. Diese neue Ehe ist geschlossen und muss akzeptiert werden.«

»Sie glauben nicht, dass Sie sich dazu überwinden könnten, sie zu preisen?«

»Warum sollte der König wollen, dass andere Männer seine Frau preisen?«

»Angenommen, Sie würden einen offenen Brief schreiben. Um zu sagen, dass Sie in der Frage der natürlichen Jurisdiktion des Königs über die Kirche das Licht gesehen haben.« Er sieht hinüber zu der Stelle, wo die Gefangenen auf die wartenden Karren geladen werden. »Sie bringen sie jetzt in den Tower zurück.« Er macht eine Pause. »Sie sollten hier nicht herumstehen. Kommen Sie zum Essen mit zu mir nach Hause.«

»Nein.« More schüttelt den Kopf. »Ich lasse mich lieber auf dem Fluss vom Wind durchschaukeln und gehe hungrig nach Hause. Wenn ich darauf vertrauen könnte, dass Sie mir nur zu essen geben – aber Sie werden mir Worte in den Mund legen.«

Er sieht zu, wie er in der Menge der heimkehrenden Würdenträger verschwindet. Er denkt: More ist zu stolz, um von seiner Position abzuweichen. Er hat Angst, seine Glaubwürdigkeit bei den Gelehrten Europas zu verlieren. Wir müssen einen Weg finden, wie er es tun kann, ohne dass er erbärmlich dasteht. Der Himmel ist aufgeklart zu einem makellosen tiefen Blau. Die Gärten Londons leuchten mit ihren Beeren. Ein hartnäckiger Winter steht bevor. Aber er spürt eine Macht, die sich Bahn brechen will, wie der Frühling auf dem toten Baum aufbricht. Während sich das Wort Gottes verbreitet, werden den Menschen die Augen für neue Wahrheiten geöffnet. Wie Helen Barre kannten sie bis jetzt Noah und die Sintflut, aber nicht den Apostel Paulus. Sie konnten die Leiden unserer Heiligen Mutter aufzählen und sagen, wie die Verdammten in die Hölle geschleppt werden. Aber sie kannten die mannigfaltigen Wunder und Worte Christi nicht und auch nicht die Worte und Taten der Apostel; das waren einfache Männer, die wie die Armen von London einfachen wortlosen Gewerben nachgingen. Die Geschichte ist viel größer, als sie je gedacht haben. Er sagt zu seinem Neffen Richard: Man kann den Leuten nicht nur einen Teil der Geschichte erzählen und dann aufhören oder nur ausgewählte Teile erzählen. Sie haben ihre Religion auf die Wände von Kirchen gemalt gesehen oder in Stein gemeißelt, jetzt hebt Gott seine Feder in die Höhe und ist bereit, seine Worte in das Buch ihrer Herzen zu schreiben.

Auf denselben Straßen jedoch sieht Chapuys den Beginn von Aufständen, sieht eine Stadt, die bereit ist, ihre Tore für den Kaiser zu öffnen. Er war nicht in Rom, als die Stadt geplündert wurde, aber es gibt Nächte, in denen er davon träumt, als wäre er dort gewesen: die schwarzen Eingeweide, die sich über das antike Pflaster ergießen, die Halbtoten in den Brunnen, das Läuten der Glocken durch den Nebel der Sümpfe und die Fackeln der Brandstifter mit ihren Flammen, die auf den Mauern blecken. Rom ist gefallen und alles, was darin war. Es waren allerdings keine Eindringlinge, es war Papst Julius, der die alte Peterskirche abriss, die zwölfhundert Jahre an der Stelle gestanden hatte, wo Kaiser Konstantin eigenhändig den ersten Graben ausgehoben hatte, zwölf Schaufeln Erde, einen für jeden der Apostel; wo die christlichen Märtyrer, eingenäht in die Häute wilder Tiere, von Hunden zerfetzt wurden. Fünfundzwanzig Fuß tief grub er, um seine neuen Fundamente zu legen, grub durch eine Nekropolis hindurch, durch zwölf Jahrhunderte von Gräten und Asche, und die Schaufeln seiner Arbeiter machten die Schädel von Heiligen zu Staub. An dem Ort, wo Märtyrer geblutet hatten, standen nun geisterweiße Felsblöcke: Marmor, der auf Michelangelo wartete.

Auf der Straße sieht er einen Priester, der die Hostie trägt, zweifellos zu einem sterbenden Londoner; die Passanten entblößen die Köpfe und knien nieder, aber ein Junge beugt sich aus einem Fenster und höhnt von oben: »Zeig uns deinen Christus-ist-auferstanden. Zeig uns dein Schachtelmännchen.« Er blickt hinauf; das Gesicht des Jungen ist wutentbrannt, bevor es verschwindet.

Er sagt zu Cranmer: Diese Leute wollen eine gute Autorität, einen, dem sie wirklich gehorchen können. Jahrhundertelang hat Rom ihnen befohlen zu glauben, was nur Kinder glauben konnten. Sicherlich werden sie es natürlicher finden, einem englischen König zu gehorchen, der seine Macht unter dem Parlament und unter Gott ausübt.

Zwei Tage, nachdem er More fröstelnd bei der Predigt gesehen hat, lässt er Lady Exeter eine Begnadigung überbringen. Sie ist versehen mit einigen scharfen Worten des Königs, die an ihren Mann gerichtet sind. Es ist der Tag der heiligen Katharina: Zu Ehren der Heiligen, die vom Märtyrertod auf dem Rad bedroht war, laufen wir alle in Kreisen zu unserem Ziel. Zumindest ist das die Theorie. Er hat nie jemanden über zwölf gesehen, der das tatsächlich getan hat.

Es gibt ein Gefühl der Kraft, aus dem man schöpfen kann, eine Kraft, die direkt in die Knochen fährt wie das Zittern, das man im Schaft einer Axt spürt, wenn man sie in die Hand nimmt. Man kann zuschlagen oder man kann auch nicht zuschlagen, und wenn man sich entschließt, den Schlag zurückzuhalten, kann man trotzdem in seinem Inneren die Resonanz der unterlassenen Handlung spüren.

Am nächsten Tag in Hampton Court heiratet der Sohn des Königs, der Herzog von Richmond, Norfolks Tochter Mary. Anne hat diese Ehe zur Verherrlichung der Howards arrangiert, und darüber hinaus, um Henry davon abzuhalten, seinen Bastard zum Vorteil des Jungen mit einer ausländischen Prinzessin zu verheiraten. Sie hat den König dazu überredet, auf die grandiose Mitgift zu verzichten, die er erwartet hätte, und nachdem sie mit all ihren Absichten triumphiert hat, gesellt sie sich zu den Tänzern, ihr schmales Gesicht ist gerötet, ihr glänzendes Haar geflochten und mit Diamanten geschmückt. Henry kann seinen Blick nicht von ihr abwenden, und er kann es auch nicht.

Richmond zieht alle übrigen Blicke auf sich, tollt wie ein Fohlen herum, prahlt mit seinem Hochzeitsstaat, dreht sich, springt, hüpft und stolziert. Schaut ihn an, sagen die älteren Damen, und ihr könnt sehen, wie sein Vater einmal war: diese wunderbar leuchtende Haut, so dünn wie die eines Mädchens. »Master Cromwell«, fordert er, »sagen Sie dem König, meinem Vater, dass ich mit meiner Frau zusammenleben will. Er sagt, dass ich in meinen Haushalt zurückkehren und dass Mary bei der Königin bleiben soll.«

»Er trägt Sorge für Ihre Gesundheit, Mylord.«

»Ich werde bald fünfzehn.«

»Es dauert noch ein halbes Jahr bis zu Ihrem Geburtstag.«

Der fröhliche Ausdruck des Jungen verschwindet; ein eisiger Blick macht sich auf seinem Gesicht breit. »Ein halbes Jahr ist nichts. Ein Mann von fünfzehn ist dazu fähig.«

»So hört man«, sagt Lady Rochford, die untätig dabeisteht. »Der König, Ihr Vater, hat Zeugen vor Gericht aussagen lassen, dass sein Bruder die Tat mit fünfzehn vollbringen konnte, und zwar mehr als einmal pro Nacht.«

»Es ist auch die Gesundheit Ihrer Braut, an die wir denken müssen.«

»Brandons Frau ist jünger als meine, und er hat sie.«

»Jedes Mal, wenn er sie sieht«, sagt Lady Rochford, »dem erschreckten Ausdruck auf ihrem Gesicht nach zu urteilen.«

Richmond rüstet sich für einen langen Streit, verschanzt sich hinter Präzedenzfällen: auf die Art, wie auch sein Vater argumentiert. »Hat nicht meine Urgroßmutter, Lady Margaret Beaufort, mit vierzehn Jahren den Prinzen geboren, der Henry Tudor werden sollte?«

Bosworth, die zerfetzten Standarten, das blutige Schlachtfeld; das fleckige Laken der Mutterschaft. Wo kommen wir alle her, denkt er, wenn nicht aus denselben heimlichen Händeln: Liebling, gib mir nach. »Ich habe aber nie gehört, dass es ihre Gesundheit verbessert hat«, sagt er, »oder ihre Laune. Sie hatte danach keine Kinder mehr.« Plötzlich mag er nicht mehr diskutieren; er bricht das Gespräch ab, seine Stimme ist müde und ausdruckslos. »Seien Sie vernünftig, Mylord. Wenn Sie es einmal getan haben, wollen Sie es die ganze Zeit tun. Dieser Zustand hält ungefähr drei Jahre an. So ist das. Und Ihr Vater hat andere Arbeit für Sie im Sinn. Er schickt Sie vielleicht nach Dublin, um dort Hof zu halten.«

»Nehmen Sie es leicht, Schätzchen. Es gibt immer Wege. Ein Mann kann eine Frau immer treffen, wenn sie willens ist.«

»Darf ich als Ihr Freund sprechen, Lady Rochford? Sie riskieren den Unmut des Königs, wenn Sie sich hier einmischen.«

»Ach«, sagt sie unbekümmert, »Henry vergibt einer hübschen Frau alles. Sie wollen doch nur tun, was natürlich ist.«

Der Junge sagt: »Warum sollte ich wie ein Mönch leben?«

»Ein Mönch? Die treiben es wie die Ziegen. Master Cromwell hier wird Ihnen das bestätigen.«

»Vielleicht«, sagt Richmond, »ist es Madam, die Königin, die uns trennen will. Sie will nicht, dass der König einen Enkelsohn in der Wiege hat, bevor er einen eigenen Sohn hat.«

»Aber wissen Sie es nicht?« Jane Rochford wendet sich an Richmond. »Hat Sie die Kunde nicht erreicht, dass La Ana *enceinte* ist?«

Sie gibt ihr den Namen, den Chapuys ihr gibt. Er sieht, wie das Gesicht des Jungen von schierem Entsetzen zerrissen wird. »Ich fürchte, im Sommer werden Sie Ihren Platz verloren haben, Goldkind. Sobald er einen ehelich geborenen Sohn hat, dürfen Sie Ihre Frau nach Herzenslust bespringen. Sie werden niemals regieren, und Ihre Abkömmlinge werden niemals erben.«

Es geschieht nicht oft, dass man sieht, wie die Hoffnungen eines Prinzchens so schnell zunichte gemacht werden, wie es dauert, eine Kerzenflamme auszukneifen: und mit derselben kalkulierten Bewegung, als wäre sie aus der Klarheit der Gewohnheit geboren. Sie hat sich nicht einmal die Finger geleckt.

Richmond verzieht das Gesicht und sagt: »Vielleicht ist es wieder ein Mädchen.«

»Es ist fast Hochverrat, darauf zu hoffen«, sagt Lady Rochford. »Und wenn es so ist, wird sie ein drittes Kind bekommen und ein viertes. Ich glaubte ja, sie würde nicht wieder empfangen, aber ich habe mich geirrt, Master Cromwell. Jetzt hat sie sich bewiesen.«

Cranmer ist in Canterbury; er läuft barfuß auf einem Weg aus Sand zu seiner Inthronisierung als Primas von England. Als die Zeremonie erledigt ist, fegt er im Priorat der Christ Church aus, dessen Mitglieder die falsche Prophetin ermutigt haben. Es könnte lange dauern, jeden Mönch zu befragen und ihre Geschichten auseinanderzunehmen. Rowland Lee stürmt in die Stadt, um der Angelegenheit etwas Muskelkraft zu verleihen, und Gregory ist in seinem Gefolge; deshalb sitzt er in London und liest einen Brief von seinem Sohn, der nicht länger oder informativer ist als die Briefe, die er als Schüler geschrieben hat: *Jetzt muss ich aus Zeitmangel zum Schluss kommen.*

Er schreibt an Cranmer: Lassen Sie Gnade walten, die Gemeinschaft dort ist getäuscht worden, mehr nicht. Verschonen Sie den Mönch, der den Magdalenenbrief illuminiert hat. Ich schlage vor, dass die Mönche dem König ein Geschenk in bar machen, dreihundert Pfund werden ihn erfreuen. Misten Sie Christ Church und die ganze Diözese aus – Warham war dreißig Jahre lang Erzbischof, seine Familie hat sich dort eingenistet, sein Bastard ist Erzdiakon –, nehmen Sie dazu einen ganz neuen Besen. Setzen Sie Leute von zu Hause ein: Ihre traurigen Schreiber aus den East Midlands, die unter einem nüchternen Himmel geformt wurden.

Da ist etwas unter seinem Schreibtisch, unter seinem Fuß, über dessen Natur nachzudenken er vermieden hat. Er schiebt seinen Stuhl zurück; es ist eine halbe Spitzmaus, ein Geschenk von Marlinspike. Er hebt sie auf und denkt an Henry Wyatt, wie er in seiner Zelle einen Tierkadaver isst. Er denkt an den Kardinal in voller Pracht im Cardinal College. Er wirft die Spitzmaus ins Feuer. Der Körper zischt und schrumpft zusammen, die Knochen verschwinden mit einem leeren kleinen Knall. Er nimmt seine Feder und schreibt an Cranmer: Werden Sie die Oxford-Leute in Ihrer Diözese los und setzen Sie Männer aus Cambridge ein, die wir kennen.

Er schreibt an seinen Sohn: Komm nach Hause und verbringe das neue Jahr mit uns.

Dezember: In ihrer eisigen Kantigkeit und mit dem blauen Licht, das hinter ihr vom Schnee reflektiert wird, sieht Margaret Pole aus, als wäre sie aus einem Kirchenfenster gestiegen und als fielen feine Glasscherben von ihrem Kleid; in Wirklichkeit sind diese Splitter Diamanten. Er hat sie zu sich kommen lassen, die Gräfin, und jetzt sieht sie ihn unter ihren schweren Lidern an, sie sieht über ihre lange Plantagenet-Nase hinweg auf ihn herab, und ihre Begrüßung fliegt eishell in den Raum hinaus. »Cromwell.« Nur das.

Sie kommt sofort zur Sache. »Die Prinzessin Mary. Warum muss sie das Haus in Essex aufgeben?«

»Mylord Rochford möchte es nutzen. Es ist gutes Jagdland, wissen Sie. Mary soll in den Haushalt ihrer königlichen Schwester in Hatfield eintreten. Dort wird sie ihre eigenen Bediensteten nicht benötigen.«

»Ich biete an, die Kosten für meinen Platz in ihrem Haushalt persönlich zu übernehmen. Sie können mich nicht daran hindern, ihr zu dienen.«

Das wollen wir mal sehen. »Ich bin lediglich Diener der Wünsche des Königs, und Sie, nehme ich an, sind ebenso darauf bedacht wie ich, dass sie ausgeführt werden.«

»Das sind die Wünsche der Konkubine. Wir glauben nicht, die Prinzessin und ich, dass es die Wünsche des Königs sind.«

»Sie müssen Ihren Glauben erweitern, Madam.«

Von ihrem Sockel sieht sie auf ihn herab: Sie ist Clarence' Tochter, die Nichte des alten Königs Edward. Zu ihrer Zeit knieten Männer wie er, um mit Frauen wie ihr zu sprechen. »Ich war im Gefolge Katherines, der Königin, an dem Tag, als sie verheiratet wurde. Für die Prinzessin bin ich eine zweite Mutter.«

»Jesus Christus, Madam, glauben Sie wirklich, dass sie zwei braucht? Die eine, die sie hat, wird sie noch umbringen.«

Sie starren sich an, über einen Abgrund hinweg. »Lady Margaret, wenn ich Ihnen raten darf … die Loyalität Ihrer Familie ist zweifelhaft.«

»Das sagen Sie. Zur Strafe trennen Sie mich von Mary. Wenn Sie wirklich Material genug haben, um mich anzuklagen, dann schicken Sie mich doch mit Elizabeth Barton in den Tower.«

»Das wäre gänzlich gegen die Wünsche des Königs. Er achtet Sie, Madam. Ihre Abstammung, Ihr hohes Alter.«

»Er hat keine Beweise.«

»Im Juni letzten Jahres, kurz nach der Krönung der Königin, speisten Ihr Sohn Lord Montague und Ihr Sohn Geoffrey Pole mit Lady Mary. Kaum zwei Wochen später speiste Montague dann noch einmal mit ihr. Ich frage mich, worüber sie gesprochen haben.«

»Tun Sie das wirklich?«

»Nein«, sagt er lächelnd. »Der Junge, der den Spargel auftrug, das war mein Junge. Der Junge, der die Aprikosen schnitt, war auch meiner. Sie sprachen über den Kaiser, über die Invasion und wie man ihn dazu bringen könnte. Sie sehen also, Lady Margaret, dass Ihre gesamte Familie meiner Nachsicht viel zu verdanken hat. Ich baue darauf, dass sie es dem König mit zukünftiger Treue zurückzahlen werden.«

Er sagt nicht: Ich beabsichtige, Ihre Söhne gegen Ihren Unruhe stiftenden Bruder im Ausland einzusetzen. Er sagt nicht: Ich habe Ihren Sohn Geoffrey auf meiner Gehaltsliste. Geoffrey Pole ist ein unbeherrschter, labiler Mann. Man weiß nicht, wohin er geht. Er hat ihm dieses Jahr vierzig Pfund gezahlt, um den Cromwell-Weg zu gehen.

Die Gräfin schürzt die Lippen. »Die Prinzessin wird ihr Zuhause nicht sang- und klanglos verlassen.«

»Mylord Norfolk beabsichtigt, nach Beaulieu zu reiten, um sie über die veränderten Umstände zu informieren. Sie könnte sich ihm natürlich widersetzen.«

Er hatte dem König geraten, Mary ihren Lebensstil als Prinzessin zu belassen und keine Abstufung vorzunehmen. Geben Sie Marys Vetter, dem Kaiser, keinen Grund für einen Krieg.

Henry hatte gebrüllt: »Werden Sie zur Königin gehen und ihr vorschlagen, dass Mary ihren Titel behält? Ich werde es nämlich nicht tun, das sage ich Ihnen, Master Cromwell. Und wenn Sie sie in große Aufregung versetzen, was unweigerlich geschehen würde, und wenn sie krank wird und eine Fehlgeburt hat, werden Sie dafür verantwortlich sein! Und ich werde nicht zur Gnade neigen!«

Draußen, vor der Tür des Audienzsaals, lehnt er sich an die Wand. Er rollt mit den Augen und sagt zu Rafe: »Gott im Himmel, kein Wunder, dass der Kardinal vorzeitig gealtert ist. Wenn er glaubt, dass Ärger ihr das Kind austreibt, kann es nicht sehr fest sitzen. Letzte Woche war ich noch sein Waffenbruder, diese Woche droht er mir ein blutiges Ende an.«

Rafe sagt: »Es ist gut, dass Sie nicht wie der Kardinal sind.«

In der Tat. Der Kardinal erwartete die Dankbarkeit seines Fürsten, ein Punkt, in dem er zwangsläufig enttäuscht wurde. Trotz all seiner Fähigkeiten war er ein Mann, dessen Emotionen ihn beherrschten und erschöpften. Er, Cromwell, fällt den Kapriolen der Gefühle nicht mehr zum Opfer, und er ist so gut wie nie müde. Hindernisse werden beseitigt, schlechte Laune beigelegt, Knoten aufgeknüpft. Hier, am Ausgang des Jahres 1533, ist sein Gemüt robust, sein Wille stark, sein äußeres Erscheinungsbild unerschütterlich. Die Höflinge sehen, dass er Ereignisse gestalten und formen kann. Er kann die Ängste anderer Menschen in Grenzen halten und ihnen ein Gefühl der Stabilität in einer bebenden Welt geben: dieses Volk, diese Dynastie, diese jämmerliche verregnete Insel am Rande der Welt.

Zur Entspannung am Ende des Tages überprüft er Katherines Landbesitz und befindet darüber, was er neu verteilen kann. Sir Nicholas

Carew, der ihn nicht leiden kann und der Anne nicht leiden kann, ist überrascht, als er von ihm ein Paket mit Übertragungen erhält, eingeschlossen zwei fette Lehen in Surrey, die an seine bereits existierenden Ländereien in dieser Grafschaft grenzen. Carew ersucht um ein Gespräch, um seinen Dank auszudrücken; er muss Richard darum bitten, denn dieser führt jetzt den Cromwellschen Terminkalender, und Richard schiebt ihn zwei Tage später ein. Wie der Kardinal zu sagen pflegte: Respekt heißt, man lässt die Leute warten.

Als es so weit ist, macht Carew ein passendes Gesicht. Kühl, mit sich selbst beschäftigt, der vollkommene Höfling, arbeitet er daran, seine Mundwinkel nach oben zu bekommen. Das Resultat ist ein groteskes Backfischlächeln über einem üppigen Bart.

»Ach, ich bin sicher, Sie verdienen es«, sagt er und tut es mit einem Achselzucken ab. »Sie sind ein Jugendfreund Seiner Majestät, und nichts macht ihm mehr Freude, als seine alten Freunde zu belohnen. Ihre Frau hat Kontakt zu Lady Mary, ist das nicht so? Sie stehen sich nahe? Bitten Sie sie«, sagt er sanft, »die junge Frau gut zu beraten. Sie zu ermahnen, sich dem König in allen Dingen zu fügen. Er ist reizbar in diesen Tagen, und ich kann für die Konsequenzen von Aufsässigkeit keine Verantwortung übernehmen.«

Das fünfte Buch Mose sagt uns, dass Geschenke die Augen der Weisen blind machen. Carew ist seiner Meinung nach nicht besonders weise, aber das Prinzip erweist sich als zutreffend; wenn auch nicht regelrecht geblendet, so sieht er zumindest benommen aus. »Betrachten Sie es als etwas verfrühtes Weihnachtsgeschenk«, sagt er lächelnd zu ihm. Er schiebt die Papiere über seinen Schreibtisch.

In Austin Friars werden die Abstellkammern entrümpelt und Tresorräume gebaut. Sie werden das Fest in Stepney feiern. Die Engelsflügel werden dorthin gebracht; er möchte sie behalten, bis es ein anderes Kind im Haus gibt, das die richtige Größe hat. Er sieht sie gehen, wobei sie in ihrer Hülle aus feinem Leinen schaudern, und sieht zu, wie der Weihnachtsstern auf einen Karren geladen wird. Christophe fragt:

»Wie würde man ihn benutzen, diesen gemeinen Apparat mit lauter Spitzen?«

Er zieht eine der Segeltuchhüllen ab und zeigt ihm die Vergoldung. »Jesus Maria«, sagt der Junge. »Der Stern, der uns nach Bethlehem führt. Ich dachte, das wäre ein Apparat für die Folter.«

Norfolk geht nach Süden, nach Beaulieu, um Lady Mary zu sagen, dass sie in das Herrenhaus in Hatfield ziehen und der kleinen Prinzessin dienen muss. Sie wird dort unter der Aufsicht von Lady Anne Shelton leben, der Tante der Königin. Was darauf folgt, berichtet er in gekränktem Tonfall.

»Tante der Königin?«, sagt Mary. »Es gibt nur eine Königin, und das ist meine Mutter.«

»Lady Mary …«, sagt Norfolk. Diese Worte lassen sie in Tränen ausbrechen. Sie läuft in ihr Zimmer und schließt sich ein.

Suffolk geht nach Norden, nach Buckden, um Katherine dazu zu bewegen, in ein anderes Haus zu ziehen. Sie hat von der Absicht gehört, sie an einen Ort zu schicken, der noch feuchter ist als Buckden, und sagt, die Feuchtigkeit würde sie umbringen, deshalb schließt sie sich ein, schiebt mit Getöse die Riegel vor und ruft Suffolk in drei Sprachen zu, er solle verschwinden. Sie wird nirgendwohin gehen, sagt sie, es sei denn, er ist bereit, die Tür aufzubrechen und sie mit Stricken zu fesseln und davonzutragen. Was Charles für ein bisschen extrem hält.

Brandons Brief nach London, in dem er um Instruktionen bittet, klingt nach großem Selbstmitleid: Ein Mann mit einer vierzehnjährigen Braut, die darauf wartet, dass er sich ihrer annimmt, soll so die Feiertage verbringen! Als der Brief im Kronrat vorgelesen wird, bricht er, Cromwell, in Gelächter aus. Die helle Freude darüber trägt ihn ins neue Jahr.

Es gibt eine junge Frau, die über die Landstraßen des Königreichs wandert und sagt, sie sei Prinzessin Mary und ihr Vater habe sie rausgeworfen, sodass sie betteln müsse. Sie ist im Norden bis nach York gelangt und im Osten bis nach Lincoln, und einfache Leute in diesen

Grafschaften beherbergen und verköstigen sie und geben ihr Geld zum Abschied. Er lässt Ausschau nach ihr halten, aber seine Leute haben sie noch nicht gefunden. Er weiß nicht, was er mit ihr tun würde, wenn er sie fasst. Es ist Strafe genug, die Last einer Prophezeiung auf sich zu nehmen und sich schutzlos auf die winterlichen Straßen zu begeben. Er stellt sie sich vor: eine graubraune, kleiner werdende Gestalt, die über die flachen, matschigen Felder auf den Horizont zumarschiert.

III

Der Blick des Malers

1534

Als Hans das fertige Porträt nach Austin Friars bringt, schreckt er davor zurück. Er erinnert sich, dass Walter immer sagte: Sieh mir ins Gesicht, Junge, wenn du mir eine Lüge erzählst.

Er sieht in die untere Ecke des Bildes und erlaubt seinem Blick, langsam nach oben zu wandern. Eine Feder, eine Schere, Papiere, sein Siegel in einem kleinen Beutel und ein schwerer Band, gebunden in schwärzliches Grün: das Leder mit Goldprägung am Rand, vergoldete Schnitte. Hans wollte seine Bibel sehen, wies sie aber als zu unscheinbar, zu abgegriffen zurück. Er hatte das Haus abgesucht und den schönsten Band, den er besitzt, auf dem Schreibtisch von Thomas Avery gefunden. Es ist das Werk des Mönchs Pacioli, das Buch darüber, wie man seine Bücher führen soll, das ihm seine liebenswürdigen Freunde aus Venedig geschickt haben.

Er sieht seine gemalte Hand, die auf dem Tisch vor ihm ruht und in der lockeren Faust ein Stück Papier hält. Es ist unheimlich, sich selbst in Teilstücken zu betrachten, Finger um Finger, als wäre man zerlegt worden. Hans hat seine Haut so glatt gemacht wie die Haut einer Kurtisane, aber die Bewegung hat er eingefangen, die Biegung der Finger ist so sicher wie die eines Schlächters, wenn er das tödliche Messer in die Hand nimmt. Er trägt den Türkis des Kardinals.

Er hatte einen eigenen Türkisring, früher einmal, den Liz ihm geschenkt hat, als Gregory geboren wurde. Es war ein Ring in der Form eines Herzens.

Er lässt den Blick zu seinem eigenen Gesicht gleiten. Es ist kein großer Fortschritt im Vergleich zu dem Osterei, das Jo gemalt hat. Hans hat ihn auf kleinem Raum eingepfercht und einen schweren Tisch vor ihn geschoben, um ihn festzuhalten. Er hatte Zeit zum Denken, während Hans ihn zeichnete, und seine Gedanken trugen ihn weit weg, in ein anderes Land. Man kann diese Gedanken hinter seinen Augen nicht aufspüren.

Er hatte darum gebeten, in seinem Garten gemalt zu werden. Hans sagte: Allein der Gedanke daran lässt mich schwitzen. Können wir es vielleicht einfach gestalten, ja?

Er trägt seine Winterkleider. Darunter scheint er aus einer undurchdringlicheren Substanz zu bestehen als die meisten Menschen, geballter. Er könnte ebenso gut eine Rüstung tragen. Er sieht den Tag voraus, an dem er es vielleicht muss. Es gibt Männer in diesem Königreich und im Ausland (nicht mehr nur in Yorkshire), die ihn eher erstechen würden, als ihn anzusehen.

Ich bezweifle, denkt er, dass sie das Herz durchstoßen können. Der König hatte gesagt: Woraus sind Sie gemacht?

Er lächelt. Es gibt nicht die Spur eines Lächelns auf dem Gesicht seines gemalten Selbst.

»In Ordnung.« Er geht schnell ins Nebenzimmer. »Ihr könnt kommen und es ansehen.«

Sie drängen herein, rempeln sich gegenseitig an. Eine kurze abschätzende Stille tritt ein. Sie verlängert sich. Alice sagt: »Er lässt Sie recht korpulent wirken, Onkel. Mehr als nötig.«

Richard sagt: »Wie Leonardo uns bewiesen hat, wehrt eine gerundete Oberfläche den Aufprall von Kanonenkugeln besser ab.«

»Ich finde nicht, dass Sie so aussehen«, sagt Helen Barre. »Ihre Gesichtszüge sind gut getroffen, das kann ich sehen. Aber das ist nicht der Ausdruck auf Ihrem Gesicht.«

Rafe sagt: »Nein, Helen, den reserviert er für Männer.«

Thomas Avery sagt: »Der Mann des Kaisers ist hier, kann er hereinkommen und einen Blick auf das Bild werfen?«

»Er ist willkommen, wie immer.«

Chapuys tänzelt herein. Er stellt sich vor dem Gemälde auf; er hüpft nach vorn; er springt zurück. Er trägt Marderfelle über Seide. »Großer Gott«, sagt Johane hinter vorgehaltener Hand, »er sieht wie ein Tanzäffchen aus.«

»Oh nein, ich fürchte, nein«, sagt Eustache. »Oh nein, nein, nein, nein, nein. Ihr protestantischer Maler hat das Ziel dieses Mal verfehlt. Denn man denkt nie an Sie allein, Cremuel, sondern immer in Gesellschaft, wo Sie die Gesichter anderer Leute mustern, als ob Sie selbst sie malen wollten. Bei Ihrem Anblick denken andere Männer nicht ›Wie sieht er aus?‹, sondern ›Wie sehe ich aus?‹. Chapuys huscht durch den Raum, dann schwingt er wieder herum, als wolle er das Bild im Akt der Bewegung erfassen. »Und doch. Wenn man Sie so betrachtet, würde man Sie nur ungern verärgern. In diesem Punkt, denke ich, hat Hans sein Ziel erreicht.«

Als Gregory aus Canterbury nach Hause kommt, führt er ihn allein zu dem Gemälde; Gregory ist noch in der Reitjacke, schlammbespritzt von der Reise; er möchte die Meinung seines Sohnes hören, bevor er den Rest des Haushalts trifft. Er sagt: »Deine Frau Mutter sagte immer, sie habe mich nicht wegen meines Aussehens gewählt. Ich war überrascht, als das Bild kam und ich feststellte, dass ich eitel bin. Ich dachte daran, wie ich war, als ich vor zwanzig Jahren aus Italien wegging. Bevor du geboren wurdest.«

Gregory steht an seiner Schulter. Seine Augen ruhen auf dem Porträt. Er sagt nichts.

Er stellt plötzlich fest, dass sein Sohn größer ist als er: nicht dass dazu viel gehört. Er tritt zur Seite, wenn auch nur in Gedanken, um seinen Jungen mit dem Blick des Malers zu betrachten: ein Junge mit schöner weißer Haut und haselnussbraunen Augen, ein schlanker Engel aus der zweiten Reihe auf einem Fresko, das von Feuchtigkeit gesprenkelt ist, weit weg von hier in einer Stadt auf einem Hügel. Er sieht ihn als Knappen auf Pergament, wie er durch einen Wald reitet und seine dunklen Locken sich hübsch unter einem schmalen Goldreif ringeln; im Gegensatz dazu die jungen Männer, die er täglich um sich hat: muskulös wie Kampfhunde, das Haar zu Stoppeln geschoren, Augen so scharf wie Schwertspitzen. Er denkt: Gregory ist alles, was er sein sollte. Er ist alles, auf das ich mit Recht hoffen darf: seine Offenheit, seine Sanftheit, die Zurückhaltung und Umsicht, mit der er seine Gedanken für sich behält, bis er sie formuliert hat. Er empfindet eine solche Zärtlichkeit für ihn, dass er glaubt, er müsse weinen.

Er wendet sich dem Bild zu. »Ich fürchte, Mark hatte recht.«

»Wer ist Mark?«

»Ein alberner Junge, der George Boleyn nachläuft. Ich habe ihn einmal sagen hören, dass ich wie ein Mörder aussehe.«

Gregory sagt: »Wusstest du das nicht?«

TEIL SECHS

I

Supremat

1534

In den heiteren Tagen zwischen Weihnachten und Neujahr, während der Hof feiert und Charles Brandon in den Fens ist und auf eine Tür einbrüllt, liest er noch einmal Marsilius von Padua. Im Jahr 1324 legte er uns zweiundvierzig Thesen vor. Als das Dreikönigsfest vorbei ist, macht er sich auf, um Henry ein paar davon zu unterbreiten.

Einige dieser Thesen kennt der König, einige sind ihm fremd. Einige passen genau zu seiner gegenwärtigen Lage; einige sind ihm als Ketzerei angeprangert worden. Es ist ein Morgen von strahlender, bis in die Knochen gehender Kälte, ein schneidender Wind weht ihm vom Fluss hinauf ins Gesicht. Wir schneien herein, um alles auf eine Karte zu setzen.

Marsilius sagt uns, dass Christus, als er in diese Welt kam, nicht als Herrscher oder Richter kam, sondern als Untertan: Untertan des Staates, wie er ihn vorfand. Er trachtete nicht danach zu herrschen und gab auch seinen Jüngern nicht den Auftrag zu herrschen. Er gab nicht einem seiner Jünger mehr Macht als einem anderen; wenn man glaubt, das hätte er, sollte man noch einmal die Verse über Petrus lesen. Christus hat keine Päpste gemacht. Er gab seinen Anhängern nicht die Macht, Gesetze zu erlassen oder Steuern zu erheben; beides haben Kirchenleute als ihr Recht beansprucht.

Henry sagt: »Ich kann mich nicht daran erinnern, dass der Kardinal je davon gesprochen hat.«

»Würden Sie das, wenn Sie Kardinal wären?«

Wenn Christus seine Anhänger nicht zur weltlichen Macht gedrängt hat, wie kann da behauptet werden, dass die heutigen Fürsten ihre

Macht vom Papst erhalten? Tatsächlich sind alle Priester Untertanen, denn als solche hat Christus sie belassen. Es steht dem Fürsten zu, die Gesamtheit seiner Bürger zu regieren, zu sagen, wer verheiratet ist und wer heiraten kann, wer ein Bastard ist und wer ein legitimes Kind.

Woher bekommt der Fürst seine Macht und die Macht, das Recht durchzusetzen? Er bekommt sie durch eine gesetzgebende Körperschaft, die im Namen der Bürger handelt. Es ist der Wille des Volkes, wie er sich im Parlament ausdrückt, aus dem ein König sein Königtum ableitet.

Als er das sagt, scheint Henry die Ohren zu spitzen, als würde er den Lärm des Volkes hören, das über die Straße gerannt kommt, um ihn aus seinem Palast zu werfen. Er beruhigt ihn in diesem Punkt: Marsilius legitimiert Rebellen nicht. Bürger dürfen sich zusammenschließen, um einen Despoten zu stürzen, aber er, Henry, ist kein Despot; er ist ein Monarch, der dem Gesetz gemäß regiert. Henry hat es gern, wenn das Volk ihm zujubelt, während er durch London reitet, aber der weise Fürst ist nicht immer der beliebteste; das weiß er.

Es gibt weitere Thesen, die er ihm vorlegt. Christus hat seinen Anhängern kein Land gewährt oder Monopole, Ämter, Beförderungen. All diese Dinge sind Sache der weltlichen Macht. Wie kann ein Mann, der das Armutsgelübde abgelegt hat, Eigentumsrechte haben? Wie können Mönche Landbesitzer sein?

Der König sagt: »Cromwell, Sie mit Ihrer Befähigung für große Zahlen …« Er starrt in die Ferne. Seine Finger zerren am Silberbesatz seiner Manschette.

»Die gesetzgebende Körperschaft«, sagt er, »sollte für den Unterhalt von Priestern und Bischöfen sorgen. Wenn das geschehen ist, sollte sie in der Lage sein, den Reichtum der Kirche für das öffentliche Wohl zu nutzen.«

»Aber wie macht man ihn flüssig?«, sagt Henry. »Ich vermute, Schreine können aufgebrochen werden.« So wie er selbst mit Edelsteinen geschmückt ist, denkt er an die Art von Reichtum, den man wiegen kann. »Wenn es Leute gäbe, die das wagten.«

Es ist charakteristisch für Henry, dass er an einen Punkt vorauseilt, auf den man selbst nicht direkt hinauswollte. Seine Absicht war es, ihn sachte zu einem verwickelten rechtlichen Prozess der Enteignung und Wiederinbesitznahme zu führen: zur Geltendmachung sehr alter souveräner Rechte, zur Einforderung dessen, was dem Herrscher immer gehört hat. Er wird sich daran erinnern, dass es Henry war, der als Erster vorgeschlagen hat, einen Meißel zur Hand zu nehmen und Heiligen die Saphiraugen auszustechen. Aber er ist willens, dem Gedankengang des Königs zu folgen. »Christus hat uns gelehrt, wie wir ihn erinnern sollen. Er hinterließ uns Brot und Wein, Leib und Blut. Was brauchen wir mehr? Ich kann nicht feststellen, wo er das Aufstellen von Schreinen verlangt hat oder die Einführung eines Handels mit Körperteilen, mit Haaren oder Fingernägeln oder das Herstellen von Gipsbildern, die wir anbeten sollen.«

»Wären Sie in der Lage zu schätzen«, sagt Henry, »sogar … nein, ich vermute, das können Sie nicht.« Er steht auf. »Nun, die Sonne scheint, also …«

Nutzen wir die Stunde. Er schiebt die Papiere dieses Tages zusammen. »Ich kann das alleine fertig machen.« Henry geht davon, um seinen doppelt wattierten Reitmantel anzuziehen. Er denkt, wir wollen nicht, dass unser König der arme Mann Europas ist. Nach Spanien und Portugal fließen jedes Jahr Schätze aus Amerika. Wo sind unsere Schätze?

Sieh dich um.

Er schätzt, dass die Geistlichkeit ein Drittel Englands besitzt. Recht bald wird Henry ihn fragen, wie die Krone an diesen Besitz kommen kann. Es ist wie der Umgang mit einem Kind; eines Tages bringst du eine Schachtel mit, und das Kind fragt: Was ist da drin? Dann geht es zu Bett und vergisst es, aber am nächsten Tag fragt es wieder. Es gibt keine Ruhe, bis die Schachtel geöffnet wird und die Geschenke verteilt sind.

Das Parlament tritt in Kürze wieder zusammen. Er sagt zum König: Kein Parlament in der Geschichte hat je so hart gearbeitet, wie ich dieses zum Arbeiten bringen will.

Henry sagt: »Tun Sie, was Sie tun müssen. Ich stehe hinter Ihnen.«

Es ist, als hörte man Worte, auf die man sein ganzes Leben lang gewartet hat. Es ist, als hörte man eine vollkommene Zeile Poesie in einer Sprache, die man vor seiner Geburt kannte.

Er geht glücklich nach Hause, aber dort wartet in einer Ecke der Kardinal auf ihn. In seinen scharlachroten Gewändern ist er so rund wie ein Kissen, und sein Gesicht trägt einen kampflustigen und aufrührerischen Ausdruck. Wolsey sagt: Sie wissen doch, dass er das Verdienst für Ihre guten Ideen in Anspruch nehmen wird und dass Sie die Schuld für seine schlechten bekommen? Wenn sich Fortuna gegen Sie wendet, werden Sie ihre Peitsche zu spüren bekommen: auf jeden Fall Sie, auf keinen Fall er.

Er sagt: Mein lieber Wolsey. (Weil Kardinäle in diesem Königreich jetzt ausgespielt haben, spricht er ihn als Kollegen, nicht als Herrn an.) Mein lieber Wolsey, das ist nicht ganz richtig – er hat Charles Brandon nicht die Schuld dafür gegeben, dass eine Lanze in seinem Helm zersplittert ist, er hat sich selbst die Schuld gegeben, weil er sein Visier nicht geschlossen hatte.

Der Kardinal sagt: Glauben Sie etwa, das hier ist ein Turnierplatz? Glauben Sie, es gibt Regeln, ein Protokoll, Richter, die auf einen fairen Kampf achten? Eines Tages, wenn Sie noch dabei sind, Ihren Harnisch in Ordnung zu bringen, werden Sie aufblicken und sehen, wie er den Berg hinunter auf Sie zudonnert.

Der Kardinal verschwindet glucksend.

Noch bevor das Unterhaus zusammenkommt, treffen sich seine Gegner, um ihre Taktik zu entwerfen. Ihre Treffen sind nicht geheim. Ständig kommen und gehen Diener, und seine Methode bei den Klausurtagungen der Poles ist wiederholbar: Es gibt junge Männer im Cromwellschen Haushalt, die sich nicht zu fein sind, eine Schürze umzubinden und eine Platte mit Heilbutt oder Rinderbraten aufzutragen. Die Herren Englands bewerben sich jetzt für Ihre Söhne und Neffen und Mündel um Plätze in seinem Haushalt, weil sie glauben, der Nachwuchs würde die Staatskunst bei ihm lernen: wie man die Handschrift eines Ministers erwirbt, mit Übersetzungen von Schreiben aus dem Ausland verfährt, welche Bücher man lesen sollte, um Höfling zu werden. Er nimmt es ernst, das Vertrauen, das man in ihn setzt; er nimmt diesen lauten jungen Personen behutsam ihre Dolche, ihre Federkiele aus der Hand und spricht mit ihnen, findet heraus, was sie hinter der Leidenschaft und dem Stolz junger Männer von fünfzehn Jahren wirklich wert sind, was sie taugen und was sie unter Zwang taugen würden. Man lernt nichts über die Menschen, indem man sie brüskiert oder ihren Stolz zerstört. Man muss sie fragen, was sie in dieser Welt tun können, was nur sie allein tun können.

Die Jungen sind erstaunt über die Frage und öffnen ihre Seele. Vielleicht hat noch nie jemand mit ihnen gesprochen. Sicher nicht ihre Väter.

Man macht diese Jungen, wild oder ungebildet, wie sie sind, mit einfachen Tätigkeiten vertraut. Sie lernen die Psalmen. Sie lernen den Gebrauch eines Filetiermessers und eines Schälmessers; erst dann lernen sie zur Selbstverteidigung und völlig informell den *estoc*, den tödlichen Stoß unter die Rippen, die einfache Drehung des Handgelenks, die dich sichergehen lässt. Christophe bietet sich als Lehrmeister an. Diese *messieurs*, sagt er, das sind feine Jüngelchen. Sie schneiden den Kopf vom Hirsch oder den Schwanz von der Ratte ab, ich weiß nicht was, und schicken ihn nach Hause zu ihrem lieben Papa. Nur Sie und ich, Master, und Richard Cremuel, wir wissen, wie man einen kleinen Scheißeur auf der Stelle erledigt und zum Schweigen bringt, und er quiekt nicht mal.

Bevor der Frühling kommt, finden einige der armen Männer, die an seinem Tor stehen, den Weg ins Innere. Die Augen und Ohren von Analphabeten sind genauso scharf wie die anderer Leute, und man braucht kein Gelehrter zu sein, um einen schlauen Kopf zu haben. Pferdeknechte und Hundepfleger hören die Vertraulichkeiten von Earls zufällig mit. Ein Junge mit Anmachholz und Blasebalg hört die schläfrigen Geheimnisse des frühen Morgens, wenn er kommt, um Feuer zu machen.

Eines Tages, als die Sonne hell strahlt, als es plötzlich und trügerisch warm geworden ist, kommt Nennt-mich-Risley energischen Schrittes nach Austin Friars. Er bellt: »Wünsche Ihnen einen guten Morgen, Sir«, wirft seine Jacke ab, setzt sich an seinen Schreibtisch und schrammt mit dem Stuhl nach vorn. Er nimmt die Feder auf und betrachtet ihre Spitze. »Gut, was haben Sie für mich?« Seine Augen funkeln, und seine Ohrläppchen sind rosa.

»Ich denke mir, Gardiner muss wieder da sein«, sagt er.

»Woher wussten Sie das?« Nennt-mich wirft seine Feder hin. Er springt auf. Er läuft hin und her. »Warum ist er so, wie er ist? Dieses ganze Gerangel und Gerassel und Absondern von Fragen, wenn die Antworten ihm völlig egal sind.«

»Es gefiel Ihnen doch sehr gut, als Sie in Cambridge waren.«

»Ach, damals«, sagt Wriothesley mit Verachtung für sein jüngeres Selbst. »Es soll unseren Geist schulen. Ich weiß nicht.«

»Mein Sohn behauptet, sie hat ihn zermürbt, diese Übung der gelehrten Disputation. Er nennt sie die Übung des sinnlosen Wortklaubens.«

»Vielleicht ist Gregory nicht komplett dumm.«

»Das würde mich wirklich freuen.«

Nennt-mich läuft tiefrot an. »Das sollte keine Beleidigung sein, Sir. Sie wissen, dass Gregory nicht ist wie wir. So, wie diese Welt beschaffen ist, ist er zu gut. Aber man muss auch nicht gerade wie Gardiner sein.«

»Wenn sich die Berater des Kardinals trafen, stellten wir Pläne zur Diskussion, vielleicht gab es etwas Streit, aber wir sprachen die Sache durch, dann verfeinerten wir unsere Pläne und führten sie aus. Der Kronrat funktioniert nicht so.«

»Wie könnte er? Norfolk? Charles Brandon? Sie bekämpfen Sie, weil Sie sind, wer Sie sind. Selbst wenn sie mit Ihnen übereinstimmen, bekämpfen sie Sie. Selbst wenn sie wissen, dass Sie recht haben.«

»Ich vermute, Gardiner hat Ihnen gedroht.«

»Mit dem Ruin.« Er ballt eine Hand zur Faust und legt sie in die andere. »Ich beachte es gar nicht.«

»Aber das sollten Sie. Winchester ist ein mächtiger Mann, und wenn er sagt, er wird Sie ruinieren, dann ist genau das seine Absicht.«

»Er nennt mich illoyal. Er sagt, während er im Ausland war, hätte ich seine Interessen fördern sollen, nicht Ihre.«

»Mein Verständnis der Situation ist, dass Sie dem Ersten Sekretär dienen, wer immer diese Funktion ausübt. Wenn ich«, er zögert, »wenn … Wriothesley, ich mache Ihnen folgendes Angebot: Wenn ich auf dem Posten bestätigt werde, vertraue ich Ihnen das Siegel an.«

»Ich soll leitender Siegelbeamter werden?« Er sieht, wie Nennt-mich schon die Gebühren zusammenrechnet.

»Jetzt gehen Sie zu Gardiner, entschuldigen sich und bringen ihn dazu, Ihnen ein besseres Angebot zu machen. Setzen Sie nicht alles auf eine Karte.«

Mit einem erschrockenen Gesichtsausdruck verweilt Nennt-mich noch. »Laufen Sie, Junge.« Er hebt die Jacke auf und wirft sie ihm zu. »Er ist immer noch Sekretär. Er kann seine Siegel zurückbekommen. Sagen Sie ihm nur, dass er herkommen und sie persönlich abholen muss.«

Nennt-mich lacht. Er reibt sich benommen die Stirn, als hätte er sich geprügelt. Er wirft sich die Jacke über. »Wir sind hoffnungslos, nicht wahr?«

Unverbesserliche Raufbolde. Wölfe, die über einem Kadaver zuschnappen. Löwen, die sich um Christen streiten.

Der König bestellt ihn zu sich, zusammen mit Gardiner, er will die Gesetzesvorlage durchsehen, die er im Parlament einzubringen gedenkt, um die Nachfolge von Annes Kindern abzusichern. Die Königin ist bei ihm; viele Privatmänner sehen ihre Frauen seltener als der König, denkt er. Er reitet, Anne reitet. Er jagt, Anne jagt. Sie nimmt seine Freunde und macht sie zu den ihren.

Sie hat die Angewohnheit, über Henrys Schulter hinweg zu lesen; das tut sie jetzt, und ihre forschende Hand gleitet über seine seidige Masse, durch die Lagen seiner Kleidung, sodass sich ein zierlicher Fingernagel unter dem bestickten Kragen seines Hemdes verhakt; dann hebt sie den Stoff einen Hauch, nur ein winziges Stück über der blassen königlichen Haut hoch; Henrys riesige Hand gleitet nach oben, um ihre Hand zu streicheln, eine geistesabwesende, träumerische Bewegung, als wären sie allein. Der Entwurf bezieht sich immer wieder und, wie man denken würde, völlig korrekt auf *»Eure teuerste und überaus geliebte Gemahlin Königin Anne«*.

Der Bischof von Winchester glotzt. Als Mann kann er sich nicht von dem Schauspiel losmachen, und doch bringt es ihn als Bischof dazu, sich zu räuspern. Anne nimmt davon keine Notiz; sie macht weiter mit dem, was sie tut, und liest dabei den Gesetzentwurf, bis sie schockiert aufsieht: Hier wird mein Tod erwähnt! *»Wenn es geschehen sollte, dass Eure besagte teure und überaus geliebte Gemahlin Königin Anne ablebt …«*

»Ich kann diesen Sachverhalt nicht ausschließen«, sagt er. »Das Parlament kann alles tun, Madam, aber es hat keine Macht über die Natur.«

Sie läuft rot an. »Ich werde nicht an dem Kind sterben. Ich bin stark.«

Er kann sich nicht daran erinnern, dass Liz den Verstand verloren hätte, als sie ein Kind erwartete. Wenn überhaupt, war sie noch nüchterner und genügsamer als sonst und verbrachte viel Zeit damit, Bestandslisten von Vorratsschränken zu machen. Anne, die Königin, nimmt Henry den Entwurf aus der Hand. Sie schüttelt ihn leidenschaftlich. Sie ist wütend auf das Papier, böse auf die Tinte. Sie sagt: »Hier steht, wenn ich sterbe, sagen wir, ich sterbe jetzt, sagen wir, ich sterbe am Fieber und sterbe vor der Geburt meines Kindes, dann kann er eine andere Königin an meine Stelle setzen. Das sieht dieser Gesetzentwurf vor.«

»Schatz«, sagt der König, »ich kann mir keine andere an deiner Stelle vorstellen. Es ist nur der Form halber. Er muss Vorkehrungen für diesen Fall treffen.«

»Madam«, sagt Gardiner, »wenn ich Cromwell verteidigen darf. Er stellt sich nur eine gängige Situation vor. Sie würden Seine Majestät doch nicht zu einem Leben als ständiger Witwer verdammen wollen? Und die Stunde ist ungewiss, nicht wahr?«

Anne nimmt davon keine Notiz, als hätte Winchester nicht gesprochen. »Und wenn sie einen Sohn hat, heißt es hier, wird dieser Sohn nachfolgen. Da steht: *männliche Erben, rechtmäßig gezeugt*. Und was geschieht dann mit meiner Tochter und ihrem Anspruch?«

»Nun«, sagt Henry, »sie ist immer noch eine Prinzessin von England. Wenn du weiter unten liest, steht da, dass ...« Er schließt die Augen. Gott gebe mir Stärke.

Gardiner beeilt sich, selbige zu liefern: »Falls der König nie einen Sohn hätte, nicht in rechtmäßiger Ehe mit irgendeiner Frau, dann würde Ihre Tochter Königin werden. Das ist es, was Cromwell vorschlägt.«

»Aber warum muss es auf diese Weise geschrieben werden? Und wo steht, dass die spanische Mary ein Bastard ist?«

»Lady Mary ist von der Thronfolge ausgeschlossen«, sagt er, »diese Schlussfolgerung ist ganz offensichtlich. Wir brauchen gar nicht mehr zu sagen. Sie müssen eine etwaige Kälte des Ausdrucks entschuldigen. Wir versuchen, Gesetze knapp abzufassen. Und auf eine völlig unpersönliche Weise.«

»Bei Gott«, sagt Gardiner genüsslich, »wenn das hier nicht persönlich ist, was ist es dann?«

Der König scheint Stephen zu dieser Besprechung eingeladen zu haben, um ihn zu brüskieren. Morgen könnte es natürlich andersherum sein; er könnte Henry Arm in Arm mit Winchester antreffen, wie sie zwischen den Schneeglöckchen spazieren. Er sagt: »Wir beabsichtigen, dieses Gesetz mit einem Eid zu besiegeln. Die Untertanen Seiner Majestät sollen schwören, dass sie die Thronfolge achten, wie sie in diesem Papier festgelegt und vom Parlament ratifiziert wurde.«

»Ein Eid?«, sagt Gardiner. »Welche Art von Gesetzgebung muss denn durch einen Eid bestätigt werden?«

»Es wird immer Stimmen geben, die sagen, ein Parlament ist getäuscht worden oder gekauft oder auf irgendeine Weise unfähig, das Gemeinwesen zu repräsentieren. Und dann gibt es Stimmen, die dem Parlament die Befähigung zur Gesetzgebung in bestimmten Punkten absprechen und sagen, das muss einer anderen Jurisdiktion vorbehalten sein – soll heißen Rom. Aber ich halte das für einen Fehler. Rom hat keine legitime Stimme in England. Ich beabsichtige, in meinem Gesetz eine Position zu beziehen. Es ist eine bescheidene. Ich entwerfe das Gesetz, und es mag dem Parlament gefallen, es zu verabschieden, es mag dem König gefallen, es zu unterzeichnen. Dann werde ich das Land bitten, es zu billigen.«

»Und was wollen Sie machen?«, sagt Stephen höhnisch. »Ihre Jungs aus Austin Friars landauf, landab schicken und jeden Jack schwören lassen, den Sie aus einem Bierlokal holen? Jeden Jack und jede Jill?«

»Warum sollte ich sie nicht schwören lassen? Glauben Sie, weil sie keine Bischöfe sind, sind sie Bestien? Der Eid des einen Christenmenschen ist so gut wie der eines anderen. Betrachten Sie dieses Königreich, Mylord Bischof, und Sie finden Verwahrlosung und Armut. Es gibt Männer und Frauen auf den Straßen. Die Schafbauern haben sich so ausgebreitet, dass der kleine Mann von seiner Scholle vertrieben wird und der Pflüger Haus und Heim verliert. Aber in nur einer Generation können diese Menschen lesen lernen. Der Pflüger kann ein Buch zur Hand nehmen. Glauben Sie mir, Gardiner, England kann anders werden.«

»Ich habe Sie verärgert«, bemerkt Gardiner. »Sie haben sich provozieren lassen und die Frage missverstanden. Ich habe Sie nicht gefragt, ob ihr Wort etwas zählt, sondern wie viele von ihnen Sie schwören lassen wollen. Aber natürlich, im Unterhaus haben Sie eine Gesetzesvorlage gegen Schafe eingebracht …«

»Gegen die Halter von Schafen«, sagt er lächelnd.

Der König sagt: »Gardiner, sie dient dazu, den einfachen Leuten zu helfen – kein Schafzüchter soll mehr als zweitausend Tiere grasen lassen …«

Der Bischof schneidet seinem König das Wort ab wie einem Kind. »Zweitausend, ja. Also, während Ihre Bevollmächtigten durch die Grafschaften toben und Schafe zählen, können Sie den Schafhirten vielleicht auch gleich den Eid abnehmen, was? Und diesen Pflügern im Alphabetisierungs-Wartestand. Und jeder Schlampe, die sie in einem Graben finden?«

Er muss lachen. Der Bischof ist so vehement. »Mylord, ich werde alle vereidigen, die nötig sind, damit die Thronfolge gesichert und das Land hinter uns geeint wird. Der König hat seine Beamten, seine Friedensrichter – und auch die Lords des Kronrats werden ihr Ehrenwort geben, damit das Vorhaben glückt. Dann werden wir ja sehen.«

Henry sagt: »Die Bischöfe werden den Eid ablegen. Ich hoffe, sie werden gefügig sein.«

»Wir brauchen ein paar neue Bischöfe«, sagt Anne. Sie nennt ihren Freund Hugh Latimer. Seinen Freund Rowland Lee. Es scheint, dass sie doch eine Liste hat; sie verwahrt sie im Kopf. Liz hat Marmelade gemacht. Anne macht Pastoren.

»Latimer?« Stephen schüttelt den Kopf, aber er kann die Königin nicht beschuldigen, kann ihr nicht ins Gesicht sagen, dass sie Häretiker liebt. »Rowland Lee hat in seinem ganzen Leben noch nie auf einer Kanzel gestanden, das weiß ich ganz sicher. Manche Männer treten nur aus Ehrgeiz ins religiöse Leben ein.«

»Und haben kaum genug Anstand, das zu verbergen«, sagt er.

»Ich mache das Beste aus meinem Weg«, sagt Stephen. »Man hat mich auf ihn geschickt, und bei Gott, Cromwell, ich gehe ihn.«

Er sieht zu Anne auf. Ihre Augen glitzern vor Freude. Kein Wort entgeht ihr.

Henry sagt: »Mylord Winchester, Sie waren lange Zeit außer Landes, in diplomatischer Mission.«

»Ich hoffe, Majestät ist der Ansicht, dass sie von Nutzen für Sie war.«

»In der Tat, aber Sie konnten nicht umhin, Ihre Diözese zu vernachlässigen.«

»Als Pastor sollten Sie auf Ihre Schäfchen aufpassen«, sagt Anne. »Sie sollten sie vielleicht zählen.«

Stephen verbeugt sich. »Meine Herde ist sicher im Pferch.«

Außer den Bischof persönlich die Treppe hinunterzuwerfen oder von den Wachen wegschleppen zu lassen, kann der König nicht mehr viel tun. »Und trotzdem, seien Sie so frei, sich um sie zu kümmern«, murmelt Henry.

Es gibt einen urtümlichen Geruch, der kurz vor dem Kampf aus dem Fell eines Hundes aufsteigt. Er verbreitet sich jetzt im Raum; er sieht, dass Anne – überempfindlich – sich zur Seite wendet und Stephen seine Hand auf die Brust legt, als wolle er sein Fell sträuben und vor seiner Größe warnen, bevor er die Zähne fletscht. »Ich werde mich in einer Woche wieder bei Eurer Majestät melden«, sagt er. Seine wohlklingend formulierte Bekundung bricht als Knurren aus den Tiefen seiner Eingeweide hervor.

Henry bricht in Gelächter aus. »Unterdessen schätzen wir Cromwell. Cromwell behandelt uns sehr gut.«

Sobald Winchester gegangen ist, hängt sich Anne wieder über den König; ihre Augen fliegen zur Seite, als wolle sie ihn in eine Verschwörung einbeziehen. Annes Mieder ist noch eng geschnürt, nur eine leichte Fülligkeit ihrer Brüste verweist auf ihren Zustand. Es hat keine Ankündigung gegeben; Ankündigungen werden nie gemacht, denn Frauenkörper sind eine unsichere Sache und Irrtümer können vorkommen. Aber der ganze Hof ist sicher, dass sie den Erben erwartet, und sie sagt es auch selbst; Äpfel werden dieses Mal nicht erwähnt, und alle Speisen, die sie begehrte, als sie die Prinzessin erwartete, stoßen sie ab, und deshalb stehen die Zeichen gut, dass es ein Junge wird. Diese Gesetzesvorlage, die er im Unterhaus einbringen will, ist nicht die Vorwegnahme einer Katastrophe, wie sie denkt, sondern eine Bestätigung ihrer Stellung in der Welt. Dieses Jahr wird sie dreiunddreißig, soweit er weiß. Wie viele Jahre hat er über ihre flache Brust und ihre gelbe Haut gelacht? Jetzt, da sie Königin ist, kann selbst er ihre Schönheit sehen. Ihr

Gesicht wirkt in der Klarheit seiner Linien wie gemeißelt; ihr Schädel ist klein wie der einer Katze; ihr Hals hat ein mineralisches Glitzern, als wäre er mit Katzengold gepudert.

Henry sagt: »Stephen ist ein energischer Botschafter, ohne Frage, aber ich kann ihn nicht in meiner Nähe behalten. Ich habe ihm meine geheimsten Gedanken anvertraut, und jetzt wendet er sich ab.« Er schüttelt den Kopf. »Ich hasse Undankbarkeit. Ich hasse Illoyalität. Das ist der Grund, aus dem ich einen Mann wie Sie schätze. Sie waren gut zu Ihrem früheren Herrn in seiner Not. Nichts könnte Sie mir mehr empfehlen als das.« Er spricht, als ob nicht er persönlich diese Not verursacht hätte, als wäre Wolseys Fall durch einen Blitzschlag herbeigeführt worden. »Ein anderer, der mich enttäuscht hat, ist Thomas More.«

Anne sagt: »Wenn Sie Ihr Ausnahmegesetz gegen die falsche Prophetin Barton schreiben, fügen Sie More neben Fishers Namen ein.«

Er schüttelt den Kopf. »Das wird nicht durchgehen. Das Parlament wird es nicht dulden. Es gibt sehr viele Beweise gegen Fisher, und das Unterhaus mag ihn nicht, er spricht zu ihnen, als wären sie Türken. Aber noch bevor Barton verhaftet wurde, ist More zu mir gekommen und hat mir bewiesen, dass er in dieser Sache unbelastet ist.«

»Aber es wird ihm Angst machen«, sagt Anne. »Ich möchte, dass er Angst hat. Angst kann einen Mann ruinieren. Ich habe es schon erlebt.«

Drei Uhr nachmittags: Kerzen werden gebracht. Er sieht in Richards Journal nach: John Fisher wartet. Es ist Zeit, wütend zu sein. Er versucht, an Gardiner zu denken, aber er muss immer noch lachen. »Machen Sie ein passendes Gesicht«, sagt Richard.

»Man würde nie auf die Idee kommen, dass Stephen mir Geld schuldet. Ich habe für seine Amtseinsetzung in Winchester bezahlt.«

»Fordern Sie es zurück, Sir.«

»Aber ich habe ihm bereits sein Haus für die Königin weggenommen. Es schmerzt ihn immer noch. Ich sollte ihn lieber nicht zum Äußersten treiben. Ich sollte ihm einen Weg zurück offenhalten.«

Bischof Fishers knochendürre Hände ruhen auf einem Ebenholzstock. »Guten Tag, Mylord«, sagt er. »Warum sind Sie so leichtgläubig?«

Der Bischof scheint erstaunt zu sein, dass sie nicht mit einem Gebet beginnen. Trotzdem murmelt er einen Segen.

»Sie sollten beim König um Begnadigung ersuchen. Bitten Sie um diese Gunst. Flehen Sie ihn an, dass er Ihr Alter und Ihre Gebrechen bedenken soll.«

»Ich kenne mein Vergehen nicht. Und was immer Sie vielleicht denken, ich bin nicht in meiner zweiten Kindheit.«

»Aber genau das glaube ich. Wie sonst hätten Sie dieser Barton Glauben schenken können? Wenn Sie auf der Straße an einem Marionettentheater vorbeikämen, würden Sie nicht begeistert stehen bleiben und rufen: ›Seht ihre kleinen Holzbeine an, wie sie laufen; seht, wie sie mit den Armen wedeln. Hört, wie sie ihre Trompeten blasen‹? Würden Sie das nicht tun?«

»Ich glaube nicht, dass ich je ein Marionettentheater gesehen habe«, sagt Fisher traurig. »Zumindest keines der Art, von der Sie sprechen.«

»Aber Sie sind mittendrin, Mylord Bischof! Sehen Sie sich um. Alles ist ein einziges großes Marionettentheater.«

»Und doch haben so viele an sie geglaubt«, sagt Fisher sanft. »Kein Geringerer als Warham, der frühere Canterbury. Ein Dutzend, hundert fromme und gelehrte Männer. Sie haben ihre Wunder bezeugt. Und warum sollte sie ihr visionäres Wissen nicht kundtun? Wir wissen, dass sich der Herr, bevor er zu Werke geht, durch seine Diener ankündigt, denn der Prophet Amos verkündet …«

»Kommen Sie mir nicht mit dem Propheten Amos, Mann. Sie hat den König bedroht. Seinen Tod vorhergesehen.«

»Vorhersehen ist nicht dasselbe wie ihn zu wünschen, schon gar nicht ihn herbeiführen zu wollen.«

»Ah, aber sie hat nie irgendetwas vorhergesehen, von dem sie nicht hoffte, dass es geschehen würde. Sie hat sich mit den Feinden des Königs zusammengesetzt und ihnen erzählt, wie es ablaufen würde.«

»Wenn Sie Lord Exeter meinen«, sagt der Bischof, »so ist er bereits begnadigt, natürlich, und Lady Gertrude ebenso. Wenn sie schuldig wären, hätte der König Schritte eingeleitet.«

»Nicht zwangsläufig. Henry strebt nach Versöhnung. Es gehört zu seinem Wesen, gnädig zu sein. Wie er es immer noch mit Ihnen sein könnte, aber Sie müssen Ihre Irrtümer zugeben. Exeter hat nicht gegen den König geschrieben, aber Sie haben das getan.«

»Wo? Zeigen Sie es mir.«

»Ihre Hand schreibt im Verborgenen, Mylord, aber mir ist es nicht entgangen. Jetzt werden Sie nichts mehr veröffentlichen.«

Fishers Blick schnellt nach oben. Zart bewegen sich seine Knochen unter der Haut; seine Faust ergreift den Stock, dessen Griff ein vergoldeter Delphin ist. »Ihre Drucker auf dem Kontinent arbeiten jetzt für mich. Mein Freund Stephen Vaughan hat ihnen einen besseren Kurs geboten.«

»Sie hetzen mich wegen der Scheidung«, sagt Fisher. »Es geht gar nicht um Elizabeth Barton. Es geht darum, dass Königin Katherine um meinen Rat gebeten hat und ich ihn gegeben habe.«

»Sie sagen, ich hetze Sie, wenn ich Sie ersuche, das Gesetz nicht zu übertreten? Versuchen Sie nicht, mich von Ihrer Prophetin abzubringen, oder ich bringe Sie dahin, wo sie ist, und schließe Sie neben ihr ein. Hätten Sie ihr genauso bereitwillig geglaubt, wenn sie ein Jahr vor dem tatsächlichen Ereignis in einer ihrer Visionen gesehen hätte, wie Anne zur Königin gekrönt wird und der Himmel dazu lächelt? In diesem Fall, unterstelle ich, wäre sie von ihnen als Hexe bezeichnet worden.«

Fisher schüttelt den Kopf; er tritt den Rückzug in die Verblüffung an. »Ich habe mich immer gefragt, wissen Sie, ich habe viele Jahre darüber gerätselt, ob die Maria Magdalena in den Evangelien dieselbe Maria ist, deren Schwester Martha ist. Elizabeth Barton sagte mir, dass es sich mit Gewissheit so verhält. In diesem Punkt war sie sich völlig sicher.«

Er lacht. »Ach, sie ist mit diesen Leuten vertraut. Sie geht in ihren Häusern ein und aus. Sie hat viele Male Eintopf mit unserer heiligen Jungfrau gegessen. Passen Sie auf, Mylord, die heilige Einfalt mochte zu ihrer Zeit angehen, aber diese Zeit ist vorbei. Wir sind im Krieg. Auch wenn die Soldaten des Kaisers nicht auf den Straßen herumlaufen, lassen Sie sich nicht täuschen – dies ist ein Krieg, und Sie sind im feindlichen Lager.«

Der Bischof schweigt. Er schwankt ein wenig auf seinem Hocker. Schnieft. »Ich verstehe jetzt, warum Wolsey Sie verpflichtet hat. Sie sind ein Gauner, und er war es auch. Ich war vierzig Jahre lang Priester, und ich habe nie so gottlose Männer gesehen wie jene, die heutzutage emporkommen. Solche bösen Ratgeber.«

»Werden Sie krank«, sagt er. »Legen Sie sich ins Bett. Das ist es, was ich Ihnen empfehle.«

Das Ausnahmegesetz gegen die Magd und ihre Verbündeten wird dem Oberhaus an einem Samstagmorgen vorgelegt, am 21. Februar. Fishers Name steht darin und auch – auf Henrys Befehl – der Name Mores. Er geht in den Tower, um die Barton zu sehen, um zu sehen, ob sie ihr Gewissen noch von etwas anderem entlasten muss, bevor ihr Tod anberaumt wird.

Sie hat den Winter überlebt, ist über Land zu ihren Geständnissen im Freien geschleppt worden, hat auf Gerüsten gestanden, dem schneidenden Wind ausgesetzt. Er hat eine Kerze dabei und findet sie zusammengesunken auf ihrem Hocker wie ein schlecht verschnürtes Bündel Lumpen; die Luft ist sowohl kalt als auch abgestanden. Sie sieht auf und sagt, als würden sie eine Unterhaltung fortsetzen: »Maria Magdalena hat mir gesagt, dass ich sterben werde.«

Vielleicht, denkt er, hat sie die ganze Zeit in Gedanken mit mir geredet. »Hat Sie Ihnen ein Datum genannt?«

»Wäre das hilfreich für Sie?«, fragt sie. Er überlegt, ob sie weiß, dass das Parlament empört über die Einbeziehung Mores ist und das Gesetz gegen sie bis zum Frühling hinauszögern könnte. »Ich bin froh, dass Sie gekommen sind, Master Cromwell. Hier ist nichts los.«

Nicht einmal seine langwierigsten, seine raffiniertesten Verhöre konnten sie erschrecken. Um Katherine hineinzuziehen, hatte er jeden Trick versucht, den er kennt: ohne Ergebnis. Er sagt: »Sie bekommen doch genug zu essen?«

»Oh ja. Und meine Wäsche wird gemacht. Aber ich vermisse es, wie früher nach Lambeth zu gehen und den Erzbischof zu treffen. Das mochte ich. Den Fluss ansehen. All diese wuselnden Leute und die Boote, die entladen werden. Wissen Sie, ob ich verbrannt werde? Lord Audley hat gesagt, ich würde verbrannt werden.« Sie spricht, als wäre Audley ein alter Freund.

»Ich hoffe, dass Ihnen das erspart werden kann. Der König muss entscheiden.«

»Ich gehe jetzt nachts immer in die Hölle«, sagt sie. »Master Luzifer zeigt mir einen Stuhl. Er ist aus Menschenknochen geschnitzt und mit Flammenkissen gepolstert.«

»Ist er für mich?«

»Gott segne Sie, nein. Für den König.«

»Haben Sie Wolsey irgendwo gesichtet?«

»Der Kardinal ist da, wo ich ihn zurückgelassen habe.« Im Kreis der Ungeborenen. Sie macht eine Pause, eine lange Pause. »Es heißt, es kann eine Stunde dauern, bis der Körper verbrennt. Mutter Maria wird mich zu sich erheben. Ich werde in den Flammen baden, wie man in einem Brunnen badet. Für mich werden sie kühl sein.« Sie sieht in sein Gesicht, aber seine Miene bringt sie dazu, sich abzuwenden. »Manchmal stecken sie Schießpulver in das Holz, richtig? Dann geht es schneller. Wie viele werden mit mir gehen?«

Sechs. Er nennt die Namen. »Es hätten sechzig sein können. Wissen Sie das? Es war Ihre Eitelkeit, die sie an diesen Punkt gebracht hat.«

Als er es sagt, denkt er, es ist aber auch wahr, dass die Eitelkeit dieser Personen die Nonne an diesen Punkt gebracht hat: Und er sieht, dass sie es vorgezogen hätte, wenn sechzig sterben würden, wenn die Familien Exeter und Pole in Schande untergehen würden; es hätte ihren Ruhm besiegelt. Aber warum wollte sie Katherine nicht als Beteiligte an dem Komplott belasten, wenn das so ist? Was für ein Triumph wäre es für jeden Propheten, eine Königin zu Fall zu bringen. Da haben wir's, denkt er, ich hätte lieber nicht so raffiniert sein sollen, ich hätte ihre Gier nach zweifelhafter Berühmtheit ausnutzen sollen. »Werde ich Sie nie wiedersehen?«, sagt sie. »Oder werden Sie dabei sein, wenn ich leide?«

»Dieser Thron«, sagt er. »Dieser Stuhl aus Knochen. Es wäre besser, wenn Sie es für sich behielten. Wenn der König es nicht hört.«

»Aber das sollte er. Er sollte davor gewarnt werden, was ihn nach dem Tod erwartet. Und was kann er mir Schlimmeres antun als das, was er bereits plant?«

»Sie wollen sich nicht auf Ihren Bauch berufen?«

Sie errötet. »Ich bekomme kein Kind. Sie machen sich über mich lustig.«

»Ich würde jedem raten, das Leben mit allen Mitteln um ein paar Wochen zu verlängern. Sagen Sie, dass Sie auf der Landstraße missbraucht worden sind. Sagen Sie, dass Ihre Wächter Sie entehrt haben.«

»Aber dann müsste ich sagen, wer es getan hat, und er würde vor den Richter gestellt.«

Er schüttelt den Kopf, bemitleidet sie. »Wenn ein Wächter eine Gefangene schändet, nennt er ihr nicht seinen Namen.«

Wie dem auch sei, ihr gefällt seine Idee nicht, das ist offenkundig. Er verlässt sie. Der Tower ist eine kleine Stadt, und um ihn herum geht die morgendliche Geschäftigkeit polternd weiter, die Wachen und die Männer von der Münzanstalt grüßen ihn, der Pfleger der Tiere des Königs trottet herbei und sagt, es sei Zeit zum Mittagessen – sie essen früh, die Tiere – und ob er vielleicht bei der Fütterung zusehen wolle? Ich danke für das freundliche Angebot, sagt er, verzichtet aber auf das Vergnügen; er hat noch nicht gefrühstückt, ihm ist ein wenig übel, und er kann abgestandenes Blut riechen und aus der Richtung der Käfige das Trüffelgrunzen und das erstickte Brüllen hören. Hoch oben auf den Mauern über dem Fluss pfeift ein Mann, der nicht zu sehen ist, eine alte Melodie und bricht beim Refrain in Gesang aus; er sei ein fröhlicher Förster, singt er. Was aller Wahrscheinlichkeit nach unwahr ist.

Er sieht sich nach seinen Ruderern um. Er überlegt, ob die Magd krank ist und ob sie lange genug leben wird, um getötet zu werden. Sie wurde in der Haft nie verletzt, nur schikaniert, eine Nacht oder zwei wachgehalten, aber nicht länger, als die Geschäfte des Königs ihn wachhalten, und keiner wird feststellen, denkt er, dass ich irgendetwas gestehe. Es ist neun Uhr; um zehn gibt es etwas zu essen, er trifft sich mit Norfolk und Audley, die hoffentlich nicht schreien und riechen wie die königlichen Tiere. Eine zaghafte und eisige Sonne scheint; Dampf schlängelt sich in Schleifen über den Fluss, ein Nebelgekritzel.

In Westminster scheucht der Herzog die Diener fort. »Wenn ich etwas trinken will, hole ich es mir selbst. Macht schon, raus mit euch. Und schließt die Tür! Wenn irgendjemand am Schlüsselloch lauert, werde ich ihn lebendig häuten und einsalzen!« Er dreht sich um, leise fluchend, und setzt sich mit einem Grunzen auf seinen Stuhl. »Und was ist, wenn ich ihn anbettle?«, sagt er. »Was ist, wenn ich auf die Knie gehe und sage: Henry, um Himmels willen, streich Thomas More aus dem Strafbeschluss?«

»Was ist, wenn wir ihn alle anbetteln«, sagt Audley, »auf unseren Knien?«

»Oh, und Cranmer auch«, sagt er. »Wir wollen ihn dabeihaben. Er soll dieser köstlichen Posse nicht entgehen.«

»Der König schwört«, sagt Audley, »dass er persönlich ins Parlament kommt, vor beide Häuser, wenn nötig, und auf diesem Gesetz besteht, sollte es nicht durchkommen.«

»Er könnte eine Niederlage erleiden«, sagt der Herzog. »Und das in der Öffentlichkeit. Um Gottes willen, Cromwell, halten Sie ihn davon ab. Er wusste, dass More gegen ihn war, und hat ihm erlaubt, sich nach Chelsea zu verkriechen, um sein Gewissen zu hätscheln. Aber es ist meine Nichte, vermute ich, die ihn zur Rechenschaft ziehen will. Sie nimmt es persönlich. Frauen sind so.«

»Ich denke, der König nimmt es persönlich.«

»Das ist Schwäche«, sagt Norfolk, »in meinen Augen. Wieso sollte es ihm etwas ausmachen, was More von ihm denkt?«

Audley lächelt unsicher. »Sie bezeichnen den König als schwach?«

»Ich bezeichne den König als schwach?« Der Herzog ruckt nach vorn und kreischt Audley ins Gesicht, als wäre er eine sprechende Elster. »Was ist das, Lordkanzler, Sie haben eine eigene Meinung? Normalerweise warten Sie doch, bis Cromwell spricht, und dann geht es zwitscher-zwitscher, ja-Sir-nein-Sir, was immer Sie sagen, Tom Cromwell.«

Die Tür öffnet sich und Nennt-mich-Risley erscheint, jedenfalls teilweise. »Bei Gott«, sagt der Herzog, »wenn ich eine Armbrust hätte, würde ich Ihnen glatt den Kopf abschießen. Ich sagte, keiner darf hier reinkommen.«

»Will Roper ist da. Er hat Briefe von seinem Schwiegervater. More möchte wissen, was Sie für ihn tun werden, Sir, da Sie eingeräumt haben, dass er sich rechtlich nichts hat zuschulden kommen lassen.«

»Sagen Sie Will, dass wir eben jetzt durchgehen, auf welche Weise wir den König bitten sollen, Mores Namen von der Liste zu streichen.«

Der Herzog kippt den Wein hinunter, den er sich selbst eingeschenkt hat. Er knallt den Kelch auf den Tisch. »Ihr Kardinal pflegte zu sagen, Henry gibt lieber sein halbes Königreich her, als dass er sich aufhalten lässt, man kann ihm nicht das kleinste Stück seines Willens abschwatzen.«

»Aber ich argumentiere … Sie nicht auch, Lordkanzler …«

»Na, aber sicher«, sagt der Herzog. »Was immer Sie argumentieren, Tom, argumentiert auch er. *Krächz, krächz.*«

Wriothesley sieht erschreckt aus. »Könnte ich Will herbringen?«

»Damit wir vereint sind? Auf den Knien, um zu betteln?«

»Ich tue es nur, wenn Cranmer es auch macht«, sagt der Herzog. »Warum sollte ein Laie seine Gelenke strapazieren?«

»Sollen wir auch nach Mylord Suffolk schicken?«, schlägt Audley vor.

»Nein. Sein Junge liegt im Sterben. Sein Erbe.« Der Herzog reibt mit der Hand über seinen Mund. »Es fehlt nur ein Monat zu seinem achtzehnten Geburtstag.« Seine Finger suchen nervös nach seinen geweihten Anhängern, seinen Reliquien. »Brandon hat nur den einen Jungen. Genau wie ich. Genau wie Sie, Cromwell. Und Thomas More. Nur den einen Jungen. Gott helfe Charles, er wird mit der Paarung von vorn anfangen müssen, mit seiner neuen Frau; das wird eine elende Belastung für ihn werden, ganz sicher.« Er bricht in bellendes Gelächter aus. »Wenn ich Mylady ausrangieren könnte, würde ich auch eine saftige Fünfzehnjährige kriegen. Aber sie will nicht gehen.«

Das ist zu viel für Audley. Sein Gesicht läuft rot an. »Mylord, Sie sind seit zwanzig Jahren verheiratet und gut verheiratet.«

»Wer weiß das besser als ich? Es ist, als packten Sie Ihre Person in einen ergrauten Lederbeutel.« Die knochige Hand des Herzogs sinkt herab und drückt seine Schulter. »Verschaffen Sie mir eine Scheidung, Cromwell, machen Sie das? Sie und Mylord Erzbischof, lassen Sie sich ein paar Gründe einfallen. Ich verspreche auch, dass es ganz ohne einen Mord abgeht.«

»Wo wird denn ein Mord begangen?«, sagt Wriothesley.

»Wir bereiten uns darauf vor, Thomas More zu ermorden, richtig? Der alte Fisher, wir wetzen das Messer für ihn, was?«

»Das möge Gott verhüten.« Der Lordkanzler steht auf und rafft seine Robe um sich. »Den beiden werden keine Kapitalverbrechen vorgeworfen. More und der Bischof von Rochester, sie sind nur Helfershelfer.«

»Was«, sagt Wriothesley, »wahrhaftig schlimm genug ist.«

Norfolk zuckt mit den Achseln. »Man kann sie jetzt töten oder später. More wird Ihren Eid nicht leisten. Fisher auch nicht.«

»Ich bin mir ganz sicher, dass sie es tun«, sagt Audley. »Wir werden wirksame Überzeugungsarbeit leisten. Kein vernünftiger Mann wird sich weigern, zur Sicherheit dieses Königreichs seinen Schwur auf die Thronfolge zu leisten.«

»Soll denn auch Katherine schwören«, sagt der Herzog, »dass sie die Nachfolge des Kindes meiner Nichte bestätigt? Was ist mit Mary – soll sie vereidigt werden? Und wenn sie es nicht tun, was schlagen Sie vor? Beide auf Hürden nach Tyburn zu schleifen und sie mit zappelnden Beinen aufzuhängen, damit ihr Verwandter, der Kaiser, es sieht?«

Er und Audley wechseln einen Blick. Audley sagt: »Mylord, Sie sollten vor Mittag nicht so viel Wein trinken.«

»Ach, *piep, piep*«, sagt der Herzog.

Eine Woche zuvor war er in Hatfield gewesen, um die beiden königlichen Damen aufzusuchen: die Prinzessin Elizabeth und Lady Mary, die Tochter des Königs. »Pass auf, dass du die Titel richtig hinkriegst«, hatte er zu Gregory auf dem Ritt dorthin gesagt.

Gregory hatte gesagt: »Schon wünschst du, dass du Richard mitgenommen hättest.«

Er wollte London nicht verlassen, solange das Parlament so beschäftigt war, aber der König hatte ihn überredet: Zwei Tage, und Sie können wieder hier sein, aber ich möchte, dass Sie ein Auge auf die Dinge haben. Der Weg aus der Stadt hinaus schwamm in Schmelzwasser, und in den Wäldchen, in die keine Sonne gelangte, waren die Pfützen noch gefroren. Eine schwache Sonne blinzelte ihnen zu, als sie nach Hertfortshire kamen, und hier und da blühte ein abgerissener Schwarzdorn und hielt ihm eine Petition gegen die Länge des Winters entgegen.

»Vor vielen Jahren war ich manchmal hier. Das Anwesen gehörte Kardinal Morton, weißt du, und er verließ die Stadt, sobald die Sitzungsperiode der Gerichte vorbei war und es wärmer wurde, und als ich neun oder zehn war, packte mein Onkel John mich immer in einen Karren mit dem besten Käse und den Pasteten, falls jemand versuchen sollte, sie zu stehlen, wenn wir anhielten.«

»Hattet ihr keine Wachen?«

»Vor den Wachen hatte er ja gerade Angst.«

»*Quis custodiet ipsos custodes?*«

»Ich, ganz offensichtlich.«

»Was hättest du getan?«

»Ich weiß nicht. Gebissen?«

Die warme Backsteinfassade ist kleiner, als er sie in Erinnerung hat, aber so ist das eben mit der Erinnerung. Diese Pagen und Herren, die angerannt kommen, diese Stallburschen zum Versorgen der Pferde, der gewärmte Wein, der sie erwartet, der Lärm und der Aufwand, das ist eine andere Art der Ankunft als vor so langer Zeit. Das Schleppen von Holz und Wasser, das Anheizen der Küchenherde, diese Aufgaben gingen über die Kraft und Geschicklichkeit eines Kindes hinaus, aber das wollte er damals nicht zugeben und arbeitete an der Seite der Männer, schmuddelig und hungrig, bis jemand bemerkte, dass er kurz vorm Umfallen war: oder bis er tatsächlich umfiel.

Sir John Shelton ist das Oberhaupt dieses merkwürdigen Haushalts, aber er hat eine Zeit gewählt, zu der Sir John nicht zu Hause ist; rede mit den Frauen, das ist seine Idee, das ist besser, als Shelton nach dem Abendessen zuzuhören, wenn er sich über Pferde, Hunde und seine jugendlichen Heldentaten auslässt. Auf der Schwelle jedoch ändert er fast seine Meinung; schnell und knarzend kommt Lady Bryan die Treppe heruntergewuselt, die Mutter des einäugigen Francis. Sie ist für die winzige Prinzessin verantwortlich. Sie ist eine Frau von fast siebzig, wohl eingebettet in Großmütterlichkeit, und er kann sehen, wie sich ihr Mund bewegt, noch bevor sie in seiner Hörweite ist: Ihre Gnaden hat bis elf geschlafen und dann bis Mitternacht geschrien, sie hat sich verausgabt, das arme kleine Hühnchen!, hat eine Stunde geschlafen, ist quengelnd wieder aufgewacht, mit scharlachroten Wangen, Verdacht auf Fieber, Lady Shelton geweckt, Arzt aus dem Bett geholt, sie zahnt schon, eine tückische Zeit!, ein Schluck zur Beruhigung, erst bei Sonnenaufgang zur Ruhe gekommen, um neun aufgewacht, dann wurde sie gefüttert … »Oh, Master Cromwell«, sagt Lady Bryan, »das kann niemals Ihr Sohn sein! Gott schütze ihn! Was für ein trefflicher großer junger Mann! Was für ein hübsches Gesicht er hat, das muss er von seiner Mutter haben. Wie alt ist er jetzt wohl?«

»Alt genug, um zu reden, glaube ich.«

Lady Bryan wendet sich an Gregory, ihr Gesicht glüht, als freue sie sich darauf, gemeinsam mit ihm einen Kinderreim aufzusagen. Lady Shelton rauscht heran. »Wünsche einen guten Tag, Masters.« Ein kurzes Zögern: Verbeugt sich die Tante der Königin vor dem *Master of the Jewel House*? Eher nicht, scheint sie zu denken. »Ich vermute, Lady Bryan hat Ihnen bereits ausführlich über ihren Schützling Bericht erstattet?«

»In der Tat, und vielleicht könnten wir einen Bericht über den Ihren erhalten?«

»Sie wollen Lady Mary nicht persönlich sprechen?«

»Doch, aber eine Vorwarnung ...«

»In der Tat. Ich bin nicht bewaffnet, obwohl meine Nichte, die Königin, empfiehlt, dass ich sie mit den Fäusten traktiere.« Ihre Augen gleiten abschätzend über ihn; die Luft knistert vor Spannung. Wie machen Frauen das? Man könnte es lernen, eventuell; er spürt mehr als er sieht, dass sein Sohn zurückweicht, bis sein Rückzug von dem Schrank aufgehalten wird, in dem die bereits beträchtliche Sammlung von Gold- und Silbergeschirr der Prinzessin Elizabeth ausgestellt ist. Lady Shelton sagt: »Wenn Lady Mary mir nicht gehorcht, bin ich ermächtigt, und hier zitiere ich die Worte meiner Nichte, das Balg zu schlagen und zu schütteln. Bastard bleibt Bastard.«

»Oh, Mutter Gottes!«, stöhnt Lady Bryan. »Ich habe mich damals auch um Mary gekümmert, und sie war als Kind ein solcher Dickkopf. Sie wird sich nicht ändern, sosehr man sie auch schüttelt. Sie möchten doch sicher zuerst das Baby sehen? Kommen Sie mit ...« Sie nimmt Gregory in ihre Obhut, ihre Hand drückt seinen Ellenbogen. Und weiter plappert sie: Wissen Sie, in diesem Alter kann Fieber bei einem Kind alles Mögliche bedeuten. Es könnten die ersten Anzeichen von Masern sein, Gott bewahre. Es könnten die ersten Anzeichen von Pocken sein. Bei einem Kind von sechs Monaten weiß man nie, wovon es die ersten Anzeichen sein könnten … Ein Puls schlägt in Lady Bryans Hals. Während sie schnattert, leckt sie sich über ihre trockenen Lippen und schluckt.

Er versteht jetzt, warum Henry wollte, dass er hier ist. Die Dinge, die vor sich gehen, können nicht in einem Brief übermittelt werden. Er sagt zu Lady Shelton: »Soll das heißen, die Königin hat Ihnen wegen Lady Mary geschrieben und diese Ausdrücke benutzt?«

»Nein. Sie hat mir eine mündliche Anweisung zukommen lassen.« Sie rauscht ihm voran. »Denken Sie, ich sollte sie in die Tat umsetzen?«

»Wir sollten vielleicht unter vier Augen sprechen«, flüstert er.

»Ja, warum nicht?«, sagt sie: eine Wendung des Kopfes, eine geflüsterte Erwiderung.

Das Kind Elizabeth ist in Lagen fest eingewickelt, seine Fäuste sind verborgen: ebenso gut, es sieht aus, als würde es zuschlagen. Rötliche Borsten schauen unter seiner Haube hervor, und seine Augen sind wachsam; er hat noch nie ein Kind in der Wiege gesehen, das so deutlich den Eindruck vermittelte, ganz schnell beleidigt zu sein. Lady Bryan sagt: »Finden Sie, dass sie wie der König aussieht?«

Er zögert, versucht, beiden Seiten gegenüber fair zu sein. »So sehr, wie es für ein kleines Mädchen angebracht ist.«

»Wir wollen hoffen, dass sie nicht seinen Umfang bekommt«, sagt Lady Shelton. »Er legt immer mehr zu.«

»Aber George Rochford sagt nein.« Lady Bryan beugt sich über die Wiege. »Er sagt, sie ist eine Boleyn durch und durch.«

»Wir wissen, dass meine Nichte etwa dreißig Jahre lang in Keuschheit verbracht hat«, sagt Lady Shelton, »aber nicht einmal Anne konnte eine jungfräuliche Geburt bewerkstelligen.«

»Aber die Haare!«, sagt er.

»Ich weiß«, seufzt Lady Bryan. »Mit aller Hochachtung für die Würde Ihrer Gnaden und bei allem Respekt für Seine Majestät, aber man könnte sie auf einem Jahrmarkt als Schweinebaby zeigen.« Sie biegt die Haube des Kindes am Haaransatz nach oben, und ihre Finger sind eifrig damit beschäftigt, die Borsten zu verstecken. Das Kind kneift das Gesicht zusammen und hickst aus Protest.

Gregory sieht nachdenklich auf sie herunter: »Sie könnte jedermanns Kind sein.«

Lady Shelton hebt die Hand, um ihr Lächeln zu verbergen. »Sie wollen sagen, Gregory, dass alle Babys gleich aussehen. Kommen Sie, Master Cromwell.«

Sie ergreift seinen Ärmel, um ihn wegzuziehen. Lady Bryan bleibt zurück, um die Prinzessin, deren Hüllen sich irgendwo gelockert haben, wieder fest einzuwickeln. Über die Schulter sagt er: »Um Himmels willen, Gregory.« Es sind schon Leute in den Tower gekommen, die weniger gesagt haben. Er sagt zu Lady Shelton: »Ich sehe nicht, wie Mary ein Bastard sein kann. Ihre Eltern waren guten Glaubens, als sie das Kind bekamen.«

Sie bleibt stehen, eine Augenbraue in die Höhe gezogen. »Würden Sie das meiner Nichte, der Königin, auch sagen? Ins Gesicht, meine ich?«

»Das habe ich bereits getan.«

»Und wie hat sie es aufgenommen?«

»Nun, ich kann nur sagen, Lady Shelton, hätte sie eine Axt zur Hand gehabt, hätte sie versucht, mir den Kopf abzuhacken.«

»Ich sage Ihnen auch etwas, und Sie können es meiner Nichte zutragen, wenn Sie wollen. Wenn Mary wirklich illegitim wäre, selbst wenn sie die uneheliche Tochter von Englands ärmstem Gentleman ohne Land wäre, würde sie trotzdem von meiner Seite nichts als Freundlichkeit erfahren, denn sie ist eine gute junge Frau, und man müsste ein Herz aus Stein haben, wenn man kein Mitleid für ihre Situation empfände.«

Ihre Schleppe fegt über den Steinboden, als sie schnell in den Hauptteil des Hauses geht. Marys alte Diener sind da, Gesichter, die er schon gesehen hat; auf ihren Livreejacken sind die Stellen deutlich sichtbar, wo Marys Emblem abgetrennt und durch das Emblem des Königs ersetzt wurde. Er sieht sich um und erkennt alles. Am Fuß der großen Treppe bleibt er stehen. Niemals war es ihm erlaubt gewesen hinaufzulaufen; für Jungen wie ihn, die Holz oder Kohle trugen, gab es eine Hintertreppe. Einmal missachtete er die Regel; und als er oben ankam, schnellte eine Faust aus der Dunkelheit und schlug ihn von der Seite auf den Kopf. Kardinal Morton persönlich, der gelauert hatte?

Er berührt den Stein, kalt wie ein Grab: Weinlaub, durch das sich eine namenlose Blume schlingt. Lady Shelton sieht ihn lächelnd, fragend an: Warum zögert er? »Vielleicht sollten wir unsere Reitkleider ausziehen, bevor wir Lady Mary treffen. Sie könnte sich beleidigt fühlen ...«

»Das könnte sie auch, wenn Sie es aufschieben. So oder so, sie wird in jedem Fall Anstoß nehmen. Ich sagte, dass ich sie bemitleide, aber ach, sie ist nicht einfach! Sie beehrt uns weder zum Mittag- noch zum Abendessen, weil sie sich weigert, bei Tisch unterhalb der kleinen Prinzessin zu sitzen. Und meine Nichte, die Königin, hat angeordnet, dass kein Essen in ihr Zimmer gebracht werden darf, außer dem bisschen Brot zum Frühstück, das wir alle nehmen.«

Sie hat ihn an eine geschlossene Tür geführt. »Nennt man das immer noch das blaue Gemach?«

»Ah, Ihr Vater war schon einmal hier«, sagt sie zu Gregory.

»Er war überall«, sagt Gregory.

Sie dreht sich um. »Schauen Sie, was Sie erreichen, meine Herren. Übrigens, sie hört nicht auf ›Lady Mary‹.«

Es ist ein langer Raum, in dem fast keine Möbel stehen, und an der Schwelle empfängt sie Kälte wie der Botschafter eines Geistes. Die blauen Tapisserien sind heruntergenommen worden, und die verputzten Wände sind kahl. An einem fast erloschenen Feuer sitzt Mary, zusammengesunken, winzig und erschreckend jung. Gregory flüstert: »Sie sieht aus wie Malekin.«

Die arme Malekin, sie ist ein Geistermädchen; sie isst nachts, lebt von Krumen und Apfelschalen. Manchmal, wenn man früh nach unten kommt und auf der Treppe leise ist, findet man sie in der Asche sitzend.

Mary sieht auf; erstaunlich, aber ihr kleines Gesicht hellt sich auf. »Master Cromwell.« Sie steht auf, geht einen Schritt auf ihn zu und stolpert fast, weil sich ihre Füße im Saum ihres Kleides verfangen. »Wie lange ist es her, dass ich Sie in Windsor gesehen habe?«

»Ich kann es kaum sagen«, antwortet er ernsthaft. »Die Jahre haben es gut mit Ihnen gemeint, Madam.«

Sie kichert; sie ist jetzt achtzehn. Sie sieht sich um, als suche sie den Hocker, auf dem sie gesessen hat. »Gregory«, sagt er, und sein Sohn hechtet vor, um die Ex-Prinzessin aufzufangen, bevor sie sich in die Luft setzt. Gregory tut so, als wäre es ein Tanzschritt; manchmal kann er nützlich sein.

»Es tut mir leid, dass Sie stehen müssen. Sie könnten sich vielleicht«, sie macht eine unbestimmte Bewegung mit der Hand, »auf die Kommode dort setzen.«

»Ich denke, wir sind stark genug, um zu stehen. Obwohl ich nicht glaube, dass Sie es sind.« Er sieht, dass Gregory ihm einen Blick zuwirft, als hätte er seinen gemilderten Tonfall noch nie gehört. »Man lässt Sie doch nicht alleine sitzen, und dann auch noch bei diesem dürftigen Feuer?«

»Der Mann, der das Holz bringt, weigert sich, mich mit dem Titel Prinzessin anzusprechen.«

»Müssen Sie denn mit ihm sprechen?«

»Nein. Aber es wäre Feigheit, wenn ich es nicht täte.«

So ist es richtig, denkt er: Mach dir das Leben so schwer wie möglich. »Lady Shelton hat mir von der Schwierigkeit bei ... von der Schwierigkeit mit den Mahlzeiten berichtet. Angenommen, ich würde einen Arzt zu Ihnen schicken?«

»Wir haben einen hier. Oder vielmehr das Kind hat einen.«

»Ich könnte Ihnen einen nützlicheren schicken. Vielleicht würde er Ihnen Anweisungen für Ihre Gesundheit geben und festlegen, dass Sie ein großes Frühstück zu sich nehmen müssen, in Ihrem eigenen Zimmer.«

»Fleisch?«, sagt Mary.

»Reichlich.«

»Aber wen würden Sie schicken?«

»Dr Butts?«

Ihr Gesicht entspannt sich. »Ich kannte ihn an meinem Hof in Ludlow. Als ich Prinzessin von Wales war. Was ich immer noch bin. Wie kommt es, dass ich aus der Thronfolge gestrichen bin, Master Cromwell? Wie kann das gesetzmäßig sein?«

»Es ist gesetzmäßig, wenn das Parlament es beschließt.«

»Es gibt ein Gesetz, das über dem Parlament steht. Es ist das Gesetz Gottes. Fragen Sie Bischof Fisher.«

»Ich halte Gottes Absichten für dunkel, und Gott weiß, dass ich Fisher nicht für geeignet halte, um sie zu erhellen. Im Gegensatz dazu halte ich den Willen des Parlaments für klar.«

Sie beißt sich auf die Lippe; jetzt will sie ihn nicht ansehen. »Ich habe gehört, dass Dr Butts inzwischen ein Häretiker ist.«

»Er glaubt, wie Ihr Vater, der König, glaubt.«

Er wartet. Sie dreht sich um, ihre grauen Augen liegen auf seinem Gesicht. »Ich werde meinen Vater nicht als Häretiker bezeichnen.«

»Gut. Es ist besser, wenn zuerst von Ihren Freunden erprobt wird, ob Sie in diese Falle tappen.«

»Ich sehe nicht, wie Sie mein Freund sein können, wenn Sie auch ein Freund der Person sind; ich meine die Marquess of Pembroke.« Sie gesteht Anne nicht ihren königlichen Titel zu.

»Diese Dame ist an einem Platz, wo sie keine Freunde benötigt, nur Diener.«

»Pole sagt, Sie sind Satan. Mein Vetter Reginald Pole. Der sich im Ausland aufhält, in Genua. Er sagt, als Sie geboren wurden, waren Sie wie jede andere christliche Seele auch, dass aber zu einem bestimmten Zeitpunkt der Teufel in Sie gefahren ist.«

»Wussten Sie, Lady Mary, dass ich als Kind hier war, mit neun oder zehn? Mein Onkel war Koch bei Morton, und ich war ein armer rotznasiger Junge, der in der Morgendämmerung Bündel aus Weißdornzweigen machte, um die Öfen anzuzünden, und der die Hühner für den Kochtopf schlachtete, bevor die Sonne aufging.« Er spricht ernsthaft. »Würden Sie denken, dass der Teufel etwa zu diesem Zeitpunkt in mich fuhr? Oder geschah es schon früher, um die Zeit herum, wenn andere Menschen getauft werden? Sie verstehen, dass die Frage für mich von Interesse ist.«

Mary sieht ihn an, von der Seite, denn sie trägt immer noch eine Giebelhaube im alten Stil und scheint um sie herumzublinzeln wie ein Pferd, dessen Kopfputz verrutscht ist. Er sagt leise: »Ich bin nicht Satan. Und Mylord, Ihr Vater, ist kein Häretiker.«

»Und ich bin kein Bastard, nehme ich an.«

»In der Tat, nein.« Er wiederholt, was er zu Anne Shelton gesagt hat: »Sie wurden in gutem Glauben empfangen. Ihre Eltern glaubten, verheiratet zu sein. Das bedeutet nicht, dass die Ehe gültig war. Sie können den Unterschied erkennen, denke ich?«

Sie reibt den Mittelfinger unter ihrer Nase hin und her. »Ja, ich kann den Unterschied erkennen. Aber in Wahrheit war die Ehe gültig.«

»Die Königin wird bald kommen, um ihre Tochter zu besuchen. Es reicht, wenn Sie sie so respektvoll begrüßen, wie Sie die Frau Ihres Vaters begrüßen sollten …«

»… nur dass sie seine Konkubine ist …«

»… und Ihr Vater würde Sie wieder an den Hof holen; Sie hätten alles, was Ihnen jetzt fehlt, und dazu Gesellschaft, die Ihnen Wärme und Trost spenden würde. Hören Sie auf mich, ich habe Ihr Wohl im Auge. Die Königin verlangt nicht, dass Sie sie mögen, Sie sollen nur den Schein wahren. Beißen Sie sich auf die Zunge und machen Sie einen Knicks vor ihr. Es wird innnerhalb eines Herzschlags vorbei sein, und alles wird sich ändern. Einigen Sie sich mit ihr, bevor ihr nächstes Kind geboren wird. Wenn sie einen Sohn bekommt, hat sie keinerlei Grund mehr, Ihnen entgegenzukommen.«

»Sie hat Angst vor mir«, sagt Mary, »und die wird sie selbst dann noch haben, wenn sie einen Sohn bekommt. Sie befürchtet, dass ich mich verheirate und dass meine zukünftigen Söhne zur Bedrohung für sie werden.«

»Spricht jemand von Heirat zu Ihnen?«

Ein trockenes kleines Lachen, ungläubig. »Ich war ein Baby an der Brust, als ich nach Frankreich versprochen wurde. Dann dem Kaiser, wieder nach Frankreich, dem König, seinem ersten Sohn, seinem zweiten Sohn, etlichen Söhnen, über die ich keinen Überblick mehr habe, und noch einmal dem Kaiser oder einem seiner Vettern. Es sind so viele Eheverträge für mich geschlossen worden, dass ich erschöpft davon bin. Aber eines Tages werde ich es tatsächlich tun.«

»Aber Sie werden nicht Pole heiraten.«

Sie zuckt zusammen, und er weiß, dass ihr der Vorschlag unterbreitet wurde: Vielleicht von ihrer alten Gouvernante Margaret Pole, vielleicht von Chapuys, der bis in den frühen Morgen aufbleibt und die Stammbäume der englischen Aristokratie studiert: um ihren Anspruch zu erhärten, um sie unanfechtbar zu machen, um die halbspanische Tudor durch Heirat mit der alten Plantagenet-Linie zu vereinen. Er sagt: »Ich habe Pole getroffen. Ich habe ihn kennengelernt, bevor er das Königreich verließ. Er ist kein Mann für Sie. Was für einen Ehemann Sie auch bekommen, er wird einen starken Schwertarm brauchen. Pole ist wie ein abergläubisches altes Weib, das am Feuer sitzt und auf das bucklige Männlein starrt. In seinen Venen fließt heiliges Wasser, sonst nichts, und angeblich weint er bitterlich, wenn sein Diener eine Fliege totschlägt.«

Sie lächelt: Aber sie schlägt sich die Hand vor den Mund wie einen Knebel. »Das ist richtig«, sagt er. »Sie sagen niemandem etwas.«

Sie sagt, durch ihre Finger hindurch: »Ich kann nicht genug sehen, um zu lesen.«

»Was, Sie bekommen nicht genügend Kerzen?«

»Nein, ich meine, meine Sehkraft schwindet. Und ich habe ständig Kopfschmerzen.«

»Weinen Sie viel?« Sie nickt. »Dr Butts wird Ihnen ein Heilmittel bringen. Bis dahin lassen Sie sich von jemandem vorlesen.«

»Das machen sie. Sie lesen mir Tyndales Evangelium vor. Wussten Sie, dass Bischof Tunstall und Thomas More insgesamt zweitausend Fehler in seinem sogenannten Testament gefunden haben? Es ist häretischer als das heilige Buch der Moslems.«

Kampfgerede. Aber er sieht Tränen in ihren Augen. »Das kann alles in Ordnung gebracht werden.« Sie stolpert auf ihn zu, und einen Augenblick lang glaubt er, sie würde sich vergessen, sich an seine Brust werfen und an seinem Reitmantel weinen. »Der Doktor wird in einem Tag hier sein. Jetzt sollen Sie ein ordentliches Feuer und Ihr Abendessen bekommen. Wo immer Sie es gerne serviert haben wollen.«

»Ich möchte meine Mutter sehen.«

»Das kann der König im Augenblick nicht erlauben. Aber das könnte sich ändern.«

»Mein Vater liebt mich. Es ist nur sie, es ist diese furchtbare Frau, die seinen Geist vergiftet.«

»Lady Shelton wäre freundlich zu Ihnen, wenn Sie es ihr erlaubten.«

»Wer ist sie schon, um freundlich oder unfreundlich zu sein? Ich werde Anne Shelton überleben, glauben Sie mir. Und ihre Nichte. Und jeden anderen, der sich gegen meinen Titel stellt. Sie können so schlimm sein, wie sie wollen. Ich bin jung. Ich werde sie aussitzen.«

Er verabschiedet sich. Gregory folgt ihm, wobei sein faszinierter Blick zu dem Mädchen zurückwandert, das seinen Platz an dem fast erloschenen Feuer wieder einnimmt: das seine Hände faltet und wie versteinert mit dem Aussitzen beginnt.

»All diese Kaninchenfelle, in die sie eingehüllt ist«, sagt Gregory. »Sie sehen wie angeknabbert aus.«

»Sie ist mit Sicherheit Henrys Tochter.«

»Wieso, sagt irgendjemand, dass sie es nicht ist?«

Er lacht. »Das habe ich nicht gemeint. Stell dir vor … wenn die alte Königin sich zum Ehebruch hätte verleiten lassen, wäre es leicht gewesen, sie loszuwerden, aber wie soll man einen Fehler an einer Frau finden, die immer nur einen einzigen Mann gekannt hat?« Er korrigiert sich: Es ist selbst für die größten Unterstützer des Königs schwer, sich daran zu erinnern, dass Katherine Prinz Arthurs Frau gewesen sein soll. »Zwei Männer gekannt hat, sollte ich sagen.« Er lässt seinen Blick über seinen Sohn gleiten. »Mary hat dich kein einziges Mal angesehen, Gregory.«

»Hattest du das erwartet?«

»Lady Bryan findet, dass du ein richtiger Schatz bist. Läge es da nicht in der Natur einer jungen Frau?«

»Ich glaube, sie hat gar keine Natur.«

»Sorg dafür, dass sich jemand um das Feuer kümmert. Ich lasse ihr etwas zum Abendessen bringen. Der König kann nicht wollen, dass sie verhungert.«

»Sie mag dich«, sagt Gregory. »Das ist merkwürdig.«

Er merkt, dass sein Sohn es ernst meint. »Ist das unmöglich? Meine Töchter mochten mich, glaube ich. Obwohl ich mir bei der armen kleinen Grace nicht sicher bin, ob sie überhaupt wusste, wer ich war.«

»Sie mochte dich, als du ihr die Engelsflügel gemacht hast. Sie hat gesagt, sie würde sie immer behalten.« Sein Sohn wendet sich ab; er spricht, als habe er Angst vor ihm. »Rafe sagt, du wirst bald der zweite Mann im Königreich sein. Er sagt, das bist du schon, es fehlt nur noch der Titel. Er sagt, der König wird dich über den Lordkanzler stellen. Über alle anderen, sogar über Norfolk.«

»Rafe überschlägt sich. Hör zu, Sohn, sprich mit niemandem über Mary. Nicht einmal mit Rafe.«

»Habe ich mehr gehört, als ich sollte?«

»Was, glaubst du, würde geschehen, wenn der König morgen sterben sollte?«

»Wir wären alle sehr traurig.«

»Aber wer würde herrschen?«

Gregory nickt in Richtung Lady Bryans, in Richtung des Kindes in der Wiege. »So sagt es das Parlament. Oder das Kind der Königin, das noch nicht geboren ist.«

»Aber würde es auch geschehen? In der Praxis? Ein ungeborenes Kind? Oder eine Tochter, die noch nicht einmal ein Jahr alt ist? Anne als Regentin? Das würde den Boleyns gut gefallen, so viel ist sicher.«

»Dann Fitzroy.«

»Es gibt ein Mitglied der Familie Tudor, das besser positioniert ist.«

Gregorys Augen blicken zurück zu Lady Mary. »Genau«, sagt er. »Pass auf, Gregory, es ist gut und schön zu planen, was du in sechs Monaten tun wirst, in einem Jahr, aber es ist überhaupt nicht gut, wenn du keinen Plan für morgen hast.«

Nach dem Abendessen sitzt er bei Lady Shelton, und sie unterhalten sich. Lady Bryan ist zu Bett gegangen, aber dann kommt sie noch einmal nach unten, um sie zu veranlassen, auch schlafen zu gehen. »Sie werden morgen früh müde sein!«

»Ja«, stimmt Anne Shelton zu und winkt sie davon. »Am Morgen wird nichts mit uns anzufangen sein. Wir werden unser Frühstück zu Boden fallen lassen.«

Sie bleiben sitzen, bis sich die Diener gähnend in einen anderen Raum verziehen und die Kerzen niederbrennen; dann ziehen sie sich weiter zurück, in kleinere und wärmere Räume, um noch mehr zu reden. Sie haben Mary guten Rat gegeben, sagt sie, ich hoffe, sie befolgt ihn, ich befürchte nämlich, dass harte Zeiten vor ihr liegen. Sie spricht über ihren Bruder Thomas Boleyn: Der selbstsüchtigste Mensch, den ich je gekannt habe, es ist kein Wunder, dass Anne so habgierig ist, alles, was sie je von ihm gehört hat, ist Gerede über Geld und wie man sich einen miesen Vorteil gegenüber anderen Leuten verschafft. Er hätte diese Mädchen nackt auf einem Berbermarkt als Sklavinnen verkauft, wenn der Preis gestimmt hätte.

Er stellt sich vor, wie er von lauter Dienern mit Krummschwertern umgeben ist und ein Angebot für Mary Boleyn macht; er lächelt und wendet seine Aufmerksamkeit wieder ihrer Tante zu. Sie erzählt ihm Geheimnisse der Boleyns; er erzählt ihr keine Geheimnisse, obwohl sie glaubt, er hätte es getan.

Gregory schläft schon, als er ins Zimmer kommt, aber dann dreht er sich um und sagt: »Lieber Vater, wo bist du gewesen, im Bett mit Lady Shelton?«

Solche Dinge passieren: aber nicht mit Boleyns. »Was du für merkwürdige Träume haben musst. Lady Shelton ist seit dreißig Jahren verheiratet.«

»Vielleicht hätte ich nach dem Essen bei Mary sitzen können«, murmelt Gregory. »Wenn ich mich davor gehütet hätte, etwas Falsches zu sagen. Aber sie ist so höhnisch. Ich mag nicht bei einem so höhnischen Mädchen sitzen.« Er wirft sich in seinem Federbett herum und schläft wieder ein.

Als Fisher zur Vernunft kommt und um Gnade ersucht, bittet der alte Bischof den König zu bedenken, dass er krank ist und gebrechlich. Der König bringt zum Ausdruck, dass der parlamentarische Strafbeschluss seinen Gang gehen muss: Aber es ist seine Gewohnheit, sagt er, jenen Gnade zu gewähren, die ihre Fehler bekennen.

Die Magd soll gehängt werden. Er sagt nichts von dem Stuhl aus menschlichen Knochen. Er erzählt Henry, dass sie mit den Prophezeiungen aufgehört hat, und hofft, dass sie keinen Lügner aus ihm machen wird, wenn man ihr in Tyburn die Schlinge um den Hals legt.

Als die Ratgeber vor dem König knien und darum bitten, dass Thomas Mores Name aus dem Strafbeschluss gestrichen wird, macht Henry dieses Zugeständnis. Vielleicht hat er nur darauf gewartet: überredet zu werden. Anne ist nicht dabei, sonst wäre es vielleicht anders ausgegangen.

Sie stehen auf und gehen hinaus, klopfen sich den Staub ab. Er glaubt zu hören, wie der Kardinal sie auslacht, irgendwo in einem unsichtbaren Teil des Raumes. Audleys Würde hat nicht gelitten, aber der Herzog sieht aufgewühlt aus; als er versuchte aufzustehen, ließen ihn seine alten Knie im Stich, und er und Audley mussten ihn an den Ellenbogen hochziehen und auf die Füße stellen. »Ich glaubte schon, ich würde noch eine ganze Stunde auf den Knien liegen und ihn anflehen müssen.«

»Der Witz ist«, sagt er zu Audley, »More bekommt immer noch eine Pension aus dem Schatzamt. Ich denke, die Zahlung sollte eingestellt werden.«

»Er hat jetzt etwas Raum zum Atmen. Ich bete zu Gott, dass er zur Vernunft kommt. Hat er seine Angelegenheiten geregelt?«

»Was er kann, hat er an die Kinder überschrieben. Das hat mir Roper gesagt.«

»Ach, Sie Anwälte!«, sagt der Herzog. »Wer wird sich um mich kümmern, wenn ich einmal untergehe?«

Norfolk schwitzt; er verlangsamt seine Schritte, und Audley tut es auch, sodass sie dahinbummeln und Cranmer ihnen folgt wie ein nachträglicher Einfall. Er dreht sich um und nimmt seinen Arm. Cranmer war bei jeder Sitzung des Parlaments dabei: Ansonsten war die Bank der Bischöfe auffallend unterbesetzt.

Der Papst wählt diesen Monat, in dem er, Cromwell, seine großen Gesetzesvorlagen durch das Parlament bringt, um endlich sein Urteil zu Königin Katherines Ehe abzugeben – ein so lange hinausgezögertes Urteil, dass er schon glaubte, Clemens würde unentschlossen darüber hinwegsterben. Die ursprünglichen Dispense, findet Clemens, sind gültig – daher ist die Ehe gültig. Die Unterstützer des Kaisers brennen Feuerwerkskörper in den Straßen Roms ab. Henry reagiert mit Verachtung und Hohn. Er drückt diese Gefühle beim Tanzen aus. Anne kann noch tanzen, obwohl ihr Bauch zu sehen ist; sie muss den Sommer ruhig angehen lassen. Er erinnert sich an die Hand des Königs auf Lizzie Seymours Taille. Daraus ist nichts geworden, die junge Frau ist nicht dumm. Jetzt ist es die kleine Mary Shelton, die er herumwirbelt, in die

Luft hebt, die er kitzelt und drückt und der er mit Komplimenten den Atem nimmt. Diese Dinge bedeuten nichts; er sieht, wie Anne ihr Kinn in die Höhe hebt und ihren Blick abwendet und sich auf ihrem Stuhl zurückfallen lässt, dabei gibt sie mit einem schelmischen Ausdruck einen gemurmelten Kommentar ab; ihr Schleier streift einen winzigen Augenblick lang die Jacke von Francis Weston, dieser grinsenden Kanaille. Es ist klar, dass Anne denkt, Mary Shelton müsse toleriert, sogar bei Laune gehalten werden. Es ist am sichersten, den König bei Kusinen zu wissen, wenn keine Schwester zur Hand ist. Wo ist Mary Boleyn? Auf dem Land, und vielleicht sehnt sie sich genau wie er nach wärmerem Wetter.

Prompt trifft der Sommer an einem Montagmorgen ohne Unterbrechung durch den Frühling ein, wie ein neuer Dienstbote mit strahlendem Gesicht: 13. April. Sie sind in Lambeth – Audley, er selbst, der Erzbischof – und die Sonne scheint kräftig durch die Fensterscheiben. Er steht da und sieht hinunter in die Palastgärten. So fängt das Buch *Utopia* an: Freunde unterhalten sich in einem Garten. Auf den Wegen unten fechten Hugh Latimer und einige der Kapläne des Königs einen Spaßkampf aus, schubsen sich wie Schuljungen, und Hugh hängt sich zwei geistlichen Kollegen um den Hals, sodass seine Füße über dem Boden baumeln. Sie brauchen nur noch einen Fußball, um einen richtigen Feiertag daraus zu machen. »Master More«, sagt er, »warum gehen Sie nicht hinaus und genießen die Sonne? Und wir rufen in einer halben Stunde wieder nach Ihnen und legen Ihnen den Eid vor: Und Sie geben uns eine andere Antwort, ja?«

Er hört Mores Gelenke knacken, als dieser aufsteht. »Thomas Howard ist für Sie auf die Knie gegangen!«, sagt er. Das scheint Wochen her zu sein. Nächtliche Sitzungen und jeden Tag ein neuer Streit haben ihn ermüdet, aber auch seine Sinne geschärft, sodass er bemerkt, wie Cranmer sich in seinem Rücken in eine furchtbare Sorge hineinsteigert, und er will, dass More den Raum verlässt, bevor der Damm bricht.

»Ich weiß nicht, was eine halbe Stunde Ihrer Meinung nach bei mir bewirken soll«, sagt More. Sein Tonfall ist ungezwungen, scherzhaft. »Aber natürlich könnte sie bei Ihnen etwas bewirken.«

More hat darum gebeten, eine Kopie des Gesetzes zur Regelung der Thronfolge zu sehen. Diese wird jetzt von Audley entrollt; angelegentlich beugt er den Kopf und beginnt zu lesen, obwohl er es schon ein Dutzend Mal gelesen hat. »Sehr gut«, sagt More. »Aber ich denke doch, dass ich mich klar ausgedrückt habe. Ich kann nicht schwören, aber ich werde nicht gegen Ihren Eid sprechen und auch nicht versuchen, jemanden davon abzubringen.«

»Das ist nicht genug. Und Sie wissen das.«

More nickt. Er schlängelt sich zur Tür, läuft gegen die Ecke des Tisches, was Cranmer zusammenzucken und dann den Arm ausstrecken lässt, um die Tinte festzuhalten. Die Tür schließt sich hinter ihm.

»Also?«

Audley rollt das Gesetz zusammen. Sanft klopft er damit auf den Tisch und blickt auf die Stelle, wo More gestanden hat. Cranmer sagt: »Hier, das ist meine Idee. Wie ist es, wenn wir ihn im Geheimen schwören lassen? Er schwört, aber wir bieten an, es niemandem zu erzählen? Oder wenn er diesen Eid nicht schwören kann, fragen wir ihn, welchen Eid er schwören kann.«

Er lacht.

»Das würde wohl kaum den Absichten des Königs entsprechen«, seufzt Audley. Klopf, klopf, klopf. »Nach allem, was wir für ihn getan haben und für Fisher. Sein Name wurde aus dem Strafbeschluss gestrichen und Fisher hat eine Geldstrafe statt lebenslanger Haft bekommen. Was konnten sie denn mehr verlangen? Sie schlagen uns unsere Anstrengungen um die Ohren.«

»Je nun. Selig sind die Friedensstifter«, sagt er. Er möchte jemanden erwürgen.

Cranmer sagt: »Wir versuchen es noch einmal bei More. Zumindest sollte er seine Gründe nennen, wenn er sich weigert.«

Er flucht leise vor sich hin, dreht sich vom Fenster weg. »Wir kennen seine Gründe. Ganz Europa kennt sie. Er ist gegen die Scheidung. Er glaubt nicht, dass der König Oberhaupt der Kirche sein kann. Aber wird er das sagen? Nicht er. Ich kenne ihn. Wissen Sie, was ich hasse? Ich hasse es, Teil dieses Spiels zu sein, das ganz und gar von ihm erdacht wurde. Ich hasse die Zeit, die das alles kostet und die sinnvoller genutzt werden könnte, ich hasse es, dass Köpfe sich mit wichtigeren Dingen beschäftigen könnten, ich hasse es zu sehen, wie unser Leben vergeht, denn verlassen Sie sich darauf, wir werden alle unser Alter spüren, bevor dieses Schauspiel zu Ende ist. Und was ich am meisten hasse, ist, dass Master More im Publikum sitzt und kichert, wenn ich mich verspreche, denn er hat alle Teile geschrieben. Und seit Jahren daran geschrieben.«

Als wäre er ein Servierjunge, schenkt Cranmer ihm einen Becher Wein ein und kommt zu ihm. »Hier.«

In der Hand des Erzbischofs hat der Becher zwangsläufig einen sakramentalen Charakter: kein mit Wasser vermischter Wein, sondern eine zweideutige Mischung: Dies ist mein Blut, dies ist wie mein Blut, dies ist mehr oder weniger etwas wie mein Blut, tu es zum Gedenken an mich. Er gibt den Becher zurück. Die Norddeutschen haben einen starken Schnaps, *aquavitae*: Ein Schluck davon würde mehr bringen. »Holen Sie More zurück«, sagt er.

Einen Augenblick später steht More in der Tür, leise niesend. »Kommen Sie schon«, sagt Audley lächelnd, »so tritt doch kein Held auf.«

»Ich versichere Ihnen, dass ich keineswegs beabsichtige, ein Held zu sein«, sagt More. »Draußen wird das Gras geschnitten.« Er muss noch einmal niesen, kneift sich in die Nase und schlurft auf sie zu, die Enden seiner Robe über die Schulter gelegt; er setzt sich auf den Stuhl, der für ihn hingestellt wurde. Vorher hatte er sich geweigert, sich hinzusetzen.

»Das ist besser«, sagt Audley. »Ich wusste, die frische Luft würde Ihnen gut tun.« Er sieht einladend zu ihm, Cromwell, hinüber, aber er signalisiert, dass er bleiben wird, wo er ist, nämlich am Fenster. »Ich weiß ja nicht«, sagt Audley gutwillig. »Der Erste will sich nicht setzen. Und dann will der Zweite sich auch nicht setzen. Sehen Sie«, er schiebt More ein Stück Papier zu, »das sind die Namen der Priester, die heute hier waren, ihren Eid auf das Gesetz geleistet haben und Ihnen ein Beispiel geben sollten. Sie wissen ja, dass alle Abgeordneten des Parlaments konform gehen. Also, warum nicht Sie?«

More blickt unter seinen Augenbrauen nach oben. »Dies ist kein angenehmer Ort, für keinen von uns.«

»Angenehmer als der, an den Sie gehen werden«, sagt er.

»Nicht in die Hölle«, sagt More lächelnd. »Darauf baue ich.«

»Also gut, wenn das Schwören des Eides Sie verdammen würde, was ist mit all den anderen?« Er löst sich von der Wand und macht ein paar Schritte. Er nimmt Audley die Namensliste aus der Hand, rollt sie zusammen und schlägt damit auf Mores Schulter. »Sind sie alle verdammt?«

»Ich kann nicht für ihr Gewissen sprechen, nur für meines. Ich weiß nur, wenn ich Ihren Eid schwören würde, wäre ich verdammt.«

»Es gibt Leute, die würden Sie um Ihren Einblick in das Wirken der Gnade beneiden«, sagt er. »Aber schließlich standen Sie und Gott immer auf freundschaftlichem Fuß, nicht wahr? Ich frage mich, woher Sie die Unverfrorenheit nehmen, über Ihren Schöpfer zu sprechen, als wäre er ein Nachbar, mit dem Sie am Sonntagnachmittag zum Angeln waren.«

Audley beugt sich vor. »In aller Klarheit: Sie werden den Eid nicht leisten, weil Ihr Gewissen Ihnen davon abrät?«

»Ja.«

»Könnten Sie vielleicht etwas ausführlicher antworten?«

»Nein.«

»Sie lehnen den Eid ab, wollen aber nicht sagen, warum?«

»Ja.«

»Ist es das Gesetz, gegen das Sie Einwände haben, oder die Form des Eides oder die Tatsache der Vereidigung an sich?«

»Ich würde es lieber nicht sagen.«

Cranmer versucht: »Bei einer Gewissensfrage gibt es zwangsläufig Zweifel …«

»Oh, aber es ist keine Laune. Ich bin lange und sorgfältig mit mir zu Rate gegangen. Und in dieser Angelegenheit höre ich die Stimme meines Gewissens ganz deutlich.« Er legt den Kopf auf die Seite und lächelt. »Ist es bei Ihnen nicht so, Mylord?«

»Trotzdem, Sie müssen doch ein wenig perplex sein. Sie sind doch ein Gelehrter, sind vertraut mit Kontroversen und Debatten und müssten sich fragen: Wie können so viele gebildete Männer auf der einen Seite stehen und ich auf der anderen? Aber eines ist sicher, und das ist, dass Sie Ihrem König einen natürlichen Gehorsam schulden wie jeder Untertan. Und als Sie vor langer Zeit in den Kronrat aufgenommen wurden, legten Sie einen ganz speziellen Eid ab, ihm zu gehorchen. Wollen Sie dem nicht nachkommen?« Cranmer blinzelt. »Wägen Sie zwischen dieser Gewissheit und Ihren Zweifeln ab und schwören Sie.«

Audley setzt sich in seinem Stuhl zurück. Die Augen geschlossen. Als wolle er sagen: Mehr als das wird uns nicht gelingen.

More sagt: »Als Sie zum Erzbischof geweiht wurden, nachdem der Papst Sie ernannt hatte, haben Sie Ihren Eid auf Rom geleistet, aber den ganzen Tag über, so sagt man, hielten Sie während der Zeremonien ein kleines zusammengefaltetes Stück Papier in der Hand, auf dem stand, dass Sie den Eid unter Protest ablegen. Das ist doch wahr? Man sagt, das Papier wurde von Master Cromwell hier geschrieben.«

Audley reißt die Augen auf: Er denkt, More hat sich selbst den Ausweg gezeigt. Aber Mores lächelndes Gesicht ist eine Maske der Boshaftigkeit. »Ein solcher Jongleur möchte ich nicht sein«, sagt er ruhig. »Ich möchte dem Herrn, meinem Gott, kein solches Puppentheater bieten, geschweige denn den Gläubigen Englands. Sie sagen, Sie haben die Mehrheit. Ich sage, ich habe sie. Sie sagen, das Parlament steht hinter Ihnen, und ich sage, all die Engel und Heiligen stehen hinter mir und die Gemeinschaft der christlichen Toten mit all ihren Generationen, seit die Kirche Christi gegründet wurde, ein Leib, ungeteilt …«

»Ach, um Christi willen!«, sagt er. »Eine Lüge ist nicht weniger eine Lüge, weil sie eintausend Jahre alt ist. Ihre ungeteilte Kirche hat nichts lieber getan, als ihre eigenen Mitglieder zu verfolgen, sie zu verbrennen und zu zerstückeln, wenn sie ihrem Gewissen treu waren, ihre Bäuche aufzuschlitzen und ihre Eingeweide an die Hunde zu verfüttern. Sie rufen die Geschichte zu Hilfe, aber was ist die Geschichte für Sie? Sie ist ein Spiegel, der Thomas More schmeichelt. Aber ich habe einen anderen Spiegel, ich halte ihn in die Höhe und er zeigt einen eitlen und gefährlichen Mann, und wenn ich ihn umdrehe, zeigt er einen Mörder, denn Sie werden Gott weiß wie viele mit sich reißen, und die werden nur das Leiden erfahren und nicht Ihre Genugtuung darüber, ein Märtyrer zu sein. Sie sind keine einfache Seele, also versuchen Sie nicht, die Sache einfach zu machen. Wissen Sie eigentlich, dass ich große Achtung für Sie empfunden habe? Wissen Sie, dass ich große Achtung für Sie empfunden habe, seit ich ein Kind war? Ich würde lieber meinen eigenen Sohn tot sehen, würde lieber sehen, wie ihm der Kopf abgeschlagen wird, als zu sehen, dass Sie den Eid verweigern und damit allen Feinden Englands Befriedigung verschaffen.«

More sieht auf. Für den Bruchteil einer Sekunde sieht er ihm in die Augen, dann wendet er sich ruhig ab. Sein leises, amüsiertes Gemurmel: Allein dafür könnte er ihn töten. »Gregory ist ein stattlicher junger Mann. Wünschen Sie ihn nicht fort. Wenn er bis jetzt keine glänzenden Leistungen erbracht hat, so wird er es in Zukunft besser machen. Ich sage dasselbe von meinem eigenen Jungen. Er ist nicht von großem Nutzen. Aber er ist mehr wert als ein Argument in der Debatte.«

Cranmer schüttelt bekümmert den Kopf. »Es geht hier nicht um ein Argument in der Debatte.«

»Sie sprechen von Ihrem Sohn«, sagt er. »Was wird mit ihm geschehen? Und mit Ihren Töchtern?«

»Ich werde ihnen raten, den Eid abzulegen. Ich erwarte nicht von ihnen, dass sie meine Skrupel teilen.«

»Das ist nicht, was ich meine, und das wissen Sie. Es ist die jüngere Generation, die Sie verraten. Wollen Sie, dass der Kaiser sie unterjocht? Dann sind Sie kein Engländer!«

»Das kann man von Ihnen auch nicht gerade sagen«, sagt More. »In den Krieg ziehen für die Franzosen, wie, Bankgeschäfte für die Italiener? Sie waren in diesem Königreich noch gar nicht erwachsen geworden, als Ihre Jugendsünden Sie schon daraus vertrieben und Sie weggelaufen sind, um dem Gefängnis oder einer Schlinge zu entgehen. Nein, ich sage Ihnen, was Sie sind, Cromwell, Sie sind Italiener durch und durch, und Sie teilen alle ihre Laster, alle ihre Leidenschaften.« Er lehnt sich auf seinem Stuhl zurück: ein unfrohes Grunzen von Lachen. »Diese gnadenlos gute Laune, die Sie immer haben. Ich wusste ja, sie würde sich am Ende abnutzen. Sie ist eine Münze, die zu oft von Hand zu Hand gegangen ist. Und nun ist das dünne Silber abgetragen, und wir sehen das unedle Metall.«

Audley grinst. »Anscheinend sind Ihnen Master Cromwells Bemühungen in der Münzanstalt entgangen. Seine Münzen sind solide, oder sie kommen nicht in Umlauf.«

Der Kanzler kann nicht anders, er ist die grinsende Sorte von Mann; jemand muss ruhig bleiben. Cranmer ist blass und schwitzt, und er kann den Puls an Mores Schläfe galoppieren sehen. Er sagt: »Wir können Sie nicht nach Hause gehen lassen. Trotzdem, es scheint mir, dass Sie heute nicht Sie selbst sind, und statt Sie in den Tower zu schicken, könnten wir Sie vielleicht in die Obhut des Abts von Westminster geben … Würde Ihnen das angemessen erscheinen, Mylord von Canterbury?«

Cranmer nickt. More sagt: »Master Cromwell, ich sollte Sie nicht verhöhnen, nicht wahr? Sie haben sich als mein ganz besonderer und fürsorglicher Freund erwiesen.«

Audley nickt der Wache an der Tür kurz zu. More erhebt sich leicht, als hätte der Gedanke an die Haft seinen Schritt beschwingt; die Wirkung wird nur durch seinen üblichen Griff an die Robe verdorben, das Gefummel, als er sie zusammenrafft; und trotz dieser Maßnahme scheint er nach hinten auf seinen eigenen Fuß zu treten. Er muss an Mary in Hatfield denken, wie sie von ihrem Hocker aufstand und dann vergaß, wo sie ihn gelassen hatte. Schließlich wird More irgendwie aus dem Raum bugsiert. »Nun hat er genau das, was er will«, sagt er.

Er legt seine Handfläche an das Fensterglas. Er sieht den Fleck, den sie auf dem alten, etwas trüben Glas hinterlässt. Eine Nebelbank ist über dem Fluss aufgestiegen; der beste Teil des Tages liegt hinter ihnen. Audley kommt durch den Raum auf ihn zu. Zögernd bleibt er neben ihm stehen. »Wenn More nur erkennen lassen würde, welchen Teil des Eides er beanstandet, wäre es eventuell möglich, ihn etwas anders zu formulieren, um ihm entgegenzukommen.«

»Das können Sie vergessen. Wenn er irgendetwas erkennen lässt, ist es um ihn geschehen. Das Schweigen ist seine einzige Hoffnung und als solche klein genug.«

»Der König würde vielleicht einen Kompromiss akzeptieren«, sagt Cranmer. »Aber ich befürchte, die Königin wird es nicht. Und in der Tat«, sagt er schwach, »warum sollte sie?«

Audley legt eine Hand auf seinen Arm. »Mein lieber Cromwell. Wer kann More schon verstehen? Sein Freund Erasmus hat ihm geraten, er solle nicht in die Regierung eintreten, weil er nicht genügend Mumm dafür habe, und er hatte recht. Er hätte niemals das Amt übernehmen sollen, das ich jetzt innehabe. Er hat es nur getan, um Wolsey zu ärgern, den er hasste.«

Cranmer sagt: »Er hat ihm auch gesagt, er solle sich von der Theologie fernhalten. Wenn ich nicht irre.«

»Wie könnten Sie das? More veröffentlicht alle Briefe seiner Freunde. Selbst wenn sie ihn tadeln, stellt er hübsch seine Demut zur Schau und zieht so Gewinn daraus. Er hat in der Öffentlichkeit gelebt. Jeden Gedanken, der ihm in den Kopf gekommen ist, hat er zu Papier gebracht. Er hat nie etwas für sich behalten. Bis jetzt.«

Audley greift an ihm vorbei, öffnet das Fenster. Ein Sturzbach von Vogelgezwitscher ergießt sich am Sims und flutet in den Raum, die flüssigen, fließenden Noten der Sturmdrossel.

»Ich vermute, er schreibt einen Bericht über den heutigen Tag«, sagt er. »Und schickt ihn aus dem Königreich, damit er gedruckt wird. Verlassen Sie sich darauf, in den Augen Europas werden wir die Dummköpfe und Unterdrücker sein und er das arme Opfer mit der besseren Ausdrucksweise.«

Audley klopft ihm auf den Arm. Er will ihn trösten. Aber wer könnte das überhaupt? Er ist der untröstliche Master Cromwell: der nicht auszumachende, der nicht auslegbare, der vermutlich nicht verletzbare Master Cromwell.

Am nächsten Tag schickt der König nach ihm. Er vermutet, dass er ihn schelten will, weil es ihm nicht gelungen ist, More zum Eid zu bewegen. »Wer begleitet mich zu dieser Fiesta?«, fragt er. »Master Sadler?«

Sobald er vor dem König erscheint, gibt Henry seinem Gefolge mit einer gebieterischen Armbewegung die Anweisung, einen Raum freizumachen und ihn darin allein zu lassen. Sein Gesicht ist wie Donner. »Cromwell, war ich Ihnen kein guter Herr?«

Er beginnt zu reden … liebenswürdig und mehr als liebenswürdig … die eigene bedauerliche Unwürdigkeit … sollten gewisse Dinge enttäuschen … bitte um Vergebung …

Er kann das den ganzen Tag tun. Er hat es von Wolsey gelernt.

Henry sagt: »Denn Mylord Erzbischof glaubt, ich habe nicht recht an Ihnen getan. Aber«, sagt er im Tonfall eines Missverstandenen, »ich bin ein Fürst, der für seine Großzügigkeit bekannt ist.« Die Angelegenheit scheint den König zu verwirren. »Sie sollen königlicher Sekretär sein. Belohnungen werden folgen. Ich verstehe gar nicht, warum ich das nicht schon längst getan habe. Aber sagen Sie mir eines: Als Sie nach den Lords Cromwell gefragt wurden, die es früher in England gab, sagten Sie, Sie gehörten nicht dazu. Haben Sie weiter darüber nachgedacht?«

»Um ehrlich zu sein, ich habe keinen Gedanken mehr daran verschwendet. Ich würde niemals den Wappenmantel eines anderen Mannes tragen. Er könnte aus dem Grabe aufstehen und mich zur Rede stellen.«

»Mylord Norfolk sagt, Sie genießen Ihre niedrige Geburt. Er sagt, Sie haben sie eigens ersonnen, um ihn zu quälen.« Henry ergreift seinen Arm. »Es scheint mir zweckmäßig«, sagt er, »dass Sie, wo immer wir hingehen – obwohl wir diesen Sommer mit Rücksicht auf den Zustand der Königin nicht weit gehen werden –, Räume neben meinen eigenen bekommen, damit wir miteinander sprechen können, wann immer ich Sie benötige, und wenn möglich Räume mit direkter Verbindung, sodass ich keinen Boten brauche.« Er lächelt in Richtung der Höflinge; sie strömen zurück wie die Flut. »Gott strafe mich«, sagt Henry, »wenn ich Sie wissentlich hintangesetzt habe. Ich weiß, wann ich einen Freund habe.«

Draußen sagt Rafe: »Gott strafe ihn … Welche schrecklichen Eide er schwört.« Er umarmt seinen Herrn. »Das hätte wirklich früher kommen müssen. Aber hören Sie, ich muss Ihnen etwas sagen, wenn wir zu Hause sind.«

»Sag es mir jetzt. Ist es etwas Gutes?«

Ein Gentleman tritt vor und sagt: »Master Secretary, Ihre Barke wartet, um Sie in die Stadt zurückzubringen.«

»Ich sollte ein Haus am Fluss haben«, sagt er. »Wie More.«

»Oh, aber Austin Friars verlassen? Denken Sie an den Tennisplatz«, sagt Rafe. »Die Gärten.«

Der König hat seine Vorkehrungen im Geheimen getroffen. Gardiners Wappen auf dem Anstrich der Barke ist abgebrannt worden. Eine Fahne mit seinem eigenen Wappen ist neben der Tudor-Fahne gehisst. Zum ersten Mal besteigt er die Barke, und auf dem Fluss erzählt Rafe ihm seine Neuigkeit. Unmerklich schaukelt das Boot unter ihnen. Die Fahnen hängen schlaff herunter; es ist ein stiller Morgen, dunstig und von Schatten gesprenkelt, und wo das Licht Fleisch oder Leinen oder frische Blätter berührt, entsteht ein Schimmer wie der Schimmer auf einer Eierschale: die ganze Welt leuchtend, ihre Kanten gerundet, ihr Duft wässrig und grün.

»Ich bin seit einem halben Jahr verheiratet«, sagt Rafe, »und keiner weiß es, nur Sie wissen es jetzt. Ich habe Helen Barre geheiratet.«

»Oh, beim Leib Christi«, sagt er. »Unter meinem eigenen Dach! Warum hast du das getan?«

Rafe hört stumm zu, während er sagt, was er zu sagen hat: Sie ist ein hübscher Niemand, eine arme Frau, die dir keinen Vorteil bringen kann, du hättest eine Erbin heiraten können. Warte, bis du es deinem Vater sagst! Er wird empört sein, er wird sagen, ich habe mich nicht um deine Interessen gekümmert. »Und angenommen, eines Tages taucht ihr Ehemann wieder auf?«

»Sie haben ihr gesagt, sie sei frei«, sagt Rafe. Er zittert.

»Wer von uns ist schon frei?«

Er erinnert sich daran, was Helen gesagt hatte: »Also könnte ich wieder heiraten. Wenn irgendjemand mich will?« Er erinnert sich daran, wie sie ihn mit einem langen und bedeutungsvollen Blick angesehen hatte, nur hatte er ihn nicht entschlüsselt. Sie hätte ebenso gut Purzelbäume schlagen können, ohne dass er es bemerkt hätte, sein Kopf war woanders, die Unterhaltung war für ihn beendet, und er war in Gedanken weitergeeilt. Wenn ich sie für mich selbst gewollt und genommen hätte, wer hätte mir Vorwürfe gemacht? Ich hätte eine Wäscherin ohne einen Pfennig, sogar eine Bettlerin von der Straße heiraten können. Die Leute hätten gesagt, das war es also, was Cromwell wollte, eine Schönheit mit geschmeidigem Fleisch; kein Wunder, dass er die Witwen der City verschmäht hat. Er braucht kein Geld, er braucht keine Beziehungen, er kann es sich leisten, seinem Appetit nachzugeben: Er ist jetzt Erster Sekretär, und was kommt als Nächstes?

Er starrt ins Wasser, das mal braun ist, mal klar, wenn das Licht hineinfällt, aber immer in Bewegung; die Fische in seinen Tiefen, die Gräser, die ertrunkenen Menschen mit schwimmenden Knochenhänden.

Auf dem Schlamm und den Steinen liegen fortgeworfene Gürtelschnallen, Glasscherben, kleine verbeulte Münzen mit dem ausgewaschenen Gesicht des Königs. Als Junge fand er einmal ein Hufeisen. Es schien ihm ein sehr glücklicher Fund zu sein. Aber sein Vater sagte: Wenn Hufeisen Glück bringen, Junge, wäre ich der König vom Schlaraffenland.

Zuerst geht er in den Küchentrakt, um Thurston die Neuigkeit zu erzählen. »Na ja«, sagt der Koch leichthin, »wo Sie die Arbeit sowieso schon machen.« Ein Kichern. »Bischof Gardiner kocht bestimmt innerlich. Seine Innereien brutzeln im eigenen Fett.« Er zieht schnell ein blutiges Tuch von einem Tablett. »Sehen Sie diese Wachteln? Eine Wespe hat mehr Fleisch drauf.«

»Schmoren?«, schlägt er vor. »In Malvasier?«

»Was, drei Dutzend? Das wäre Verschwendung von gutem Wein. Ich mache ein paar für Sie, wenn Sie mögen. Sie kommen von Lord Lisle in Calais. Wenn Sie ihm schreiben, sagen Sie, wenn er uns noch eine Ladung schickt, wollen wir sie fetter oder überhaupt nicht. Werden Sie daran denken?«

»Ich merke es mir«, sagt er ernst. »Von jetzt an, dachte ich, könnte sich der Kronrat hin und wieder hier treffen, wenn der König nicht an der Sitzung teilnimmt. Wir könnten ihnen vorher ein Essen servieren.«

»Gut.« Thurston kichert. »Norfolk könnte etwas Fleisch auf seinen dürren Beinchen gebrauchen.«

»Thurston, Sie brauchen sich nicht die Hände schmutzig zu machen – Sie haben genügend Personal. Sie könnten sich eine Goldkette umhängen und herumstolzieren.«

»Und Sie, werden Sie das auch tun?« Ein nasser Geflügelklaps, dann sieht Thurston ihn an und wischt sich ausgerupfte Federn von den Fingern. »Ich denke, ich lasse mir das lieber nicht aus der Hand nehmen. Für den Fall, dass sich die Dinge zum Schlechteren wenden. Ich sage nicht, dass sie das werden. Aber erinnern Sie sich an den Kardinal.«

Er erinnert sich an Norfolk: Sagen Sie ihm, dass er nach Norden gehen soll, oder ich komme zu ihm und reiße ihn mit den Zähnen.

Darf ich das Wort ›beißen‹ einsetzen?

Die Redewendung kommt ihm in den Sinn: *homo homini lupus,* der Mensch ist des Menschen Wolf.

»Also«, sagt er nach dem Abendessen zu Rafe, »du hast dir einen Namen gemacht, Master Sadler. Du wirst als vortreffliches Beispiel gelten, wie man nützliche Beziehungen verschwendet. Väter werden ihre Söhne darauf hinweisen.«

»Ich konnte nicht anders, Sir.«

»Wie, nicht anders?«

Rafe sagt so trocken, wie es ihm gelingt: »Ich bin außer mir vor Liebe.«

»Wie fühlt sich das an? Ist es genauso wie außer sich vor Wut sein?«

»Ich denke schon. Vielleicht. Insofern, als man sich lebendiger fühlt.«

»Ich glaube nicht, dass ich mich lebendiger fühlen kann, als ich bin.«

Er fragt sich, ob der Kardinal jemals verliebt war. Aber ja, natürlich, warum hat er daran gezweifelt? Die überwältigende Leidenschaft Wolseys für Wolsey war heiß genug, um ganz England zu versengen. »Sag mir, an diesem Abend, nachdem die Königin gekrönt wurde …« Er schüttelt den Kopf, dreht einige Papiere auf seinem Schreibtisch um: Briefe des Bürgermeisters von Hull.

»Ich sage Ihnen alles, was Sie wissen wollen«, sagt Rafe. »Ich weiß gar nicht, wieso ich nicht offen zu Ihnen war. Aber Helen, meine Frau, sie dachte, es wäre besser, es geheimzuhalten.«

»Aber jetzt erwartet sie ein Kind, nehme ich an, und deshalb müsst ihr euch erklären?«

Rafe errötet.

»An jenem Abend, als ich nach Austin Friars kam und nach ihr suchte, um sie zu Cranmers Frau zu bringen … und sie nach unten kam«, seine Augen bewegen sich, als sähe er die Szene vor sich, »kam sie ohne Haube nach unten, und deine Haare standen in die Höhe, und du warst böse auf mich, weil ich sie mitgenommen habe …«

»Gut, ja«, sagt Rafe. Seine Hand wandert an den Kopf und er drückt seine Haare mit der Handfläche nach unten, als würde das jetzt noch irgendetwas ändern. »Alle waren zu den Feiern gegangen. Zum ersten Mal habe ich das Bett mit ihr geteilt, aber es war keine Schande. Denn da hatte sie sich mir schon versprochen.«

Er denkt: Ich bin froh, dass ich in meinem Haus keinen gefühllosen jungen Mann aufgezogen habe, der nur auf sein Vorankommen bedacht ist. Wenn man nicht impulsiv ist, ist man zu einem gewissen Grad auch freudlos; unter meinem Schutz sind Impulse etwas, das Rafe sich leisten kann. »Pass auf, Rafe, dies ist eine – nun, Gott weiß, eine Torheit, aber keine Katastrophe. Sag deinem Vater, dass mein Aufstieg in der Welt dein Fortkommen gewährleisten wird. Natürlich wird er toben und donnern. Dazu sind Väter da. Er wird brüllen: Ich bereue den Tag, an dem ich mich von meinem Jungen getrennt und ihn in das verderbte Haus Cromwell gegeben habe. Aber wir werden ihn umstimmen. Nach und nach.«

Rafe ist die ganze Zeit über stehen geblieben, jetzt sinkt er auf einen Hocker, die Hände auf dem Kopf, den Kopf nach hinten geworfen; Erleichterung durchströmt seinen ganzen Körper. Hatte er so viel Angst? Vor mir? »Hör zu, wenn dein Vater Helen erst einmal sieht, wird er verstehen, es sei denn, er ist …« Es sei denn, er ist was? Man müsste tot und begraben sein, um es nicht zu bemerken: ihren starken und schönen Körper, ihren sanften Blick. »Wir müssen ihr nur die Segeltuchschürze abnehmen, in der sie herumläuft, und sie als Mistress Sadler herausputzen. Und natürlich wirst du ein eigenes Haus wollen. Dabei helfe ich dir. Ich werde die kleinen Kinder vermissen, ich habe sie liebgewonnen, und Mercy auch, wir mögen sie alle. Wenn du möchtest, dass das neue Kind das erste in deinem eigenen Haus wird, können die beiden hierbleiben.«

»Das ist gut von Ihnen. Aber Helen würde sich nie von ihnen trennen. Darüber sind wir uns einig.«

Also werde ich nie wieder Kinder in Austin Friars haben, denkt er. Nun, es sei denn, ich nehme mir frei von den Geschäften des Königs und gehe auf Brautschau: es sei denn, ich höre wirklich zu, wenn eine Frau mit mir spricht. »Eines wird deinen Vater versöhnen, und das kannst du ihm sagen: Von jetzt an wirst du beim König sein, wenn ich nicht da bin. Master Wriothesley wird die Diplomaten ärgern und die chiffrierten Schriftstücke behalten, denn das ist eine durchtriebene Arbeit, die ihm gefallen wird, und Richard wird hier sein und in meiner Abwesenheit den Haushalt leiten, meine Arbeit vorantreiben, und du und ich werden Henry aufwarten und uns so liebevoll wie zwei Kindermädchen um seine Launen kümmern.« Er lacht. »Du bist der geborene Gentleman. Er könnte dich in seiner Nähe haben wollen und dir einen Posten in seinen Gemächern geben. Was für mich nützlich wäre.«

»Ich habe es nicht darauf abgesehen, dass das passiert. Ich habe es nicht geplant.« Rafe senkt die Augen. »Ich weiß, dass ich Helen nie zum Hof werde mitnehmen können.«

»Nicht in der Welt, wie sie jetzt ist. Und ich glaube nicht, dass sie sich zu unseren Lebzeiten ändern wird. Aber merke dir: Du hast deine Wahl getroffen. Du darfst sie nie bereuen.«

Rafe sagt leidenschaftlich: »Wie konnte ich nur glauben, ein Geheimnis vor Ihnen bewahren zu können? Sie sehen alles, Sir.«

»Ah. Nur bis zu einem gewissen Punkt.«

Als Rafe gegangen ist, beginnt er mit der Arbeit dieses Abends, nimmt die Papiere heraus, ordnet sie zunächst systematisch und legt sie ordentlich hin. Seine Gesetze sind verabschiedet, aber es gibt immer ein neues Gesetz. Wenn man Gesetze schreibt, erprobt man Wörter und versucht, ihre größte Kraft herauszufinden. Wie Zaubersprüche müssen sie Dinge in der wirklichen Welt geschehen lassen, und wie Zaubersprüche sind sie nur wirksam, wenn die Menschen an sie glauben. Wenn dein Gesetz eine Strafe fordert, musst du in der Lage sein, sie durchzusetzen – bei den Reichen wie bei den Armen, bei den Leuten an den Grenzen zu Schottland und in den walisischen Marken, bei den

Männern in Cornwall wie auch bei den Männern in Sussex und Kent. Er hat seinen Eid als Prüfung der Treue zu Henry geschrieben, und er beabsichtigt, die Männer aus jeder Stadt und aus jedem Dorf schwören zu lassen und alle Frauen von einiger Bedeutung: Witwen mit Erbschaften, Landbesitzerinnen. Seine Leute werden durch den Wald und das Heideland ziehen und Menschen, die kaum etwas von Anne Boleyn gehört haben, versprechen lassen, die Nachfolge des Kindes in ihrem Leib zu achten. Wenn ein Mann weiß, dass der König Henry heißt, lass ihn schwören, gleichgültig, ob er diesen König mit seinem Vater oder irgendeinem vorherigen Henry verwechselt. Fürsten entfallen dem Gedächtnis einfacher Leute wie andere Männer auch; ihre Gesichtszüge auf den Münzen, die er früher immer aus dem Flussschlamm siebte, waren nur noch eine leichte Unebenheit unter seinen Fingerspitzen, und selbst wenn er die Münzen mit nach Hause genommen und abgeschrubbt hatte, konnte er nicht sagen, wer das sein sollte; ist das Prinz Caesar?, fragte er. Walter hatte gesagt: Lass mal sehen; dann hatte er die Münze angeekelt weggeworfen und gesagt: Es ist bloß ein Farthing aus Blech von einem dieser Könige, die die französischen Kriege geführt haben. Geh raus und verdien was, hatte er gesagt, kümmere dich nicht um Prinz Caesar, Caesar war schon alt, als Adam noch ein Junge war.

Er sang immer: »Als Adam wirkte, Eva spann, wer war da der feine Mann?« Walter jagte ihn dann und schlug ihn, wenn er ihn erwischte: Da hast du dein verdammtes Rebellenlied, hier wissen wir, was man mit Rebellen macht. Sie liegen in flachen Gräbern, die kornischen Rebellen, die durch das Land zogen, als er ein Junge war; aber es gibt immer neue von ihrer Sorte. Und unter Cornwall, jenseits dieses Königreichs England und darunter, unter den durchnässten walisischen Marken und dem rauen Territorium der schottischen Grenze, gibt es eine andere Landschaft; es gibt ein vergrabenes Reich, in das seine Beauftragten nicht gelangen können. Wer wird den Kobolden und Schreckgespenstern, die in Hecken und in hohlen Bäumen leben, und den wilden

Männern, die sich in den Wäldern verstecken, den Eid abnehmen? Wer wird den Heiligen in ihren Nischen den Eid abnehmen und den Geistern, die sich an heiligen Quellen versammeln und rascheln wie fallende Blätter, und den fehlgeborenen Kindern, die in ungeweihtem Boden vergraben sind: all diesen unsichtbaren Toten, die im Winter an Schmiedeöfen und Feuerstellen von Dörfern herumlungern und versuchen, ihre blanken Knochen zu wärmen? Denn auch sie sind seine Landsleute: die Generationen der ungezählten Toten, die durch die Lebenden atmen und ihr Licht von ihnen stehlen, die blutlosen Geister von Lord und Knappe, Nonne und Hure, die Geister von Priester und Mönch, die sich vom lebenden England nähren und der Zukunft das Mark aussaugen.

Er starrt auf die Papiere auf seinem Schreibtisch, aber seine Gedanken sind weit weg. Seine Tochter Anne hat gesagt: »Dann nehme ich Rafe.« Er legt seinen Kopf in die Hände und schließt die Augen; Anne Cromwell steht vor ihm, zehn oder elf Jahre alt, stark und entschlossen wie ein Soldat; ihre kleinen Augen blicken fest, und sie ist ganz sicher, dass sie die Macht hat, ihr Schicksal zu lenken.

Er reibt sich die Augen. Sieht seine Papiere durch. Was ist das? Eine Liste. Die akribische Schrift eines Schreibers, sie ist lesbar, ergibt aber wenig Sinn.

Zwei Teppiche. Einer in Stücke geschnitten.
7 Laken. 2 Kissen. 1 Polster.
2 Teller, 4 Schalen, 2 Untertassen.
Eine kleine Schüssel, Gewicht 12 Pfd. @ 4 Penny das Pfund;
Mylady Priorin hat sie, sie hat 4 Shilling bezahlt.

Er dreht das Papier um, versucht seine Herkunft zu ergründen. Er stellt fest, dass es die Auflistung des Besitzes von Elizabeth Barton ist, der Dinge, die sie im Kloster zurückgelassen hat. Als persönliches Eigentum einer Verräterin fällt alles an den König: eine Holzplatte, die als Tisch dient, drei Kopfkissenbezüge, zwei Kerzenhalter, ein Mantel, dessen Wert auf fünf Shilling geschätzt wird. Ein alter Umhang ist als Spende an die jüngste Nonne in ihrem Kloster gegeben worden. Eine weitere Nonne, eine Dame Alice, hat eine Bettdecke erhalten.

Zu More hat er gesagt, die Prophezeiungen haben sie nicht reich gemacht. Er schreibt ein Memorandum an sich selbst: »Dame Elizabeth Barton soll Geld als Gebühr für den Henker erhalten.« Sie hat noch fünf Tage zu leben. Die letzte Person, die sie sehen wird, wenn sie die Leiter erklimmt, ist ihr Henker, der die Hand aufhält. Wenn sie ihren letzten Weg nicht bezahlen kann, könnte sie länger leiden als notwendig. Sie hat sich vorgestellt, wie lange es dauert zu verbrennen, nicht aber, wie lange es dauert, am Ende eines Stricks zu ersticken. In England gibt es keine Gnade für die Armen. Man zahlt für alles, selbst für einen gebrochenen Hals.

Thomas Mores Familie hat den Eid geschworen. Er hat sie selbst empfangen, und Alice hat ihn nicht im Zweifel darüber gelassen, dass sie ihn persönlich verantwortlich macht, weil es ihm nicht gelungen ist, ihren Mann zum Konformismus zu überreden. »Fragen Sie ihn, was er in Gottes Namen damit bezweckt. Fragen Sie ihn, ob es klug ist, ob er es für klug hält, seine Frau ohne Gefährten zurückzulassen, seinen Sohn ohne Ratgeber, seine Töchter ohne Schutz, sodass wir einem Mann wie Thomas Cromwell auf Gedeih und Verderb ausgeliefert sind.«

»Lassen Sie sich das gesagt sein«, hatte Meg mit einem kleinen Lächeln gemurmelt. Mit gesenktem Kopf hatte sie seine Hand mit ihren beiden Händen umschlossen. »Mein Vater hat sehr herzlich von Ihnen gesprochen. Darüber, wie höflich Sie zu ihm waren und wie vehement Sie waren – was er nicht weniger als Gunst ansieht. Er sagt, dass er glaubt, Sie verstehen ihn. Wie er auch Sie versteht.«

»Meg? Sicher können Sie mich doch ansehen?«

Noch ein Gesicht, das sich unter der Last einer Giebelhaube beugt: Meg zupft ihren Schleier zurecht, als wäre sie draußen in einem Sturm und der dünne Stoff könnte ihr Schutz bieten.

»Ich kann den König einen oder zwei Tage hinhalten. Ich glaube nicht, dass er Ihren Vater im Tower zu sehen wünscht, unablässig wartet er auf ein Zeichen der …«

»Kapitulation?«

»Unterstützung. Und dann … keine Ehre wäre zu hoch.«

»Ich bezweifle, dass der König die Art von Ehre bieten kann, die er schätzt«, sagt Will Roper. »Unglücklicherweise. Komm, Meg, lass uns nach Hause gehen. Wir müssen mit deiner Mutter auf dem Fluss sein, bevor sie eine Schlägerei anfängt.« Roper streckt die Hand aus. »Wir wissen, dass Sie nicht rachsüchtig sind, Sir. Obwohl Gott weiß, dass mein Schwiegervater nie ein Freund Ihrer Freunde war.«

»Es gab eine Zeit, da waren Sie selbst ein Mann der Bibel.«

»Männer können ihre Meinung ändern.«

»Ich stimme Ihnen völlig zu. Aber sagen Sie das Ihrem Schwiegervater.«

Das gab ihrer Verabschiedung einen bitteren Beigeschmack.

Ich lasse nicht zu, dass More oder seine Familie sich der Illusion hingeben, dass sie mich *verstehen*, denkt er jetzt. Wie könnten sie, wenn meine Handlungen mir selbst ein Rätsel sind?

Er macht eine Notiz: Richard Cromwell soll beim Abt von Westminster vorstellig werden, um den Gefangenen Sir Thomas More in den Tower zu geleiten.

Warum zögere ich?

Geben wir ihm noch einen Tag.

Es ist der 15. April 1534. Er ruft einen Schreiber herbei, der seine Papiere ordnen und ablegen soll, damit sie für morgen griffbereit sind; er verweilt am Feuer und plaudert; es ist Mitternacht und die Kerzen sind heruntergebrannt. Er nimmt eine und geht nach oben; Christophe liegt ausgestreckt am Fußende seines großen und einsamen Betts und schnarcht. Lieber Gott, denkt er, mein Leben ist absurd. »Wach auf«, sagt er, aber in einem Flüstern; als Christophe nicht reagiert, legt er seine Hände auf ihn und rollt ihn hin und her, als wäre er ein Stück Teig für den Deckel einer Pastete, bis der Junge aufwacht und im Französisch der Gosse protestiert. »Oh, bei den haarigen Eiern von Jesus.« Er blinzelt heftig. »Mein guter Herr, ich wusste nicht, dass Sie es waren, ich habe geträumt, ich wäre ein Stück Teig. Vergeben Sie mir, ich bin total betrunken, wir haben nämlich die Verbindung der schönen Helen mit dem glücklichen Rafe gefeiert.« Er hebt einen Unterarm, rollt die Hand zusammen und macht eine äußerst obszöne Geste; dann fällt sein Arm schlaff über seinen Körper, seine Augenlider gleiten unaufhaltsam in Richtung Wangen, und mit einem letzten Hickser sinkt er in den Schlaf.

Er zieht den Jungen zu seiner Pritsche. Christophe ist inzwischen schwer, ein massiger Bulldoggenwelpe; er grunzt, er murmelt, aber er wacht nicht noch einmal auf.

Er legt seine Kleider zur Seite und betet. Er legt seinen Kopf auf das Kissen: *7 Laken, 2 Kissen, 1 Polster.* Er schläft ein, sobald die Kerze gelöscht ist. Aber seine Tochter Anne erscheint ihm in einem Traum. Sie hält traurig ihre linke Hand in die Höhe, um ihm zu zeigen, dass sie keinen Ehering trägt. Sie dreht ihr Haar zu einer langen Strähne und legt sie sich um den Hals wie eine Schlinge.

Mittsommer: Frauen eilen in die Gemächer der Königin, über ihren Armen liegen saubere Tücher. Ihre Gesichter sind blass und erschrocken, und sie gehen so schnell, dass man weiß, man darf sie nicht aufhalten. Feuer werden in den Gemächern der Königin entzündet, um das zu verbrennen, was ausgeblutet wurde. Wenn es etwas zu begraben gibt, behalten die Frauen das Geheimnis für sich.

In dieser Nacht werden sie in einer Fensterlaibung kauern, während der Himmel von Sternen erleuchtet ist, die wie Dolche aussehen, und Henry wird zu ihm sagen: Es ist Katherine, die Schuld hat. Ich glaube, sie wünscht mir Böses. Die Wahrheit ist, dass ihr Leib krank ist. All diese Jahre hat sie mich getäuscht – sie konnte keinen Sohn austragen, und sie und ihre Ärzte wussten das. Sie behauptet, dass sie mich immer noch liebt, aber sie zerstört mich. Sie kommt in der Nacht mit ihren kalten Händen und ihrem kalten Herzen und legt sich zwischen mich und die Frau, die ich liebe. Sie legt ihre Hand auf mein Glied, und ihre Hand riecht nach Grab.

Die Lords und Ladies geben den Mädchen und Hebammen Geld, um zu erfahren, welches Geschlecht das Kind hatte, aber die Frauen geben jedes Mal unterschiedliche Antworten. Und was wäre eigentlich schlimmer: wenn Anne ein weiteres Mädchen empfangen oder wenn sie einen Jungen empfangen und verloren hätte?

Mittsommer: In ganz London werden Freudenfeuer entzündet, die die kurzen Nächte über brennen. Drachen suchen die Straßen heim, stoßen Rauch aus und klappern mit ihren mechanischen Flügeln.

II

Die Karte der Christenheit

1534–1535

»Wollen Sie Audleys Posten?«, fragt Henry ihn. »Sie brauchen es nur zu sagen, und er gehört Ihnen.«

Der Sommer ist vorbei. Der Kaiser ist nicht gekommen. Papst Clemens ist tot und seine Urteile sind mit ihm gestorben; das Spiel kann wieder von vorn beginnen, deshalb hat er die Tür offen gelassen, wenn auch nur einen Spalt, damit der nächste Bischof von Rom ein Gespräch mit England führen kann. Er persönlich würde sie zuknallen; aber es handelt sich nicht um persönliche Dinge.

Nun denkt er sorgfältig nach: Würde es ihm passen, Kanzler zu sein? Es wäre gut, einen Posten innerhalb der Hierarchie des Rechtssystems zu haben, warum also nicht den an der Spitze? »Ich habe nicht den Wunsch, Audley zu entlassen. Wenn Eure Majestät mit ihm zufrieden sind, bin ich es auch.«

Er weiß noch, wie sehr der Posten Wolsey an London gebunden hatte, wenn der König woanders war. Der Kardinal war aktiv in den Gerichten gewesen; aber es gibt genügend Juristen.

Henry sagt: Sagen Sie mir nur, was Sie für das Beste halten. Wie einem beschämten Liebhaber wollen ihm die besten Geschenke nicht einfallen. Er fügt hinzu, dass Cranmer ihn ermahnt: Hören Sie auf Cromwell, und wenn er etwas braucht, einen Posten, eine Steuer, eine Abgabe, eine Maßnahme des Parlaments oder eine königliche Proklamation, dann geben Sie ihm das.

Der Posten des *Master of the Rolls* ist frei. Das Amt des Bewahrers der Schriftrollen, der Urkunden des Kanzleigerichts, ist ein sehr altes Amt und es verfügt über eines der großen Sekretariate des Königreichs. Seine Vorgänger, überwiegend Bischöfe, sind bedeutende Gelehrte: Männer aus Stein, die auf ihren Gräbern liegen, und darunter sind ihre Tugenden auf Latein eingemeißelt. Er ist nie lebendiger als in dem Augenblick, als er am Stiel dieser reifen Frucht dreht und sie vom Baum pflückt.

»Sie hatten auch mit Kardinal Farnese recht«, sagt Henry. »Jetzt haben wir einen neuen Papst – Bischof von Rom, sollte ich sagen – und ich habe meine Wettgewinne eingesammelt.«

»Sehen Sie«, sagt er lächelnd. »Cranmer hat recht. Lassen Sie sich von mir beraten.«

Der Hof ist belustigt, als er hört, wie die Römer Papst Clemens' Tod gefeiert haben. Sie sind in sein Grabmal eingebrochen und haben seinen nackten Körper durch die Straßen geschleift.

Der Amtssitz des Master of the Rolls in der Chancery Lane ist das merkwürdigste Haus, das er je betreten hat. Es riecht nach Moder, Schimmel und Talg, und hinter seiner krummen Fassade erstreckt sich ein verschlungener Kaninchenbau aus kleinen Räumen mit niedrigen Türrahmen. Waren unsere Vorfahren alle Zwerge oder wussten sie nicht so genau, wie man eine Decke abstützt?

Dieses Haus wurde vor dreihundert Jahren von dem Henry gegründet, den es damals gab. Er baute es als Zuflucht für Juden, die konvertieren wollten. Sobald sie diesen Schritt taten – ratsam, wenn sie von Gewalt verschont bleiben wollten –, fiel ihr gesamtes Vermögen an die Krone. Infolgedessen war es nur gerecht, dass die Krone sie für die Spanne ihres natürlichen Lebens unterbrachte und verpflegte.

Christophe rennt ihm voraus in die Tiefen des Hauses. »Sehen Sie mal!« Er fährt mit dem Finger durch ein riesiges Spinnennetz.

»Du hast ihre Wohnung zerstört, du herzloser Junge.« Er untersucht Arianes zerbröckelnde Beute: ein Bein, ein Flügel. »Lass uns hier verschwinden, bevor sie zurückkommt.«

Etwa fünfzig Jahre, nachdem der damalige Henry das Haus gestiftet hatte, wurden die Juden aus dem Königreich vertrieben. Und doch war dieser Ort der Zuflucht nie völlig leer; selbst heute noch leben zwei Frauen dort. Ich werde sie besuchen, sagt er.

Christophe klopft die Wände und die Balken ab, gerade so, als wüsste er, wonach er sucht. »Wie schnell wärst du weg«, sagt er genüsslich, »wenn ein Klopfen als Antwort käme?«

»Oh Gott!« Christophe bekreuzigt sich. »Ich vermute, hier sind hundert Männer gestorben, Juden und Christen.«

Hinter dieser Täfelung, das ist wahr, kann er die winzigen Knochen von Mäusen spüren: einhundert Generationen, die gelenkigen Vorderpfoten zur ewigen Ruhe gefaltet. Ihre Nachkommen gedeihen prächtig, das kann er riechen. Genau die richtige Aufgabe für Marlinspike, sagt er, wenn wir ihn einfangen können. Der Kater des Kardinals lebt jetzt wild, streift nach Belieben durch Londoner Gärten, wird vom Geruch der Karpfen in den Teichen von Stadtklöstern angezogen, und soweit er weiß, lässt er sich auch auf die andere Seite des Flusses locken, um sich an die Busen von Huren zu schmiegen, an schlaffe Brüste, die mit Rosenblättern und Ambra eingerieben sind. Er stellt sich Marlinspike vor, wie er schnurrt und sich räkelt und nicht nach Hause kommen will. Er sagt zu Christophe: »Ich frage mich, wie ich der Herr der Schriftrollen sein kann, wenn ich nicht einmal Herr einer Katze bin.«

»Die Rollen haben keine Pfoten zum Abhauen.« Christophe tritt gegen eine Fußleiste. »Mein Fuß geht da durch«, sagt er und demonstriert es ihm.

Wird er die Bequemlichkeiten von Austin Friars eintauschen gegen diese winzigen Fenster mit den verzerrenden Scheiben, diese knarrenden Gänge, diese uralte Zugluft? »Der Weg nach Westminster ist kürzer«, sagt er. Und auf dieses Ziel richtet er seinen Sinn – Whitehall, Westminster und der Fluss, und dann mit der Barke des Ersten Sekretärs flussabwärts nach Greenwich oder flussaufwärts nach Hampton Court. Ich werde oft in Austin Friars sein, versichert er sich, fast jeden Tag. Er baut gerade einen besonderen Tresorraum, einen Aufbewahrungsort für jegliches Goldgerät, das der König ihm anvertraut; was immer er dort deponiert, kann schnell zu Bargeld gemacht werden. Diese Schätze kommen auf normalen Karren in die Straße, um gar nicht erst Aufmerksamkeit zu erregen, aber es gibt wachsame Reiter zur Begleitung. Die Kelche liegen in weichen Lederbehältern, die speziell für sie angefertigt wurden. Die Schalen und Teller, umhüllt mit weißem Wolltuch zu sieben Pence der Yard, werden in Segeltuchbeuteln transportiert. Die Juwelen werden in Seide eingewickelt und in Truhen mit neuen und glänzenden Schlössern gelegt: Und er hat die Schlüssel. Es gibt große Perlen mit dem feuchten Schimmer des Ozeans und Saphire so heiß wie Indien. Es gibt Steine, die sind wie die Früchte, die man an einem Nachmittag auf dem Land pflückt: Granate wie Schlehen, rosa Diamanten wie Hagebutten. Alice sagt: »Für eine Handvoll von denen würde ich persönlich jede Königin der Christenheit stürzen.«

»Wie gut, dass der König dich nie getroffen hat, Alice.«

Jo sagt: »Mir wären Ausfuhrgenehmigungen lieber. Oder ein Vertrag als Heereslieferantin. Irgendjemand wird ein Vermögen in den Irischen Kriegen machen. Bohnen, Mehl, Malz, Pferdefleisch ...«

»Ich guck mal, was ich für dich tun kann«, sagt er.

Der Pachtvertrag für Austin Friars läuft über neunundneunzig Jahre. Seine Urenkel werden ihn noch halten: unbekannte Londoner. Wenn sie die Dokumente ansehen, wird da sein Name stehen. Sein Wappen wird über den Türen eingemeißelt sein. Er legt seine Hand auf das Geländer der großen Treppe und sieht nach oben in die wirbelnden Staubkörnchen vor einem hohen Fenster. Das habe ich doch schon einmal getan? In Hatfield, Anfang des Jahres: Er hat hinaufgeblickt und auf die Geräusche von Kardinal Mortons Haushalt gelauscht, die er vor so vielen Jahren gehört hatte. Wenn er selbst damals in Hatfield war, muss nicht Thomas More auch dort gewesen sein? Vielleicht war es dessen leichter Schritt gewesen, den er dort oben erwartet hatte?

Er beginnt noch einmal über die Faust nachzudenken, die aus dem Nichts kam.

Sein erster Gedanke war gewesen: Bring die Schreiber und die Papiere zu den Urkunden, dann wird Austin Friars wieder ein Zuhause sein. Aber für wen? Er hat Liz' Stundenbuch zur Hand genommen und auf der Seite, wo sie die Familie verzeichnet hat, etwas geändert und etwas hinzugefügt. Rafe zieht bald aus, er zieht in sein neues Haus in Hackney; und Richard baut mit seiner Frau Frances in derselben Gegend. Alice heiratet sein Mündel Thomas Rotherham. Ihr Bruder Christopher ist geweiht worden und hat eine Pfründe erhalten. Jos Hochzeitskleider sind bestellt; sein Freund John ap Rice hat sie weggeschnappt, ein Anwalt, ein Gelehrter, ein Mann, den er bewundert und auf dessen Loyalität er zählt. Ich habe gut für meine Leute gesorgt, denkt er: Nicht einer von ihnen ist arm oder unglücklich oder hat keinen sicheren Platz in dieser unsicheren Welt. Er zögert, sieht hinauf in das Licht: mal golden, mal blau, wenn eine Wolke vorbeizieht. Wer immer nach unten kommen und Anspruch auf ihn erheben will, muss es jetzt tun. Seine Tochter Anne mit ihren donnernden Füßen: Anne, würde er sagen, können wir deine Hufe vielleicht mit Filz umwickeln? Grace, die hinunterschwebt wie Staub, zu einer Spirale geformt, zu einem munteren Wirbel … und nirgendwohin geht, sich auflöst, verschwunden ist.

Liz, komm herunter.

Aber Liz schweigt; weder bleibt sie noch geht sie. Sie ist immer bei ihm und nicht bei ihm. Er wendet sich ab. Also wird dieses Haus ein Geschäftshaus. Wie alle seine Häuser Geschäftshäuser werden. Mein Zuhause wird sein, wo meine Schreiber und Akten sind; ansonsten wird mein Zuhause beim König sein, dort, wo er ist.

Christophe sagt: »Jetzt, wo wir ins Rollenhaus ziehen, kann ich es ja sagen, *cher maître*: Ich bin ja so froh, dass Sie mich nicht zurückgelassen haben. Wenn Sie nicht da waren, haben sie mich nämlich immer Schneckenhirn und Rübenkopf genannt.«

»Alors …« Er mustert Christophe. »Dein Kopf sieht wirklich wie eine Rübe aus. Danke, dass du mich darauf aufmerksam gemacht hast.«

Als er sich bei den Urkunden eingerichtet hat, betrachtet er seine Situation: zufriedenstellend. Er hat seine beiden Landsitze in Kent abgestoßen, aber der König hat ihm einen in Monmouthshire gegeben und er kauft einen weiteren in Essex. Er hat ein Auge auf Bauland in Hackney und Shoreditch geworfen und ist dabei, Pachtverträge über die angrenzenden Grundstücke in Austin Friars abzuschließen; er will sie in seine Baupläne einbeziehen und dann eine hohe Mauer um das Ganze ziehen. Ihm liegen Gutachten über einen Landsitz in Bedfordshire und einen in Lincolnshire und zwei Besitzungen in Essex vor, die er als Anlage für Gregory verwalten lassen will. Aber all das ist Kleinkram. Es ist nichts im Vergleich zu dem, was er zu haben beabsichtigt oder was Henry ihm schulden wird.

Inzwischen würden seine Ausgaben einen geringeren Mann in Angst und Schrecken versetzen. Wenn der König etwas erledigt haben möchte, muss man in der Lage sein, das Unternehmen mit Personal auszustatten und zu finanzieren. Es ist schwer, mit den Ausgaben der adligen Mitglieder des Kronrats mitzuhalten, und doch gibt es etliche, die praktisch im Leihhaus leben und Monat für Monat zu ihm kommen, um die Löcher in ihrer Buchhaltung zu stopfen. Er weiß, wann er solche Schulden erlassen muss; es gibt mehr als eine Währung in England. Er spürt ganz deutlich, dass sich ein großes Netz um ihn spannt, ein Netz aus erwiesenen und erhaltenen Gefälligkeiten. Diejenigen, die Zugang zum König wünschen, sind bereit, dafür zu zahlen, und niemand hat einen besseren Zugang als er. Und zur selben Zeit gilt: Hilf Cromwell und er hilft dir. Sei loyal, sei tüchtig, sei klug im Interesse Cromwells, und du wirst eine Belohnung erhalten. Wer sich in seinen Dienst stellt, wird befördert und beschützt. Er ist ein guter Freund und Herr; das wird überall von ihm gesagt. Ansonsten sind es die üblichen Beschimpfungen. Sein Vater war Schmied, ein unehrlicher Bierbrauer, er war Ire, er war Krimineller, er war Jude, und er selbst war nur Wollhändler, er war Schafscherer, und jetzt ist er Hexenmeister: Wie anders hätte er die Zügel der Macht in die Hand bekommen können? Chapuys schreibt an den Kaiser über ihn: Sein früheres Leben bleibt ein Geheimnis, aber seine Gesellschaft ist überaus angenehm, und er führt seinen Haushalt mit all seinen Dienstboten in sehr großem Stil. Er ist ein Meister der Sprache, schreibt Chapuys, ein außerordentlich redegewandter Mann; obwohl sein Französisch, fügt er hinzu, nur *assez bien* ist.

Er denkt: Für dich ist es jedenfalls gut genug. Für dich reichen schon ein Nicken und ein Zwinkern.

In den letzten Monaten hat der Kronrat den Harnisch nicht abgelegt. Ein schwieriger Sommer der Verhandlungen hat einen Vertrag mit den Schotten gebracht. Aber Irland revoltiert. Nur Dublin Castle und die Stadt Waterford stehen zum König, während die rebellischen Lords den Truppen des Kaisers ihre Dienste und ihre Häfen anbieten. Von allen Inseln ist Irland das schlimmste Territorium, das dem König nicht einmal einbringt, was ihn die Garnisonen kosten; aber aus Angst, wer sonst ans Ruder kommt, kann er ihm nicht den Rücken zuwenden. Das Gesetz wird dort kaum respektiert, denn die Iren glauben, man kann sich mit Geld von Mord freikaufen, und wie die Waliser taxieren sie den Wert eines menschlichen Lebens auf eine Anzahl Rinder. Das Volk wird durch Abgaben und Beschlagnahmungen, durch Geldstrafen und schlichten Wucher in Armut gehalten; die frommen Engländer essen mittwochs und freitags kein Fleisch, und in einem Witz heißt es, die Iren seien so gottesfürchtig, dass sie auch an den anderen Tagen kein Fleisch essen. Ihre großen Lords sind brutale und herrische Männer, sie sind tückisch und wankelmütig, unverbesserliche Verfechter von Fehden, Erpresser und Geiselnehmer, die ihre Treue zu England gering achten, denn sie sind nichts und niemandem treu und ziehen die Waffengewalt dem Gesetz vor. Was ihre einheimischen Oberhäupter betrifft, so erkennen diese keine natürliche Grenze in Bezug auf ihre Ansprüche an. Sie sagen, dass sie auf ihrem Land jeden farnbewachsenen Hügel und jeden See besitzen, sie besitzen das Heidekraut, das Gras auf der Wiese und den Wind, der es bewegt; jedes Tier und jeder Mensch gehört ihnen, und in Zeiten der Not nehmen sie das Brot, um es an ihre Jagdhunde zu verfüttern.

Kein Wunder, dass sie nicht englisch sein wollen. Es würde ihren Status als Sklavenhalter beenden. Der Herzog von Norfolk hat immer noch Leibeigene auf seinem Land, und auch wenn die Gerichte beabsichtigen, sie zu befreien, erwartet der Herzog eine Vergütung dafür. Der König schlägt vor, Norfolk nach Irland zu schicken, der aber sagt, dass er genügend fruchtlose Monate dort verbracht habe und dass er nur unter einer einzigen Bedingung zurückginge, wenn nämlich eine Brücke gebaut würde, sodass er am Ende der Woche nach Hause zurückkehren könne, ohne nasse Füße zu bekommen.

Er und Norfolk streiten sich im Kronrat. Der Herzog zetert, und er setzt sich zurück, verschränkt die Arme und beobachtet ihn beim Zetern. Sie hätten den jungen Fitzroy nach Dublin schicken sollen, erklärt er dem Rat. Ein König in der Lehre – er hätte eine Schau veranstalten, ein Spektakel inszenieren, mit Geld um sich werfen können.

Richard sagt zu ihm: »Vielleicht sollten wir nach Irland gehen, Sir.«

»Ich glaube, meine Tage des Kampfes sind vorbei.«

»Ich würde mich gerne bewaffnen. Jeder Mann sollte einmal im Leben Soldat sein.«

»Das ist dein Großvater, der aus dir spricht. Ap Evans, der Bogenschütze. Konzentrier dich für den Augenblick darauf, eine gute Figur im Turnier zu machen.«

Richard hat sich als eindrucksvoller Mann in den Schranken erwiesen. Es ist mehr oder weniger, wie Christophe sagt: *Peng* und sie liegen flach. Man könnte denken, der Sport läge seinem Neffen im Blut, so wie er im Blut der konkurrierenden Lords liegt. Er trägt die Fahne der Cromwells, und der König liebt ihn dafür, wie er jeden Mann mit Talent und Mut und körperlicher Kraft liebt. Mehr und mehr zwingt ihn sein schlimmes Bein, bei den Zuschauern zu sitzen. Wenn er Schmerzen hat, gerät er in Panik – man sieht es an seinen Augen –, und wenn es ihm besser geht, ist er ruhelos. Die Ungewissheit, wie es um seine

Gesundheit steht, bremst seine Bereitschaft, die Kosten und Mühen für die Vorbereitung eines großen Turniers auf sich zu nehmen. Wenn er doch antritt, ist es bei seiner Erfahrung, seinem Gewicht und seiner Größe, seinen hervorragenden Pferden und der Stärke seines Charakters wahrscheinlich, dass er gewinnt. Aber um Unfälle zu vermeiden, zieht er es vor, gegen Gegner zu kämpfen, die er kennt.

Henry sagt: »Als der Kaiser vor zwei oder drei Jahren in Deutschland war, hatte er da nicht ein böses Geschwür an seinem Oberschenkel? Es heißt, das Wetter war ihm nicht zuträglich. Aber seine Herrschaftsgebiete ermöglichen natürlich jederzeit einen Klimawechsel. Während zwischen dem einen Teil meines Königreichs und dem anderen keine Veränderung zu finden ist.«

»Oh, ich nehme an, in Dublin ist es noch schlimmer.«

Henry betrachtet ohne jede Hoffnung den strömenden Regen draußen. »Und wenn ich ausreite, schreien die Leute mich an. Sie schnellen aus Gräben in die Höhe und rufen mir zu, dass ich Katherine zurücknehmen soll. Was würden sie wohl sagen, wenn ich ihnen Vorschriften machte, wie sie mit ihrem Haus, ihrer Frau und ihren Kindern verfahren sollten?«

Selbst als das Wetter aufklart, schwinden die Befürchtungen des Königs nicht. »Sie wird entkommen und eine Armee gegen mich aufbringen«, sagt er. »Katherine. Sie wissen nicht, was sie alles tun würde.«

»Sie hat mir gesagt, dass sie nicht fliehen würde.«

»Und Sie glauben, dass sie nie lügt? Ich weiß, dass sie lügt. Ich habe Beweise. Sie hat gelogen, als sie sagte, sie sei Jungfrau.«

Ach das, denkt er müde.

Es scheint, dass Henry nicht an die Macht bewaffneter Wachen, an Schlösser und Schlüssel glaubt. Er denkt, ein von Kaiser Karl rekrutierter Engel wird sie sprengen. Wenn er reist, hat er ein großes Eisenschloss dabei, das von einem Diener, der eigens zu diesem Zeck mitkommt, an der Tür seines Gemachs befestigt wird. Sein Essen wird auf Gift vorgekostet und in der Nacht wird ganz zum Schluss sein Bett nach verborgenen Waffen wie zum Beispiel Nadeln abgesucht; aber trotzdem hat er Angst, dass er im Schlaf ermordet wird.

Herbst: Thomas More verliert an Gewicht, ein drahtiger kleiner Mann schält sich aus dem Körper heraus, der sich noch nie durch ein Zuviel an Fleisch ausgezeichnet hat. Er lässt ihm durch Antonio Bonvisi Speisen schicken. »Nicht dass ihr Leute aus Lucca wüsstet, wie man isst. Ich würde ihm selbst etwas schicken, aber wenn er erkrankte ... Sie wissen ja, was die Leute sagen würden. Er mag gern Gerichte mit Eiern. Ich weiß nicht, ob er auch andere Sachen mag.«

Ein Seufzer. »Milchspeisen.«

Er lächelt. Der Verzehr von Fleisch steht überall hoch im Kurs. »Kein Wunder, dass er verkümmert.«

»Ich kenne ihn seit vierzig Jahren«, sagt Bonvisi. »Ein Leben lang, Tommaso. Sie würden ihm doch nichts tun, oder? Bitte versprechen Sie mir – wenn Sie das können –, dass niemand ihm etwas tut.«

»Warum glauben Sie, dass ich keinen Deut besser bin als er? Ich brauche ihn nicht unter Druck zu setzen, verstehen Sie. Seine Familie und seine Freunde werden das tun. Oder nicht?«

»Können Sie ihn nicht einfach im Tower vergessen?«

»Natürlich. Wenn der König es erlaubt.«

Er trifft Vorkehrungen, dass Meg Roper ihn besuchen kann. Vater und Tochter gehen in den Gärten spazieren, Arm in Arm. Manchmal beobachtet er sie aus einem Fenster in den Räumen des Lord Lieutenant.

Im November stellt sich heraus, dass diese Taktik vergeblich war. Sie hat sich gegen ihn gewendet wie ein Hund, den du aus Freundlichkeit auf der Straße auflìest und der dir dann in die Hand beißt. Meg sagt: »Er hat mir mitgeteilt und mich gebeten, es auch seinen Freunden mitzuteilen, dass er nichts mehr mit Eiden jeglicher Art zu tun haben will, und wenn wir hören, dass er geschworen hat, sollen wir davon ausgehen, dass er durch Druck und schlechte Behandlung dazu gezwungen wurde. Und wenn dem Kronrat ein Papier mit seiner Unterschrift vorgelegt wird, sollen wir wissen, dass es nicht seine Handschrift sein kann.«

Inzwischen ist es die Suprematsakte, auf die More seinen Eid leisten soll, ein Gesetz, das all die Befugnisse und Würden zusammenfasst, die der König während der letzten beiden Jahre übernommen hat. Es macht den König nicht, wie manche sagen, zum Oberhaupt der Kirche. Es stellt fest, dass er das Oberhaupt der Kirche ist und immer war. Wenn die Leute keine neuen Ideen mögen, muss man ihnen alte geben. Wenn sie Präzedenzfälle wollen, hat er Präzedenzfälle zu bieten. Eine zweite Verfügung, die im neuen Jahr in Kraft treten wird, definiert den Tatbestand des Verrats und sein Ausmaß. Es wird Hochverrat sein, Henrys Titel oder Jurisdiktion zu leugnen, boshaft über ihn zu sprechen oder zu schreiben, ihn als Abtrünnigen oder Ketzer zu bezeichnen. Dieses Gesetz wird die Mönche zu fassen kriegen, die Panik verbreiten und sagen, die Spanier landen mit der nächsten Flut, um Lady Mary auf den Thron zu setzen. Es wird die Priester zu fassen kriegen, die in ihren Predigten gegen die Autorität des Königs wettern und behaupten, dass er seine Untertanen hinter sich her in die Hölle schleift. Ist es zu viel verlangt, wenn ein Monarch darum bittet, dass ein Untertan seine Zunge im Zaum hält?

Das ist neu, sagen die Leute zu ihm, der Hochverrat durch das gesprochene Wort, und er sagt: Nein, ich versichere euch, es ist ganz alt. Es gießt nur in geschriebenes Recht, was die Richter in ihrer Weisheit bereits als Gewohnheitsrecht festgelegt haben. Es ist eine Maßnahme zum Zweck der Klarstellung. Und ich bin für Klarheit.

Nach Mores Weigerung, diesen zweiten Eid zu leisten, wird ein Parlamentsbeschluss erwirkt, durch den er seinen Besitz an die Krone verliert. Jetzt hat er keine Hoffnung auf Entlassung mehr; oder vielmehr: Die Hoffnung liegt in ihm selbst. Es ist seine Pflicht, More zu besuchen und ihm zu sagen, dass ihm keine Besuche, keine Spaziergänge in den Gärten mehr erlaubt sind.

»Zu dieser Jahreszeit gibt es ohnehin nichts zu sehen.« More wirft einen Blick auf den Himmel, einen schmalen grauen Streifen hinter dem hohen Fenster. »Ich kann meine Bücher noch behalten? Briefe schreiben?«

»Vorerst.«

»Und John Wood, er bleibt bei mir?«

Sein Diener. »Ja, natürlich.«

»Er bringt mir von Zeit zu Zeit ein paar Neuigkeiten. Es heißt, unter den Truppen des Königs in Irland ist das Schweißfieber ausgebrochen. Und das so spät im Jahr.«

Die Pest ist auch ausgebrochen; das wird er More nicht erzählen und auch nicht, dass der irische Feldzug ein einziges Debakel ist, reine Geldvernichtung, und dass er wünschte, er hätte auf Richard gehört und wäre selbst dorthin gegangen.

»Das Schweißfieber rafft so viele dahin«, sagt More, »und so schnell und dazu in der Blüte ihrer Jahre. Und wenn man es überlebt, ist man nicht in der Verfassung, gegen die wilden Iren zu kämpfen, ganz bestimmt nicht. Ich weiß noch, als Meg es hatte, sie ist beinahe gestorben. Hatten Sie es auch? Nein, Sie sind nie krank, richtig?« Er schwatzt sinnlos drauflos, dann sieht er auf. »Erzählen Sie mir, was Sie aus Antwerpen hören? Es heißt, Tyndale sei dort. Es heißt, er lebe sehr eingeschränkt. Er kann sich nicht frei bewegen, wagt es nicht, die Häuser der englischen Kaufleute zu verlassen. Es heißt, er sei im Gefängnis, fast so wie ich.«

Es ist wahr oder teilweise wahr. Tyndale hat im Verborgenen und in Armut mühselig gearbeitet, und jetzt ist seine Welt auf einen kleinen Raum zusammengeschrumpft, während draußen in der Stadt die Gesetze des Kaisers herrschen. Drucker werden gebrandmarkt und geblendet, Brüder und Schwestern werden für ihren Glauben getötet – die Männer werden geköpft, die Frauen lebendig begraben. More hat immer noch ein klebriges Netzwerk in Europa, ein Netzwerk, das aus Geld gemacht ist. Er, Cromwell, ist davon überzeugt, dass Mores Männer Tyndale seit vielen Monaten verfolgen, aber sein ganzer Scharfsinn und dazu der Stephen Vaughans vor Ort haben nicht ausgereicht, um herauszufinden, welche Engländer, die durch diese geschäftige Stadt kommen, Mores Agenten sind. »Tyndale wäre sicherer in London«, sagt More. »Unter Ihrem Schutz, Protektor des Irrtums, der Sie sind. Sie müssen sich nur einmal die Zustände in Deutschland vor Augen führen. Dann werden Sie sehen, wohin die Häresie uns führt. Sie führt uns nach Münster, nicht wahr?«

Sektierer, Wiedertäufer haben die Stadt Münster an sich gerissen. Deine schlimmsten Albträume – wenn du wie gelähmt aufwachst und glaubst, du bist gestorben – sind Glückseligkeit im Vergleich dazu. Die Ratsherren sind aus dem Rat der Stadt vertrieben worden, Diebe und Wahnsinnige haben ihren Platz eingenommen und verkünden, dass die Endzeit angebrochen ist und alle wiedergetauft werden müssen. Einwohner, die das nicht wollten, sind nackt vor die Stadtmauern getrieben worden, um im Schnee zu sterben. Jetzt liegt die Stadt unter Belagerung durch ihren eigenen Fürstbischof, der sie auszuhungern gedenkt. Die Verteidiger, hört man, bestehen im Wesentlichen aus den zurückgelassenen Frauen und Kindern; sie werden von einem Schneider namens Bockelson, der sich selbst zum König des Neuen Jerusalem gekrönt hat, in Angst und Schrecken gehalten. Es gibt Gerüchte, dass Bockelsons Freunde die Polygamie eingeführt haben, wie sie im alten Testament empfohlen wird, und dass einige Frauen sich lieber haben hängen oder ertränken lassen, als sich unter dem Deckmantel von Abrahams Gesetz vergewaltigen zu lassen. Unter dem Vorwand der Gütergemeinschaft betreiben diese Propheten schlichtweg Raub. Es heißt, sie haben die Häuser der Reichen eingenommen, ihre Briefe verbrannt, ihre Bilder zerschlitzt und die Böden mit feinen Stickereien gewischt. Außerdem haben sie die Urkunden vernichtet, die Aufschluss darüber geben, wem was gehört, damit frühere Zeiten nie mehr wiederkehren können.

»Utopia«, sagt er. »Ist es nicht so?«

»Ich höre, sie verbrennen die Bücher aus den Bibliotheken der Stadt. Erasmus wurde in die Flammen geworfen. Welcher Teufel würde den sanften Erasmus verbrennen? Aber zweifellos«, More nickt, »zweifellos wird die Ordnung in Münster wiederhergestellt werden. Ich habe nicht den geringsten Zweifel, dass Philipp, der Landgraf von Hessen und Luthers Freund, dem guten Bischof seine Kanonen und Kanoniere leihen wird und dass der eine Häretiker den anderen niederwirft. Die Brüder werden sich übereinander hermachen, verstehen Sie? Wie tollwütige geifernde Hunde, die sich gegenseitig die Eingeweide herausreißen, wenn sie auf der Straße aufeinandertreffen.«

»Ich sage Ihnen, wie Münster enden wird. Jemand innerhalb der Stadt wird sie übergeben.«

»Glauben Sie? Sie sehen aus, als wollten Sie mir eine Wette anbieten. Aber ich war noch nie ein großer Spieler. Und jetzt hat der König all mein Geld.«

»Ein Mann wie dieser, ein Schneider, kommt einen Monat lang oder zwei ans Ruder …«

»Ein Wollhändler, Sohn eines Schmieds, kommt ein Jahr lang oder zwei ans Ruder …«

Er steht auf, greift nach seinem Umhang: schwarze Wolle, Lammfellfutter. Mores Augen leuchten auf: Ah, sieh an, ich habe dich in die Flucht geschlagen. Jetzt murmelt er, als wäre es eine Einladung zum Abendessen: Müssen Sie schon gehen? Bleiben Sie doch noch ein wenig. Er hebt das Kinn. »Also werde ich Meg nicht wiedersehen?«

Der Ton des Mannes, die Leere, der Verlust: Es geht ihm zu Herzen. Er wendet sich ab, um ruhig und normal antworten zu können. »Sie brauchen nur ein paar Worte zu sagen. Das ist alles.«

»Ah. Nur Worte.«

»Und wenn Sie sie nicht sagen wollen, kann ich sie Ihnen schriftlich vorlegen. Unterschreiben Sie, und der König wird glücklich sein. Ich schicke meine Barke, um Sie nach Chelsea zurückzubringen, sie legt am Landungssteg am Ende Ihres Gartens an – nicht viel zu sehen um diese

Jahreszeit, wie Sie sagen, aber denken Sie mal an das herzliche Willkommen im Inneren des Hauses. Dame Alice erwartet Sie – Alice' Kochkunst, die allein würde Sie schon wiederherstellen; sie steht an Ihrer Seite und sieht zu, wie Sie kauen, und sobald Sie sich den Mund abwischen wollen, nimmt sie Sie in die Arme und küsst Ihnen das Hammelfett vom Mund: Ach, mein lieber Mann, wie ich dich vermisst habe! Sie führt Sie in ihre Schlafkammer, verschließt die Tür, steckt den Schlüssel in ihre Tasche und zieht Ihnen die Kleider aus, bis Sie im Hemd dastehen und nichts als ihre weißen Beinchen rausgucken – Sie müssen zugeben, dass die Frau nur ihre Rechte wahrnimmt. Und dann am nächsten Tag – denken Sie nur – stehen Sie vor Tagesanbruch auf, schlurfen in Ihre vertraute Zelle und peitschen sich, Sie rufen nach Ihrem Brot und Wasser, und um acht haben Sie schon wieder Ihr härenes Hemd an und darüber Ihr altes Gewand aus Wolle, das blutfarbene mit dem Riss … Sie legen die Füße auf einen Hocker, und Ihr einziger Sohn bringt Ihnen Ihre Briefe … Sie brechen das Siegel Ihres geliebten Erasmus … Dann, wenn Sie Ihre Briefe gelesen haben, können Sie nach draußen humpeln – sagen wir mal, es ist ein sonniger Tag – und Ihre Vögel im Käfig angucken und Ihren kleinen eingesperrten Fuchs, und Sie können sagen: Ich war auch ein Gefangener, aber jetzt nicht mehr, weil Cromwell mir gezeigt hat, dass ich frei sein kann … Wollen Sie das nicht? Wollen Sie diesen Ort nicht verlassen?«

»Sie sollten ein Stück schreiben«, sagt More verwundert.

Er lacht. »Vielleicht mache ich das.«

»Es ist besser als Chaucer. Worte. Worte. Nichts als Worte.«

Er dreht sich um. Er starrt More an. Es ist, als hätte das Licht gewechselt. Ein Fenster zu einem merkwürdigen Land hat sich aufgetan, wo der kalte Wind der Kindheit weht. »Dieses Buch … War es ein Wörterbuch?«

More runzelt die Stirn. »Entschuldigung?«

»Ich kam die Treppe in Lambeth hinauf – warten Sie einen Moment … ich rannte die Treppe hinauf und trug Ihr kleines Maß Bier und Ihr Weißbrot, sollten Sie nachts aufwachen und Hunger haben. Es war sieben Uhr abends. Sie lasen, und als Sie aufsahen, hielten Sie Ihre Hände über das Buch«, er formt Flügel mit den Händen, »als wollten Sie es beschützen. Ich fragte Sie: Master More, was ist in diesem großen Buch? Sie sagten: Worte, Worte, nichts als Worte.«

More neigt den Kopf zur Seite. »Wann soll das gewesen sein?«

»Ich glaube, ich war sieben.«

»Ach, Unsinn«, sagt More freundlich. »Ich kannte Sie nicht, als Sie sieben waren. Nun, Sie waren …« Er runzelt die Stirn. »Sie müssen … und ich war …«

»Kurz davor, nach Oxford zu gehen. Sie erinnern sich nicht. Aber warum sollten Sie auch?« Er zuckt mit den Achseln. »Ich glaubte damals, Sie würden mich auslachen.«

»Oh, das habe ich höchstwahrscheinlich auch getan«, sagt More. »Falls ein solches Treffen wirklich stattgefunden hat. Ganz anders heutzutage: Sie kommen hierher und lachen mich aus. Wenn Sie über Alice sprechen. Über meine weißen Beinchen.«

»Ich glaube, es muss ein Wörterbuch gewesen sein. Sind Sie sicher, dass Sie sich nicht daran erinnern? Nun … meine Barke wartet, und ich möchte die Ruderer nicht so lange der Kälte aussetzen.«

»Die Tage sind sehr lang hier drin«, sagt More. »Die Nächte sind noch länger. Ich habe es auf der Brust. Kann schlecht atmen.«

»Dann also zurück nach Chelsea, Dr Butts kommt vorbei: Aber, aber, Thomas More, was haben Sie denn gemacht? Halten Sie sich die Nase zu und trinken Sie diese scheußliche Mixtur …«

»Manchmal denke ich, dass ich den Morgen nicht erlebe.«

Er öffnet die Tür. »Martin?«

Martin ist dreißig, drahtig, sein blondes Haar unter der Kappe ist bereits dünn: ein nettes Gesicht mit einem knittrigen Lächeln. Seine Heimatstadt ist Colchester, sein Vater Schneider, und lesen gelernt hat er mit Wycliffes Evangelium, das sein Vater unter dem Dach im Reet versteckt hatte. Jetzt gibt es ein neues England, ein England, in dem

Martin den alten Text abstauben und seinen Nachbarn zeigen kann. Er hat Brüder, alle sind sie Bibelleute. Seine Frau wartet gerade auf die Geburt ihres dritten Kindes, »ist ins Stroh gekrochen«, wie Martin das ausdrückt.

»Gibt es schon Neuigkeiten?«

»Noch nicht. Aber werden Sie Pate? Thomas, wenn es ein Junge wird, und wenn es ein Mädchen wird, suchen Sie den Namen aus, Sir.«

Ein Handschlag und ein Lächeln. »Grace«, sagt er. Ein Geldgeschenk ist selbstverständlich, der Start ins Leben für das Kind. Er wendet sich noch einmal dem kranken Mann zu, der über seinem Tisch zusammengesackt ist. »Sir Thomas sagt, dass er in der Nacht kurzatmig ist. Bringen Sie ihm Polster, Kissen, was immer Sie finden, stützen Sie ihn ab, damit ihm das Atmen leichter fällt. Ich möchte, dass er jede Gelegenheit erhält, seine Position zu überdenken, dem König seine Loyalität zu zeigen und nach Hause zu gehen. Und jetzt wünsche ich Ihnen beiden einen guten Nachmittag.«

More sieht auf. »Ich möchte einen Brief schreiben.«

»Natürlich. Sie bekommen Tinte und Papier.«

»Ich möchte an Meg schreiben.«

»Dann schicken Sie ihr ein paar menschliche Worte.«

Mores Briefe sind nicht menschlich. Sie mögen an seine Tochter gerichtet sein, aber sie werden geschrieben, damit seine Freunde in Europa sie lesen.

»Cromwell ...?« Mores Stimme ruft ihn zurück. »Wie geht es der Königin?«

More ist immer korrekt, nicht wie jene, die sich versprechen und »Königin Katherine« sagen. Wie geht es Anne?, meint er. Aber was könnte er ihm erzählen? Er ist schon auf dem Weg. Er ist aus der Tür hinaus. Eine blaue Dämmerung hat das Grau in dem schmalen Fenster abgelöst.

Er hatte ihre Stimme aus dem Nebenzimmer gehört: leise, unnachgiebig. Henry schrie empört auf. »Ich war es nicht! *Ich* nicht.«

Im Vorzimmer Thomas Boleyn, Monseigneur, das schmale Gesicht erstarrt. Ein paar Boleyn-Trabanten, die Blicke austauschen: Francis Weston, Francis Bryan. In einer Ecke, bemüht nicht aufzufallen, der Lautenspieler Mark Smeaton: Was hat der hier zu suchen? Nicht direkt eine Familienkonklave: George Boleyn ist in Paris, führt Gespräche. Die Idee ist aufgekommen, dass die kleine Elizabeth einen Sohn Frankreichs heiraten soll; die Boleyns glauben wirklich, dass es geschehen wird.

»Was kann denn passiert sein«, sagt er, »das die Königin so aus der Fassung bringt?« Sein Ton ist erstaunt: als wäre sie die gelassenste aller Frauen.

Weston sagt: »Es ist Lady Carey, sie ist – das soll heißen, sie hat …«

Bryan schnaubt. »Einen Bastard im Bauch.«

»Ach, wussten Sie das nicht?« Der Schock, den das auslöst, ist sehr befriedigend. Er zuckt mit den Achseln. »Ich dachte, es wäre eine Familienangelegenheit.«

Bryans Augenklappe zwinkert ihm zu, heute ein kränkliches Gelb. »Sie scheinen sie ja sorgfältig zu überwachen, Cromwell.«

»Eine Tätigkeit, bei der ich versagt habe«, sagt Boleyn. »Offensichtlich. Sie behauptet, der Vater des Kindes sei William Stafford, und sie hat ihn geheiratet. Sie kennen diesen Stafford, nicht wahr?«

»Oberflächlich. Nun«, sagt er fröhlich, »sollen wir hineingehen? Mark, wir werden dieses Ereignis nicht vertonen, also verschwinde irgendwohin, wo du dich nützlich machen kannst.«

Nur Henry Norris bedient den König: Jane Rochford die Königin. Henrys großes Gesicht ist weiß. »Sie machen mir Vorwürfe für etwas, Madam, das ich getan habe, bevor ich Sie überhaupt kannte.«

Die anderen haben sich hinter ihm in den Raum gedrängt. Henry sagt: »Mylord Wiltshire, haben Sie denn keine Ihrer Töchter unter Kontrolle?«

»Cromwell hier wusste es schon«, verkündet Bryan. Er prustet vor Lachen.

Monseigneur beginnt zu sprechen, holprig – er, Thomas Boleyn, der für seine silberzüngige Finesse berühmt ist. Anne schneidet ihm das Wort ab: »Warum sollte sie ein Kind von Stafford bekommen? Ich glaube nicht, dass es von ihm ist. Warum würde er einer Heirat zustimmen, es sei denn aus Ehrgeiz – nun, das war ein falscher Schachzug, denn er wird nie wieder an den Hof kommen, und sie auch nicht. Und wenn sie auf den Knien angekrochen kommt. Das ist mir gleichgültig. Und wenn sie verhungert.«

Wenn Anne meine Frau wäre, denkt er, würde ich für den Nachmittag ausgehen. Sie sieht verhärmt aus, und sie kann nicht still stehen; man würde sie nicht in die Nähe eines scharfen Messers lassen. »Was ist zu tun?«, flüstert Norris. Jane Rochford steht vor den Wandbehängen, auf denen Nymphen sich um Bäume schlingen; ihr Rocksaum taucht in einen mythischen Fluss, und ihr Schleier streift eine Wolke, aus der eine Göttin lugt. Sie hebt ihr Gesicht, und ihr Blick ist schlicht triumphierend.

Ich könnte den Erzbischof holen lassen, denkt er. Unter seinem Blick würde Anne nicht wüten und stampfen. Jetzt hat sie Norris am Ärmel gepackt; was tut sie? »Meine Schwester hat das nur getan, um mich zu ärgern. Sie denkt, sie kann mit ihrem dicken Bauch bei Hof herumsegeln und mich bemitleiden und auslachen, weil ich mein Kind verloren habe.«

»Wenn wir die Angelegenheit genau betrachten, bin ich sicher, dass …«, beginnt ihr Vater.

»Hinaus!«, ruft sie. »Lassen Sie mich allein und sagen Sie ihr – Mistress Stafford –, dass sie jeden Anspruch auf meine Familie verloren hat. Ich kenne sie nicht. Sie ist keine Boleyn mehr.«

»Wiltshire, gehen Sie«, fügt Henry in dem Ton hinzu, in dem man einem Schuljungen das Auspeitschen verspricht, »wir sprechen uns später.«

Er sagt zum König, voller Unschuld: »Majestät, erledigen wir heute keine Geschäfte?« Henry lacht.

Lady Rochford rennt neben ihm her. Er verlangsamt seinen Schritt nicht, sodass sie ihre Röcke anheben muss. »Haben Sie es wirklich gewusst, Master Secretary? Oder haben Sie es nur gesagt, um ihre Gesichter zu sehen?«

»Sie sind zu gut für mich. Sie durchschauen alle meine Tricks.«

»Zum Glück durchschaue ich Lady Careys.«

»Sie waren es, die ihr Geheimnis entdeckt hat?« Wer sonst?, denkt er. Jetzt, da ihr Ehemann George fort ist, hat sie niemanden mehr zum Ausspionieren.

Marys Bett ist mit Seide übersät – Flamme, Orange, Nelke –, als wäre ein Feuer in der Matratze ausgebrochen. Auf Hockern und einem Fenstersitz liegen Batisthemden, verknotete Bänder und einzelne Handschuhe verstreut. Sind das dieselben grünen Strümpfe, die sie einmal bis zum Knie enthüllt hat, als sie ihm entgegenrannte, an dem Tag, als sie ihm den Heiratsantrag machte?

Er steht im Türrahmen. »William Stafford, was?«

Sie richtet sich auf, die Wangen gerötet, einen Slipper aus Samt in der Hand. Jetzt, da das Geheimnis gelüftet ist, hat sie ihr Mieder gelockert. Ihr Blick gleitet an ihm vorbei. »Sei ein gutes Mädchen, Jane, bring mir das da.«

»Entschuldigung, Master.« Es ist Jane Seymour, die mit einem Stapel gefalteter Wäsche im Arm auf Zehenspitzen an ihm vorbeihuscht. Hinter ihr kommt ein Junge, der eine gelbe Ledertruhe über den Boden schleift. »Einfach hierhin, Mark.«

»Sehen Sie her, Master Secretary«, sagt Smeaton. »Ich mache mich nützlich.«

Jane kniet vor der Truhe und öffnet sie. »Soll sie mit Kambrik ausgelegt werden?«

»Zu viel Aufwand. Wo ist mein anderer Schuh?«

»Besser, du verschwindest«, warnt Lady Rochford. »Wenn Onkel Norfolk dich sieht, kommt er mit dem Stock. Deine königliche Schwester denkt, der König hat dein Kind gezeugt. Sie sagt: Wieso sollte es von William Stafford sein?«

Mary schnaubt. »Sie ist ja so schlau. Was weiß Anne schon davon, einen Mann um seiner selbst willen zu nehmen? Du kannst ihr sagen, dass er mich liebt. Du kannst ihr sagen, dass er mich mag, und das tut sonst keiner. Kein anderer auf der Welt.«

Er beugt sich hinunter und flüstert: »Mistress Seymour, ich hätte nicht gedacht, dass Sie eine Freundin von Lady Carey sind.«

»Niemand sonst will ihr helfen.« Sie hält den Kopf gesenkt; ihr Nacken läuft rosa an.

»Diese Bettvorhänge gehören mir«, sagt Mary. »Nimm sie ab.« Sie sind mit dem Wappen ihres Mannes Will Carey bestickt, wie er feststellt, der wie lange tot ist? Sieben Jahre? »Ich kann die Abzeichen abtrennen.« Natürlich: Welchen Sinn haben ein toter Mann und sein Wappen? »Wo ist meine vergoldete Schüssel, Rochford, hast du sie?« Sie gibt der gelben Truhe einen Fußtritt; überall ist Annes Bilddevise mit dem Falken eingeprägt. »Wenn sie mich damit sehen, nehmen sie sie mir weg und werfen meine Sachen auf die Straße.«

»Wenn Sie eine Stunde warten können«, sagt er, »schicke ich jemanden mit einer Truhe für Sie.«

»Wird überall Thomas Cromwell draufstehen? Gott helfe mir, aber ich habe keine Stunde. Ich weiß etwas!« Sie beginnt, die Laken vom Bett zu ziehen. »Wir machen Bündel!«

»Wie peinlich«, sagt Jane Rochford. »Wie ein Dienstmädchen wegrennen, das das Silber gestohlen hat? Und außerdem wirst du diese Dinge in Kent gar nicht benötigen. Stafford hat einen Bauernhof oder so etwas, richtig? Irgendein kleines Landhaus? Aber du kannst sie natürlich verkaufen. Das wirst du müssen, nehme ich an.«

»Mein süßer Bruder wird mir helfen, wenn er aus Frankreich zurückkehrt. Er wird nicht dulden, dass man mich ausschaltet.«

»Da bin ich anderer Ansicht. Lord Rochford wird vernünftig sein, genau wie ich, und wissen, dass du deiner ganzen Familie Schande gemacht hast.«

Mary geht auf sie los, schwingt den Arm wie eine Katze, die ihre Krallen zeigt. »Das ist besser als dein Hochzeitstag, Rochford, stimmt's? Es ist wie ein ganzes Haus voller Geschenke. Du kannst nicht lieben, du weißt nicht, was Liebe ist, du kannst nur die beneiden, die es wissen, und dich an ihrem Kummer erfreuen. Du bist eine jämmerliche, unglückliche Frau, die von ihrem Mann verabscheut wird, und ich bemitleide dich, und ich bemitleide meine Schwester Anne, ich würde nicht mit ihr tauschen, mir ist es lieber, im Bett eines ehrlichen armen Mannes zu liegen, der nur mich liebt, als eine Königin zu sein, die ihren Mann nur mit billigen Hurentricks halten kann – ja, ich weiß, dass es so ist, er hat Norris erzählt, was sie ihm zu bieten hat, und es führt nicht dazu, dass man ein Kind bekommt, das kann ich dir sagen. Und jetzt fürchtet sie sich vor jeder Frau bei Hofe – hast du sie angesehen, hast du sie in letzter Zeit mal angesehen? Sieben Jahre lang hat sie darauf hingearbeitet, Königin zu werden, aber Gott möge uns davor bewahren, dass unsere Gebete erhört werden. Sie hat geglaubt, jeder Tag würde wie ihre Krönung sein.« Mary greift atemlos in das Durcheinander ihrer Besitztümer und wirft Jane Seymour ein paar Ärmel zu. »Nimm die, Schatz, mit meinem Segen. Du hast das einzige freundliche Herz bei Hofe.«

Jane Rochford knallt beim Hinausgehen die Tür zu.

»Lass sie gehen«, murmelt Jane Seymour. »Vergiss sie.«

»Gott sei Dank, die sind wir los!«, schnappt Mary. »Ich muss noch froh sein, dass sie meine Sachen nicht mit spitzen Fingern durchgesehen und mir ein Angebot gemacht hat.« In der Stille fliegt der Nachhall ihrer Worte durch den Raum, flatternd und taumelnd wie verirrte Vögel, die in Panik an die Wände scheißen: Er hat Norris erzählt, was sie ihm zu bieten hat. In der Nacht, ihre raffinierten Praktiken. Er formuliert es um: Wie es sicherlich notwendig ist? Ich wette, Norris ist ganz Ohr. Beim leibhaftigen Christus, diese Leute! Der Junge Mark steht hinter der Tür und glotzt. »Mark, wenn du wie ein gestrandeter Fisch dastehst, werde ich dich filetieren und braten lassen.« Der Junge flieht.

Als Mistress Seymour die Bündel zusammengebunden hat, sehen sie wie Vögel mit gebrochenen Flügeln aus. Er übernimmt die Aufgabe und bindet sie neu, nicht mit Seidenbändern, sondern mit praktischer Schnur. »Haben Sie immer Schnur dabei, Master Secretary?«

Mary sagt: »Oh, mein Buch mit Liebesgedichten! Shelton hat es.« Sie stürzt aus dem Raum.

»Sie wird es brauchen«, sagt er. »Keine Gedichte in Kent.«

»Lady Rochford würde ihr sagen, dass Sonette einen nicht warmhalten. Nicht«, sagt Jane, »dass ich je ein Sonett bekommen hätte. Deshalb weiß ich es nicht so genau.«

Liz, denkt er, nimm deine tote Hand von mir. Missgönnst du mir dieses eine Mädchen, so klein, so dünn, so unscheinbar? Er dreht sich um. »Jane ...«

»Master Secretary?« Sie beugt die Knie und schiebt sich seitwärts auf die Matratze; sie setzt sich auf, zerrt ihre Röcke unter sich hervor, findet Halt: greift nach dem Bettpfosten, klettert hoch, streckt die Arme über den Kopf und beginnt, die Vorhänge abzuhaken.

»Kommen Sie runter! Ich mache das. Ich werde Mistress Stafford einen Wagen hinterherschicken. Sie kann nicht ihren ganzen Besitz tragen.«

»Ich kann das machen. Der Erste Sekretär kümmert sich nicht um Bettvorhänge.«

»Der Erste Sekretär kümmert sich um alles. Es überrascht mich, dass ich nicht die Hemden des Königs mache.«

Jane schaukelt sanft über ihm. Ihre Füße versinken in den Federn. »Die macht Königin Katherine. Immer noch.«

»Prinzessinnenwitwe Katherine. Kommen Sie runter.«

Sie springt nach unten auf die Binsen und schüttelt ihre Röcke aus. »Selbst jetzt noch, nach allem, was vorgefallen ist. Sie hat erst letzte Woche ein neues Paket geschickt.«

»Ich dachte, der König hätte es ihr verboten.«

»Anne sagt, man sollte sie zerreißen und zum … na ja, Sie wissen wozu benutzen, in einem Lokus. Er war wütend. Wahrscheinlich weil er das Wort ›Lokus‹ nicht mag.«

»Nein, das mag er nicht.« Der König missbilligt derbe Sprache, und nicht wenige Höflinge sind verbannt worden, weil sie schmutzige Geschichten erzählt haben. »Ist es wahr, was Mary sagt? Dass die Königin Angst hat?«

»Im Augenblick schmachtet er Mistress Shelton an. Das wissen Sie ja. Sie haben es beobachtet.«

»Aber das ist doch sicher ganz harmlos? Ein König ist zur Galanterie verpflichtet, bis er das Alter erreicht, in dem er sein langes Gewand anzieht und mit seinen Kaplänen beim Feuer sitzt.«

»Erklären Sie das mal Anne, sie versteht es nicht. Sie wollte Shelton wegschicken. Aber ihr Vater und ihr Bruder haben es nicht zugelassen. Denn die Sheltons sind ihre Vettern, und wenn Henry sich schon anderswo umsieht, wollen sie, dass es in der Familie bleibt. Inzest ist heutzutage so beliebt! Onkel Norfolk hat gesagt – ich meine natürlich, Seine Gnaden …«

»Das ist in Ordnung«, sagt er und ist mit seinen Gedanken woanders. »Ich nenne ihn auch so.«

Jane legt eine Hand über den Mund. Es ist eine Kinderhand mit winzigen, glänzenden Fingernägeln. »Daran werde ich denken, wenn ich auf dem Land bin und sonst nichts zur Unterhaltung habe. Und sagt er dann: lieber Neffe Cromwell?«

»Sie verlassen den Hof?« Zweifellos hat sie einen Ehemann in Aussicht: irgendwo auf dem Land.

»Ich hoffe, dass ich vielleicht entlassen werde, wenn ich eine weitere Saison gedient habe.«

Mary kommt in den Raum gefegt, knurrend. Sie jongliert zwei bestickte Kissen über der Wölbung ihres Kindes, einer Wölbung, die jetzt deutlich sichtbar ist; in der freien Hand trägt sie ihre vergoldete Schüssel, in der ihr Gedichtband liegt. Sie wirft die Kissen ab, öffnet die Faust und lässt eine Handvoll Silberknöpfe fallen, die wie Würfel in die Schüssel scheppern. »Die hatte Shelton. Sie ist eine verfluchte Elster.«

»Es ist nicht so, als würde mich die Königin mögen«, sagt Jane. »Und es ist lange her, dass ich Wolf Hall gesehen habe.«

Als Neujahrsgeschenk für den König hat er bei Hans eine Miniatur auf Pergament in Auftrag gegeben, die Salomon auf seinem Thron beim Empfang der Königin von Saba zeigt. Es soll eine Allegorie des Königs werden, erklärt er, wie er die Früchte der Kirche und die Huldigung seines Volkes entgegennimmt.

Hans bedenkt ihn mit einem vernichtenden Blick. »Ich verstehe, worum es geht.« Hans bereitet Skizzen vor. Salomon sitzt majestätisch da. Saba steht vor ihm, das unsichtbare Gesicht erhoben, den Rücken dem Betrachter zugewandt. »Können Sie ihr Gesicht vor Ihrem inneren Auge sehen«, fragt er, »obwohl es verborgen ist?«

»Sie zahlen für den Hinterkopf, und den kriegen Sie!« Hans reibt sich die Stirn. Er gibt nach. »Stimmt nicht. Ich kann sie sehen.«

»Wie eine Frau, der Sie auf der Straße begegnen?«

»Nicht ganz. Mehr wie jemand, an den man sich erinnert. Wie eine Frau, die man als Kind kannte.«

Sie sitzen vor dem Wandbehang, den der König ihm geschenkt hat. Die Augen des Malers richten sich darauf. »Diese Frau an der Wand. Wolsey hatte sie, Henry hatte sie, jetzt Sie.«

»Ich versichere Ihnen, sie hat kein Gegenstück im wirklichen Leben.« Nun, es sei denn, Westminster hat eine sehr diskrete und vielseitige Hure.

»Ich weiß, wer sie ist.« Hans nickt nachdrücklich, er presst die Lippen zusammen, seine Augen blitzen herausfordernd, er wirkt wie ein Hund, der ein Taschentuch stiehlt, damit man ihm hinterherjagt. »In Antwerpen wird darüber geredet. Warum fahren Sie nicht rüber und holen sie?«

»Sie ist verheiratet.« Er ist schockiert, als ihm klar wird, dass über seine Privatangelegenheiten geredet wird.

»Sie glauben, dass sie nicht mit Ihnen kommen würde?«

»Es ist Jahre her. Ich habe mich verändert.«

»Ja. Jetzt sind Sie reich.«

»Aber was würde über mich gesagt werden, wenn ich eine Frau von ihrem Mann fortlocken würde?«

Hans zuckt mit den Achseln. Sie sind so geradeheraus, die Deutschen. More sagt, die Lutheraner treiben Unzucht in der Kirche. »Außerdem«, sagt Hans, »ist da noch die Sache mit …«

»Die was?«

Hans zuckt mit den Achseln: ach, nichts. »Nichts! Werden Sie mich an den Händen aufhängen, bis ich gestehe?«

»So etwas tue ich nicht. Ich drohe es nur an.«

»Ich meinte nur«, sagt Hans besänftigend, »da ist die Sache mit den anderen Frauen, die sich mit Ihnen verheiraten wollen. Die Ehefrauen von England haben alle geheime Bücher, in denen die Männer stehen, die sie bekommen wollen, wenn sie erst ihre Ehemänner vergiftet haben. Und Sie sind bei allen ganz oben auf der Liste.«

In freien Momenten – davon gibt es in der Woche zwei oder drei – hat er die Aufzeichnungen im Urkundenhaus durchgesehen. Obgleich den Juden das Königreich verboten ist, weiß man nie, welch menschliches Treibgut von der Flut des Schicksals angespült wird, und nur einmal, einen einzigen Monat in den letzten dreihundert Jahren, war das Haus leer. Er lässt seinen Blick über die Berichte der verschiedenen Leiter des Hauses gleiten und nimmt neugierig die Quittungen in die Hand, auf denen die toten Bewohner in hebräischer Schrift den Erhalt von Leistungen bestätigt haben. Einige von ihnen verbrachten fünfzig Jahre innerhalb dieser Mauern, schreckten vor den Londonern da draußen zurück. Wenn er durch die krummen Gänge wandert, spürt er ihre Schritte unter seinen.

Er sucht die beiden auf, die noch da sind. Es sind stille und wachsame Frauen unbestimmten Alters, und ihre Namen sind Katherine Wheteley und Mary Cook.

»Was machen Sie?« Mit Ihrer Zeit, meint er.

»Wir verrichten unsere Gebete.«

Sie mustern ihn, um seine Absichten herauszufinden. Gut oder böse? Ihre Gesichter sagen: Wir sind zwei Frauen, denen nichts geblieben ist als ihre Lebensgeschichte. Warum sollten wir uns davon trennen und sie Ihnen geben?

Er schickt ihnen Geflügel als Geschenk, aber er fragt sich, ob sie Fleisch aus nichtjüdischen Händen essen. Kurz vor Weihnachten schickt ihm der Prior der Christchurch in Canterbury zwölf kentische Äpfel, jeder einzeln verpackt in graues Leinen; es ist eine spezielle Sorte, die gut zu Wein passt. Er bringt den Konvertitinnen diese Äpfel und auch Wein, den er ausgesucht hat. »Im Jahr 1353«, sagt er, »lebte nur eine Person in diesem Haus. Sie tut mir leid, wenn ich daran denke, dass sie keine Gesellschaft hatte. Ihr letzter Wohnsitz war die Stadt Exeter, aber ich frage mich, wo sie davor gelebt hat? Ihr Name war Claricia.«

»Wir wissen nichts von ihr«, sagt Katherine oder vielleicht Mary. »Es wäre auch überraschend.« Mit der Fingerspitze erkundet sie die Äpfel. Möglicherweise weiß sie nicht, wie selten sie sind oder dass sie das beste Geschenk sind, das der Prior finden konnte. Wenn Sie sie nicht mögen, sagt er, oder wenn Sie es tun, ich habe Kochbirnen. Jemand hat mir fünfhundert geschickt.

»Ein Mann, der auf sich aufmerksam machen will«, sagt Katherine oder Mary, und die andere sagt: »Fünfhundert Pfund wären besser gewesen.«

Die Frauen lachen, aber ihr Lachen ist kalt. Er erkennt, dass er sich nie gut mit ihnen verstehen wird. Er mag den Namen Claricia und wünscht, er hätte ihn für die Tochter des Aufsehers im Tower vorgeschlagen. Es ist ein Name für eine Frau, von der man träumen könnte: eine, die man sofort durchschauen würde.

Als das Neujahrsgeschenk für den König fertig ist, sagt Hans: »Es ist das erste Mal, dass ich sein Porträt gemalt habe.«

»Sie werden bald noch eines malen, hoffe ich.«

Hans weiß, dass er eine englische Bibel hat, eine Übersetzung, die fast fertig ist. Aber er legt einen Finger an die Lippen; es ist zu früh, darüber zu reden, vielleicht nächstes Jahr. »Wenn Sie sie Henry widmen würden«, sagt Hans, »könnte er sie jetzt noch ablehnen? Ich setze ihn auf die Titelseite, in aller Herrlichkeit, Oberhaupt der Kirche.« Hans läuft hin und her, brummt ein paar Zahlen. Er denkt an das Papier und an die Druckkosten und schätzt seinen Gewinn ab. Lucas Cranach zeichnet Titelseiten für Luther. »Diese Bilder von Martin und seiner Frau, er hat körbeweise Drucke verkauft. Und bei Cranach sehen alle wie Schweinchen aus.«

Das stimmt. Selbst diese silbrigen Akte, die er malt, haben süße Schweinchengesichter und Arbeiterfüße und knorpelige Ohren. »Aber wenn ich Henry male, muss ich ihm schmeicheln, vermute ich. Ihn zeigen, wie er vor fünf Jahren war. Oder zehn.«

»Bleiben Sie bei fünf. Sonst denkt er, Sie verspotten ihn.«

Hans zieht einen Finger über den Hals, knickt in den Knien ein und lässt die Zunge heraushängen wie ein Erhängter; anscheinend stellt er sich jede Methode der Hinrichtung vor.

»Eine entspannte Majestät wäre angemessen«, sagt er.

Hans strahlt. »Das kriege ich am laufenden Meter hin.«

Das Ende des Jahres bringt Kälte und ein grünes wässriges Licht, das sich über die Themse und die Stadt legt. Briefe fallen leise raschelnd wie große Schneeflocken auf seinen Schreibtisch: Doktoren der Theologie aus Deutschland, Botschafter aus Frankreich, Mary Boleyn aus ihrem Exil in Kent.

Er bricht das Siegel. »Hör dir das an«, sagt er zu Richard. »Mary braucht Geld. Sie sagt, sie weiß, dass sie nicht so übereilt hätte handeln sollen. Sie sagt, die Liebe habe über die Vernunft gesiegt.«

»Liebe, das war es?«

Er liest. Sie bedauert keinen Augenblick, dass sie William Stafford genommen hat. Sie hätte, sagt sie, andere Ehemänner haben können, mit Titeln und Reichtümern. Aber *»wenn ich frei wäre und wählen könnte,* *ich versichere Ihnen, Master Secretary, dass ich so viel Ehrlichkeit in ihm gefunden habe, dass ich lieber mit ihm um mein Brot betteln würde als die größte Königin der Christenheit zu sein.«*

Sie wagt es nicht, ihrer Schwester, der Königin, zu schreiben. Oder ihrem Vater oder ihrem Onkel oder ihrem Bruder. Sie sind alle so grausam. Deshalb schreibt sie an ihn ... Er fragt sich, ob sich Stafford wohl über ihre Schulter gebeugt hat, als sie schrieb. Hat sie gekichert und gesagt: Thomas Cromwell, ich habe einmal Hoffnungen bei *ihm* geweckt.

Richard sagt: »Ich erinnere mich kaum daran, dass Mary und ich heiraten sollten.«

»Das war zu einer anderen Zeit.« Und Richard ist glücklich; sieh mal, wie die Dinge sich entwickelt haben: Wir florieren ohne die Boleyns. Allerdings wurde die Christenheit für die Boleyn-Heirat auf den Kopf gestellt, damit das rosa Schweinchen in die Wiege gelegt werden konnte; was ist, wenn es stimmt, wenn Heny übersättigt ist, wenn das ganze Unternehmen unter einem Fluch steht? »Lass Wiltshire kommen.«

»Hierher zu den Urkunden?«

»Er kommt, wenn man nach ihm pfeift.«

Er wird ihn demütigen – auf seine joviale Weise – und dazu bringen, Mary eine jährliche Summe zu zahlen. Das Mädchen hat für ihn gearbeitet, auf dem Rücken, und jetzt muss er für ihre Rente aufkommen. Richard wird im Schatten sitzen und Notizen machen. Das wird Boleyn an die alten Tage erinnern: die alten Tage, die ungefähr sechs, sieben Jahre her sind. Letzte Woche hat Chapuys zu ihm gesagt: In diesem Königreich sind Sie jetzt alles, was der Kardinal war, und mehr.

Es ist Heiligabend, als Alice More kommt, um mit ihm zu sprechen. Das Licht ist dünn und scharf wie die Schneide eines alten Messers, und in diesem Licht sieht Alice alt aus.

Er begrüßt sie wie eine Prinzessin und führt sie in eines der Zimmer, die neu vertäfelt und bemalt wurden, wo ein großes Feuer in einem umgebauten Kamin lodert. Die Luft riecht nach Kiefernzweigen.

»Sie feiern das Fest hier?« Alice hat sich Mühe für ihn gegeben, hat das Haar straff unter eine mit Saatperlen besetzte Haube zurückgesteckt. »Nun! Früher war das hier ein modriges Loch. Aber mein Mann pflegte zu sagen«, und er bemerkt, dass sie die Vergangenheit benutzt, »mein Mann pflegte zu sagen: Sperren Sie Cromwell am Morgen in ein tiefes Verlies und am Abend sitzt er auf einem Plüschkissen, verspeist Lerchenzungen, und alle Aufseher schulden ihm Geld.«

»Hat er viel darüber gesprochen, mich in Verliese einsperren zu wollen?«

»Es war nur Gerede.« Sie ist unsicher. »Ich dachte, Sie könnten mich vielleicht zum König bringen. Ich weiß, dass er immer höflich zu Frauen ist. Und freundlich.«

Er schüttelt den Kopf. Wenn er Alice zum König bringt, wird sie darüber reden, wie Henry früher nach Chelsea gekommen und im Garten spazieren gegangen ist. Sie wird ihn aufregen: seine Gedanken aufwühlen und ihn an Thomas More denken lassen, was er gegenwärtig nicht tut. »Er ist sehr beschäftigt mit den französischen Gesandten. Er will in dieser Saison einen großen Hof halten. Sie werden mir und meinem Urteilsvermögen schon trauen müssen.«

»Sie sind gut zu uns gewesen«, sagt sie widerwillig. »Ich frage mich, warum. Denn Sie kennen immer einen Trick.«

»Der geborene Trickser«, sagt er. »Kann nichts dafür. Alice, warum ist Ihr Mann so störrisch?«

»Ich verstehe ihn ebenso wenig wie die heilige Dreifaltigkeit.«

»Was sollen wir tun?«

»Ich denke, er würde dem König seine Gründe nennen. Nur für sein Ohr bestimmt. Wenn der König ihm vorher zusichert, dass er ihm alle Strafen erlässt.«

»Sie meinen, wir sollen ihm eine Genehmigung zum Hochverrat erteilen? Das kann der König nicht machen.«

»Bei der heiligen Agnes! Ausgerechnet Thomas Cromwell sagt dem König, was er nicht machen kann! Ich weiß, dass der Hahn auf dem

Hof herumstolziert, Master, bis eines Tages ein Mädchen kommt und ihm den Hals umdreht.«

»Es ist das Gesetz des Landes. Die Sitte des Landes.«

»Ich dachte, Henry stünde über dem Gesetz.«

»Wir leben nicht in Konstantinopel, Dame Alice. Obwohl ich nichts gegen die Türken sage. Zurzeit feuern wir die Ungläubigen sogar an. Solange sie dem Kaiser die Hände binden.«

»Ich habe nicht mehr viel Geld«, sagt sie. »Jede Woche muss ich fünfzehn Shilling für seinen Unterhalt aufbringen. Ich mache mir Sorgen, dass er friert.« Sie schnieft. »Er könnte mir das natürlich selber sagen. Aber er schreibt mir nicht. Immer nur ihr, ihr, seinem Liebling Meg. Sie ist nicht *mein* Kind. Ich wünschte, seine erste Frau wäre da und könnte mir erzählen, ob sie schon so geboren wurde, wie sie jetzt ist. Sie ist verschlossen, wissen Sie. Sie behält ihre Meinung für sich, und seine auch. Jetzt, wo er ihr seine Hemden gegeben hat, damit das Blut rausgewaschen wird, erzählt sie mir, dass er ein härenes Hemd unter der Wäsche trägt. Das hat er schon getan, als wir heirateten, und ich habe ihn angefleht, es zu lassen, und glaubte, er hätte es getan. Aber wie sollte ich es wissen? Er hat alleine geschlafen und den Riegel vor seine Tür geschoben. Wenn er eine juckende Wunde hatte, wusste ich das nicht, notgedrungen musste er sich selbst kratzen. Nun, wie auch immer, die beiden haben das unter sich abgemacht, und ich hatte keinen Anteil daran.«

»Alice …«

»Glauben Sie nicht, dass ich keine Zärtlichkeit für ihn empfinde. Er hat mich nicht geheiratet, um wie ein Eunuch zu leben. Wir hatten Umgang, zu der einen oder anderen Zeit.« Sie errötet, aber mehr aus Ärger als aus Scham. »Und wenn das so ist, kann man gar nicht anders, als sich zu sorgen, ob ein Mann vielleicht friert, ob er Hunger hat; man ist ja ein Fleisch. Man fühlt für ihn wie für ein Kind.«

»Holen Sie ihn da raus, Alice, wenn es in Ihrer Macht steht.«

»Mehr in Ihrer als in meiner.« Sie lächelt traurig. »Kommt der junge Mann zum Fest nach Hause? Gregory? Ich habe manchmal zu meinem

Mann gesagt, ich wünschte, Gregory Cromwell wäre mein Junge. Er ist so zuckersüß, dass ich ihn fressen möchte.«

Gregory kommt zu Weihnachten nach Hause, mit einem Brief von Rowland Lee, in dem steht, dass er ein Schatz sei und jederzeit in seinen Haushalt zurückkehren könne. »Muss ich denn zurück«, sagt Gregory, »oder ist meine Ausbildung jetzt beendet?«

»Für das neue Jahr plane ich, dein Französisch zu verbessern.«

»Rafe sagt, ich werde wie ein Prinz aufgezogen.«

»Für den Augenblick bist du alles, an dem ich üben kann.«

»Mein süßer Vater ...« Gregory hebt seine kleine Hündin auf. Er umarmt sie und streichelt das Fell in ihrem Nacken. Er wartet. »Rafe und Richard sagen, wenn meine Erziehung abgeschlossen ist, willst du mich mit einer alten Witwe mit einem großen Vermögen und schwarzen Zähnen verheiraten. Sie sagen, dass sie mich mit ihrer Lüsternheit auslaugen und mit ihren Launen unterdrücken wird, und dann wird sie ihren Kindern das Vermögen nicht vermachen, und sie werden mich hassen und Mordpläne aushecken, und eines Morgens liege ich tot im Bett.«

Die Spanielhündin dreht sich in den Armen seines Sohnes um und richtet ihre sanften, runden, verwunderten Augen auf ihn. »Sie machen sich einen Spaß mit dir, Gregory. Sollte ich eine solche Frau kennen, würde ich sie selbst heiraten.«

Gregory nickt. »Sie würde dich nie unterdrücken. Und ich vermute stark, sie hätte einen schönen Wildpark, in dem man angenehm jagen könnte. Und die Kinder würden dich fürchten, selbst wenn es erwachsene Männer sind.« Er scheint halb getröstet zu sein. »Was ist das für eine Karte? Sind das die Westindischen Inseln?«

»Das ist die schottische Grenze«, sagt er sanft. »Harry Percys Land. Schau, ich zeig es dir. Das hier sind große Teile seines Grundvermögens, die er an seine Gläubiger gegeben hat. Wir können nicht erlauben, dass es so weitergeht, denn wir dürfen unsere Grenzen nicht dem Zufall überlassen.«

»Die Leute sagen, er ist krank.«

»Krank oder verrückt.« Sein Ton ist ungerührt. »Er hat keinen Erben, und er und seine Frau kommen nie zusammen, sodass er wahrscheinlich auch keinen mehr bekommen wird. Er hat sich mit seinen Brüdern zerstritten, und er schuldet dem König eine Menge Geld. Es wäre doch sinnvoll, den König zu seinem Erben zu machen, oder nicht? Er wird das schon noch einsehen.«

Gregory sieht bekümmert aus. »Er soll seinen Grafenstand verlieren?«

»Er kann seinen Lebensstil behalten. Wir geben ihm etwas zum Leben.«

»Ist es wegen des Kardinals?«

Harry Percy kam nach Süden geritten und hielt Wolsey in Cawood auf. Als er hereinkam, hielt er die Schlüssel in der Hand und war mit Schlamm von der Straße bespritzt: Mylord, ich verhafte Sie wegen Hochverrats. Sehen Sie in mein Gesicht, sagte der Kardinal, ich habe vor keinem lebenden Menschen Angst.

Er zuckt mit den Achseln. »Gregory, geh spielen. Nimm Bella mit und übe dein Französisch mit ihr, sie ist mir nämlich von Lady Lisle in Calais geschickt worden. Ich brauche nicht lange. Ich muss nur die Rechnungen des Königreichs begleichen.«

Nach Irland mit der nächsten Lieferung Messingkanonen und Eisengeschosse, Ladestöcke und Kartuschen, Schwarzpulver und vier Zentner Schwefel, fünfhundert Eibenbogen und zwei Tonnen Bogensehnen, jeweils zweihundert Spaten, Schaufeln, Brecheisen, Spitzhacken, Pferdehäute, einhundert Fälläxte, eintausend Hufeisen, achttausend Nägel. Der Goldschmied Cornelys ist nicht für die Wiege bezahlt worden, die er für das letzte Kind des Königs gemacht hat, für jenes, das nie das Licht der Welt erblickt hat; er stellt auch zwanzig Shilling in Rechnung, die er Hans vorgestreckt hat, damit dieser Adam und Eva auf die Wiege malt; und auch die Beträge für den weißen Satin stehen noch aus, für die Goldquasten und -fransen und für das Silber, aus dem die Äpfel im Garten Eden geformt wurden.

Er verhandelt mit Leuten in Florenz über das Anheuern von hundert Arkebusieren für den irischen Feldzug. Sie legen die Arbeit nicht nieder, wie es die Engländer tun, wenn sie in den Wäldern oder auf felsigem Gelände kämpfen müssen.

Der König sagt: Ein glückliches neues Jahr für Sie, Cromwell. Und weitere, die noch kommen werden. Er denkt, Glück hat nichts damit zu tun. Von all seinen Geschenken freut sich Henry am meisten über die Königin von Saba und das Horn eines Einhorns und eine Vorrichtung zum Orangenpressen mit einem großen goldenen »H« darauf.

Zu Beginn des neuen Jahres verleiht ihm der König einen Titel, den niemand vor ihm gehabt hat: *Vicegerent in Spirituals,* Generalvikar oder Stellvertreter des Königs in Kirchensachen. Gerüchte, dass die geistlichen Häuser abgeschafft werden sollen, haben seit drei Jahren oder länger die Runde durchs Königreich gemacht. Nun hat er die Vollmacht, Klöster zu besuchen, zu inspizieren und zu reformieren – zu schließen, wenn notwendig. Es gibt kaum eine Abtei, deren Angelegenheiten er nicht kennt, aufgrund seiner Ausbildung durch den Kardinal und der Briefe, die Tag für Tag kommen – einige Mönche beklagen sich über Misshandlungen und Skandale und die Illoyalität ihrer Oberen, andere ersuchen um Ämter in ihrer Gemeinschaft und versichern ihm, dass sie für ein Wort an der richtigen Stelle für immer in seiner Schuld stehen werden.

Er sagt zu Chapuys: »Waren Sie jemals in der Kathedrale in Chartres? Sie laufen über das Labyrinth, das in den Boden eingelassen ist, und es scheint keinen Sinn zu ergeben. Aber wenn Sie ihm sorgfältig folgen, führt es Sie genau in den Mittelpunkt. Direkt dahin, wo Sie sein sollten.«

Offiziell reden er und der Botschafter kaum noch miteinander. Inoffiziell schickt ihm Chapuys ein Fass mit gutem Olivenöl. Er revanchiert sich mit Kapaunen. Der Botschafter trifft persönlich ein, gefolgt von einem Diener, der einen Parmesankäse trägt.

Chapuys wirkt traurig und kühl. »Ihre arme Königin verbringt die Saison kärglich in Kimbolton. Sie hat so viel Angst vor den ketzerischen Ratgebern ihres Mannes, dass sie all ihr Essen auf dem Feuer in ihrem eigenen Zimmer zubereiten lässt. Und Kimbolton ist eher ein Stall als ein Haus.«

»Unsinn«, sagt er energisch. Er gibt dem Botschafter ein wärmendes Glas Glühwein. »Wir haben sie nur von Buckden wegziehen lassen, weil sie sich beklagte, dort wäre es feucht. Kimbolton ist ein sehr gutes Haus.«

»Ah, das sagen Sie, weil es dicke Mauern und einen breiten Wassergraben hat.« Der Duft nach Honig und Zimt wird in den Raum getragen, Scheite knistern im Feuer, die grünen Zweige, die seine Halle schmücken, verströmen ihren eigenen harzigen Geruch. »Und Prinzessin Mary ist krank.«

»Ach, Lady Mary ist immer krank.«

»Umso wichtiger, sich um sie zu kümmern!« Aber Chapuys mildert seinen Ton. »Wenn ihre Mutter sie sehen könnte, würde das beiden so gut tun.«

»Es würde vor allem ihren Fluchtplänen gut tun.«

»Sie sind ein herzloser Mann.« Chapuys trinkt von seinem Wein. »Sie wissen, dass der Kaiser bereit ist, Ihr Freund zu bleiben.« Eine bedeutungsschwere Pause, in die hinein der Botschafter seufzt. »Es gibt Gerüchte, dass La Ana verzweifelt ist. Dass Henrys Blick auf eine andere Dame gefallen ist.«

Er atmet durch und beginnt zu reden. Henry hat keine Zeit für andere Frauen. Er ist zu beschäftigt damit, sein Geld zu zählen. Er wird immer verschlossener, er will nicht, dass das Parlament sein Einkommen kennt. Ich habe Schwierigkeiten, ihn dazu zu bringen, etwas für die Universitäten herauszurücken oder für seine Bauleute und sogar für die Armen. Er denkt nur an Geschütze. Munition. Schiffsbau. Leuchtfeuer. Festungen.

Chapuys zieht die Mundwinkel nach unten. Er weiß, wann man ihn mit einer Geschichte füttert; wenn er es nicht wüsste, wäre es ja auch kein Vergnügen, oder? »Also soll ich meinem Herrn wirklich sagen, dass der König von England so fest zum Krieg entschlossen ist, dass er keine Zeit für die Liebe hat?«

»Es wird keinen Krieg geben, wenn Ihr Herr ihn nicht anzettelt. Wofür er kaum Zeit haben wird, solange er die Türken an den Hacken hat. Oh, ich weiß, dass seine Schatztruhen bodenlos sind. Der Kaiser könnte uns alle ruinieren, wenn er wollte.« Er lächelt. »Aber was hätte der Kaiser davon?«

So wird das Schicksal von Völkern bestimmt: zwei Männer in einem kleinen Raum. Die Krönungen kann man vergessen, die Konklaven der Kardinäle, den Pomp und die Umzüge. Auf diese Weise ändert sich die Welt: Ein Spielstein, der über einen Tisch geschoben wird, ein Federstrich, der die Aussagekraft eines Satzes ändert, der Seufzer einer Frau, wenn sie vorbeikommt und in der Luft eine Spur Orangenblüte oder Rosenwasser zurücklässt; ihre Hand zieht den Bettvorhang zu, das verhaltene Seufzen von Fleisch an Fleisch. Der König – Meister der Allgemeinheiten – muss nun lernen, sich an den Details abzuarbeiten, geleitet von kluger Gier. Als Sohn seines vorsichtigen Vaters kennt er alle Familien Englands und weiß, was sie besitzen. Er hat ihre Pachtgüter bis hin zum letzten Wasserlauf und Wäldchen im Kopf. Jetzt, da er die Kontrolle über das Vermögen der Kirche erlangen soll, muss er erfahren, welchen Wert es hat. Das Gesetz, das festlegt, wer was besitzt – das Gesetz im Allgemeinen –, hat eine parasitäre Komplexität angenommen – es ist wie ein Schiffsrumpf voller Rankenfüßer, ein vor lauter Moos schleimiges Dach. Aber es gibt genügend Juristen, und wie viel Begabung braucht es schon, um etwas nach Anweisung abzukratzen? Engländer sind vielleicht abergläubisch, sie haben vielleicht Angst vor der Zukunft, vielleicht wissen sie nicht, was England ist, aber die Fähigkeit des Addierens und Subtrahierens ist recht verbreitet. Westminster hat tausend kratzende Federn, aber Henry wird neue Männer brauchen, denkt er, neue Strukturen, neue Denkweisen. Unterdessen schickt er, Cromwell, seine Bevollmächtigten auf die Reise. *Valor ecclesiasticus.* Ich schaffe es in sechs Monaten, sagt er. Eine solche Aufgabe ist noch nie zuvor angegangen worden, das stimmt, aber er hat bereits viel getan, von dem noch nie jemand auch nur geträumt hat.

An einem Tag im Vorfrühling kommt er unterkühlt aus Westminster zurück. Sein Gesicht tut so weh, als lägen seine Knochen frei und wären dem Wetter ausgesetzt, und seine Erinnerung wird geplagt von dem Tag, an dem sein Vater ihn in die Kopfsteine stampfte: sein Blick zur Seite auf Walters Stiefel. Er möchte zurück nach Austin Friars, denn dort hat er Öfen installieren lassen, und das ganze Haus ist warm; das Haus in der Chancery Lane ist nur stellenweise warm. Außerdem möchte er hinter seiner Mauer sein.

Richard sagt: »Ihre Achtzehnstundentage, Sir, können nicht ewig so weitergehen.«

»Der Kardinal hat sie bewältigt.«

In dieser Nacht reist er im Schlaf nach Kent. Er inspiziert die Bücher von Bayham Abbey, die auf Wolseys Befehl geschlossen werden soll. Die feindseligen Gesichter der Mönche schweben über ihm, sie lassen ihn fluchen und zu Rafe sagen: Pack diese Bücher auf das Maultier, wir überprüfen sie beim Abendessen mit einem Glas weißem Burgunder. Es ist Hochsommer. Sie reiten, und das Maultier stapft hinter ihnen her; sie nehmen eine Route durch die vernachlässigten Weingärten des Klosters, tauchen mit dem Pfad in eine waldige Dämmerung ein, in eine Höhlung aus breitblättrigem Grün im Grund des Tals. Er sagt zu Rafe: Wir sind wie zwei Raupen, die durch einen Salat gleiten. Sie reiten wieder hinaus in eine Flut von Sonnenlicht, und vor ihnen liegt der Turm von Scotney Castle: Seine Sandsteinmauern, golden mit grauen Tupfen, schimmern über dem Wassergraben.

Er wacht auf. Hat er von Kent geträumt oder war er dort? Das leichte Kribbeln der Sonnenstrahlen ist noch auf seiner Haut. Er ruft nach Christophe.

Nichts passiert. Er liegt still. Keiner kommt. Es ist früh: kein Laut aus dem Haus unter ihm. Die Fensterläden sind geschlossen, und die

Sterne versuchen einzudringen, mit Stahlspitzen bohren sie sich in das Holz. Ihm fällt auf, dass er nicht wirklich nach Christophe gerufen hat, er hat das nur geträumt.

Gregorys viele Lehrer haben ihm ein Bündel Rechnungen präsentiert. Der Kardinal steht am Fuß seines Bettes und trägt all seine Pontifikalien. Der Kardinal wird zu Christophe, der die Fensterläden öffnet und sich im Gegenlicht bewegt. »Haben Sie Fieber, Master?«

Das müsste er doch eigentlich wissen? Muss ich denn alles machen, alles wissen? »Ach, es ist das italienische«, sagt er, als würde es dadurch belanglos.

»Also müssen wir einen italienischen Arzt holen?« Christophe klingt unschlüssig.

Rafe ist da. Der ganze Haushalt ist da. Charles Brandon ist da, den er für echt hält, bis Morgan Williams hereinkommt, und der ist tot; William Tyndale kommt auch, und der ist im English House in Antwerpen und traut sich nicht raus. Auf der Treppe kann er das tüchtige, tödliche Klacken der Stahlkappenstiefel seines Vaters hören.

Richard Cromwell brüllt: Können wir ein bisschen Ruhe hier haben? Wenn er brüllt, hört er sich walisisch an; er denkt: An einem normalen Tag hätte ich das nie bemerkt. Er schließt die Augen. Damen bewegen sich hinter seinen Lidern: durchsichtig wie kleine Eidechsen schlagen sie mit den Schwänzen. Die Schlangenköniginnen von England, sie haben schwarze Fangzähne und schleifen hochmütig ihre blutbefleckten Laken und knisternden Röcke hinter sich her. Sie töten ihre eigenen Kinder und essen sie auf; das ist allgemein bekannt. Sie saugen ihnen das Mark aus, bevor sie überhaupt geboren werden.

Jemand fragt ihn, ob er beichten möchte.

»Muss ich?«

»Ja, Sir, sonst hält man Sie für einen Sektierer.«

Aber meine Sünden sind meine Stärke, denkt er; die Sünden, die ich begangen habe, zu denen andere nicht einmal die Gelegenheit hatten. Ich behalte sie, sie gehören mir. Außerdem habe ich die Absicht, mit einem Memorandum in der Hand vor dem Jüngsten Gericht zu erscheinen, und ich werde zu meinem Schöpfer sagen: Ich habe hier fünfzig Punkte, möglicherweise mehr.

»Wenn ich beichten muss, nehme ich Rowland.«

Bischof Lee ist in Wales, sagen sie ihm. Es könnte Tage dauern.

Dr Butts kommt mit anderen Ärzten, ein ganzer Schwarm, den der König geschickt hat. »Es ist ein Fieber, das ich in Italien bekommen habe«, erklärt er.

»Sagen wir mal, so ist es.« Über ihm runzelt Butts die Stirn.

»Wenn ich sterbe, holen Sie Gregory. Ich muss ihm Dinge sagen. Aber wenn ich nicht sterbe, unterbrechen Sie seine Studien nicht.«

»Cromwell«, sagt Butts, »ich könnte Sie nicht töten, selbst wenn ich Sie mit einer Kanone beschießen würde. Das Meer würde Sie zurückweisen. Bei einem Schiffbruch würden Sie an Land gespült.«

Sie sprechen über sein Herz; er hört sie. Er denkt, das sollten sie nicht: Das Buch meines Herzens ist ein privates Buch, es ist kein Auftragsbuch, das auf dem Tresen liegt und in das jeder vorbeikommende Schreiber etwas hineinkritzeln kann. Sie geben ihm eine Medizin, die er schlucken muss. Kurz darauf kehrt er zu seinen Hauptbüchern zurück. Die Zeilen rutschen immer wieder weg, und die Zahlen vermischen sich, und sobald er eine Spalte zusammengerechnet hat, löst sich die Summe wieder auf und aller Sinn wird subtrahiert. Aber er versucht es und versucht es und addiert und addiert, bis das Gift oder der Arzneitrank ihn aus seinem Griff entlässt und er aufwacht. Die Seiten der Hauptbücher stehen immer noch vor seinen Augen. Butts glaubt, dass er seiner Anordnung Folge leistet und sich ausruht, aber in der Abgeschlossenheit seines Kopfes klettern kleine Strichmännchen mit Tintenarmen und Tintenbeinen aus den Hauptbüchern und spazieren umher. Sie tragen Feuerholz für den Küchenherd herbei, aber das Fleisch, fertig zur Zubereitung, verwandelt sich in Hirsche zurück, die sich unschuldig an Baumrinden reiben. Die Singvögel für das Frikassee befedern sich wieder, hüpfen zurück auf die Zweige, die noch nicht zu Feuerholz gemacht worden sind, und der

Honig zum Marinieren ist zu der Biene zurückgekehrt, und die Biene ist in den Stock zurückgekehrt. Er kann die Geräusche hören, die unten im Haus gemacht werden, aber es ist ein anderes Haus in einem anderen Land: das Klimpern von Münzen, die den Besitzer wechseln, und das Kratzen von Holztruhen, die über einen Steinboden gezogen werden. Er kann seine eigene Stimme hören, die eine Geschichte auf Toskanisch, auf Putney, in dem Französisch des Feldlagers und in dem Latein eines Barbaren erzählt. Vielleicht ist es Utopia? Utopia ist eine Insel, und im Zentrum gibt es einen Ort namens Amaurotum, die Stadt der Träume.

Die Anstrengung, die Welt zu entziffern, hat ihn erschöpft. Die Anstrengung, den Feind anzulächeln, hat ihn erschöpft.

Thomas Avery kommt aus dem Kontor herauf. Er setzt sich zu ihm und hält seine Hand. Hugh Latimer kommt und sagt Psalmen auf. Cranmer kommt und sieht ihn zweifelnd an. Vielleicht hat er Angst, dass er in seinem Fieber fragt: Wie geht es Ihrer Frau Grete dieser Tage?

Christophe sagt zu ihm: »Ich wünschte, Ihr früherer Herr, der Kardinal, wäre hier, um Sie zu trösten, Sir. Er war ein tröstlicher Mann.«

»Woher willst du das wissen?«

»Ich habe ihn beraubt, Sir. Wussten Sie das nicht? Ich habe sein Goldgerät gestohlen.«

Es kostet Anstrengung, aber er setzt sich auf. »Christophe? Du warst der Junge in Compiègne?«

»Aber sicher. Die Treppen rauf mit einem Eimer heißes Wasser für das Bad, und wieder runter mit einem Goldbecher in dem leeren Eimer. Es hat mir leid getan, ihn zu berauben, er war so *gentil*. »Was, du schon wieder mit deinem Eimer, Fabrice?« Sie müssen wissen, Fabrice war mein Name in Compiègne. ›Gebt diesem armen Kind eine Mahlzeit‹, sagte er. Zum ersten Mal in meinem Leben habe ich Aprikosen probiert.«

»Aber sie haben dich nicht erwischt?«

»Mein Herr wurde erwischt, ein sehr großer Dieb. Sie haben ihn gebrandmarkt. Es gab ein riesiges Geschrei. Aber Sie sehen, Master, ich war für Größeres bestimmt.«

Ich erinnere mich, sagt er, ich erinnere mich an Calais, die Alchimisten, die Gedächtnismaschine. »Giulio Camillo baut sie für François, damit er der weiseste König der Welt wird, aber der Tölpel wird nie lernen, sie zu benutzen.«

Das sind Fantasien, sagt Butts, das Fieber steigt wieder, aber Christophe sagt: Nein, ich versichere Ihnen, es gibt einen Mann in Paris, der eine Seele gebaut hat. Es ist ein Gebäude, aber es lebt. Im Inneren ist es ganz und gar mit kleinen Regalen ausgekleidet. Auf diesen Regalen finden Sie gewisse Pergamente, geschriebene Fragmente, sie sind so etwas wie Schlüssel, die zu einer Schachtel führen, in der ein Schlüssel liegt, der einen anderen Schlüssel enthält, aber die Schlüssel sind nicht aus Metall gemacht und die inneren Schachteln nicht aus Holz.

Woraus denn dann, Franzmännchen?, sagt jemand.

Sie sind aus Geist gemacht. Sie sind, was uns bleibt, wenn alle Bücher verbrannt sind. Sie werden uns ermöglichen, uns nicht nur an die Vergangenheit zu erinnern, sondern auch an die Zukunft, alle Formen und Gebräuche zu sehen, die eines Tages die Erde bewohnen werden.

Butts sagt, dass das Fieber ihn verbrennt. Er denkt an den kleinen Bilney, der in der Nacht vor seinem Tod seine Hand in die Kerzenflamme gehalten hat, um den Schmerz zu erproben. Die Flamme versengte sein verschrumpeltes Fleisch; in der Nacht wimmerte er wie ein Kind und saugte an seiner wunden Hand, und am Morgen schleppten ihn die Stadtväter von Norwich zu der Kreidegrube, in der ihre Vorfahren Lollarden verbrannt hatten. Selbst als sein Gesicht schon weggebrannt war, hielten sie ihm noch die Abzeichen und Banner des Papismus vor: Sie wurden angesengt und die Ränder standen in Flammen, während die Jungfrauen mit dem leeren Blick geräuchert wurden wie Heringe und sich im Rauch kräuselten.

Er bittet höflich und in mehreren Sprachen um Wasser. Nicht zu viel, sagt Butts, ein wenig und noch ein wenig. Er hat von einer Insel namens Hormuz gehört, dem trockensten Königreich der Erde, wo es keine Bäume und außer Salz keine Ernte gibt. Wenn man in der Mitte steht, sieht man auf dreißig Meilen in alle Richtungen aschige Ebene: und dahinter liegt die Küste, mit Perlen überkrustet.

Seine Tochter Grace kommt nachts. Eingehüllt in ihr glänzendes Haar, verströmt sie ihr eigenes Licht. Sie betrachtet ihn unverwandt und unbeweglich, bis es Morgen ist, und wenn sie den Fensterladen öffnen, verblassen die Sterne, und Sonne und Mond hängen zusammen in einem blassen Himmel.

Eine Woche vergeht. Es geht ihm besser und er will sich Arbeit bringen lassen, aber die Ärzte verbieten es. Wie soll es vorangehen?, fragt er, und Richard sagt: Sir, Sie haben uns alle ausgebildet und wir sind Ihre Schüler, Sie haben eine Denkmaschine geschaffen, die voranschreitet, als wäre sie lebendig, und Sie brauchen sich nicht jede Minute und jeden Tag um sie zu kümmern.

Trotzdem sagt Christophe: Es heißt, dass der Roi Henri stöhnt, als hätte er selbst die Schmerzen. Oh, wo ist Cremuel?

Eine Botschaft wird gebracht. Henry sagt: Ich komme zu Besuch. Es ist ein italienisches Fieber, deshalb bin ich sicher, dass ich es nicht bekomme.

Er kann es kaum glauben. Henry lief vor Anne davon, als sie das Schweißfieber hatte: selbst auf dem Höhepunkt seiner Liebe zu ihr.

Er sagt: Schickt Thurston herauf. Sie haben ihm Schonkost zu essen gegeben, Mahlzeiten für Invaliden, Pute und dergleichen. Aber jetzt, sagt er, planen wir – was? – ein Ferkel, gefüllt und geröstet, wie ich es einmal bei einem päpstlichen Bankett gesehen habe. Sie brauchen kleingeschnittenes Hühnerfleisch, *lardo* und eine Ziegenleber, ganz fein gehackt. Sie brauchen Fenchelsamen, Majoran, Minze, Ingwer, Butter, Zucker, Walnüsse, Hühnereier und etwas Safran. Manche Leute tun auch noch Käse hinein, aber hier in London machen wir nicht die richtige Sorte, und außerdem halte ich es persönlich für unnötig. Wenn Sie mit irgendetwas Schwierigkeiten haben, schicken Sie nach Bonvisis Koch, er wird Ihnen helfen.

Er sagt: »Schickt jemanden nach nebenan zu Prior George, sagt ihm, er soll seine Mönche von der Straße fernhalten, wenn der König kommt, damit er sie nicht zu früh reformiert.« Er hat das Gefühl, dass der ganze Prozess langsam, langsam vorangehen sollte, damit die Leute seine Berechtigung sehen; überflüssig, die Frommen auf die Straßen zu treiben. Die Mönche, die an seinem Tor leben, sind eine Schande für ihren Orden, aber sie sind gute Nachbarn. Sie haben ihr Refektorium aufgegeben, und aus ihren Kammerfenstern dringen abends die Geräusche fröhlicher Essgelage. Jeden Tag kann man eine Reihe von ihnen antreffen, die im *Well with Two Buckets* direkt vor seinem Tor trinken. Die Abteikirche gleicht eher einem Markt, auch einem Fleischmarkt. Das Viertel ist voller Junggesellen aus den italienischen Kaufmannshäusern, die ihr Jahr in London absolvieren; er hat sie oft zu Gast, und wenn sie seinen Tisch verlassen (nachdem ihnen Informationen zum Markt abgezapft wurden), weiß er, dass sie zum Gelände der Mönche stürzen, wo sich geschäftstüchtige Londoner Mädchen vor dem Regen unterstellen und darauf warten, entgegenkommende Bedingungen auszuhandeln.

Es ist der 17. April, als der König ihn besuchen kommt. In der Morgendämmerung gibt es einen Schauer. Aber um zehn ist die Luft so mild wie Buttermilch. Er ist aufgestanden und sitzt in einem Sessel, von dem er sich erhebt. Mein lieber Cromwell; Henry küsst ihn fest auf beide Wangen, greift nach seinen Armen (für den Fall, dass er denken sollte, er wäre der einzige starke Mann im Königreich) und setzt ihn entschlossen zurück in den Sessel. »Sie bleiben sitzen und widersprechen mir nicht«, sagt Henry. »Dieses eine Mal widersprechen Sie mir nicht, Master Secretary.«

Die Damen des Hauses, Mercy und seine Schwägerin Johane, sind herausgeputzt wie Walsingham-Madonnen an einem Festtag. Sie sinken in einen tiefen Knicks, und Henry schwankt über ihnen. Er ist zwanglos gekleidet: eine Jacke aus Silberbrokat, eine riesige Goldkette auf der

Brust, blitzende indische Smaragde an den Fingern. Er hat die Familienbeziehungen nicht gänzlich durchschaut, was ihm niemand verübeln kann. »Die Schwester des Ersten Sekretärs?«, sagt er zu Johane. »Nein, vergeben Sie mir. Ich erinnere mich jetzt, dass Sie Ihre Schwester Bet zur selben Zeit verloren haben, als meine eigene liebe Schwester starb.«

Das ist ein so einfacher, menschlicher Satz, ausgesprochen von einem König; bei der Erwähnung ihres jüngsten Verlusts füllen sich die Augen der beiden Frauen mit Tränen, und Henry wendet sich erst der einen, dann der anderen zu, tupft ihnen sanft mit dem Zeigefinger die Tränen von der Wange und bringt sie zum Lächeln. Die jungen Ehefrauen Alice und Jo wirbelt er in die Luft, als wären sie Schmetterlinge, küsst sie auf den Mund und sagt, er wünschte, er hätte sie als junger Mann gekannt. Die traurige Wahrheit ist, wie Sie sicher auch schon bemerkt haben, Master Secretary, dass die Mädchen immer schöner werden, je älter man wird.

Dann wird das achtzigste Jahr seine Vorzüge haben, sagt er: Jede trostlose Person wird zur Perle. Mercy sagt zum König, als spräche sie zu einem Nachbarn: Hören Sie auf, Sir, Sie haben kein Alter. Henry breitet seine Arme aus und lässt sich von der Gesellschaft begutachten: »Fünfundvierzig im Juli.«

Er bemerkt das ungläubige Schweigen. Es funktioniert. Henry ist erfreut.

Henry geht umher und betrachtet all seine Bilder und fragt, wer die Leute sind. Er betrachtet Anselma, die Königin von Saba, an der Wand. Er bringt sie zum Lachen, als er Bella hochhebt und in Honor Lisles grauenhaftem Französisch mit ihr spricht. »Lady Lisle hat der Königin eine Kreatur geschickt, die noch winziger ist. Das Tier legt immer den Kopf auf die Seite und spitzt die Ohren, als wolle es sagen: Warum redest du mit mir? Darum nennt sie es Pourquoi.« Wenn er von Anne spricht, nimmt seine Stimme den Klang des treu liebenden Ehemanns an und tröpfelt wie klarer Honig. Die Frauen lächeln, sie sind erfreut, dass ihr König mit so gutem Beispiel vorangeht. »Sie kennen den Hund,

Cromwell, sie haben ihn in ihrem Arm gesehen. Sie nimmt ihn überallhin mit. Manchmal«, und jetzt nickt er weise, »glaube ich, dass sie ihn mehr liebt als mich. Ja, ich komme erst nach dem Hund.«

Er sitzt lächelnd da, hat keinen Appetit und sieht zu, wie Henry von den Silbertellern isst, die Hans entworfen hat.

Henry spricht freundlich mit Richard, nennt ihn Vetter. Er macht ihm ein Zeichen, dabeizubleiben, als er mit seinem Ratgeber spricht, und den anderen signalisiert er, dass sie sich etwas zurückziehen sollen. Was, wenn König François das tut oder jenes, soll ich das Meer selbst überqueren, um irgendeine Vereinbarung zusammenzuflicken, oder würden Sie hinübergehen, wenn Sie wieder auf den Beinen sind? Was, wenn die Iren, was, wenn die Schotten, was, wenn alles außer Kontrolle gerät und wir Kriege bekommen wie in Deutschland und Bauern sich selbst krönen, was, wenn diese falschen Propheten, was, wenn Karl mich überrennt und Katherine ins Feld zieht, sie ist eine streitbare Natur und das Volk liebt sie, Gott weiß, warum, ich tue es jedenfalls nicht.

Wenn das passiert, sagt er, verlasse ich diesen Sessel und ziehe mit meinem eigenen Schwert in der Hand ins Feld.

Als der König sein Essen genossen hat, sitzt er bei ihm und spricht leise über sich selbst. Der Apriltag, frisch und regnerisch, lässt ihn an den Tag denken, an dem sein Vater starb. Er spricht von seiner Kindheit: Ich lebte in dem Palast in Eltham, ich hatte einen Narren, der hieß Goose. Als ich sieben war, kamen die Rebellen aus Cornwall. Sie wurden von einem Riesen angeführt, erinnern Sie sich daran? Mein Vater schickte mich in den Tower, um mich in Sicherheit zu bringen. Ich sagte: Lasst mich raus, ich will kämpfen! Ich hatte keine Angst vor einem Riesen aus dem Westen, aber ich hatte Angst vor meiner Großmutter Margaret Beaufort, weil sie ein Gesicht wie ein Totenkopf hatte und sich ihr Griff um mein Handgelenk wie der Griff eines Skeletts anfühlte.

Als wir jung waren, sagt er, wurde uns ständig erzählt: Eure Großmutter hat euren Lordvater, den König, als kleines Ding von dreizehn

Jahren geboren. Ihre Vergangenheit war wie ein Schwert, das sie über uns hielt. Was, Henry, du lachst in der Fastenzeit? Als ich, nur ein paar Jahre älter als du, einem Tudor das Leben geschenkt habe? Was, Henry, du tanzt, was, Henry, du spielst mit dem Ball? Ihr Leben bestand nur aus Pflicht. Sie hatte zwölf arme Menschen in ihr Haus in Woking aufgenommen; einmal ließ sie mich mit einer Schüssel niederknien, und ich musste ihnen die gelben Füße waschen; sie hatte Glück, dass ich mich nicht auf diese Füße übergeben habe. Jeden Morgen um fünf begann sie mit dem Beten. Wenn sie an ihrem Betpult niederkniete, schrie sie auf, weil ihre Knie schmerzten. Und wann immer es eine Feier gab, eine Hochzeit oder eine Geburt, ein Vergnügen oder eine Gelegenheit zur Freude, wissen Sie, was sie tat? Jedes Mal? Unweigerlich? Sie weinte.

Und ihr Ein und Alles war Prinz Arthur. Ihr leuchtendes Licht und ihr kriechender Heiliger. »Als ich König wurde und nicht er, legte sie sich hin und starb aus reiner Bosheit. Wissen Sie, was sie mir auf dem Sterbebett gesagt hat?« Henry schnaubt. »Gehorche Bischof Fisher in allen Belangen! Zu schade, dass sie Fisher nicht gesagt hat, er solle mir gehorchen!«

Als der König mit seinen Herren gegangen ist, kommt Johane und sitzt bei ihm. Sie sprechen leise, obwohl alles, was sie sagen, zum Mithören geeignet ist. »Es ist doch sehr gut gelaufen.«

»Wir müssen der Küche ein Geschenk machen.«

»Der ganze Haushalt hat sich gut geschlagen. Ich bin froh, dass ich ihn gesehen habe.«

»Ist er so, wie du es dir erhofft hast?«

»Ich hätte nicht gedacht, dass er so gefühlvoll ist. Ich verstehe jetzt, warum Katherine so hart um ihn gekämpft hat. Ich meine nicht nur darum, Königin zu sein, was sie für ihr Recht hält, sondern um ihn als Ehemann. Ich würde sagen, er ist ein Mann, den man leicht lieben kann.«

Alice stürmt herein. »Fünfundvierzig! Ich hätte ihn älter geschätzt.«

»Du hättest das Bett für eine Handvoll Granatsteine mit ihm geteilt«, spottet Jo. »Das hast du selbst gesagt.«

»Und du für Exportgenehmigungen!«

»Hört auf!«, sagt er. »Ihr Mädchen! Wenn eure Männer euch hören würden.«

»Unsere Männer wissen, wie wir sind«, sagt Jo. »Wir sind sehr überzeugt von uns. Man kommt nicht nach Austin Friars, um nach schüchternen kleinen Mädchen zu suchen. Ich frage mich, warum unser Onkel uns nicht bewaffnet.«

»Die Konvention hält mich zurück. Sonst würde ich euch nach Irland schicken.«

Johane sieht ihnen nach, als sie davonstürzen. Als sie außer Hörweite sind, vergewissert sie sich mit einem Blick über die Schulter und flüstert: Du wirst nicht glauben, was ich jetzt sagen werde.

»Lass es darauf ankommen.«

»Henry hat Angst vor dir.«

Er schüttelt den Kopf. Wer kann dem Löwen von England Angst machen?

»Doch, ich schwöre es dir. Du hättest sein Gesicht sehen sollen, als du sagtest, du würdest dein eigenes Schwert in die Hand nehmen.«

Der Herzog von Norfolk besucht ihn, klappert vom Hof herauf, wo seine Diener das mit Federn geschmückte Pferd halten. »Die Leber, was? Meine Leber ist hin. Und seit fünf Jahren schwinden meine Muskeln. Sehen Sie sich das an!« Er streckt eine Klaue aus. »Ich habe jeden Arzt in diesem Königreich ausprobiert, aber keiner weiß, was ich habe. Trotzdem schicken sie alle unweigerlich die Rechnung.«

Norfolk, das weiß er ganz genau, würde niemals eine solche Nichtigkeit wie eine Arztrechnung bezahlen.

»Und das Bauchgrimmen und die Koliken«, sagt der Herzog, »sie machen mein irdisches Leben zum Fegefeuer. Manchmal verbringe ich die ganze Nacht auf dem Nachtstuhl.«

»Euer Gnaden sollte das Leben leichter nehmen«, sagt Rafe. Ihr Essen nicht hinunterschlingen, meint er. Nicht hektisch durch die Gegend rennen wie ein Postpferd.

»Das werde ich tun, glauben Sie mir. Meine Nichte zeigt ganz deutlich, dass Sie weder meine Gesellschaft noch meinen Rat wünscht. Ich bin auf dem Weg in mein Haus in Kenninghall, und Henry findet mich dort, wenn er mich braucht. Gott möge Sie wiederherstellen, Master Secretary. Der heilige Walter ist gut, so höre ich, wenn einem eine Aufgabe zu viel wird. Und der heilige Ubald gegen Kopfweh, bei mir funktioniert das jedenfalls.« Er fummelt in seiner Jacke herum. »Hab Ihnen eine Heiligenmedaille mitgebracht. Vom Papst gesegnet. Vom Bischof von Rom, wollte ich sagen.« Er legt sie auf den Tisch. »Glaubte, Sie hätten vielleicht keine.«

Er ist zur Tür hinaus. Rafe nimmt die Medaille in die Hand. »Wahrscheinlich ist sie verflucht.«

Sie können den Herzog auf der Treppe hören, wie er klagend die Stimme erhebt: »Ich dachte, er wäre fast tot! Man hat mir gesagt, er wäre fast tot …«

Er sagt zu Rafe: »Dem haben wir Beine gemacht.«

Rafe grinst. »Suffolk auch.«

Der König hat Suffolk nie die Strafe von dreißigtausend Pfund erlassen, die ihm auferlegt wurde, als er Henrys Schwester heiratete. Von Zeit zu Zeit erinnert er sich daran, und jetzt ist eine dieser Zeiten; Brandon musste seine Ländereien in Oxfordshire und Berkshire aufgeben, um seine Schulden zu bezahlen, jetzt lebt er ohne großen Pomp auf dem Land.

Er schließt die Augen. Die reinste Glückseligkeit, daran zu denken: zwei Herzöge auf der Flucht vor ihm.

Sein Nachbar Chapuys kommt vorbei. »Ich habe meinem Herrn berichtet, dass der König Sie besucht hat. Mein Herr ist sehr erstaunt, dass der König ein Privathaus aufsucht, dass er jemanden besucht, der nicht einmal Lord ist. Aber ich habe ihm gesagt: Sie müssten mal die Arbeit sehen, die er aus Cromwell rausholt.«

»Er sollte auch so einen Diener haben«, sagt er. »Aber Eustache, Sie sind ein alter Heuchler, wissen Sie. Sie würden auf meinem Grab tanzen.«

»Mein lieber Thomas, ich schätze Sie als meinen einzigen Gegner.«

Thomas Avery schmuggelt Luca Paciolis Buch mit Schachrätseln zu ihm hinein. Bald hat er alle Rätsel gelöst und ein paar eigene auf leere Seiten am Ende des Buches gezeichnet. Seine Briefe werden gebracht, und er informiert sich über die neueste Runde von Katastrophen. Es heißt, der Schneider in Münster, der König von Jerusalem, der sechzehn Frauen hat, hat sich mit einer von ihnen gestritten und ihr auf dem Marktplatz den Kopf abgeschlagen.

Er kehrt in die Welt zurück. Schlag ihn nieder, und er steht auf. Der Tod ist vorbeigekommen, um ihn zu inspizieren, er hat ihn ausgemessen und ihm ins Gesicht geatmet: und ist wieder gegangen. Er ist ein wenig schlanker, wie ihm seine Kleider sagen; eine Weile fühlt er sich leicht und nicht mehr in der Welt gegründet, jeder Tag schwingt vor Möglichkeiten. Die Boleyns gratulieren ihm herzlich zu seiner Genesung, und das ist auch richtig so, denn wie könnten sie ohne ihn sein, was sie jetzt sind? Cranmer, als sie sich treffen, beugt sich immer wieder vor, um ihm auf die Schulter zu klopfen und seine Hand zu drücken.

Während er sich erholte, hat der König sich die Haare ganz kurz schneiden lassen. Er hat das getan, um seine zunehmende Kahlheit zu kaschieren, obwohl das nicht funktioniert, ganz und gar nicht. Seine treuen Berater haben dasselbe getan, und bald wird es zu einem Zeichen ihrer Zusammengehörigkeit. »Bei Gott, Sir«, sagt Master Wriothesley, »nur gut, dass ich früher keine Angst vor Ihnen hatte, denn jetzt hätte ich welche.«

»Aber Nennt-mich«, sagt er, »Sie hatten auch früher Angst vor mir.«

An Richards Erscheinung ändert sich nichts; dem Turnierplatz verschrieben, hält er sein Haar kurz, damit es unter einen Helm passt. Der geschorene Master Wriothesley sieht intelligenter aus, wenn das überhaupt möglich ist, und Rafe entschlossener und wacher. Richard Riche hat die letzten Reste des Jungen abgelegt, der er war. Suffolks riesiges Gesicht hat eine merkwürdige Unschuld angenommen. Monseigneur sieht trügerisch asketisch aus. Was Norfolk betrifft, so bemerkt niemand die Veränderung. »Was für Haare hatte er eigentlich vorher?«, fragt Rafe. Eisengraue Streifen zieren seinen Skalp, als hätte ein Militärstratege seinen Kopf befestigt.

Die Mode breitet sich im Land aus. Als Rowland Lee das nächste Mal in das Urkundenhaus geschossen kommt, glaubt er, dass eine Kanonenkugel auf ihn zufliegt. Gregorys Augen sind groß und besonnen, ihre Farbe immer noch golden. Deine Mutter hätte um deine Babylocken geweint, sagt er und reibt ihm liebevoll über den Kopf. Gregory sagt: »Hätte sie das? Ich kann mich kaum an sie erinnern.«

Ende April wird vier verräterischen Mönchen der Prozess gemacht. Der Eid ist ihnen wiederholt vorgelegt worden, sie haben ihn verweigert. Es ist ein Jahr her, seit die Magd hingerichtet wurde. Der König hatte ihren Anhängern Gnade erwiesen; jetzt ist er nicht dazu geneigt. Es ist die Kartause von London, wo der Unfrieden seinen Ursprung hat, diese karge Gemeinschaft von Männern, die auf Stroh schlafen; dort hat Thomas More seine Berufung auf die Probe gestellt, bevor ihm offenbart wurde, dass die Welt seine Talente benötigte. Er, Cromwell, hat das Haus besucht, wie er auch die aufsässige Gemeinschaft in Syon besucht hat. Er hat sanft gesprochen, er hat unverblümt gesprochen, er hat ihnen gedroht und gut zugeredet; er hat aufgeklärte Geistliche geschickt, die den Fall des Königs vertreten haben, und er hat die unzufriedenen Mitglieder der Gemeinschaft befragt und auf ihre Brüder angesetzt. Es war alles vergeblich. Ihre Antwort ist: Gehen Sie weg, gehen Sie weg und überlassen Sie mich meinem geheiligten Tod.

Wenn sie glauben, dass sie bis zum Schluss die Gelassenheit ihres Gebetslebens erhalten können, irren sie sich, denn das Gesetz verlangt die volle Strafe für Verräter: das kurze Schwingen im Wind und die öffentliche Entfernung der Eingeweide bei Bewusstsein, wobei eine Kohlenpfanne für menschliche Innereien entzündet wird. Es ist der schrecklichste aller Tode, Schmerz und Wut und Demütigung werden bis zur Neige durchlitten, und die Furcht ist so groß, dass der stärkste Rebell entmannt ist, bevor der Henker die Aufgabe mit seinem Messer erledigen kann; bevor ein jeder stirbt, betrachtet er seine Genossen, und vom Seil geschnitten kriecht er wie ein Tier auf den blutigen Brettern im Kreis herum.

Wiltshire und George Boleyn sollen den König bei dem Spektakel vertreten, außerdem der murrende Norfolk, der vom Land herbeibeordert wurde, damit er sich auf eine diplomatische Mission nach Frankreich vorbereitet. Henry denkt daran, selbst zu kommen und die Mönche sterben zu sehen, denn der Hof wird Masken tragen und sich auf hoch trabenden Pferden durch die Amtspersonen der Stadt und die zerlumpte Bevölkerung drängen, die zu Hunderten erscheint, um einem solchen Spektakel beizuwohnen. Aber der Körperbau des Königs macht es schwierig, ihn zu verkleiden, und er befürchtet, dass es Demonstrationen zugunsten Katherines geben könnte, die bei dem besonders verlausten Anteil jeder Menschenmenge immer noch sehr beliebt ist. Der junge Richmond soll für mich einspringen, beschließt sein Vater; eines Tages wird er vielleicht den Titel seiner Halbschwester in der Schlacht verteidigen müssen, und deshalb sollte er den Anblick und die Geräusche des Abschlachtens kennenlernen.

Der Junge kommt spätabends zu ihm; die Hinrichtungen sind für den nächsten Tag geplant: »Guter Master Secretary, nehmen Sie meinen Platz ein.«

»Werden Sie bei meiner morgendlichen Zusammenkunft mit dem König meinen einnehmen? Betrachten Sie es mal so«, sagt er fest und freundlich. »Wenn Sie vorgeben, krank zu sein, oder morgen vom Pferd fallen oder sich vor Ihrem Schwiegervater übergeben, wird er Sie das nie vergessen lassen. Wenn Sie wollen, dass er Sie ins Bett Ihrer Braut lässt, erweisen Sie sich als Mann. Behalten Sie den Herzog im Auge und ahmen Sie sein Verhalten nach.«

Aber Norfolk selbst kommt zu ihm, als es vorbei ist, und sagt: Cromwell, ich schwöre bei meinem Leben, dass einer der Mönche gesprochen hat, als sein Herz schon draußen war. Jesus, rief er, Jesus, rette uns arme Engländer.

»Nein, Mylord. Es ist unmöglich, dass er das getan haben sollte.«

»Wissen Sie das genau?«

»Ich weiß es aus Erfahrung.«

Der Herzog verzagt. Norfolk soll ruhig denken, dass zu seinen früheren Taten das Herausreißen von Herzen gehört. »Ich vermute, Sie haben recht.« Norfolk bekreuzigt sich. »Es muss eine Stimme aus der Menge gewesen sein.«

Am Abend bevor die Mönche ihr Ende fanden, hatte er eine Besuchserlaubnis für Margaret Roper unterzeichnet, die erste seit Monaten. Ganz bestimmt, denkt er, wird Meg ihren Entschluss revidieren, wenn sie zusammen mit ihrem Vater sieht, wie Verräter zu ihrer Hinrichtung geführt werden, ganz bestimmt wird sie zu ihrem Vater sagen: Pass auf, der König ist in Mordlaune, du musst den Eid leisten, wie ich es getan habe. Mach einen geistigen Vorbehalt, kreuze die Finger hinter dem Rücken, aber frag nach Cromwell oder einem sonstigen Beamten des Königs, sprich die Worte und komm nach Hause.

Aber seine Taktik versagt. Sie und ihr Vater standen trockenen Auges an einem Fenster, als die Verräter – noch im Habit – herausgebracht und auf die Reise nach Tyburn geschickt wurden. Ich vergesse immer, denkt er, dass More sich weder selbst bemitleidet noch Mitleid für andere empfindet. Weil ich meine eigenen Mädchen vor einem solchen Anblick bewahrt hätte, dachte ich, er würde es auch tun. Aber er benutzt Meg, um seine Entschlossenheit zu stärken. Wenn sie nicht nachgibt, kann er es auch nicht; und sie wird nicht nachgeben.

Am nächsten Tag geht er selbst in den Tower, um More zu sehen. Unter seinen Füßen zischt und spritzt der Regen auf den Steinen; Mauern und Wasser sind nicht unterscheidbar, und um kleine Ecken herum stöhnt ein Wind wie im Winter. Als er sich aus seinen nassen äußeren Hüllen gemüht hat, bleibt er stehen und spricht mit dem Aufseher Martin, um die Neuigkeiten über dessen Frau und das Neugeborene zu erfahren. Wie werde ich ihn vorfinden, fragt er schließlich, und Martin sagt: Ist Ihnen je aufgefallen, wie er eine Schulter nach oben zieht und die andere hängen lässt?

Das kommt vom übermäßigen Schreiben, sagt er. Ein Ellenbogen auf dem Tisch, die andere Schulter gesenkt. Nun, wie auch immer, Martin sagt: Er sieht aus wie ein kleiner geschnitzter Buckliger an einer Bankwange.

More hat seinen Bart wachsen lassen; er sieht aus, wie man sich die Propheten von Münster vorstellt, obgleich er den Vergleich verabscheuen würde. »Master Secretary, wie nimmt der König die Nachrichten aus dem Ausland auf? Es heißt, die Truppen des Kaisers haben sich in Bewegung gesetzt.«

»Ja, aber nach Tunis, glaube ich.« Er wirft einen Blick auf den Regen. »Wenn Sie der Kaiser wären, würden Sie nicht auch eher Tunis wählen als London? Hören Sie, ich bin nicht gekommen, um mit Ihnen zu streiten. Nur um zu sehen, ob Sie sich wohlfühlen.«

More sagt: »Ich höre, Sie haben meinem Narr den Eid abgenommen, Henry Pattinson.« Er lacht.

»Wohingegen die Männer, die gestern starben, Ihrem Beispiel gefolgt sind und den Eid verweigert haben.«

»Ich will es ganz deutlich machen. Ich bin kein Beispiel. Ich bin nur ich selbst, stehe für mich allein. Ich sage nichts gegen die Suprematsakte. Ich sage nichts gegen die Männer, die sie gemacht haben. Ich sage nichts gegen den Eid oder gegen irgendeinen Mann, der ihn schwört.«

»Ach ja«, er setzt sich auf die Truhe, in der More seine Besitztümer verwahrt, »aber all dieses Nichts-Sagen wird für die Geschworenen nicht angehen, wissen Sie. Sollte es dazu kommen.«

»Sie sind gekommen, um mir zu drohen.«

»Die kriegerischen Heldentaten des Kaisers lassen den König ungeduldig werden. Er beabsichtigt, Ihnen eine Kommission zu schicken, die in Bezug auf seinen Titel eine eindeutige Antwort haben will.«

»Oh, ich bin sicher, dass Ihre Freunde zu gut für mich sein werden. Lord Audley? Und Richard Riche? Hören Sie. Seit ich hierhergekommen bin, bereite ich mich auf meinen Tod von Ihrer Hand vor – ja, von Ihrer – oder von der Hand der Natur. Ich brauche nichts als Frieden und Stille für meine Gebete.«

»Sie wollen Märtyrer sein.«

»Nein, ich möchte nach Hause. Ich bin schwach, Thomas. So schwach wie wir alle. Ich möchte, dass der König mich als seinen Diener annimmt, seinen liebenden Untertan, der zu sein ich nie aufgehört habe.«

»Ich habe nie verstanden, wo die Grenze zwischen Opfer und Selbstschlachtung gezogen wird.«

»Christus hat sie gezogen.«

»Finden Sie nicht, dass der Vergleich etwas unpassend ist?«

Schweigen. Die laute provokante Qualität von Mores Schweigen. Es hallt von den Wänden wider. More sagt, dass er England liebt, und er befürchtet, dass ganz England verdammt wird. Er macht seinem Gott ein Angebot, seinem Gott, der das Schlachten liebt: »Es ist angebracht, dass ein Mann für das Volk sterben soll.« Also, ich sage dir was, entgegnet er im Stillen. Mach Angebote, soviel du willst. Wirf dich dem Henker in die Arme, wenn du musst. Das Volk schert sich einen Scheiß darum. Heute ist der 5. Mai. In zwei Tagen wird die Kommission dich aufsuchen. Wir werden dich bitten, dich hinzusetzen. Du wirst ablehnen. Du wirst vor uns stehen und wie ein Wüstenvater aussehen, und wir sind gegen die Sommerkälte behaglich eingehüllt. Ich werde sagen, was ich sage. Du wirst sagen, was du sagst. Und vielleicht räume ich ein, dass du gewonnen hast. Ich werde fortgehen und dich zurücklassen, den guten Untertan des Königs, für den du dich hältst, bis dir der Bart an die Knie gewachsen ist und die Spinnen Netze über deine Augen weben.

So sein Plan. Er wird von den Ereignissen überholt. Er sagt zu Richard: Hat irgendein grässlicher Bischof von Rom in der Geschichte seiner verpesteten Rechtsprechung je etwas so Ungelegenes getan? Farnese hat verkündet, dass England einen neuen Kardinal haben soll: Bischof Fisher. Henry ist wütend. Er schwört, dass er Fishers Kopf über das Meer schicken wird, seinem Kardinalshut entgegen.

Der dritte Juni: wieder zum Tower, mit Wiltshire, der die Sache der Boleyns vertreten soll, und Charles Brandon, der aussieht, als würde er lieber angeln gehen. Riche für die Notizen; Audley für die Witze. Es ist wieder feucht, und Brandon sagt: Das muss der schlimmste Sommer seit eh und je sein, was? Ja, sagt er, wie gut, dass Seine Majestät nicht abergläubisch ist. Sie lachen: Suffolk ein wenig unsicher.

Einige Leute sagten, die Welt würde 1533 untergehen. Auch das letzte Jahr hatte seine Anhänger. Warum nicht dieses Jahr? Es gibt immer jemanden, der bereitwillig behauptet, dass die Endzeit gekommen sei, und seinen Nachbarn für den Posten als Antichrist nominiert. Die Nachrichten aus Münster besagen, dass der Himmel schnell einstürzt. Die Belagerer fordern die bedingungslose Kapitulation; die Belagerten drohen mit Massenselbstmord.

Er geht voran. »Mein Gott, was für ein Ort«, sagt Brandon. Tropfwasser ruiniert seinen Hut. »Finden Sie es hier nicht bedrückend?«

»Ach, wir sind ständig hier.« Riche zuckt die Achseln. »Es gibt immer das eine oder das andere. Der Erste Sekretär wird entweder in der Münzanstalt oder im Jewel House gebraucht.«

Martin lässt sie ein. Mores Kopf schnellt in die Höhe, als sie eintreten.

»Heute geht es um ein Ja oder ein Nein«, sagt er.

»Nicht einmal guten Tag und wie geht's.« Jemand hat More einen Kamm für seinen Bart gegeben. »Nun, was höre ich aus Antwerpen? Höre ich, dass Tyndale gefasst ist?«

»Das gehört nicht zur Sache«, sagt der Lordkanzler. »Erklären Sie sich zu dem Eid. Erklären Sie sich zu dem Gesetz. Ist es ein rechtmäßig gemachtes Gesetz?«

»Es heißt, er hat sich herausgewagt und die Soldaten des Kaisers haben ihn ergriffen.«

Er sagt kalt: »Waren Sie im Voraus darüber informiert?«

Tyndale ist nicht nur gefangen, sondern verraten worden. Jemand hat ihn aus seiner Zuflucht gelockt, und More weiß, wer das war. Er sieht sich selbst, ein zweites Selbst, das einen anderen genauso verregneten Morgen wie diesen inszeniert: an dem er den Raum durchquert, den Gefangenen auf die Füße zerrt und den Namen seines Agenten aus ihm herausprügelt. »Euer Gnaden«, sagt er zu Suffolk, »Sie tragen einen angriffslustigen Ausdruck im Gesicht, aber bitte, bleiben Sie ruhig.«

Ich?, sagt Brandon. Audley lacht. More sagt: »Tyndales Teufel wird ihn jetzt im Stich lassen. Der Kaiser wird ihn verbrennen. Und der König wird keinen Finger rühren, um ihn zu retten, weil Tyndale seine neue Ehe nicht unterstützen wollte.«

»Vielleicht glauben Sie ja, das war vernünftig von ihm?«, sagt Riche.

»Sie müssen sprechen«, sagt Audley einigermaßen milde.

More ist aufgeregt, die Worte überschlagen sich. Er ignoriert Audley und spricht ihn an, Cromwell. »Sie können mich nicht dazu zwingen, mich in Gefahr zu begeben. Denn wenn ich gegen Ihre Suprematsakte wäre, was ich nicht einräume, dann wäre Ihr Eid ein zweischneidiges Schwert. Ich bringe meinen Körper in Gefahr, wenn ich nein zu ihr sage, meine Seele, wenn ich ja sage. Deshalb sage ich nichts.«

»Wenn Sie Männer verhört haben, die Sie Häretiker nannten, haben Sie keine Ausflüchte geduldet. Sie haben sie gezwungen zu sprechen und sie gefoltert, wenn sie es nicht taten. Wenn diese Männer zum Antworten gebracht wurden, warum nicht Sie?«

»Der Fall ist nicht derselbe. Wenn ich eine Antwort von einem Häretiker erzwinge, habe ich die Gesamtheit des Gesetzes hinter mir, die ganze Macht des Christentums. Womit ich hier bedroht werde, ist ein bestimmtes Gesetz, eine einzelne, kürzlich erfolgte gesetzliche Maßnahme, die hier anerkannt wird, jedoch in keinem anderen Land der Welt …«

Er sieht, dass Riche eine Notiz macht. Er wendet sich ab. »Aber das Ende ist dasselbe. Das Feuer für Ihre Häretiker. Die Axt für Sie.«

»Wenn der König Ihnen diese Gnade gewährt«, sagt Brandon.

More ist bange; er krallt seine Finger auf der Tischplatte zusammen. Er bemerkt es, unbeteiligt. Das ist ein Einfallstor. Man kann ihn in Angst vor einem quälend langsamen Tod versetzen. Aber noch, als er das denkt, weiß er, dass er es nicht tun wird; allein die Vorstellung ist ein schleichendes Gift. »Was die Zahlen betrifft, muss ich mich vermutlich geschlagen geben. Aber haben Sie in letzter Zeit mal auf eine Karte gesehen? Die Christenheit ist nicht mehr, was sie war.«

Riche sagt: »Master Secretary, Fisher ist mehr Mann als dieser Gefangene hier vor uns, denn Fisher widerspricht und trägt die Konsequenzen. Sir Thomas, ich denke, Sie wären ein offener Verräter, wenn Sie sich das trauen würden.«

More sagt leise: »So nicht. Es ist nicht an mir, mich Gott aufzudrängen. Es ist an Gott, mich zu ihm zu ziehen.«

»Wir vermerken Ihre Hartnäckigkeit«, sagt Audley. »Wir ersparen Ihnen die Methoden, die Sie bei anderen angewandt haben.« Er steht auf. »Es ist der Wunsch des Königs, dass wir zu Anklageerhebung und Prozess schreiten.«

»Im Namen Gottes! Welches Unheil kann ich von diesem Ort aus bewirken? Ich füge niemandem Böses zu. Ich sage nichts Böses. Ich denke nichts Böses. Wenn das nicht genug ist, um einen Mann am Leben zu lassen ...«

Er schneidet ihm das Wort ab, er kann es nicht glauben. »Sie fügen niemandem Böses zu? Was ist mit Bainham, erinnern Sie sich an Bainham? Sie haben seinen Besitz beschlagnahmt, Sie haben seine arme Frau ins Gefängnis gesteckt, Sie haben mit eigenen Augen gesehen, wie er auf der Folterbank gestreckt wurde, Sie haben ihn in Bischof Stokesleys Keller geworfen, Sie haben ihn in Ihr eigenes Haus geholt und zwei Tage lang aufrecht stehend an einen Pfahl gekettet, Sie haben ihn wieder zu Stokesley geschickt, zugesehen, wie er eine Woche lang geschlagen und misshandelt wurde, und immer noch war Ihre Bosheit nicht erschöpft: Sie schickten ihn in den Tower zurück und ließen ihn noch einmal strecken, sodass sein Körper am Ende so geschunden war, dass man ihn in einem Stuhl nach Smithfield tragen musste, wo er lebendig verbrannt wurde. Und Sie sagen, Thomas More, Sie tun niemandem etwas Böses?«

Riche beginnt, Mores Papiere auf dem Tisch einzusammeln. Es besteht der Verdacht, dass er Briefe zu Fisher nach oben geschmuggelt hat: Was keine schlechte Sache ist, wenn bewiesen werden kann, dass er an Fishers Verrat beteiligt ist. More legt die Hände mit ausgebreiteten Fingern darüber; dann zuckt er mit den Achseln und gibt sie frei. »Nehmen Sie sie, wenn Sie müssen. Sie lesen ohnehin alles, was ich schreibe.«

Er sagt: »Falls wir nicht bald von einer Veränderung Ihrer Einstellung hören, müssen wir Ihnen Feder und Papier wegnehmen. Und die Bücher. Ich schicke jemanden.«

More scheint zu schrumpfen. Er beißt sich auf die Lippe. »Wenn Sie sie nehmen müssen, nehmen Sie sie gleich mit.«

»Pfui!«, sagt Suffolk. »halten Sie uns für Träger, Master More?«

Anne sagt: »Es geht dabei um mich.« Er verbeugt sich. »Wenn Sie schließlich aus More herausbekommen, was sein einzigartiges Gewissen quält, werden Sie feststellen: Der Kern der Sache ist, dass er sein Knie nicht vor mir als Königin beugen will.«

Sie ist klein und bleich und wütend: Sie presst die langen Finger Spitze an Spitze zusammen, sodass sie sich überdehnen, ihre Augen sind zornhell.

Bevor sie weitermachen, muss er Henry an die Katastrophe des letzten Jahres erinnern, ihn ermahnen, dass er nicht immer seinen Willen bekommt, wie es ihm passt. Im letzten Sommer wurde Lord Dacre, der einer der Lords im Norden ist, wegen Verrats angeklagt; er wurde beschuldigt, mit den Schotten gemeinsame Sache zu machen. Hinter dieser Anschuldigung stand die Familie Clifford, Dacres Erbfeinde und Rivalen, hinter denen die Boleyns standen, denn Dacre hatte aus seiner Unterstützung für die frühere Königin keinen Hehl gemacht. Die Bühne war in Westminster Hall bereitet, Norfolk saß dem Gericht als *High Steward* des Königreichs vor: Und Dacre sollte von zwanzig anderen Lords gerichtet werden, wie es sein Recht war. Und dann … wurden Fehler gemacht. Möglicherweise war das Ganze eine Fehleinschätzung, eine Geschichte, die zu schnell und zu energisch von den Boleyns vorangetrieben worden war. Möglicherweise war es ein Fehler von ihm gewesen, die Anklage nicht persönlich zu vertreten; er hatte gedacht, es wäre besser, im Hintergrund zu bleiben, denn er ist vielen adligen Männern ein Dorn im Auge, weil er ist, wer er ist, und sie würden sogar Risiken eingehen, um ihm Unannehmlichkeiten zu bereiten. Oder Norfolk war das Problem, weil er die Kontrolle über das Gericht verlor … Was auch immer, die Anklage wurde niedergeschlagen, was beim König Erstaunen und einen Wutanfall auslöste. Dacre wurde von den königlichen Wachen direkt in den Tower zurückgebracht, und er selbst wurde geschickt, um eine Vereinbarung mit ihm zu treffen, die, wie er wusste, mit Dacres Ruin enden sollte. Beim Prozess hatte Dacres Verteidigungsrede sieben Stunden lang gedauert; aber er, Cromwell, kann eine Woche lang reden. Dacre hatte die Nichtanzeige von Hochverrat zugegeben, eine geringere Straftat. Er kaufte eine königliche Begnadigung für £ 10 000. Er wurde entlassen und kehrte als armer Mann in den Norden zurück.

Aber die Königin war krank vor Enttäuschung; sie wollte ein Exempel statuiert sehen. Und in Frankreich läuft es auch nicht zu ihrer Zufriedenheit; einige Leute sagen, dass François kichert, wenn ihr Name erwähnt wird. Sie hat den Verdacht und liegt damit richtig, dass ihr Diener Cromwell mehr an der Freundschaft der deutschen Fürsten interessiert ist als an einem Bündnis mit Frankreich; aber sie muss die richtige Zeit wählen, um diesen Streit auszufechten, und sie sagt, sie hat keinen Frieden, bis Fisher tot ist, bis More tot ist. Jetzt rennt sie im

Kreis durch den Raum, aufgeregt, alles andere als königlich, und immer wieder steuert sie auf Henry zu, berührt seinen Ärmel, berührt seine Hand, und er verscheucht sie jedes Mal, als wäre sie eine Fliege. Er, Cromwell, sieht zu. Sie sind nie dasselbe Paar, sind jeden Tag anders: manchmal ineinander vernarrt, manchmal kühl und distanziert. Das Schnäbeln und Gurren ist alles in allem der quälendere Anblick.

»Fisher macht mir keine Sorge«, sagt er, »sein Vergehen ist eindeutig. In Mores Fall … moralisch ist unsere Sache unanfechtbar. Keiner hat Zweifel an seiner Treue zu Rom und an seinem Hass auf den Titel Eurer Majestät als Oberhaupt der Kirche. Juristisch jedoch ist unser Fall schwach, und More wird jedes gesetzliche, jedes verfahrensrechtliche Mittel anwenden, das ihm zur Verfügung steht. Das wird nicht einfach werden.«

Henry erwacht zum Leben. »Habe ich Sie in meinem Dienst, damit Sie sich um die einfachen Sachen kümmern? Jesus möge meine Einfalt bemitleiden, aber ich habe Sie in diesem Königreich auf einen Platz befördert, den niemand, niemand von Ihrer Herkunft in der ganzen Geschichte dieses Landes je innehatte.« Er senkt die Stimme. »Glauben Sie, es ist wegen Ihrer Schönheit? Wegen Ihrer angenehmen Gesellschaft? Ich behalte Sie, Master Cromwell, weil Sie so gerissen wie ein Sack Nattern sind. Aber seien Sie keine Schlange an meinem Busen. Ziehen Sie die Sache durch.«

Als er geht, bemerkt er die Stille, die hinter ihm eintritt. Anne geht zum Fenster. Henry starrt auf seine Füße.

Und deswegen würde er Riche am liebsten wie eine Fliege totschlagen, als dieser hereinkommt und vor Aufregung bebt, weil er Geheimnisse zu enthüllen hat; aber dann bekommt er sich in den Griff und reibt sich stattdessen die Hände: der fröhlichste Mann in London. »Nun, Sir Purse, haben Sie die Bücher zusammengepackt? Und wie war er?«

»Er hat das Fenster verdunkelt. Ich fragte ihn, warum, und er sagte: Die Waren werden weggenommen, also schließe ich jetzt den Laden.«

Er hält es kaum aus, daran zu denken, wie More im Dunkeln sitzt.

»Sehen Sie, Sir.« Riche hat ein zusammengefaltetes Stück Papier in der Hand. »Wir hatten ein Gespräch. Ich habe es aufgeschrieben.«

»Spielen Sie es mit mir durch.« Er setzt sich. »Ich bin More. Sie sind Riche.« Riche starrt ihn an. »Soll ich den Fensterladen schließen? Ist es besser, wenn es sich im Dunkeln abspielt?«

»Ich konnte ihn nicht zurücklassen«, sagt Riche zögernd, »ohne noch einmal zu versuchen …«

»Richtig. Sie müssen Ihren Weg machen. Aber warum wollte er mit Ihnen sprechen, wenn er nicht mit mir sprechen wollte?«

»Weil er mich gar nicht wahrnimmt. Er glaubt, ich zähle nicht.«

»Und dabei sind Sie zweiter Kronanwalt«, sagt er spöttisch.

»Wir haben also hypothetische Fälle durchgespielt.«

»Was, als säßen Sie nach dem Essen in Lincoln's Inn zusammen?«

»Um die Wahrheit zu sagen, ich hatte Mitleid mit ihm, Sir. Er sehnt sich nach Gesprächen, und Sie wissen, wie er drauflosplappert. Ich sagte, angenommen, das Parlament würde ein Gesetz verabschieden, das besagt, ich, Richard Riche, soll König sein. Würden Sie mich nicht für den König halten? Und er hat gelacht.«

»Nun, Sie müssen zugeben, dass es nicht sehr wahrscheinlich ist.«

»Deshalb habe ich ihn gedrängt; er sagte: Ja, majestätischer Richard, dafür halte ich Sie, denn das Parlament kann das, und angesichts der Dinge, die es bereits getan hat, wäre ich gar nicht verwundert, wenn ich eines Morgens unter der Herrschaft von König Cromwell aufwachen würde. Wenn ein Schneider König von Jerusalem werden kann, kann vermutlich auch ein Junge aus der Schmiede König von England werden.«

Riche hält inne: Hat er ihn beleidigt? Er strahlt ihn an. »Wenn ich erst König Cromwell bin, sollen Sie Herzog werden. Nun zur Sache, Purse … oder gibt es keine?«

»More sagte: Nun gut, Sie haben einen Fall vorgetragen, ich lege Ihnen einen höheren Fall vor. Angenommen, das Parlament würde ein Gesetz verabschieden, das besagt, dass Gott nicht Gott sein soll. Ich erwiderte, es hätte keine Gültigkeit, denn das Parlament hat nicht die Befugnis dazu. Dann sagte er: Jawohl, junger Mann, wenigstens können Sie eine Absurdität erkennen. Und dann brach er ab und warf mir einen Blick zu, als wolle er sagen, dass wir uns jetzt mit der wirklichen Welt befassen sollten. Ich sagte zu ihm: Ich lege Ihnen einen mittleren Fall vor. Sie wissen, dass unser Herr, der König, vom Parlament zum Oberhaupt der Kirche ernannt wurde. Warum gehen Sie mit der Abstimmung nicht konform, wie Sie es tun, wenn ich zum Monarchen gemacht werde? Und er sagte, als würde er ein Kind belehren: Die Fälle gleichen sich nicht. Denn der eine unterliegt der weltlichen Gerichtsbarkeit, und die kann das Parlament ausüben. Der andere unterliegt der geistlichen Gerichtsbarkeit, und die kann das Parlament nicht ausüben, denn diese Gerichtsbarkeit befindet sich außerhalb dieses Königreiches.«

Er starrt Riche an. »Man kann ihn als Papisten hängen«, sagt er.

»Ja, Sir.«

»Wir wissen, dass er das denkt. Er hat es nur niemals ausgesprochen.«

»Er sagte, dass ein höheres Gesetz dieses und alle Königreiche regiere, und wenn das Parlament Gottes Gesetz übertrete …«

»Das Gesetz des Papstes, meint er – denn er hält beide für ein und dasselbe, und das kann er nicht bestreiten, richtig? Warum prüft er ständig sein Gewissen, wenn nicht, um Tag und Nacht zu kontrollieren, ob es sich im Einklang mit der römischen Kirche befindet? Das ist sein Trost, das ist seine Richtschnur. Mir stellt es sich so dar: Wenn er dem Parlament offen die Zuständigkeit abspricht, spricht er dem König seinen Titel ab. Was Verrat ist. Und doch«, er zuckt mit den Achseln, »wie weit trägt das? Können wir beweisen, dass die Nichtanerkennung böswillig war? Ich nehme an, dass er sagen wird: Das war doch nur Gerede, ein Zeitvertreib. Dass Sie Fälle durchgespielt haben und dass die Aussagen, die dabei gemacht wurden, nicht gegen einen Mann verwendet werden können.«

»Die Geschworenen würden das nicht verstehen. Sie werden ihn beim Wort nehmen. Schließlich wusste er, Sir, dass es keine studentische Debatte war.«

»Das ist richtig. Die werden nicht im Tower geführt.«

Riche reicht ihm das Memorandum. »Ich habe es so getreu wie möglich aus der Erinnerung aufgeschrieben.«

»Sie haben keinen Zeugen?«

»Die Leute gingen raus und rein und packten die Bücher in eine Kiste. Er hatte eine Menge Bücher. Sie können mir keine Sorglosigkeit vorwerfen, Sir, denn wie konnte ich wissen, dass er überhaupt mit mir sprechen würde?«

»Ich mache Ihnen keinen Vorwurf.« Er seufzt. »In Wirklichkeit sind Sie mein Augapfel, Purse. Und Sie bleiben vor Gericht dabei?«

Riche nickt unsicher. »Sagen Sie mir, dass es so ist, Richard. Oder sagen Sie mir, dass es nicht so ist. Wir wollen klar sehen. Seien Sie so nett, es jetzt zu sagen, wenn Sie glauben, Ihr Mut könnte Sie verlassen. Wenn wir noch einen Prozess verlieren, können wir uns von unserem Lebensunterhalt verabschieden. Und all unsere Arbeit wird vergeblich sein.«

»Verstehen Sie, er konnte ihr nicht widerstehen, der Chance, mich eines Besseren zu belehren«, sagt Riche. »Er lässt es nie in Vergessenheit geraten, wie ich mich als Student verhalten habe. Er benutzt mich für eine Moralpredigt. Also gut, er soll seine nächste Predigt auf dem Richtblock halten.«

Am Vorabend des Tages, an dem Fisher sterben soll, besucht er More. Er hat eine starke Wache dabei, aber er lässt die Männer in der äußeren Kammer und geht allein hinein. »Ich habe mich daran gewöhnt, dass die Fensterblende geschlossen ist«, sagt More, beinahe fröhlich. »Es macht Ihnen doch nichts aus, in der Dämmerung zu sitzen?«

»Sie brauchen keine Angst vor der Sonne zu haben. Sie scheint nicht.«

»Wolsey hat immer damit geprahlt, dass er das Wetter beeinflussen könnte.« Er kichert. »Es ist gut von Ihnen, mich zu besuchen, Thomas, jetzt, da wir uns nichts mehr zu sagen haben. Oder haben wir das?«

»Die Wachen werden morgen sehr früh kommen, um Bischof Fisher zu holen. Ich fürchte, sie werden Sie aufwecken.«

»Ich wäre ein schlechter Christ, wenn ich nicht die Vigil mit ihm halten könnte.« Sein Lächeln ist versickert. »Ich habe gehört, dass der König ihm Gnade gewährt hat, was die Art seines Todes betrifft.«

»Er ist ein sehr alter Mann und gebrechlich.«

More sagt mit beißender Freundlichkeit: »Ich tue mein Bestes, wissen Sie. Aber ein Mann schrumpft nur in seinem eigenen Tempo.«

»Hören Sie.« Er greift über den Tisch, nimmt Mores Hand und drückt sie: fester, als er wollte. Mein Schmiedegriff, denkt er: Er sieht, dass More zusammenzuckt, und spürt seine Finger; die Haut über den Knochen ist so trocken wie Papier. »Hören Sie. Wenn Sie vor Gericht kommen, sollten Sie sich sofort der Gnade des Königs unterwerfen.«

More sagt verwundert: »Wozu sollte das gut sein?«

»Er ist kein grausamer Mann. Das wissen Sie.«

»Weiß ich das? Früher war er es nicht. Er hatte ein liebenswürdiges Naturell. Aber dann hat er eine andere Sorte von Menschen um sich geschart.«

»Er ist immer für eine Bitte um Gnade empfänglich. Ich sage nicht, dass er Sie am Leben lassen wird, da der Eid ungeschworen ist. Aber er könnte Ihnen dieselbe Gnade gewähren wie Fisher.«

»Es ist nicht so wichtig, was mit dem Körper geschieht. Ich habe in mancherlei Hinsicht ein gesegnetes Leben geführt. Gott war gut zu mir und hat mich nicht geprüft. Jetzt, da er es tut, kann ich ihn nicht im Stich lassen. Ich habe über mein Herz gewacht, und ich habe nicht immer gemocht, was ich dort gefunden habe. Wenn es am Ende in die Hand des Henkers gerät, so sei es. Es wird bald danach in Gottes Hand sein.«

»Halten Sie mich für sentimental, wenn ich sage, dass ich nicht sehen will, wie Sie abgeschlachtet werden?« Keine Antwort. »Haben Sie keine Angst vor den Schmerzen?«

»Oh ja, ich habe große Angst, denn ich bin kein mutiger und robuster Mann wie Sie und ich komme nicht umhin, es mir in Gedanken auszumalen. Aber ich werde es nur für einen Augenblick spüren, und Gott wird dafür sorgen, dass ich mich danach nicht mehr daran erinnere.«

»Ich bin froh, dass ich nicht so bin wie Sie.«

»Zweifellos. Denn sonst säßen Sie hier.«

»Ich meine, dass meine Gedanken nicht auf die nächste Welt fixiert sind. Ich schließe daraus, dass Sie keine Möglichkeit sehen, diese zu verbessern.«

»Und Sie tun es?«

Eine geradezu leichtfertige Frage. Eine Handvoll Hagel schlägt mutwillig gegen das Fenster. Das schreckt sie beide auf; er steht auf, ruhelos. Er würde lieber wissen, was draußen los ist, das traurige windige Wrack von Sommer in Augenschein nehmen, als in einem abgedunkelten Raum zu hocken und sich zu fragen, welcher Schaden angerichtet wird. »Einmal hatte ich alle Hoffnung«, sagt er. »Aber die Welt setzt mir zu. Oder vielleicht ist es nur das Wetter. Es zieht mich hinunter und lässt mich denken wie Sie, dass man im Inneren schrumpfen sollte, immer weiter zusammenschrumpfen bis auf einen kleinen Lichtpunkt, der die eigene einsame Seele wie eine Flamme unter einem Glas bewahrt. Die Schauspiele von Schmerz und Schande, die ich um mich herum sehe, die Unwissenheit, das gedankenlose Laster, die Armut und der Mangel an Hoffnung, und ach, der Regen – der Regen, der auf England fällt und das Korn faulen lässt, er löscht das Licht im Auge eines Menschen und auch das Licht der Gelehrsamkeit, denn wer kann denken, wenn Oxford eine Riesenpfütze ist und Cambridge flussabwärts gespült wird, und wer soll dem Recht Geltung verschaffen, wenn die Richter um ihr Leben schwimmen? Letzte Woche hat das Volk in York revoltiert. Was sollte es davon abhalten, wenn der Weizen so knapp ist und der Preis doppelt so hoch wie letztes Jahr? Ich muss die Justiz anstacheln, damit ein Exempel statuiert wird, denke ich, denn sonst haben wir den ganzen Norden mit Hippen und Piken draußen, und wen werden sie abschlachten, wenn nicht einander? Ich glaube wirklich, ich wäre ein besserer Mann, wenn das Wetter besser wäre. Ich wäre ein besserer Mann, wenn ich in einem Staat lebte, wo die Sonne scheint und die Bürger reich und frei sind. Wenn es nur so wäre, Master More, dann würden Sie nicht halb so inständig für mich beten müssen, wie Sie es tun.«

»Wie Sie sprechen können«, sagt More. Worte, Worte, nichts als Worte. »Aber natürlich bete ich für Sie. Ich bete von ganzem Herzen, dass Sie erkennen, wie sehr Sie sich irren. Wenn wir uns im Himmel treffen, wie ich es erhoffe, werden all unsere Meinungsverschiedenheiten vergessen sein. Aber für den Augenblick können wir sie nicht einfach verschwinden lassen. Ihre Aufgabe ist es, mich zu töten. Meine ist es, am Leben zu bleiben. Das ist meine Rolle und meine Pflicht. Ich besitze nur den Grund, auf dem ich stehe, und dieser Grund ist Thomas More. Wenn Sie ihn haben wollen, müssen Sie ihn mir nehmen. Sie können nicht ernsthaft glauben, dass ich ihn aufgeben werde.«

»Sie werden Feder und Papier brauchen, um ihre Verteidigung aufzuschreiben. Das gewähre ich Ihnen.«

»Sie geben nie auf, richtig? Nein, Master Secretary, meine Verteidigung ist hier oben«, er klopft sich an die Stirn, »wo sie sicher vor Ihnen ist.«

Wie merkwürdig der Raum ist, wie leer ohne Mores Bücher: Er füllt sich mit Schatten. »Martin, eine Kerze«, ruft er.

»Werden Sie morgen hier sein? Wenn der Bischof hingerichtet wird?«

Er nickt. Obwohl er den Augenblick von Fishers Tod nicht sehen wird. Das Protokoll schreibt vor, dass die Zuschauer das Knie beugen und die Hüte ziehen, um das Hinscheiden einer Seele deutlich zu machen.

Martin bringt eine Kerze in einem Halter. »Noch etwas?« Sie halten inne, während er sie hinstellt. Als er gegangen ist, halten sie immer noch inne: Der Gefangene sitzt gekrümmt da und sieht in die Flamme. Wie soll er wissen, ob More ein Schweigen begonnen hat oder ob er sich aufs

Sprechen vorbereitet? Es gibt ein Schweigen, das dem Sprechen vorausgeht, es gibt ein Schweigen anstelle des Sprechens. Man braucht es nicht mit einer Äußerung zu brechen, man kann es mit einem Zögern brechen: *wenn … es könnte vielleicht … möglicherweise …* Er sagt: »Ich hätte Sie gelassen, wissen Sie. Ihr Leben zu Ende leben lassen. Damit Sie Ihre grausamen Taten bereuen. Wenn ich König wäre.«

Das Licht schwindet. Es ist, als hätte der Gefangene den Raum verlassen und nur eine Kontur an der Stelle zurückgelassen, wo er sein sollte. Zugluft zerrt an der Kerzenflamme. Befreit von Mores hektischen Kritzeleien, hat der leere Tisch zwischen ihnen jetzt den Anschein eines Altars angenommen; und wozu ist ein Altar da, wenn nicht für ein Opfer? Endlich bricht More sein Schweigen: »Wenn, am Ende und nach meinem Prozess, wenn der König nicht gnädig gestimmt ist, wenn die volle Härte der Strafe … Thomas, wie wird es gemacht? Man würde denken, dass ein Mann stirbt, wenn ihm der Bauch aufgeschlitzt wird, dass er mit einem großen Blutschwall stirbt, aber es scheint, dass es nicht so ist … Haben sie ein spezielles Gerät, das sie benutzen, um jemanden auszuweiden, während er noch lebt?«

»Es tut mir leid, dass Sie denken, ich wäre ein Experte darin.«

Aber hat er nicht Norfolk erzählt, so gut wie erzählt, dass er einem Mann das Herz herausgerissen hat?

Er sagt: »Es ist das Geheimnis des Henkers. Es wird nicht gelüftet, damit wir uns davor fürchten.«

»Lassen Sie mich sauber töten. Ich bitte um nichts, aber darum bitte ich.« Auf seinem Hocker schaukelnd, gerät er von einem Herzschlag zum nächsten in den Griff eines körperlichen Aufruhrs; er schreit auf, schaudert von Kopf bis Fuß. Seine Hand schlägt schwach auf die saubere Tischplatte; und als er ihn verlässt – »Martin, gehen Sie hinein, geben Sie ihm etwas Wein« – schreit More immer noch, schaudert, schlägt auf den Tisch.

Das nächste Mal wird er ihn in Westminster Hall sehen.

Am Tag des Prozesses treten Flüsse über ihre Ufer; selbst die Themse steigt und brodelt wie ein Fluss in der Hölle und spült ihr Treibgut über die Kais.

England gegen Rom, sagt er. Die Lebenden gegen die Toten.

Norfolk wird den Vorsitz haben. Er sagt ihm, wie es ablaufen wird. Die ersten Punkte der Anklage werden niedergeschlagen: Sie betreffen verschiedene zu verschiedenen Zeiten gesprochene Worte über das Gesetz und den Eid und Mores verräterische Verschwörung mit Fisher – Briefe gingen zwischen den beiden hin und her, aber offenbar sind diese Briefe inzwischen vernichtet worden. »Dann werden wir zum vierten Punkt die Aussage des zweiten Kronanwalts hören. Nun, Euer Gnaden, das wird More ablenken, denn er kann den jungen Riche nicht ansehen, ohne sich in heftige Erregung wegen seiner Verworfenheit als Junge hineinzusteigern …« Der Herzog zieht eine Augenbraue hoch. »Trinken. Prügeln. Frauen. Würfel.«

Norfolk reibt sich das stoppelige Kinn. »Mir ist aufgefallen, dass sich diese weichlich wirkenden Jünglinge wie er immer prügeln. Um sich zu beweisen, verstehen Sie? Während hartgesottene alte Schläger wie wir in unserer Rüstung geboren werden und uns nie beweisen müssen.«

»Genau«, sagt er. »Wir sind die friedfertigsten aller Männer. Mylord, bitte passen Sie jetzt auf. Wir wollen nicht noch so einen Fehler wie bei Dacre. Wir würden ihn kaum überleben. Die ersten Anklagepunkte werden niedergeschlagen. Beim nächsten werden die Geschworenen aufmerken. Und ich habe Ihnen eine beachtliche Jury zusammengestellt.«

More wird seinesgleichen gegenüberstehen; Londonern, Kaufleuten der Gilden. Es sind erfahrene Männer mit allen Vorurteilen der City. Wie alle Londoner haben Sie reichlich Bekanntschaft mit der Habgier und Arroganz der Kirche gemacht, und es gefällt ihnen nicht, gesagt zu bekommen, es stehe ihnen nicht an, die Bibel in ihrer eigenen Sprache zu lesen. Es sind Männer, die More kennen, und das seit zwanzig Jahren. Sie wissen, wie er Lucy Petyt zur Witwe gemacht hat. Sie wissen, wie er Humphrey Monmouths Geschäft ruiniert hat, weil Tyndale in seinem Haus zu Gast war. Sie wissen, dass er Spione in ihren Haushalten auf sie angesetzt hat, sie sind unter ihren Lehrlingen zu finden, die sie wie Söhne behandeln, und unter ihren Dienstboten, die so eng mit der Familie verbunden sind, dass sie jeden Abend das Nachtgebet ihres Herrn hören.

Ein Name lässt Audley zögern: »John Parnell? Das könnte falsch aufgefasst werden. Sie wissen, dass er hinter More her ist, seit dieser im Kanzleigericht über ihn geurteilt hat …«

»Ich kenne den Fall. More hat ihn verpfuscht, er hat die Papiere nicht gelesen, weil er unbedingt einen Liebesbrief an Erasmus schreiben oder eine arme christliche Seele in seinen Stock in Chelsea legen musste. Was wollen Sie, Audley, wollen Sie, dass ich nach Wales gehe, um Geschworene auszuwählen, oder nach Cumberland oder sonstwohin, wo sie eine bessere Meinung von More haben? Ich muss mich mit Männern aus London begnügen, und wenn ich keine Jury von Neugeborenen einschwöre, kann ich ihre Erinnerungen auch nicht auslöschen.«

Audley schüttelt den Kopf. »Ich weiß nicht, Cromwell.«

»Oh, er ist ein schlauer Hund«, sagt der Herzog. »Als Wolsey stürzte, sagte ich: Behaltet ihn im Auge, er ist ein schlauer Hund. Man muss sehr früh aufstehen, will man ihm voraus sein.«

Am Abend vor dem Prozess geht er in Austin Friars seine Papiere durch, als sich ein Kopf durch die Tür schiebt: ein kleiner, schmaler Londoner Kopf mit einem kurzgeschorenen Schädel und einem verletzlichen jungen Gesicht. »Dick Purser. Komm herein.«

Dick Purser sieht sich im Raum um. Er kümmert sich um die knurrenden Bullenbeißer, die das Haus bei Nacht bewachen, und er war noch nie in diesem Zimmer. »Komm her und setz dich. Hab keine Angst.« Er gießt ihm etwas Wein in ein dünnes venezianisches Glas, das dem Kardinal gehörte. »Probier mal. Wiltshire hat ihn mir geschickt, aber ich persönlich finde ihn nicht so gut.«

Dick nimmt das Glas und hantiert gefährlich damit herum. Die Flüssigkeit ist blass wie Stroh oder Sommerlicht. Er nimmt einen Schluck. »Sir, kann ich in Ihrem Gefolge mit zum Prozess kommen?«

»Es tut immer noch weh, habe ich recht?« Dick Purser war der Junge, den More vor seinem Haushalt in Chelsea auspeitschen ließ, weil er gesagt hatte, die Hostie sei ein Stück Brot. Damals war er ein Kind, noch immer ist er fast ein Kind; als er damals nach Austin Friars kam, hieß es, er weine im Schlaf. »Hol dir eine Livreejacke«, sagt er. »Und vergiss nicht, dir am Morgen Hände und Gesicht zu waschen. Ich will nicht, dass du mir Schande machst.«

Es ist das Wort »Schande«, das dem Jungen zu schaffen macht. »Der Schmerz hat mir kaum was ausgemacht«, sagt er. »Außer von Ihnen, Sir, haben wir alle genauso viel, wenn nicht mehr von unseren Vätern abgekriegt.«

»Das stimmt«, sagt er. »Mein Vater hat auf mich eingeschlagen, als wäre ich eine Metallplatte.«

»Es war nur so, dass er mein Fleisch entblößt hat. Und die Frauen haben zugeguckt. Dame Alice. Die jungen Mädchen. Ich glaubte, eine von ihnen würde für mich eintreten, aber als sie mich ohne Hosen sahen, haben sie sich nur geekelt. Es hat sie zum Lachen gebracht. Als der Kerl mich auspeitschte, haben sie gelacht.«

In Geschichten sind es immer junge Mädchen, unschuldige Mädchen, die dem Mann mit der Stange oder der Axt in den Arm fallen. Aber wir scheinen in einer anderen Geschichte gelandet zu sein: die kleinen Pobacken eines Kindes, die Gänsehaut von der Kälte bekommen, seine mageren kleinen Eier, sein scheuer Schwanz, der auf Knopfgröße zusammenschrumpft, während die Damen des Hauses kichern und die männlichen Diener höhnen und dünne Striemen auf seiner Haut aufspringen und bluten.

»Das ist jetzt vorbei und vergessen. Weine nicht.« Er kommt hinter seinem Schreibtisch vor. Dick Purser lässt den geschorenen Kopf an seine Schulter fallen und heult: vor Scham, vor Erleichterung, aus Triumph, dass er seinen Peiniger bald überlebt haben wird. More hat John Pursers Tod zu verantworten, er hat ihn verfolgt, weil er deutsche Bücher besaß. Jetzt hält er den Jungen, fühlt das Schlagen seines Pulses, seine angespannten Sehnen, die Stränge seiner Muskeln, und gibt tröstende Laute von sich, wie er es bei seinen Kindern gemacht hat, als sie klein waren, oder wie er es bei einem Spaniel macht, dem jemand auf den Schwanz getreten hat. Trost, hat er festgestellt, wird oft um den Preis von einem oder zwei Flöhen gespendet.

»Ich folge Ihnen bis in den Tod«, erklärt der Junge. Seine Arme umgreifen seinen Herrn mit zu Fäusten geballten Händen: Knöchel bohren sich in seine Wirbelsäule. Der Junge schnieft. »Ich glaube, in einer Livree werde ich gut aussehen. Um wie viel Uhr brechen wir auf?«

Früh. Mit seinem Stab ist er vor allen anderen in Westminster Hall, um Schwierigkeiten in letzter Minute abzuwenden. Das Gericht versammelt sich um ihn, und als More hereingebracht wird, ist die Halle sichtlich erschüttert von seiner Erscheinung. Der Tower war nie dafür bekannt, einem Mann gut zu tun, aber More erschreckt sie; mit seiner mageren Gestalt und dem zottigen weißen Bart sieht er älter aus, als er ist, wie siebzig. Audley flüstert: »Er sieht aus, als hätte man ihn schlecht behandelt.«

»Und dabei sagt er, dass *ich* keinen Trick auslasse.«

»Nun, ich habe ein reines Gewissen«, sagt der Lordkanzler munter. »Er hat jede Rücksicht erfahren.«

John Parnell nickt ihm zu. Richard Riche, sowohl hoher Beamter des Gerichts als auch Zeuge, lächelt ihn an. Audley bittet um eine Sitzgelegenheit für den Gefangenen, More setzt sich, ruckelt aber an der Kante herum: aufgedreht, streitlustig.

Er sieht sich um, um sicherzustellen, dass jemand Notizen für ihn macht.

Worte, Worte, nichts als Worte.

Er denkt: Ich habe mich an dich erinnert, Thomas More, aber du hast dich nicht an mich erinnert. Du hast mich nicht einmal kommen sehen.

III

Nach Wolf Hall

Juli 1535

Am Abend von Mores Tod klart das Wetter auf, und er geht mit Rafe und Richard im Garten spazieren. Die Sonne zeigt sich, ein Silberdunst zwischen Wolkenfetzen. Die vom Regen flachgedrückten Kräuterbeete duften nicht, und ein unruhiger Wind zerrt an ihren Kleidern, trifft ihren Nacken und dreht sich abrupt, um ihnen ins Gesicht zu schlagen.

Rafe sagt, es sei wie auf See. Sie gehen rechts und links von ihm, dicht an seiner Seite, als drohe ihm Gefahr von Walen, Piraten und Meerjungfrauen.

Der Prozess liegt fünf Tage zurück. In der Zwischenzeit ist viel Arbeit angefallen, aber trotzdem können sie nicht anders, als die Ereignisse noch einmal durchzugehen und über die Bilder zu sprechen, die sie im Kopf haben: der Kronanwalt, der eine letzte Notiz in der Anklageschrift macht; More, der kichert, als einem Schreiber ein Fehler bei seinem Latein unterläuft; die kalten, glatten Gesichter der Boleyns, Vater und Sohn, auf der Richterbank. More hat nie die Stimme erhoben; er saß auf dem Stuhl, den Audley ihm zur Verfügung gestellt hatte; aufmerksam, den Kopf ein wenig nach links geneigt, zupfte er beständig an seinem Ärmel.

Deshalb war Riche sichtlich überrascht, als More plötzlich auf ihn losging; er war einen Schritt zurückgewichen und hatte sich Halt suchend an einen Tisch gelehnt. »Ich kenne Sie von früher, Riche, warum sollte ich Ihnen meine Gedanken offenbaren?« More war aufgestanden, seine Stimme triefte vor Verachtung. »Ich kenne Sie seit Ihrer Jugend, Sie waren ein Zocker und Würfelspieler, berüchtigt sogar in Ihrem eigenen Haus …«

»Beim heiligen Julian!«, hatte Richter Fitzjames ausgerufen; das war sein üblicher Fluch. Und leise zu ihm, Cromwell: »Wird ihm das nützen?«

Der Jury hatte es nicht gefallen: Man weiß nie, was einer Jury gefällt. Sie hielten Mores plötzliche Lebhaftigkeit für Erschütterung und Schuld, weil man ihn mit seinen eigenen Worten konfrontiert hatte. Gewiss kannten sie alle Riches Reputation. Aber sind Trinken, Würfeln und Prügeleien im Großen und Ganzen nicht natürlicher für einen jungen Mann als Fasten, Rosenkranzbeten und Selbstgeißelung? Es war Norfolk, der in trockenem Ton in Mores Tirade eingefallen war: »Lassen Sie mal den Charakter des Mannes beiseite. Was sagen Sie zu der vorliegenden Frage? Haben Sie diese Worte von sich gegeben?«

War das der Moment, als Master More einen Trick zu viel versuchte? Er hatte sich zusammengerissen und seine rutschende Robe auf die Schulter gezogen; mit befestigter Robe hielt er inne, beruhigte sich, legte eine Faust in die andere. »Ich habe nicht gesagt, was Riche behauptet. Oder wenn ich es gesagt habe, so habe ich es nicht in böser Absicht gesagt, deshalb bin ich ohne Schuld nach dem Gesetz.«

Er hatte gesehen, wie in Parnells Gesicht ein spöttischer Ausdruck aufblitzte. Nichts ist so unerbittlich wie ein Londoner Bürger, der glaubt, man hält ihn zum Narren. Audley oder jeder andere der Juristen hätte die Jury eines Besseren belehren können: Das ist nur die übliche Art und Weise, auf die wir Juristen debattieren. Aber sie wollen keine juristische Debatte, sie wollen die Wahrheit: Haben Sie das gesagt, oder haben Sie das nicht gesagt? George Boleyn beugt sich vor: Kann der Gefangene uns seine eigene Version des Gesprächs geben?

More dreht sich um, er lächelt, als wolle er sagen: Ein guter Punkt, junger Master George. »Ich habe mir keine Notizen gemacht. Ich hatte keine Schreibmaterialien, müssen Sie wissen. Denn wenn Sie sich erinnern, Mylord Rochford, der eigentliche Grund, aus dem Riche zu mir kam, war ja, mir alle Mittel zum Aufzeichnen wegzunehmen.«

Und wieder hatte er auf die Jury geblickt, als erwarte er Applaus; sie erwiderten seinen Blick, und ihre Gesichter waren wie versteinert.

War das der Wendepunkt? Sie hätten More vielleicht geglaubt, war er doch einmal Lordkanzler gewesen, Purse dagegen, wie jedermann weiß, ein solcher Verschwender. Man kann nie wissen, was eine Jury denkt: obwohl er, als er sie einberief, natürlich überzeugend gewesen war. An jenem Morgen hatte er mit ihnen gesprochen: Ich weiß nicht, wie seine Verteidigung aussieht, aber ich hege keine allzu große Hoffnung, dass wir bis Mittag fertig sind; ich hoffe, Sie hatten alle ein gutes Frühstück? Wenn Sie sich zur Beratung zurückziehen, müssen Sie sich Zeit nehmen, natürlich, aber wenn Sie nach meiner Berechnung mehr als zwanzig Minuten draußen sind, werde ich hereinkommen, um festzustellen, wie Sie vorankommen. Um Ihnen alle Zweifel bezüglich irgendwelcher rechtlichen Punkte zu nehmen.

Sie brauchten nicht mehr als fünfzehn Minuten.

Jetzt, an diesem Abend im Garten, am 6. Juli, dem Feiertag der heiligen Godelva (einer schuldlosen jungen Frau aus Brügge, deren böser Ehemann sie in einem Teich ertränkte), sieht er in den Himmel und spürt eine Veränderung der Luft, eine feuchte Strömung, herbstgleich. Das Zwischenspiel der schwachen Sonne ist vorbei. Wolken formen sich zu Türmen und Zinnen, sie werden aus Essex herangeweht und ballen sich über der Stadt zusammen, sie werden vom Wind über die weiten durchweichten Felder getrieben, über das durchnässte Weideland und die gestiegenen Flüsse, über die tropfenden Wälder des Westens und hinaus über die See nach Irland. Richard muss seinen Hut aus einem Lavendelbeet holen und klopft leise fluchend die Tropfen ab. Ein paar Regentropfen treffen ihre Gesichter. »Zeit hineinzugehen. Ich muss Briefe schreiben.«

»Sie werden heute Nacht nicht noch stundenlang arbeiten!«

»Nein, Großvater Rafe. Ich bekomme mein Brot und meine Milch, bete mein Ave Maria und ab ins Bett. Darf ich meinen Hund mit nach oben nehmen?«

»Auf keinen Fall, nein! Sonst wird da oben noch stundenlang rumgetobt.«

Es stimmt, dass er letzte Nacht nicht viel geschlafen hat. Nach Mitternacht war ihm eingefallen, dass More gewiss schon schlief, er wusste ja nicht, dass es seine letzte Nacht auf Erden war. Es ist üblich, den zum Tode verurteilten Mann erst am frühen Morgen vorzubereiten; wenn ich die Vigil für ihn halte, hatte er deshalb gedacht, halte ich sie allein.

Sie eilen ins Haus; der Wind schlägt eine Tür hinter ihnen zu. Rafe nimmt seinen Arm. Er sagt: Mores Schweigen war gar kein Schweigen, richtig? Es tönte laut von seinem Verrat; es war spitzfindig, wenn Spitzfindigkeiten ihm nützlich erschienen, es war voller Einwände und Kritteleien, voller schlauer Zweideutigkeiten. Es war die Furcht vor offenen Worten oder die Annahme, dass offene Worte sich selbst verdrehen; Mores Wörterbuch gegen unser Wörterbuch. Es gibt ein Schweigen, das voller Worte ist. Eine Laute verwahrt in ihrer Höhlung die Noten, die sie gespielt hat. Die Viola bewahrt in ihren Seiten eine Harmonie. Ein vertrocknetes Blütenblatt kann seinen Duft behalten, ein Gebet kann vor Flüchen scheppern; ein leeres Haus, dessen Besitzer ausgegangen sind, kann laut sein, wenn die Geister lärmen.

Jemand – wahrscheinlich nicht Christophe – hat einen glänzenden Silbertopf mit Kornblumen auf seinen Schreibtisch gestellt. Das dunkle Blau im Zentrum der geknitterten Blütenblätter erinnert ihn an das Licht dieses Morgens: eine späte Morgendämmerung für Juli, ein missmutiger Himmel. Um fünf oder früher wird der Lieutenant of the Tower zu More hineingegangen sein.

Von unten kann er einen ganzen Strom von Boten hören, die in den Hof kommen. Es gibt viel zu tun, hinter dem toten Mann muss aufgeräumt werden; aber schließlich, denkt er, habe ich es als Kind schon getan, ich habe hinter Mortons jungen Herren hergeräumt, und dies ist das letzte Mal, dass ich es tun muss; er sieht sich selbst als Kind, wie er in der Dämmerung die Reste des kleinen Biers in einen Lederkrug schüttet, wie er die Kerzenstummel aus den Haltern drückt und zum Einschmelzen ins Kerzenlager bringt.

Er kann Stimmen in der Halle hören – einerlei: Er kehrt zu seinen Briefen zurück. Der Abt von Rewley erbittet eine freie Stelle für seinen Freund. Der Bürgermeister von York schreibt ihm über Wehre und Fischfallen; der Humber fließt sauber und süß, liest er, und die Ouse auch. Ein Brief von Lord Lisle in Calais, der sich für irgendetwas rechtfertigt und eine verworrene Geschichte erzählt: Er sagte, dann sagte ich, also sagte er.

Thomas More steht vor ihm, solider im Tod, als er es im Leben war. Vielleicht wird er jetzt immer hier sein: so geistig beweglich und so unnachgiebig, wie er in seiner letzten Stunde vor dem Gericht auftrat. Audley war so glücklich über den Schuldspruch, dass er mit der Urteilsverkündung begann, ohne den Gefangenen gefragt zu haben, ob er noch etwas sagen wolle; Fitzroy musste hinübergreifen und ihm auf den Arm klopfen, und More selbst stand auf, um Audley Einhalt zu gebieten. Er hatte viel zu sagen, und seine Stimme war lebhaft, sein Ton beißend, seine Augen und seine Gesten waren keineswegs die eines Mannes, der zum Tode verurteilt und nach dem Gesetz bereits tot ist.

Aber es war nichts Neues dabei: jedenfalls nicht neu für ihn. Ich folge meinem Gewissen, sagte More, Sie müssen dem Ihren folgen. Mein Gewissen überzeugt mich davon – und jetzt will ich mich deutlich erklären –, dass Ihr Gesetz fehlerhaft ist (Norfolk brüllt ihn an) und Ihre Autorität ohne Grundlage (Norfolk brüllt wieder: »Jetzt erkennen wir deutlich Ihre böse Absicht!«). Parnell hatte gelacht, und die Geschworenen hatten Blicke gewechselt und einander zugenickt; und während Westminster Hall ganz und gar von Gemurmel erfüllt war, sprach More gegen den Lärm an und brachte noch einmal seine verräterische Zählmethode vor. Mein Gewissen ist im Einklang mit der Mehrheit, was mir beweist, dass es nicht falsch spricht. »Gegen Henrys Königreich halte ich alle Königreiche der Christenheit. Gegen jeden einzelnen Ihrer Bischöfe halte ich hundert Heilige. Gegen Ihr eines Parlament halte ich alle allgemeinen Kirchenräte der Kirche. Sie reichen tausend Jahre zurück.«

Norfolk sagte: Bringt ihn weg. Es ist vorbei.

Jetzt ist es Dienstag, es ist acht Uhr. Der Regen trommelt ans Fenster. Er bricht das Siegel auf einem Brief des Herzogs von Richmond. Der Junge beklagt sich, dass er in Yorkshire, wo er seinen Wohnsitz hat, nicht über einen Wildpark verfügt, sodass er seinen Freunden keinen Sport bieten kann. Ach, du armer kleiner Herzog, denkt er, wie kann ich deine Schmerzen lindern? Die Witwe mit den schwarzen Zähnen, die Gregory angeblich heiraten soll, sie hat einen Wildpark, sollte sich das Prinzchen also vielleicht von Norfolks Tochter scheiden lassen und stattdessen Gregorys Witwe heiraten? Er legt Richmonds Brief schnell beiseite – möchte ihn am liebsten einfach auf den Boden werfen – und fährt fort. Der Kaiser hat mit seiner Flotte Sardinien verlassen und segelt nach Sizilien. Ein Priester von der St Mary Woolchurch sagt, er, Cromwell, sei ein Sektierer und er habe keine Angst vor ihm: Dummkopf. Harry Lord Morley schickt ihm einen Windhund. Es wird berichtet, dass Flüchtlinge in Scharen die Gegend von Münster verlassen, einige von ihnen sind auf dem Weg nach England.

Audley hatte gesagt: »Gefangener, das Gericht wird den König bitten, Ihnen Gnade zu gewähren, was die Art Ihres Todes betrifft.« Audley hatte sich herübergebeugt: Master Secretary, haben Sie ihm Versprechungen gemacht? Bei meinem Leben, nein: Aber sicher wird der König gut zu ihm sein? Norfolk sagte: Cromwell, werden Sie in dieser Hinsicht auf ihn einwirken? Von Ihnen wird er es annehmen; aber wenn nicht, gehe ich selbst und bitte ihn darum. Welch ein Wunder: Norfolk bittet um Gnade? Er hatte aufgesehen, wollte sehen, wie More herausgebracht wurde, aber er war schon verschwunden, die großen Hellebardiere schlossen die Reihen hinter ihm: Das Boot zum Tower wartet an den Stufen. Es muss sich anfühlen, als käme man nach Hause: der vertraute Raum mit dem schmalen Fenster, der Tisch ohne Papiere, der Kerzenhalter, die geschlossene Fensterblende.

Das Fenster klappert; es schreckt ihn auf, und er denkt: Ich muss den Laden verriegeln. Er steht auf, um es zu tun, als Rafe mit einem

Buch in der Hand hereinkommt. »Es ist sein Gebetbuch, More hatte es bis zum Schluss bei sich.«

Er untersucht es. Glücklicherweise hat es keine Blutspritzer abbekommen. Er hält es am Buchrücken in die Höhe und lässt die Seiten flattern. »Das habe ich schon gemacht«, sagt Rafe.

More hat seinen Namen hineingeschrieben. Manche Stellen im Text sind unterstrichen: *Gedenke nicht der Sünden meiner Jugend.* »Zu schade, dass er an die von Richard Riche gedacht hat.«

»Soll ich es an Dame Alice schicken lassen?«

»Nein. Sie könnte denken, sie sei eine dieser Sünden.« Die Frau hat genug erduldet. In seinem letzten Brief hat More sich nicht einmal von ihr verabschiedet. Er klappt das Buch zu. »Schick es an Meg. Er hat es vermutlich sowieso ihr zugedacht.«

Um ihn herum bebt das ganze Haus: Wind fährt in die Dachvorsprünge, Wind fährt in die Kamine, Zugluft fegt unter jeder Tür hindurch. Es ist kalt genug, um ein Feuer zu machen, sagt Rafe, soll ich mich darum kümmern? Er schüttelt den Kopf. »Sag Richard, dass er morgen früh zur London Bridge und zum Brückenwärter gehen soll. Mistress Roper wird zu ihm kommen und um den Kopf ihres Vaters bitten, damit sie ihn begraben kann. Der Mann soll nehmen, was Meg ihm anbietet, und dafür sorgen, dass sie nicht an ihrem Tun gehindert wird. Und er soll den Mund halten.«

Einmal in Italien, als er jung war, war er Teil einer Begräbnistruppe gewesen. Man tat das nicht freiwillig, es wurde befohlen. Sie hatten sich ein Stück Tuch vor den Mund gebunden und ihre Kameraden in ungeweihte Erde geschaufelt, dann waren sie mit dem Gestank der Verwesung an ihren Stiefeln davongegangen.

Was ist schlimmer, denkt er, wenn deine Töchter vor dir sterben oder wenn du sie zurücklässt, damit sie deine Überreste wegräumen?

»Da ist etwas ...« Er runzelt die Stirn über seinen Papieren. »Was habe ich vergessen, Rafe?«

»Ihr Abendessen?«

»Später.«

»Lord Lisle?«

»Ich habe mich um Lord Lisle gekümmert.« Um den Fluss Humber gekümmert. Um den verleumderischen Priester von Mary Woolchurch; also nicht direkt gekümmert, aber auf den Stapel mit noch zu erledigenden Angelegenheiten getan. Er lacht. »Weißt du, was ich brauche? Ich brauche die Gedächtnismaschine.«

Giulio hat Paris verlassen, heißt es. Er ist überstürzt nach Italien zurückgekehrt und hat die Vorrichtung halb fertig zurückgelassen. Es heißt, dass er vor seiner Flucht einige Wochen lang weder gesprochen noch gegessen hat. Leute, die ihm wohlgesonnen sind, sagen, dass er verrückt geworden ist, weil ihn die Fähigkeiten seiner eigenen Kreatur in Schrecken versetzt haben: Er ist in den Abgrund des Göttlichen gefallen. Leute, die ihm übel gesonnen sind, behaupten, dass Dämonen aus den Ritzen und Spalten der Vorrichtung gekrochen sind und ihn so in Panik versetzt haben, dass er mitten in der Nacht im Hemd weggelaufen ist, ohne auch nur etwas Brot und ein Stück Käse für die Reise mitzunehmen, dass er all seine Bücher zurückgelassen hat und seine Zauberergewänder.

Es ist nicht unmöglich, dass Giulio Aufzeichnungen in Frankreich zurückgelassen hat. Gegen eine gewisse Summe könnte man sie vielleicht erwerben. Es ist nicht unmöglich, ihn nach Italien verfolgen zu lassen; aber würde das irgendeinen Sinn haben? Es ist wahrscheinlich, denkt er, dass wir nie erfahren werden, worum es sich bei seiner Erfindung eigentlich gehandelt hat. Eine Druckerpresse, die ihre eigenen Bücher schreiben kann? Ein Geist, der über sich selbst nachdenkt? Aber wenn ich sie nicht habe, hat der König von Frankreich sie wenigstens auch nicht.

Er greift nach seiner Feder. Er gähnt und legt sie hin und nimmt sie wieder in die Hand. Ich werde tot an meinem Schreibtisch gefunden werden, denkt er, wie der Dichter Petrarca. Der Dichter schrieb viele Briefe, die nie abgeschickt wurden: Er schrieb an Cicero, der zwölfhundert Jahre vor seiner eigenen Geburt gestorben war. Er schrieb an Homer, der möglicherweise nie existiert hat; aber ich, ich habe genug zu tun mit Lord Lisle und den Fischfallen und den Galeonen des Kaisers, die im Mittelmeer schaukeln. Zwischen einem Eintauchen der Feder, schreibt Petrarca, zwischen einem Eintauchen und dem nächsten verrinnt die Zeit: wie ich selbst dabei verrinne, fortgehe, mich mindere und, um es geradewegs zu sagen, sterbe. Beständig sterben wir, ich, der ich dies schreibe, du, während du dies liest, andere, während sie zuhören oder nicht zuhören – alle sterben wir.

Er ergreift den nächsten Stapel Briefe. Ein Mann namens Batcock bittet um eine Importgenehmigung für hundert Tonnen Färberwaid. Harry Percy ist wieder krank. Die Behörden in Yorkshire haben die Aufrührer zusammengetrieben und aufgeteilt in solche, die des Landfriedensbruchs und des Totschlags beschuldigt werden, und solche, die wegen Mord und Vergewaltigung angeklagt werden sollen. Vergewaltigung? Seit wann gehören Vergewaltigungen zu Hungerrevolten? Ach so, das hatte ich ganz vergessen: Es ist Yorkshire.

»Rafe, bring mir die Reiseroute des Königs. Ich überprüfe sie, und dann bin ich hier fertig. Ich meine, wir sollten noch etwas Musik hören, bevor wir zu Bett gehen.«

Der Hof reitet diesen Sommer nach Westen, bis nach Bristol. Der König ist zum Aufbruch bereit, trotz des Regens. Sie werden in Windsor aufbrechen, dann nach Reading, Missenden, Abingdon; sie werden durch Oxfordshire reisen, wobei sich ihre Stimmung heben wird, je weiter sie von London entfernt sind – wie wir hoffen; er sagt zu Rafe: Wenn die Landluft zu Werke geht, wird die Königin mit dickem Bauch zurückkehren. Rafe sagt: Ich frage mich, wie es der König aushält, jedes Mal wieder zu hoffen. Einen geringeren Mann würde das zermürben.

»Wenn wir London am achtzehnten verlassen, können wir versuchen, sie in Sudely einzuholen. Wird das klappen?«

»Besser ist es, einen Tag früher aufzubrechen. Bedenken Sie den Zustand der Straßen.«

»Es gibt keine Abkürzungen, oder?« Er wird keine Furten benutzen, sondern Brücken, und gegen seine Neigung wird er sich an die Hauptstraßen halten; bessere Karten wären eine große Hilfe. Schon zu der Zeit des Kardinals hatte er überlegt: Ist das ein Projekt, das wir in Angriff nehmen könnten? Es gibt Karten, so etwas wie Karten: die Felder dieser Karten sind mit Burgen geschmückt, die Zinnen hübsch koloriert, ihre Jagdreviere und Parks durch Reihen von buschigen Bäumen markiert und mit Zeichnungen von Hirschen und borstigen Ebern versehen. Es ist kein Wunder, dass Gregory Northumbria mit den Westindischen Inseln verwechselt hat, denn diese Karten sind in jeder praktischen Hinsicht unzureichend; sie sagen zum Beispiel nicht, wo Norden ist. Es wäre nützlich zu wissen, wo die Brücken sind, und einen Hinweis über ihre Entfernung voneinander zu bekommen. Es wäre nützlich zu wissen, wie weit man vom Meer entfernt ist. Aber das Problem ist, dass es immer die Karten des letzten Jahres sind. England erschafft sich beständig neu, seine Klippen werden ausgewaschen, seine Sandbänke verlagern sich, unvermutet sprudeln Quellen auf totem Boden. Sie gruppieren sich neu, während wir schlafen, die Landschaften, durch die wir uns bewegen, und die Geschichten, die hinter uns ihre Spur ziehen, tun dasselbe; die Gesichter der Toten verschwimmen in anderen Gesichtern wie der Kamm einer Hügelkette im Nebel.

Als er ein kleines Kind war, ungefähr sechs Jahre alt, hatte der Lehrling seines Vaters Nägel aus Schrott gemacht: nur stinknormale Flachköpfe, hatte er gesagt, um Sargdeckel zuzunageln. Die Schäfte der Nägel glühten im Feuer, ein lebhaftes Orange. »Warum nageln wir die Toten zu?«

Der Junge hatte nur einen Moment innegehalten, während er die Nagelköpfe mit zwei sauberen Schlägen zurechtklopfte. »Damit die grusligen Kerle nicht rauskommen und uns verfolgen.«

Jetzt weiß er es besser. Es sind die Lebenden, die sich zurückwenden und die Toten verfolgen. Die Röhrenknochen und Schädel werden aus den Leichentüchern gekippt, und als wären es Steine, werden Wörter in ihre klappernden Münder geworfen: Wir redigieren ihre Schriften, wir schreiben ihr Leben um. Thomas More hat das Gerücht verbreitet, dass der kleine Bilney widerrief, als er auf dem Scheiterhaufen angekettet war und das Feuer entzündet wurde. Es hatte ihm nicht gereicht, Bilney das Leben zu nehmen, er musste ihm auch seinen Tod nehmen.

Heute wurde Thomas More von Humphrey Monmouth, der gerade seinen Dienst als Sheriff von London versieht, zum Schafott geleitet. Monmouth ist ein zu guter Mensch, um über diese Umkehrung des Schicksals zu jubeln. Aber vielleicht können wir für ihn jubeln?

More steht am Richtblock, er kann ihn jetzt sehen. Ein grober grauer Umhang ist um ihn gelegt, der seinem Diener John Wood gehört, wie er sich erinnert. More spricht zu dem Scharfrichter, macht offenbar eine witzige Bemerkung, wischt sich den Nieselregen aus dem Gesicht und vom Bart. Er legt den Umhang ab, dessen Saum vom Regen durchnässt ist. Er kniet am Richtblock, seine Lippen bewegen sich zu seinem letzten Gebet.

Wie alle anderen Zeugen hüllt er sich fest in seinen Umhang und kniet nieder. Bei dem entsetzlichen Geräusch, als die Axt auf das Fleisch trifft, wirft er einen Blick nach oben. Die Leiche scheint von dem Schlag zurückgeschnellt zu sein und sich wie ein Stapel alter Kleider gefaltet zu haben – in dem, wie er weiß, der Puls noch schlägt. Er macht das Zeichen des Kreuzes. Die Vergangenheit bewegt sich heftig in seinem Inneren, eine Verschiebung des Bodens.

»Also, der König«, sagt er. »Von Gloucester begibt er sich nach Thornbury. Dann Nicholas Poynz' Haus in Iron Acton: Weiß Poynz eigentlich, worauf er sich da einlässt? Von dort nach Bromham …«

Gerade dieses Jahr hat ein Gelehrter, ein Ausländer, eine Chronik Britanniens geschrieben, in der König Arthur mit der Begründung ausgelassen wird, dass er nie existiert habe. Ein guter Grund, wenn er ihn aufrechterhalten kann; aber Gregory sagt: Nein, er hat unrecht. Denn wenn er recht hat, was ist dann mit Avalon? Was ist mit dem Schwert im Stein?

Er sieht auf. »Rafe, bist du glücklich?«

»Mit Helen?« Rafe errötet. »Ja, Sir. Kein Mann war je glücklicher.«

»Ich wusste, dein Vater würde einlenken, nachdem er sie gesehen hat.«

»Es ist alles nur Ihnen zu verdanken, Sir.«

Von Bromham – wir haben jetzt Anfang September – in Richtung Winchester. Dann Bishop's Waltham, Alton, von Alton nach Farnham. Er umreißt die Route, quer durchs Land. Das Ziel ist, den König bis Anfang Oktober nach Windsor zurückzubringen. Er hat eine Karte auf dem Blatt skizziert, England in einem Niesel aus Tinte; sein schnell aufnotierter Terminplan steht am Rand. »Ich scheine vier, fünf Tage zur Verfügung zu haben. Aha. Wer sagt denn, dass ich nie Urlaub bekomme?«

Vor »Bromham« macht er einen Punkt am Rand und zieht einen langen Pfeil quer über die Seite. »Hier, bevor wir nach Winchester gehen, haben wir Zeit übrig, und ich denke, Rafe, wir sollten die Seymours besuchen.«

Er schreibt es auf.

Anfang September. Fünf Tage. Wolf Hall.

Figuren der Handlung

IN PUTNEY, 1500

– Walter Cromwell, ein Hufschmied und Brauer
– Thomas, sein Sohn
– Bet, seine Tochter
– Kat, seine Tochter
– Morgan Williams, Kats Ehemann

IN AUSTIN FRIARS, AB 1527

– Thomas Cromwell, ein Anwalt
– Liz Wykys, seine Frau
– Gregory, ihr Sohn
– Anne, ihre Tochter
– Grace, ihre Tochter
– Henry Wykys, Liz' Vater, ein Wollhändler
– Mercy, seine Frau
– Johane Williamson, Liz' Schwester
– John Williamson, ihr Mann
– Johane (Jo), deren Tochter
– Alice Wellyfed, Cromwells Nichte, Tochter von Bet Cromwell
– Richard Williams, später Cromwell genannt, Sohn von Kat und Morgan
– Rafe Sadler, Cromwells Büroleiter, in Austin Friars großgezogen
– Thomas Avery, der Buchhalter des Haushalts
– Helen Barre, eine arme Frau, die in den Haushalt aufgenommen wurde
– Thurston, der Koch
– Christophe, ein Diener
– Dick Purser, zuständig für die Wachhunde

IN WESTMINSTER

- Thomas Wolsey, Erzbischof von York, Kardinal, päpstlicher Legat, Lordkanzler: Thomas Cromwells Förderer
- George Cavendish, Wolseys Hausmarschall und späterer Biograf
- Stephen Gardiner, Rektor von Trinity Hall, Sekretär des Kardinals, später persönlicher Sekretär Henrys VIII.: Cromwells innigster Feind
- Thomas Wriothesley, Siegelbeamter, Diplomat, Protegé sowohl Cromwells als auch Gardiners
- Richard Riche, Anwalt, später Zweiter Kronanwalt
- Thomas Audley, Anwalt, Sprecher des Unterhauses, Lordkanzler nach Thomas Mores Rücktritt

IN CHELSEA

- Thomas More, Anwalt und Gelehrter, Lordkanzler nach Wolseys Niedergang
- Alice, seine Frau
- Sir John More, sein betagter Vater
- Margaret Roper, seine älteste Tochter, verheiratet mit Will Roper
- Anne Cresacre, seine Schwiegertochter
- Henry Pattinson, ein Bediensteter

IN DER CITY

- Humphrey Monmouth, Kaufmann, in Haft, weil er William Tyndale, dem Übersetzer der Bibel ins Englische, Unterschlupf gewährt hat
- John Petyt, Kaufmann, wegen des Verdachts der Häresie verhaftet
- Lucy, seine Frau
- John Parnell, Kaufmann, verwickelt in einen lang andauernden Rechtsstreit mit Thomas More
- Der kleine Bilney, Gelehrter, als Ketzer verbrannt
- John Frith, Gelehrter, als Ketzer verbrannt

– Antonio Bonvisi, Kaufmann aus Lucca
– Stephen Vaughan, Kaufmann in Antwerpen, Cromwells Freund

AM HOF
– Henry VIII.
– Katherine von Aragon, seine erste Frau, später als Prinzessinnenwitwe von Wales bekannt
– Mary, beider Tochter
– Anne Boleyn, seine zweite Frau
– Mary, ihre Schwester, Witwe von William Carey und Henrys Ex-Geliebte
– Thomas Boleyn, ihr Vater, später Earl von Wiltshire und Lordsiegelbewahrer: schätzt es, als »Monseigneur« angeredet zu werden
– George, ihr Bruder, später Lord Rochford
– Jane Rochford, Georges Frau
– Thomas Howard, Herzog von Norfolk, Annes Onkel
– Mary Howard, seine Tochter
– Mary Shelton, Jane Seymour: Hofdamen
– Charles Brandon, Herzog von Suffolk, alter Freund Henrys, verheiratet mit dessen Schwester Mary
– Henry Norris, Francis Bryan, Francis Weston, William Brereton, Nicholas Carew: Kammerherren des Königs
– Mark Smeaton, ein Musiker
– Henry Wyatt, ein Höfling
– Thomas Wyatt, sein Sohn
– Henry Fitzroy, Herzog von Richmond, unehelicher Sohn des Königs
– Henry Percy, Earl von Northumberland

DIE GEISTLICHKEIT

– William Warham, betagter Erzbischof von Canterbury
– Kardinal Campeggio, päpstlicher Gesandter
– John Fisher, Bischof von Rochester, rechtlicher Berater Katherine von Aragons
– Thomas Cranmer, Gelehrter aus Cambridge, reformatorischer Erzbischof von Canterbury, Nachfolger Warhams
– Hugh Latimer, reformatorischer Priester, später Bischof von Worcester
– Rowland Lee, ein Freund Cromwells, später Bischof von Coventry und Lichfield

IN CALAIS

– Lord Berners, der Gouverneur, ein Gelehrter und Übersetzer
– Lord Lisle, der neue Gouverneur
– Honor, seine Frau
– William Stafford, der Garnison zugeteilt

IN HATFIELD

– Lady Bryan, Mutter des Francis, verantwortlich für die kleine Prinzessin Elizabeth
– Lady Anne Shelton, Anne Boleyns Tante, verantwortlich für die ehemalige Prinzessin, Mary

DIE BOTSCHAFTER

– Eustache Chapuys, Karrierediplomat aus Savoyen, Botschafter Kaiser Karls V. in London
– Jean de Dinteville, ein Botschafter François' I.

DIE THRONANWÄRTER AUS DEM HAUSE YORK

– Henry Courtenay, Marquis von Exeter, Abkömmling einer Tochter Edwards IV.

– Gertrude, seine Frau
– Margaret Pole, Gräfin von Salisbury, Nichte Edwards IV.
– Lord Montague, ihr Sohn
– Geoffrey Pole, ihr Sohn
– Reginald Pole, ihr Sohn

DIE FAMILIE SEYMOUR IN WOLF HALL
– Der alte Sir John, der eine Affäre mit der Frau seines ältesten Sohnes Edward hat
– Edward Seymour, sein Sohn
– Thomas Seymour, sein Sohn
– Jane, seine Tochter: bei Hofe
– Lizzie, seine Tochter, verheiratet mit dem Gouverneur von Jersey

– William Butts, ein Arzt
– Nikolaus Kratzer, ein Astronom
– Hans Holbein, ein Künstler
– Sexton, Wolseys Narr
– Elizabeth Barton, eine Prophetin

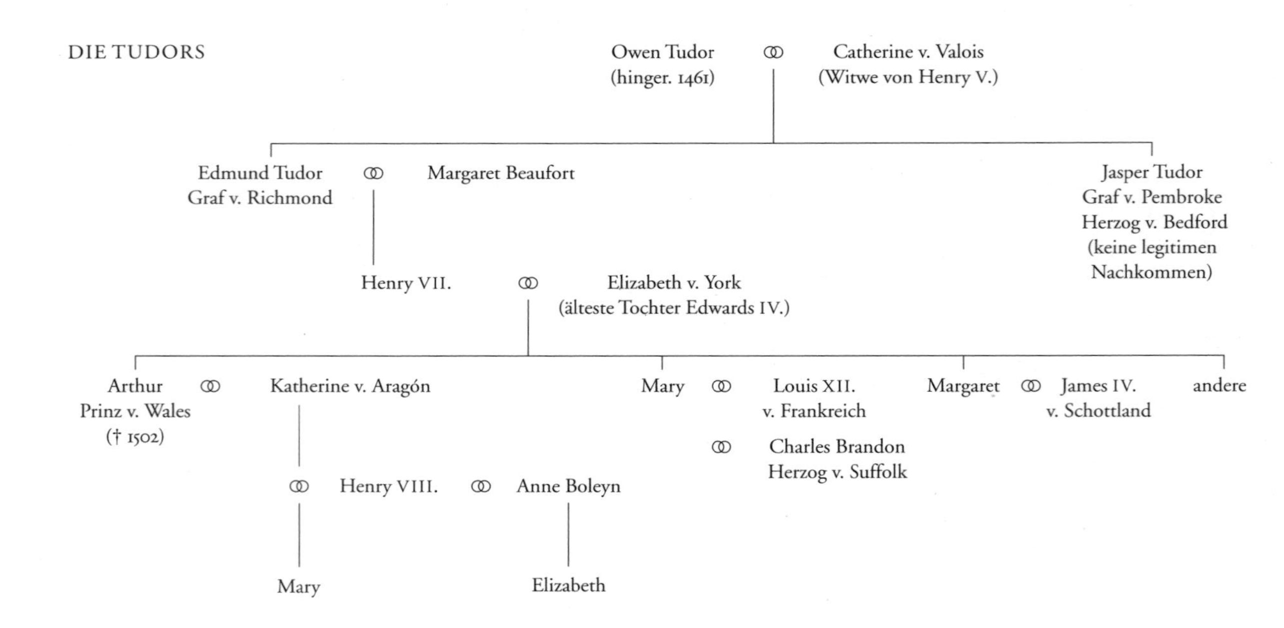
DIE TUDORS
Owen Tudor (hinger. 1461) ⚭ Catherine v. Valois (Witwe von Henry V.)
Edmund Tudor Graf v. Richmond ⚭ Margaret Beaufort
Jasper Tudor Graf v. Pembroke Herzog v. Bedford (keine legitimen Nachkommen)
Henry VII. ⚭ Elizabeth v. York (älteste Tochter Edwards IV.)
Arthur Prinz v. Wales († 1502) ⚭ Katherine v. Aragón
Mary ⚭ Louis XII. v. Frankreich
⚭ Charles Brandon Herzog v. Suffolk
Margaret ⚭ James IV. v. Schottland
andere
⚭ Henry VIII. ⚭ Anne Boleyn
Mary
Elizabeth

DIE THRONANWÄRTER AUS DEM HAUSE YORK

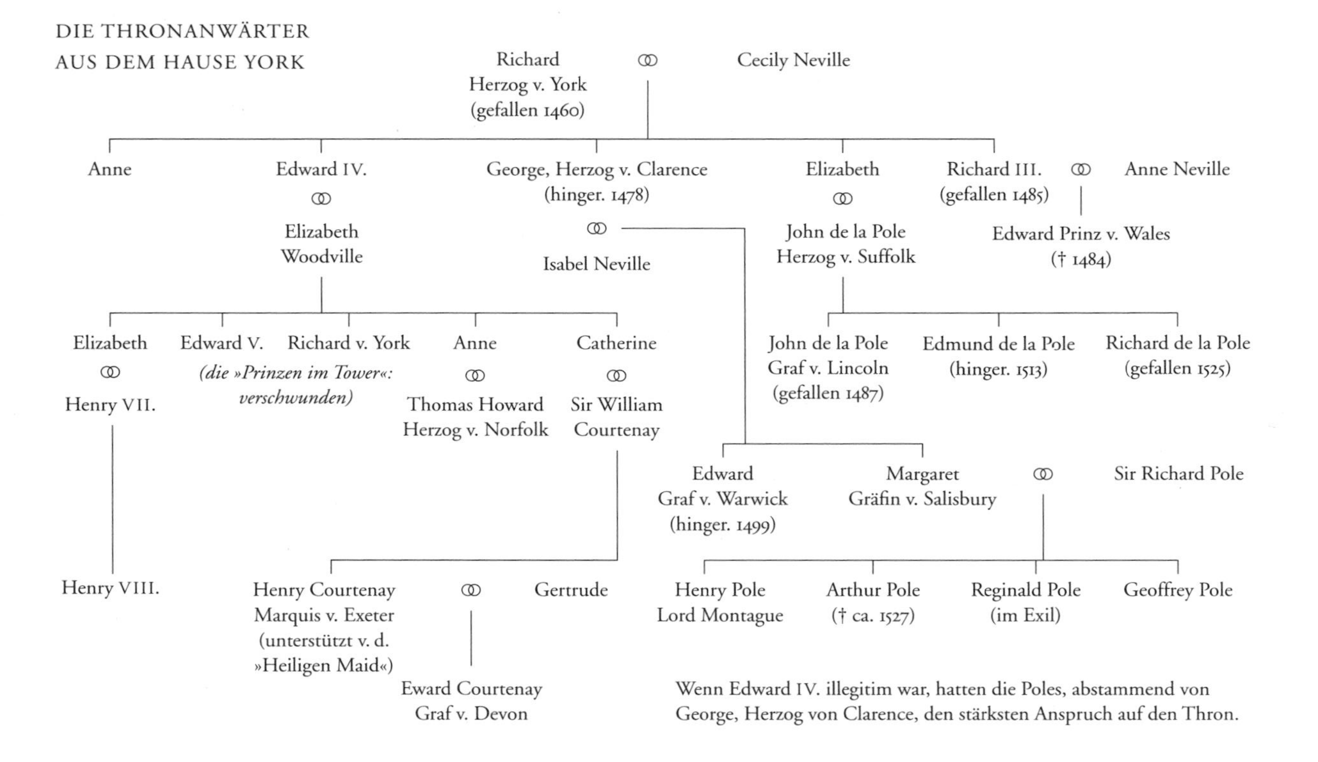

Wenn Edward IV. illegitim war, hatten die Poles, abstammend von George, Herzog von Clarence, den stärksten Anspruch auf den Thron.

Anmerkung der Autorin

In Teilen des mittelalterlichen Europa begann das offizielle neue Jahr am 25. März, Mariä Verkündigung, den man für den Tag hielt, an dem ein Engel Maria verkündete, dass sie das Kind Jesus erwarte. Schon 1522 übernahm Venedig den 1. Januar als Beginn des neuen Jahres, und andere europäische Länder folgten in Abständen, obwohl England erst 1752 aufschloss. In diesem Buch werden wie in den meisten historischen Darstellungen die Jahre vom 1. Januar an datiert, der als einer der zwölf Weihnachtstage gefeiert wurde und der Tag war, an dem Geschenke ausgetauscht wurden.

Der Hausmarschall George Cavendish zog sich nach dem Tode Wolseys aufs Land zurück und 1554, als Mary den Thron bestieg, begann er das Buch *»Thomas Wolsey, late Cardinal, his Life and Death«* zu schreiben. Es ist in vielen Ausgaben veröffentlicht worden und kann online in einer Ausgabe mit der ursprünglichen Rechtschreibung gefunden werden. Es ist nicht immer präzise, aber es ist ein sehr anrührender, anschaulicher und lesbarer Bericht über Wolseys Laufbahn und Thomas Cromwells Anteil daran. Sein Einfluss auf Shakespeare ist offensichtlich. Cavendish brauchte vier Jahre, um sein Buch zu vollenden, und starb in dem Augenblick, als Elizabeth den Thron bestieg.

Dank

Ich möchte Delyth Neil für das Walisische danken, Leslie Wilson für das Deutsche und einer Dame aus Norfolk für das Flämische. Guada Abale für das Ausleihen eines Liedes. Judith Flanders für ihre Hilfe, als ich nicht in die British Library kam. Dr Christopher Haigh für die Einladung zu einem großartigen Abendessen in Wolsey's Hall in Christ Church. Jan Rogers für die Begleitung auf einer Pilgerfahrt nach Canterbury und einen Drink im Cranmer Arms in Aslockton. Gerald McEwen dafür, dass er mich herumgefahren und meine besorgten Zweifel erduldet hat. Meinem Agenten Bill Hamilton und meinem Verlag für ihre Unterstützung und Ermutigung. Vor allem: Dr Mary Robertson; ihre Arbeit als Wissenschaftlerin gilt den Fakten von Cromwells Leben, aber sie hat mich ermutigt und mir während des Schreibens dieses Romans ihren Sachverstand zur Verfügung gestellt, sie hatte Geduld für meine tastenden Spekulationen und die Freundlichkeit, das Porträt, das ich geschaffen habe, anzuerkennen. Dieses Buch ist ihr mit meinem Dank und meiner Zuneigung gewidmet.

HILARY MANTEL

FALKEN

ROMAN

BOOKER-PREIS 2012

DUMONT

Leseprobe von Band 2

Hilary Mantel

Falken

Roman

Aus dem Englischen
von Werner Löcher-Lawrence

DUMONT

Wiltshire, September 1535

Seine Kinder fallen vom Himmel. Er sieht vom Pferd aus zu, hinter ihm dehnen sich die Weiten Englands. Sie fallen, goldflügelig, mit blutunterlaufenem Blick. Grace Cromwell schwebt in dünner Luft. Lautlos fängt sie ihre Beute, lautlos landet sie auf seiner Hand. Die Geräusche, die sie dann macht, das Rascheln des Gefieders, das Seufzen und das Ordnen der Schwingen, das leise Glucken aus der Kehle, sind Geräusche des Wiedererkennens, vertraut, töchterlich, fast missbilligend. Ihre Brust ist blutbefleckt, und an ihren Klauen hängt Fleisch.

Später wird Henry sagen: »Deine Mädchen waren heute gut unterwegs.« Der Greifvogel Anne Cromwell wippt auf dem Handschuh von Rafe Sadler, der sich neben dem König in leichter Konversation übt. Sie sind müde, die Sonne sinkt in Richtung Horizont, und sie reiten zurück nach Wolf Hall, die Zügel locker auf den Hälsen ihrer Rösser. Morgen werden seine Frau und seine zwei Schwestern aufsteigen. Die toten Frauen, deren Knochen lange schon in Londons Erde ruhen, werden wiedergeboren. Schwerelos gleiten sie durch die höheren Luftströmungen. Sie haben kein Mitleid. Sie gehorchen niemandem. Ihr Leben ist einfach. Wenn sie nach unten blicken, sehen sie nichts als ihre Beute und die geborgten Federn der Jäger: Sie sehen ein flatterndes, zuckendes Universum, ein Universum gefüllt mit Beute.

Der ganze Sommer war so, ein fortwährendes Reißen, mit auffliegenden Fellfetzen und Federbüscheln, dem Zurückrufen und Antreiben von Hunden, dem Hätscheln müder Pferde, dem Pflegen – durch die Gentlemen selbst – von Prellungen, Verrenkungen und Blasen. Und wenigstens ein paar Tage lang schien die Sonne auf Henry. Manchmal jagten vor Mittag Wolken aus dem Westen heran, und große, duftende

Regentropfen fielen, aber die Sonne kam mit sengender Hitze zurück, und jetzt ist es so klar, dass man bis hinauf in den Himmel sehen und die Heiligen ausspionieren kann.

Als sie absitzen, die Pferde den Stallburschen übergeben und auf den König warten, sind seine Gedanken bereits bei der Arbeit: bei den von einem Kurier über die Postwege beförderten Depeschen aus Whitehall, die dem Hof folgen, wohin immer er zieht. Beim Abendessen mit den Seymours wird er sich allen Geschichten fügen, die seine Gastgeber zu erzählen wünschen, allem, was der König unternehmen mag, so zerzaust, glücklich und gut gelaunt, wie er heute Abend scheint. Wenn der König zu Bett geht, beginnt seine Arbeitsnacht.

Obwohl der Tag vorüber ist, scheint Henry nicht geneigt, nach drinnen zu gehen. Er lässt den Blick schweifen, atmet Pferdeschweiß ein, auf der Stirn einen breiten, ziegelroten Streifen Sonnenbrand. Am Morgen hat er den Hut verloren, und so musste auch der Rest der Jagdgesellschaft – so ist es nun mal Brauch – die Hüte abnehmen. Der König ließ sich keinen Ersatz anbieten. Während sich die Dämmerung über Felder und Wälder stiehlt, sucht die Dienerschaft nach einer Bewegung der schwarzen Feder im dunkler werdenden Gras, dem Auffunkeln seiner Jagdplakette, einem goldenen heiligen Hubertus mit saphirnen Augen.

Schon ist der Herbst zu spüren. Es wird nicht mehr viele Tage wie diesen geben, also lasst uns noch eine Weile dastehen, umringt von den Stallknechten Wolf Halls, und zusehen, wie sich Wiltshire und die westlichen Countys in den blauen Dunst recken; lasst uns dastehen, die Hand des Königs auf seiner, Cromwells, Schulter, das Gesicht Henrys ernst, während er sich durch die Landschaft des Tages erzählt, durch grünes Gehölz und rauschende Bäche, die Erlen am Ufer, den Morgennebel, der sich gegen neun Uhr hob, den kurzen Schauer, den leichten Wind, der sich legte und erstarb, die Ruhe, die Hitze des Nachmittags.

»Sir, wie kommt es, dass Sie keinen Sonnenbrand haben?«, fragt Rafe Sadler, der, rothaarig wie der König, nun in einem sommersprossigen Rosa glüht. Selbst seine Augen scheinen wund. Er, Thomas Cromwell, zuckt mit den Achseln und legt Rafe einen Arm um die Schulter, als sie sich nach drinnen bewegen. Er hat es durch ganz Italien geschafft, das offene Schlachtfeld wie die verschattete Arena des Kontors, ohne seine Londoner Blässe zu verlieren. Seine grobe Kindheit, die Tage auf dem Fluss, die Tage auf den Feldern: Sie haben ihn so weiß gelassen, wie Gott ihn erschaffen hat. »Cromwell hat die Haut einer Lilie«, verkündet der König. »Das ist das Einzige, in dem er ihr oder einer anderen Blüte gleicht.« Ihn so foppend, schlendern sie zum Abendessen.

Der König hatte Whitehall in der Woche von Thomas Mores Tod verlassen, einer trüben, tropfnassen Woche im Juli, und auf dem Weg nach Windsor versanken die Pferdehufe des königlichen Trosses tief im Matsch. Seitdem sind sie in einem breiten Streifen quer durch die westlichen Countys gezogen. Die Helfer Cromwells stießen, nachdem sie die Geschäfte des Königs in London erledigt hatten, Mitte August zu Henrys Zug. Der König und seine Begleiter schlafen bestens in neuen Häusern aus rötlichem Ziegel, in alten Häusern, deren Befestigungen verfallen oder eingerissen sind, und in spielzeuggleichen Märchenschlössern, die niemals befestigt waren, mit Wänden, die von einer Kanonenkugel wie Papier durchschlagen werden können. England genießt seit fünfzig Jahren Frieden. Das ist der Schwur der Tudors: Frieden bieten sie. Jeder Haushalt ist bemüht, sich dem König von der besten Seite zu zeigen, und wir haben in diesen letzten Wochen einige panische Änderungen an Putz und Stuck gesehen, hastige Steinmetzarbeiten, mit denen sich die Gastgeber beeilten, die Rose der Tudors neben den eigenen Insignien sichtbar zu machen. Sie suchen und vernichten jede Spur von Katherine, der ehemaligen Königin, zerschmettern mit Hämmern die Granatäpfel des Hauses Aragón, die zerdrückten Überbleibsel und herumfliegenden Kerne. Und wenn die Zeit für eine Steinmetzarbeit fehlt, malen sie den Falken Anne Boleyns auf Türen und Giebel.

Hans hat sich ihnen unterwegs angeschlossen und eine Zeichnung von Anne, der Königin, angefertigt, aber sie gefiel ihr nicht. Wie gefällt man Anne dieser Tage? Hans hat auch Rafe Sadler gemalt, mit dem ordentlichen kleinen Bart und dem entschlossenen Mund, der modische Hut eine gefiederte Scheibe, die ihm unsicher auf dem Kopf mit dem kurz geschorenen Haar sitzt. »Da haben Sie mir aber eine platte Nase verpasst, Master Holbein«, sagt Rafe, und Hans sagt: »Wie, Master Sadler, sollte es in meiner Macht stehen, ihre Nase zu richten?«

»Er hat sie sich als Kind beim Ringaufspießen gebrochen«, sagt er, Cromwell. »Ich selbst habe ihn zwischen den Pferdehufen hervorgezogen, ein Häufchen Elend, das nach seiner Mutter weinte.« Er drückt Rafe die Schulter. »Kopf hoch, Rafe. Ich finde, du siehst sehr gut aus. Denk nur daran, was Hans mit mir gemacht hat.«

Thomas Cromwell ist jetzt um die fünfzig Jahre alt. Er hat den Körper eines Arbeiters: untersetzt, zweckdienlich, zu Fettleibigkeit neigend. Er hat schwarzes Haar, das langsam grau wird, und wegen seiner blassen, undurchlässigen Haut, die dazu gemacht scheint, Regen wie Sonne zu widerstehen, spotten die Leute, sein Vater sei Ire, obwohl er doch in Wahrheit ein Brauer und Schmied aus Putney war, auch ein Scherer, ein Mann, der seine Finger in allem drin hatte, ein Schläger und Krakeeler, ein Säufer und Drangsalierer, einer, der immer wieder vor den Richter gezerrt wurde, weil er jemanden geschlagen oder betrogen hatte. Wie der Sohn eines solchen Mannes seine gegenwärtige Stellung erlangen konnte, ist eine Frage, die sich ganz Europa stellt. Manche sagen, er sei mit den Boleyns aufgestiegen, der Familie der Königin; andere, dass er es ganz dem verstorbenen Kardinal Wolsey, seinem Förderer, zu verdanken hat. Cromwell war Wolseys Vertrauter, verschaffte ihm Geld und kannte seine Geheimnisse. Wieder andere meinen, er bewege sich in der Gesellschaft von Hexenmeistern. Noch als Junge verließ er das Reich, wurde Söldner, Wollhändler, Bankier. Niemand weiß, wo überall er war und wen er getroffen hat, und er hat keine Eile, es den Leuten zu erzählen. Er schont sich nicht im Dienste des Königs, er weiß um seinen Wert und seine Verdienste und versichert sich seines Lohns in Form von Ämtern, Vergütungen und Eigentumsurkunden, Herrenhäusern und Gütern. Er hat seine Art, an sein Ziel zu gelangen, er hat eine Methode. Er beschwört einen Mann oder besticht ihn, zwingt ihn oder bedroht ihn, erklärt ihm, wo seine wahren Interessen liegen, und zeigt ihm Seiten seiner selbst, von denen er bislang nichts wusste. Jeden Tag hat der persönliche Sekretär des Königs mit Granden zu tun, die ihn, wenn sie könnten, mit einem rachsüchtigen Schlag vernichten würden, einer lästigen Fliege gleich. Das weiß er und zeichnet sich doch durch seine Höflichkeit aus, seine Ruhe und seinen unermüdlichen Einsatz für die Sache Englands. Er hat nicht die Angewohnheit, sich zu erklären. Er hat nicht die Angewohnheit, seine Erfolge zu erklären. Aber wann immer das Glück zu ihm kommt, steht er auf der Schwelle bereit, um die Tür weit zu öffnen, sobald das zögerliche Kratzen auf dem Holz zu vernehmen ist.

Daheim in seinem Stadthaus in Austin Friars grübelt sein Porträt an der Wand, die dunklen Absichten in Wolle und Fell gehüllt, die Hand um ein Dokument gelegt, wie um es zu erwürgen. Hans hatte einen Tisch zurückgeschoben, ihn damit eingekeilt und gesagt, Thomas, Sie dürfen nicht lachen, und so waren sie verfahren. Hans summte bei der Arbeit, und er, Cromwell, starrte grimmig durch ihn hindurch. Als er das vollendete Porträt sah, sagte er: »Gott, ich sehe ja aus wie ein Mörder«, und sein Sohn Gregory sagte: Wussten Sie das nicht? Kopien werden angefertigt, für seine Freunde und seine Bewunderer unter den Evangelikalen in Deutschland. Vom Original will er sich nicht trennen – nicht jetzt, da ich mich daran gewöhnt habe, sagt er –, und so kommt er in seine Diele und findet verschiedene Versionen seiner selbst in unterschiedlichen Entstehungsstufen vor: einen zögerlichen Umriss, zum Teil ausgemalt. Womit beginnen bei Cromwell? Einige fangen mit seinen scharfen kleinen Augen an, einige mit seinem Hut. Andere weichen der Frage aus und malen zunächst Siegel und Schere, wieder andere den türkisfarbenen Ring, den ihm der Kardinal geschenkt hat. Wo immer sie anfangen, die Wirkung bleibt am Ende die gleiche: Hegte er einen Groll gegen dich, würdest du ihm nicht gern im Mondschein begegnen. Sein Vater Walter sagte immer: »Sieh meinen Sohn Thomas böse an, und er sticht dir ein Auge aus. Stell ihm ein Bein, und er schneidet es dir ab. Aber wenn du ihm nicht quer kommst, ist er sehr zuvorkommend. Und er zahlt allen ein Glas.«

Hans hat den König gemalt, milde in sommerlicher Seide, nach dem Essen mit seinen Gastgebern zusammensitzend, die Flügelfenster spätem Vogelgesang geöffnet, und mit den kandierten Früchten werden die ersten Kerzen hereingetragen. Wohin immer der königliche Tross kommt, zieht Henry mit Anne, der Königin, ins Haus des Ersten am Ort. Sein Gefolge schläft bei den feinen Leuten, und es ist für die Gastgeber des Königs üblich, wenigstens einmal während seines Besuchs zum Dank die übrigen Gastgeber einzuladen, was ihren Haushalt einer ziemlichen Belastung unterwirft. Er hat die Vorratswagen heranrollen sehen, hat gesehen, wie die Küchen ins Chaos gestürzt wurden, und ist selbst in der graugrünen Stunde vor Sonnenaufgang dabei, wenn die Ziegelöfen für die ersten Brotlaibe geschrubbt, Tierkörper aufgespießt, Töpfe an Dreibeine gehängt werden, Geflügel gerupft und zerlegt wird. Sein Onkel war der Koch eines Erzbischofs, und als Kind ist Cromwell oft in der Küche von Lambeth Palace gewesen. Er kennt sich bestens aus, und das Wohlbefinden des Königs darf in nichts dem Zufall überlassen werden.

Diese Tage sind vollkommen. Das klare, ungetrübte Licht lässt jede in einer Hecke schimmernde Beere erkennen. Jedes Blatt an einem Baum hängt mit der Sonne hinter sich wie eine goldene Birne da. Im Hochsommer westwärts reitend, sind wir in waldige Jagden getaucht, haben die Downs erklommen und jene Höhen erreicht, in denen sich noch über zwei Countys hinweg der Wandel des Meeres bemerkbar macht. In diesem Teil Englands haben unsere Vorväter, die Riesen, ihre Erdarbeiten hinterlassen, ihre Grabhügel und aufgerichteten Steine. Immer noch fließen in unseren Adern, den Adern jedes Engländers und jeder Engländerin, einige Tropfen Riesenblut. In jenen uralten Zeiten, in einem Land unberührt von Schaf und Pflug, haben sie Wildschweine und Elche gejagt. Tagelang lichteten sich die Wälder nicht. Manchmal werden alte Waffen ausgegraben: Äxte, die, beidhändig geführt, Pferd und Reiter niederbringen konnten. Denkt an die riesigen Gliedmaßen jener Toten, die sich unter der Erde rühren. Der Krieg war ihre Natur, und er ist immer darauf aus, zurückzufinden. Es ist nicht einfach nur die Vergangenheit, an die denkt, wer über diese Felder reitet. Es ist das, was in der Erde ruht, was in ihr brütet. Es sind die Tage, die noch kommen werden, die ungekämpften Kriege, die Verwundungen und Tode, die wie Samen von der Erde Englands warm gehalten werden. Wer den lachenden Henry sieht, den betenden Henry, wer sieht, wie er seine Männer über die Waldpfade führt, der wird denken, dass er auf seinem Thron so sicher wie auf seinem Pferd sitzt. Doch der äußere Anschein kann trügen. Nachts liegt er wach, starrt auf die geschnitzten Deckenbalken und zählt seine Tage. Er sagt: »Cromwell, Cromwell, was soll ich tun?« Cromwell, rette mich vor dem Kaiser. Cromwell, rette mich vor dem Papst. Dann ruft er den Erzbischof von Canterbury, Thomas Cranmer, und will wissen: »Ist meine Seele verdammt?«

Fern in London wartet der Botschafter des Kaisers, Eustache Chapuys, täglich auf die Nachricht, dass sich das englische Volk gegen seinen grausamen, gottlosen König erhebt. Das ist die Nachricht, die er herbeisehnt, und er würde Arbeit und gutes Geld aufwenden, um sie Wirklichkeit werden zu lassen. Sein Master, Kaiser Karl, herrscht auch über die Niederlande und Spanien sowie Spaniens überseeische Besitzungen. Karl ist reich und mitunter erbost, dass sich Henry Tudor erdreistet hat, seine Tante Katherine abzuservieren und eine Frau zu heiraten, die das Volk auf der Straße eine Glotzäugige nennt. Chapuys fordert seinen Master mit dringenden Depeschen dazu auf, in England einzumarschieren, sich mit den Rebellen des Reiches, Heuchlern und Unzufriedenen zu verbünden und diese unheilige Insel zu erobern, deren König sich durch ein Parlamentsgesetz hat scheiden und zu Gott erklären lassen. Der Papst nimmt es nicht freundlich auf, dass er in England als bloßer »Bischof von Rom« verlacht wird, dass ihm seine Einkünfte verweigert und in die Schatullen Henrys geleitet werden. Eine Bannbulle ist zwar noch nicht öffentlich gemacht, doch bereits formuliert; drohend schwebt sie über Henry und macht ihn unter den christlichen Herrschern Europas zum Ausgestoßenen: Sie sind dazu eingeladen, ja werden ermutigt, die Meerenge zu überqueren oder die schottische Grenze, um sich aller Dinge zu bemächtigen, die ihm gehören. Vielleicht wird der Kaiser kommen. Vielleicht kommt der König von Frankreich. Vielleicht kommen sie gemeinsam. Es wäre angenehm, könnten wir sagen, dass wir bereit sind für sie. Die Wirklichkeit ist eine andere. Im Falle eines bewaffneten Einmarsches könnten wir gezwungen sein, die Knochen der Riesen auszugraben, um sie ihnen um die Ohren zu hauen: Uns fehlen Geschütze, Pulver und Stahl. Das ist nicht Thomas Cromwells Fehler, wie Chapuys mit einer Grimasse sagt, Henrys Königreich befände sich in besserem Zustand, wäre Cromwell schon vor fünf Jahren eingesetzt worden.

Wenn man England verteidigen will, und er will – würde selbst mit dem Schwert in der Hand ins Feld ziehen –, muss man wissen, was England ist. In der Augusthitze stand er barhäuptig bei den in Stein gemeißelten Gräbern der Vorfahren: Männer *cap à pie* in Rüstung und Kettenhemd, die in Fehdehandschuhen steckenden Hände verbunden und steif auf den Waffenröcken liegend, die gepanzerten Füße auf steinernen Löwen, Greifen und Windhunden; steinerne Männer, stählerne Männer, deren weiche Frauen neben ihnen liegen wie Schnecken in ihren Häusern. Wir denken, die Zeit könne den Toten nichts anhaben, aber sie nagt an ihren Denkmälern, durch Unfälle und einfache Reibung stiehlt sie ihnen Nasen und Finger. Ein winziger abgetrennter Fuß (wie von einer knienden Putte) rutscht unter einem Stück Stoff hervor, die Spitze eines abgebrochenen Daumens liegt auf einem steinernen Kissen. »Wir müssen unsere Vorfahren nächstes Jahr instand setzen«, sagen die Herren der westlichen Countys: Allein ihre Schilde und Halter und die aufwendigen Wappen schimmern in frischen Farben, und mit ihren Worten schmücken sie die Taten ihrer Ahnherren aus. Wer sie waren und was sie hatten: die Waffen meines Vorfahren, die er bei Agincourt trug, die Tasse meines Vorfahren, die er aus der Hand von John of Gaunt erhielt. Wenn ihre Väter und Großväter in den späten Kriegen zwischen York und Lancaster auf der falschen Seite standen, sagen sie nichts davon. Eine Generation weiter müssen Fehler vergeben, müssen Reputationen wiederhergestellt werden, sonst kann England nicht fortschreiten und wird immer wieder in die schmutzige Vergangenheit gezogen.

Er hat natürlich keine Vorfahren: nicht von der Art, mit der man sich brüstet. Es gab einmal eine Adelsfamilie namens Cromwell, und als er in den Dienst des Königs trat, drängten ihn die Herolde, der äußeren Erscheinung halber deren Wappen anzunehmen. Aber ich gehöre nicht dazu, sagte er höflich, und ich will ihr Wappen nicht. Er war nicht älter als fünfzehn gewesen, als er vor den Fäusten seines Vaters floh, den Kanal überquerte und in die Armee des französischen Königs eintrat. Seit er gehen konnte, hatte er gekämpft. Und wenn du kämpfst, warum sollst du dann nicht dafür bezahlt werden? Aber es gab lohnendere Tätigkeiten als das Kriegshandwerk, und er fand sie. So beschloss er, nicht zu schnell nach Hause zurückzukommen.

Und wenn seine blaublütigen Gastgeber heute Rat wollen, was die Platzierung eines Springbrunnens betrifft oder dreier tanzender Grazien, sagt ihnen der König, Cromwell hier ist Ihr Mann. Cromwell hat gesehen, wie sie es in Italien machen, und was denen genügt, wird auch Wiltshire genügen. Manchmal verlässt der König einen Ort nur mit seinem reitenden Gefolge. Die Königin mit ihren Hofdamen und Musikern bleibt zurück, während Henry mit seinen liebsten Getreuen eine wilde Jagd über Land veranstaltet. Und so kommen sie nach Wolf Hall, wo der alte Sir John Seymour wartet, um sie in der Mitte seiner aufblühenden Familie zu begrüßen.

»Ich weiß nicht, Cromwell«, sagt der alte Sir John. Er fasst ihn leutselig beim Arm. »All diese nach toten Frauen benannten Falken … machen die Sie nicht unglücklich?«

»Ich bin nie unglücklich, Sir John. Die Welt ist zu gut zu mir.«

»Sie sollten wieder heiraten und eine Familie gründen. Vielleicht finden Sie ja eine Braut, während Sie hier bei uns sind. Im Wald von Savernake gibt es viele frische junge Frauen.«

»Ich habe immer noch Gregory«, sagt er und hält über die Schulter nach seinem Sohn Ausschau. Irgendwie sorgt er sich immer um Gregory. »Ah«, sagt Seymour, »Jungen sind gut, aber ein Mann braucht auch Töchter. Töchter sind ein Trost. Sehen Sie nur Jane an. Sie ist ein so gutes Mädchen.«

Er wendet den Blick Jane Seymour zu, auf die ihr Vater deutet. Er kennt sie gut vom Hofe, war sie doch die Hofdame von Katherine, der früheren Königin, und auch von Anne, die heute Königin ist. Jane ist eine schlichte junge Frau von silbriger Blässe, gekleidet in Schweigen und mit der Fähigkeit versehen, Männer so zu betrachten, als bedeuteten sie eine unangenehme Überraschung. Sie trägt Perlen und weißen, mit steifen kleinen Nelkenzweigen bestickten Brokat. Er erkennt eine beträchtliche Ausgabe. Die Perlen beiseite gelassen, muss es an die dreißig Pfund gekostet haben, sie so auszustaffieren. Kein Wunder, dass sie sich mit leichter Sorge voranbewegt, wie ein Kind, dem gesagt wurde, dass es sich nicht bekleckern darf.

Der König sagt: »Jane, sind Sie jetzt, da wir Sie zu Hause bei Ihrer Familie sehen, weniger schüchtern?« Er nimmt ihr Mausehändchen in seine mächtige Pranke. »Bei Hof haben wir nie ein Wort von ihr gehört.«

Jane blickt zu ihm auf und wird vom Hals bis zum Haaransatz rot. »Haben Sie je so eine Röte gesehen?«, fragt Henry. »Höchstens bei einem kleinen Mädchen von zwölf.«

»Ich kann nicht behaupten, zwölf zu sein«, sagt Jane.

Beim Abendessen sitzt der König neben Lady Margery, seiner Gastgeberin. Zu ihrer Zeit war sie eine Schönheit, und die erlesene Aufmerksamkeit, die der König ihr zuteil werden lässt, könnte glauben machen, dass sie es noch immer ist. Sie hat zehn Kinder bekommen, von denen sechs noch leben. Drei sind mit im Zimmer: Edward Seymour, der Erbe, hat einen schmalen Kopf, einen ernsten Ausdruck und ein klares, festes Profil. Er ist ein gut aussehender Mann, belesen, wenn nicht gelehrt, der sich klug jeder Aufgabe widmet, die er bekommt. Er war im Krieg, und während er darauf wartet, erneut in die Schlacht zu ziehen, tut er sich beim Jagen und auf dem Turnierplatz hervor. Der Kardinal hieß ihn zu seiner Zeit besser als den Rest der Seymours, und er selbst, Thomas Cromwell, sieht in ihm, nachdem er ihm auf den Zahn gefühlt hat, in jeder Hinsicht einen Mann für den König. Tom Seymour, Edwards jüngerer Bruder, ist laut und ungestüm und eher für die Weiblichkeit von Interesse. Wenn er hereinkommt, kichern die Jungfrauen, und die jungen Matronen senken die Köpfe und studieren ihn unter den Wimpern hindurch.

Der alte Sir John ist ein Mann von berüchtigtem Familienverständnis. Vor zwei, drei Jahren zerriss sich alles bei Hofe das Maul darüber, dass er die Frau seines Sohnes besprungen hatte, nicht nur einmal in der Hitze der Leidenschaft, sondern wieder und wieder, seit sie Edwards Braut war. Die Königin und ihre Vertrauten haben die Geschichte verbreitet. »Wir sind auf hundertzwanzig Mal gekommen«, kicherte Anne. »Nun, Thomas Cromwell hat's ausgerechnet, und er ist schnell mit Zahlen. Dabei gehen wir davon aus, dass sie sich aus Scham sonntags zurückgehalten haben und in der Fastenzeit mäßiger waren.« Die betrügerische Frau brachte zwei Jungen zur Welt, und als ihr Gebaren ans Licht kam, sagte Edward, er werde beide nicht als Erben anerkennen, könne er doch nicht sicher sein, ob sie seine Söhne oder Halbbrüder seien. Die Ehebrecherin wurde in ein Kloster gesperrt und tat ihm bald schon den Gefallen zu sterben. Jetzt hat er eine neue Frau, die eine abweisende Haltung pflegt und eine Ahle in der Tasche hat für den Fall, dass ihr der Schwiegervater zu nahe kommt.

Doch es ist verziehen, es ist verziehen. Das Fleisch ist schwach. Der königliche Besuch besiegelt die Begnadigung des alten Mannes. John Seymour besitzt eintausenddreihundert Morgen Land, einschließlich eines Wildparks, auf dem Großteil des Rests grasen Schafe, was ihm pro Morgen und Jahr zwei Schillinge einbringt, ziemlich genau fünfundzwanzig Prozent des Ertrags, würde er sie als Ackerland nutzen. Die Schafe sind kleine, schwarzgesichtige Tiere, gekreuzt mit walisischen Bergschafen, sie haben knorpeliges Fleisch, aber ausreichend gute Wolle. Als der König (in bukolischer Laune) bei ihrer Ankunft fragt: »Cromwell, was würde so ein Tier wiegen?«, antwortet dieser, ohne es anzuheben: »Dreißig Pfund, Sir.« Francis Weston, ein junger Höfling, sagt mit spöttischem Grinsen: »Master Cromwell war selbst mal ein Scherer. Der täuscht sich nicht.«

Der König sagt: »Ohne unseren Wollhandel wären wir ein armes Land. Dass Master Cromwell das Geschäft kennt, ist keine Schande.«

Aber Francis Weston grient hinter vorgehaltener Hand.

Morgen soll Jane Seymour mit dem König jagen gehen. »Ich dachte, das sei reine Männersache«, hört er Weston flüstern. »Die Königin wäre erzürnt, wenn sie das wüsste.« Er murmelt: Dann sorge dafür, dass sie es nicht erfährt, sei ein braver Junge.

»Wir in Wolf Hall sind alle große Jäger«, gibt Sir John an, »meine Töchter auch. Sie denken, Jane ist schüchtern, aber im Sattel, das versichere ich Ihnen, Sirs, da ist sie die Göttin Diana. Ich habe meine Mädchen nie mit der Schule gequält, wissen Sie. Sir James hier hat ihnen beigebracht, was sie wissen mussten.«

Der Priester am Ende der Tafel nickt und strahlt: ein alter Narr mit weißem Kopf und trüben Augen. Er, Cromwell, wendet sich ihm zu: »Waren Sie es auch, der ihnen das Tanzen beigebracht hat, Sir James? Großes Lob für Sie. Ich habe Janes Schwester Elizabeth bei Hofe gesehen, mit dem König als Partner.«

»Ah, dafür hatten sie einen Lehrer«, gluckst der alte Seymour. »Einen Lehrer fürs Tanzen, einen Lehrer für die Musik, das ist genug. Sie wollen keine fremden Sprachen. Sie reisen nirgends hin.«

»Ich denke anders, Sir«, sagt er. »Ich habe meine Töchter dasselbe lernen lassen wie meinen Sohn.«

Manchmal mag er über sie sprechen, über Anne und Grace: Vor sieben Jahren jetzt sind sie gestorben. Tom Seymour lacht. »Was, Sie haben sie mit Gregory und dem jungen Master Sadler auf den Turnierplatz geschickt?«

Er lächelt. »Das nun nicht.«

Edward Seymour sagt: »Es ist nicht ungewöhnlich für die Töchter eines Haushalts in der Stadt, ihre Buchstaben und etwas mehr zu lernen. Sie hätten sie vielleicht im Kontor gewollt. Man hört so etwas. Es hilft ihnen, gute Ehemänner zu finden, eine Kaufmannsfamilie freut sich über so eine Ausbildung.«

»Stellen Sie sich Master Cromwells Töchter vor«, sagt Weston. »Ich getrau mich nicht. Ich bezweifle, dass ein Kontor sie kontrollieren könnte. Die würden mit der Streitaxt umzugehen wissen, sollte man meinen. Ein Blick auf sie, und unsereinem würden die Knie weich, und nicht aus Liebe.«

Gregory regt sich. Er ist solch ein Träumer, dass man kaum glauben mag, er folge der Unterhaltung, doch in seiner Stimme schwingt Schmerz mit. »Sie beleidigen meine Schwestern und ihr Andenken, Sir, ohne sie je gesehen zu haben. Meine Schwester Grace ...«

Er sieht, wie Jane Seymour ihre kleine Hand ausstreckt und seinen Arm berührt: Um ihn zu retten, riskiert sie, die Aufmerksamkeit der Gesellschaft auf sich zu ziehen. »Ich habe kürzlich erst«, sagt sie, »etwas Französisch gelernt.«

»Tatsächlich, Jane?« Tom Seymour lächelt.

Jane senkt den Kopf. »Mary Shelton unterrichtet mich.«

»Mary Shelton ist eine liebenswürdige junge Frau«, sagt der König, und er sieht, wie Weston seinem Nachbarn den Ellbogen in die Rippen stößt. Es heißt, Shelton war zum König im Bett liebenswürdig.

»Ihr seht also«, sagt Jane zu ihren Brüdern, »dass wir Frauen uns nicht nur in müßigen Verleumdungen und Skandalgeschichten üben. Obwohl wir weiß Gott genug Klatsch kennen, um eine ganze Stadt voller Frauen damit zu beschäftigen.«

»Ist das so?«, sagt er.

»Wir reden darüber, wer in die Königin verliebt ist. Wer ihr Verse schreibt.« Sie senkt den Blick. »Ich meine, wer in uns alle verliebt ist. Dieser Gentleman oder jener. Wir kennen unsere Verehrer und besprechen sie von Kopf bis Fuß. Sie würden rot anlaufen, wenn sie es wüssten. Wir ziehen ihren Landbesitz in Betracht und wie viel sie im Jahr verdienen und entscheiden dann, ob wir ihnen erlauben, uns ein Sonett zu schreiben. Wenn wir nicht annehmen, dass sie uns ein schönes Auskommen zu bieten haben, verschmähen wir ihre Reime. Es ist grausam, sage ich Ihnen.«

Er sagt leicht beklommen, dass kein Schaden darin liege, Damen Verse zu schreiben, selbst verheirateten nicht, bei Hofe sei das üblich. Weston sagt, danke für die netten Worte, Master Cromwell, wir dachten schon, Sie würden vielleicht versuchen, uns Einhalt zu gebieten.

Tom Seymour beugt sich vor und lacht. »Und wer sind deine Verehrer, Jane?«

»Wenn du das wissen willst, musst du ein Kleid anziehen, dein Nähzeug nehmen und dich zu uns setzen.«

»So wie sich Achill unter die Frauen gemischt hat«, sagt der König. »Sie müssen sich Ihren schönen Bart abrasieren, Seymour, um hinter die unzüchtigen kleinen Geheimnisse Ihrer Schwester zu kommen.« Er lacht, doch er ist nicht glücklich. »Es sei denn, wir finden einen Mädchenhafteren für die Aufgabe. Gregory, du bist ein hübscher Junge, doch ich fürchte, deine großen Hände würden dich verraten.

»Der Enkel eines Schmieds«, sagt Weston.

»Der kleine Mark«, sagt der König. »Der Musiker, kennen Sie ihn? Der hat ein hübsches, mädchenhaftes Gesicht.«

»Oh«, sagt Jane, »Mark ist sowieso bei uns. Er lungert ständig bei der Königin herum. Wir zählen ihn kaum als Mann. Wenn Sie unsere Geheimnisse erfahren wollen, fragen Sie Mark.«

Das Gespräch bewegt sich in eine andere Richtung. Er denkt: Ich habe gar nicht gewusst, dass Jane etwas sagen kann. Er denkt: Weston reizt mich, er weiß, dass ich ihm in Henrys Gegenwart nicht entgegentrete. Er überlegt, in welcher Form er ihn angehen wird, wenn es so weit ist. Rafe Sadler sieht aus dem Augenwinkel zu ihm herüber.

»So«, sagt der König zu ihm, »wie kann der morgige Tag besser werden als der heutige?« Der Runde am Esstisch erklärt er: »Master Cromwell kann nicht schlafen, wenn er nicht etwas verbessern kann.«

»Ich werde den Hut Ihrer Majestät ein besseres Benehmen lehren. Und jene Wolken, vor Mittag ...«

»Wir wollten den Schauer. Der Regen hat uns abgekühlt.«

»Möge Gott Ihrer Majestät nichts Schlimmeres als einen Schauer schicken«, sagt Edward Seymour.

Henry reibt sich den Streifen Sonnenbrand. »Der Kardinal, er dachte, er könne das Wetter ändern. Kein schlechter Morgen, sagte er, aber gegen zehn wird es heller. Und das tat es.«

Henry macht das manchmal, bringt Wolseys Namen ins Gespräch ein, als hätte nicht er, sondern ein anderer Monarch den Kardinal in den Tod getrieben.

»Einige Menschen haben ein Auge fürs Wetter«, sagt Tom Seymour. »Das ist alles, Sir. Es müssen keine Kardinäle sein.«

Henry nickt und lächelt. »Richtig, Tom. Ich hätte nie eine solche Ehrfurcht vor ihm haben sollen, oder?«

»Er war zu stolz für einen Untertan«, sagt der alte Sir John.

Der König sieht ihn, Thomas Cromwell, den Tisch hinunter an. Er hat den Kardinal geliebt. Jeder hier weiß das. Sein Ausdruck ist so achtsam leer wie eine frisch gestrichene Wand.

Nach dem Essen erzählt der alte Sir John die Geschichte von Edgar, dem Friedfertigen. Edgar war der Herrscher in dieser Gegend, vor vielen Hundert Jahren, bevor die Könige Nummern bekamen: als alle Mädchen schön waren, die Ritter galant und das Leben einfach, hart und für gewöhnlich kurz. Edgar hatte sich eine Braut erkoren und schickte einen seiner Earls, um sie in Augenschein zu nehmen. Der Earl, ein so lügnerischer wie durchtriebener Kerl, berichtete ihm, Dichter und Maler hätten bei ihrer Schönheit weit übertrieben, in Wirklichkeit, sagte er, hinke und schiele sie. Sein Ziel war es, die zarte Maid für sich zu gewinnen, und tatsächlich verführte und heiratete er sie. Als Edgar den Verrat des Earls entdeckte, lockte er ihn in einen Hinterhalt, in einem Gehölz nicht weit von hier, und rammte ihm einen Speer in den Leib. Er tötete ihn mit einem Stich.

»Was für ein Schurke dieser Earl doch war!«, sagt der König. »Er hat seinen Lohn bekommen.«

»Der Earl war ein Dreckskerl«, sagt Tom Seymour.

Sein Bruder seufzt, als wollte er sich von dieser Bemerkung distanzieren.

»Und was hat die Lady gesagt«, fragt er, Cromwell, »als sie herausfand, dass man den Earl aufgespießt hatte?«

»Die Gute heiratete Edgar«, sagt Sir John. »Im grünen Wald haben sie sich geehelicht und lebten glücklich bis an ihr Ende.«

»Ich nehme an, sie hatte keine Wahl«, seufzt Lady Margery. »Frauen müssen sich anpassen.«

»Und das Landvolk sagt«, fügt Sir John hinzu, »dass der betrügerische Earl noch immer durch die Wälder zieht und sich stöhnend die Lanze aus dem Bauch zu ziehen versucht.«

»Sich das vorzustellen«, sagt Jane Seymour. »Jede Nacht, wenn der Mond scheint, könnte man ihn durch das Fenster sehen, wie er dort draußen zieht und klagt. Zum Glück glaube ich nicht an Geister.«

»Dann bist du eine Närrin, Schwester«, sagt Tom Seymour. »Sie schleichen sich an dich heran, mein Mädchen.«

»Trotzdem«, sagt Henry und mimt den Wurf eines Speers, wenn auch maßvoll, wie es bei Tisch nötig ist. »Ein sauberer Treffer. Er muss einen guten Wurfarm gehabt haben, der König Edgar.«

Er, Cromwell, sagt: »Ich würde gern wissen, ob die Geschichte aufgeschrieben steht, und wenn, wer sie aufgeschrieben hat und ob er unter Eid stand.«

Der König sagt: »Cromwell hätte den Earl vor Richter und Geschworene gebracht.«

»Gesegnet sei Ihre Majestät«, kichert Sir John, »aber ich glaube nicht, dass es die damals schon gab.«

»Cromwell hätte schon eine Lösung gefunden.« Der junge Weston beugt sich vor, um seinen Beitrag vorzubringen. »Er hätte eine Jury ausgegraben, aus einer Pilzkultur. Dann wäre es mit dem Earl vorbei gewesen, sie hätten ihn verurteilt, hinausgeschafft und ihm den Kopf abgehackt. Es heißt, bei Thomas Mores Prozess ist unser Master Sekretär hier den Geschworenen in ihre Beratung gefolgt, und als sie alle saßen, hat er die Tür zugemacht und das Urteil festgelegt. ›Lassen Sie mich Ihnen alle Zweifel nehmen‹, hat er zu den Geschworenen gesagt. ›Ihre Aufgabe ist es, Sir Thomas für schuldig zu befinden. Es gibt nichts zu essen, bevor Sie das nicht getan haben.‹ Damit ist er hinausgegangen, hat die Tür geschlossen und mit einer Axt in der Hand draußen gewartet, nur für den Fall, dass sie ausbrechen wollten, um nach einem gekochten Pudding zu suchen; und da die Geschworenen Londoner waren, sorgten sie sich vor allem um ihre Bäuche – kaum fingen die an zu knurren, riefen sie: ›Schuldig! More ist so schuldig, wie man nur schuldig sein kann!‹«

Die Augen richten sich auf ihn, Cromwell. Rafe Sadler an seiner Seite ist vor Unmut ganz angespannt. »Eine hübsche Geschichte«, sagt Rafe zu Weston, »aber ich frage Sie, wo ist sie aufgeschrieben? Ich glaube, Sie werden herausfinden, dass sich mein Master mit den Gerichten immer korrekt verhält.«

»Sie waren nicht dabei«, sagt Francis Weston. »Ich habe es von einem der Geschworenen selbst. Sie riefen: ›Weg mit ihm, schafft den Verräter hinaus und bringt uns eine Hammelkeule.‹ Und Thomas More wurde hingerichtet.«

»Sie klingen, als bedauerten Sie es«, sagt Rafe.

»Nicht ich.« Weston hebt die Hände. »Königin Anne sagt, lasst Mores Tod all diesen Verrätern eine Warnung sein. Mag ihr Ansehen auch noch so groß sein, ihr Verrat noch so verschleiert, Thomas Cromwell wird sie überführen.«

Es gibt beipflichtendes Gemurmel, und einen Moment lang denkt er, die Gesellschaft werde sich ihm zuwenden und applaudieren. Da legt Lady Margery einen Finger an die Lippen und nickt dem am Kopf der Tafel sitzenden König zu, der sich langsam nach rechts neigt. Seine geschlossenen Lider flattern, und sein Atem geht ruhig und tief.

Die Gesellschaft tauscht Blicke. »Trunken von frischer Luft«, flüstert Tom Seymour.

Das ist eine Abwechslung von der Trunkenheit durch Trinken. Dieser Tage ruft der König häufiger nach dem Weinkrug als in seiner schlanken, unternehmungslustigen Jugend. Er, Cromwell, beobachtet, wie Henry auf seinem Stuhl nach vorn kippt, als wollte er die Stirn auf den Tisch legen. Dann schreckt er auf, fährt hoch, und ein Speichelfaden rinnt ihm durch den Bart.

Das wäre der Moment für Harry Norris, den obersten der königlichen Kammerherren, Harry mit seinem geräuschlosen Auftreten und der sanften, nicht urteilenden Hand, seinen Souverän zurück in den Wachzustand zu murmeln. Aber Norris reitet über Land und trägt den Liebesbrief des Königs zu Anne. Was also tun? Henry sieht nicht aus wie ein müdes Kind, wie er es vor fünf Jahren vielleicht noch getan hätte. Er sieht aus wie ein beliebiger Mann in den mittleren Jahren, der nach einem zu schweren Essen in Starre verfallen ist. Aufgedunsen und verquollen wirkt er, hier und da ist eine Ader geplatzt, und selbst im Kerzenlicht kann man sehen, dass sein verblichenes Haar grau wird. Er, Cromwell, nickt dem jungen Weston zu. »Francis, Ihre vornehme Hand ist gefordert.«

Weston tut so, als hörte er nicht. Sein Blick ruht auf dem König, sein Ausdruck zeugt offen von Abscheu. Tom Seymour flüstert: »Ich denke, wir sollten ein lautes Geräusch machen, um ihn natürlich zu wecken.«

»Was für ein Geräusch?«, fragt sein Bruder Edward, die Worte mit den Lippen formend.

Tom legt schauspielernd die Hände auf die Rippen.

Edwards Brauen fahren in die Höhe. »Lach, wenn du dich traust. Er wird denken, du lachst, weil er so sabbert.«

Der König beginnt zu schnarchen. Er senkt sich nach rechts, gefährlich weit über die Lehne seines Stuhls.

Weston sagt: »Wecken Sie ihn, Cromwell. Niemand kann so gut mit ihm wie Sie.«

Er schüttelt lächelnd den Kopf.

»Gott schütze Seine Majestät«, sagt Sir John fromm. »Er ist nicht mehr so jung, wie er war.«

Jane erhebt sich. Die Nelkenzweige rascheln steif. Sie beugt sich über den Stuhl des Königs und klopft ihm auf den Handrücken, munter, als prüfte sie einen Käse. Henry fährt hoch, seine Augen springen auf. »Ich habe nicht geschlafen«, sagt er. »Wirklich nicht. Ich habe nur meine Augen etwas ausgeruht.«

Als der König zu Bett gegangen ist, sagt Edward Seymour: »Master Sekretär, es ist Zeit für meine Revanche.«

Zurückgelehnt, das Glas in der Hand: »Was habe ich Ihnen angetan?«

»Eine Partie Schach. In Calais. Ich weiß, dass Sie sich erinnern.«

Der späte Herbst des Jahres 1532: der Abend, an dem der König zum ersten Mal mit der Frau ins Bett ging, die heute die Königin ist. Bevor sie sich für ihn niederlegte, ließ sie ihn auf die Bibel schwören, dass er sie heiraten werde, sobald sie englischen Boden betraten. Aber die Stürme hielten sie im Hafen fest, und der König nutzte die Zeit und versuchte ihr einen Sohn einzupflanzen.

»Sie haben mich mattgesetzt, Master Cromwell«, sagt Edward, »aber nur, weil Sie mich abgelenkt haben.«

»Wie das?«

»Sie haben mich nach meiner Schwester Jane gefragt. Nach ihrem Alter und so weiter.«

»Sie dachten, ich sei an ihr interessiert.«

»Und, sind Sie?« Edward lächelt, um die grobe Frage abzumildern. »Sie ist noch nicht versprochen, wissen Sie.«

»Stellen Sie die Figuren auf«, sagt er. »Möchten Sie die Partie, wie sie stand, als ihre Gedanken abschweiften?«

Edward sieht ihn an, bedacht ausdruckslos. Unglaubliche Dinge werden mit Cromwells Gedächtnis verbunden. Er, Cromwell, lächelt in sich hinein. Mit ein wenig Raterei könnte er das Spiel wiederherstellen. Er kennt die Art, wie ein Mann wie Seymour spielt. »Lassen Sie uns neu beginnen«, schlägt er vor. »Die Welt bewegt sich voran. Sind Sie mit den italienischen Regeln einverstanden? Ich mag die Spiele nicht, die sich über eine ganze Woche hinziehen.«

Ihre Eröffnungen zeigen eine gewisse Kühnheit auf Edwards Seite. Doch dann lehnt sich Seymour, einen weißen Bauern zwischen den Fingerspitzen, auf seinem Stuhl zurück, legt die Stirn in Falten und verfällt auf den Gedanken, über den heiligen Augustinus zu sprechen, und vom heiligen Augustinus kommt er auf Martin Luther. »Das ist eine Lehre, die das Herz in Schrecken versetzt«, sagt er. »Dass Gott uns nur schafft, um uns zu verdammen. Dass seine armen Kreaturen, bis auf einige wenige, nur für den Kampf in dieser Welt und dann für das ewige Feuer geboren werden. Manchmal fürchte ich, es ist wahr. Aber ich habe Hoffnung, dass es nicht so ist.«

»Der dicke Martin hat seine Position geändert. Wenigstens habe ich es so gehört. Zu unserer Beruhigung.«

»Was, werden mehr von uns gerettet? Oder sind unsere guten Taten in Gottes Augen nicht völlig nutzlos?«

»Ich sollte nicht für ihn sprechen. Sie sollten Philipp Melanchthon lesen. Ich werde Ihnen sein neues Buch schicken. Ich hoffe, er wird uns hier in England besuchen. Wir reden mit seinen Leuten.«

Edward drückt den kleinen runden Kopf des Bauern an die Lippen. Es sieht aus, als wollte er damit gegen seine Zähne klopfen. »Wird der König das erlauben?«

»Bruder Martin selbst würde er nicht hereinlassen. Er mag es nicht, wenn sein Name erwähnt wird. Aber Philipp ist ein einfacherer Mann, und es wäre sehr gut für uns, eine Allianz mit deutschen Fürsten begründen zu können, die das Evangelium befürworten. Es würde dem Kaiser einen Schrecken versetzen, wenn wir Freunde und Verbündete in seinem eigenen Herrschaftsbereich hätten.«

»Darum allein geht es Ihnen?« Edwards Pferd springt über die Felder. »Diplomatie?«

»Ich schätze die Diplomatie. Sie ist billig.«

»Und doch heißt es, dass auch Sie das Evangelium lieben.«

»Das ist kein Geheimnis.« Er furcht die Stirn. »Wollen Sie das wirklich tun, Edward? Ich sehe einen Weg zu Ihrer Königin, und ich möchte Sie nicht wieder übervorteilen und Sie später sagen hören, ich hätte Ihnen Ihr Spiel mit Gerede über den Zustand Ihrer Seele verdorben.«

Ein schiefes Grinsen. »Und wie geht es Ihrer Königin dieser Tage?«

»Anne? Sie liegt quer mit mir. Wenn sie mich ansieht, spüre ich, wie mir der Kopf auf den Schultern wackelt. Sie hat gehört, dass ich ein, zwei Mal vorteilhaft über Katherine gesprochen habe, die frühere Königin.«

»Und, haben Sie?«

»Nur um ihre Tatkraft zu bewundern. Die, wie jeder zugeben muss, unerschütterlich bleibt in ihrem Ungemach. Zudem denkt die Königin, dass ich Prinzessin Mary zu wohlgesinnt bin, ich meine, Lady Mary, wie wir sie nun nennen sollten. Der König liebt seine ältere Tochter noch immer, er sagt, er könne es nicht ändern, und es bekümmert Anne, denn sie will, dass Prinzessin Elizabeth die einzige Tochter ist, die er kennt. Sie denkt, wir sind Mary gegenüber zu weichherzig und sollten sie zwingen, zuzugeben, dass ihre Mutter dem Gesetz nach nie mit dem König verheiratet war und sie selbst damit ein Bastard ist.«

Edward dreht den weißen Bauern zwischen den Fingern, sieht ihn zweifelnd an und stellt ihn zurück. »Aber ist das nicht der Stand der Dinge? Ich dachte, Sie hätten sich das schon anerkennen lassen.«

»Wir lösen das Problem, indem wir es nicht ansprechen. Sie weiß, sie ist von der Thronfolge ausgeschlossen, und ich denke, ich sollte sie nicht über einen gewissen Punkt hinaus drängen. Der Kaiser ist Katherines Neffe und Lady Marys Cousin, und ich versuche, ihn nicht zu provozieren. Karl hält uns in der Hand, verstehen Sie? Aber Anne sieht nicht die Notwendigkeit, Leute zu beschwichtigen. Sie denkt, wenn sie nett zu Henry ist, reicht das.«

»Während man zu Europa nett sein muss.« Edward lacht. Sein Lachen hat einen rostigen Klang. Seine Augen sagen: Sie sind sehr offen, Master Cromwell. Warum?

»Im Übrigen«, seine Finger schweben über dem schwarzen Pferd, »habe ich, seit mich der König zu seinem Vertreter in Kirchenfragen gemacht hat, in den Augen der Königin zu viel Macht. Sie hasst es, wenn Henry auf einen anderen als sie, ihren Bruder George oder den Monseigneur, ihren Vater, hört, wobei selbst ihr Vater mitunter sein Fett abbekommt und sie ihn eine Memme und einen Zeitverschwender nennt.«

»Wie nimmt er das auf?« Edward sieht aufs Brett. »Oh.«

»Sehen Sie genau hin«, drängt er. »Wollen Sie noch weiterspielen?«

»Ich gebe auf. Denke ich.« Ein Seufzen. »Ja. Ich gebe auf.«

Er, Cromwell, wischt die Figuren zur Seite und unterdrückt ein Gähnen. »Dabei habe ich Ihre Schwester Jane mit keinem Wort erwähnt, oder? Was haben Sie also jetzt für eine Entschuldigung?«

Als er nach oben kommt, sieht er Rafe und Gregory beim großen Fenster herumtollen. Sie springen und raufen, die Blicke auf etwas Unsichtbares zu ihren Füßen gerichtet. Erst denkt er, sie spielen Fußball ohne Ball. Aber sie springen wie Tänzer und treten mit der Hacke gegen das Ding, und er sieht, es ist ein daliegender Mann. Sie beugen sich hinunter, um den Ärmsten zu zwicken, zu stoßen und zu verdrehen. »Vorsicht«, sagt Gregory, »brich ihm noch nicht das Genick. Ich will ihn leiden sehen.«

Rafe hebt den Blick und tut, als wischte er sich die Stirn trocken. Gregory stützt sich mit den Händen auf den Knien ab, kommt wieder zu Atem und stößt das Opfer mit dem Fuß an. »Das ist Francis Weston; Sie denken, er hilft den König zu Bett zu bringen, dabei haben wir ihn in seiner Geisterform hier. Wir haben ihm aufgelauert und ihn mit einem Zaubernetz eingefangen.«

»Wir bestrafen ihn.« Rafe bückt sich. »Ho, Sir, tut's Ihnen leid?« Er spuckt in die Hände. »Was machen wir als Nächstes mit ihm, Gregory?«

»Heb ihn hoch, und aus dem Fenster mit ihm.«

»Vorsicht«, sagt er. »Der König mag Weston.«

»Dann mag er ihn auch mit plattem Kopf«, sagt Rafe, und die beiden raufen und schubsen sich gegenseitig weg, weil jeder der Erste sein will, der Francis platt trampelt. Rafe öffnet das Fenster, und sie holen Schwung und hieven den Geist auf die Fensterbank. Gregory schiebt ihn nach draußen, macht die Jacke los, die sich verfangen hat, und sie werfen ihn kopfüber aufs Pflaster. Sie sehen ihm hinterher. »Er springt hoch wie ein Stehaufmännchen«, beobachtet Rafe. Sie schlagen sich den Staub von den Händen und lächeln ihn an. »Er wünscht Ihnen eine gute Nacht, Sir«, sagt Rafe.

Später sitzt Gregory im Hemd auf dem Fußende des Bettes, das Haar wirr, die Schuhe von den Füßen getreten, und fährt mit einem Fuß gedankenverloren über die Bodenmatte. »Werde ich also verheiratet? Werde ich mit Jane Seymour verheiratet?«

»Anfang des Sommers hast du gedacht, ich wollte dich einer alten Matrone mit einem Wildpark verheiraten.« Die Leute ziehen Gregory auf: Rafe Sadler, Thomas Wriothesley und die anderen jungen Männer in seinem Haus; sein Cousin, Richard Cromwell.

»Ja, aber worüber haben Sie die ganze letzte Stunde mit ihrem Bruder geredet? Erst war es Schach und dann Gerede, Gerede, Gerede. Es heißt, Sie mochten Jane selbst einmal.«

»Wann?«

»Im letzten Jahr. Im letzten Jahr haben Sie Jane gemocht.«

»Wenn es so war, habe ich es vergessen.«

»Die Frau von George Boleyn hat es mir gesagt. Lady Rochford. Sie sagte: ›Sie könnten eine Stiefmutter aus Wolf Hall bekommen, was würden Sie davon halten?‹ Wenn Sie Jane also selbst mögen«, Gregory legt die Stirn in Falten, »heiratet sie besser nicht mich.«

»Denkst du, ich würde dir deine Braut stehlen? Wie der alte Sir John?«

Als sein Kopf auf dem Kissen liegt, sagt er: »Psst, Gregory.« Er schließt die Augen. Gregory ist ein guter Junge, wenn auch all das Latein, das er gelernt hat, und die klangvollen Sätze großer Autoren in seinen Kopf hinein- und gleich wieder hinausgerollt sind, Steinen gleich. Da denkt man an Thomas Mores Jungen: den Abkömmling eines Gelehrten, den ganz Europa bewunderte, und der arme John bringt kaum ein Vaterunser zustande. Gregory ist ein ausgezeichneter Bogenschütze, ein exzellenter Reiter, ein Held auf dem Turnierplatz, und auch an seinen Manieren ist nichts auszusetzen. Allen Höhergestellten gegenüber verhält er sich ehrerbietig, scharrt nicht mit den Füßen oder steht auf einem Bein, und mit den Menschen unter sich geht er gnädig und höflich um. Er weiß sich vor ausländischen Diplomaten nach deren Landessitte zu verneigen, sitzt ohne Zappeleien am Tisch, füttert beim Essen keine Spaniels und weiß ein Huhn zu zerlegen und aufzuschneiden, wenn er gebeten wird, die Älteren zu bedienen. Er hängt nicht krumm mit dem Arm in nur einem Ärmel da, starrt nicht in Fensterscheiben, um sich zu bewundern, glotzt nicht in der Kirche herum und unterbricht auch keine alten Männer und beendet ihre Geschichten für sie. Wenn einer niest, sagt er: »Gott sei mit Euch!«

Gregory hebt den Kopf. »Thomas More«, sagt er. »Die Geschworenen. War das wirklich so?«

Er hat die Geschichte des jungen Weston wiedererkannt: im weiteren Sinne, obwohl er den Einzelheiten nicht zustimmen kann. Er schließt die Augen. »Ich hatte keine Axt dabei«, sagt er.

Er ist müde. Er spricht mit Gott. Er sagt: Gott, führe mich. Manchmal, kurz vorm Einschlafen, huscht die mächtige purpurne Präsenz des Kardinals an seinem inneren Auge vorbei. Er wünschte, der Tote würde ihm weissagen, doch sein alter Förderer redet nur von häuslichen Angelegenheiten, von Arbeitsdingen. Wohin habe ich diesen Brief gelegt, Herzog von Norfolk?, fragt er den Kardinal, und am nächsten Tag, in der Frühe schon, fällt ihm der Umschlag in die Hand.

Er führt Selbstgespräche: nicht mit Wolsey, sondern mit George Boleyns Frau. »Ich hege keinerlei Wunsch zu heiraten. Ich habe keine Zeit. Mit meiner Frau war ich glücklich, aber Liz ist tot, und dieser Teil meines Lebens ist mit ihr gestorben. Wer in Gottes Namen gibt Ihnen, Lady Rochford, das Recht, über meine Absichten zu spekulieren? Ich habe keine Zeit, eine Frau zu umwerben. Ich bin fünfzig Jahre alt. In meinem Alter ist man bei langfristigen Verträgen der Verlierer. Wenn ich eine Frau will, miete ich sie am besten pro Stunde.«

Allerdings versucht er, nicht »in meinem Alter« zu sagen, nicht, wenn er wach ist. An guten Tagen glaubt er, dass ihm noch zwanzig Jahre bleiben. Oft denkt er, er wird Henry überleben, obwohl ihm solche Gedanken streng genommen nicht erlaubt sind. Es gibt ein Gesetz, dass alle Spekulationen darüber verbietet, wie lange der König leben wird, so erfindungsreich sich Henry sein Leben lang im Ausloten von Möglichkeiten, einen frühen Tod zu finden, gezeigt haben mag. Er hatte verschiedene Jagdunfälle, und als Jugendlicher nahm er trotz eines Verbots an Turnieren teil: Das Gesicht unter dem Helm versteckt, die Rüstung ohne Abzeichen, bewies er sich wieder und wieder gegen die stärksten Männer auf dem Platz. Im Kampf gegen die Franzosen hat er sich ausgezeichnet, und sein Charakter ist, wie er oft sagt, ein kriegerischer. Zweifellos wäre er als Henry, der Heldenhafte bekannt, aber Thomas Cromwell sagt, er kann sich keinen Krieg leisten. Dabei geht es nicht nur um die Kosten: Was wird aus England, wenn Henry stirbt? Zwanzig Jahre war er mit Katherine verheiratet, und in diesem Herbst werden es drei Jahre mit Anne; dennoch hat er nichts vorzuweisen als jeweils eine Tochter und einen Friedhof voller toter Babys, halb ausgebildet und in Blut getauft, einige lebend zur Welt gekommen, aber innerhalb von Stunden gestorben, von Tagen, höchstens Wochen. Der ganze Wirbel und die Unruhe, um die zweite Ehe möglich zu machen, und dennoch. Dennoch hat Henry keinen Sohn, der ihm nachfolgen könnte. Einen unehelichen Sohn hat er, den Herzog Harry von Richmond, einen strammen Sechzehnjährigen, doch was nützt ihm ein Bastard?

Was nützt ihm Annes Kind, die kleine Elizabeth? Eine besondere Regelung müsste geschaffen werden, damit Harry von Richmond regieren kann, falls seinem Vater etwas Schlimmes widerfahren sollte. Er, Thomas Cromwell, versteht sich sehr gut mit dem jungen Herzog, aber diese Dynastie, noch so jung auf dem Thron, ist nicht sicher genug, um einen solchen Verlauf zu überleben. Einst waren die Plantagenets die Könige, und sie wollen die Krone zurück, sie denken, die Tudors sind ein Zwischenspiel. Auch die alten englischen Familien scharren mit den Hufen und sind bereit, ihre Ansprüche anzumelden, besonders seit Henry mit Rom gebrochen hat. Sie beugen das Knie, schmieden jedoch ihre Ränke. Fast kann er sie hören, versteckt zwischen den Bäumen.

Sie könnten eine Braut im Wald finden, hat der alte Seymour gesagt. Als er die Augen schließt, steigt sie hinter seinen Lidern auf, mit Spinnweben verschleiert und nass von Tau. Ihre Füße sind nackt und in Wurzeln verfangen, das Federhaar fliegt in die Äste. Ihr lockender Finger ist ein gebogenes Blatt. Sie deutet auf ihn, als ihn der Schlaf übermannt. Seine innere Stimme macht sich über ihn lustig: Du dachtest, du würdest in Wolf Hall ausspannen können. Du dachtest, bis auf die gewohnten Angelegenheiten sei hier nichts von Belang, bis auf Krieg und Frieden, Hunger und verräterische Mitwisserschaft, bis auf den Ernteausfall, ein stures Volk, die Pest in London und einen König, der im Spiel sein Hemd verliert. Darauf warst du vorbereitet.

Am Rande seiner inneren Wahrnehmung, hinter den geschlossenen Augen, spürt er, wie etwas entsteht. Mit dem Licht des Morgens wird es kommen, etwas, was sich bewegt und atmet und dessen Gestalt von einem Wäldchen oder Hain verborgen wird.

Bevor er einschläft, stellt er sich den Hut des Königs auf einem mitternächtlichen Baum vor. Wie ein Paradiesvogel sitzt er da.

Am nächsten Tag verkürzen sie, um die Damen nicht zu ermüden, den Tagessport und kehren früh nach Wolf Hall zurück.

Ihm bietet das die Möglichkeit, seine Reitsachen abzulegen und sich um die Depeschen zu kümmern. Er hofft, dass sich der König für eine Stunde mit ihm zusammensetzen und sich anhören wird, was er ihm mitzuteilen hat. Aber Henry sagt: »Lady Jane, würden Sie mit mir einen Spaziergang durch den Garten machen?«

Sie ist sogleich auf den Beinen, furcht jedoch die Stirn, als versuche sie, sein Ansinnen zu verstehen. Ihre Lippen bewegen sich, und fast wiederholt sie seine Worte: einen Spaziergang … Jane? … durch den Garten?

Oh, ja, natürlich, welche Ehre. Ihre Hand, ein Blütenblatt, schwebt über seinem Ärmel, senkt sich, und Fleisch berührt Stickerei.

Wolf Hall hat drei Gärten, sie werden »der große umzäunte Garten«, »der Garten der alten Lady« und »der Garten der jungen Lady« genannt. Als er fragt, wer die beiden waren, erinnert sich niemand: Die alte und die junge Lady sind vor langer Zeit begraben worden, und es herrscht kein Unterschied mehr zwischen ihnen. Er denkt an seinen Traum: die Braut aus Wurzelfasern, die Braut aus Moder.

Er liest. Er schreibt. Etwas zerrt an seiner Aufmerksamkeit. Er steht auf und sieht durch das Fenster auf die Wege unten. Die Scheiben sind klein, und im Glas ist ein Flattern, sodass er den Hals recken muss, um besser sehen zu können. Er denkt: Ich könnte meinen Glaser schicken und den Seymours zu einem klareren Blick auf die Welt verhelfen. Er hat einen Trupp Holländer, der auf seinen verschiedenen Besitzungen für ihn arbeitet. Früher standen sie in Diensten des Kardinals.

Henry und Jane gehen unten entlang. Henry ist von massiger Gestalt, Jane daneben eine kleine Gliederpuppe, ihr Kopf reicht dem König nicht einmal bis zur Schulter. Henry ist so groß und breit, dass er jeden Raum dominiert. Das wäre auch so, wenn Gott ihm das Geschenk des Königtums nicht gemacht hätte.

Jetzt ist Jane hinter einem Busch. Henry nickt ihr zu, er spricht zu ihr. Er redet ihr etwas ein, und er, Cromwell, kratzt sich am Kinn: Wird der Kopf des Königs größer? Ist das möglich, mitten im Leben?

Hans wird es aufgefallen sein, denkt er. Ich werde ihn fragen, wenn ich nach London zurückkomme. Wahrscheinlich täusche ich mich, und es ist nur das Glas.

Wolken ziehen auf. Ein schwerer Regentropfen schlägt gegen die Scheibe; er blinzelt. Der Tropfen breitet sich aus, weiter, rinnt gegen die Einfassung. Jane hüpft zurück in seinen Blick. Henry hält ihre Hand auf seinem Arm fest, hat sie mit der anderen Hand im Griff. Er kann sehen, wie sich der Mund des Königs immer noch bewegt.

Er setzt sich. Er liest, dass die Arbeiter beim Befestigungsbau von Calais die Werkzeuge niedergelegt haben und einen Sixpence pro Tag fordern. Dass sein grüner Samtmantel mit dem nächsten Kurier nach Wiltshire kommt und ein Medici-Kardinal vom eigenen Bruder vergiftet wurde. Er gähnt. Hamsterer treiben auf der Isle of Thanet den Getreidepreis in die Höhe. Er persönlich würde die Hamsterer aufhängen, aber ihr Anführer könnte irgendein kleiner Lord sein, der Hunger sät, um Gewinn zu machen, und da gilt es, vorsichtig zu sein. Vor zwei Jahren in Southwark wurden sieben Londoner beim Kampf um eine Brotgabe erdrückt. Es ist eine Schande für England, dass Untertanen des Königs hungern. Er nimmt seine Feder und macht sich eine Notiz.

Bald darauf – es ist kein großes Haus, und man kann alles hören – geht unten die Tür, die Stimme des Königs ist zu vernehmen und ein summendes Werben um ihn … Nasse Füße, Majestät? Henrys schwere Schritte kommen näher, aber Jane scheint geräuschlos dahingeschmolzen zu sein. Fraglos haben ihre Mutter und ihre Schwestern sie gleich beiseite genommen, um zu hören, was der König gesagt hat.

Als Henry hinter ihm hereinkommt, schiebt er den Stuhl zurück, um aufzustehen. Henry winkt ab: Machen Sie weiter. »Majestät, die Moskauer haben dreihundert Meilen polnisches Gebiet eingenommen. Es heißt, fünfzigtausend Mann sind tot.«

»Oh«, sagte Henry.

»Ich hoffe, sie verschonen die Bibliotheken. Die Gelehrten. Es gibt sehr gelehrte Leute in Polen.«

»Hmm. Das hoffe ich auch.«

Er kehrt zu den Depeschen zurück. Die Pest überall im Land … der König hat immer große Angst vor einer Ansteckung … Briefe von ausländischen Herrschern, die wissen wollen, ob es stimmt, dass Henry vorhat, allen Bischöfen die Köpfe abzuschlagen. Sicher nicht, schreibt er, wir haben ausgezeichnete Bischöfe, die alle mit den Wünschen des Königs übereinstimmen und ihn als Oberhaupt der Kirche von England anerkennen. Was für eine grobe Frage im Übrigen! Wie können die es wagen, anzudeuten, der König von England solle einer ausländischen Macht gegenüber Rechenschaft ablegen? Wie können die es wagen, sein souveränes Urteil anzuzweifeln? Bischof Fisher ist tot, das stimmt, und auch Thomas More, aber Henry hat beide, bis sie ihn zum Äußersten trieben, fast schon sträflich milde behandelt. Hätten sie keine verräterische Sturheit bewiesen, würden sie heute noch leben, leben wie du und ich.

Er hat viele solcher Briefe geschrieben seit Juli. Er klingt nicht völlig überzeugend, nicht einmal für sich selbst. Er sieht, wie er die gleichen Punkte immer aufs Neue wiederholt, statt den Streit auf ein neues Terrain zu bringen. Er braucht neue Formulierungen … Henry stapft hinter ihm herum. »Majestät, der kaiserliche Botschafter Chapuys fragt nach, ob er aufs Land reiten und Ihre Tochter besuchen darf, Lady Mary?«

»Nein«, sagt Henry.

Er schreibt Chapuys: *Warten Sie, warten Sie, bis ich wieder in London bin und wir alles arrangieren …*

Kein Wort vom König: nur Atmen, Schritte und das Knarzen eines Schranks, gegen den er sich lehnt.

»Majestät, ich höre, dass der Lord Mayor von London kaum sein Haus verlässt, so sehr leidet er unter seiner Migräne.«

»Hmm?«, sagt Henry.

»Sie lassen ihn zur Ader. Würde Ihre Majestät dazu raten?«

Eine Pause. Henry konzentriert sich mit einiger Anstrengung auf ihn. »Ihn zur Ader lassen, Entschuldigung, weswegen?«

Das ist merkwürdig. Sosehr er Nachrichten von der Pest hasst, genießt Henry es doch, von den kleineren Leiden anderer Leute zu hören.

Gib zu, dass du einen Schnupfen oder eine Kolik hast, und er mischt dir persönlich einen Kräutertrank und sieht zu, wie du ihn trinkst.

Er legt die Feder zur Seite. Dreht sich, um den König anzusehen. Es ist klar, dass Henry mit den Gedanken noch im Garten ist. Der König trägt einen Ausdruck auf dem Gesicht, den er, Cromwell, schon gesehen hat, bei Tieren, nicht bei Menschen. Henry wirkt benommen wie ein Kalb, das vom Metzger einen Schlag auf den Kopf bekommen hat.

Es soll ihre letzte Nacht in Wolf Hall sein. Er kommt sehr früh nach unten, den Arm voller Papiere. Jemand war noch früher als er. Stocksteif steht sie in der großen Diele, ein blasser Umriss im milchigen Licht, Jane Seymour in ihrem steifen Putz. Sie dreht nicht den Kopf, um ihn zu grüßen, sondern sieht ihn nur aus dem Augenwinkel an.

Sollte er Gefühle für sie gehabt haben, kann er keine Spur mehr davon finden. Die Monate fliegen dahin wie Herbstblätter, die auf den Winter zujagen. Der Sommer ist vorbei, Thomas Mores Tochter hat den Kopf des Getöteten von der London Bridge geholt, bewahrt ihn auf, Gott weiß wo, in einer Schüssel oder einem Becken, und betet zu ihm. Er ist nicht der Mann, der er im letzten Jahr war, und er bestätigt die Gefühle dieses Mannes nicht. Er fängt neu an, hat neue Gedanken, neue Gefühle. Jane, beginnt er, Sie werden Ihr bestes Kleid wieder ausziehen können. Werden Sie glücklich sein, uns weiterziehen zu sehen …?

Jane blickt nach vorn, wie eine Wache. Die Wolken sind über Nacht davongeweht worden. Wir könnten einen weiteren schönen Tag bekommen. Die frühe Sonne berührt die Felder, rosig. Nächtlicher Dunst löst sich auf. Die Formen der Bäume festigen sich schwimmend in ihren Einzelheiten. Das Haus erwacht. Im Freien stehende Pferde scharren und wiehern. Hinten schlägt eine Tür. Über ihnen knarren Schritte. Jane scheint kaum zu atmen. Kein Heben und Senken ihrer flachen Brust ist erkennbar. Er hat das Gefühl, er sollte rückwärts gehen, sich zurückziehen, zurück in die Nacht verschwinden und ihr den Moment überlassen, den sie beherrscht: den Blick hinaus nach England gerichtet.